Y BEIBL CYMRAEG NEWYDD

# Y TESTAMENT NEWYDD

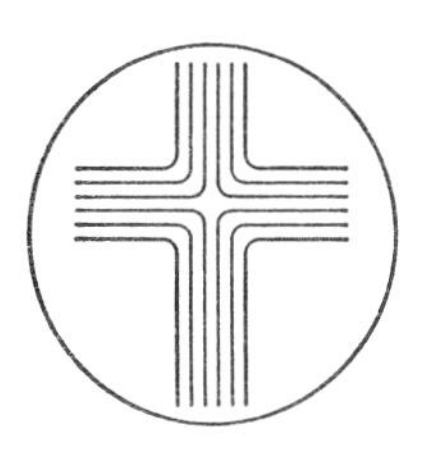

LLUNDAIN

Y GYMDEITHAS FEIBLAIDD FRYTANAIDD A THRAMOR

146 QUEEN VICTORIA STREET EC4V 4BX

# Y TESTAMENT NEWYDD
# YN GYMRAEG

(New Testament in Welsh)



*Gosodwyd gan y Cambrian News Cyf., Aberystwyth*

BFBS-1975(3)-15M-NW263 ISBN 0 564 03631 5

# RHAGAIR

Cyflwynwn yn awr y cyfieithiad hwn o'r Testament Newydd i'r Eglwysi a'n penododd ac i'n cyd-Gymry yn gyffredinol, gan ddeisyf iddo fod yn gyfrwng i genhadaeth Duw yn y Gymru gyfoes.

Yn gynnar yn 1961 daeth gwahoddiad o Gyngor Eglwysi Cymru i'r Eglwysi a berthyn iddo i sefydlu Cydbwyllgor er mwyn trefnu paratoi a chyhoeddi cyfieithiad newydd o'r Beibl cyflawn i Gymraeg. Derbyniwyd y gwahoddiad gan yr Eglwys yng Nghymru, Eglwys Bresbyteraidd Cymru, yr Eglwys Fethodistaidd, Undeb yr Annibynwyr ac Undeb y Bedyddwyr; a phenodwyd cynrychiolwyr gan yr Eglwys Gatholig Rufeinig hithau. Pan gyfarfu'r Cydbwyllgor am y tro cyntaf yn Rhagfyr y flwyddyn honno, penodwyd yn Gyfarwyddwr ar y gwaith y diweddar Barchedig Brifathro W. R. Williams, prif ysgogydd y penderfyniad gwreiddiol yng Nghyngor Eglwysi Cymru.

Oherwydd gwaeledd y Cyfarwyddwr, araf fu'r datblygiadau hyd Ionawr 1963. Ar ei farwolaeth ef, cydsyniodd y Parchedig Athro Bleddyn Jones Roberts i ddod yn Gyfarwyddwr. Sefydlwyd Panel yr Hen Destament dan ei oruchwyliaeth ef, Panel y Testament Newydd dan ofal y Parchedig Owen E. Evans a Phanel Llenyddol dan gadeiryddiaeth y Prifathro Dr. Thomas Parry.

Dymuna'r Cydbwyllgor ddatgan ei ddiolch a'i ddyled fawr i'r Cyfarwyddwr, y Cadeiryddion a'r holl ysgolheigion a gyfranodd eu hamser a'u galluoedd mor hael ac yn gwbl ddi-dâl er mwyn cyflawni'r gwaith. Yn arbennig, yr ydym yn sylweddoli mor ffodus fuom fod ysgolhaig mor llawn a phrofiadol â'r Dr. Bleddyn Jones Roberts yn arweinydd i'r fentr. Gorfu iddo bellach ymddiswyddo er lles ei iechyd, ac fe'i dilynir fel Cyfarwyddwr gan y Parchedig Owen E. Evans.

Cydnabyddwn yn ddiolchgar y cymorth ariannol a gafwyd at gostau'r cyfieithu gan Ymddiriedolaeth Catherine a'r Fonesig Grace James, gan Gynghorau Sir Brycheiniog, Caerfyrddin, Caernarfon, Ceredigion, Dinbych, y Fflint, Meirionnydd, Môn, Morgannwg, Mynwy, Penfro, Trefaldwyn, a chan Gyngor Merthyr Tudful.

## RHAGAIR

Testun llawenydd i'r Cydbwyllgor yw bod Cymdeithas y Beiblau wedi parhau ei hen gysylltiad â Chymru drwy gyhoeddi drosom; ac yr ydym yn diolch i'w swyddogion am eu cymorth cyson ac i'r argraffwyr Cymreig am eu gofal hwythau. Diolchwn hefyd am y cyfraniadau a dderbyniwyd at gostau'r argraffu gan ein Heglwysi, ac Ymddiriedolaeth Catherine a'r Fonesig Grace James, a'r Cynghorau Sir, yn ogystal â chan unigolion a anfonodd roddion ar ôl clywed am y gwaith. Mae'n dyled yn fawr i'r Trysoryddion am eu gofal hwythau—y diweddar Ddr. T. I. Ellis a Mr. Edward Rees.

Mentrwn obeithio y gellir dathlu Pedwar-Canmlwyddiant Beibl yr Esgob William Morgan drwy gyhoeddi'r Beibl cyflawn, gan gynnwys yr Apocryffa, yn 1988. Yn y cyfamser, bydd y Cydbwyllgor yn ddiolchgar am unrhyw sylwadau ar y cyfieithiad hwn o'r Testament Newydd, ac fe gymerir y sylwadau a dderbynnir i ystyriaeth wrth ddiwygio'r Testament Newydd ar gyfer cyhoeddi'r Beibl cyflawn.

Ar ran y Cydbwyllgor,

GWILYM CAMBRENSIS
(Cadeirydd)

GRIFFITH T. ROBERTS
(Ysgrifennydd)

# CYNNWYS

# RHAGARWEINIAD

Y MAE cyfieithu'r Ysgrythurau yn gyfoed, bron, â'r Eglwys Gristionogol ei hun. Troswyd geiriau Iesu o Aramaeg Palesteina i Roeg amrywiol bobloedd dwyrain yr Ymerodraeth Rufeinig gan y genhedlaeth gyntaf o Gristionogion. Ymhen ychydig ganrifoedd, wrth i'r genhadaeth ymledu i blith pobloedd na fedrent Roeg, cafwyd ganddi fersiynau o'r Ysgrythurau yn Lladin y Gorllewin, yn y Gopteg, y Syrieg, yr Armeneg, yr Ethiopeg a hyd yn oed yng Ngotheg yr herwyr o'r Gogledd. Symbyliad y cyfieithu hwn, yn ddi-os, oedd yr argyhoeddiad y peidiai Cristionogaeth â bod yr hyn ydoedd oni ellid gafael ynddi â'r deall. Ond y mae'r hanes yn wahanol yn achos Eglwys Ladin y Gorllewin. Yn ei hamgylchiadau arbennig hi wedi cwymp yr Ymerodraeth Rufeinig, daeth yn rheidrwydd arni ddal ei gafael yn ddiollwng ar y Lladin, ei hunig gyswllt â'i gorffennol, a'i hunig amddiffyn rhag y farbariaeth a'r baganiaeth oedd yn ei bygwth ar bob llaw. Yr argyfwng hanesyddol hwn, yn ddiau, a roes fod i'r ddogma ddiweddarach mai dirgelwch sanctaidd oedd yr Ysgrythurau a bod yn rhaid wrth y Lladin i'w gadw a'i warchod. Heb ddysg a heb ras arbennig urddau eglwysig nid oedd hawl dynesu ato, "rhag i berlau Crist gael eu sarhau". Ond cyn diwedd yr Oesoedd Canol cododd mudiadau a fynnai dorri drwy gloddiau amddiffynnol yr Eglwys, a chael yr Ysgrythurau i'w dwylo eu hunain yn eu hiaith eu hunain. Ni bu gan y mudiadau hyn nemor ddim dylanwad ar Gymru yn uniongyrchol, ond yn anuniongyrchol y maent wedi gadael eu hôl yn gwbl eglur, oherwydd rhan o ymateb cyffredinol yr Eglwys Ladin iddynt hwy yw'r corff sylweddol hwnnw o lenyddiaeth grefyddol Gymraeg a gynhyrchwyd yng nghanrifoedd olaf yr Oesoedd Canol. Cyfieithiadau yw'r cwbl, bron, o'r gweithiau hyn, ac y maent yn cynnwys cyfieithiadau o ddarnau o'r Ysgrythurau Lladin. Y mae'r crynodeb o hanes yr Hen Destament a adweinir fel *Y Bibyl Ynghymraec* yn cynnwys Gen. i-ii. 2, 21-3. Ceir wyth salm ar hugain, heblaw ychydig adnodau o'r Testament Newydd a'r Apocryffa, yn *Gwassanaeth Meir*. Yn y gwahanol draethodynnau sydd wedi eu casglu yn *Llyfr yr Ancr* (ac mewn llawysgrifau eraill) ceir adnodau cyntaf Efengyl Ioan, Gweddi'r Arglwydd, y Gwynfydau a'r Deg Gorchymyn. Y mae *Llyfr yr Ancr* yn cynnwys hefyd draethawd diwinyddol a elwir *Hystoria Lucidar* ac y mae yn hwn ryw gant a hanner o adnodau o'r Hen Destament a'r Newydd. Math. xxvi. 1-xxviii. 7 yw testun *Y Grogligh.* Ac y mae *Y Seint Greal*, sydd yn gyfieithiad o'r Ffrangeg, yn cynnwys rhai damhegion ac adnodau o'r Testament Newydd. Yn ôl pob tebyg ni fwriadwyd yr un o'r darnau hyn ar gyfer gwasanaethau'r Eglwys. Eu swydd oedd diddanu'r lleygwr llythrennog a'i dywys yn ei ddefosiwn preifat, neu fod yn ddeunydd yn llaw'r offeiriad i holwyddori a goleuo pobl ei ofal a'u cadw rhag heresi. Unig "Ysgrythur" yr Egwys Ladin oedd y fersiwn Lladin, y Fwlgat fel y'i gelwid.

Ond yn yr unfed ganrif ar bymtheg daeth tro ar fyd. Yng ngrym cyffroadau mawr y ganrif honno—dadeni dysg, diwygio crefydd, deffro cenedlaethol—troes gwŷr blaengar dysg a chrefydd oddi wrth y Fwlgat at destunau gwreiddiol yr Ysgrythurau yn yr Hebraeg a'r Roeg. Ymroesant i'w cyfieithu o'r newydd i'r Lladin, ac am y tro cyntaf i ieithoedd brodorol Ewrop, a hefyd i'w taenu ar led, yn destunau a fersiynau, gyda chymorth rhyfeddol dyfais newydd y wasg argraffu. Yn ffodus, yr oedd yng Nghymru wŷr a allai amgyffred amcanion a dulliau'r ysgolheigion a'r diwygwyr hyn, gwŷr a feddai'r ddysg a'r sêl a'r dygnwch i ddilyn y llwybrau newydd i ben y daith.

Gwelir yr arwydd cyntaf o'r newid yng Nghymru yn y cyfieithiad hwnnw o ychydig ddarnau o'r Efengylau sydd wedi ei gadw yn Llawysgrif Hafod 22. Ond gan mor fychan yw'r deunydd hwn ac anghelfydd y cyfieithu, ei unig arwyddocâd yw ei fod yn dangos maint ac anhawster y dasg oedd yn aros y neb a fynnai drosi'r Ysgrythurau i'r Gymraeg. Ond yr oedd yng Nghymru y pryd hwnnw ŵr yr oedd ei weledigaeth a'i fedr yn gyfartal â'r gofyn, sef William Salesbury o Lansannan a Llanrwst. Fe'i ganwyd ca. 1520, a'i fagu yn Gymro uniaith mewn ardal ddihafal ei thraddodiad llenyddol. Cafodd ei addysg prifysgol yn Rhydychen, ac yno daeth i afael y mudiadau hynny oedd yn trawsnewid Gorllewin Ewrop, a'i argyhoeddi mai ei waith ef fyddai troi'r grymusterau hyn i adnewyddu dysg a chrefydd ymhlith ei bobl ei hun. Yn dilyn ei waith ar yr iaith Gymraeg, cyhoeddodd yn 1551 ei gyfieithiad o "Epistolau ac Efengylau" y Llyfr Gweddi Gyffredin dan y teitl *Kynniver llith a ban.* Amcan Salesbury yn y gyfrol hon oedd darparu fersiwn Cymraeg a allai, ar gyfrif ffyddlondeb y cyfieithu ac arucheledd y mynegiant, gymryd lle'r fersiwn Lladin (neu Saesneg) yng ngwasanaeth y Cymun, a thrwy hynny ddechrau'r gwaith o gymreigio holl wasanaethau'r Eglwys. I sicrhau'r cywirdeb yr amcanai ato, y mae'n amlwg iddo drosi'r Groeg yn nulliau Luther a Tyndale gan dynnu'n helaeth ar fersiwn Lladin Erasmus, ac ar fersiwn Saesneg Coverdale yn y "Beibl Mawr" fel y ceid hwnnw yn Llyfr Gweddi Gyffredin 1549. Y mae'n eglur hefyd iddo geisio ennill i Gymraeg ei gyfrol yr urddas a'r cyfoeth mynegiant y credai fod yr Ysgrythurau Sanctaidd yn eu hawlio: adferodd eiriau ac ymadroddion hynafol; lluniodd ffurfiadau Cymraeg newydd ar batrwm eu cynsail clasurol; rhoes y flaenoriaeth yn gyson i eiriau a fyddai yn dangos perthynas y Gymraeg â'r Lladin; yn addurn ar y cwbl dyfeisiodd orgraff doreithiog ei hamrywiadau a Lladinaidd a hynafol yr olwg.

Llugoer fu'r croeso i *Kynniver llith a ban*, ac ymhen blwyddyn neu ddwy ar ôl ei gyhoeddi yr oedd Mari Tudur wedi esgyn i'r orsedd a dechrau ei hymdrech ddidostur i adfer y ffydd Gatholig. Yn ystod ei theyrnasiad hi, bu'n rhaid celu pob bwriad ynglŷn â chyfieithu'r Ysgrythurau, ond gydag esgyniad Elisabeth, a'r atrefnu eglwysig a gododd Richard Davies yn esgob Llanelwy (1560), daeth cyfle i Salesbury a'i gyfeillion ailafael yn eu hymgyrch i gael yr Ysgrythurau a gwasanaethau'r Eglwys yn Gymraeg. Yr oedd yr esgob newydd yn sicr o'u plaid. Yr oedd ef wedi ei fagu yn Nyffryn Conwy a'i addysgu yn Rhydychen; wedi cael bywoliaeth yn sir Buckingham a'i cholli o achos ei ddaliadau Protestannaidd; wedi bod yn alltud yn Frankfort ac ymgyfathrachu yno â rhai o ddiwygwyr blaenaf Lloegr a'r Cyfandir, ac nid yw'n amhosibl iddo dreulio peth amser yn Genefa, ac ymddiddori, nid yn unig yn yr astudiaethau Beiblaidd a'r cyfieithu oedd ar waith yno dan arweiniad John Calfin a Beza, ond hefyd yn llafur y cwmni alltud o Saeson oedd wrthi'n paratoi'r fersiwn Saesneg a ddaeth i'w adnabod fel "Beibl Genefa". Wedi dychwelyd i Gymru ni allai na welai'r gŵr hwn fod cael yr Ysgrythurau yn Gymraeg yn amod cyntaf sefydlu "eglwys cywair-grefydd" yng Nghymru. Ymroes i gael gan y Senedd awdurdodi cyfieithiad, ac yn 1563 tywysodd ef a'i gyfaill Humphrey Lhuyd fesur drwy'r Senedd yn deddfu bod i'r esgobion oedd â Chymry yn eu gofal drefnu "i'r Beibl cyfan, gan gynnwys yr Hen Destament a'r Newydd, ynghyd â'r Llyfr Gweddi Gyffredin a Gweinyddiad y Sacramentau, fel y mae ar arfer oddi mewn i'r Deyrnas hon yn Saesneg, gael ei gyfieithu gyda chywirdeb manwl." Ar Richard Davies ei hun, ac yntau erbyn hyn yn esgob Tyddewi, y gosodwyd y cyfrifoldeb o gyflawni gofynion yr Act, ac y mae'n ymddangos, oddi wrth y trosiad o'i eiddo o 1 a 2 Timotheus, Titus a Philemon a welir yn Llawysgrif Gwysane, iddo ddechrau ar y gwaith yn ddiymdroi trwy gyfieithu'r Beibl Saesneg. Ond oherwydd baich ei ofalon, a'i ymrwymiad i drosi rhai o lyfrau'r Hen

Destament ar gyfer fersiwn Saesneg newydd ("Beibl yr Esgobion"), y mae'n bur debyg i'r esgob, yn gynnar yn 1564, wahodd Salesbury ato i Abergwili a throsglwyddo iddo ef y rhan fwyaf o'r cyfieithu, ynghyd â goruchwyliaeth yr holl waith.

Daeth y Llyfr Gweddi, sy'n cynnwys wrth gwrs y Sallwyr a'r "Epistolau ac Efengylau", o'r wasg fis Mai 1567, a'r Testament Newydd fis Hydref. Ceir mai Thomas Huet, deon Tyddewi, a gyfieithodd Lyfr y Datguddiad, mai'r Esgob Davies a gyfieithodd 1 Timotheus, yr Hebreaid, Iago a 1 a 2 Pedr, ac mai Salesbury fu'n gyfrifol am y gweddill o'r Testament Newydd, a hefyd am y Llyfr Gweddi. O gymharu fersiwn Salesbury yn 1567 â'i fersiwn yn 1551 gwelir dau wahaniaeth: y mae dull lliwgar Luther a Tyndale o gyfieithu wedi ei ddisodli gan ddull llythrennol a manwl gywir Beibl Genefa, ac y mae lle fersiwn Erasmus a'r Beibl Mawr fel cynorthwyon i ddehongli'r Groeg wedi ei gymryd gan fersiwn Lladin Beza (1556) a Beibl Genefa. Ond ymhob dim arall y mae Salesbury yn 1567 yn atgynhyrchu nodweddion *Kynniver llith a ban*: y mae'n dal i arfer geiriau ac ymadroddion hynafol, i lunio ffurfiadau newydd, i ddewis geiriau Lladinaidd eu naws ac i addurno'r cyfan ag orgraff Ladinaidd, hynafol, anseinegol. Y mae Richard Davies, yn ei gyfran ef, yn dilyn Salesbury yn ei ddull "gair am air" o gyfieithu ac yn ei ymddiriedaeth yn fersiwn Beza a Beibl Genefa fel cynorthwyon. Fel Salesbury hefyd, y mae'n ceisio amrywiaeth mewn mynegiant, ond ni cheir ganddo nemor ddim o ddyfeisiadau Salesbury er sicrhau urddas ymadrodd. Y mae'n rhoi'r flaenoriaeth yn gyson, nid i addurniadau llenyddol y Dadeni, ond i'r eglurder oedd yn anhepgor i lwyddiant Protestaniaeth yng Nghymru. Y mae'n bur debyg mai'r gwrthdaro hwn oedd craidd yr anghydfod rhwng Salesbury a Davies a'u cadwodd rhag mynd rhagddynt a chwblhau fersiwn o'r Beibl cyfan. Y mae i gyfran Huet, hithau, ei harbenigrwydd. Lle mynnodd Salesbury a Davies ddwyn eu cyfieithiadau hwy at faen prawf y Groeg gwreiddiol, y mae achos i amau a wnaeth Huet hynny. Y mae'n amlwg iddo ef amcanu nid at gywirdeb manwl ond at drosi llyfn ac esmwyth. Ni roes le chwaith i addurniadau llenyddol ac orgraffyddol Salesbury, ond ei gadw ei hun i'r iaith fyw, a'i chyfleu mewn orgraff hollol seinegol. Canlyniad hynny yw bod ei waith yn frith o hynodion tafodieithol, dieithr i bawb ond brodorion Dyfed. Y mae i bob dull o gyfieithu ei beryglon a'i ddiffygion.

Fel y sylwyd, ni allodd yr Esgob Davies a Salesbury gwblhau gofynion Act 1563. Ond fe ddichon i'r Esgob weld gobaith dwyn y bwriad i ben pan benododd William Morgan, brodor o blwyf Penmachno ac ysgolhaig o Gaergrawnt, yn ficer Llanbadarn Fawr yn 1572. Efallai, yn wir, mai ef a argyhoeddodd Morgan fod "cyfieithiad o weddill yr Ysgrythurau yn anghenraid". Ond daeth Morgan, o'i brofiad ei hun fel offeiriad yn Llanbadarn Fawr, yn y Trallwng ac yn Llanrhaeadr-ym-Mochnant, i sylweddoli "mai aros yn guddiedig ac anhysbys y bydd crefydd, oni ddysgir hi yn iaith y bobl". Dyma'n ddiau a'i cymhellodd i ymgymryd â'r dasg oedd ar ôl, a'i dwyn i gyflawniad gogoneddus ym Meibl 1588. Yng "Nghyflwyniad" y Beibl hwnnw gall ddweud, "Yr wyf yn awr nid yn unig wedi cyfieithu'r cwbl o'r Hen Destament ond hefyd wedi glanhau'r Newydd o'r dull gwallus hwnnw o ysgrifennu a'i nodweddai ymhobman." Y mae Morgan yn cydnabod cywirdeb Testament 1567 fel fersiwn. Prin, yn wir, yw'r gwelliannau sydd ganddo ar y cyfieithu, a'r rheini, gan amlaf, wedi eu cymryd o destun Groeg a fersiwn Lladin 1582 Beza. Ond yr oedd Morgan yn ymwybodol fod i Destament 1567 rai elfennau oedd yn ei rwystro rhag cael effaith cymesur â champ ddigamsyniol ei gyfieithu. Yn ei dyb ef, dieithrio'r Ysgrythurau, nid eu hagor, yr oedd addurniadau llenyddol ac orgraffyddol Salesbury. A symud rhwystr y dieithrwch fu nod ei ddiwygio. Amcanodd ato trwy docio amrywiaeth y mynegiant, trwy gael iaith gyfoes, gyfarwydd a Chymroaidd yn lle'r hen a'r ddieithr a'r Lladinaidd, a thrwy gysoni, safoni a diweddaru'r orgraff. Ond nid fersiwn Beibl 1588 yw terfyn cyfraniad Morgan i hanes y Testament Newydd Cymraeg. Ymhlith y defnyddiau a oedd gan y cyhoeddwr Thomas Salisbury yn barod i'w hargraffu yn 1603 yr oedd "Testament Newydd yn Gymraeg wedi ei ailddiwygio gan y Parchedig Dad, Esgob Elwy". Yn anffodus, yn anhrefn ffoi o Lundain rhag pla, collodd Salisbury lawysgrif y fersiwn newydd, ac ni chafodd Cymru Destament diwygiedig Morgan. Ond, oni wnaeth ddau fersiwn diwygiedig yn yr un blynyddoedd, y mae rhannau helaeth o destun diwygiedig Morgan ar gael o hyd yn "Epistolau ac Efengylau" Llyfr Gweddi Gyffredin 1599. Fe'i nodweddir gan gais cyson am gysondeb llwyrach ac am gywirdeb manylach yn y cyfieithu, a chan ddefnydd pur helaeth o "Feibl yr Esgobion", y Beibl a oedd ar arfer, bellach, yn yr eglwysi Saesneg.

Yr oedd William Morgan, erbyn hyn, wedi ei ddyrchafu'n esgob, ac yr oedd ganddo wrth ei ochr yn Llandaf, ac yna yn Llanelwy, ysgolhaig o Goleg Iesu Rhydychen, brodor o blwyf Llanferres, sir Ddinbych. Y mae'n bur debyg i'r Esgob drosglwyddo peth o'r gwaith o ddiwygio'r Llyfr Gweddi a'r Testament Newydd i'r gŵr hwn, y Dr. John Davies, Mallwyd, fel y'i hadweinir yn ddiweddarach. Yr oedd bwriad Morgan i ddiwygio Testament Beibl 1588 a'i ddulliau o wneud hynny, felly, yn gwbl hysbys i John Davies, ac nis anghofiodd ar ôl i'r Esgob farw (1604) ac iddo yntau gael ei benodi yn gaplan i'w olynydd, yr Esgob Richard Parry. A chyda chyhoeddi'r fersiwn Saesneg "awdurdodedig" yn 1611, daeth ysgogiad pellach i ystyried diwygio Beibl 1588 "a gwneud i'r fersiwn Cymraeg yr hyn sydd wedi ei wneud i'r fersiwn Saesneg". Daeth y bwriad i ben gyda chyhoeddi Beibl 1620. Yn ôl "Cyflwyniad" y Beibl hwn gwaith yr Esgob yw'r fersiwn diwygiedig, ond y farn gyffredin yn yr ail ganrif ar bymtheg oedd mai llafur John Davies a geir yn y rhan helaethaf ohono, onid yn y cwbl. Awgrym go bendant o gysylltiad John Davies â'r gwaith yw mai'r testun a geir yn "Epistolau ac Efengylau" Llyfr Gweddi 1599 yw cynsail y diwygio ar y rhannau cyfatebol ym Meibl 1620. Ategir hyn gan natur y diwygio, nad yw, gan mwyaf, ond cymhwysiad llwyrach o egwyddorion cyfieithu Morgan at ei waith ei hun. Y mae'n wir y dilynir fersiwn Saesneg 1611 yn bur aml. Ond fe'i gwrthodir bron yr un mor aml, yn arbennig lle bo'r Saesneg yn cefnu ar egwyddor cyfieithu "air am air". Yn wir, y mae fersiwn Cymraeg 1620 yn trosi nid yn unig "air am air" ond "gystrawen am gystrawen", ond bod hynny wedi ei wneud gan gyfieithydd oedd yn feistr ar y Gymraeg, ac yn eiddigeddus iawn am gywirdeb iaith a safonau llenyddol. Y canlyniad yw fersiwn sy'n gwbl addas i'r hyn a alwodd Erasmus yn "iaith syml yr Apostolion", ond sydd yr un pryd yn fynegiant teilwng o urddas cynhenid a gwerth yr hyn a draethir.

Felly, trwy lafur olyniaeth o gyfieithwyr hynod ddawnus cafodd Cymru fersiwn o'r Ysgrythurau sydd wedi bod am dair canrif a hanner yn darddle cyson ei chrefydd a rhan helaeth o'i bywyd cymdeithasol a diwylliannol. Y mae'n wir i nifer o gyfieithiadau diwygiedig, neu newydd, gael eu cynnig, yn enwedig o'r Testament Newydd a'r Efengylau, o ddechrau'r bedwaredd ganrif ar bymtheg ymlaen: *Y Cyfamod Newydd* (1818) gan Dr. John Jones; *Yr Oraclau Bywiol* (1842) gan John Williams; *Testament yr Efrydydd* (1888) gan Owen Williams; *Y Testament Newydd, Cyfieithiad Newydd* (1894) gan Thomas Briscoe; *Cyfieithiad Newydd o'r Testament Newydd* (1894-1915) gan W. Edwards; *Cyfieithiad Newydd* (1921-45) gan Adran Ddiwinyddol Urdd Graddedigion Prifysgol Cymru; *Efengyl Mathew: Trosiad i Gymraeg Diweddar* (1961) gan Islwyn Ffowc Elis; *Y Ffordd Newydd* (1969), fersiwn o'r pedair Efengyl, a gyhoeddwyd gan y Gymdeithas Feiblaidd Frytanaidd a Thramor.

Nid yw'r un o'r cyfieithiadau hyn wedi llwyddo i gymryd lle fersiwn 1620, ond y maent yn codi cwestiynau y mae'n rhaid eu hystyried onid yw'r Beibl Cymraeg i fynd yn rhyw fath o Fwlgat mud, anghyffwrdd. Oni ddylid elwa ar holl ffrwyth ysgolheictod Beiblaidd trwy'r canrifoedd hyd at ein dyddiau ni, a'r wybodaeth helaethach sydd bellach ar gael am destunau gwreiddiol y Beibl a'u hystyr? Ai'r dull "gair am air", "cymal am gymal", o gyfieithu yw'r ffordd sicraf o ddiogelu ffyddlondeb i'r gwreiddiol? Tybed ai yng ngeirfa a chystrawen Cymraeg yr unfed ganrif ar bymtheg y dylai'r Ysgrythurau lefaru yn yr ugeinfed ganrif? Pwysau'r ystyriaethau hyn a'u tebyg a arweiniodd Gyngor Eglwysi Cymru yn 1961 i benderfynu ei bod yn hen bryd symud i gyfeiriad cyflenwi'r angen am gyfieithiad newydd o'r Beibl cyflawn i Gymraeg cyfoes.

Y mae'r fersiwn o'r Testament Newydd a gyflwynir yn y gyfrol hon yn ffrwyth gweithgarwch tawel a chyson dros gyfnod o ddeuddeng mlynedd er pan sefydlwyd y Panelau Cyfieithu a'r Panel Llenyddol yn 1963. Cyfarfu Panel y Testament Newydd yn gyson dair neu bedair gwaith yn y flwyddyn, am dridiau neu bedwar ar y tro, rhwng Ebrill 1964 a Medi 1973. Ei ddull o weithredu oedd gofyn i un aelod baratoi drafft cyntaf o lyfr neu grŵp o lyfrau a dosbarthu copïau o'r drafft hwnnw i holl aelodau'r panel. Disgwylid i bob aelod astudio'r drafft yn fanwl ac anfon ei sylwadau arno, a'i awgrymiadau ynglŷn â'i wella, i'r cyfieithydd gwreiddiol. Byddai yntau wedyn, ar sail y sylwadau hyn, yn paratoi ail ddrafft gan gynnwys dau neu ragor o amrywiadau yn y mannau hynny lle'r oedd yn amlwg fod gwahaniaeth barn ymhlith aelodau'r panel. Yr ail ddrafftiau hyn fyddai'n cael eu hystyried yn fanwl, fesul adnod, yng nghyfarfodydd y panel; byddai'r panel yn trafod pob pwynt dadleuol nes dod i gytundeb ynglŷn â'r cyfieithiad oedd i'w fabwysiadu. Byddai'r drafft diwygiedig hwn y cytunodd y Panel Cyfieithu arno yn cael ei ddosbarthu wedyn i aelodau'r Panel Llenyddol, a disgwylid iddynt hwythau anfon eu sylwadau arno, a'u hawgrymiadau ynglŷn â gwella'r iaith a'r mynegiant, i gadeirydd y panel hwnnw. Yna, byddai cadeiryddion y panelau cyfieithu a llenyddol, gyda'i gilydd, yn adolygu'r holl welliannau ieithyddol er mwyn sicrhau nad oedd unrhyw gyfnewidiad yn y Gymraeg yn peri cyfnewidiad yn yr ystyr a fwriadwyd gan y Panel Cyfieithu. Wedi i'r ddau gadeirydd—ar ôl ymgynghori â'u panelau os oedd rhaid—gytuno ar y drafft cywiriedig, fe'i dosberthid i holl aelodau'r gwahanol banelau, a hefyd i holl aelodau'r Cydbwyllgor, gyda gwahoddiad iddynt i gynnig unrhyw sylwadau neu awgrymiadau a fynnent. Rhoddid sylw i'r sylwadau a'r awgrymiadau hynny gan y ddau gadeirydd cyn penderfynu ar ffurf derfynol y cyfieithiad.

Y mae'r cyfieithiad yn seiliedig ar y testun Groeg a gyhoeddwyd yn 1966 dan nawdd y Cymdeithasau Beiblaidd Unedig: *The Greek New Testament*, edited by K. Aland, M. Black, B. M. Metzger, A. Wikgren (American Bible Society, British and Foreign Bible Society, National Bible Society of Scotland, Netherlands Bible Society, Württemberg Bible Society, 1966). Dewiswyd y testun hwn am nifer o resymau: fe'i golygwyd gan dîm cydgenedlaethol yn cynnwys rhai o ysgolheigion blaenaf y byd ym maes Beirniadaeth Destunol y Testament Newydd; y mae'n destun a baratowyd gydag anghenion cyfieithwyr yn arbennig mewn golwg; ac ef yw'r testun sydd bellach ar arfer yn gyffredinol yng ngholegau ac ysgolion ein gwlad. Barnodd aelodau'r Panel Cyfieithu mai gwell oedd dilyn testun cydnabyddedig a chyfarwydd, yn hytrach na ffurfio eu testun eclectig hwy eu hunain, fel y gwnaeth cyfieithwyr y *New English Bible.* Golyga hyn y gall unrhyw ddarllennydd a gais wybod pa destun Groeg a ddilynir gael ateb parod o droi at *The Greek New Testament.*

Y mae tri pheth, fodd bynnag, y dylid eu nodi yn y cyswllt hwn: (i) Er iddynt ddilyn *geiriad* y testun Groeg, nid yw'r cyfieithwyr yn ddieithriad wedi dilyn y *brawddegu* a'r *atalnodi* a geir ynddo. Nid yw'r atalnodau yn rhan o'r llawysgrifau cynnar, a rhaid i bob golygydd arfer ei synnwyr a'i reddf ei hun yn hyn o beth. O ran hyd brawddegau, a'r defnydd o atalnodau, y mae eglurder mynegiant yn y Gymraeg yn gofyn weithiau am driniaeth wahanol i'r hyn a geir yn y Roeg. (ii) Mewn mannau lle gosodir geiriau mewn bachau sgwâr yn y testun Groeg, gan fod hynny'n arwyddo ansicrwydd ar ran golygyddion y testun hwnnw ynglŷn â chynnwys y geiriau ai peidio, teimlodd y panel fod ganddo ryddid i benderfynu drosto'i hun a ddylid cyfieithu'r geiriau oddi mewn i'r bachau ai peidio. Yn yr achosion hyn, fodd bynnag, os oedd y darlleniad a wrthodwyd yn golygu gwahaniaeth pwysig mewn ystyr, gofalwyd ei gynnwys mewn nodyn ar odre'r tudalen. (iii) Yn y mannau a ganlyn, penderfynodd y panel. am resymau digonol yn nhyb yr aelodau, ddilyn darlleniad a geir fel amrywiad yn *apparatus criticus The Greek New Testament* yn hytrach na'r darlleniad a welir yn nhestun y gwaith hwnnw: Marc 6.22; Ioan 5.2; Actau 12.25; 2 Corinthiaid 12.7; Iago 1.12; 1 Pedr 2.3; 2 Pedr 3.10; Jwdas 5.

Yn yr achosion hyn, gall y cyfarwydd, trwy chwilio *apparatus criticus* y testun Groeg, ddarganfod y darlleniad a ddilynwyd yn y cyfieithiad; fel rheol, fe gaiff fod y darlleniad a geir yn y testun wedi ei gynnwys ar odre'r tudalen yn y cyfieithiad.

Trwy gydol y cyfieithiad y mae rhifau'r adnodau (a osodir gyferbyn â'r llinell lle mae'r adnod yn dechrau), y paragraffu, a rhaniadau'r testun ynghyd â'r penawdau uwch eu pen, yn cyfateb yn union i'r hyn a geir yn *The Greek New Testament*. Felly hefyd osodiad y darnau a argreffir ar ffurf barddoniaeth. Barnodd y Panel Cyfieithu y byddai dilyn patrymau'r testun Groeg yn y pethau hyn yn hwyluso'r ffordd i'r darllenydd a fyn gyfeirio at y gwreiddiol, a hynny heb beri unrhyw anhwylustod i ddarllenwyr eraill. Gall rhannu'r testun yn baragraffau yn hytrach nag yn adnodau unigol yn y dull traddodiadol, ac yn adrannau o dan benawdau syml a disgrifiadol, fod yn fantais i'r darllenydd cyffredinol a hefyd i'r sawl sy'n darllen y cyfieithiad yn gyhoeddus; ac ym marn y Panel Cyfieithu, anodd fyddai gwella ar raniadau a phenawdau *The Greek New Testament* i'r pwrpas hwn. Mewn rhai mannau, yn enwedig yn yr Efengylau Cyfolwg, cynhwysir o dan y penawdau groes-gyfeiriadau at adrannau cyfochrog mewn rhannau eraill o'r Testament Newydd. Ac eithrio'r rhain, ni chynhwyswyd unrhyw groes-gyfeiriadau at adrannau eraill o'r Beibl a ddyfynnir, neu y ceir adlais ohonynt, yn llyfrau'r Testament Newydd. Pan ddaw'r amser i gyhoeddi'r Beibl cyflawn, mantais efallai fydd nodi'r croes-gyfeiriadau hyn; ond yn y gyfrol bresennol penderfynwyd peidio â gorlwytho godre'r tudalennau â llu o gyfeiriadau felly.

Y mae'r nodiadau a gynhwysir ar odre'r tudalennau yn ymrannu'n dri dosbarth: (i) *Amrywiadau darlleniad.* Lle y ceir tystiolaeth sylweddol o blaid darlleniad gwahanol i'r hyn a gyfieithwyd yn y testun, a phan yw'r amrywiad yn golygu cyfnewidiad pwysig mewn ystyr, rhoddir cyfieithiad ohono, gyda chyflwyniad tebyg i "yn ôl darlleniad arall". Ceisiwyd gofalu gwneud hyn lle bynnag y mae'r cyfieithiad newydd yn dilyn darlleniad sy'n drawiadol o wahanol i ffurf draddodiadol a chyfarwydd y Beibl Cymraeg (er enghraifft, yn 1 Corinthiaid 13.3). (ii) *Amrywiadau cyfieithiad.* Lle y mae ystyr y gwreiddiol yn ansicr a dau gyfieithiad (neu ragor) yr un mor bosibl â'i gilydd, a phan yw'r gwahaniaeth mewn ystyr yn bwysig neu o ddiddordeb arbennig, rhoddir yn y testun y cyfieithiad oedd yn fwyaf cymeradwy gan fwyafrif o aelodau'r panel, a'r cyfieithiad(au) posibl arall(eraill) ar odre'r tudalen gyda'r cyflwyniad, "neu". (iii) *Nodiadau eglurhaol,* er mwyn tynnu sylw at ryw ystyr sydd yn amlwg yn yr iaith wreiddiol ond na ellir ei gyfleu mewn cyfieithiad (er enghraifft, yn Ioan 3.8); neu er mwyn egluro ystyr ymadrodd Aramaeg a gadwyd heb ei gyfieithu yn y Groeg ac a gedwir felly hefyd yn y cyfieithiad Cymraeg (er enghraifft, yn 1 Corinthiaid 16.22). Y mae'r enghreifftiau o'r math hwn o nodiadau yn brin iawn, a hynny'n fwriadol, gan fod aelodau'r Panel Cyfieithu yn gryf o'r farn mai *cyfieithu*, ac nid *esbonio*, oedd y dasg a ymddiriedwyd iddynt.

Am yr un rheswm ceisiodd y Panel, hyd y gallai, ymgadw rhag unrhyw duedd i *aralleirio*'r gwreiddiol yn hytrach na'i gyfieithu. Y mae'n wir fod pob cyfieithiad da i ryw fesur yn esboniad ar y gwaith gwreiddiol. Ond nid yr un yw gwaith y cyfieithydd a'r eiddo'r esboniwr, ac y mae'r naill a'r llall mor anhepgorol â'i gilydd. Nid yw'r cyfieithiad presennol yn ceisio osgoi pob amwysedd yn y gwreiddiol trwy fabwysiadu un dehongliad posibl ar draul un arall; pan yw'r gwreiddiol yn amwys, ceisir cyfleu, hyd y gellir, yr un amwysedd yn y cyfieithiad. Gyda golwg ar dermau diwinyddol "technegol", barnodd y Panel mai gwell ar y cyfan oedd cadw'r ffurfiau Cymraeg traddodiadol, sydd fel rheol yn drosiadau llythrennol o'r termau gwreiddiol, yn hytrach na gwisgo mantell yr esboniwr ac aralleirio'r termau er ceisio dehongli eu hystyr. Am y rheswm hwn cadwyd termau fel "teyrnas Dduw", "bywyd tragwyddol", "yng Nghrist", "cnawd", "cyfiawn-cyfiawnhau-cyfiawnhad-cyfiawnder", "sant-sanctaidd-sancteiddio-sancteiddhad", etc. Weithiau, fodd bynnag, pan yw'r cyfieithiad llythrennol a thraddodiadol yn gamarweiniol a lle mae cytundeb cyffredinol ymhlith esbonwyr cyfoes ynglŷn ag ystyr y term gwreiddiol, mentrwyd ar gyfieithiad newydd. Felly, er enghraifft, yn Rhufeiniaid 3.25 aeth "gwaed" yn "marw aberthol" a "iawn" yn "moddion puredigaeth".

Lle'r oedd yn bosibl cyfleu ystyr y gwreiddiol mewn Cymraeg rhywiog, naturiol trwy gyfieithu'n fwy neu lai llythrennol a dilyn trefn geiriau a chymalau'r Groeg, hynny a wnaed. Ond ni phetruswyd ymadael, lle'r oedd angen, â'r dull "gair am air", "cymal am gymal", o gyfieithu. Yr amcan llywodraethol oedd cyfleu, mor ffyddlon ag y gellid, ystyr y cyfansoddiad gwreiddiol fel cyfanwaith.

Ni wnaethpwyd unrhyw ymdrech fwriadol, fel y gwnaethpwyd yn y *New English Bible*, i osgoi iaith "feiblaidd" ei naws a bod mor wahanol ag y gellid i'r cyfieithiad Cymraeg clasurol a thraddodiadol. O ganlyniad y mae'r *Beibl Cymraeg Newydd* yn llai chwyldroadol o *newydd* na'r *New English Bible*. Y mae hyn i'w briodoli i fesur helaeth, yn ddiau, i'r ffaith fod yr iaith Gymraeg wedi newid llai na'r Saesneg yng nghwrs y tair neu bedair canrif ddiwethaf. Ychydig, yn wir, yw'r adnodau sydd, yn y cyfieithiad a gynigir yn awr, heb eu newid o gwbl. Ond mewn cyfartaledd pur uchel o'r enghreifftiau y mae'r cyfnewidiadau'n gyfyngedig i fanylion yn ymwneud â gramadeg a chystrawen.

Penderfynwyd diweddaru'r iaith mewn dwy ffordd, fel y gwnaed mewn cyfieithiadau eraill a gaed yn ystod y ganrif hon, sef trwy ddefnyddio'r orgraff safonol, a thrwy dderbyn y gystrawen normal (berf, goddrych, gwrthrych) yn lle'r gystrawen a fabwysiadwyd gan y cyfieithwyr cynnar (goddrych, berf, gwrthrych). Hefyd fe geisiwyd adfer ffurf gwmpasog y ferf i'w lle priodol yn yr iaith lenyddol, fel y mae yn yr iaith lafar, oherwydd bron yn ddieithriad y ffurf gwmpasog sy'n mynegi'r amser presennol ("yr wyf yn mynd") a'r ffurf gryno yn mynegi'r dyfodol ("mi af"). Yn gyffelyb fe gadwyd y gwahaniaeth rhwng y ffurf gryno a'r ffurf gwmpasog yn yr amser amherffaith. Yn yr amser sy'n cael ei alw'n orberffaith defnyddiwyd y ffurf gwmpasog (gyda "wedi") yn gyson, gan mai ystyr amodol sydd i'r ffurf gryno mewn gwirionedd.

Yr oedd y treigliadau yn peri problemau. Penderfynwyd peidio â threiglo enwau personau, ac eithrio (i) ychydig o enwau, fel Mair a Dafydd, sy'n dra chyffredin heddiw; a (ii) pan fyddai peidio â threiglo yn cymylu'r ystyr. Mewn enwau lleoedd cytunwyd i dreiglo pan fyddai'r enw yn weddol adnabyddus (er enghraifft, Bethlehem, Capernaum, Cyprus, Damascus, Macedonia), ac na fyddai perygl camddeall y ffurf wreiddiol. Ond pan fydd enw yn dechrau â'r gytsain G-, fel Galilea, ni ddangosir y treiglad meddal.

Defnyddiwyd ffurfiau cywasgedig yn hytrach na'r hen ffurfiau safonol—mynd, dweud, gwneud, rhoi, dŵr, pam, ple, prun, etc. Ond ni farnwyd mai doeth fyddai derbyn ffurfiau fel "chi", "nhw", "fedra i ddim", etc. Y mae lle yn ddiamau i fersiwn o'r Beibl a fyddai'n cynnwys ffurfiau llafar fel hyn, ond ym marn y rhai a fu'n darparu'r cyfieithiad hwn y mae lle hefyd, a phob cyfiawnhad, i fersiwn sy'n ymdebygu i'r corff sylweddol o lenyddiaeth dda, yn farddoniaeth a rhyddiaith, sydd wedi ei ysgrifennu yn Gymraeg yn y ganrif hon. Nid cadw urddas yr Ysgrythurau a'r iaith a ddarllenir ar achlysuron seremonïol yw'r unig amcan wrth gyfieithu fel y gwnaed yma, ond hefyd (ac yn bennaf efallai) cadw cyswllt rhwng y Beibl a llenyddiaeth gyfoes. Geill eraill, yn gwbl briodol, roi cyfieithiad sy'n llawer iawn nes i'r iaith lafar, ond bydd y cyfieithiad hwnnw wedi ei ddieithrio, yn holl naws ei ieithwedd, oddi wrth bron y cyfan o lenyddiaeth yr iaith.

YR EFENGYL YN ÔL

# MATHEW

*Llinach Iesu Grist*
(Lc 3.23-38)

Dyma restr achau Iesu Grist, Mab Dafydd, mab Abraham. 1
Yr oedd Abraham yn dad i Isaac, Isaac yn dad i Jacob, a 2 Jacob yn dad i Jwda a'i frodyr. Yr oedd Jwda yn dad i Phares 3 a Sara, a Thamar yn fam iddynt; yr oedd Phares yn dad i Hesrom, Hesrom i Aram, Aram i Aminadab, Aminadab i 4 Naason, Naason i Salmon; yr oedd Salmon yn dad i Boas, a 5 Rachab yn fam iddo, Boas yn dad i Obed, a Ruth yn fam iddo, Obed yn dad i Jesse, a Jesse yn dad i'r Brenin Dafydd. 6

Yr oedd Dafydd yn dad i Solomon, a gwraig Ureias yn fam iddo, yr oedd Solomon yn dad i Rehoboam, Rehoboam yn dad 7 i Abia, ac Abia'n dad i Asa. Yr oedd Asa'n dad i Jehosaffat, 8 Jehosaffat i Joram, Joram i Useia, Useia i Jotham, Jotham i 9 Ahas, Ahas i Heseceia, Heseceia i Manasse, Manasse i Amon, 10 ac Amon i Joseia. Yr oedd Joseia yn dad i Jechoneia a'i frodyr 11 yng nghyfnod y gaethglud i Fabilon.

Ar ôl y gaethglud i Fabilon, yr oedd Jechoneia yn dad i 12 Salathiel, Salathiel i Sorobabel, Sorobabel i Abiwd, Abiwd i 13 Eliacim, Eliacim i Asor, Asor i Sadoc, Sadoc i Achim, Achim i 14 Eliwd, Eliwd i Eleasar, Eleasar i Mathan, a Mathan i Jacob. 15 Yr oedd Jacob yn dad i Joseff, gŵr Mair, a hi a roddodd enedigaeth i Iesu, a elwid y Meseia. 16

Felly, pedair ar ddeg yw cyfanrif y cenedlaethau o Abraham 17 hyd Ddafydd, a phedair ar ddeg o Ddafydd hyd y gaethglud i Fabilon, a phedair ar ddeg hefyd o'r gaethglud i Fabilon hyd y Meseia.

*Genedigaeth Iesu Grist*
(Lc 2.1-7)

Fel hyn y bu genedigaeth Iesu Grist. Pan oedd Mair ei fam 18 wedi ei dyweddïo i Joseff, cyn iddynt briodi fe gafwyd ei bod hi'n feichiog o'r Ysbryd Glân. A chan ei fod yn ddyn cyfiawn, 19 ond heb ddymuno ei chywilyddio'n gyhoeddus, penderfynodd Joseff, ei gŵr, ei gollwng ymaith yn ddirgel. Ond wedi iddo 20

gynllunio felly, dyma angel yr Arglwydd yn ymddangos iddo mewn breuddwyd, a dweud, "Joseff fab Dafydd, paid ag ofni cymryd Mair yn wraig i ti, oherwydd y mae'r hyn a genhedl-
21 wyd ynddi yn deillio o'r Ysbryd Glân. Bydd yn esgor ar fab, a gelwi ef Iesu, am mai ef a wareda ei bobl oddi wrth eu
22 pechodau." A digwyddodd hyn oll fel y cyflawnid y gair a lefarwyd gan yr Arglwydd trwy'r proffwyd:
23 " Wele, bydd y wyryf yn beichiogi, ac yn esgor ar fab,
a gelwir ef Emmanuel ",
24 hynny yw, o'i gyfieithu, "Y mae Duw gyda ni". A phan ddeffrôdd Joseff o'i gwsg, gwnaeth fel yr oedd angel yr Arglwydd wedi gorchymyn, a chymryd Mair yn wraig iddo.
25 Ond ni chafodd gyfathrach â hi hyd nes iddi esgor ar fab; a galwodd ef Iesu.

*Ymweliad y Sêr-ddewiniaid*

**2** Wedi i Iesu gael ei eni ym Methlehem Jwdea yn nyddiau'r Brenin Herod, daeth sêr-ddewiniaid o'r dwyrain i Jerwsalem a
2 holi, " Ble mae'r hwn a anwyd i fod yn frenin yr Iddewon? Oherwydd gwelsom ei seren ef ar ei chyfodiad, a daethom i dalu
3 gwrogaeth iddo." A phan glywodd y Brenin Herod hyn,
4 cythruddwyd ef, a Jerwsalem i gyd gydag ef. Galwodd ynghyd yr holl brif offeiriaid ac ysgrifenyddion y bobl, a holi ganddynt
5 ble yr oedd y Meseia i gael ei eni. Eu hateb oedd, " Ym Methlehem Jwdea, oherwydd felly yr ysgrifennwyd gan y proffwyd:
6 ' A thithau Bethlehem yng ngwlad Jwda,
nid y lleiaf wyt ti o lawer ymysg tywysogion Jwda,
canys ohonot ti y daw allan arweinydd
a fydd yn fugail ar fy mhobl Israel. ' "
7 Yna galwodd Herod y sêr-ddewiniaid yn ddirgel ato, a holodd ganddynt yn fanwl pa bryd yr oedd y seren wedi ym-
8 ddangos. Anfonodd hwy i Fethlehem gan ddweud, " Ewch, a chwiliwch yn fanwl am y plentyn, a phan fyddwch wedi dod o hyd iddo, rhowch wybod i mi er mwyn i minnau hefyd fynd a
9 thalu gwrogaeth iddo." Wedi gwrando ar y brenin aethant ar eu taith, a dyma'r seren a welsent ar ei chyfodiad yn mynd o'u blaen hyd nes iddi ddod ac aros uwchlaw'r lle yr oedd y
10 plentyn. A phan welsant y seren, yr oeddent yn llawen dros
11 ben. Daethant i'r tŷ a gweld y plentyn gyda Mair ei fam;

syrthiasant i lawr a thalu eu gwrogaeth iddo, ac wedi agor eu trysorau offrymasant iddo anrhegion, aur a thus a myrr. 12 Yna, ar ôl cael eu rhybuddio mewn breuddwyd i beidio â dychwelyd at Herod, aethant yn ôl i'w gwlad ar hyd ffordd arall.

### *Ffoi i'r Aifft*

13 Wedi iddynt ymadael, dyma angel yr Arglwydd yn ymddangos i Joseff mewn breuddwyd, a dweud, "Cyfod, a chymer y plentyn a'i fam gyda thi, a ffo i'r Aifft, ac aros yno hyd nes y dywedaf wrthyt, oherwydd y mae Herod yn mynd i chwilio am y plentyn er mwyn ei ladd." 14 Yna cododd Joseff, a chymerodd y plentyn a'i fam gydag ef liw nos, ac ymadael i'r Aifft. 15 Arhosodd yno hyd farwolaeth Herod, fel y cyflawnid y gair a lefarwyd gan yr Arglwydd trwy'r proffwyd: "O'r Aifft y gelwais fy mab."

### *Lladd y Plant*

16 Yna, pan ddeallodd Herod iddo gael ei dwyllo gan y sêr-ddewiniaid, aeth yn gynddeiriog, a rhoddodd orchymyn i ladd pob un o'r plant ym Methlehem a'r holl gyffiniau oedd yn ddwyflwydd oed neu lai, gan gyfrif o'r amser a hysbyswyd iddo gan y sêr-ddewiniaid. 17 Felly y cyflawnwyd y gair a lefarwyd trwy Jeremeia'r proffwyd:

18 "Llef a glybuwyd yn Rama,
wylofain a galaru dwys;
Rachel yn wylo am ei phlant,
ac ni fynnai ei chysuro, am nad oeddent mwy."

### *Dychwelyd o'r Aifft*

19 Ar ôl i Herod farw, dyma angel yr Arglwydd yn ymddangos mewn breuddwyd i Joseff yn yr Aifft, gan ddweud, 20 "Cyfod, a chymer y plentyn a'i fam gyda thi, a dos i wlad Israel, oherwydd bu farw y rhai oedd yn ceisio bywyd y plentyn." 21 Yna cododd Joseff, a chymerodd y plentyn a'i fam gydag ef, a mynd i wlad Israel. 22 Ond wedi clywed bod Archelaus yn teyrnasu dros Jwdea yn lle ei dad Herod, daeth ofn ar Joseff fynd yno. Cafodd ei rybuddio mewn breuddwyd, ac ymadawodd i barthau Galilea, 23 ac ymsefydlodd mewn tref a elwid Nasareth, fel y cyflawnid y gair a lefarwyd trwy'r proffwydi: "Gelwir ef yn Nasaread."

*Pregethu Ioan Fedyddiwr*
(Mc 1. 1-8; Lc 3. 1-9, 15-17; In 1. 19-28)

**3** Yn y dyddiau hynny daeth Ioan Fedyddiwr, gan bregethu'r 2 genadwri hon yn anialwch Jwdea: " Edifarhewch, oherwydd 3 y mae teyrnas Dduw wedi dod yn agos." Dyma'r hwn y soniwyd amdano gan y proffwyd Eseia pan ddywedodd:

" Llais un yn llefain yn yr anialwch,
' Paratowch ffordd yr Arglwydd,
gwnewch lwybrau union iddo.' "

4 Yr oedd dillad Ioan o flew camel, a gwregys o groen am ei ganol, 5 a'i fwyd oedd locustiaid a mêl gwyllt. Yr oedd trigolion Jerwsalem a Jwdea i gyd, a'r holl wlad o amgylch yr Iorddonen, 6 yn mynd allan ato, ac yn cael eu bedyddio ganddo yn afon Iorddonen, gan gyffesu eu pechodau.

7 A phan welodd Ioan lawer o'r Phariseaid a'r Sadwceaid yn dod i'w bedyddio ganddo, dywedodd wrthynt: " Chwi epil gwiberod, pwy a'ch rhybuddiodd i ffoi rhag y digofaint sydd i 8 ddod ? Dygwch ffrwyth gan hynny a fydd yn deilwng o'ch 9 edifeirwch. A pheidiwch â meddwl dweud wrthych eich hunain, 'Y mae gennym Abraham yn dad', oherwydd 'rwy'n dweud wrthych y gall Duw godi plant i Abraham o'r cerrig 10 hyn. Ac y mae'r fwyell eisoes wrth wraidd y coed; felly, y mae pob coeden nad yw'n dwyn ffrwyth da yn cael ei thorri i 11 lawr a'i bwrw i'r tân. Yr wyf fi yn eich bedyddio â dŵr i edifeirwch; ond y mae'r hwn sydd yn dod ar f'ôl i yn gryfach na mi, un nad wyf fi'n deilwng i dynnu ei esgidiau. Bydd ef yn 12 eich bedyddio â'r Ysbryd Glân ac â thân. Y mae ei wyntyll yn barod yn ei law, a bydd yn nithio'n lân yr hyn a ddyrnwyd, ac yn casglu ei wenith i'w ysgubor. Ond am yr us, bydd yn llosgi hwnnw â thân anniffoddadwy."

*Bedydd Iesu*
(Mc 1. 9-11; Lc 3. 21-22)

13 Yna daeth Iesu o Galilea i'r Iorddonen at Ioan i'w fedyddio 14 ganddo. Ceisiodd Ioan ei rwystro, gan ddweud, " Myfi sydd ag angen fy medyddio gennyt ti, ac a wyt ti yn dod ataf fi ?" 15 Meddai Iesu wrtho, " Gad imi ddod yn awr, oherwydd fel hyn y mae'n weddus i ni gyflawni popeth y mae cyfiawnder yn ei 16 ofyn." Yna gadawodd Ioan iddo ddod. Bedyddiwyd Iesu, ac

yna, pan gododd allan o'r dŵr, dyma'r nefoedd yn agor iddo, a gwelodd Ysbryd Duw yn disgyn fel colomen ac yn dod arno. A dyma lais o'r nefoedd yn dweud, "Hwn yw fy Mab, yr Anwylyd; ynddo ef yr wyf yn ymhyfrydu." 17

*Temtiad Iesu*
(Mc 1. 12-13; Lc 4. 1-13)

Yna arweiniwyd Iesu i'r anialwch gan yr Ysbryd, i gael ei demtio gan y diafol. Wedi iddo ymprydio am ddeugain dydd a deugain nos daeth arno eisiau bwyd. A daeth y temtiwr a dweud wrtho, "Os Mab Duw wyt ti, dywed wrth y cerrig hyn am droi'n fara." Ond atebodd Iesu ef, "Y mae'n ysgrifenedig: 4 2 3 4

'Nid ar fara yn unig y bydd dyn fyw,
ond ar bob gair sy'n dod allan
o enau Duw.' "

Yna cymerodd y diafol ef i'r ddinas sanctaidd, a'i osod ar dŵr uchaf y deml, a dweud wrtho, "Os Mab Duw wyt ti, bwrw dy hun i lawr; oherwydd y mae'n ysgrifenedig: 5 6

'Rhydd orchymyn i'w angylion amdanat,
ac fe'th gludant ar eu dwylo,
rhag iti daro dy droed yn erbyn carreg.' "

Dywedodd Iesu wrtho, "Y mae'n ysgrifenedig drachefn: 'Paid â gosod yr Arglwydd dy Dduw ar ei brawf.' " Unwaith eto cymerodd y diafol ef i fynydd uchel iawn, a dangos iddo holl deyrnasoedd y byd a'u gogoniant, a dweud wrtho, "Y rhain i gyd a roddaf i ti, os syrthi i lawr a'm haddoli i." Yna dywedodd Iesu wrtho, "Dos ymaith, Satan; oherwydd y mae'n ysgrifenedig: 7 8 9 10

'Yr Arglwydd dy Dduw a addoli,
ac ef yn unig a wasanaethi.' "

Yna gadawodd y diafol ef, a daeth angylion a gweini arno. 11

*Dechrau'r Weinidogaeth yng Ngalilea*
(Mc 1. 14-15; Lc 4. 14-15)

Ar ôl iddo glywed bod Ioan wedi ei garcharu, aeth Iesu ymaith i Galilea. A chan adael Nasareth aeth i fyw i Gapernaum, tref ar lan y môr yng nghyffiniau Sabwlon a Neffthali, fel y cyflawnid y gair a lefarwyd trwy Eseia'r proffwyd: 12 13 14

15 “ Gwlad Sabwlon a gwlad Neffthali,
ar y ffordd i'r môr, tu hwnt i'r Iorddonen,
Galilea'r Cenhedloedd;
16 y bobl oedd yn trigo mewn tywyllwch
a welodd oleuni mawr,
ac ar drigolion tir cysgod angau
y gwawriodd goleuni.”

17 O'r amser hwnnw y dechreuodd Iesu bregethu'r genadwri hon: “ Edifarhewch, oherwydd y mae teyrnas nefoedd wedi dod yn agos.”

*Galw Pedwar Pysgotwr*
(Mc 1. 16-20; Lc 5. 1-11)

18 Wrth gerdded ar lan Môr Galilea gwelodd Iesu ddau frawd, Simon, a elwid Pedr, ac Andreas ei frawd, yn bwrw rhwyd i'r 19 môr; pysgotwyr oeddent. A dywedodd wrthynt, “ Dewch ar 20 fy ôl i, ac fe'ch gwnaf yn bysgotwyr dynion.” Gadawsant eu 21 rhwydau ar unwaith a'i ganlyn ef. Ac wedi iddo fynd ymlaen oddi yno gwelodd ddau frawd arall, Iago fab Sebedeus ac Ioan ei frawd, yn y cwch gyda Sebedeus eu tad yn cyweirio eu 22 rhwydau. Galwodd hwythau, ac ar unwaith, gan adael y cwch a'u tad, canlynasant ef.

*Gweinidogaethu i Dyrfa Fawr*
(Lc 6. 17-19)

23 Yr oedd yn mynd o amgylch Galilea gyfan, dan ddysgu yn eu synagogau hwy a phregethu efengyl y deyrnas, ac iacháu 24 pob afiechyd a phob llesgedd ymhlith y bobl. Aeth y sôn amdano trwy Syria gyfan; dygasant ato yr holl gleifion oedd yn dioddef dan amrywiol afiechydon, y rhai oedd yn cael eu llethu gan boenau, y rhai oedd wedi eu meddiannu gan gythreuliaid, y rhai lloerig, a'r rhai oedd wedi eu parlysu; ac fe iachaodd ef 25 hwy. A dilynwyd ef gan dyrfaoedd mawr o Galilea a'r Decapolis, a Jerwsalem a Jwdea, a'r tu hwnt i'r Iorddonen.

*Y BREGETH AR Y MYNYDD*
(MATHEW 5-7)

**5** Pan welodd Iesu y tyrfaoedd, aeth i fyny'r mynydd, ac wedi 2 iddo eistedd i lawr daeth ei ddisgyblion ato. Dechreuodd eu hannerch a'u dysgu fel hyn :

*Y Gwynfydau*
(Lc 6. 20-23)

"Gwyn eu byd y rhai sy'n dlodion yn yr ysbryd, 3
oherwydd eiddynt hwy yw teyrnas nefoedd.
Gwyn eu byd y rhai sy'n galaru, 4
oherwydd cânt hwy eu cysuro.
Gwyn eu byd y rhai addfwyn, 5
oherwydd cânt hwy etifeddu'r ddaear.
Gwyn eu byd y rhai sy'n newynu a sychedu am 6
gyfiawnder,
oherwydd cânt hwy eu digon.
Gwyn eu byd y rhai trugarog, 7
oherwydd cânt hwy dderbyn trugaredd.
Gwyn eu byd y rhai pur eu calon, 8
oherwydd cânt hwy weld Duw.
Gwyn eu byd y tangnefeddwyr, 9
oherwydd cânt hwy eu galw'n feibion Duw.
Gwyn eu byd y rhai a erlidiwyd yn achos cyfiawnder, 10
oherwydd eiddynt hwy yw teyrnas nefoedd.

Gwyn eich byd pan fydd dynion yn eich gwaradwyddo a'ch 11
erlid, ac yn dweud pob math o ddrygair celwyddog yn eich
erbyn, o'm hachos i. Llawenhewch a gorfoleddwch, oherwydd 12
y mae eich gwobr yn fawr yn y nefoedd; felly yn wir yr erlid-
iodd dynion y proffwydi oedd o'ch blaen chwi.

*Halen a Goleuni*
(Mc 9. 50; Lc 14. 34-35)

"Chwi yw halen y ddaear; ond os cyll yr halen ei flas, 13
â pha beth yr helltir ef? Nid yw'n dda i ddim be'lach ond
i'w luchio allan a'i sathru dan draed gan ddynion. Chwi 14
yw goleuni'r byd. Ni ellir cuddio dinas a osodir ar fryn.
Ac nid yw pobl yn cynnau cannwyll ac yn ei dodi dan lestr, 15
ond yn hytrach ar ganhwyllbren, a bydd yn rhoi golau i bawb
sydd yn y tŷ. Felly boed i'ch goleuni chwithau lewyrchu 16
gerbron dynion, nes iddynt weld eich gweithredoedd da chwi
a gogoneddu eich Tad, yr hwn sydd yn y nefoedd.

*Dysgeidiaeth ar y Gyfraith*

"Peidiwch â thybio i mi ddod i ddileu'r Gyfraith na'r 17

18 proffwydi; ni ddeuthum i ddileu ond i gyflawni. Yn wir, 'rwy'n dweud wrthych, hyd nes i nef a daear ddarfod, ni dderfydd yr un llythyren na'r un manylyn lleiaf o'r Gyfraith, 19 nes i'r cwbl ddigwydd. Am hynny pwy bynnag fydd yn dirymu un o'r gorchmynion lleiaf hyn ac yn dysgu i ddynion wneud felly, gelwir ef y lleiaf yn nheyrnas nefoedd. Ond pwy bynnag a'i ceidw ac a'i dysg i eraill, gelwir hwnnw'n fawr yn 20 nheyrnas nefoedd. 'Rwy'n dweud wrthych, oni fydd eich cyfiawnder chwi yn rhagori llawer ar eiddo'r ysgrifenyddion a'r Phariseaid, nid ewch byth i mewn i deyrnas nefoedd.

### *Dysgeidiaeth ar Ddicter*

21 "Clywsoch fel y dywedwyd wrth y rhai gynt, 'Na ladd; 22 pwy bynnag sy'n lladd, bydd yn atebol i farn.' Ond 'rwyf fi'n dweud wrthych y bydd pob un sy'n ddig wrth ei frawd yn atebol i farn. Pwy bynnag sy'n sarhau ei frawd, bydd yn atebol i'r llys, a phwy bynnag sy'n dweud wrtho, 'Yr ynfytyn', bydd 23 yn ateb am hynny yn nhân uffern. Felly os wyt yn cyflwyno dy offrwm wrth yr allor, ac yno'n cofio bod gan dy frawd rywbeth 24 yn dy erbyn, gad dy offrwm yno o flaen yr allor, a dos ymaith; myn gymod yn gyntaf â'th frawd, ac yna tyrd a chyflwyno dy 25 offrwm. Os bydd rhywun yn dy gymryd i'r llys, bydd barod i ddod i gytundeb buan ag ef tra byddi gydag ef ar y ffordd yno, rhag iddo dy draddodi i'r barnwr, ac i'r barnwr dy roi i'r 26 swyddog, ac i ti gael dy fwrw i garchar. Yn wir, 'rwy'n dweud wrthyt, ni ddeui di byth allan oddi yno cyn talu'n ôl y ddimai olaf.

### *Dysgeidiaeth ar Odineb*

27,28 "Clywsoch fel y dywedwyd, 'Na odineba.' Ond 'rwyf fi'n dweud wrthych fod pob un sy'n edrych mewn blys ar wraig 29 eisoes wedi cyflawni godineb â hi yn ei galon. Os yw dy lygad de yn achos cwymp i ti, tyn ef allan a'i daflu oddi wrthyt; y mae'n fwy buddiol iti golli un o'th aelodau na bod dy gorff 30 cyfan yn cael ei daflu i uffern. Ac os yw dy law dde yn achos cwymp i ti, tor hi ymaith a'i thaflu oddi wrthyt; y mae'n fwy buddiol iti golli un o'th aelodau na bod dy gorff cyfan yn mynd i uffern.

*Dysgeidiaeth ar Ysgariad*
(Mth 19. 19; Mc 10. 11-12; Lc 16. 18)

"Dywedwyd hefyd, 'Pwy bynnag sy'n ysgaru ei wraig, 31 rhodded iddi lythyr ysgar.' Ond 'rwyf fi'n dweud wrthych 32 fod pob un sy'n ysgaru ei wraig, ar wahân i achos o buteindra, yn peri iddi hi odinebu, ac y mae'r sawl sy'n priodi gwraig a ysgarwyd yn godinebu.

*Dysgeidiaeth ar Lwon*

"Clywsoch hefyd fel y dywedwyd wrth y rhai gynt, 'Na 33 thynga lw twyllodrus', a 'Rhaid iti gadw pob llw a roist i'r Arglwydd.' Ond 'rwyf fi'n dweud wrthych: peidiwch â 34 thyngu llw o gwbl; nac i'r nef, gan mai gorsedd Duw ydyw; nac i'r ddaear, gan mai ei droedfainc ef ydyw; nac i Jerwsalem, 35 gan mai dinas y Brenin mawr ydyw. Paid â thyngu chwaith 36 i'th ben, oherwydd ni elli wneud un blewyn yn wyn nac yn ddu. Ond boed 'ie' eich ymadrodd chwi yn 'ie' yn unig, 37 a'ch 'nage' yn 'nage' yn unig; o'r Un drwg y mae popeth dros ben y rhain.

*Dysgeidiaeth ar Ddial*
(Lc 6. 29-30)

"Clywsoch fel y dywedwyd, 'Llygad am lygad, a dant am 38 ddant.' Ond 'rwyf fi'n dweud wrthych: peidiwch â gwrth- 39 sefyll y sawl sy'n gwneud drwg i chwi. Os bydd rhywun yn dy daro ar dy foch dde, tro'r llall ato hefyd. Ac os bydd 40 rhywun am fynd â thi i gyfraith a chymryd dy grys, gad iddo gael dy fantell hefyd. Ac os bydd rhywun yn dy orfodi i'w 41 ddanfon am un filltir, dos gydag ef ddwy. Rho i'r sawl sy'n 42 gofyn gennyt, a phaid â throi i ffwrdd oddi wrth y dyn sydd am fenthyca gennyt.

*Caru Gelynion*
(Lc 6. 27-28, 32-36)

"Clywsoch fel y dywedwyd, 'Câr dy gymydog, a chasâ dy 43 elyn.' Ond 'rwyf fi'n dweud wrthych: carwch eich gelynion, 44 a gweddïwch dros y rhai sydd yn eich erlid; felly fe fyddwch 45 yn feibion i'ch Tad sydd yn y nefoedd, oherwydd y mae ef yn peri i'w haul godi ar y drwg a'r da, ac yn rhoi glaw i'r cyfiawn

46 a'r anghyfiawn. Os carwch y rhai sy'n eich caru chwi, pa wobr sydd i chwi? Onid yw hyd yn oed y casglwyr trethi yn gwneud
47 cymaint â hynny? Ac os cyfarchwch eich brodyr yn unig, pa ragoriaeth sydd yn hynny? Onid yw'r paganiaid hyd yn oed
48 yn gwneud cymaint â hynny? Felly byddwch chwi'n berffaith fel y mae eich Tad nefol yn berffaith.

### *Dysgeidiaeth ar Elusennau*

**6** "Cymerwch ofal i beidio â chyflawni eich dyletswyddau crefyddol o flaen dynion, er mwyn cael eich gweld ganddynt; os gwnewch, nid oes gwobr i chwi gan eich Tad, yr hwn sydd yn y nefoedd.

2 "Felly, pan fyddi'n rhoi elusen, paid â chanu utgorn o'th flaen, fel y mae'r rhagrithwyr yn gwneud yn y synagogau ac yn yr heolydd, er mwyn cael eu canmol gan ddynion. Yn wir, 'rwy'n dweud wrthych, y mae eu gwobr ganddynt eisoes.
3 Ond pan fyddi di'n rhoi elusen, paid â gadael i'th law chwith
4 wybod beth y mae dy law dde yn ei wneud. Felly bydd dy elusen di yn y dirgel, a bydd dy Dad, sydd yn gweld yn y dirgel, yn dy wobrwyo.

### *Dysgeidiaeth ar Weddi*
(Lc 11. 2-4)

5 "A phan fyddwch yn gweddïo, peidiwch â bod fel y rhagrithwyr; oherwydd y maent hwy'n hoffi gweddïo ar eu sefyll yn y synagogau ac ar gonglau'r heolydd, er mwyn cael eu gweld gan ddynion. Yn wir, 'rwy'n dweud wrthych, y mae eu gwobr
6 ganddynt eisoes. Ond pan fyddi di'n gweddïo, dos i mewn i'th ystafell, ac wedi cau dy ddrws gweddïa ar dy Dad sydd yn y dirgel, a bydd dy Dad sydd yn gweld yn y dirgel yn dy wobrwyo.
7 Ac wrth weddïo, peidiwch â phentyrru geiriau fel y mae'r paganiaid yn gwneud; y maent hwy'n tybied y cânt eu gwrando
8 am eu haml eiriau. Peidiwch felly â bod yn debyg iddynt hwy, oherwydd y mae eich Tad yn gwybod cyn i chwi ofyn iddo
9 beth yw eich anghenion. Felly, gweddïwch chwi fel hyn:

'Ein Tad yn y nefoedd,<br>
sancteiddier dy enw;<br>
10 deled dy deyrnas;

gwneler dy ewyllys,
ar y ddaear fel yn y nef.
Dyro inni heddiw ein bara beunyddiol; 11
a maddau inni ein troseddau, 12
fel yr ŷm ni wedi maddau i'r rhai a droseddodd i'n herbyn;
a phaid â'n dwyn i brawf, 13
ond gwared ni rhag yr Un drwg.'*

Oherwydd os maddeuwch i ddynion eu camweddau, bydd 14 eich Tad nefol hefyd yn maddau i chwi. Ond os na faddeuwch 15 i ddynion eu camweddau, ni fydd eich Tad chwaith yn maddau eich camweddau chwi.

*Dysgeidiaeth ar Ymprydio*

"A phan fyddwch yn ymprydio, peidiwch â bod yn wynebdrist 16 fel y rhagrithwyr; y maent hwy'n anffurfio eu hwynebau er mwyn i ddynion gael gweld eu bod yn ymprydio. Yn wir, 'rwy'n dweud wrthych, y mae eu gwobr ganddynt eisoes. Ond pan fyddi di'n ymprydio, eneinia dy ben a golch dy wyneb, 17 fel nad dynion a gaiff weld dy fod yn ymprydio, ond yn 18 hytrach dy Dad sydd yn y dirgel; a bydd dy Dad, sydd yn gweld yn y dirgel, yn dy wobrwyo.

*Trysor yn y Nef*
(Lc 12. 33-34)

"Peidiwch â chasglu ichwi drysorau ar y ddaear, lle mae 19 gwyfyn a rhwd yn difa, a lle mae lladron yn torri trwodd ac yn lladrata. Casglwch ichwi drysorau yn y nef, lle nad yw gwyfyn 20 na rhwd yn difa, a lle nad yw lladron yn torri trwodd nac yn lladrata. Oherwydd lle mae dy drysor, yno hefyd y bydd dy 21 galon.

*Goleuni'r Corff*
(Lc 11. 34-36)

"Y llygad yw cannwyll y corff; felly os bydd dy lygad yn 22 iach, bydd dy gorff yn llawn goleuni. Ond os bydd dy lygad yn 23 sâl, bydd dy gorff yn llawn tywyllwch. Ac os yw'r goleuni sydd ynot yn dywyllwch, mor fawr yw'r tywyllwch!

---

*adn. 13: ychwanega rhai llawysgrifau: *Oherwydd eiddot ti yw'r deyrnas a'r gallu a'r gogoniant am byth. Amen.*

### *Duw ac Arian*
(Lc 16. 13)

24 "Ni all neb wasanaethu dau feistr; oherwydd bydd un ai'n casâu'r naill ac yn caru'r llall, neu'n deyrngar i'r naill ac yn dirmygu'r llall. Ni allwch wasanaethu Duw ac Arian.

### *Gofal a Phryder*
(Lc 12. 22-34)

25 "Am hynny 'rwy'n dweud wrthych, peidiwch â phryderu am eich einioes, beth i'w fwyta na'i yfed, nac am eich corff, beth i'w wisgo; onid oes rhagor i einioes dyn na lluniaeth, a 26 rhagor i'w gorff na dillad? Edrychwch ar adar yr awyr: nid ydynt yn hau nac yn medi nac yn casglu i ysguboriau, ac eto y y mae eich Tad nefol yn eu bwydo. Onid ydych chwi yn 27 llawer mwy gwerthfawr na hwy? Prun ohonoch a all ychwan- 28 egu un fodfedd at ei daldra* trwy bryderu? A pham yr ydych yn pryderu am ddillad? Ystyriwch lili'r maes, pa fodd y 29 mae'n tyfu; nid yw'n llafurio nac yn nyddu. Ond 'rwy'n dweud wrthych, nid oedd gan hyd yn oed Solomon yn ei holl 30 ogoniant wisg i'w chymharu ag un o'r rhain. Os yw Duw yn dilladu felly laswellt y maes, sydd yno heddiw ac yfory yn cael ei daflu i'r ffwrn, onid llawer mwy y dillada chwi, chwi o 31 ychydig ffydd? Peidiwch felly â phryderu a dweud, 'Beth yr ydym i'w fwyta?' neu 'Beth yr ydym i'w yfed?' neu 'Beth yr 32 ydym i'w wisgo?' Dyna'r holl bethau y mae'r Cenhedloedd yn eu ceisio; y mae eich Tad nefol yn gwybod fod arnoch angen 33 y rhain i gyd. Ond ceisiwch yn gyntaf ei deyrnas a'i gyfiawnder 34 ef, a rhoir y pethau hyn i gyd yn ychwaneg i chwi. Peidiwch felly â phryderu am yfory, oherwydd bydd gan yfory ei bryder ei hun. Digon i'r diwrnod ei drafferth ei hun.

### *Barnu Eraill*
(Lc 6. 37-38, 41-42)

**7** 2 "Peidiwch â barnu, rhag ichwi gael eich barnu; oherwydd fel y byddwch chwi'n barnu y cewch chwithau eich barnu, ac 3 â'r mesur y rhowch y rhoir i chwithau. Pam yr wyt yn edrych ar y brycheuyn sydd yn llygad dy frawd, a thithau heb sylwi ar

---

*adn. 27: neu *awr at hyd ei oes.*

y trawst sydd yn dy lygad dy hun ? Neu sut y dywedi wrth dy 4
frawd, ' Gad imi dynnu allan y brycheuyn o'th lygad di ', a
dyna drawst yn dy lygad dy hun ? Ragrithiwr, yn gyntaf tyn y 5
trawst allan o'th lygad dy hun, ac yna fe weli yn ddigon eglur i
dynnu'r brycheuyn o lygad dy frawd. Peidiwch â rhoi'r hyn 6
sy'n sanctaidd i'r cŵn, na thaflu eich perlau o flaen y moch,
rhag iddynt eu sathru dan eu traed, a throi arnoch a'ch rhwygo.

### *Gofynnwch, Chwiliwch, Curwch*
(Lc 11. 9-13)

" Gofynnwch, ac fe roddir i chwi; chwiliwch, ac fe gewch; 7
curwch, ac fe agorir i chwi. Oherwydd y mae pawb sy'n gofyn 8
yn derbyn, a'r hwn sy'n chwilio yn cael, ac i'r hwn sy'n curo
agorir y drws. Pa ddyn ohonoch, os bydd ei fab yn gofyn iddo 9
am fara, a rydd iddo garreg ? Neu os bydd yn gofyn am 10
bysgodyn, a rydd iddo sarff ? Am hynny, os ydych chwi, sy'n 11
ddynion drwg, yn medru rhoi rhoddion da i'ch plant, gymaint
mwy y rhydd eich Tad sydd yn y nefoedd bethau da i'r rhai
sy'n gofyn ganddo. Pa beth bynnag y dymunwch i ddynion ei 12
wneud i chwi, gwnewch chwithau felly iddynt hwy; hyn yw'r
Gyfraith a'r proffwydi.

### *Y Porth Cyfyng*
(Lc 13. 24)

" Ewch i mewn trwy'r porth cyfyng; oherwydd llydan yw'r 13
porth ac eang yw'r ffordd sy'n arwain i ddistryw, a llawer yw'r
rhai sy'n mynd ar hyd-ddi. Ond cyfyng yw'r porth a chul yw'r 14
ffordd sy'n arwain i fywyd, ac ychydig yw'r rhai sy'n ei chael.

### *Adnabod Coeden wrth ei Ffrwyth*
(Lc 6. 43-44)

" Gochelwch rhag gau-broffwydi, sy'n dod atoch yng ngwisg 15
defaid, ond sydd o'u mewn yn fleiddiaid rheibus. Wrth eu 16
ffrwythau yr adnabyddwch hwy. Ai ar ddrain y mae casglu
grawnwin neu ar ysgall ffigys ? Felly y mae pob coeden dda 17
yn dwyn ffrwyth da, a choeden wael yn dwyn ffrwyth drwg.
Ni all coeden dda ddwyn ffrwyth drwg, na choeden wael 18
ffrwyth da. Y mae pob coeden nad yw'n dwyn ffrwyth da yn 19
cael ei thorri i lawr a'i bwrw i'r tân. Felly, wrth eu ffrwythau 20
yr adnabyddwch hwy.

*Ni Fûm Erioed yn eich Adnabod*
(Lc 13. 25-27)

21 "Nid pawb sy'n dweud wrthyf, 'Arglwydd, Arglwydd', fydd yn mynd i mewn i deyrnas nefoedd, ond y sawl sy'n 22 gwneud ewyllys fy Nhad, yr hwn sydd yn y nefoedd. Bydd llawer yn dweud wrthyf yn y dydd hwnnw, 'Arglwydd, Arglwydd, oni fuom yn proffwydo yn dy enw di, ac yn dy enw di yn bwrw allan gythreuliaid, ac yn dy enw di yn cyflawni 23 gwyrthiau lawer?' Ac yna dywedaf wrthynt yn eu hwynebau, 'Ni fûm erioed yn eich adnabod; ewch ymaith oddi wrthyf, chwi ddrwgweithredwyr.'

*Y Ddwy Sylfaen*
(Lc 6. 47-49)

24 "Pob un felly sy'n gwrando ar y geiriau hyn o'r eiddof ac yn eu gwneud, fe'i cyffelybir i ddyn call, a adeiladodd ei dŷ ar y 25 graig. Disgynnodd y glaw a daeth y llifogydd, a chwythodd y gwyntoedd a tharo yn erbyn y tŷ hwnnw, ond ni syrthiodd, am 26 ei fod wedi ei sylfaenu ar y graig. A phob un sy'n gwrando ar y geiriau hyn o'r eiddof a heb eu gwneud, fe'i cyffelybir i ddyn 27 ffôl, a adeiladodd ei dŷ ar y tywod. A disgynnodd y glaw a daeth y llifogydd, a chwythodd y gwyntoedd a tharo yn erbyn y tŷ hwnnw, ac fe syrthiodd, a dirfawr oedd ei gwymp."

28 Pan orffennodd Iesu lefaru'r geiriau hyn, synnodd y tyrfa-29 oedd at yr hyn yr oedd yn ei ddysgu; oherwydd yr oedd yn eu dysgu fel un ag awdurdod ganddo, ac nid fel eu hysgrifenydd-ion.

*Glanhau Dyn Gwahanglwyfus*
(Mc 1. 40-45; Lc 5. 12-16)

**8** Wedi iddo ddod i lawr o'r mynydd dilynodd tyrfaoedd mawr 2 ef. A dyma ddyn gwahanglwyfus yn dod ato ac yn syrthio o'i 3 flaen a dweud, "Syr, os mynni, gelli fy nglanhau." Estynnodd Iesu ei law a chyffwrdd ag ef gan ddweud, "Yr wyf yn mynnu, glanhaer di." Ac ar unwaith glanhawyd ei wahanglwyf. 4 Meddai Iesu wrtho, "Gwylia na ddywedi wrth neb, ond dos a dangos dy hun i'r offeiriad, ac offryma'r rhodd a orchmynnodd Moses, yn dystiolaeth i'r bobl."

*Iachâu Gwas Canwriad*
(Lc 7.1-10; In 4.43-54)

Ar ôl iddo fynd i mewn i Gapernaum daeth canwriad ato 5 ac erfyn arno: "Syr, y mae fy ngwas yn gorwèdd yn y tŷ wedi ei 6 barlysu, mewn poenau enbyd." Dywedodd Iesu wrtho, "Fe 7 ddof fi i'w iacháu." Atebodd y canwriad, "Syr, nid wyf yn 8 deilwng i ti ddod dan fy nho; ond dywed air yn unig, a chaiff fy ngwas ei iacháu. Oherwydd dyn sydd o dan awdurdod wyf 9 finnau, a chennyf filwyr danaf; byddaf yn dweud wrth hwn, 'Dos', ac fe â, ac wrth un arall, 'Tyrd', ac fe ddaw, ac wrth fy ngwas, 'Gwna hyn', ac fe'i gwna." Pan glywodd Iesu hyn, fe 10 ryfeddodd, a dywedodd wrth y rhai oedd yn ei ddilyn, "Yn wir, 'rwy'n dweud wrthych, ni chefais gan neb yn Israel ffydd mor fawr. 'Rwy'n dweud wrthych y daw llawer o'r dwyrain a'r 11 gorllewin a chymryd eu lle wrth y wledd gydag Abraham ac Isaac a Jacob yn nheyrnas nefoedd. Ond caiff meibion y 12 deyrnas eu bwrw allan i'r tywyllwch eithaf; bydd yno wylo ac ysgyrnygu dannedd." A dywedodd Iesu wrth y canwriad, 13 "Dos ymaith, boed iti fel y credaist." Ac fe iachawyd ei was y munud hwnnw.

*Iachâu Llawer*
(Mc 1.29-34; Lc 4.38-41)

Pan ddaeth i dŷ Pedr, gwelodd Iesu ei fam-yng-nghyfraith 14 ef yn gorwedd yn wael dan dwymyn. Fe gyffyrddodd â'i llaw, 15 a gadawodd y dwymyn hi, ac fe gododd a dechrau gweini arno. Gyda'r nos daethant â llawer oedd wedi eu meddiannu gan 16 gythreuliaid ato, ac fe fwriodd allan yr ysbrydion â'i air, ac iacháu pawb oedd yn dioddef; fel y cyflawnid y gair a lefarwyd 17 trwy Eseia'r proffwyd:

"Ef a gymerodd ein gwendidau
ac a ddug ymaith ein clefydau."

*Rhai yn Dymuno Canlyn Iesu*
(Lc 9.57-62)

Pan welodd Iesu dyrfa o'i amgylch, rhoddodd orchymyn i 18 groesi i'r ochr draw. Daeth un o'r ysgrifenyddion a dweud 19 wrtho, "Athro, canlynaf di lle bynnag yr ei." Meddai Iesu 20 wrtho, "Y mae gan y llwynogod ffeuau, ac adar yr awyr nythod,

21 ond gan Fab y Dyn nid oes le i roi ei ben i lawr." Dywedodd un arall o'i ddisgyblion wrtho, " Arglwydd, caniatâ imi yn 22 gyntaf fynd a chladdu fy nhad." Ond meddai Iesu wrtho, " Canlyn fi, a gad i'r meirw gladdu eu meirw eu hunain."

### *Gostegu Storm*
(Mc 4.35-41; Lc 8.22-25)

23 Aeth Iesu i mewn i'r cwch a chanlynodd ei ddisgyblion ef. 24 A dyma storm fawr yn codi ar y môr, nes bod y cwch yn cael ei 25 guddio gan y tonnau; ond yr oedd ef yn cysgu. Daethant ato a'i ddeffro a dweud, " Arglwydd, achub ni, y mae ar ben 26 arnom." A dywedodd wrthynt, " Pam y mae arnoch ofn, chwi o ychydig ffydd?" Yna cododd a cheryddodd y gwyntoedd a'r 27 môr, a bu tawelwch mawr. Synnodd y dynion a dweud, " Pa fath ddyn yw hwn? Y mae hyd yn oed y gwyntoedd a'r môr yn ufuddhau iddo."

### *Iachâu'r Dynion Gwallgo yng Ngadara*
(Mc 5.1-20; Lc 8.26-39)

28 Wedi iddo fynd i'r ochr draw, i wlad y Gadareniaid, daeth i'w gyfarfod ddau ddyn oedd wedi eu meddiannu gan gythreul-iaid, yn dod allan o blith y beddau; yr oeddent mor ffyrnig 29 fel na allai neb fynd heibio'r ffordd honno. A dyma hwy'n gweiddi, " Beth sydd a fynni di â ni, Fab Duw? A ddaethost 30 yma cyn yr amser i'n poenydio ni? " Cryn bellter oddi wrthynt 31 yr oedd cenfaint fawr o foch yn pori. Ymbiliodd y cythreuliaid arno, "Os wyt yn ein bwrw ni allan, anfon ni i'r genfaint 32 moch." Meddai ef wrthynt, " Ewch." Ac fe aethant allan o'r dynion a mynd i mewn i'r moch. A dyma'r genfaint i gyd yn 33 rhuthro dros y dibyn i'r môr, a threngi yn y dyfroedd. Ffôdd eu bugeiliaid, a mynd am y dref i adrodd yr holl hanes, a'r hyn 34 oedd wedi digwydd i'r dynion gwallgo. A dyma'r holl dref yn mynd allan i gyfarfod â Iesu, ac wedi ei weld yn erfyn arno symud o'u gororau.

### *Iachâu Dyn wedi ei Barlysu*
(Mc 2.1-12; Lc 5.17-26)

**9** Aeth Iesu i mewn i gwch a chroesi'r môr a dod i'w dref ei 2 hun. A dyma hwy'n dod â dyn wedi ei barlysu ato, yn gorwedd ar wely. Pan welodd Iesu eu ffydd hwy dywedodd wrth y claf, " Cod dy galon, fy mab; maddeuwyd dy bechodau." A dyma 3 rai o'r ysgrifenyddion yn dweud ynddynt eu hunain, " Y mae hwn yn cablu." Deallodd Iesu eu meddyliau ac meddai, " Pam 4 yr ydych yn meddwl pethau drwg yn eich calonnau? Oherwydd 5 prun sydd hawsaf, ai dweud, 'Maddeuwyd dy bechodau', ai ynteu dweud, 'Cod a cherdda'? Ond er mwyn i chwi wybod 6 fod gan Fab y Dyn hawl i faddau pechodau ar y ddaear "— yna meddai wrth y claf, " Cod, a chymer dy wely a dos adref." A chododd ac aeth ymaith i'w gartref. Pan welodd y tyrfaoedd 7,8 hyn daeth ofn arnynt a rhoesant ogoniant i Dduw, a roddodd y fath awdurdod i ddynion.

*Galw Mathew*
(Mc 2.13-17; Lc 5.27-32)

Wrth fynd heibio oddi yno gwelodd Iesu ddyn a elwid 9 Mathew yn eistedd wrth y dollfa, a dywedodd wrtho, " Canlyn fi." Cododd yntau a chanlynodd ef. Ac yr oedd wrth bryd 10 bwyd yn ei dŷ, a dyma lawer o gasglwyr trethi ac o bechaduriaid yn dod a chydfwyta gyda Iesu a'i ddisgyblion. A phan 11 welodd y Phariseaid, dywedasant wrth ei ddisgyblion, " Pam y mae eich athro yn bwyta gyda chasglwyr trethi a phechaduriaid?" Clywodd Iesu, a dywedodd, " Nid ar y cryfion ond ar y 12 cleifion y mae angen meddyg. Ond ewch a dysgwch beth yw 13 ystyr hyn, 'Trugaredd a ddymunaf, nid aberth'. Oherwydd i alw pechaduriaid, nid rhai cyfiawn, yr wyf fi wedi dod."

*Holi ynglŷn ag Ymprydio*
(Mc 2.18-22; Lc 5.33-39)

Yna daeth disgyblion Ioan ato a dweud, " Pam yr ydym ni 14 a'r Phariseaid yn ymprydio llawer, ond dy ddisgyblion di ddim yn ymprydio?" Dywedodd Iesu wrthynt, " A all gwesteion 15 priodas alaru cyhyd ag y mae'r priodfab gyda hwy ? Ond fe ddaw dyddiau pan ddygir y priodfab oddi wrthynt, ac yna yr ymprydiant. Ni fydd neb yn gwnïo clwt o frethyn heb ei bannu 16 ar hen ddilledyn; oherwydd fe dynn y clwt wrth y dilledyn, ac fe â'r rhwyg yn waeth. Ni fydd pobl chwaith yn tywallt gwin 17 newydd i hen grwyn; os gwnânt, fe rwygir y crwyn, fe sernir y gwin a difethir y crwyn. Ond byddant yn tywallt gwin newydd i grwyn newydd, ac fe gedwir y ddau."

### *Merch y Llywodraethwr, a'r Wraig a Gyffyrddodd â Mantell Iesu*
(Mc 5.21-43; Lc 8.40-56)

18 Tra oedd ef yn siarad fel hyn â hwy, dyma ryw lywodraethwr yn dod ato ac ymgrymu iddo a dweud, " Y mae fy merch 19 newydd farw; ond tyrd a rho dy law arni, ac fe fydd fyw." A 20 chododd Iesu a dilynodd ef gyda'i ddisgyblion. A dyma wraig ag arni waedlif ers deuddeng mlynedd yn dod ato o'r tu ôl ac yn 21 cyffwrdd ag ymyl ei fantell. Oherwydd yr oedd hi wedi dweud ynddi ei hun, " Dim ond imi gyffwrdd â'i fantell, fe gaf fy 22 iacháu." A throes Iesu, a gwelodd hi, ac meddai, " Cod dy galon, fy merch; dy ffydd sydd wedi dy iacháu di." Ac iach-23 awyd y wraig o'r munud hwnnw. Pan ddaeth Iesu i dŷ'r llywodraethwr, a gweld y pibyddion a'r dyrfa mewn cynnwrf, 24 dywedodd, " Ewch ymaith, oherwydd nid yw'r eneth wedi marw, cysgu y mae." Dechreusant chwerthin am ei ben. 25 Ac wedi i'r dyrfa gael ei gyrru allan, aeth ef i mewn a gafael yn 26 ei llaw, a chododd yr eneth. Ac aeth yr hanes am hyn allan i'r holl ardal honno.

### *Iachâu Dau Ddyn Dall*

27 Wrth i Iesu fynd oddi yno dilynodd dau ddyn dall ef gan 28 weiddi, " Trugarha wrthym ni, Fab Dafydd." Wedi iddo ddod i'r tŷ daeth y deillion ato, a gofynnodd Iesu iddynt, " A ydych yn credu y gallaf wneud hyn?" Dywedasant wrtho, 29 " Ydym, Syr." Yna cyffyrddodd â'u llygaid a dweud, " Yn ôl 30 eich ffydd boed i chwi." Agorwyd eu llygaid, a rhybuddiodd 31 Iesu hwy yn llym, " Gofalwch na chaiff neb wybod." Ond aethant allan a thaenu'r hanes amdano yn yr holl ardal honno.

### *Iachâu Dyn Mud*

32 Fel yr oeddent yn mynd ymaith, dyma rywrai'n dwyn ato 33 ddyn mud wedi ei feddiannu gan gythraul. Wedi i'r cythraul gael ei fwrw allan, llefarodd y mudan; a rhyfeddodd y tyrfa-oedd gan ddweud, " Ni welwyd erioed y fath beth yn Israel." 34 Ond dywedodd y Phariseaid, " Trwy bennaeth y cythreuliaid y mae'n bwrw allan gythreuliaid."

### *Tosturi Iesu*

35 Yr oedd Iesu'n mynd o amgylch yr holl drefi a'r pentrefi, dan ddysgu yn eu synagogau hwy, a phregethu efengyl y

deyrnas, ac iacháu pob afiechyd a phob llesgedd. A phan welodd ef y tyrfaoedd tosturiodd wrthynt am eu bod yn flinderus a diymadferth fel defaid heb fugail. Yna meddai wrth ei ddisgyblion, " Y mae'r cynhaeaf yn fawr ond y gweithwyr yn brin; deisyfwch felly ar arglwydd y cynhaeaf anfon gweithwyr i'w gynhaeaf." 36 37 38

*Cenhadaeth y Deuddeg*
(Mc 3.13-19; Lc 6.12-16)

Wedi galw ato ei ddeuddeg disgybl rhoddodd Iesu iddynt awdurdod dros ysbrydion aflan, i'w bwrw allan, ac i iacháu pob afiechyd a phob llesgedd. A dyma enwau'r deuddeg apostol: yn gyntaf Simon, a elwir Pedr, ac Andreas ei frawd, a Iago fab Sebedeus, ac Ioan ei frawd, Philip a Bartholomeus, Thomas a Mathew'r casglwr trethi, Iago fab Alffeus, a Thadeus,* Simon y Selot, a Jwdas Iscariot, yr un a'i bradychodd ef. **10** 2 3 4

*Rhoi Comisiwn i'r Deuddeg*
(Mc 6.7-13; Lc 9.1-6)

Y deuddeg hyn a anfonodd Iesu allan wedi rhoi'r gorchmynion yma iddynt: " Peidiwch â mynd i gyfeiriad y Cenhedloedd, a pheidiwch â mynd i mewn i un o drefi'r Samariaid. Ewch yn hytrach at ddefaid colledig tŷ Israel. Ac wrth fynd cyhoeddwch y genadwri: 'Y mae teyrnas nefoedd wedi dod yn agos.' Iachewch y cleifion, cyfodwch y meirw, glanhewch y gwahanglwyfus, bwriwch allan gythreuliaid; derbyniasoch heb dâl, rhowch heb dâl. Peidiwch â chymryd aur nac arian na phres yn eich gwregys, na chod i'r daith nac ail got na sandalau na ffon. Y mae'r gweithiwr yn haeddu ei fwyd. I ba dref neu bentref bynnag yr ewch, holwch pwy sy'n deilwng yno, ac arhoswch yno hyd nes y byddwch yn ymadael â'r ardal. A phan fyddwch yn mynd i mewn i dŷ, cyfarchwch y tŷ. Ac os bydd y tŷ yn deilwng, deued eich tangnefedd arno. Ond os na fydd y tŷ yn deilwng, dychweled eich tangnefedd atoch. Ac os bydd rhywun yn gwrthod eich derbyn a gwrthod gwrando ar eich geiriau, ewch allan o'r tŷ hwnnw neu'r dref honno ac ysgydwch y llwch oddi ar eich traed. Yn wir, 'rwy'n dweud wrthych y caiff tir Sodom a Gomorra lai i'w ddioddef yn Nydd y Farn na'r dref honno. 5 6,7 8 9 10 11 12 13 14 15

*adn. 3: yn ôl darlleniad arall, *Lebeus*.

*Erledigaethau i Ddod*
(Mc 13.9-13; Lc 21.12-17)

16 " Dyma fi yn eich anfon allan fel defaid i blith bleiddiaid; felly byddwch yn gall fel seirff ac yn ddiniwed fel colomennod. 17 Gochelwch rhag dynion; oherwydd fe'ch traddodant chwi i 18 lysoedd, ac fe'ch fflangellant yn eu synagogau. Cewch eich dwyn o flaen llywodraethwyr a brenhinoedd o'm hachos i, i 19 ddwyn tystiolaeth iddynt ac i'r Cenhedloedd. Pan draddodant chwi, peidiwch â phryderu pa fodd na pha beth i lefaru, oher- 20 wydd fe roddir i chwi y pryd hwnnw eiriau i'w llefaru. Nid chwi sydd yn llefaru, ond Ysbryd eich Tad sy'n llefaru ynoch 21 chwi. Bradycha brawd ei frawd i farwolaeth, a thad ei blentyn, 22 a chyfyd plant yn erbyn eu rhieni a pheri eu lladd. A chas fyddwch gan bawb o achos fy enw i; ond y sawl sy'n dyfal- 23 barhau i'r diwedd a gaiff ei gadw. Pan erlidiant chwi mewn un dref, ffowch i un arall. Yn wir, 'rwy'n dweud wrthych, ni fyddwch wedi cwblhau trefi Israel cyn dyfod Mab y Dyn.

24 " Nid yw disgybl yn well na'i athro na chaethwas yn well na'i 25 feistr. Digon i'r disgybl yw bod fel ei athro, a'r caethwas fel ei feistr. Os galwasant feistr y tŷ yn Beelsebwl, pa faint mwy ei deulu?

*Pwy i'w Ofni*
(Lc 12.2-7)

26 " Peidiwch â'u hofni hwy. Oherwydd nid oes dim wedi ei guddio na ddatguddir, na dim yn guddiedig na cheir ei wybod. 27 Yr hyn a ddywedaf wrthych yn y tywyllwch, dywedwch ef yng ngolau dydd; a'r hyn a sibrydir i'ch clust, cyhoeddwch ef ar 28 bennau'r tai. A pheidiwch ag ofni'r rhai sy'n lladd y corff, ond na allant ladd yr enaid; ofnwch yn hytrach yr hwn sy'n gallu 29 dinistrio'r enaid a'r corff yn uffern. Oni werthir dau aderyn y to am geiniog? Eto nid oes un ohonynt yn syrthio i'r ddaear 30 heb eich Tad. Amdanoch chwi, y mae hyd yn oed pob blewyn 31 o wallt eich pen wedi ei rifo. Peidiwch ag ofni felly; yr ydych chwi'n werth mwy na llawer o adar y to.

*Cyffesu Crist gerbron Dynion*
(Lc 12.8-9)

32 " Pob un fydd yn fy arddel i gerbron dynion, byddaf finnau hefyd yn ei arddel ef gerbron fy Nhad, yr hwn sydd yn y nef-

oedd. Ond pwy bynnag fydd yn fy ngwadu i gerbron dynion, 33
byddaf finnau hefyd yn ei wadu ef gerbron fy Nhad, yr hwn
sydd yn y nefoedd.

### *Nid Heddwch, ond Cleddyf*
(Lc 12.51-53; 14.26-27)

" Peidiwch â meddwl mai i ddwyn heddwch i'r ddaear y 34
deuthum; nid i ddwyn heddwch y deuthum ond cleddyf.
Oherwydd deuthum i rannu 35

' dyn yn erbyn ei dad,
a merch yn erbyn ei mam,
a merch-yng-nghyfraith yn erbyn ei mam-yng-nghyfraith;
a gelynion dyn fydd ei deulu ei hun '. 36

Nid yw'r sawl sy'n caru tad neu fam yn fwy na myfi yn deilwng 37
ohonof fi; ac nid yw'r sawl sy'n caru mab neu ferch yn fwy na
myfi yn deilwng ohonof fi. A'r hwn nad yw'n cymryd ei groes 38
ac yn canlyn ar fy ôl i, nid yw'n deilwng ohonof fi. Y dyn sy'n 39
ennill ei fywyd a'i cyll, a'r dyn sy'n colli ei fywyd er fy mwyn i
a'i hennill.

### *Gwobrau*
(Mc 9.41)

" Y mae'r hwn sy'n eich derbyn chwi yn fy nerbyn i, a'r hwn 40
sy'n fy nerbyn i yn derbyn yr hwn a'm hanfonodd i. Yr hwn 41
sy'n derbyn proffwyd am ei fod yn broffwyd, fe gaiff wobr
proffwyd, a'r hwn sy'n derbyn dyn cyfiawn am ei fod yn ddyn
cyfiawn, fe gaiff wobr dyn cyfiawn. A phwy bynnag a rydd 42
ddim ond cwpanaid o ddŵr oer i un o'r rhai bychain hyn am ei
fod yn ddisgybl, yn wir, 'rwy'n dweud wrthych, ni chyll
hwnnw mo'i wobr."

Pan orffennodd Iesu roi cynghorion i'w ddeuddeg disgybl, **11**
symudodd oddi yno er mwyn dysgu a phregethu yn eu trefi hwy.

### *Negesyddion Ioan Fedyddiwr*
(Lc 7.18-35)

Pan glywodd Ioan yn y carchar am weithredoedd Crist, 2
anfonodd trwy ei ddisgyblion a gofyn iddo, " Ai ti yw'r hwn 3
sydd i ddod, ai am rywun arall yr ydym i ddisgwyl ? " Ac 4

atebodd Iesu hwy, "Ewch a dywedwch wrth Ioan yr hyn yr
5 ydych yn ei glywed ac yn ei weld. Y mae'r deillion yn cael eu golwg yn ôl, y cloffion yn cerdded, y gwahangleifion yn cael eu glanhau a'r byddariaid yn clywed, y meirw yn codi, y tlodion
6 yn cael clywed y newydd da. Gwyn ei fyd y sawl na ddaw
7 cwymp iddo o'm hachos i." Wrth i ddisgyblion Ioan fynd ymaith, dechreuodd Iesu sôn am Ioan wrth y tyrfaoedd. "Beth yr aethoch allan i'r anialwch i edrych arno? Ai brwynen yn
8 siglo yn y gwynt? Beth yr aethoch allan i'w weld? Ai dyn wedi ei wisgo mewn dillad esmwyth? Yn nhai brenhinoedd y
9 mae'r rhai sy'n gwisgo dillad esmwyth. Beth yr aethoch allan i'w weld? Ai proffwyd? Ie, meddaf wrthych, a mwy na
10 phroffwyd. Dyma'r un y mae'n ysgrifenedig amdano:

'Wele fi'n anfon fy nghennad o'th flaen,
i baratoi'r ffordd ar dy gyfer.'

11 Yn wir, 'rwy'n dweud wrthych, ni chododd ymhlith meibion gwragedd neb mwy na Ioan Fedyddiwr; ac eto y mae'r lleiaf
12 yn nheyrnas nefoedd yn fwy nag ef. O ddyddiau Ioan Fedyddiwr hyd yn awr y mae teyrnas nefoedd yn cael ei threisio, a
13 threiswyr sy'n ei chipio hi. Hyd at Ioan y proffwydodd yr holl
14 broffwydi a'r Gyfraith; ac os mynnwch dderbyn hynny, ef yw
15 Elias sydd ar ddod. Yr hwn sydd ganddo glustiau, gwrandawed.
16 "Â phwy y cymharaf y genhedlaeth hon? Y mae'n debyg i blant yn eistedd yn y marchnadoedd ac yn galw ar ei gilydd:

17 'Canasom ffliwt i chwi, ac ni ddawnsiasoch;
canasom alarnad, ac nid wylasoch.'

18 Oherwydd daeth Ioan, un nad yw'n bwyta nac yn yfed, ac y
19 maent yn dweud, 'Y mae cythraul ynddo.' Daeth Mab y Dyn, un sy'n bwyta ac yn yfed, ac y maent yn dweud, 'Dyma feddwyn glwth, cyfaill i gasglwyr trethi a phechaduriaid.' Ac eto profir gan ei gweithredoedd fod doethineb Duw yn iawn."

### *Gwae'r Trefi Di-edifar*
(Lc 10.13-15)

20 Yna dechreuodd geryddu'r trefi lle y gwnaed y rhan fwyaf o'i
21 wyrthiau, am nad oeddent wedi edifarhau. "Gwae di, Chorasin! gwae di, Bethsaida! Oherwydd petai'r gwyrthiau a wnaed ynoch chwi wedi eu gwneud yn Tyrus a Sidon,
22 buasent ers talm wedi edifarhau mewn sachliain a lludw. Ond 'rwy'n dweud wrthych, caiff Tyrus a Sidon lai i'w ddioddef yn

Nydd y Farn na chwi. A thithau, Capernaum, 23
‘A ddyrchefir di hyd nef?
Byddi’n disgyn hyd uffern.’
Oherwydd petai’r gwyrthiau a wnaed ynot ti wedi eu gwneud yn Sodom, buasai’n sefyll hyd heddiw. Ond ’rwy’n dweud 24 wrthych y caiff tir Sodom lai i’w ddioddef yn Nydd y Farn na thi.”

*Dewch ataf Fi am Orffwystra*
(Lc 10.21–22)

Yr amser hwnnw dywedodd Iesu, “Yr wyf yn dy foliannu di, 25 O Dad, Arglwydd nef a daear, am iti guddio’r pethau hyn rhag y doethion a’r deallusion, a’u datguddio i rai bychain; ie, 26 O Dad, oherwydd felly y rhyngodd dy fodd di. Traddodwyd i 27 mi bob peth gan fy Nhad. Nid oes neb yn adnabod y Mab, ond y Tad, ac nid oes neb yn adnabod y Tad, ond y Mab a phwy bynnag y mae’r Mab yn dewis ei ddatguddio iddo. Dewch ataf fi, bawb sy’n flinedig ac yn llwythog, ac fe roddaf fi 28 orffwystra i chwi. Cymerwch fy iau arnoch a dysgwch gennyf, 29 oherwydd addfwyn ydwyf a gostyngedig o galon, ac fe gewch orffwystra i’ch eneidiau. Y mae fy iau i yn hawdd ei dwyn, a’m 30 baich i yn ysgafn.”

*Tynnu Tywysennau ar y Saboth*
(Mc 2.23-28; Lc 6.1-5)

Yr amser hwnnw aeth Iesu drwy’r caeau ŷd ar y Saboth; **12** yr oedd eisiau bwyd ar ei ddisgyblion, a dechreusant dynnu tywysennau a’u bwyta. Pan welodd y Phariseaid hynny, 2 meddent wrtho, “Edrych, y mae dy ddisgyblion yn gwneud peth sy’n groes i’r Gyfraith ar y Saboth.” Dywedodd yntau 3 wrthynt, “Onid ydych wedi darllen beth a wnaeth Dafydd, pan oedd eisiau bwyd arno ef a’r rhai oedd gydag ef? Sut yr 4 aeth i mewn i dŷ Duw a sut y bwytasant y torthau cysegredig, nad oedd yn gyfreithlon iddo ef na’r rhai oedd gydag ef eu bwyta, ond i’r offeiriaid yn unig? Neu onid ydych wedi darllen 5 yn y Gyfraith fod yr offeiriaid ar y Saboth yn y deml yn halogi’r Saboth ond eu bod yn ddieuog? ’Rwy’n dweud wrthych fod 6 rhywbeth mwy na’r deml yma. Pe buasech wedi deall beth yw 7 ystyr y dywediad, ‘Trugaredd a ddymunaf, nid aberth’, ni fuasech wedi condemnio’r dieuog. Oherwydd y mae Mab y 8 Dyn yn arglwydd ar y Saboth.”

### *Y Dyn â'r Llaw Ddiffrwyth*
(Mc 3.1-6; Lc 6.6-11)

9,10 Symudodd oddi yno a daeth i'w synagog hwy. Yno yr oedd dyn â chanddo law ddiffrwyth. Gofynasant i Iesu, er mwyn cael cyhuddiad i'w ddwyn yn ei erbyn, " A yw'n gyfreithlon 11 iacháu ar y Saboth ?" Dywedodd yntau wrthynt, " Pa ddyn ohonoch â chanddo un ddafad, os syrth honno i bydew ar y 12 Saboth, na fydd yn gafael ynddi a'i chodi ? Gymaint mwy gwerthfawr yw dyn na dafad. Am hynny y mae'n gyfreithlon 13 gwneud da ar y Saboth." Yna dywedodd wrth y dyn, " Estyn dy law." Estynnodd yntau hi, a gwnaed ei law yn holliach fel y 14 llall. Ac fe aeth y Phariseaid allan a chynllwynio yn ei erbyn, sut i'w ladd.

### *Y Gwas Dewisedig*

15 Ond daeth Iesu i wybod, ac aeth ymaith oddi yno. Dilynodd 16 llawer ef, ac fe iachaodd bawb ohonynt, a rhybuddiodd hwy i 17 beidio â'i wneud yn hysbys, fel y cyflawnid y gair a lefarwyd trwy Eseia'r proffwyd:

18 " Dyma fy ngwas, yr un a ddewisais,
Fy anwylyd, yr ymhyfrydodd fy enaid ynddo.
Rhoddaf fy Ysbryd arno,
a bydd yn cyhoeddi barn i'r Cenhedloedd.
19 Ni fydd yn ymrafael nac yn gweiddi,
ac ni chlyw neb ei lais ef yn yr heolydd.
20 Ni fydd yn mathru corsen doredig,
nac yn diffodd cannwyll sy'n mygu,
nes iddo ddwyn barn i fuddugoliaeth.
21 Ac yn ei enw ef y bydd gobaith y Cenhedloedd."

### *Iesu a Beelsebwl*
(Mc 3.20-30; Lc 11.14-23; 12.10)

22 Yna dygwyd ato ddyn â chythraul ynddo, yn ddall a mud; 23 iachaodd Iesu ef, nes bod y mudan yn llefaru a gweld. A synnodd yr holl dyrfaoedd a dweud, " A yw'n bosibl mai hwn yw 24 Mab Dafydd ?" Ond pan glywodd y Phariseaid dywedasant, " Nid yw hwn yn bwrw allan gythreuliaid ond trwy Beelsebwl, 25 pennaeth y cythreuliaid." Deallodd Iesu eu meddyliau a dywedodd wrthynt, "Caiff pob teyrnas a ymrannodd yn ei herbyn

ei hun ei difrodi, ac ni bydd yr un dref na thŷ a ymrannodd yn ei erbyn ei hun yn sefyll. Ac os yw Satan yn bwrw allan Satan, 26 y mae wedi ymrannu yn ei erbyn ei hun; sut felly y saif ei deyrnas? Ac os trwy Beelsebwl yr wyf fi'n bwrw allan 27 gythreuliaid, trwy bwy y mae eich disgyblion chwi yn eu bwrw allan? Am hynny hwy fydd yn eich barnu. Ond os trwy 28 Ysbryd Duw yr wyf fi'n bwrw allan gythreuliaid, yna y mae teyrnas Dduw wedi cyrraedd atoch. Neu sut y gall rhywun 29 fynd i mewn i dŷ dyn cryf ac ysbeilio'i ddodrefn heb iddo'n gyntaf rwymo'r dyn cryf? Wedyn caiff ysbeilio'i dŷ ef. Os 30 nad yw dyn gyda mi, yn fy erbyn i y mae, ac os nad yw'n casglu gyda mi, gwasgaru y mae. Am hynny 'rwy'n dweud wrthych, 31 maddeuir pob pechod a chabledd i ddynion, ond y cabledd yn erbyn yr Ysbryd ni faddeuir mohono. A phwy bynnag a 32 ddywed air yn erbyn Mab y Dyn, maddeuir iddo; ond pwy bynnag a'i dywed yn erbyn yr Ysbryd Glân, ni faddeuir iddo nac yn yr oes hon nac yn yr oes sydd i ddod.

*Coeden a'i Ffrwyth*
(Lc 6.43-45)

"Naill ai cyfrifwch y goeden yn dda a'i ffrwyth yn dda, neu 33 cyfrifwch y goeden yn wael a'i ffrwyth yn wael. Wrth ei ffrwyth y mae'r goeden yn cael ei hadnabod. Chwi epil gwiberod, sut 34 y gallwch lefaru pethau da, a chwi eich hunain yn ddrwg? Oherwydd yn ôl yr hyn sy'n llenwi'r galon y mae'r genau'n llefaru. Y mae'r dyn da o'i drysor da yn dwyn allan bethau da, 35 a'r dyn drwg o'i drysor drwg yn dwyn allan bethau drwg. 'Rwy'n dweud wrthych am bob gair di-fudd a lefara dynion, 36 fe roddant gyfrif amdano yn Nydd y Farn. Oherwydd wrth dy 37 eiriau y cei dy gyfiawnhau, ac wrth dy eiriau y cei dy gondemnio."

*Ceisio Arwydd*
(Mc 8.11-12; Lc 11.29-32)

Yna dywedodd rhai o'r ysgrifenyddion a'r Phariseaid wrtho, 38 "Athro, fe garem weld arwydd gennyt." Atebodd yntau, 39 "Cenhedlaeth ddrygionus ac annuwiol sy'n ceisio arwydd, eto ni roddir arwydd iddi ond arwydd y proffwyd Jona. Oherwydd 40 fel y bu Jona ym mol y morfil am dri diwrnod a thair nos, felly y bydd Mab y Dyn yn nyfnder y ddaear am dri diwrnod a thair

41 nos. Bydd gwŷr Ninefe yn codi yn y Farn gyda'r genhedlaeth hon ac yn ei chondemnio hi; oherwydd edifarhasant hwy dan genadwri Jona, ac yr ydych chwi'n gweld yma beth mwy na
42 Jona. Bydd Brenhines y De yn codi yn y Farn gyda'r genhedlaeth hon ac yn ei chondemnio; oherwydd daeth hi o eithafoedd y ddaear i glywed doethineb Solomon, ac yr ydych chwi'n gweld yma beth mwy na Solomon.

### *Yr Ysbryd Aflan yn Dychwelyd*
(Lc 11.24-26)

43 "Pan fydd ysbryd aflan yn mynd allan o ddyn, bydd yn rhodio trwy fannau sychion gan geisio gorffwysfa, ac nid yw yn
44 ei gael. Yna y mae'n dweud, 'Mi ddychwelaf i'm cartref, y lle y deuthum ohono.' Wedi cyrraedd, y mae'n ei gael yn wag, wedi
45 ei ysgubo a'i osod mewn trefn. Yna y mae'n mynd ac yn cymryd gydag ef saith ysbryd arall mwy drygionus nag ef ei hun; y maent yn dod i mewn ac yn ymgartrefu yno; ac y mae cyflwr olaf y dyn hwnnw yn waeth na'r cyntaf. Felly hefyd y bydd i'r genhedlaeth ddrwg hon."

### *Mam a Brodyr Iesu*
(Mc 3.31-35; Lc 8.19-21)

46 Tra oedd ef yn dal i siarad â'r tyrfaoedd, yr oedd ei fam a'i
47 frodyr yn sefyll y tu allan yn ceisio siarad ag ef. Dywedodd rhywun wrtho, "Dacw dy fam a'th frodyr yn sefyll y tu allan
48 yn ceisio siarad â thi." Atebodd Iesu ef, "Pwy yw fy mam, a
49 phwy yw fy mrodyr?" A chan estyn ei law at ei ddisgyblion
50 dywedodd, "Dyma fy mam a'm brodyr i. Oherwydd pwy bynnag sy'n gwneud ewyllys fy Nhad, yr hwn sydd yn y nefoedd, y mae hwnnw'n frawd i mi, ac yn chwaer, ac yn fam."

### *Dameg yr Heuwr*
(Mc 4.1-9; Lc 8.4-8)

**13** Y diwrnod hwnnw aeth Iesu allan o'r tŷ ac eisteddodd ar lan
2 y môr. Daeth tyrfaoedd mawr ynghyd ato, nes iddo fynd ac eistedd mewn cwch, ac yr oedd yr holl dyrfa yn sefyll ar y
3 traeth. Fe lefarodd lawer wrthynt ar ddamhegion, gan ddweud:
4 "Aeth heuwr allan i hau. Ac wrth iddo hau, syrthiodd peth had
5 ar hyd y llwybr, a daeth yr adar a'i fwyta. Syrthiodd peth arall

ar leoedd creigiog, lle ni chafodd fawr o bridd, a thyfodd yn gyflym am nad oedd iddo ddyfnder daear. Ond wedi i'r haul 6 godi fe'i llosgwyd, ac am nad oedd iddo wreiddyn fe wywodd. Syrthiodd hadau eraill ymhlith y drain, a thyfodd y drain a'u 7 tagu. A syrthiodd eraill ar dir da a ffrwytho, peth ganwaith 8 cymaint, a pheth drigain, a pheth ddeg ar hugain. Yr hwn sydd 9 ganddo glustiau, gwrandawed."

### *Pwrpas y Damhegion*
(Mc 4.10-12; Lc 8.9-10)

Daeth y disgyblion a dweud wrtho, "Pam yr wyt yn siarad 10 wrthynt ar ddamhegion?" Atebodd yntau, "I chwi y mae 11 gwybod cyfrinachau teyrnas Dduw wedi ei roi, ond iddynt hwy nis rhoddwyd. Oherwydd i'r hwn y mae ganddo y rhoir, a bydd 12 ganddo fwy na digon; ond oddi ar yr hwn nad oes ganddo y dygir hyd yn oed hynny sydd ganddo. Am hynny yr wyf yn 13 siarad wrthynt ar ddamhegion; oherwydd er iddynt edrych nid ydynt yn gweld, ac er iddynt wrando nid ydynt yn clywed nac yn deall. A chyflawnir ynddynt hwy y broffwydoliaeth gan 14 Eseia sy'n dweud:

'Er gwrando a gwrando, ni ddeallwch ddim,
er edrych ac edrych, ni welwch ddim.
Canys brasawyd deall y bobl yma, 15
y mae eu clyw yn drwm,
a'u llygaid wedi cau;
rhag iddynt weld â'u llygaid,
na chlywed â'u clustiau,
na deall â'u meddwl, a throi,
ac i mi eu hiacháu.'

Ond gwyn eu byd eich llygaid chwi am eu bod yn gweld, a'ch 16 clustiau chwi am eu bod yn clywed. Yn wir, 'rwy'n dweud 17 wrthych fod llawer o broffwydi a rhai cyfiawn wedi dyheu am weld y pethau yr ydych chwi yn eu gweld, ac nis gwelsant, a chlywed y pethau yr ydych chwi yn eu clywed, ac nis clywsant.

### *Egluro Dameg yr Heuwr*
(Mc 4.13-20; Lc 8.11-15)

"Gwrandewch chwithau felly ar ddameg yr heuwr. Pan 18,19 fydd unrhyw un yn clywed gair y deyrnas heb ei ddeall, daw'r

Un drwg a chipio'r hyn a heuwyd yn ei galon. Dyma'r un sy'n
20 derbyn yr had ar hyd y llwybr. A'r un sy'n derbyn yr had ar
leoedd creigiog, dyma'r un sy'n clywed y gair ac yn ei dderbyn
21 ar ei union yn llawen. Ond nid oes ganddo wreiddyn ynddo'i
hunan, a thros dro y mae'n para; pan ddaw gorthrymder neu
22 erlid o achos y gair, fe gwymp ar unwaith. Yr un sy'n derbyn
yr had ymhlith y drain, dyma'r un sy'n clywed y gair, ond y mae
gofal y byd hwn a hudoliaeth golud yn tagu'r gair, ac y mae'n
23 mynd yn ddiffrwyth. A'r un sy'n derbyn yr had ar dir da,
dyma'r un sy'n clywed y gair ac yn ei ddeall, ac yn dwyn
ffrwyth ac yn rhoi peth ganwaith cymaint, a pheth drigain, a
pheth ddeg ar hugain."

### *Dameg yr Efrau ymysg yr Ŷd*

24 Cyflwynodd Iesu ddameg arall iddynt: "Y mae teyrnas
25 nefoedd yn debyg i ddyn a heuodd had da yn ei faes. Ond pan
oedd pawb yn cysgu, daeth ei elyn a hau efrau ymysg yr ŷd a
26 mynd ymaith. Pan eginodd y cnwd a dwyn ffrwyth, yna ym-
27 ddangosodd yr efrau hefyd. Daeth gweision gŵr y tŷ a dweud
wrtho, 'Syr, onid had da a heuaist yn dy faes? O ble felly y
28 daeth efrau iddo?' Atebodd yntau, 'Gelyn a wnaeth hyn.'
Meddai'r gweision wrtho, 'A wyt am i ni fynd allan a chasglu'r
29 efrau?' 'Na,' meddai ef, 'wrth gasglu'r efrau fe ellwch ddi-
30 wreiddio'r ŷd gyda hwy. Gadewch i'r ddau dyfu gyda'i
gilydd hyd y cynhaeaf, ac yn amser y cynhaeaf dywedaf wrth y
medelwyr, "Casglwch yr efrau yn gyntaf, a rhwymwch hwy'n
sypynnau i'w llosgi, ond crynhowch yr ŷd i'm hysgubor."'"

### *Damhegion yr Hedyn Mwstard a'r Lefain*
(Mc 4.30-32; Lc 13.18-21)

31 A dyma ddameg arall a gyflwynodd iddynt: "Y mae teyrnas
nefoedd yn debyg i hedyn mwstard, a gymerodd dyn a'i hau yn
32 ei faes. Dyma'r lleiaf o'r holl hadau, ond wedi iddo dyfu, ef
yw'r mwyaf o'r holl lysiau, a daw yn goeden, fel bod adar yr
awyr yn dod ac yn nythu yn ei changhennau."

33 Llefarodd ddameg arall wrthynt: "Y mae teyrnas nefoedd
yn debyg i lefain; y mae gwraig yn ei gymryd, ac yn ei gymysgu
â thri mesur o flawd gwenith, nes lefeinio'r cwbl."

### *Arfer Damhegion*
(Mc 4.33-34)

Dywedodd Iesu'r holl bethau hyn ar ddamhegion i'r tyrfaoedd; heb ddameg ni fyddai'n llefaru dim wrthynt, fel y cyflawnid y gair a lefarwyd trwy'r proffwyd: 34 35

"Agoraf fy ngenau ar ddamhegion,
traethaf bethau sy'n guddiedig er seiliad y byd."

### *Egluro Dameg yr Efrau*

Yna, wedi gollwng y tyrfaoedd, daeth i'r tŷ. A daeth ei ddisgyblion ato a dweud, "Eglura i ni ddameg yr efrau yn y maes." Dywedodd yntau, "Yr un sy'n hau'r had da yw Mab y Dyn. Y maes yw'r byd. Yr had da yw meibion y deyrnas; yr efrau yw meibion yr un drwg, a'r gelyn a'u heuodd yw'r diafol; y cynhaeaf yw diwedd y byd, a'r medelwyr yw'r angylion. Yn union fel y cesglir yr efrau a'u llosgi yn y tân, felly y bydd yn niwedd y byd. Bydd Mab y Dyn yn anfon ei angylion, a byddant yn casglu allan o'i deyrnas ef bopeth sy'n peri tramgwydd, a'r rhai sy'n gwneud anghyfraith, a byddant yn eu taflu i'r ffwrnais danllyd; bydd yno wylo ac ysgyrnygu dannedd. Yna bydd y rhai cyfiawn yn disgleirio fel yr haul yn nheyrnas eu Tad. Yr hwn sydd ganddo glustiau, gwrandawed. 36 37 38 39 40 41 42 43

### *Tair Dameg*

"Y mae teyrnas nefoedd yn debyg i drysor wedi ei guddio mewn maes; pan ddaeth dyn o hyd iddo, fe'i cuddiodd, ac yn ei lawenydd y mae'n mynd ac yn gwerthu'r cwbl sydd ganddo, ac yn prynu'r maes hwnnw. 44

"Eto y mae teyrnas nefoedd yn debyg i fasnachwr sy'n chwilio am berlau gwych. Wedi iddo ddarganfod un perl gwerthfawr, aeth i ffwrdd a gwerthu'r cwbl oedd ganddo, a'i brynu. 45 46

"Eto y mae teyrnas nefoedd yn debyg i rwyd a fwriwyd i'r môr ac a ddaliodd bysgod o bob math. Pan oedd yn llawn, tynnodd dynion hi i'r lan ac eistedd i lawr a chasglu'r rhai da i lestri a thaflu'r rhai gwael i ffwrdd. Felly y bydd yn niwedd y byd; bydd yr angylion yn mynd allan ac yn gwahanu'r drwg o blith y cyfiawn, ac yn eu taflu i'r ffwrnais danllyd; bydd yno wylo ac ysgyrnygu dannedd. 47 48 49 50

### *Trysorau Newydd a Hen*

51 " A ydych wedi deall yr holl bethau hyn ?" Dywedasant 52 wrtho, " Do." " Am hynny," meddai ef wrthynt, " y mae pob ysgrifennydd a ddaeth yn ddisgybl yn nheyrnas nefoedd yn debyg i berchen tŷ sydd yn dwyn allan o'i drysorfa bethau newydd a hen."

### *Gwrthod Iesu yn Nasareth*
(Mc 6.1-6; Lc 4.16-30)

53 Pan orffennodd Iesu'r damhegion hyn, aeth oddi yno. 54 Ac wedi dod i fro ei febyd, yr oedd yn dysgu yn eu synagog hwy, nes iddynt synnu a dweud, " O ble y cafodd hwn y 55 ddoethineb hon a'r gwyrthiau hyn ? Onid mab y saer yw hwn ? Onid Mair yw enw ei fam ef, a Iago a Joseff a Simon a Jwdas 56 yn frodyr iddo ? Ac onid yw ei chwiorydd i gyd yma gyda ni ? 57 O ble felly y cafodd hwn yr holl bethau hyn ?" Yr oedd ef yn peri tramgwydd iddynt. Dywedodd Iesu wrthynt, " Nid yw proffwyd heb anrhydedd ond yn ei fro ei hun ac yn ei gartref." 58 Ac ni wnaeth lawer o wyrthiau yno o achos eu hanghredin-iaeth.

### *Marwolaeth Ioan Fedyddiwr*
(Mc 6.14-29; Lc 9.7-9)

**14** Yr amser hwnnw clywodd y Tywysog Herod y sôn am Iesu, 2 a dywedodd wrth ei weision, " Ioan Fedyddiwr yw hwn; y mae ef wedi ei godi oddi wrth y meirw, a dyna pam y mae'r 3 grymusterau ar waith ynddo ef." Oherwydd yr oedd Herod wedi dal Ioan a'i roi yn rhwym yng ngharchar o achos Herod-4 ias, gwraig Philip ei frawd. Yr oedd Ioan wedi dweud wrtho, 5 " Nid yw'n gyfreithlon i ti ei chael hi." Ac er bod Herod yn dymuno ei ladd, yr oedd arno ofn y bobl, am eu bod yn 6 ystyried Ioan yn broffwyd. Pan oedd Herod yn dathlu ei ben-blwydd, dawnsiodd merch Herodias gerbron y cwmni a 7 phlesio Herod gymaint nes iddo addo ar ei lw roi iddi beth 8 bynnag a ofynnai. Ar gyfarwyddyd ei mam, dywedodd hi, 9 " Rho i mi, yma ar ddysgl, ben Ioan Fedyddiwr." Aeth y brenin yn drist, ond oherwydd ei lw ac oherwydd ei westeion 10 gorchmynnodd ei roi iddi, ac anfonodd i dorri pen Ioan yn y 11 carchar. Daethpwyd â'i ben ef ar ddysgl a'i roi i'r eneth, ac 12 aeth hi ag ef i'w mam. Yna daeth ei ddisgyblion a mynd â'r corff ymaith a'i gladdu, ac aethant ac adrodd yr hanes i Iesu.

### *Porthi'r Pum Mil*
(Mc 6.30-44; Lc 9.10-17; In 6.1-14)

Pan glywodd Iesu, aeth oddi yno mewn cwch i le unig o'r neilltu. Ond clywodd y tyrfaoedd, a dilynasant ef dros y tir o'r trefi. Pan laniodd Iesu, gwelodd dyrfa fawr, a thosturiodd wrthynt ac iacháu eu cleifion hwy. Gyda'r nos daeth ei ddisgyblion ato a dweud, " Y mae'r lle yma'n unig ac y mae hi eisoes yn hwyr. Gollwng y tyrfaoedd, iddynt fynd i'r pentrefi i brynu bwyd iddynt eu hunain." Meddai Iesu wrthynt, " Nid oes raid iddynt fynd ymaith. Rhowch chwi rywbeth i'w fwyta iddynt." Meddent hwy wrtho, " Nid oes gennym yma ond pum torth a dau bysgodyn." Meddai yntau, " Dewch â hwy yma i mi." Ac wedi gorchymyn i'r tyrfaoedd eistedd ar y glaswellt, cymerodd y pum torth a'r ddau bysgodyn, a chan edrych i fyny i'r nef a bendithio, torrodd y torthau a rhoddodd hwy i'r disgyblion, a'r disgyblion i'r tyrfaoedd. Bwytasant oll a chael digon, a chodasant ddeuddeg basgedaid llawn o'r tameidiau oedd dros ben. Ac yr oedd y rhai oedd yn bwyta tua phum mil o wŷr, heblaw gwragedd a phlant. 13 14 15 16 17 18 19 20 21

### *Cerdded ar y Dŵr*
(Mc 6.45-52; In 6.15-21)

Yna'n ddi-oed gwnaeth i'r disgyblion fynd i'r cwch a hwylio o'i flaen i'r ochr draw, tra byddai ef yn gollwng y tyrfaoedd. Wedi eu gollwng aeth i fyny i'r mynydd o'r neilltu i weddïo, a phan aeth hi'n hwyr yr oedd yno ar ei ben ei hun. Yr oedd y cwch eisoes gryn bellter oddi wrth y tir, ac mewn helbul gan y tonnau, oherwydd yr oedd y gwynt yn ei erbyn. Rhwng tri a chwech o'r gloch y bore daeth ef atynt dan gerdded ar y môr. Pan welodd y disgyblion ef yn cerdded ar y môr, dychrynwyd hwy nes dweud, " Drychiolaeth yw ", a gweiddi gan ofn. Ond ar unwaith siaradodd Iesu â hwy. " Codwch eich calon," meddai, " myfi yw; peidiwch ag ofni." Atebodd Pedr ef, " Arglwydd, os tydi yw, gorchymyn i mi ddod atat ar y tonnau." Meddai Iesu, " Tyrd." Disgynnodd Pedr o'r cwch a cherddodd ar y tonnau, a daeth at Iesu. Ond pan welodd rym y gwynt brawychodd, ac wrth ddechrau suddo gwaeddodd, " Arglwydd, achub fi." Estynnodd Iesu ei law ar unwaith a gafael ynddo gan ddweud, " Ti o ychydig ffydd, pam y petrus- 22 23 24 25 26 27 28 29 30 31

32 aist ?" Ac wedi iddynt ddringo i'r cwch, gostegodd y gwynt.
33 Yna syrthiodd y rhai oedd yn y cwch ar eu gliniau o'i flaen, a dweud, " Yn wir, Mab Duw wyt ti."

### *Iachâu'r Cleifion yng Ngenesaret*
(Mc 6.53-56)

34,35 Wedi croesi'r môr daethant i dir yng Ngenesaret. Adnabu dynion y lle hwnnw ef, ac anfonasant i'r holl gymdogaeth
36 honno, a daethant â'r cleifion i gyd ato, ac erfyn arno am iddynt gael yn unig gyffwrdd ag ymyl ei fantell. A llwyr iachawyd pawb a gyffyrddodd ag ef.

### *Traddodiad yr Hynafiaid*
(Mc 7.1-23)

**15** Yna daeth Phariseaid ac ysgrifenyddion o Jerwsalem at Iesu
2 a dweud, " Pam y mae dy ddisgyblion di yn troseddu traddodiad yr hynafiaid ? Oherwydd nid ydynt yn golchi eu dwylo
3 pan fyddant yn bwyta'u bwyd." Atebodd yntau hwy, " A pham yr ydych chwithau yn troseddu gorchymyn Duw er
4 mwyn eich traddodiad ? Oherwydd dywedodd Duw, ' Anrhydedda dy dad a'th fam', a 'Bydded farw'n gelain y dyn a
5 felltithia ei dad neu ei fam.' Ond yr ydych chwi'n dweud, ' Os dywed dyn wrth ei dad neu ei fam, " Offrwm i Dduw yw
6 beth bynnag y gallasit ei dderbyn yn gymorth gennyf fi", ni chaiff anrhydeddu ei dad.'* Ac yr ydych wedi dirymu gair
7 Duw er mwyn eich traddodiad chwi. Ragrithwyr, da y proffwydodd Eseia amdanoch:

8 ' Y mae'r bobl hyn yn fy anrhydeddu â'u gwefusau,
ond y mae eu calon yn bell oddi wrthyf ;
9 yn ofer y maent yn fy addoli,
gan ddysgu gorchmynion dynol fel athrawiaethau.' "

10 Galwodd y dyrfa ato a dywedodd wrthynt, " Gwrandewch a
11 deallwch. Nid yr hyn sy'n mynd i mewn i enau dyn sy'n ei halogi, ond yr hyn sy'n dod allan o'i enau, dyna sy'n halogi
12 dyn." Yna daeth ei ddisgyblion a dweud wrtho, " A wyddost fod y Phariseaid wedi eu tramgwyddo wrth glywed dy eiriau ?"
13 Atebodd yntau, " Pob planhigyn na phlannodd fy Nhad nefol,

---

*adn. 6: ychwanega rhai llawysgrifau: *neu ei fam.*

fe'i diwreiddir. Gadewch iddynt ; arweinwyr dall ydynt. 14
Os bydd dyn dall yn arwain dyn dall, bydd y ddau yn syrthio i
bydew." Dywedodd Pedr wrtho, "Eglura'r ddameg inni." 15
Meddai Iesu, "A ydych chwithau'n dal mor ddi-ddeall ? 16
Oni welwch fod popeth sy'n mynd i mewn i'r genau yn mynd 17
i'r cylla ac yn cael ei yrru allan i'r geudy ? Ond y mae'r pethau 18
sy'n dod allan o'r genau yn dod o'r galon, a dyna'r pethau sy'n
halogi dyn. Oherwydd o'r galon y daw cynllunio drygionus, 19
llofruddio, godinebu, puteinio, lladrata, camdystiolaethu, a
chablu. Dyma'r pethau sy'n halogi dyn ; ond bwyta â dwylo 20
heb eu golchi, nid yw hynny'n halogi neb."

### *Ffydd y Gananëes*
(Mc 7.24-30)

Aeth Iesu allan oddi yno ac ymadawodd i barthau Tyrus a 21
Sidon. A dyma wraig oedd yn Gananëes o'r cyffiniau hynny 22
yn dod ymlaen a gweiddi, "Syr, trugarha wrthyf, Fab Dafydd;
y mae fy merch wedi ei meddiannu gan gythraul ac yn dioddef
yn enbyd." Ond nid atebodd ef un gair iddi. A daeth ei 23
ddisgyblion ato a gofyn iddo, "Gyr hi i ffwrdd, oherwydd y
mae'n gweiddi ar ein hôl." Atebodd yntau, "Ni'm hanfonwyd 24
at neb ond at ddefaid colledig tŷ Israel." Ond daeth hithau ac 25
ymgrymu iddo gan ddweud, "Syr, helpa fi." Atebodd Iesu, 26
"Nid yw'n deg cymryd bara'r plant a'i daflu i'r cŵn." Dywed- 27
odd hithau, "Gwir, Syr, ond y mae hyd yn oed y cŵn yn bwyta
o'r briwsion sy'n syrthio oddi ar fwrdd eu meistri." Yna ateb- 28
odd Iesu hi, "O wraig, mawr yw dy ffydd ; boed iti fel y
mynni." Ac fe iachawyd ei merch o'r munud hwnnw.

### *Iacháu Llawer*

Symudodd Iesu oddi yno ac aeth gerllaw Môr Galilea, ac i 29
fyny'r mynydd. Eisteddodd yno, a daeth tyrfaoedd mawr ato 30
yn dwyn gyda hwy y cloff a'r dall, yr anafus a'r mud, a llawer
eraill; gosodasant hwy wrth ei draed, ac iachaodd ef hwy, er 31
syndod i'r dyrfa wrth weld y mud yn llefaru, yr anafus yn holl-
iach, y cloff yn cerdded a'r dall yn gweld ; a rhoesant ogoniant
i Dduw Israel.

### *Porthi'r Pedair Mil*
(Mc 8.1-10)

32 Galwodd Iesu ei ddisgyblion ato, ac meddai, "Yr wyf yn tosturio wrth y dyrfa, oherwydd y maent wedi bod gyda mi dridiau erbyn hyn, ac nid oes ganddynt ddim i'w fwyta. Ac ni fynnaf eu hanfon ymaith ar eu cythlwng, rhag iddynt lewygu 33 ar y ffordd." Dywedodd y disgyblion wrtho, "O ble, mewn lle 34 anial, y cawn ddigon o fara i fwydo tyrfa mor fawr?" Gofynnodd Iesu iddynt, "Pa sawl torth sy gennych?" "Saith," 35 meddent hwythau, "ac ychydig bysgod bychain." Gorchmyn-36 nodd i'r dyrfa eistedd ar y ddaear. Yna cymerodd y saith torth a'r pysgod, ac wedi diolch fe'u torrodd a'u rhoi i'r disgyblion, 37 a'r disgyblion i'r tyrfaoedd. Bwytasant oll a chael digon, a 38 chodasant saith basged lawn o'r tameidiau oedd dros ben. Yr oedd y rhai oedd yn bwyta yn bedair mil o wŷr, heblaw gwrag-39 edd a phlant. Wedi gollwng y tyrfaoedd aeth Iesu i mewn i'r cwch a daeth i gyffiniau Magadan.

### *Ceisio Arwydd*
(Mc 8.11-13; Lc 12.54-56)

16 Daeth y Phariseaid a'r Sadwceaid ato, ac i roi prawf arno 2 gofynasant iddo ddangos iddynt arwydd o'r nef. Ond atebodd ef hwy, "Gyda'r nos fe ddywedwch, 'Bydd yn dywydd teg, 3 oherwydd y mae'r wybren yn goch.' Ac yn y bore, 'Bydd yn stormus heddiw, oherwydd y mae'r wybren yn goch ac yn gymylog.' Gwyddoch sut i ddehongli golwg y ffurfafen, ond 4 ni allwch ddehongli arwyddion yr amserau.* Cenhedlaeth ddrygionus ac annuwiol sy'n ceisio arwydd, eto ni roddir arwydd iddi ond arwydd Jona." A gadawodd hwy a mynd ymaith.

### *Surdoes y Phariseaid a'r Sadwceaid*
(Mc 8.14-21)

5 Pan ddaeth y disgyblion i'r ochr draw yr oeddent wedi 6 anghofio dod â bara. Meddai Iesu wrthynt, "Gwyliwch a 7 gochelwch rhag surdoes y Phariseaid a'r Sadwceaid." Ac yr oeddent hwy'n trafod ymhlith ei gilydd gan ddweud, "Ni

*adn. 2-3: y mae rhai llawysgrifau yn gadael allan *Gyda'r nos... amserau.*

ddaethom â bara." Deallodd Iesu a dywedodd, " Chwi o ychydig ffydd, pam yr ydych yn trafod ymhlith eich gilydd nad oes gennych fara ? A ydych eto heb weld ? Onid ydych yn cofio'r pum torth i'r pum mil a pha sawl basgedaid a gymerasoch i fyny ? Nac ychwaith y saith torth i'r pedair mil a pha sawl basgedaid a gymerasoch ? Sut na welwch nad ynglŷn â bara y dywedais wrthych ? Gochelwch, meddaf, rhag surdoes y Phariseaid a'r Sadwceaid." Yna y deallasant iddo lefaru nid am ochel rhag surdoes y torthau, ond rhag yr hyn a ddysgai'r Phariseaid a'r Sadwceaid. 8 9 10 11 12

### *Datganiad Pedr ynglŷn â Iesu*
(Mc 8.27-30 ; Lc 9.18-21)

Daeth Iesu i barthau Cesarea Philipi, a holodd ei ddisgyblion: " Pwy y mae dynion yn dweud yw Mab y Dyn ?"* Dywedasant hwythau, " Mae rhai'n dweud Ioan Fedyddiwr, ac eraill Elias, ac eraill drachefn, Jeremeia neu un o'r proffwydi." " A chwithau," meddai wrthynt, " pwy meddwch chwi ydwyf fi ?" Atebodd Simon Pedr, " Ti yw'r Meseia, Mab y Duw byw." Dywedodd Iesu wrtho, " Gwyn dy fyd, Simon fab Jona, oherwydd nid cig a gwaed a ddatguddiodd hyn iti ond fy Nhad, sydd yn y nefoedd. Ac 'rwyf fi'n dweud wrthyt mai ti yw Pedr, ac ar y graig hon yr adeiladaf fy eglwys, ac ni chaiff holl bwerau angau y trechaf arni. Rhoddaf iti allweddau teyrnas nefoedd, a beth bynnag a waherddi ar y ddaear a waherddir yn y nefoedd, a beth bynnag a ganiatei ar y ddaear a ganiateir yn y nefoedd." Yna gorchmynnodd i'w ddisgyblion beidio â dweud wrth neb mai ef oedd y Meseia. 13 14 15 16 17 18 19 20

### *Iesu'n Rhagfynegi Ei Farwolaeth a'i Atgyfodiad*
(Mc 8.31-9.1 ; Lc 9.22-27)

O'r amser hwnnw y dechreuodd Iesu ddangos i'w ddisgyblion fod yn rhaid iddo fynd i Jerwsalem, a dioddef llawer gan yr henuriaid a'r prif offeiriaid a'r ysgrifenyddion, a'i ladd, a'r trydydd dydd ei atgyfodi. A chymerodd Pedr ef a dechrau ei geryddu gan ddweud, " Na ato Duw, Arglwydd. Ni chaiff hyn ddigwydd i ti." Troes yntau, a dywedodd wrth Pedr, " Dos 21 22 23

*adn. 13: yn ôl darlleniad arall, *ydwyf fi, Mab y Dyn.*

ymaith o'm golwg, Satan ; rhwystr ydwyt imi, oherwydd nid
24 ar bethau Duw y mae dy fryd ond ar bethau dynion." Yna
dywedodd Iesu wrth ei ddisgyblion, " Os myn neb ddod ar
fy ôl i, rhaid iddo ymwadu ag ef ei hun a chodi ei groes a'm
25 canlyn i. Oherwydd pwy bynnag a fyn gadw ei fywyd, fe'i cyll,
26 ond pwy bynnag a gyll ei fywyd er fy mwyn i, fe'i caiff. Pa elw
a gaiff dyn os ennill yr holl fyd a fforffedu ei fywyd ? Neu beth
27 a rydd dyn yn gyfnewid am ei fywyd ? Oherwydd y mae Mab
y Dyn ar ddyfod yng ngogoniant ei Dad gyda'i angylion, ac yna
28 fe dâl i bob un yn ôl ei ymddygiad. Yn wir, 'rwy'n dweud
wrthych, y mae rhai o'r sawl sy'n sefyll yma na phrofant flas
marwolaeth nes iddynt weld Mab y Dyn yn dyfod yn ei
deyrnas."

### *Gweddnewidiad Iesu*
(Mc 9.2-13 ; Lc 9.28-36)

**17** Ymhen chwe diwrnod dyma Iesu'n cymryd Pedr ac Iago ac
2 Ioan ei frawd a mynd â hwy i fynydd uchel o'r neilltu. A
gweddnewidiwyd ef yn eu gŵydd hwy, a disgleiriodd ei wyneb
3 fel yr haul, ac aeth ei ddillad yn wyn fel y goleuni. A dyma
4 Moses ac Elias yn ymddangos iddynt, yn ymddiddan ag ef. A
dywedodd Pedr wrth Iesu, " Arglwydd, y mae'n dda i ni fod
yma ; os mynni, gwnaf yma dair pabell, un i ti ac un i Moses
5 ac un i Elias." Tra oedd ef yn dal i siarad, dyma gwmwl golau
yn cysgodi drostynt, a llais o'r cwmwl yn dweud, " Hwn yw fy
Mab, yr Anwylyd ; ynddo ef yr wyf yn ymhyfrydu ; gwran-
6 dewch arno." A phan glywodd y disgyblion hyn syrthiasant
7 ar eu hwynebau a chydiodd ofn mawr ynddynt. Daeth Iesu
atynt a chyffwrdd â hwy gan ddweud, " Codwch, a pheidiwch
8 ag ofni." Ac wedi edrych i fyny ni welsant neb ond Iesu'n unig.
9 Wrth iddynt ddod i lawr o'r mynydd gorchmynnodd Iesu
iddynt, " Peidiwch â dweud wrth neb am y weledigaeth nes y
10 bydd Mab y Dyn wedi ei atgyfodi oddi wrth y meirw." Gofyn-
nodd y disgyblion iddo, " Pam y mae'r ysgrifenyddion yn
11 dweud fod yn rhaid i Elias ddod yn gyntaf ?" Atebodd yntau,
12 " Bydd Elias yn dod ac yn adfer pob peth. Ond 'rwy'n dweud
wrthych fod Elias eisoes wedi dod, ond iddynt fethu ei adnabod,
a gwneud iddo beth bynnag a fynnent ; felly hefyd y mae Mab
13 y Dyn yn mynd i ddioddef ar eu llaw." Yna deallodd y disgybl-
ion mai am Ioan Fedyddiwr y bu'n sôn wrthynt.

### *Iacháu Bachgen â Chythraul ynddo*
(Mc 9.14–29; Lc 9.37–43a)

Pan ddaethant at y dyrfa, daeth dyn at Iesu gan benlinio o'i 14
flaen a dweud, " Syr, tosturia wrth fy mab, oherwydd y mae'n 15
lloerig ac yn dioddef yn enbyd, yn cwympo'n aml i'r tân ac yn
aml i'r dŵr. Deuthum ag ef at dy ddisgyblion di, ac ni allasant 16
hwy ei iacháu." Atebodd Iesu, " O genhedlaeth ddi-ffydd a 17
gwyrgam, pa hyd y byddaf gyda chwi ? Pa hyd y goddefaf
chwi ? Dewch ag ef yma i mi." Ceryddodd Iesu ef, ac aeth y 18
cythraul allan ohono, ac fe iachawyd y bachgen o'r munud
hwnnw. Yna daeth y disgyblion at Iesu o'r neilltu a dweud, 19
" Pam na allem ni ei fwrw ef allan ? " Meddai ef wrthynt, 20
" Am fod eich ffydd chwi mor wan. Yn wir, 'rwy'n dweud
wrthych, os bydd gennych ffydd gymaint â hedyn mwstard, fe
ddywedwch wrth y mynydd hwn, ' Symud oddi yma draw,' a
symud a wna. Ac ni fydd dim yn amhosibl i chwi."*

### *Iesu Eilwaith yn Rhagfynegi ei Farwolaeth a'i Atgyfodiad*
(Mc 9.30-32 ; Lc 9.43b-45)

Pan oeddent gyda'i gilydd yng Ngalilea dywedodd Iesu 22
wrthynt, " Y mae Mab y Dyn i'w draddodi i ddwylo dynion,
ac fe'i lladdant ef, a'r trydydd dydd fe'i hatgyfodir." Ac 23
aethant yn drist iawn.

### *Talu Treth y Deml*

Wedi iddynt ddod i Gapernaum, daeth y rhai oedd yn 24
casglu treth y deml at Pedr a gofyn, " Onid yw eich athro yn
talu treth y deml ? " " Ydyw," meddai Pedr. Pan aeth i'r tŷ, 25
achubodd Iesu'r blaen arno trwy ofyn, " Simon, beth yw dy
farn di ? Gan bwy y mae brenhinoedd y byd yn derbyn tollau
a threthi ? Ai gan eu dinasyddion eu hunain ynteu gan estron-
iaid ?" " Gan estroniaid," meddai Pedr. Dywedodd Iesu 26
wrtho, " Felly y mae'r dinasyddion yn rhydd o'r dreth. Ond 27
rhag i ni beri tramgwydd iddynt, dos at y môr a bwrw fachyn
iddo, a chymer y pysgodyn cyntaf a ddaw i fyny. Agor ei geg
ac fe gei ddarn o arian. Cymer hwnnw a rho ef iddynt drosof fi
a thithau."

---

*adn. 20: ychwanega rhai llawysgrifau adn. 21: *Nid â'r math hwn allan ond trwy weddi ac ympryd.*

*Y Mwyaf yn y Deyrnas*
(Mc 9.33-37 ; Lc 9.46-48)

**18** Yr amser hwnnw daeth y disgyblion at Iesu a gofyn, " Pwy 2 sydd fwyaf yn nheyrnas nefoedd ? " Galwodd Iesu blentyn 3 ato, a'i osod yn eu canol hwy, a dywedodd, " Yn wir, 'rwy'n dweud wrthych, heb gymryd eich troi a dod fel plant, nid ewch 4 fyth i mewn i deyrnas nefoedd. Pwy bynnag, felly, fydd yn ei ddarostwng ei hun i fod fel y plentyn hwn, dyma'r un sydd 5 fwyaf yn nheyrnas nefoedd. A phwy bynnag sy'n derbyn un plentyn fel hwn yn fy enw i, y mae'n fy nerbyn i.

*Achosion Cwymp*
(Mc 9.42-48 ; Lc 17.1-2)

6 " Ond pwy bynnag sy'n achos cwymp i un o'r rhai bychain hyn sy'n credu ynof fi, byddai'n well iddo pe crogid maen 7 melin mawr am ei wddf a'i foddi yn eigion y môr. Gwae'r byd oherwydd achosion cwymp ; y maent yn rhwym o ddod, ond 8 gwae'r dyn sy'n gyfrifol am achos cwymp. Os yw dy law neu dy droed yn achos cwymp i ti, tor hi ymaith a'i thaflu oddi wrthyt ; y mae'n well iti fynd i mewn i'r bywyd yn anafus neu'n gloff, na chael dy daflu, â dwy law neu ddau droed 9 gennyt, i'r tân tragwyddol. Ac os yw dy lygad yn achos cwymp i ti, tyn ef allan a'i daflu oddi wrthyt ; y mae'n well iti fynd i mewn i'r bywyd yn unllygeidiog na chael dy daflu, â dau lygad gennyt, i dân uffern.

*Dameg y Ddafad Golledig*
(Lc 15.3-7)

10 " Gwyliwch rhag i chwi ddirmygu un o'r rhai bychain hyn ; oherwydd 'rwy'n dweud wrthych fod eu hangylion hwy yn y nefoedd bob amser yn edrych ar wyneb fy Nhad sydd yn y 12 nefoedd.* Beth yw eich barn chwi ? Os bydd gan ryw ddyn gant o ddefaid a bod un ohonynt yn mynd ar grwydr, oni fydd yn gadael y naw deg a naw ar y mynyddoedd ac yn mynd i 13 chwilio am yr un sydd ar grwydr ? Ac os daw o hyd iddi, yn wir, 'rwy'n dweud wrthych, y mae'n llawenhau mwy amdani

---

*adn. 10: ychwanega rhai llawysgrifau adnod 11: *Oherwydd daeth Mab y Dyn i achub y colledig.*

nag am y naw deg a naw nad aethant ar grwydr. Felly nid 14 ewyllys eich Tad, yr hwn sydd yn y nefoedd, yw bod un o'r rhai bychain hyn ar goll.

*Brawd Sy'n Pechu*
(Lc 17.3)

"Os pecha dy frawd yn dy erbyn, dos a dangos ei fai iddo, o'r 15 neilltu rhyngot ti ac ef. Os bydd yn gwrando arnat, fe enillaist dy frawd. Ond os na fydd yn gwrando, cymer gyda thi un neu 16 ddau arall, er mwyn i bob peth sefyll yn gadarn ar air dau neu dri o dystion. Os bydd yn gwrthod gwrando arnynt hwy, 17 dywed wrth yr eglwys; ac os bydd yn gwrthod gwrando ar yr eglwys, cyfrifa ef fel y pagan a'r casglwr trethi.

"Yn wir, 'rwy'n dweud wrthych, pa bethau bynnag a 18 waharddwch ar y ddaear, fe'u gwaherddir yn y nef, a pha bethau bynnag a ganiatewch ar y ddaear, fe'u caniateir yn y nef. A thrachefn 'rwy'n dweud wrthych, os bydd dau ohon- 19 och yn cytuno ar y ddaear i ofyn am unrhyw beth, fe'i rhoddir iddynt gan fy Nhad, yr hwn sydd yn y nefoedd. Oherwydd lle 20 y mae dau neu dri wedi dod ynghyd yn fy enw i, yr wyf yno yn eu canol."

*Dameg y Gwas Anfaddeugar*

Yna daeth Pedr a gofyn iddo, "Arglwydd, pa sawl gwaith y 21 mae fy mrawd i bechu yn fy erbyn a minnau i faddau iddo? Ai hyd seithwaith?" Meddai Iesu wrtho, "Nid hyd seith- 22 waith a ddywedaf wrthyt, ond hyd saith deg seithwaith. Am 23 hynny y mae teyrnas nefoedd yn debyg i frenin a benderfynodd adolygu cyfrifon ei weision. Dechreuodd ar y gwaith, a dygwyd 24 ato was oedd yn ei ddyled o filiynau o bunnau.* A chan na 25 allai dalu gorchmynnodd ei feistr iddo gael ei werthu, ynghyd â'i wraig a'i blant a phopeth a feddai, er mwyn talu'r ddyled. Syrthiodd y gwas ar ei liniau o flaen ei feistr a dweud, 'Bydd 26 yn amyneddgar wrthyf, ac fe dalaf y cwbl iti.' A thosturiodd 27 meistr y gwas hwnnw wrtho; gollyngodd ef yn rhydd a madd-au'r ddyled iddo. Aeth y gwas hwnnw allan a daeth o hyd i un 28 o'i gydweision a oedd yn ei ddyled ef o ychydig bunnau;*

---

*adn. 24: neu, *o ddeng mil o dalentau.*

*adn. 28: neu, *o gan denarius.*

ymaflodd ynddo gerfydd ei wddf gan ddweud, ‘ Tâl dy ddyled.’
29 Syrthiodd ei gydwas i lawr a chrefodd arno, ‘ Bydd yn amyn-
30 eddgar wrthyf, ac fe dalaf iti.’ Ond gwrthododd; yn hytrach
31 fe aeth a’i fwrw i garchar hyd nes y talai’r ddyled. Pan welodd
ei gydweision beth oedd wedi digwydd, fe’u blinwyd yn fawr
32 iawn, ac aethant ac adrodd yr holl hanes i’w meistr. Yna galw-
odd ei feistr ef ato, ac meddai, ‘ Y gwas drwg, fe faddeuais i yr
33 holl ddyled honno i ti, am i ti grefu arnaf. Oni ddylit tithau
fod wedi trugarhau wrth dy gydwas, fel y gwneuthum i wrthyt
34 ti ?’ Ac yn ei ddicter traddododd ei feistr ef i’r poenydwyr hyd
35 nes y talai’r ddyled yn llawn. Felly hefyd y gwna fy Nhad nefol
i chwithau os na faddeuwch bob un i’w frawd o’ch calon.”

*Dysgeidiaeth ar Ysgariad*
(Mc 10.1-12)

**19** Pan orffennodd Iesu lefaru’r geiriau hyn, ymadawodd â
Galilea a daeth i diriogaeth Jwdea y tu hwnt i’r Iorddonen.
2 Dilynodd tyrfaoedd mawr ef, ac iachaodd hwy yno.
3 Daeth Phariseaid ato i roi prawf arno gan ofyn, “ A yw’n
gyfreithlon i ddyn ysgaru ei wraig am unrhyw reswm a fyn ? ”
4 Atebodd yntau gan ofyn, “ Onid ydych wedi darllen mai yn
wryw a benyw y gwnaeth y Creawdwr hwy o’r dechreuad ? ”
5 A dywedodd, “ O achos hyn bydd dyn yn gadael ei dad a’i fam
6 ac ymlynu wrth ei wraig, a bydd y ddau yn un cnawd. Gan
hynny nid dau mohonynt mwyach, ond un cnawd. Felly, yr
7 hyn a gysylltodd Duw, ni ddylai dyn ei wahanu.” Meddent
hwy wrtho, “ Pam felly y gorchmynnodd Moses roi llythyr
8 ysgar iddi a’i hysgaru ?” Atebodd ef hwy, “ Oherwydd eich
bod mor anhydrin y rhoddodd Moses ganiatâd ichwi i ysgaru
9 eich gwragedd, ond nid felly yr oedd o’r dechreuad. ’Rwy’n
dweud wrthych, pwy bynnag sy’n ysgaru ei wraig, ond am
10 buteindra, ac yn priodi un arall, y mae’n godinebu.” Dywed-
odd ei ddisgyblion wrtho, “ Os dyma’r sefyllfa rhwng dyn a’i
11 wraig, y mae’n well peidio â phriodi.” Atebodd yntau, “ Nid
peth i bawb yw derbyn y gair hwn, dim ond i’r rhai a ddoniwyd
12 felly. Y mae rhai eunuchiaid sydd felly o groth eu mam, eraill
sydd wedi eu gwneud yn eunuchiaid gan ddynion, ac eraill eto
sydd wedi eu gwneud eu hunain yn eunuchiaid er mwyn
teyrnas nefoedd. Boed i’r sawl sy’n gallu derbyn hyn ei
dderbyn.”

*Bendithio Plant Bach*
(Mc 10.13-16 ; Lc 18.15-17)

Yna daethant â phlant ato, iddo roi ei ddwylo arnynt a 13
gweddïo. Ceryddodd y disgyblion hwy, ond dywedodd Iesu, 14
" Gadewch i'r plant ddod ataf fi a pheidiwch â'u rhwystro,
oherwydd i rai fel hwy y mae teyrnas nefoedd yn perthyn."
Ac wedi rhoi ei ddwylo arnynt, aeth oddi yno. 15

*Y Dyn Ifanc Cyfoethog*
(Mc 10.17-31 ; Lc 18.18-30)

Dyma ddyn yn dod ato ac yn gofyn, " Athro, pa beth da a 16
wnaf i gael bywyd tragwyddol ?" A dywedodd Iesu wrtho, 17
" Pam yr wyt yn fy holi am yr hyn sydd dda ? Un yn unig sy'n
dda. Ond os mynni fynd i mewn i'r bywyd, cadw'r gorchmyn-
ion." Meddai yntau wrtho, " Pa rai ?" Atebodd Iesu, " 'Na 18
ladd, na odineba, na ladrata, na chamdystiolaetha, anrhydedda 19
dy dad a'th fam', a 'Câr dy gymydog fel ti dy hun.' " Dywed- 20
odd y dyn ifanc wrtho, " Yr wyf wedi cadw'r rhain i gyd.
Beth sy'n eisiau ynof eto ?" Meddai Iesu wrtho, " Os mynni 21
fod yn berffaith, dos, gwerth dy eiddo a dyro i'r tlodion, a chei
drysor yn y nefoedd ; a thyrd, canlyn fi." Ond pan glywodd y 22
dyn ifanc y gair hwn, aeth ymaith yn drist ; yr oedd yn berchen
meddiannau lawer.

Dywedodd Iesu wrth ei ddisgyblion, " Yn wir, 'rwy'n dweud 23
wrthych mai anodd fydd hi i'r dyn cyfoethog fynd i mewn i
deyrnas nefoedd. 'Rwy'n dweud wrthych eto, y mae'n haws i 24
gamel fynd trwy grau nodwydd nag i ddyn cyfoethog fynd i
mewn i deyrnas Dduw." Pan glywodd y disgyblion hyn, 25
synasant yn fawr ac meddent, " Pwy felly all gael ei achub ?"
Edrychodd Iesu arnynt a dywedodd wrthynt, " Gyda dynion y 26
mae hyn yn amhosibl, ond gyda Duw y mae pob peth yn
bosibl." Yna atebodd Pedr ef, " Dyma ni wedi gadael pob 27
peth a'th ganlyn di. Beth felly a gawn ni ?" Dywedodd Iesu 28
wrthynt, " Yn wir, 'rwy'n dweud wrthych, pan ddaw'r byd
newydd, pan fydd Mab y Dyn yn eistedd ar ei orsedd ogonedd-
us, byddwch chwi a'm canlynodd i hefyd yn eistedd ar ddeu-
ddeg gorsedd gan farnu deuddeg llwyth Israel. A phob un a 29
adawodd dai neu frodyr neu chwiorydd neu dad neu fam neu
blant neu diroedd er mwyn fy enw i, caiff dderbyn ganwaith
cymaint ac etifeddu bywyd tragwyddol. Ond bydd llawer o'r 30
rhai blaenaf yn olaf, ac o'r rhai olaf yn flaenaf.

### *Y Gweithwyr yn y Winllan*

**20** " Y mae teyrnas nefoedd yn debyg i berchen tŷ a aeth allan
2 gyda'r bore bach i gyflogi gweithwyr i'w winllan. Cytunodd â'r gweithwyr am dâl o ddeg ceiniog* y dydd ac anfonodd hwy
3 i'w winllan. Aeth allan eilwaith tua naw o'r gloch y bore, a
4 gwelodd eraill yn sefyll yn segur yn y farchnad. Dywedodd wrthynt hwythau, ' Ewch chwi hefyd i'r winllan, ac fe dalaf i
5 chwi beth bynnag fydd yn deg'; ac aethant yno. Yna fe aeth allan eto tua chanol dydd, a thua thri o'r gloch y prynhawn, a
6 gwneud fel o'r blaen. Tua phump o'r gloch aeth allan a dod o hyd i eraill yn sefyll yno, ac meddai wrthynt, ' Pam yr ydych
7 yn sefyll yma drwy'r dydd yn segur ?' ' Am na chyflogodd neb ni,' oedd eu hateb. ' Ewch chwi hefyd i'r winllan,' meddai ef.
8 Gyda'r nos dyma berchen y winllan yn dweud wrth ei oruchwyliwr, ' Galw'r gweithwyr, a thâl eu cyflog iddynt, gan ddechrau gyda'r rhai diwethaf a dibennu gyda'r cyntaf.'
9 Daeth y rhai a gyflogwyd tua phump o'r gloch, a derbyniasant
10 ddeg ceiniog* yr un. A phan ddaeth y rhai a gyflogwyd gyntaf, tybiasant y caent fwy, ond deg ceiniog* yr un a gawsant hwyth-
11 au hefyd. Ac wedi eu cael dechreusant rwgnach yn erbyn y
12 perchen tŷ gan ddweud, ' Dim ond un awr y gweithiodd y rhai diwethaf yma, a gwnaethost hwy'n gyfartal â ni, sydd wedi
13 llafurio drwy'r dydd yn y gwres tanbaid.' Ond atebodd y meistr: ' Gyfaill,' meddai wrth un ohonynt, ' nid wyf yn gwneud cam â thi. Onid am ddeg ceiniog* y cytunaist â mi ?
14 Cymer yr hyn sydd gennyt a dos ymaith. 'Rwy'n dewis rhoi
15 i'r olaf yma fel i tithau. Onid yw'n gyfreithlon imi wneud fel 'rwy'n dewis â'm heiddo fy hun ? Neu ai cenfigen yw dy ym-
16 ateb i'm haelioni ? Felly bydd y rhai olaf yn flaenaf a'r rhai blaenaf yn olaf.' "

### *Iesu y Drydedd Waith yn Rhagfynegi ei Farwolaeth a'i Atgyfodiad*
(Mc 10.32-34 ; Lc 18.31-34)

17 Wrth fynd i fyny i Jerwsalem cymerodd Iesu'r deuddeg
18 disgybl ar wahân, ac ar y ffordd dywedodd wrthynt, " Dyma ni'n mynd i fyny i Jerwsalem ; fe gaiff Mab y Dyn ei draddodi i'r prif offeiriaid a'r ysgrifenyddion ; condemniant ef i farwol-
19 aeth, a'i drosglwyddo i'r estroniaid i'w watwar a'i fflangellu a'i groeshoelio ; ac ar y trydydd dydd fe'i hatgyfodir."

---

*adn. 2: neu, *o ddenarius*. Felly hefyd yn adnodau 9, 10 a 13.

*Cais Iago ac Ioan*
(Mc 10.35-45)

Yna daeth mam meibion Sebedeus ato gyda'i meibion, gan ymgrymu a gofyn ffafr ganddo. Meddai ef wrthi, " Beth a fynni ?" Atebodd, " Gorchymyn fod i'm dau fab hyn gael eistedd, un ar dy law dde ac un ar dy law chwith yn dy deyrnas." Atebodd Iesu, " Ni wyddoch beth yr ydych yn ei ofyn. A allwch chwi yfed y cwpan yr wyf fi i'w yfed ?" " Gallwn," meddent. Dywedodd wrthynt, " Cewch yfed fy nghwpan i, ond eistedd ar fy llaw dde ac ar fy llaw chwith, nid gennyf fi y mae'r hawl i roi hynny; y mae'n perthyn i'r rhai y mae wedi ei ddarparu ar eu cyfer gan fy Nhad." Pan glywodd y deg, aethant yn ddig wrth y ddau frawd. Galwodd Iesu hwy ato ac meddai, " Gwyddoch fod llywodraethwyr y Cenhedloedd yn arglwyddiaethu arnynt, a'u gwŷr mawr yn dangos eu hawdurdod drostynt. Ond nid felly y mae i fod yn eich plith chwi; yn hytrach, pwy bynnag sydd am fod yn fawr yn eich plith, rhaid iddo fod yn was i chwi, a phwy bynnag sydd am fod yn flaenaf yn eich plith, rhaid iddo fod yn gaethwas i chwi, fel Mab y Dyn, na ddaeth i gael ei wasanaethu ond i wasanaethu, ac i roi ei einioes yn bridwerth dros lawer." 20 21 22 23 24 25 26 27 28

*Iachâu Dau Ddyn Dall*
(Mc 10.46-52; Lc 18.35-43)

Fel yr oeddent yn mynd allan o Jericho, dilynodd tyrfa fawr ef. Yr oedd dau ddyn dall yn eistedd ar fin y ffordd, a phan glywsant fod Iesu yn mynd heibio, gwaeddasant, " Syr, trugarha wrthym, Fab Dafydd." Ceryddodd y dyrfa hwy a dweud wrthynt am dewi, ond gweiddi'n fwy byth a wnaethant, " Syr, trugarha wrthym, Fab Dafydd." Safodd Iesu, a'u galw a dweud, " Beth yr ydych am i mi ei wneud i chwi ?" Meddent hwy wrtho, " Syr, mae arnom eisiau i'n llygaid gael eu hagor." Tosturiodd Iesu wrthynt a chyffyrddodd â'u llygaid, a chawsant eu golwg yn ôl yn y fan, a chanlynasant ef. 29 30 31 32 33 34

*Yr Ymdaith Fuddugoliaethus i mewn i Jerwsalem*
(Mc 11.1-11 ; Lc 19.28-40 ; In 12.12-19)

Pan ddaethant yn agos i Jerwsalem a chyrraedd Bethffage a Mynydd yr Olewydd, yna anfonodd Iesu ddau ddisgybl gan **21** 2

ddweud wrthynt, " Ewch i'r pentref sydd gyferbyn â chwi, ac yn syth fe gewch asen wedi ei rhwymo, ac ebol gyda hi. Goll-
3 yngwch hi a dewch â hi ataf. Ac os dywed rhywun rywbeth wrthych, dywedwch, ' Y mae ar y Meistr eu hangen ' ; a bydd
4 yn eu rhoi ar unwaith." Digwyddodd hyn fel y cyflawnid y gair a lefarwyd trwy'r proffwyd :

5 " Dywedwch wrth ferch Seion,
' Dyma dy frenin yn dyfod atat,
yn addfwyn ac yn marchogaeth ar asen,
ac ar ebol, llwdn anifail gwaith.' "

6 Aeth y disgyblion a gwneud fel y gorchmynnodd Iesu iddynt ;
7 daethant â'r asen a'r ebol ato, a rhoesant eu mentyll ar eu cefn,
8 ac eisteddodd Iesu arnynt. Taenodd tyrfa fawr iawn eu mentyll ar y ffordd, ac yr oedd eraill yn torri canghennau o'r coed ac yn
9 eu taenu ar y ffordd. Ac yr oedd y tyrfaoedd ar y blaen iddo a'r rhai o'r tu ôl yn llefain :

" Hosanna i Fab Dafydd !
Bendith ar yr hwn sy'n dyfod yn enw'r Arglwydd.
Hosanna yn y goruchaf ! "

10 Pan ddaeth ef i mewn i Jerwsalem cynhyrfwyd y ddinas
11 drwyddi. Yr oedd pobl yn gofyn, " Pwy yw hwn ?" a'r tyrfaoedd yn ateb, " Y proffwyd Iesu yw hwn, o Nasareth yng Ngalilea."

*Glanhau'r Deml*

(Mc 11.15-19 ; Lc 19.45-48 ; In 2.13-22)

12 Aeth Iesu i mewn i'r deml, a bwriodd allan bawb oedd yn prynu a gwerthu yn y deml ; taflodd i lawr fyrddau'r cyfnewid-
13 wyr arian a chadeiriau'r rhai oedd yn gwerthu colomennod, a dywedodd wrthynt, " Y mae'n ysgrifenedig :

' Tŷ gweddi y gelwir fy nhŷ i,
ond yr ydych chwi yn ei wneud yn ogof lladron.' "

14 A daeth deillion a chloffion ato yn y deml, ac iachaodd hwy.
15 Ond pan welodd y prif offeiriaid a'r ysgrifenyddion y rhyfeddodau a wnaeth, a'r plant yn gweiddi yn y deml, " Hosanna i
16 Fab Dafydd ! " aethant yn ddig, a dywedasant wrtho, " A wyt yn clywed beth y mae'r rhain yn ei ddweud ?" Atebodd Iesu, " Ydwyf. Onid ydych erioed wedi darllen: ' O enau plant
17 bychain a rhai'n sugno y darperaist fawl i ti dy hun ' ?" Yna gadawodd Iesu hwy ac aeth allan o'r ddinas i Fethania, a threuliodd y nos yno.

*Melltithio'r Ffigysbren*
(Mc 11.12-14, 20-24)

18 Yn y bore, wrth iddo ddychwelyd i'r ddinas, daeth chwant bwyd arno. 19 A phan welodd ffigysbren ar fin y ffordd aeth ato, ond ni chafodd ddim arno ond dail yn unig. Dywedodd wrtho, "Na ddeled ffrwyth arnat ti byth mwy." Ac ar unwaith crinodd y ffigysbren. 20 Pan welodd y disgyblion hyn, fe ryfeddasant a dweud, "Sut y crinodd y ffigysbren ar unwaith ?" 21 Atebodd Iesu hwy, "Yn wir, 'rwy'n dweud wrthych, os bydd gennych ffydd, heb amau dim, nid yn unig fe wnewch yr hyn a wnaed i'r ffigysbren, ond hyd yn oed os dywedwch wrth y mynydd hwn, 'Coder di a bwrier di i'r môr', fe ddigwydd hynny. 22 A beth bynnag oll y gofynnwch amdano mewn gweddi, os ydych yn credu, fe'i cewch."

*Amau Awdurdod Iesu*
(Mc 11.27-33 ; Lc 20.1-8)

23 Daeth Iesu i'r deml, a phan oedd yn dysgu yno daeth y prif offeiriaid a henuriaid y bobl ato a gofyn, "Trwy ba awdurdod yr wyt ti'n gwneud y pethau hyn ? Pwy roddodd i ti'r awdurdod hwn ?" 24 Atebodd Iesu hwy, "Fe ofynnaf finnau un peth i chwi, ac os atebwch hwnnw, fe ddywedaf finnau wrthych trwy ba awdurdod yr wyf yn gwneud y pethau hyn. 25 Bedydd Ioan, o ble yr oedd ? Ai o'r nef ai o ddynion ?" Dechreusant ddadlau â'i gilydd a dweud, "Os dywedwn, 'O'r nef', fe ddywed wrthym, 'Pam, ynteu, na chredasoch ef ?' 26 Ond os dywedwn, 'O ddynion', y mae arnom ofn y dyrfa, oherwydd y mae pawb yn dal fod Ioan yn broffwyd." 27 Atebasant Iesu, "Ni wyddom ni ddim." Ac meddai yntau wrthynt, "Ni ddywedaf finnau chwaith wrthych chwi trwy ba awdurdod yr wyf yn gwneud y pethau hyn.

*Dameg y Ddau Fab*

28 "Ond beth yw eich barn chwi ar hyn ? Yr oedd dyn â chanddo ddau fab. Aeth at y cyntaf a dweud, 'Fy mab, dos heddiw a gweithia yn y winllan.' 29 Atebodd yntau, 'Na wnaf'; 30 ond yn ddiweddarach newidiodd ei feddwl a mynd. Yna fe aeth y tad at y mab arall a gofyn yr un modd. Atebodd hwnnw, 'Fe af fi, syr'; ond nid aeth. 31 Prun o'r ddau a gyflawnodd ewyllys y tad ?" "Y cyntaf," meddent. Dywedodd Iesu

wrthynt, "Yn wir, 'rwy'n dweud wrthych fod y casglwyr trethi a'r puteiniaid yn mynd i mewn i deyrnas Dduw o'ch blaen chwi.
32 Oherwydd daeth Ioan atoch yn dangos ffordd cyfiawnder, ac ni chredasoch ef. Ond fe gredodd y casglwyr trethi a'r puteiniaid ef. A chwithau, ar ôl i chwi weld hynny, ni newidiasoch eich meddwl a dod i'w gredu.

*Dameg y Winllan a'r Tenantiaid*
(Mc 12.1-12 ; Lc 20.9-19)

33 "Gwrandewch ar ddameg arall. Yr oedd rhyw berchen tŷ a blannodd winllan ; cododd glawdd o'i hamgylch, a chloddio cafn i'r gwinwryf ynddi, ac adeiladu tŵr. Gosododd hi i
34 denantiaid, ac aeth oddi cartref. A phan ddaeth amser y cynhaeaf yn agos, anfonodd ei weision at y tenantiaid i dderbyn
35 ei ffrwythau. Daliodd y tenantiaid ei weision ; curasant un, a
36 lladd un arall a llabyddio un arall. Anfonodd drachefn weision eraill, mwy ohonynt na'r rhai cyntaf, a gwnaeth y tenantiaid yr
37 un modd â hwy. Yn y diwedd anfonodd atynt ei fab, gan
38 ddweud, 'Fe barchant fy mab.' Ond pan welodd y tenantiaid y mab dywedasant wrth ei gilydd, 'Hwn yw'r etifedd ; dewch,
39 lladdwn ef, a meddiannwn ei etifeddiaeth.' A chymerasant ef,
40 a'i fwrw allan o'r winllan, a'i ladd. Felly pan ddaw perchen y
41 winllan, beth a wna i'r tenantiaid hynny ?" "Fe lwyr ddifetha'r dyhirod," meddent wrtho, "a gosod y winllan i denantiaid eraill, rhai fydd yn rhoi'r ffrwythau iddo yn eu tymhorau."
42 Dywedodd Iesu wrthynt, "Onid ydych erioed wedi darllen yn yr Ysgrythurau:

'Y maen a wrthododd yr adeiladwyr,
hwn a ddaeth yn faen y gongl;
gan yr Arglwydd y gwnaethpwyd hyn,
a rhyfeddol yw yn ein golwg ni'?

43 Am hynny 'rwy'n dweud wrthych y cymerir teyrnas Dduw oddi wrthych chwi, ac fe'i rhoddir i genedl sy'n dwyn ei
44 ffrwythau hi. A'r sawl sy'n syrthio ar y maen hwn, fe'i dryllir; pwy bynnag y syrth y maen arno, fe'i maluria."*

45 Pan glywodd y prif offeiriaid a'r Phariseaid ei ddamhegion,
46 gwyddent mai amdanynt hwy yr oedd yn sôn. Yr oeddent yn ceisio ei ddal, ond yr oedd arnynt ofn y tyrfaoedd, am eu bod hwy yn ei gyfrif ef yn broffwyd.

---

*adn. 44: y mae rhai llawysgrifau yn gadael allan *A'r sawl ... maluria.*

*Dameg y Wledd Briodas*
(Lc 14.15-24)

A llefarodd Iesu drachefn wrthynt ar ddamhegion. " Y mae teyrnas nefoedd," meddai, " yn debyg i frenin, a drefnodd wledd briodas i'w fab. Anfonodd ei weision i alw'r gwahoddedigion i'r neithior, ond nid oeddent am ddod. Anfonodd eilwaith weision eraill gan ddweud, ' Dywedwch wrth y gwahoddedigion, " Dyma fi wedi paratoi fy ngwledd, y mae fy mustych a'm llydnod pasgedig wedi eu lladd, a phopeth yn barod ; dewch i'r neithior." ' Ond ni chymerodd y gwahoddedigion sylw, ac aethant ymaith, un i'w faes, ac un arall i'w fasnach. A gafaelodd y lleill yn ei weision a'u cam-drin yn warthus a'u lladd. Digiodd y brenin, ac anfonodd ei filwyr i ddifetha'r llofruddion hynny a llosgi eu tref. Yna meddai wrth ei weision, ' Y mae'r wledd briodas yn barod, ond nid oedd y gwahoddedigion yn deilwng. Ewch felly i bennau'r strydoedd, a gwahoddwch bwy bynnag a gewch yno i'r wledd briodas.' Ac fe aeth y gweision hynny allan i'r ffyrdd a chasglu ynghyd bawb a gawsant yno, yn ddrwg a da. A llanwyd neuadd y wledd briodas gan westeion. Aeth y brenin i mewn i gael golwg ar y gwesteion a gwelodd yno ddyn nad oedd yn gwisgo gwisg briodas. Meddai wrtho, ' Gyfaill, sut y daethost i mewn yma heb fod gwisg briodas gennyt ?' Ni allodd y dyn ddweud dim. Yna dywedodd y brenin wrth ei wasanaethyddion, ' Rhwymwch ef draed a dwylo a bwriwch ef i'r tywyllwch eithaf ; bydd yno wylo ac ysgyrnygu dannedd.' Y mae llawer, yn wir, wedi eu gwahodd, ond ychydig wedi eu hethol."

2 22, 3, 4, 5, 6, 7, 8, 9, 10, 11, 12, 13, 14

*Talu Trethi i Gesar*
(Mc 12.13-17 ; Lc 20.20-26)

Yna fe aeth y Phariseaid a chynllwynio sut i'w rwydo ar air. A dyma hwy'n anfon eu disgyblion ato gyda'r Herodianiaid i ddweud, " Athro, gwyddom dy fod yn ddiffuant, ac yn dysgu ffordd Duw yn gwbl ddiffuant ; ni waeth gennyt am neb, ac yr wyt yn ddi-dderbyn-wyneb. Dywed wrthym, felly, beth yw dy farn: a yw'n gyfreithlon talu treth i Gesar, ai nid yw ?" Deallodd Iesu eu dichell a dywedodd, " Pam yr ydych yn rhoi prawf arnaf, ragrithwyr ? Dangoswch i mi ddarn arian y dreth." Daethant â darn arian iddo, ac meddai ef wrthynt, " Llun ac arysgrif pwy sydd yma ?" Dywedasant wrtho,

15, 16, 17, 18, 19, 20, 21

"Cesar." Yna meddai ef wrthynt, "Talwch felly bethau
22 Cesar i Gesar, a phethau Duw i Dduw." Pan glywsant hyn rhyfeddasant, a gadawsant ef a mynd ymaith.

*Holi ynglŷn â'r Atgyfodiad*
(Mc 12.18-27; Lc 20.27-40)

23 Yr un diwrnod daeth ato Sadwceaid yn dweud nad oes dim
24 atgyfodiad. Gofynasant iddo, "Athro, dywedodd Moses, 'Os bydd rhywun farw heb blant ganddo, y mae ei frawd i
25 briodi'r wraig ac i godi plant i'w frawd.' Yr oedd saith o frodyr yn ein plith; priododd y cyntaf, a bu farw, a chan nad oedd
26 plant ganddo gadawodd ei wraig i'w frawd. A'r un modd yr ail
27 a'r trydydd, hyd at y seithfed. Yn olaf oll bu farw'r wraig.
28 Yn yr atgyfodiad, felly, gwraig prun o'r saith fydd hi? Oher-
29 wydd cafodd pob un hi'n wraig." Atebodd Iesu hwy, "Yr ydych yn cyfeiliorni am nad ydych yn deall na'r Ysgrythurau na
30 gallu Duw. Oherwydd yn yr atgyfodiad ni phriodant ac ni
31 phriodir hwy, eithr y maent fel yr angylion yn y nef. Ond ynglŷn ag atgyfodiad y meirw, onid ydych wedi darllen y gair a
32 lefarwyd wrthych gan Dduw, 'Myfi, Duw Abraham a Duw Isaac a Duw Jacob ydwyf'? Nid Duw'r meirw yw ef, ond y
33 rhai byw." A phan glywodd y tyrfaoedd yr oeddent yn synnu at yr hyn yr oedd yn ei ddysgu.

*Y Gorchymyn Mawr*
(Mc 12.28-34; Lc 10.25-38)

34 Clywodd y Phariseaid iddo roi taw ar y Sadwceaid, a daeth-
35 ant at ei gilydd. Ac i roi prawf arno, gofynnodd un ohonynt,
36 ac yntau'n athro'r Gyfraith, "Athro, pa orchymyn yw'r mwyaf
37 yn y Gyfraith?" Dywedodd Iesu wrtho, "'Câr yr Arglwydd dy Dduw â'th holl galon ac â'th holl enaid ac â'th holl feddwl.'
38,39 Dyma'r gorchymyn mwyaf a'r cyntaf. Ac y mae'r ail yn debyg
40 iddo, 'Câr dy gymydog fel ti dy hun.' Ar y ddau orchymyn hyn y mae'r holl Gyfraith a'r proffwydi yn dibynnu."

*Holi ynglŷn â Mab Dafydd*
(Mc 12.35-37; Lc 20.41-44)

41 Yr oedd y Phariseaid wedi ymgynnull, a gofynnodd Iesu
42 iddynt, "Beth yw eich barn chwi ynglŷn â'r Meseia? Mab
43 pwy ydyw?" "Mab Dafydd," meddent wrtho. "Sut felly,"

gofynnodd Iesu, " y mae Dafydd trwy'r Ysbryd yn ei alw'n Arglwydd, pan ddywed:

' Dywedodd yr Arglwydd wrth fy Arglwydd i, 44
" Eistedd ar fy neheulaw
hyd oni osodaf dy elynion o dan dy draed " ' ?

Os yw Dafydd felly yn ei alw'n Arglwydd, sut y mae'n fab 45 iddo ? " Ac nid oedd neb yn gallu ateb gair iddo, ac o'r 46 diwrnod hwnnw ni feiddiodd neb ei holi ddim mwy.

### *Cyhuddo'r Ysgrifenyddion a'r Phariseaid*
(Mc 12.38-40; Lc 11.37-52, 20.45-47)

Yna llefarodd Iesu wrth y tyrfaoedd a'i ddisgyblion. **23** Dywedodd: " Y mae'r ysgrifenyddion a'r Phariseaid yn 2 eistedd yng nghadair Moses. Felly gwnewch a chadwch 3 bopeth a ddywedant wrthych, ond peidiwch â dilyn eu hymddygiad, oherwydd siarad y maent, heb weithredu. Y maent 4 yn rhwymo beichiau trymion a'u gosod ar ysgwyddau dynion, ond nid ydynt hwy eu hunain yn fodlon codi bys i'w symud. Cyflawnant eu holl weithredoedd er mwyn cael eu gweld gan 5 ddynion. Y maent yn gwneud eu phylacterau'n llydan ac ymylon eu mentyll yn llaes, maent yn hoffi cael y seddau an- 6 rhydedd mewn gwleddoedd a'r prif gadeiriau yn y synagogau, a chael cyfarchiadau yn y marchnadoedd a'u galw gan ddynion 7 yn ' Rabbi '. Ond peidiwch chwi â chymryd eich galw yn 8 'Rabbi', oherwydd un athro sydd gennych, a brodyr ydych chwi i gyd. A pheidiwch â galw neb yn dad i chwi ar y ddaear, 9 oherwydd un tad sydd gennych chwi, sef eich Tad nefol. A 10 pheidiwch â chymryd eich galw'n arweinwyr chwaith, oherwydd un arweinydd sydd gennych, sef y Meseia. Rhaid i'r un 11 mwyaf ohonoch fod yn was i chwi. Darostyngir pwy bynnag 12 fydd yn ei ddyrchafu ei hun, a dyrchefir pwy bynnag fydd yn ei ddarostwng ei hun.

" Gwae chwi, ysgrifenyddion a Phariseaid, ragrithwyr, 13 oherwydd yr ydych yn cau drws teyrnas nefoedd yn wyneb dynion; nid ydych yn mynd i mewn eich hunain, nac yn gadael i'r rhai sydd am fynd i mewn wneud hynny.*

---

*adn. 13: ychwanega rhai llawysgrifau adnod 14: *Gwae chwi, ysgrifenyddion a Phariseaid, ragrithwyr, oherwydd yr ydych yn difa cartrefi gwragedd gweddwon, ac mewn rhagrith yn gweddïo'n faith*; *am hynny fe dderbyniwch drymach dedfryd.*

15 " Gwae chwi, ysgrifenyddion a Phariseaid, ragrithwyr, oherwydd yr ydych yn cwmpasu môr a thir i wneud un proselyt, ac wedi ei gael fe'i gwnewch ef yn ddwywaith cymaint o blentyn uffern ag yr ydych chwi.

16 " Gwae chwi, arweinwyr dall sy'n dweud, ' Os bydd dyn yn tyngu llw i'r deml, nid yw hynny'n golygu dim; ond os bydd yn tyngu i'r aur sydd yn y deml, y mae rhwymedigaeth arno.' 17 Ffyliaid a deillion, prun sydd fwyaf, yr aur ynteu'r deml, sy'n 18 gwneud yr aur yn gysegredig ? A thrachefn fe ddywedwch, ' Os bydd dyn yn tyngu llw i'r allor, nid yw hynny'n golygu dim; ond os bydd yn tyngu i'r offrwm sydd ar yr allor, y mae 19 rhwymedigaeth arno.' Ddeillion, prun sydd fwyaf, yr offrwm 20 ynteu'r allor, sy'n gwneud yr offrwm yn gysegredig ? Felly y mae'r sawl sy'n tyngu llw i'r allor yn tyngu iddi hi ac i bopeth 21 sydd arni, ac y mae'r sawl sy'n tyngu llw i'r deml yn tyngu iddi 22 hi ac i'r hwn sy'n preswylio ynddi. Ac y mae'r sawl sy'n tyngu llw i'r nef yn tyngu i orsedd Duw ac i'r hwn sy'n eistedd arni.

23 " Gwae chwi, ysgrifenyddion a Phariseaid, ragrithwyr, oherwydd yr ydych yn talu degwm o fintys ac anis a chwmin, ond gadawsoch heibio bethau trymach y Gyfraith, cyfiawnder a thrugaredd a ffyddlondeb, yr union bethau y dylasech ofalu 24 amdanynt, heb adael heibio'r lleill. Arweinwyr dall! Yr ydych yn hidlo'r gwybedyn ac yn llyncu'r camel.

25 " Gwae chwi, ysgrifenyddion a Phariseaid, ragrithwyr, oherwydd yr ydych yn glanhau'r tu allan i'r cwpan a'r ddysgl, ond y tu mewn y maent yn llawn anrhaith ac anghymedroldeb. 26 Y Pharisead dall, glanha'n gyntaf y tu mewn i'r cwpan, fel y bydd y tu allan iddo hefyd yn lân.

27 " Gwae chwi, ysgrifenyddion a Phariseaid, ragrithwyr, oherwydd yr ydych yn debyg i feddau wedi eu gwyngalchu, sydd o'r tu allan yn ymddangos yn hardd, ond y tu mewn y 28 maent yn llawn o esgyrn y meirw a phob aflendid. Felly hefyd yn allanol yr ydych chwithau yn ymddangos i ddynion yn gyfiawn, ond oddi mewn yr ydych yn llawn rhagrith ac anghyfraith.

29 " Gwae chwi, ysgrifenyddion a Phariseaid, ragrithwyr, oherwydd yr ydych yn adeiladu beddau'r proffwydi ac yn 30 addurno beddfeini'r rhai cyfiawn, ac yn dweud, ' Pe baem ni'n byw yn nyddiau ein tadau, ni fyddem wedi ymuno gyda hwy i 31 ladd y proffwydi.' Felly yr ydych yn tystio yn eich erbyn eich

hunain eich bod yn feibion i'r rhai a lofruddiodd y proffwydi. Ewch chwithau ymlaen i orffen yr hyn a ddechreuodd eich 32 tadau. Chwi seirff ac epil gwiberod, sut y dihangwch rhag barn 33 uffern? Am hynny dyma fi'n anfon atoch broffwydi a dynion 34 doeth a dynion dysgedig; byddwch yn lladd ac yn croeshoelio rhai ohonynt, ac yn fflangellu eraill yn eich synagogau, a'u herlid o un dref i'r llall. Felly, ar eich pen chwi y bydd yr holl 35 waed diniwed a dywalltwyd ar y ddaear, o waed Abel gyfiawn hyd at waed Sachareias fab Baracheias, a lofruddiasoch rhwng y cysegr a'r allor. Yn wir, 'rwy'n dweud wrthych, ar ben y 36 genhedlaeth hon y bydd yr holl bethau hyn.

*Y Galarnad dros Jerwsalem*
(Lc 13.34-35)

"Jerwsalem, Jerwsalem, tydi sy'n lladd y proffwydi ac yn 37 llabyddio'r rhai a anfonwyd atat, mor aml y dymunais gasglu dy blant ynghyd, fel y mae iâr yn casglu ei chywion dan ei hadenydd, ond gwrthod a wnaethoch. Wele, y mae eich tŷ yn 38 cael ei adael yn anghyfannedd. Oherwydd 'rwy'n dweud 39 wrthych, ni chewch fy ngweld o hyn allan hyd y dydd pan ddywedwch, 'Bendigedig yw'r hwn sy'n dyfod yn enw'r Arglwydd.' "

*Rhagfynegi Dinistr y Deml*
(Mc 13.1-2; Lc 21.5-6)

**24** Aeth Iesu allan o'r deml, a phan oedd ar ei ffordd oddi yno daeth ei ddisgyblion ato i dynnu ei sylw at adeiladau'r deml. Dywedodd yntau wrthynt, "Oni welwch yr holl bethau hyn? 2 Yn wir, 'rwy'n dweud wrthych, ni adewir yma faen ar faen; ni bydd yr un heb ei fwrw i lawr."

*Dechrau'r Gwewyr*
(Mc 13.3-13; Lc 21.7-19)

Fel yr oedd yn eistedd ar Fynydd yr Olewydd daeth y 3 disgyblion ato o'r neilltu a gofyn, "Dywed wrthym pa bryd y bydd hyn, a beth fydd yr arwydd o'th ddyfodiad ac o ddiwedd y byd?" Atebodd Iesu hwy, "Gwyliwch na fydd i neb eich 4 twyllo. Oherwydd fe ddaw llawer yn fy enw i gan ddweud, 5 'Myfi yw'r Meseia', ac fe dwyllant lawer. Byddwch yn clywed 6 am ryfeloedd a sôn am ryfeloedd; gofalwch beidio â chyffroi, oherwydd rhaid i hyn ddigwydd, ond nid yw'r diwedd eto. 7 Oblegid cyfyd cenedl yn erbyn cenedl, a theyrnas yn erbyn teyrnas, a bydd adegau o newyn a daeargrynfâu mewn mannau. 8,9 Ond dechrau'r gwewyr fydd hyn oll. Yna fe'ch traddodir i gael eich cosbi a'ch lladd, a chas fyddwch gan bob cenedl o achos fy 10 enw i. A'r pryd hwnnw bydd llawer yn cwympo ymaith; 11 byddant yn bradychu ei gilydd a chasáu ei gilydd. Fe gyfyd 12 llawer o broffwydi gau a thwyllant lawer. Ac am fod drygioni 13 yn amlhau bydd cariad llawer iawn yn oeri. Ond y sawl sy'n 14 dyfalbarhau i'r diwedd a gaiff ei gadw. Ac fe gyhoeddir yr Efengyl hon am y deyrnas drwy'r byd i gyd fel tystiolaeth i'r holl genhedloedd, ac yna y daw'r diwedd.

*Y Gorthrymder Mawr*
(Mc 13.14-23; Lc 21.20-24)

15 " Felly, pan welwch ' y ffieiddbeth diffeithiol ', y soniodd y proffwyd Daniel amdano, yn sefyll yn y lle sanctaidd (dealled y 16 darllenydd), yna ffoed y rhai sydd yn Jwdea i'r mynyddoedd. 17 Yr hwn sydd ar ben y tŷ, peidied â mynd i lawr i gipio'i bethau 18 o'i dŷ; a'r hwn sydd yn y cae, peidied â throi yn ei ôl i gymryd 19 ei fantell. Gwae'r gwragedd beichiog a'r rhai sy'n rhoi'r fron 20 yn y dyddiau hynny ! A gweddïwch na fyddwch yn gorfod ffoi 21 yn y gaeaf nac ar y Saboth, oblegid y pryd hwnnw bydd gorthrymder mawr na fu ei debyg o ddechrau'r byd hyd yn awr, ac 22 na fydd byth chwaith. Ac oni bai fod y dyddiau hynny wedi eu byrhau, ni fuasai undyn byw wedi ei gadw; eithr er mwyn yr 23 etholedigion fe fyrheir y dyddiau hynny. Yna, os dywed rhywun wrthych, ' Edrych, dyma'r Meseia ', neu ' Dacw ef ', 24 peidiwch â'i gredu. Oherwydd fe gyfyd gau-feseiâu a gau-broffwydi, a rhoddant arwyddion mawr a rhyfeddodau nes arwain ar gyfeiliorn hyd yn oed yr etholedigion, petai hynny'n 25 bosibl. Yn awr yr wyf wedi dweud wrthych ymlaen llaw. 26 Felly, os dywedant wrthych, ' Dyma ef yn yr anialwch ', peidiwch â mynd allan; neu os dywedant, ' Dyma ef mewn 27 ystafelloedd o'r neilltu ', peidiwch â'u credu. Oherwydd fel y mae'r fellten yn dod o'r dwyrain ac yn goleuo hyd at y gorllewin, felly y bydd dyfodiad Mab y Dyn. 28 Lle bynnag y bydd y gelain, yno yr heidia'r eryrod.

*Dyfodiad Mab y Dyn*
(Mc 13.24-27; Lc 21.25-28)

" Yn union ar ôl gorthrymder y dyddiau hynny, 29
' Tywyllir yr haul,
ni rydd y lloer ei llewyrch,
syrth y sêr o'r nef,
ac ysgydwir nerthoedd y nefoedd.'

A'r pryd hwnnw ymddengys arwydd Mab y Dyn yn y nef ; y 30 pryd hwnnw bydd holl lwythau'r ddaear yn galaru, a gwelant Fab y Dyn yn dyfod ar gymylau'r nef gyda nerth a gogoniant mawr. Ac fe anfona ei angylion wrth sain utgorn mawr, a 31 byddant yn cynnull ei etholedigion o'r pedwar gwynt, o un eithaf o'r nefoedd hyd at y llall.

*Gwers y Ffigysbren*
(Mc 13.28-31; Lc 21.29-33)

" Dysgwch wers oddi wrth y ffigysbren. Pan fydd ei gangen 32 yn ir ac yn dechrau deilio, gwyddoch fod yr haf yn agos. Felly 33 chwithau, pan welwch yr holl bethau hyn, byddwch yn gwybod ei fod yn agos, wrth y drws. Yn wir, 'rwy'n dweud wrthych, 34 nid â'r genhedlaeth hon heibio nes i'r holl bethau hyn ddigwydd. Y nef a'r ddaear, ânt heibio, ond fy ngeiriau i, nid ânt 35 heibio ddim.

*Y Dydd a'r Awr Anhysbys*
(Mc 13.32-37; Lc 17.26-30, 34-36)

" Ond am y dydd hwnnw a'r awr ni ŵyr neb, nac angylion y 36 nef, na'r Mab, neb ond y Tad yn unig. Fel y bu yn nyddiau 37 Noa, felly hefyd y bydd yn nyfodiad Mab y Dyn. Fel yr oedd 38 pobl yn y dyddiau cyn y dilyw yn bwyta ac yn yfed, yn cymryd gwragedd ac yn cael gwŷr, hyd y dydd yr aeth Noa i mewn i'r arch, ac ni wyddent ddim hyd nes y daeth y dilyw a'u hysgubo 39 ymaith i gyd; felly hefyd y bydd yn nyfodiad Mab y Dyn. Y 40 pryd hwnnw bydd dau yn y cae; cymerir un a gadewir y llall. Bydd dwy wraig yn malu yn y felin; cymerir un a gadewir y 41 llall. Byddwch wyliadwrus gan hynny; oherwydd ni wyddoch 42 pa ddydd y daw eich Arglwydd. Ond gwybyddwch hyn: pe 43 buasai meistr y tŷ yn gwybod pa amser y byddai'r lleidr yn dod, buasai ar ei wyliadwriaeth ac ni fuasai wedi caniatáu iddo dorri i mewn i'w dŷ. Am hynny chwithau hefyd, byddwch barod, 44 oherwydd pryd na thybiwch y daw Mab y Dyn.

*Y Gwas Ffyddlon neu Anffyddlon*
(Lc 12.41-48)

45 "Pwy ynteu yw'r gwas ffyddlon a osodwyd gan ei feistr dros 46 weision y tŷ, i roi eu bwyd iddynt yn ei bryd? Gwyn ei fyd y 47 gwas hwnnw a geir yn gwneud felly gan ei feistr pan ddaw; yn 48 wir, 'rwy'n dweud wrthych y gesyd ef dros ei holl eiddo. Ond os yw'r gwas hwnnw'n ddrwg, ac os dywed yn ei galon, 'Y 49 mae fy meistr yn oedi', a dechrau curo'i gydweision, a bwyta 50 ac yfed gyda'r meddwon, yna bydd meistr y gwas hwnnw yn cyrraedd ar ddiwrnod annisgwyl iddo ef ac ar awr nas gŵyr; 51 ac fe'i cosba yn llym, a gosod ei le gyda'r rhagrithwyr; bydd yno wylo ac ysgyrnygu dannedd.

*Dameg y Deg Geneth*

**25** "Y pryd hwnnw bydd teyrnas nefoedd yn debyg i ddeg o enethod a gymerodd eu lampau a mynd allan i gyfarfod â'r 2 priodfab. Yr oedd pump ohonynt yn ffôl a phump yn gall. 3 Cymerodd y rhai ffôl eu lampau ond heb gymryd olew gyda 4 hwy, ond cymerodd y rhai call, gyda'u lampau, olew mewn 5 llestri. Gan fod y priodfab yn hwyr yn dod aethant i gyd i 6 hepian a chysgu. Ac ar ganol nos daeth gwaedd: 'Dyma'r 7 priodfab, ewch allan i'w gyfarfod.' Yna cododd y genethod 8 hynny i gyd a pharatoi eu lampau. Dywedodd y rhai ffôl wrth y rhai call, 'Rhowch i ni beth o'ch olew, oherwydd y mae'n 9 lampau ni yn diffodd.' Atebodd y rhai call, 'Na yn wir, ni fydd digon i ni ac i chwithau. Gwell i chwi fynd at y gwerthwyr 10 a phrynu peth i chwi eich hunain.' A thra oeddent yn mynd i brynu'r olew, cyrhaeddodd y priodfab, ac aeth y rhai oedd yn barod i mewn gydag ef i'r wledd briodas, a chlowyd y drws. 11 Yn ddiweddarach dyma'r genethod eraill yn dod ac yn dweud, 12 'Syr, syr, agor y drws i ni.' Atebodd yntau, 'Yn wir, 'rwy'n 13 dweud wrthych, nid wyf yn eich adnabod.' Byddwch wyliadwrus gan hynny, oherwydd ni wyddoch na'r dydd na'r awr.

*Dameg y Codau o Arian*
(Lc 19.11-27)

14 "Y mae fel dyn yn mynd oddi cartref ac a alwodd ei weision 15 a rhoi ei eiddo yn eu gofal. I un fe roddodd bum cod o arian, i un arall ddwy, i un arall un, i bob un yn ôl ei allu, ac fe aeth

oddi cartref. Ar unwaith aeth yr un a dderbyniodd bum cod a 16
masnachu â hwy, ac fe enillodd atynt bump arall. Felly hefyd 17
enillodd yr un a gafodd ddwy god ddwy arall atynt. Ond y 18
sawl a dderbyniodd un god, aeth ef ymaith a chloddio twll yn y
ddaear a chuddio arian ei feistr. Ymhen cryn dipyn o amser 19
daeth meistr y gweision hynny yn ôl ac fe adolygodd eu cyfrifon
hwy. Daeth yr un a dderbyniodd bum cod a chyflwyno iddo 20
bump arall. ' Meistr,' meddai, ' rhoddaist bum cod o arian yn
fy ngofal; dyma bum cod arall a enillais i atynt.' ' Ardderchog, 21
fy ngwas da a ffyddlon,' meddai ei feistr wrtho, ' buost yn
ffyddlon wrth ofalu am ychydig, fe osodaf lawer yn dy ofal;
tyrd i ymuno yn llawenydd dy feistr.' Yna daeth y dyn â'r 22
ddwy god, a dywedodd, ' Meistr, rhoddaist ddwy god o arian
yn fy ngofal; dyma ddwy god arall a enillais i atynt.' Meddai 23
ei feistr wrtho, ' Ardderchog, fy ngwas da a ffyddlon; buost yn
ffyddlon wrth ofalu am ychydig, fe osodaf lawer yn dy ofal;
tyrd i ymuno yn llawenydd dy feistr.' Yna daeth y dyn oedd 24
wedi derbyn un god, a dywedodd, ' Meistr, gwyddwn dy fod
yn ddyn caled, yn medi lle heuodd eraill ac yn casglu lle
gwasgarodd eraill. Yn fy ofn euthum a chuddio dy god o arian 25
yn y ddaear. Dyma i ti dy eiddo yn ôl.' Atebodd ei feistr ef, 26
' Y gwas drwg a diog, yr oeddit yn gwybod, meddi, fy mod yn
medi lle heuodd eraill ac yn casglu lle gwasgarodd eraill. Dylit 27
felly fod wedi gosod fy arian yn y banc, a buasai fy eiddo wedi
ennill llog erbyn i mi ddod i'w hawlio. Felly cymerwch y god o 28
arian oddi arno a rhowch hi i'r un â chanddo ddeg cod. Oher- 29
wydd i bawb y mae ganddo y rhoddir, a bydd ar ben ei ddigon,
ond oddi ar yr hwn nad oes ganddo fe gymerir hyd yn oed hyn-
ny sydd ganddo. A bwriwch y gwas diwerth i'r tywyllwch 30
eithaf; bydd yno wylo ac ysgyrnygu dannedd.'

### *Barnu'r Cenhedloedd*

" Pan ddaw Mab y Dyn yn ei ogoniant, a'r holl angylion 31
gydag ef, yna bydd yn eistedd ar orsedd ei ogoniant. Fe gesglir 32
yr holl genhedloedd ger ei fron, a bydd ef yn eu didoli oddi
wrth ei gilydd, fel y mae bugail yn didoli'r defaid oddi wrth y
geifr, ac fe esyd y defaid ar ei law dde a'r geifr ar y chwith. 33
Yna fe ddywed y Brenin wrth y rhai ar y dde iddo, ' Dewch, 34
chwi sydd dan fendith fy Nhad, i etifeddu'r deyrnas a barato-
wyd ichwi er seiliad y byd. Oherwydd bûm yn newynog a 35

rhoesoch fwyd imi, bûm yn sychedig a rhoesoch ddiod imi,
36 bûm yn ddieithr a chymerasoch fi i'ch cartref; bûm yn noeth a rhoesoch ddillad amdanaf, bûm yn glaf ac ymwelsoch â mi,
37 bûm yng ngharchar a daethoch ataf.' Yna bydd y rhai cyfiawn yn ei ateb: 'Arglwydd,' gofynnant, 'pryd y'th welsom di'n
38 newynog a'th borthi, neu'n sychedig a rhoi diod iti ? A phryd y'th welsom di'n ddieithr a'th gymryd i'n cartref, neu'n noeth
39 a rhoi dillad amdanat ? Pryd y'th welsom di'n glaf neu yng
40 ngharchar ac ymweld â thi ?' A bydd y Brenin yn eu hateb, 'Yn wir, 'rwy'n dweud wrthych, yn gymaint ag i chwi ei wneud i un o'r lleiaf o'r rhain, fy mrodyr, i mi y gwnaethoch.'

41 "Yna fe ddywed wrth y rhai ar y chwith, 'Ewch oddi wrthyf, chwi sydd dan felltith, i'r tân tragwyddol a baratowyd
42 i'r diafol a'i angylion. Bûm yn newynog ac ni roesoch fwyd imi,
43 bûm yn sychedig ac ni roesoch ddiod imi; bûm yn ddieithr ac ni chymerasoch fi i'ch cartref, yn noeth ac ni roesoch ddillad amdanaf, yn glaf ac yng ngharchar ac nid ymwelsoch â mi.'
44 Yna atebant hwythau: 'Arglwydd,' gofynnant, 'pryd y'th welsom di'n newynog neu'n sychedig neu'n ddieithr neu'n
45 noeth neu'n glaf neu yng ngharchar heb weini arnat ?' A bydd ef yn eu hateb, 'Yn wir, 'rwy'n dweud wrthych, yn gymaint ag i chwi beidio â'i wneud i un o'r rhai lleiaf hyn, nis gwnaethoch
46 i minnau chwaith.' Ac fe â'r rhain ymaith i gosb dragwyddol, ond y rhai cyfiawn i fywyd tragwyddol."

### *Y Cynllwyn i Ladd Iesu*
(Mc 14.1-2; Lc 22.1-2; In 11.45-53)

**26** Pan orffennodd Iesu lefaru'r holl eiriau hyn, dywedodd wrth
2 ei ddisgyblion, "Gwyddoch fod y Pasg yn dod ymhen deu-
3 ddydd, ac fe draddodir Mab y Dyn i'w groeshoelio." Yna daeth y prif offeiriaid a henuriaid y bobl ynghyd yng nghyntedd
4 yr archoffeiriad, a elwid Caiaffas, a chynllwynio i ddal Iesu
5 trwy ddichell a'i ladd. Ond dweud yr oeddent, "Nid yn ystod yr ŵyl, rhag digwydd cynnwrf ymhlith y bobl."

### *Yr Eneinio ym Methania*
(Mc 14.3-9; In 12.1-8)

6 Pan oedd Iesu ym Methania yn nhŷ Simon y gwahanglwyfus,
7 daeth gwraig ato â chanddi ffiol alabaster o ennaint gwerthfawr,

a thywalltodd yr ennaint ar ei ben tra oedd ef yn eistedd wrth bryd bwyd. Pan welodd y disgyblion hyn, aethant yn ddig a 8 dweud, " I ba beth y bu'r gwastraff hwn ? Oherwydd gallesid 9 gwerthu'r ennaint hwn am lawer o arian a'i roi i'r tlodion." Sylwodd Iesu ar hyn a dywedodd wrthynt, " Pam yr ydych yn 10 poeni'r wraig ? Oherwydd gweithred brydferth a wnaeth hi i 11 mi. Bydd y tlodion gyda chwi bob amser, ond ni fyddaf fi gyda chwi bob amser. Wrth dywallt yr ennaint hwn ar fy nghorff, fy 12 mharatoi yr oedd hi ar gyfer fy nghladdu. Yn wir, 'rwy'n 13 dweud wrthych, pa le bynnag y pregethir yr Efengyl yma yn yr holl fyd, adroddir hefyd yr hyn a wnaeth hon, er cof amdani."

*Jwdas yn Cydsynio i Fradychu Iesu*
(Mc 14.10-11; Lc 22.3-6)

Yna aeth un o'r Deuddeg, hwnnw a elwid Jwdas Iscariot, at 14 y prif offeiriaid a dweud, " Beth a rowch imi os bradychaf ef i 15 chwi ?" Talasant iddo ddeg ar hugain o ddarnau arian; ac o'r 16 pryd hwnnw dechreuodd geisio cyfle i'w fradychu ef.

*Gwledd y Pasg gyda'r Disgyblion*
(Mc 14.12-21; Lc 22.7-14, 21-23; In 13.21-30)

Ar ddydd cyntaf gŵyl y Bara Croyw daeth y disgyblion at 17 Iesu a gofyn, " Ble yr wyt ti am inni baratoi i ti fwyta gwledd y Pasg ?" Dywedodd yntau, " Ewch i'r ddinas at ddyn arben- 18 nig a dywedwch wrtho, ' Y mae'r Athro'n dweud, " Y mae fy amser i'n agos; yn dy dŷ di yr wyf am gadw'r Pasg gyda'm disgyblion." ' " A gwnaeth y disgyblion fel y gorchmynnodd 19 Iesu iddynt, a pharatoesant wledd y Pasg. Gyda'r nos yr oedd 20 yn eistedd wrth y bwrdd gyda'r Deuddeg. Ac fel yr oeddent 21 yn bwyta, dywedodd Iesu, " Yn wir, 'rwy'n dweud wrthych y bydd i un ohonoch fy mradychu i." A chan dristáu yn fawr 22 dechreusant ddweud wrtho, bob un ohonynt, " Nid myfi yw, Arglwydd ? " Atebodd yntau, " Un a wlychodd ei law gyda 23 mi yn y ddysgl, hwnnw a'm bradycha i. Y mae Mab y Dyn yn 24 wir yn ymadael, fel y mae'n ysgrifenedig amdano, ond gwae'r dyn hwnnw y bradychir Mab y Dyn ganddo! Da fuasai i'r dyn hwnnw petai heb ei eni." Dywedodd Jwdas ei fradychwr, 25 " Nid myfi yw, Rabbi ? " Meddai Iesu wrtho, " Ti a ddywedodd hynny."*

---

*adn. 25: neu, *Fe ddywedaist y gwir.*

*Sefydlu Swper yr Arglwydd*
(Mc 14.22-26; Lc 22.15-20; I Cor 11.23-25)

26 Ac wrth iddynt fwyta, cymerodd Iesu fara, ac wedi bendithio fe'i torrodd a'i roi i'r disgyblion a dywedodd, "Cymerwch, 27 bwytewch; hwn yw fy nghorff." A chymerodd gwpan, ac wedi diolch fe'i rhoddodd iddynt gan ddweud, "Yfwch ohono, 28 bawb, oherwydd hwn yw fy ngwaed i, gwaed y cyfamod, a 29 dywelltir dros lawer er maddeuant pechodau. 'Rwy'n dweud wrthych nad yfaf o hyn allan o hwn, ffrwyth y winwydden, hyd y dydd hwnnw pan yfaf ef yn newydd gyda chwi yn nheyrnas 30 fy Nhad." Ac wedi iddynt ganu emyn aethant allan i Fynydd yr Olewydd.

*Rhagfynegi Gwadiad Pedr*
(Mc 14.27-31; Lc 22.31-34; In 13.36-38)

31 Yna dywedodd Iesu wrthynt, "Fe ddaw cwymp i bob un ohonoch chwi o'm hachos i heno, oherwydd y mae'n ysgrifenedig:

'Trawaf y bugail,
a gwasgerir defaid y praidd.'

32,33 Ond wedi i mi gyfodi af o'ch blaen chwi i Galilea." Atebodd Pedr ef, "Er iddynt gwympo bob un o'th achos di, ni chwympaf 34 fi byth." Meddai Iesu wrtho, "Yn wir, 'rwy'n dweud wrthyt y bydd i ti heno, cyn i'r ceiliog ganu, fy ngwadu i deir35 gwaith." "Hyd yn oed petai'n rhaid imi farw gyda thi," meddai Pedr wrtho, "ni'th wadaf byth." Ac felly y dywedodd y disgyblion i gyd.

*Y Weddi yng Ngethsemane*
(Mc 14.32-42; Lc 22.39-46)

36 Yna daeth Iesu gyda hwy i le a elwir Gethsemane, ac meddai wrth y disgyblion, "Eisteddwch yma tra byddaf fi'n mynd fan 37 draw i weddïo." Ac fe gymerodd gydag ef Pedr a dau fab Sebedeus; a dechreuodd deimlo tristwch a thrallod dwys. 38 Yna meddai wrthynt, "Y mae f'enaid yn drist iawn hyd at 39 farw. Arhoswch yma a gwyliwch gyda mi." Aeth ymlaen ychydig, a syrthiodd ar ei wyneb gan weddïo, "Fy Nhad, os yw'n bosibl, boed i'r cwpan hwn fynd heibio i mi; ond nid fel 40 y mynnaf fi, ond fel y mynni di." Daeth yn ôl at y disgyblion

a'u cael hwy'n cysgu, ac meddai wrth Pedr, " Felly ! Oni allech wylio am un awr gyda mi ? Gwyliwch, a gweddïwch na 41 ddewch i gael eich profi. Y mae'r ysbryd yn barod ond y cnawd yn wan." Aeth ymaith drachefn yr ail waith a gweddïo, " Fy 42 Nhad, os nad yw'n bosibl i'r cwpan hwn fynd heibio heb i mi ei yfed, gwneler dy ewyllys di." A phan ddaeth yn ôl fe'u 43 cafodd hwy'n cysgu eto, oherwydd yr oedd eu llygaid yn drwm. Ac fe'u gadawodd eto a mynd ymaith i weddïo y drydedd waith, 44 gan lefaru'r un geiriau drachefn. Yna daeth at y disgyblion a 45 dweud wrthynt, "A ydych yn dal i gysgu a gorffwys ?* Dyma'r awr yn agos, a Mab y Dyn yn cael ei fradychu i ddwylo dynion pechadurus. Codwch ac awn. Dyma fy mradychwr 46 yn agosáu."

*Bradychu a Dal Iesu*
(Mc 14.43-50; Lc 22.47-53; In 18.3-12)

Yna, tra oedd yn dal i siarad, dyma Jwdas, un o'r Deuddeg, 47 yn dod, a chydag ef dyrfa fawr yn dwyn cleddyfau a phastynau, wedi eu hanfon gan y prif offeiriaid a henuriaid y bobl. Rhodd- 48 odd ei fradychwr arwydd iddynt gan ddweud, " Yr un a gusanaf yw'r dyn; daliwch ef." Ac yn union aeth at Iesu a dweud, 49 " Henffych well, Rabbi," a chusanodd ef. Dywedodd Iesu 50 wrtho, " Gyfaill, gwna'r hyn yr wyt yma i'w wneud."* Yna daethant a rhoi eu dwylo ar Iesu a'i ddal. A dyma un o'r rhai 51 oedd gyda Iesu yn estyn ei law ac yn tynnu ei gleddyf a tharo gwas yr archoffeiriad a thorri ei glust i ffwrdd. Yna dywedodd 52 Iesu wrtho, " Rho dy gleddyf yn ôl yn ei le, oherwydd bydd pawb sy'n cymryd y cleddyf yn marw trwy'r cleddyf. A wyt yn 53 tybio na allwn ddeisyf ar fy Nhad, ac na roddai i mi yn awr fwy na deuddeg lleng o angylion ? Ond sut felly y cyflawnid yr 54 Ysgrythurau sy'n dweud mai fel hyn y mae'n rhaid iddi ddigwydd ?" A'r pryd hwnnw dywedodd Iesu wrth y dyrfa, " Ai 55 fel at leidr, â chleddyfau a phastynau, y daethoch allan i'm dal i ? Yr oeddwn yn eistedd beunydd yn y deml yn dysgu, ac ni ddaliasoch fi. Ond digwyddodd hyn oll fel y cyflawnid 56 yr hyn a ysgrifennodd y proffwydi." Yna gadawodd y disgyblion ef bob un, a ffoi.

---

*adn. 45: neu, *Cysgwch bellach a gorffwyswch.*

*adn. 50: neu, *Gyfaill, beth yr wyt yma i'w wneud ?*

*Iesu gerbron y Sanhedrin*
(Mc 14.53-65; Lc 22.54-55, 63-71; In 18.12-14, 19-24)

57 Aeth y rhai oedd wedi dal Iesu ag ef ymaith i dŷ Caiaffas yr archoffeiriad, lle'r oedd yr ysgrifenyddion a'r henuriaid wedi 58 dod ynghyd. Canlynodd Pedr ef o hirbell hyd at gyntedd yr archoffeiriad, ac wedi mynd i mewn eisteddodd gyda'r gwasan-59 aethwyr, i weld y diwedd. Yr oedd y prif offeiriaid a'r holl Sanhedrin yn ceisio camdystiolaeth yn erbyn Iesu, er mwyn ei 60 roi i farwolaeth, ond ni chawsant ddim, er i lawer o dystion gau 61 ddod ymlaen. Yn y diwedd daeth dau ymlaen a dweud, " Dywedodd hwn, ' Gallaf fwrw i lawr deml Duw, ac ymhen 62 tridiau ei hadeiladu.' " Yna cododd yr archoffeiriad ar ei draed a dweud wrtho, " Onid atebi ddim ? Beth am dystiolaeth y 63 rhain yn dy erbyn ?" Parhaodd Iesu'n fud ; a dywedodd yr archoffeiriad wrtho, " Yr wyf yn rhoi siars i ti dyngu yn enw'r Duw byw a dweud wrthym ai ti yw'r Meseia, Mab Duw." 64 Dywedodd Iesu wrtho, " Ti a ddywedodd hynny;* ond 'rwy'n dweud wrthych:

' O hyn allan fe welwch Fab y Dyn
yn eistedd ar ddeheulaw'r Gallu
ac yn dyfod ar gymylau'r nef.' "

65 Yna rhwygodd yr archoffeiriad ei ddillad a dweud, " Cabledd! pa raid i ni wrth dystion bellach ? Yr ydych newydd glywed ei 66 gabledd. Sut y barnwch chwi ?" Atebasant, " Y mae'n haeddu 67 marwolaeth." Yna poerasant ar ei wyneb a'i gernodio; traw-68 odd rhai ef a dweud, " Proffwyda i ni, O Feseia ! Pwy a'th drawodd ?"

*Pedr yn Gwadu Iesu*
(Mc 14.66-72; Lc 22.56-62; In 18.15-18, 25-27)

69 Yr oedd Pedr yn eistedd y tu allan yn y cyntedd. A daeth un o'r morynion ato a dweud, " Yr oeddit tithau hefyd gyda Iesu'r 70 Galilead." Ond gwadodd ef o flaen pawb a dweud, " Nid wyf 71 yn gwybod am beth yr wyt ti'n sôn." Ac wedi iddo fynd allan i'r porth, gwelodd morwyn arall ef a dweud wrth y rhai oedd 72 yno, " Yr oedd hwn gyda Iesu'r Nasaread." Gwadodd yntau 73 drachefn gyda llw, " Nid wyf yn adnabod y dyn." Ymhen ychydig, dyma'r rhai oedd yn sefyll yno yn dod at Pedr a dweud

---

*adn. 64: neu, *Fe ddywedaist y gwir.*

wrtho, " Yn wir yr wyt ti hefyd yn un ohonynt, achos y mae dy acen yn dy fradychu." Yna dechreuodd yntau regi a thyngu, 74 " Nid wyf yn adnabod y dyn." Ac ar unwaith fe ganodd y ceiliog. Cofiodd Pedr y gair a lefarodd Iesu, " Cyn i'r ceiliog 75 ganu, fe'm gwedi i deirgwaith." Aeth allan ac wylo'n chwerw.

*Dod â Iesu gerbron Pilat*
(Mc 15.1; Lc 23.1-2; In 18.28-32)

Pan ddaeth yn ddydd, cynllwyniodd yr holl brif offeiriaid a **27** henuriaid y bobl yn erbyn Iesu i'w roi i farwolaeth. Rhwym- 2 asant ef a mynd ag ef ymaith a'i drosglwyddo i Pilat, y rhaglaw.

*Marwolaeth Jwdas*
(Act 1.18-19)

Yna pan welodd Jwdas, ei fradychwr, fod Iesu wedi ei gon- 3 demnio, bu'n edifar ganddo ac aeth â'r deg darn arian ar hugain yn ôl at y prif offeiriaid a'r henuriaid. Dywedodd, 4 " Pechais trwy fradychu dyn dieuog." " Beth yw hynny i ni ?" meddent hwy, " rhyngot ti a hynny." A thaflodd Jwdas yr 5 arian i lawr yn y deml ac ymadael; aeth ymaith, ac fe'i crogodd ei hun. Wedi iddynt dderbyn yr arian, dywedodd y prif 6 offeiriaid, " Nid yw'n gyfreithlon ei roi yn nhrysorfa'r deml, gan mai pris gwaed ydyw." Ac wedi ymgynghori, prynasant 7 Faes y Crochenydd â'r arian, fel mynwent i ddieithriaid. Dyna 8 pam y gelwir y maes hwnnw hyd heddiw yn Faes y Gwaed. Felly y cyflawnwyd y gair a lefarwyd trwy Jeremeia'r proffwyd: 9 " Cymerasant y deg darn arian ar hugain, pris y sawl y rhodd- odd rhai o blant Israel bris arno, a'u gwario i brynu maes y 10 crochenydd, fel y gorchmynnodd yr Arglwydd i mi."

*Pilat yn Holi Iesu*
(Mc 15.2-5; Lc 23.3-5; In 18.33-38)

Safodd Iesu gerbron y rhaglaw; a holodd y rhaglaw ef: " Ai 11 ti yw Brenin yr Iddewon ?" Atebodd Iesu, " Ti sy'n dweud hynny."* A phan gyhuddwyd ef gan y prif offeiriaid a'r hen- 12 uriaid, nid atebodd ddim. Yna meddai Pilat wrtho, " Onid 13

---

*adn. 11: neu, *Yr wyt yn dweud y gwir.*

wyt yn clywed faint o dystiolaeth y maent yn ei dwyn yn dy
14 erbyn ?" Ond nid atebodd ef i gymaint ag un gair, er syndod
mawr i'r rhaglaw.

*Dedfrydu Iesu i Farwolaeth*
(Mc 15.6-15; Lc 23.13-25; In 18.39-19.16)

15 Ar yr ŵyl yr oedd y rhaglaw yn arfer rhyddhau i'r dyrfa un
16 carcharor o'u dewis hwy. A'r pryd hwnnw yr oedd carcharor
17 adnabyddus yn y ddalfa, o'r enw Iesu* Barabbas. Felly, wedi
iddynt ymgynnull, gofynnodd Pilat iddynt, " Pwy a fynnwch i
mi ei ryddhau i chwi, Iesu* Barabbas neu Iesu a elwir y
18 Meseia ?" Oherwydd gwyddai mai o genfigen y traddodasant
19 ef. A thra oedd Pilat yn eistedd ar y brawdle anfonodd ei wraig
neges ato, yn dweud, " Paid ag ymyrryd â'r dyn cyfiawn yna,
oherwydd cefais lawer o ofid mewn breuddwyd neithiwr o'i
20 achos ef." Ond perswadiodd y prif offeiriaid a'r henuriaid y
tyrfaoedd i ofyn am ryddhau Barabbas a rhoi Iesu i farwolaeth.
21 Atebodd y rhaglaw gan ofyn iddynt, " Prun o'r ddau a fynnwch
22 i mi ei ryddhau i chwi ?" " Barabbas," meddent hwy. " Beth,
ynteu, a wnaf â Iesu a elwir y Meseia ?" gofynnodd Pilat iddynt.
23 Atebasant i gyd, " Croeshoelier ef." " Ond pa ddrwg a wnaeth
ef ?" meddai yntau. Gwaeddasant hwythau yn uwch byth,
24 " Croeshoelier ef." Pan welodd Pilat nad oedd dim yn tycio
ond yn hytrach bod cynnwrf yn codi, cymerodd ddŵr, a
golchodd ei ddwylo o flaen y dyrfa, a dweud, " Yr wyf fi'n ddi-
25 euog o waed y dyn hwn; chwi fydd yn gyfrifol." Ac atebodd
26 yr holl bobl, " Boed ei waed arnom ni ac ar ein plant." Yna
rhyddhaodd Pilat iddynt Barabbas, a thraddododd Iesu, ar ôl
ei fflangellu, i'w groeshoelio.

*Y Milwyr yn Gwatwar Iesu*
(Mc 15.16-20; In 19.2-3)

27 Yna cymerodd milwyr y rhaglaw Iesu i'r Praetoriwm a
28 chynnull yr holl fintai o'i gwmpas. Wedi diosg ei ddillad,
29 rhoesant glogyn ysgarlad amdano; plethasant goron o ddrain
a'i gosod ar ei ben, a gwialen yn ei law dde. Aethant ar eu
gliniau o'i flaen a'i watwar: " Henffych well, Frenin yr

---

*adn. 16 a 17: y mae rhai llawysgrifau yn gadael allan *Iesu* o flaen *Barabbas*.

Iddewon !" Poerasant arno, a chymryd y wialen a'i guro ar ei ben. Ac wedi iddynt ei watwar, tynasant y clogyn oddi amdano a'i wisgo ef â'i ddillad ei hun, a mynd ag ef ymaith i'w groes-hoelio. 30 31

*Croeshoelio Iesu*

(Mc 15.21-32; Lc 23.26-43; In 19.17-27)

Wrth fynd allan daethant ar draws dyn o Gyrene o'r enw Simon, a gorfodi hwnnw i gario ei groes ef. Daethant i le a elwir Golgotha, hynny yw " Lle Penglog ", ac yno rhoesant iddo i'w yfed win wedi ei gymysgu â bustl, ond ar ôl iddo ei brofi, gwrthododd ei yfed. Croeshoeliasant ef, ac yna rhanasant ei ddillad, gan fwrw coelbren, ac eisteddasant yno i'w wylio. Uwch ei ben gosodwyd y cyhuddiad yn ei erbyn mewn ysgrif-en: " Hwn yw Iesu, Brenin yr Iddewon." Yna croeshoeliwyd gydag ef ddau leidr, un ar y dde ac un ar y chwith. Yr oedd y rhai oedd yn mynd heibio yn ei gablu ef, yn ysgwyd eu pennau a dweud, " Ti sydd am fwrw'r deml i lawr a'i hadeiladu mewn tridiau, achub dy hun, os Mab Duw wyt ti, a disgyn oddi ar y groes." A'r un modd yr oedd y prif offeiriaid hefyd, ynghyd â'r ysgrifenyddion a'r henuriaid, yn ei watwar ac yn dweud, " Fe achubodd eraill; ni all ei achub ei hun. Brenin Israel yn wir ! Disgynned yn awr oddi ar y groes ac fe gredwn ynddo. Ymddiriedodd yn Nuw; boed i Dduw ei waredu yn awr, os yw â'i fryd arno, oherwydd dywedodd, ' Mab Duw ydwyf.' " Yr un modd, yr oedd hyd yn oed y lladron a groeshoeliwyd gydag ef yn ei wawdio. 32 33 34 35 36 37 38 39 40 41 42 43 44

*Marwolaeth Iesu*

(Mc 15.33-41; Lc 23.44-49; In 19.28-30)

O ganol dydd, daeth tywyllwch dros yr holl wlad hyd dri o'r gloch y prynhawn. A thua thri o'r gloch gwaeddodd Iesu â llef uchel, " Eli, Eli, lema sabachthani," hynny yw, " Fy Nuw, fy Nuw, pam yr wyt wedi fy ngadael ?" O glywed hyn, meddai rhai o'r sawl oedd yn sefyll yno, " Y mae hwn yn galw ar Elias." Ac ar unwaith fe redodd un ohonynt a chymryd ysbwng a'i lenwi â gwin sur a'i ddodi ar flaen gwialen a'i gynnig iddo i'w yfed. Ond yr oedd y lleill yn dweud, " Gadewch inni weld a ddaw Elias i'w achub." Gwaeddodd Iesu drachefn â llef uchel, a bu farw. A dyma len y deml yn cael ei rhwygo yn 45 46 47 48 49 50 51

ddwy o'r pen i'r gwaelod. Siglwyd y ddaear a holltwyd y
52 creigiau; agorwyd y beddau ac atgyfodwyd cyrff llawer o'r
53 saint oedd wedi huno. Ac ar ôl atgyfodiad Iesu, daethant allan
o'u beddau a mynd i mewn i'r ddinas sanctaidd, ac fe'u gwel-
54 wyd gan lawer. Ond pan welodd y canwriad, a'r rhai oedd
gydag ef yn gwylio Iesu, y daeargryn a'r cwbl oedd yn digwydd,
daeth ofn mawr arnynt a dywedasant, " Yn wir, Mab Duw*
55 oedd hwn." Yr oedd yno lawer o wragedd yn edrych o hirbell,
56 rhai oedd wedi canlyn Iesu o Galilea i weini arno; yn eu plith
yr oedd Mair Magdalen, Mair mam Iago a Joseff, a mam
meibion Sebedeus.

### *Claddu Iesu*
### (Mc 15.42-47; Lc 23.50-56; In 19.38-42)

57 Pan aeth yn hwyr, daeth dyn cyfoethog o Arimathea o'r enw
58 Joseff, a oedd yntau wedi dod yn ddisgybl i Iesu. Aeth hwn at
Pilat a gofyn am gorff Iesu; yna gorchmynnodd Pilat ei roi iddo.
59 Cymerodd Joseff y corff a'i amdói mewn lliain glân, a'i osod yn
ei fedd newydd ef ei hun, yr oedd wedi ei naddu yn y graig.
60 Yna treiglodd faen mawr wrth ddrws y bedd ac aeth ymaith.
61 Ac yr oedd Mair Magdalen a'r Fair arall yno yn eistedd gyf-
erbyn â'r bedd.

### *Y Gwarchodlu wrth y Bedd*

62 Trannoeth, y dydd ar ôl y Paratoad, daeth y prif offeiriaid a'r
63 Phariseaid ynghyd at Pilat a dweud, " Syr, daeth i'n cof fod y
twyllwr yna, pan oedd eto'n fyw, wedi dweud, ' Ar ôl tridiau fe
64 atgyfodaf.' Felly dyro orchymyn i'r bedd gael ei warchod yn
ddiogel hyd y trydydd dydd, rhag i'w ddisgyblion ddod a'i
ladrata a dweud wrth y bobl, ' Y mae wedi cyfodi oddi wrth y
meirw ', ac felly bod y twyll olaf yn waeth na'r cyntaf."
65 Dywedodd Pilat wrthynt, " Cymerwch warchodlu; ewch a
66 gwnewch y bedd mor ddiogel ag y gallwch." Aethant hwythau
a diogelu'r bedd trwy selio'r maen, a gosod y gwarchodlu wrth
law.

---

*adn. 54: neu, *mab i Dduw*.

*Atgyfodiad Iesu*
(Mc 16.1-8; Lc 24.1-12; In 20.1-10)

**28** Ar ôl y Saboth, a dydd cyntaf yr wythnos ar wawrio, daeth Mair Magdalen a'r Fair arall i edrych ar y bedd. 2 A bu daeargryn mawr; daeth angel yr Arglwydd i lawr o'r nef, ac aeth at y maen a'i dreiglo i ffwrdd ac eistedd arno. 3 Yr oedd ei wedd fel mellten a'i wisg yn wyn fel eira. 4 Yn eu dychryn o'i weld, crynodd y gwarchodwyr, ac aethant fel dynion marw. 5 Ond llefarodd yr angel wrth y gwragedd: " Peidiwch chwi ag ofni," meddai. " Gwn mai ceisio Iesu, a groeshoeliwyd, yr ydych. 6 Nid yw ef yma, oherwydd y mae wedi cyfodi, fel y dywedodd y buasai; dewch i weld y lle y bu'n gorwedd. 7 Ac yna ewch ar frys i ddweud wrth ei ddisgyblion, ' Y mae wedi cyfodi oddi wrth y meirw, ac yn awr y mae'n mynd o'ch blaen chwi i Galilea; yno y gwelwch ef.' Dyna fy neges i chwi." 8 Aethant ymaith ar frys oddi wrth y bedd, mewn ofn a llawenydd mawr, a rhedeg i ddweud wrth ei ddisgyblion. 9 A dyma Iesu'n cyfarfod â hwy a dweud, " Henffych well !" Aethant ato a gafael yn ei draed a'i addoli. 10 Yna meddai Iesu wrthynt, " Peidiwch ag ofni; ewch a dywedwch wrth fy mrodyr am fynd i Galilea, ac yno fe'm gwelant i."

*Adroddiad y Gwarchodlu*

11 Tra oedd y gwragedd ar eu ffordd, dyma rai o'r gwarchodlu yn mynd i'r ddinas ac yn dweud wrth y prif offeiriaid am yr holl bethau a ddigwyddodd. 12 Ac wedi iddynt ymgynnull gyda'r henuriaid ac ymgynghori, rhoesant swm sylweddol o arian i'r milwyr, gan ddweud wrthynt, 13 " Dywedwch fod ei ddisgyblion ef wedi dod yn y nos, a'i ladrata tra oeddech chwi'n cysgu. 14 Ac os daw hyn i glyw y rhaglaw, fe'i perswadiwn ni ef a sicrhau na fydd raid i chwi bryderu." 15 Cymerodd y milwyr yr arian a gwneud fel y cawsant eu cyfarwyddo. Taenwyd y stori hon ar led ymysg yr Iddewon hyd y dydd heddiw.

*Rhoi Comisiwn i'r Disgyblion*
(Mc 16.14-18; Lc 24.36-49; In 20.19-23; Act 1.9-11)

16 Aeth yr un disgybl ar ddeg i Galilea i'r mynydd lle y trefnodd Iesu iddynt fod; 17 a phan welsant ef addolasant ef, er bod rhai

18 yn amau. Daeth Iesu atynt a llefaru wrthynt: " Rhoddwyd i
19 mi," meddai, " bob awdurdod yn y nef ac ar y ddaear. Ewch,
gan hynny, a gwnewch ddisgyblion o'r holl genhedloedd, gan
20 eu bedyddio hwy yn enw'r Tad a'r Mab a'r Ysbryd Glân, a
dysgu iddynt gadw'r holl orchmynion a roddais i chwi. Ac yn
awr, yr wyf fi gyda chwi bob amser hyd ddiwedd y byd."

YR EFENGYL YN ÔL

# MARC

*Pregethu Ioan Fedyddiwr*

(Mth 3.1-12; Lc 3.1-9, 15-17; In 1.19-28)

Dechrau Efengyl Iesu Grist, Mab Duw.* 1
Fel y mae'n ysgrifenedig yn y proffwyd Eseia: 2

"Wele fi'n anfon fy nghennad o'th flaen
i baratoi dy ffordd.
Llais un yn llefain yn yr anialwch, 3
'Paratowch ffordd yr Arglwydd,
gwnewch lwybrau union iddo' "—

ymddangosodd Ioan yn bedyddio yn yr anialwch ac yn 4 cyhoeddi bedydd edifeirwch yn foddion maddeuant pechodau. Ac yr oedd holl wlad Jwdea, a holl drigolion Jerwsalem, yn 5 mynd allan ato, ac yn cael eu bedyddio ganddo yn afon Iorddonen, gan gyffesu eu pechodau. Yr oedd Ioan wedi ei wisgo 6 mewn dillad o flew camel a gwregys o groen am ei ganol, a locustiaid a mêl gwyllt oedd ei fwyd. A dyma'i genadwri: 7 "Y mae un cryfach na mi yn dod ar f'ôl i. Nid wyf fi'n deilwng i blygu a datod carrai ei esgidiau ef. Â dŵr y bedyddiais i chwi, 8 ond â'r Ysbryd Glân y bydd ef yn eich bedyddio."

*Bedydd Iesu*

(Mth 3.13-17; Lc 3.21-22)

Yn y dyddiau hynny daeth Iesu o Nasareth Galilea, a 9 bedyddiwyd ef yn yr Iorddonen gan Ioan. Ac yna, wrth iddo 10 godi allan o'r dŵr, gwelodd y nefoedd yn rhwygo'n agored a'r Ysbryd fel colomen yn disgyn arno. A daeth llais o'r nefoedd: 11 "Ti yw fy Mab, yr Anwylyd; ynot ti yr wyf yn ymhyfrydu."

*Temtiad Iesu*

(Mth 4.1-11; Lc 4.1-13)

Ac yna gyrrodd yr Ysbryd ef ymaith i'r anialwch, a bu yn yr 12,13 anialwch am ddeugain diwrnod yn cael ei demtio gan Satan.

---

*adn. 1: yn ôl darlleniad arall gadewir allan *Mab Duw*.

Yr oedd ynghanol yr anifeiliaid gwylltion, a'r angylion oedd yn gweini arno.

*Dechrau'r Weinidogaeth yng Ngalilea*
(Mth 4.12-17; Lc 4.14-15)

14 Wedi i Ioan gael ei garcharu daeth Iesu i Galilea gan gy-
15 hoeddi Efengyl Duw a dweud: "Y mae'r amser wedi ei gyflawni ac y mae teyrnas Dduw wedi dod yn agos. Edifarhewch a chredwch yr Efengyl."

*Galw Pedwar Pysgotwr*
(Mth 4.18-22; Lc 5.1-11)

16 Wrth gerdded ar lan Môr Galilea gwelodd Iesu Simon a'i frawd Andreas yn bwrw rhwyd i'r môr; pysgotwyr oeddent.
17 Dywedodd Iesu wrthynt, "Dewch ar fy ôl i, ac fe'ch gwnaf yn
18 bysgotwyr dynion." A gadawsant eu rhwydau ar unwaith a'i
19 ganlyn ef. Wedi iddo fynd ymlaen ychydig gwelodd Iago fab Sebedeus ac Ioan ei frawd; yr oeddent wrthi'n cyweirio'r
20 rhwydau yn y cwch. Galwodd hwythau ar unwaith, a chan adael eu tad Sebedeus yn y cwch gyda'r gweision aethant ymaith ar ei ôl ef.

*Y Dyn ag Ysbryd Aflan ynddo*
(Lc 4.31-37)

21 Daethant i Gapernaum, ac yna, ar y Saboth, aeth ef i mewn
22 i'r synagog a dechrau dysgu. Yr oedd y bobl yn synnu at yr hyn yr oedd yn ei ddysgu, oherwydd yr oedd yn eu dysgu fel un ag
23 awdurdod ganddo, ac nid fel yr ysgrifenyddion. Yn eu synagog yr oedd dyn ag ysbryd aflan ynddo. Gwaeddodd
24 hwnnw, gan ddweud, "Beth sydd a fynni di â ni, Iesu o Nasareth? A wyt ti wedi dod i'n difetha ni? Mi wn pwy wyt
25 ti—Sanct Duw." Ceryddodd Iesu ef â'r geiriau: "Taw, a
26 dos allan ohono." A chan ei gynhyrfu ef a rhoi bloedd uchel,
27 aeth yr ysbryd aflan allan ohono. Syfrdanwyd pawb, nes troi a holi ei gilydd, "Beth yw hyn? Dyma ddysgeidiaeth newydd ag iddi awdurdod! Y mae hwn yn gorchymyn hyd yn oed yr
28 ysbrydion aflan, a hwythau'n ufuddhau iddo!" Ac aeth y sôn amdano ar led ar unwaith trwy holl gymdogaeth Galilea.

### *Iacháu Llawer*
(Mth 8.14-17; Lc 4.38-41)

Ac yna, wedi dod allan o'r synagog, aethant i dŷ Simon ac 29
Andreas gydag Iago ac Ioan. Ac yr oedd mam-yng-nghyfraith 30
Simon yn gorwedd yn wael dan dwymyn. Dywedasant wrtho
amdani yn ddi-oed; aeth yntau ati a gafael yn ei llaw a'i chodi. 31
Gadawodd y dwymyn hi, a dechreuodd hithau weini arnynt.
Gyda'r nos, a'r haul wedi machlud, yr oeddent yn dwyn ato yr 32
holl gleifion a'r rhai oedd wedi eu meddiannu gan gythreuliaid.
Ac yr oedd yr holl dref wedi ymgynnull wrth y drws. Iachaodd 33,34
ef lawer oedd yn dioddef dan amrywiol afiechydon, a bwriodd
allan lawer o gythreuliaid, ac ni adawai i'r cythreuliaid ddweud
gair, oherwydd eu bod yn ei adnabod.

### *Taith Bregethu*
(Lc 4.42-44)

Bore trannoeth yn gynnar iawn, cododd ef ac aeth allan. 35
Aeth ymaith i le unig, ac yno yr oedd yn gweddïo. Aeth 36
Simon a'i gymdeithion i chwilio amdano; ac wedi dod o hyd 37
iddo dywedasant wrtho, " Y mae pawb yn dy geisio di."
Dywedodd yntau wrthynt, " Awn ymlaen i'r trefi nesaf, imi 38
gael pregethu yno hefyd; oherwydd i hynny y deuthum allan."
Ac fe aeth drwy holl Galilea gan bregethu yn eu synagogau 39
hwy a bwrw allan gythreuliaid.

### *Glanhau Dyn Gwahanglwyfus*
(Mth 8.1-4; Lc 5.12-16)

Daeth dyn gwahanglwyfus ato ac erfyn arno ar ei liniau a 40
dweud, " Os mynni, gelli fy nglanhau." A chan dosturio* 41
estynnodd ef ei law a chyffwrdd ag ef a dweud wrtho, " Yr wyf
yn mynnu, glanhaer di." Ymadawodd y gwahanglwyf ag ef ar 42
unwaith, a glanhawyd ef. Ac wedi ei rybuddio'n llym gyrrodd 43
Iesu ef ymaith ar ei union, ac meddai wrtho, " Gwylia na 44
ddywedi ddim wrth neb, ond dos a dangos dy hun i'r offeiriad,
ac offryma dros dy lanhad yr hyn a orchmynnodd Moses, yn
dystiolaeth i'r bobl." Ond aeth yntau allan a dechreuodd roi'r 45
hanes i gyd ar goedd a'i daenu ar led, fel na allai Iesu mwyach

---

*adn. 41: yn ôl darlleniad arall, *Ac mewn dicter.*

fynd i mewn yn agored i unrhyw dref. Yr oedd yn aros y tu allan, mewn lleoedd unig, ac eto yr oedd pobl yn dod ato o bob cyfeiriad.

### *Iacháu Dyn wedi ei Barlysu*
(Mth 9.1-8; Lc 5.17-26)

**2** Pan ddychwelodd ymhen rhai dyddiau i Gapernaum, aeth y 2 newydd ar led ei fod gartref. Daeth cynifer ynghyd fel nad oedd mwyach le i neb hyd yn oed wrth y drws. Ac yr oedd yn 3 llefaru'r gair wrthynt. Daethant â dyn wedi ei barlysu ato, a 4 phedwar yn ei gario. A chan eu bod yn methu dod â'r claf ato oherwydd y dyrfa, agorasant do'r tŷ lle'r oedd, ac wedi iddynt dorri trwodd dyma hwy'n gollwng i lawr y fatras yr oedd y claf 5 yn gorwedd arni. Pan welodd Iesu eu ffydd hwy dywedodd 6 wrth y claf, "Fy mab, maddeuwyd dy bechodau." Ac yr oedd rhai o'r ysgrifenyddion yn eistedd yno ac yn meddwl ynddynt 7 eu hunain, "Pam y mae hwn yn siarad fel hyn ? Y mae'n cablu. 8 Pwy ond Duw yn unig a all faddau pechodau ?" Deallodd Iesu ar unwaith yn ei ysbryd eu bod yn meddwl felly ynddynt eu hunain, ac meddai wrthynt, "Pam yr ydych yn meddwl pethau 9 fel hyn ynoch eich hunain ? Prun sydd hawsaf, ai dweud wrth y claf, 'Maddeuwyd dy bechodau', ai ynteu dweud, 'Cod, a 10 chymer dy fatras a cherdda' ? Ond er mwyn i chwi wybod fod gan Fab y Dyn hawl i faddau pechodau ar y ddaear"— 11 meddai wrth y claf, "Dyma fi'n dweud wrthyt, cod, a chymer 12 dy fatras a dos adref." A chododd y dyn, cymerodd ei fatras ar ei union ac aeth allan yn eu gŵydd hwy oll, nes bod pawb yn synnu a gogoneddu Duw gan ddweud, "Ni welsom erioed y fath beth."

### *Galw Lefi*
(Mth 9.9-13; Lc 5.27-32)

13 Aeth allan eto i lan y môr; ac yr oedd yr holl dyrfa'n dod ato, 14 ac yntau'n eu dysgu hwy. Ac wrth fynd heibio gwelodd Lefi fab Alffeus yn eistedd wrth y dollfa, a dywedodd wrtho, 15 "Canlyn fi." Cododd yntau a chanlynodd ef. Ac yr oedd wrth bryd bwyd yn ei dŷ, ac yr oedd llawer o gasglwyr trethi ac o bechaduriaid yn cydfwyta gyda Iesu a'i ddisgyblion—oher- 16 wydd yr oedd llawer ohonynt. Ac yr oedd yr ysgrifenyddion o blith y Phariseaid yn ei ganlyn ef, a phan welsant ei fod yn

bwyta gyda'r pechaduriaid a'r casglwyr trethi, dywedasant wrth ei ddisgyblion, " Pam y mae ef yn bwyta gyda chasglwyr trethi a phechaduriaid ?" Clywodd Iesu, a dywedodd wrthynt, 17 " Nid ar y cryfion, ond ar y cleifion, y mae angen meddyg; i alw pechaduriaid, nid rhai cyfiawn, yr wyf fi wedi dod."

### *Holi ynglŷn ag Ymprydio*
(Mth 9.14-17; Lc 5.33-39)

Yr oedd disgyblion Ioan a'r Phariseaid yn ymprydio. A 18 daeth rhywrai ato a gofyn iddo, " Pam y mae disgyblion Ioan a disgyblion y Phariseaid yn ymprydio, ond dy ddisgyblion di ddim yn ymprydio ?" Dywedodd Iesu wrthynt, " A all 19 gwesteion priodas ymprydio tra bydd y priodfab gyda hwy ? Cyhyd ag y mae ganddynt y priodfab gyda hwy, ni allant ymprydio. Ond fe ddaw dyddiau pan ddygir y priodfab oddi 20 wrthynt, ac yna fe ymprydiant y diwrnod hwnnw. Ni fydd neb 21 yn gwnïo clwt o frethyn heb ei bannu ar hen ddilledyn; os gwna, fe dynn y clwt wrth y dilledyn, y newydd wrth yr hen, ac fe â'r rhwyg yn waeth. Ac ni fydd neb yn tywallt gwin 22 newydd i hen grwyn; os gwna, fe rwyga'r gwin y crwyn ac fe gollir y gwin a'r crwyn hefyd. Ond y maent yn rhoi gwin newydd mewn crwyn newydd."

### *Tynnu Tywysennau ar y Saboth*
(Mth 12.1-8; Lc 6.1-5)

Un Saboth yr oedd yn mynd trwy'r caeau ŷd, a dechreuodd 23 ei ddisgyblion dynnu'r tywysennau wrth fynd. Ac meddai'r 24 Phariseaid wrtho, " Edrych, pam y maent yn gwneud peth sy'n groes i'r Gyfraith ar y Saboth ?" Dywedodd yntau wrthynt, 25 " Onid ydych chwi erioed wedi darllen beth a wnaeth Dafydd, pan oedd mewn angen, ac eisiau bwyd arno ef a'r rhai oedd gydag ef ? Sut yr aeth i mewn i dŷ Duw, yn amser Abiathar 26 yr archoffeiriad, a bwyta'r torthau cysegredig nad yw'n gyfreithlon i neb eu bwyta ond yr offeiriaid; ac fe'u rhoddodd hefyd i'r rhai oedd gydag ef?" Dywedodd wrthynt hefyd, 27 " Y Saboth a wnaethpwyd er mwyn dyn, ac nid dyn er mwyn y Saboth. Felly y mae Mab y Dyn yn arglwydd hyd yn oed ar 28 y Saboth."

*Y Dyn â'r Llaw Ddiffrwyth*
(Mth 12.9-14; Lc 6.6-11)

3 Aeth i mewn eto i'r synagog, ac yno yr oedd dyn â chanddo 2 law wedi gwywo. Ac yr oeddent â'u llygaid arno i weld a fyddai'n iacháu'r dyn ar y Saboth, er mwyn cael cyhuddiad i'w 3 ddwyn yn ei erbyn. A dywedodd wrth y dyn â'r llaw ddiffrwyth, 4 " Saf yn y canol." Yna dywedodd wrthynt, " A yw'n gyfreithlon gwneud da ar y Saboth, ynteu gwneud drwg, achub bywyd, 5 ynteu lladd ?" Yr oeddent yn fud. Yna edrychodd o gwmpas arnynt mewn dicter, yn drist oherwydd dallineb eu meddwl, a dywedodd wrth y dyn, " Estyn dy law." Estynnodd yntau hi, 6 a gwnaed ei law yn iach. Ac fe aeth y Phariseaid allan ar eu hunion a chynllwynio â'r Herodianiaid yn ei erbyn, sut i'w ladd.

*Tyrfa ar Lan y Môr*

7 Aeth Iesu ymaith gyda'i ddisgyblion i lan y môr, ac fe ddilyn-8 odd tyrfa fawr o Galilea. Ac o Jwdea a Jerwsalem, o Idwmea a'r tu hwnt i'r Iorddonen a chylch Tyrus a Sidon, daeth tyrfa fawr ato, wedi iddynt glywed y fath bethau mawr yr oedd ef yn 9 eu gwneud. A dywedodd wrth ei ddisgyblion am gael cwch yn 10 barod iddo rhag i'r dyrfa ei lethu. Oherwydd yr oedd wedi iacháu llawer, ac felly yr oedd yr holl gleifion yn ymwthio ato i 11 gyffwrdd ag ef. Pan fyddai'r ysbrydion aflan yn ei weld, byddent yn syrthio o'i flaen a gweiddi, " Ti yw Mab Duw." 12 A byddai yntau yn eu rhybuddio hwy yn bendant i beidio â'i wneud yn hysbys.

*Dewis y Deuddeg*
(Mth 10.1-4; Lc 6.12-16)

13 Aeth i fyny i'r mynydd a galwodd ato y rhai a fynnai ef, ac 14 aethant ato. Penododd ddeuddeg* er mwyn iddynt fod gydag 15 ef, ac er mwyn eu hanfon hwy i bregethu ac i feddu awdurdod i 16 fwrw allan gythreuliaid. Felly y penododd y Deuddeg, ac ar 17 Simon rhoes yr enw Pedr; yna Iago fab Sebedeus, ac Ioan brawd Iago, a rhoes arnynt hwy yr enw Boanerges, hynny yw 18 "Meibion y Daran"; ac Andreas a Philip a Bartholomeus a Mathew a Thomas, ac Iago fab Alffeus, a Thadeus, a Simon y 19 Selot, a Jwdas Iscariot, yr un a'i bradychodd ef.

---

*adn. 14: ychwanega rhai llawysgrifau *a rhoi'r enw apostolion iddynt.*

### *Iesu a Beelsebwl*
(Mth 12.22-32; Lc 11.14-23, 12.10)

Daeth i'r tŷ; a dyma dyrfa'n ymgasglu unwaith eto, nes eu bod yn methu cymryd pryd o fwyd hyd yn oed. 20 21 A phan glywodd ei deulu, aethant allan i'w atal ef, oherwydd dweud yr oeddent, "Y mae wedi colli arno'i hun." 22 A'r ysgrifenyddion hefyd, oedd wedi dod i lawr o Jerwsalem, yr oeddent hwythau'n dweud, "Y mae Beelsebwl ynddo", a, "Trwy bennaeth y cythreuliaid y mae'n bwrw allan gythreuliaid." 23 Galwodd hwy ato ac meddai wrthynt ar ddamhegion: "Pa fodd y gall Satan fwrw allan Satan? 24 Os bydd teyrnas yn ymrannu yn ei herbyn ei hun, ni all y deyrnas honno sefyll. 25 Ac os bydd tŷ yn ymrannu yn ei erbyn ei hun, ni all y tŷ hwnnw fyth sefyll. 26 Ac os yw Satan wedi codi yn ei erbyn ei hun ac ymrannu, ni all yntau sefyll; y mae ar ben arno. 27 Eithr ni all neb fynd i mewn i dŷ'r dyn cryf ac ysbeilio'i ddodrefn heb iddo'n gyntaf rwymo'r dyn cryf; wedyn caiff ysbeilio'i dŷ ef. 28 Yn wir, 'rwy'n dweud wrthych, maddeuir popeth i feibion dynion, eu pechodau a'u cableddau, beth bynnag fyddant; 29 eithr pwy bynnag a gabla yn erbyn yr Ysbryd Glân, ni chaiff faddeuant byth; y mae'n euog o bechod oesol." 30 Dywedodd hyn oherwydd iddynt ddweud, "Y mae ysbryd aflan ynddo."

### *Mam a Brodyr Iesu*
(Mth 12.46-50; Lc 8.19-21)

31 A daeth ei fam ef a'i frodyr, a chan sefyll y tu allan anfonasant ato i'w alw. 32 Yr oedd tyrfa'n eistedd o'i amgylch, ac meddent wrtho, "Dacw dy fam a'th frodyr y tu allan yn dy geisio." 33 Atebodd hwy, "Pwy yw fy mam i a'm brodyr?" 34 A chan edrych ar y rhai oedd yn eistedd yn gylch o'i gwmpas, dywedodd, 35 "Dyma fy mam a'm brodyr i. Pwy bynnag sy'n gwneud ewyllys Duw, y mae hwnnw'n frawd i mi, ac yn chwaer, ac yn fam."

### *Dameg yr Heuwr*
(Mth 13.1-9; Lc 8.4-8)

**4** Dechreuodd ddysgu eto ar lan y môr. A daeth tyrfa mor fawr ynghyd ato nes iddo fynd ac eistedd mewn cwch ar y môr; ac yr oedd yr holl dyrfa ar y tir wrth ymyl y môr. 2 Yr oedd yn dysgu llawer iddynt ar ddamhegion, ac wrth eu dysgu meddai:

3,4 " Gwrandewch ! Aeth heuwr allan i hau. Ac wrth iddo hau, syrthiodd peth had ar hyd y llwybr, a daeth yr adar a'i fwyta. 5 Syrthiodd peth arall ar dir creigiog, lle ni chafodd fawr o bridd, 6 a thyfodd yn gyflym am nad oedd iddo ddyfnder daear; a phan gododd yr haul fe'i llosgwyd, ac am nad oedd iddo wreiddyn 7 fe wywodd. Syrthiodd peth arall ymhlith y drain, a thyfodd y 8 drain a'i dagu, ac ni roddodd ffrwyth. A syrthiodd hadau eraill ar dir da, a chan dyfu a chynyddu yr oeddent yn ffrwytho a chnydio hyd ddeg ar hugain a hyd drigain a hyd ganwaith 9 cymaint." Ac meddai, " Yr hwn sydd ganddo glustiau i wrando, gwrandawed."

*Pwrpas y Damhegion*
(Mth 13.10-17; Lc 8.9-10)

10 Pan oedd wrtho'i hun, dechreuodd y rhai oedd o'i gwmpas 11 gyda'r Deuddeg ei holi am y damhegion. Ac meddai wrthynt, " I chwi y mae cyfrinach teyrnas Dduw wedi ei rhoi; ond i'r rheini sydd oddi allan y mae popeth ar ddamhegion, fel

12 ' er edrych ac edrych, na welant,
ac er gwrando a gwrando, na ddeallant,
rhag iddynt droi a derbyn maddeuant.' "

*Egluro Dameg yr Heuwr*
(Mth 13.18-23; Lc 8.11-15)

13 Ac meddai wrthynt, " Nid ydych yn deall y ddameg hon ? 14 Sut ynteu yr ydych yn mynd i ddeall yr holl ddamhegion ? Y 15 mae'r heuwr yn hau y gair. Dyma'r rhai ar hyd y llwybr lle'r heuir y gair: cyn gynted ag y clywant, daw Satan ar unwaith a 16 chipio'r gair sydd wedi ei hau ynddynt. A dyma'r rhai sy'n derbyn yr had ar dir creigiog: pan glywant hwy'r gair, derbyn- 17 iant ef ar eu hunion yn llawen; ond nid oes ganddynt wreiddyn ynddynt eu hunain, a thros dro y maent yn para. Yna pan ddaw gorthrymder neu erlid o achos y gair, fe gwympant ar unwaith. 18 Ac y mae eraill sy'n derbyn yr had ymhlith y drain: dyma'r 19 rhai sydd wedi clywed y gair, ond y mae gofalon y byd hwn a hudoliaeth golud a chwantau am bopeth o'r fath yn dod i mewn 20 ac yn tagu'r gair, ac y mae'n mynd yn ddiffrwyth. A dyma'r rheini a dderbyniodd yr had ar dir da: y maent hwy'n clywed y gair ac yn ei groesawu, ac yn dwyn ffrwyth hyd ddeg ar hugain a hyd drigain a hyd ganwaith cymaint."

### *Goleuni dan Lestr*
(Lc 8.16-18)

Dywedodd wrthynt, " A oes rhywun yn dod â channwyll i'w dodi dan lestr neu dan wely ? Onid yn hytrach i'w dodi ar ganhwyllbren? Oherwydd nid oes dim yn guddiedig os nad yw i gael ei amlygu, ac ni bu dim dan gêl os nad yw i ddod i'r amlwg. Os oes gan rywun glustiau i wrando, gwrandawed." 21 22 23

Dywedodd wrthynt hefyd, " Ystyriwch yr hyn a glywch. Â'r mesur y rhowch y rhoir i chwithau, a rhagor a roir ichwi. Oherwydd i'r hwn y mae ganddo y rhoir, ac oddi ar yr hwn nad oes ganddo y cymerir hyd yn oed hynny sydd ganddo." 24 25

### *Dameg yr Had yn Tyfu*

Ac meddai, " Fel hyn y mae teyrnas Dduw; bydd dyn yn bwrw yr had ar y ddaear ac yna'n cysgu'r nos a chodi'r dydd, a'r had yn egino ac yn tyfu mewn modd nas gŵyr ef. Ohoni ei hun y mae'r ddaear yn dwyn ffrwyth, eginyn yn gyntaf, yna tywysen, yna ŷd llawn yn y dywysen. A phan fydd y cnwd wedi aeddfedu, y mae'r dyn yn bwrw iddi ar unwaith â'r cryman, gan fod y cynhaeaf wedi dod." 26 27 28 29

### *Dameg yr Hedyn Mwstard*
(Mth 13.31-32; Lc 13.18-19)

Meddai eto, " Pa fodd y cyffelybwn deyrnas Dduw, neu ar ba ddameg y cyflwynwn hi ? Y mae'n debyg i hedyn mwstard; pan heuir ef ar y ddaear, hwn yw'r lleiaf o'r holl hadau sydd ar y ddaear, ond wedi ei hau, y mae'n tyfu ac yn mynd yn fwy na'r holl lysiau, ac yn dwyn canghennau mor fawr nes bod adar yr awyr yn gallu nythu dan ei gysgod." 30 31 32

### *Arfer Damhegion*
(Mth 13.34-35)

Ar lawer o'r fath ddamhegion yr oedd ef yn llefaru'r gair wrthynt, yn ôl fel y gallent wrando; heb ddameg ni fyddai'n llefaru dim wrthynt. Ond o'r neilltu byddai'n egluro popeth i'w ddisgyblion ei hun. 33 34

### *Gostegu Storm*
(Mth 8.23-27; Lc 8.22-25)

35 A'r diwrnod hwnnw, gyda'r nos, dywedodd wrthynt, " Awn
36 drosodd i'r ochr draw." A gadawsant y dyrfa, a mynd ag ef yn
y cwch fel yr oedd; yr oedd cychod eraill hefyd gydag ef.
37 Cododd tymestl fawr o wynt, ac yr oedd y tonnau'n ymdaflu
38 i'r cwch, nes ei fod erbyn hyn yn llenwi. Yr oedd ef yn starn y
cwch yn cysgu ar glustog. Deffroesant ef a dweud wrtho,
39 " Athro, a wyt ti heb hidio dim ei bod ar ben arnom ?" Ac fe
ddeffrôdd a cheryddodd y gwynt a dywedodd wrth y môr,
" Bydd ddistaw ! bydd dawel !" Gostegodd y gwynt, a bu
40 tawelwch mawr. A dywedodd wrthynt, " Pam y mae arnoch
41 ofn ? Sut yr ydych heb ffydd o hyd ?" Daeth ofn dirfawr
arnynt, ac meddent wrth ei gilydd, " Pwy ynteu yw hwn ? Y
mae hyd yn oed y gwynt a'r môr yn ufuddhau iddo."

### *Iachâu'r Dyn Gwallgo yng Ngerasa*
(Mth 8.28-34; Lc 8.26-39)

**5** 2 Daethant i'r ochr draw i'r môr i wlad y Geraseniaid. A phan
ddaeth allan o'r cwch, ar unwaith daeth i'w gyfarfod o blith y
3 beddau ddyn ag ysbryd aflan ynddo. Yr oedd hwn yn cartrefu
ymhlith y beddau, ac ni allai neb mwyach ei rwymo hyd yn oed
4 â chadwyn, oherwydd yr oedd wedi cael ei rwymo'n fynych â
llyffetheiriau ac â chadwynau, ond yr oedd y cadwynau wedi eu
rhwygo ganddo a'r llyffetheiriau wedi eu dryllio; ac ni fedrai
5 neb ei ddofi. Ac yn wastad, nos a dydd, ymhlith y beddau ac
ar y mynyddoedd, byddai'n gweiddi ac yn ei anafu ei hun â
6 cherrig. A phan welodd Iesu o bell, rhedodd ac ymgrymu iddo,
7 a gwaeddodd â llais uchel, " Beth sydd a fynni di â mi, Iesu,
Mab y Duw Goruchaf ? Yn enw Duw, paid â'm poenydio."
8 Oherwydd yr oedd Iesu wedi dweud wrtho, " Dos allan, ysbryd
9 aflan, o'r dyn." A gofynnodd iddo, " Beth yw dy enw ?"
Meddai yntau wrtho, " Lleng yw fy enw, oherwydd y mae
10 llawer ohonom." Ac yr oedd yn ymbil yn daer arno beidio â'u
gyrru allan o'r wlad.

11 Yr oedd yno ar lethr y mynydd genfaint fawr o foch yn pori.
12 Ac ymbiliodd yr ysbrydion aflan arno, " Anfon ni i'r moch;
13 gad i ni fynd i mewn iddynt hwy." Ac fe ganiataodd iddynt.
Aeth yr ysbrydion aflan allan o'r dyn ac i mewn i'r moch; a
rhuthrodd y genfaint dros y dibyn i'r môr, tua dwy fil ohonynt,

a boddi yn y môr. Ffôdd bugeiliaid y moch ac adrodd yr hanes 14 yn y dref ac yn y wlad, a daeth y bobl i weld beth oedd wedi digwydd. Daethant at Iesu a gweld y dyn gwallgo, hwnnw yr 15 oedd y lleng wedi bod ynddo, yn eistedd â'i ddillad amdano ac yn ei iawn bwyll; a daeth arnynt ofn. Adroddwyd wrthynt 16 gan y rhai oedd wedi gweld y peth sut yr oedd wedi bod ar y dyn gwallgo, a'r hanes am y moch hefyd. A dechreusant erfyn 17 arno fynd ymaith o'u gororau. Ac wrth iddo fynd i mewn i'r 18 cwch, yr oedd y dyn oedd wedi bod ym meddiant y cythreuliaid yn erfyn arno am gael bod gydag ef. Ni adawodd iddo, ond 19 meddai wrtho, " Dos adref at dy bobl dy hun a mynega iddynt gymaint y mae'r Arglwydd wedi ei wneud drosot, a'r modd y tosturiodd wrthyt." Aeth yntau ymaith a dechrau cyhoeddi yn 20 y Decapolis gymaint yr oedd Iesu wedi ei wneud drosto ; ac yr oedd pawb yn rhyfeddu.

### *Merch Jairus, a'r Wraig a Gyffyrddodd â Mantell Iesu*
(Mth 9.18-26; Lc 8.40-56)

Wedi i Iesu groesi'n ôl i'r ochr arall, daeth tyrfa fawr ynghyd 21 ato, ac yr oedd ar lan y môr. Daeth un o arweinwyr y synagog, 22 o'r enw Jairus, a phan welodd ef syrthiodd wrth ei draed ac 23 ymbil yn daer arno: " Y mae fy merch fach," meddai, " ar fin marw. Tyrd a rho dy ddwylo arni, iddi gael ei gwella a byw." Ac aeth Iesu ymaith gydag ef. 24

Yr oedd tyrfa fawr yn ei ganlyn ac yn gwasgu arno. Ac yr 25 oedd yno wraig ag arni waedlif ers deuddeng mlynedd. Yr 26 oedd wedi dioddef yn enbyd, dan driniaeth llawer o feddygon, ac wedi gwario'r cwbl oedd ganddi, a heb gael dim lles ond yn hytrach mynd yn waeth. Yr oedd hon wedi clywed am Iesu, a 27 daeth o'r tu ôl iddo yn y dyrfa a chyffwrdd â'i fantell, oherwydd 28 yr oedd hi wedi dweud, " Os cyffyrddaf hyd yn oed â'i ddillad ef, fe gaf fy iacháu." A sychodd llif ei gwaed hi yn y fan, a 29 daeth hithau i wybod yn ei chorff ei bod wedi ei hiacháu o'i chlwyf. Ac ar unwaith deallodd Iesu ynddo'i hun fod y nerth 30 oedd yn tarddu ynddo wedi mynd allan, a throes yng nghanol y dyrfa, a gofyn, " Pwy gyffyrddodd â'm dillad ?" Meddai ei 31 ddisgyblion wrtho, " Yr wyt yn gweld y dyrfa'n gwasgu arnat ac eto'n gofyn, ' Pwy gyffyrddodd â mi ? ' " Ond daliodd ef i 32 edrych o'i gwmpas i weld yr un oedd wedi gwneud hyn. Daeth y wraig, dan grynu yn ei braw, yn gwybod beth oedd 33

wedi digwydd iddi, a syrthiodd o'i flaen ef a dywedodd wrtho'r
34 holl wir. Dywedodd yntau wrthi hi, " Ferch, dy ffydd sydd
wedi dy iacháu di. Dos mewn tangnefedd, a bydd iach o'th
glwyf."

35 Tra oedd ef yn llefaru, daeth rhywrai o dŷ arweinydd y
synagog a dweud, " Y mae dy ferch wedi marw; pam yr wyt
36 yn poeni'r Athro bellach ?" Ond anwybyddodd Iesu y neges,
a dywedodd wrth arweinydd y synagog, " Paid ag ofni, dim
37 ond credu." Ac ni adawodd i neb ganlyn gydag ef ond Pedr ac
38 Iago ac Ioan, brawd Iago. Daethant i dŷ arweinydd y synagog,
a gwelodd gynnwrf, a phobl yn wylo ac yn dolefain yn uchel.
39 Ac wedi mynd i mewn dywedodd wrthynt, " Pam yr ydych yn
llawn cynnwrf ac yn wylo ? Nid yw'r plentyn wedi marw,
40 cysgu y mae." Dechreusant chwerthin am ei ben. Gyrrodd
yntau bawb allan, a chymryd tad y plentyn a'i mam a'r rhai
41 oedd gydag ef, a mynd i mewn lle'r oedd y plentyn. Ac wedi
gafael yn llaw'r plentyn dyma fe'n dweud wrthi, " Talitha
cŵm ", hynny yw, wedi ei gyfieithu, " Fy ngeneth, 'rwy'n
42 dweud wrthyt, cod." Cododd yr eneth ar unwaith a dechrau
cerdded, oherwydd yr oedd yn ddeuddeng mlwydd oed. A
43 thrawyd hwy yn y fan â syndod mawr. A rhoddodd ef orch-
ymyn pendant iddynt nad oedd neb i gael gwybod hyn, a
dywedodd am roi iddi rywbeth i'w fwyta.

*Gwrthod Iesu yn Nasareth*
(Mth 13.53-58; Lc 4.16-30)

**6** Aeth oddi yno a daeth i fro ei febyd, a'i ddisgyblion yn ei
2 ganlyn. A phan ddaeth y Saboth dechreuodd ddysgu yn y
synagog. Yr oedd llawer yn synnu wrth wrando, ac meddent,
" O ble y cafodd hwn y pethau hyn ? A beth yw'r ddoethineb
a roed i hwn, bod gwyrthiau hyd yn oed yn cael eu gwneud
3 trwyddo ef ? Onid hwn yw'r saer, mab Mair a brawd Iago a
Joses a Jwdas a Simon ? Ac onid yw ei chwiorydd yma gyda
4 ni ? " Yr oedd ef yn peri tramgwydd iddynt. Meddai Iesu
wrthynt, " Nid yw proffwyd heb anrhydedd ond yn ei fro ei
5 hun ac ymhlith ei geraint ac yn ei gartref." Ac ni allai wneud
unrhyw wyrth yno, ond rhoi ei ddwylo ar ychydig gleifion
6 a'u hiacháu. Rhyfeddodd at eu hanghrediniaeth.

*Cenhadaeth y Deuddeg*
(Mth 10.1, 5-15; Lc 9.1-6)

Yr oedd yn mynd o amgylch y pentrefi dan ddysgu. A galwodd y Deuddeg ato a dechrau eu hanfon allan bob yn ddau. Rhoddodd iddynt awdurdod dros ysbrydion aflan, a gorchmynnodd iddynt beidio â chymryd dim ar gyfer y daith ond ffon yn unig; dim bara, dim cod, dim pres yn eu gwregys; sandalau am eu traed, ond heb wisgo ail got. Ac meddai wrthynt, " Lle bynnag yr ewch i mewn i dŷ, arhoswch yno nes y byddwch yn ymadael â'r ardal. Ac os bydd unrhyw le yn gwrthod eich derbyn, a phobl yn gwrthod gwrando arnoch, ewch allan oddi yno ac ysgydwch ymaith y llwch fydd dan eich traed, yn rhybudd iddynt." Felly aethant allan a phregethu ar i ddynion edifarhau; ac yr oeddent yn bwrw allan gythreuliaid lawer, ac yn iro llawer o gleifion ag olew a'u hiacháu. 7 8 9,10 11 12 13

*Marwolaeth Ioan Fedyddiwr*
(Mth 14.1-12; Lc 9.7-9)

Clywodd y Brenin Herod am hyn, oherwydd yr oedd enw Iesu wedi dod yn hysbys. Yr oedd pobl yn dweud, " Ioan Fedyddiwr sydd wedi ei godi oddi wrth y meirw, a dyna pam y mae'r grymusterau ar waith ynddo ef." Yr oedd eraill yn dweud, " Elias ydyw "; ac eraill wedyn, " Proffwyd yw, fel un o'r proffwydi gynt." Ond pan glywodd Herod, dywedodd, " Ioan, yr un y torrais i ei ben, sydd wedi atgyfodi." Oherwydd yr oedd Herod wedi anfon a dal Ioan, a'i roi yn rhwym yng ngharchar o achos Herodias, gwraig Philip ei frawd, am ei fod wedi ei phriodi. Yr oedd Ioan wedi dweud wrth Herod, " Nid yw'n gyfreithlon iti gael gwraig dy frawd." Ac yr oedd Herodias yn dal dig wrtho ac yn dymuno ei ladd, ond ni allai, oherwydd yr oedd ar Herod ofn Ioan, am ei fod yn gwybod mai gŵr cyfiawn a sanctaidd ydoedd. Yr oedd yn ei gadw dan warchodaeth; ac wedi gwrando arno, byddai'n gwneud llawer o bethau, a pharhau i wrando arno'n llawen.* Daeth cyfle un diwrnod, pan wnaeth Herod wledd ar ei ben-blwydd i'w bendefigion a'i gadfridogion a gwŷr blaenllaw Galilea. Daeth 14 15 16 17 18 19 20 21 22

*adn. 20: yn ôl darlleniad arall, *a byddai'n gwrando arno'n llawen, er ei fod, ar ôl gwrando, mewn penbleth fawr.*

merch Herodias* i mewn, a dawnsio a phlesio Herod a'i westeion. Dywedodd y brenin wrth yr eneth, " Gofyn imi am
23 y peth a fynni, ac fe'i rhof iti." A gwnaeth lw difrifol iddi, " Beth bynnag a ofynni gennyf, rhof ef iti, hyd at hanner fy
24 nheyrnas." Aeth allan a dywedodd wrth ei mam, " Am beth y
25 caf ofyn ?" Dywedodd hithau, " Pen Ioan Fedyddiwr." A brysiodd yr eneth ar unwaith i mewn at y brenin a gofyn, " Yr wyf am iti roi imi, y munud yma, ben Ioan Fedyddiwr ar
26 ddysgl." Aeth y brenin yn drist iawn, ond oherwydd ei lw ac oherwydd y gwesteion penderfynodd beidio â thorri ei air iddi.
27 Ac yna anfonodd y brenin ddienyddiwr a gorchymyn iddo ddod â phen Ioan. Fe aeth hwnnw, a thorrodd ei ben ef yn y
28 carchar, a dod ag ef ar ddysgl a'i roi i'r eneth; a rhoddodd yr
29 eneth ef i'w mam. A phan glywodd ei ddisgyblion, daethant, a mynd â'i gorff ymaith a'i ddodi mewn bedd.

### *Porthi'r Pum Mil*
(Mth 14.13-21; Lc 9.10-17; In 6.1-14)

30 Daeth yr apostolion ynghyd at Iesu a dweud wrtho am yr
31 holl bethau yr oeddent wedi eu gwneud a'u dysgu. A dywedodd wrthynt, " Dewch chwi eich hunain o'r neilltu i le unig a gorffwyswch am dipyn." Oherwydd yr oedd llawer yn mynd a
32 dod ac nid oedd cyfle iddynt hyd yn oed i fwyta. Ac aethant
33 ymaith yn y cwch i le unig o'r neilltu. Gwelodd llawer hwy'n mynd, a'u hadnabod, a rhedasant ynghyd i'r fan, dros y tir, o'r
34 holl drefi, a chyrraedd o'u blaen. Pan laniodd Iesu gwelodd dyrfa fawr, a thosturiodd wrthynt am eu bod fel defaid heb
35 fugail; a dechreuodd ddysgu llawer iddynt. Pan oedd hi eisoes wedi mynd yn hwyr ar y dydd daeth ei ddisgyblion ato a dweud, " Y mae'r lle yma'n unig ac y mae hi eisoes yn hwyr.
36 Gollwng hwy, iddynt fynd i'r wlad a'r pentrefi o amgylch i
37 brynu tipyn o fwyd iddynt eu hunain." Atebodd yntau hwy, " Rhowch chwi rywbeth i'w fwyta iddynt." Meddent wrtho, " A ydym i fynd i brynu gwerth ugain punt* o fara a'i roi
38 iddynt i'w fwyta ?" Meddai yntau wrthynt, " Pa sawl torth sy gennych ? Ewch i edrych." Ac wedi cael gwybod dywedasant,
39 " Pump, a dau bysgodyn." Gorchmynnodd iddynt beri i bawb

---

*adn. 22: yn ôl darlleniad arall, *ei ferch Herodias.*

*adn. 37: neu, *dau can denarius.*

eistedd yn gwmnioedd ar y glaswellt. Ac eisteddasant yn rhesi, 40 bob yn gant a hanner cant. Yna cymerodd y pum torth a'r ddau 41 bysgodyn, a chan edrych i fyny i'r nef a bendithio, torrodd y torthau a'u rhoi i'w ddisgyblion i'w gosod gerbron y bobl; rhannodd hefyd y ddau bysgodyn rhwng pawb. Bwytasant oll 42 a chael digon. A chodasant ddeuddeg basgedaid o dameidiau 43 bara, a pheth o'r pysgod. Ac yr oedd y rhai oedd wedi bwyta'r 44 torthau yn bum mil o wŷr.

*Cerdded ar y Dŵr*
(Mth 14.22-33; In 6.15-21)

Yna'n ddi-oed gwnaeth i'w ddisgyblion fynd i'r cwch a 45 hwylio o'i flaen i'r ochr draw i Fethsaida, tra byddai ef yn gollwng y dyrfa. Ac wedi canu'n iach iddynt aeth ymaith i'r 46 mynydd i weddïo. Pan aeth hi'n hwyr yr oedd y cwch ar ganol 47 y môr, ac yntau ar ei ben ei hun ar y tir. A gwelodd hwy mewn 48 helbul wrth rwyfo, oherwydd yr oedd y gwynt yn eu herbyn, a rhywbryd rhwng tri a chwech o'r gloch y bore daeth ef atynt dan gerdded ar y môr. Yr oedd am fynd heibio iddynt; ond 49 pan welsant ef yn cerdded ar y môr tybiasant mai drychiolaeth ydoedd, a gwaeddasant, oherwydd gwelodd pawb ef, a dych- 50 rynwyd hwy. Siaradodd yntau â hwy ar unwaith ac meddai wrthynt, "Codwch eich calon; myfi yw; peidiwch ag ofni." Dringodd i'r cwch atynt, a gostegodd y gwynt. 51 Yr oedd eu syndod yn fawr dros ben, oblegid nid oeddent 52 wedi deall ynglŷn â'r torthau; yr oedd eu meddwl wedi ei ddallu.

*Iacháu'r Cleifion yng Ngenesaret*
(Mth 14.34-36)

Wedi croesi at y tir daethant i Genesaret ac angori wrth y lan. 53 Pan ddaethant allan o'r cwch, adnabu'r bobl ef ar unwaith, 54 a dyma redeg o amgylch yr holl fro honno a dechrau cludo'r 55 cleifion ar fatresi i ble bynnag y clywent ei fod ef. A phle 56 bynnag y byddai'n mynd, i bentrefi neu i drefi neu i'r wlad, yr oeddent yn gosod y rhai oedd yn wael yn y marchnadleoedd, ac yn erfyn arno am iddynt gael dim ond cyffwrdd ag ymyl ei fantell. A phawb a gyffyrddodd ag ef, iachawyd hwy.

*Traddodiad yr Hynafiaid*
(Mth 15.1-20)

**7** Ymgasglodd y Phariseaid ato, a rhai ysgrifenyddion oedd 2 wedi dod o Jerwsalem. A gwelsant fod rhai o'i ddisgyblion ef yn bwyta'u bwyd â dwylo halogedig, hynny yw, heb eu golchi. 3 (Oherwydd nid yw'r Phariseaid, na neb o'r Iddewon, yn bwyta heb olchi eu dwylo hyd yr arddwrn,* gan lynu wrth draddodiad 4 yr hynafiaid; ac ni fyddant byth yn bwyta, ar ôl dod o'r farchnad, heb ymolchi; ac y mae llawer o bethau eraill a etifeddwyd ganddynt i'w cadw, megis golchi cwpanau ac ystenau 5 a llestri pres.*) Gofynnodd y Phariseaid a'r ysgrifenyddion iddo, "Pam nad yw dy ddisgyblion di'n dilyn traddodiad yr 6 hynafiaid, ond yn bwyta'u bwyd â dwylo halogedig?" Dywedodd yntau wrthynt, "Da y proffwydodd Eseia amdanoch chwi ragrithwyr, fel y mae'n ysgrifenedig:

'Y mae'r bobl hyn yn fy anrhydeddu â'u gwefusau,
ond y mae eu calon yn bell oddi wrthyf;
7 yn ofer y maent yn fy addoli,
gan ddysgu gorchmynion dynol fel athrawiaethau.'

8 Yr ydych yn anwybyddu gorchymyn Duw ac yn glynu wrth 9 draddodiad dynion." Meddai hefyd wrthynt, "Rhai da ydych chwi am wrthod gorchymyn Duw er mwyn cadarnhau eich 10 traddodiad eich hunain. Oherwydd dywedodd Moses, 'Anrhydedda dy dad a'th fam', a, 'Bydded farw'n gelain y dyn a 11 felltithia ei dad neu ei fam.' Ond yr ydych chwi'n dweud, 'Os dywed dyn wrth ei dad neu ei fam, "Corban (hynny yw, Offrwm i Dduw) yw beth bynnag y gallasit ei dderbyn yn 12 gymorth gennyf fi,"' ni adewch iddo mwyach wneud dim i'w 13 dad neu i'w fam. Yr ydych yn dirymu gair Duw trwy'r traddodiad a drosglwyddir gennych. Ac yr ydych yn gwneud llawer o bethau cyffelyb i hynny."

14 Galwodd y dyrfa ato drachefn ac meddai wrthynt, "Gwran-15 dewch arnaf bawb, a deallwch. Nid oes dim sy'n mynd i mewn i ddyn o'r tu allan iddo yn gallu ei halogi; ond y pethau sy'n 17 dod allan o ddyn, dyna sy'n halogi dyn."* Ac wedi iddo fynd

---

*adn. 3: yn llythrennol, *â'r dwrn*. Yr ystyr yn ansicr.

*adn. 4: ychwanega rhai llawysgrifau, *a gwelyau*.

*adn. 15: ychwanega rhai llawysgrifau adnod 16: *Os oes gan rywun glustiau i wrando, gwrandawed.*

i'r tŷ oddi wrth y dyrfa, dechreuodd ei ddisgyblion ei holi am y ddameg. Meddai yntau wrthynt, "A ydych chwithau hefyd 18 yr un mor ddi-ddeall ? Oni welwch na all dim sy'n mynd i mewn i ddyn o'r tu allan ei halogi, oherwydd nid yw'n mynd 19 i'w galon ond i'w gylla, ac yna mae'n mynd allan i'r geudy ?" Felly y cyhoeddodd ef yr holl fwydydd yn lân. Ac meddai, 20 "Yr hyn sy'n dod allan o ddyn, dyna sy'n halogi dyn. Oher- 21 wydd o'r tu mewn, o galon dynion, y daw allan gynllunio drygionus, puteinio, lladrata, llofruddio, godinebu, trachwantu, 22 anfadwaith, twyll, anlladrwydd, cenfigen, cabledd, balchder, ynfydrwydd; allan o'r tu mewn y mae'r holl ddrygau hyn yn 23 dod ac yn halogi dyn."

### *Ffydd y Wraig o Syrophenicia*
(Mth 15.21-28)

Cychwynnodd oddi yno ac aeth ymaith i gyffiniau Tyrus. 24 Aeth i dŷ, ac ni fynnai i neb wybod; ond ni lwyddodd i ym- guddio. Ar unwaith clywodd gwraig amdano, gwraig yr oedd 25 gan ei merch fach ysbryd aflan, a daeth a syrthiodd wrth ei draed ef. Groeges oedd y wraig, Syropheniciad o genedl; ac 26 yr oedd yn gofyn iddo fwrw'r cythraul allan o'i merch. Meddai 27 yntau wrthi, "Gad i'r plant gael digon yn gyntaf; nid yw'n deg cymryd bara'r plant a'i daflu i'r cŵn." Atebodd hithau ef, 28 "Syr, y mae hyd yn oed y cŵn o dan y bwrdd yn bwyta o friwsion y plant." "Am iti ddweud hynyna," ebe yntau, "dos 29 adref, y mae'r cythraul wedi mynd allan o'th ferch." Aeth 30 hithau adref a chafodd y plentyn yn gorwedd ar y gwely, a'r cythraul wedi mynd ymaith.

### *Iacháu Dyn Mud a Byddar*

Dychwelodd drachefn o gyffiniau Tyrus, a daeth drwy Sidon 31 at Fôr Galilea trwy ganol bro'r Decapolis. Dygasant ato ddyn 32 byddar ac atal dweud arno, a cheisio ganddo roi ei law arno. Cymerodd yntau ef o'r neilltu oddi wrth y dyrfa ar ei ben ei 33 hun; rhoes ei fysedd yn ei glustiau, poerodd, a chyffyrddodd â'i dafod; a chan edrych i fyny i'r nef ocheneidiodd a dweud 34 wrtho, "Ephphatha", hynny yw, "Agorer di." Agorwyd ei 35 glustiau ar unwaith, a datodwyd rhwym ei dafod a dechreuodd lefaru'n eglur. A gorchmynnodd iddynt beidio â dweud wrth 36

neb; ond po fwyaf yr oedd ef yn gorchymyn iddynt, mwyaf
37 yn y byd yr oeddent hwy'n cyhoeddi'r peth. Yr oeddent yn synnu'n fawr dros ben, gan ddweud, " Da y gwnaeth ef bob peth; y mae'n gwneud hyd yn oed i fyddariaid glywed ac i fudion lefaru."

### *Porthi'r Pedair Mil*
(Mth 15.32-39)

**8** Yn y dyddiau hynny, a'r dyrfa unwaith eto'n fawr a heb ddim i'w fwyta, galwodd ei ddisgyblion ato, ac meddai wrth-
2 ynt, " Yr wyf yn tosturio wrth y dyrfa, oherwydd y maent wedi bod gyda mi dridiau erbyn hyn, ac nid oes ganddynt ddim i'w
3 fwyta. Ac os anfonaf hwy adref ar eu cythlwng, llewygant ar y
4 ffordd; y mae rhai ohonynt wedi dod o bell." Atebodd ei ddisgyblion ef, " Sut y gall neb gael digon o fara i fwydo'r rhain
5 i gyd mewn lle anial fel hyn ?" Gofynnodd iddynt, " Pa sawl
6 torth sy gennych ?" " Saith," meddent hwythau. Gorchmynnodd i'r dyrfa eistedd ar y ddaear. Yna cymerodd y saith torth, ac wedi diolch fe'u torrodd a'u rhoi i'w ddisgyblion i'w gosod
7 gerbron; ac fe'u gosodasant gerbron y dyrfa. Ac yr oedd ganddynt ychydig o bysgod bychain; ac wedi eu bendithio,
8 dywedodd am osod y rhain hefyd ger eu bron. Bwytasant a chael digon, a chodasant y tameidiau oedd yn weddill, saith
9 basgedaid. Yr oedd tua phedair mil ohonynt. Gollyngodd
10 hwy ymaith. Ac yna aeth i mewn i'r cwch gyda'i ddisgyblion, a daeth i ardal Dalmanwtha.

### *Ceisio Arwydd*
(Mth 16.1-4)

11 Daeth y Phariseaid allan a dechrau dadlau ag ef. Yr oeddent
12 yn ceisio ganddo arwydd o'r nef, i roi prawf arno. Ochneidiodd yn ddwys ynddo'i hun. " Pam," meddai, " y mae'r genhedlaeth hon yn ceisio arwydd ? Yn wir, 'rwy'n dweud
13 wrthych, ni roddir arwydd i'r genhedlaeth hon." A gadawodd hwy a mynd i'r cwch drachefn a hwylio ymaith i'r ochr draw.

### *Surdoes y Phariseaid a Herod*
(Mth 16.5-12)

14 Yr oeddent wedi anghofio dod â bara, ac nid oedd ganddynt
15 ond un dorth gyda hwy yn y cwch. A dechreuodd eu siarsio,

gan ddweud, " Gwyliwch, ymogelwch rhag surdoes y Phariseaid a surdoes Herod." Ac yr oeddent yn trafod ymhlith ei 16 gilydd gan ddweud, " Nid oes gennym fara." Deallodd yntau 17 hyn, ac meddai wrthynt, " Pam yr ydych yn trafod nad oes gennych fara ? A ydych eto heb weld na deall ? A yw eich meddwl wedi ei ddallu ? Â llygaid gennych, onid ydych yn 18 gweld, ac â chlustiau gennych, onid ydych yn clywed ? Onid ydych yn cofio ? Pan dorrais y pum torth i'r pum mil, pa sawl 19 basgedaid lawn o dameidiau a godasoch ?" Meddent wrtho, " Deuddeg." " Pan dorrais y saith i'r pedair mil, llond pa sawl 20 basged o dameidiau a godasoch ?" " Saith," meddent. Ac 21 meddai ef wrthynt, " Onid ydych eto'n deall ?"

### *Iacháu Dyn Dall ym Methsaida*

Daethant i Fethsaida. A dyma hwy'n dod â dyn dall ato, ac 22 erfyn arno gyffwrdd ag ef. Gafaelodd yn llaw'r dyn dall a mynd 23 ag ef allan o'r pentref, ac wedi poeri ar ei lygaid rhoes ei ddwylo arno a gofynnodd iddo, " A elli di weld rhywbeth ?" Edrych- 24 odd i fyny,* ac meddai, " Gallaf weld dynion, oherwydd yr wyf yn gweld rhywbeth fel coed yn cerdded oddi amgylch." Yna 25 rhoes ei ddwylo drachefn ar ei lygaid ef. Craffodd yntau, ac adferwyd ef; yr oedd yn gweld popeth yn eglur o bell. Anfon- 26 odd ef adref, gan ddweud, " Paid â mynd i mewn i'r pentref."*

### *Datganiad Pedr ynglŷn â Iesu*

(Mth 16.13-20; Lc 9.18-21)

Aeth Iesu a'i ddisgyblion allan i bentrefi Cesarea Philipi, ac 27 ar y ffordd holodd ei ddisgyblion: " Pwy," meddai wrthynt, " y mae dynion yn dweud ydwyf fi ?" Dywedasant hwythau 28 wrtho, " Mae rhai'n dweud Ioan Fedyddiwr, ac eraill Elias, ac eraill drachefn, un o'r proffwydi." Gofynnodd ef iddynt, " A 29 chwithau, pwy meddwch chwi ydwyf fi ?" Atebodd Pedr ef, " Ti yw'r Meseia." Rhybuddiodd hwy i beidio â dweud wrth 30 neb amdano.

---

*adn. 24: neu, *Dechreuodd gael ei olwg yn ôl.*

*adn. 26: yn ôl darlleniad arall, *Paid â dweud wrth neb yn y pentref.*

*Iesu'n Rhagfynegi Ei Farwolaeth a'i Atgyfodiad*
(Mth 16.21-28; Lc 9.22-27)

31 Dechreuodd eu dysgu fod yn rhaid i Fab y Dyn ddioddef llawer, a chael ei wrthod gan yr henuriaid a'r prif offeiriaid a'r 32 ysgrifenyddion, a'i ladd, ac ymhen tridiau atgyfodi. Yr oedd yn llefaru'r gair hwn yn gwbl agored. A chymerodd Pedr ef ato 33 a dechrau ei geryddu. Troes yntau, ac wedi edrych ar ei ddisgyblion ceryddodd Pedr. "Dos ymaith o'm golwg, Satan," meddai, "oherwydd nid ar bethau Duw y mae dy fryd ond ar 34 bethau dynion." Galwodd ato'r dyrfa ynghyd â'i ddisgyblion a dywedodd wrthynt, "Os myn neb ddod ar fy ôl i, rhaid iddo 35 ymwadu ag ef ei hun a chodi ei groes a'm canlyn i. Oherwydd pwy bynnag a fyn gadw ei fywyd, fe'i cyll, ond pwy bynnag a 36 gyll ei fywyd er fy mwyn i a'r Efengyl, fe'i ceidw. Pa elw a 37 gaiff dyn o ennill yr holl fyd a fforffedu ei fywyd? Oherwydd 38 beth a all dyn ei roi'n gyfnewid am ei fywyd? Pwy bynnag y bydd arno gywilydd ohonof fi ac o'm geiriau yn y genhedlaeth annuwiol a phechadurus hon, bydd ar Fab y Dyn hefyd gywilydd ohono yntau, pan ddaw yng ngogoniant ei Dad gyda'r 9 angylion sanctaidd." Meddai hefyd wrthynt, "Yn wir, 'rwy'n dweud wrthych, y mae rhai o'r sawl sy'n sefyll yma na phrofant flas marwolaeth nes iddynt weld teyrnas Dduw wedi dyfod mewn nerth."

*Gweddnewidiad Iesu*
(Mth 17.1-13; Lc 9.28-36)

2 Ymhen chwe diwrnod dyma Iesu'n cymryd Pedr ac Iago ac Ioan a mynd â hwy i fynydd uchel o'r neilltu ar eu pennau eu 3 hunain. A gweddnewidiwyd ef yn eu gŵydd hwy, ac aeth ei ddillad i ddisgleirio'n glaer wyn, y modd na allai unrhyw 4 bannwr ar y ddaear eu gwynnu. Ymddangosodd Elias iddynt 5 ynghyd â Moses; ymddiddan yr oeddent â Iesu. A dywedodd Pedr wrth Iesu, "Rabbi, y mae'n dda i ni fod yma; gwnawn 6 dair pabell, un i ti ac un i Moses ac un i Elias." Oherwydd ni 7 wyddai beth i'w ddweud; yr oeddent wedi dychryn. A daeth cwmwl yn cysgodi drostynt; a dyma lais o'r cwmwl, "Hwn yw 8 fy Mab, yr Anwylyd; gwrandewch arno." Ac yn ddisymwth, pan edrychasant o amgylch, ni welsant neb mwyach ond Iesu yn unig gyda hwy.

Wrth iddynt ddod i lawr o'r mynydd rhoddodd orchymyn 9 iddynt i beidio â dweud wrth neb am y pethau a welsant, nes y byddai Mab y Dyn wedi atgyfodi oddi wrth y meirw. Daliasant 10 ar y gair, gan holi yn eu plith eu hunain beth oedd ystyr atgyfodi oddi wrth y meirw. A gofynasant iddo, "Pam y mae'r 11 ysgrifenyddion yn dweud fod yn rhaid i Elias ddod yn gyntaf?" Meddai yntau wrthynt, "Y mae Elias yn dod yn gyntaf ac yn 12 adfer pob peth. Ond sut y mae'n ysgrifenedig am Fab y Dyn, ei fod i ddioddef llawer a chael ei ddirmygu? Ond 'rwy'n 13 dweud wrthych fod Elias eisoes wedi dod, a gwnaethant iddo beth bynnag a fynnent, fel y mae'n ysgrifenedig amdano."

*Iacháu Bachgen ag Ysbryd Aflan ynddo*
(Mth 17.14-20; Lc 9.37-43a)

Pan ddaethant at y disgyblion gwelsant dyrfa fawr o'u 14 cwmpas, ac ysgrifenyddion yn dadlau â hwy. Ac unwaith y 15 gwelodd yr holl dyrfa ef fe'u syfrdanwyd, a rhedasant ato a'i gyfarch. Gofynnodd yntau iddynt, "Am beth yr ydych yn 16 dadlau â'ch gilydd?" Atebodd un o'r dyrfa ef, "Athro, mi 17 ddois i â'm mab atat; y mae wedi ei feddiannu gan ysbryd mud, a pha bryd bynnag y mae hwnnw'n gafael ynddo y mae'n ei 18 fwrw ar lawr, ac y mae yntau'n malu ewyn ac yn rhincian ei ddannedd ac yn mynd yn ddiymadferth. A dywedais wrth dy ddisgyblion am ei fwrw allan, ac ni allasant." Atebodd Iesu 19 hwy: "O genhedlaeth ddi-ffydd, pa hyd y byddaf gyda chwi? Pa hyd y goddefaf chwi? Dewch ag ef ataf fi." A daethant â'r 20 bachgen ato. Pan welodd ef Iesu, ar unwaith cynhyrfodd yr ysbryd ef a syrthiodd ar y llawr a rholio o gwmpas dan falu ewyn. Gofynnodd Iesu i'w dad, "Faint sydd er pan ddaeth 21 hyn arno?" Dywedodd yntau, "O'i blentyndod; llawer gwaith 22 fe'i taflodd i'r tân neu i'r dŵr, i geisio'i ladd. Os yw'n bosibl iti wneud rhywbeth, tosturia wrthym a helpa ni." Dywedodd 23 Iesu wrtho, "Os yw'n bosibl! Y mae popeth yn bosibl i'r hwn sydd â ffydd ganddo." Ar unwaith gwaeddodd tad y plentyn, 24 "Y mae gennyf fi ffydd; helpa di fy niffyg ffydd." A phan 25 welodd Iesu fod tyrfa'n rhedeg ynghyd, ceryddodd yr ysbryd aflan. "Ysbryd mud a byddar," meddai wrtho, "yr wyf fi yn gorchymyn iti, tyrd allan ohono a phaid â mynd i mewn iddo eto." A chan weiddi a'i gynhyrfu'n enbyd, fe aeth yr ysbryd 26

allan. Aeth y bachgen fel corff, nes i lawer ddweud ei fod wedi
27 marw. Ond gafaelodd Iesu yn ei law ef a'i godi, a safodd ar ei
28 draed. Ac wedi iddo fynd i'r tŷ gofynnodd ei ddisgyblion iddo
29 o'r neilltu, " Pam na allem ni ei fwrw ef allan ?" Ac meddai wrthynt, " Nid yw'n bosibl i'r math hwn fynd allan trwy ddim ond trwy weddi."*

### *Iesu Eilwaith yn Rhagfynegi ei Farwolaeth a'i Atgyfodiad*
(Mth 17.22-23; Lc 9.43b-45)

30 Wedi iddynt adael y lle hwnnw, yr oeddent yn teithio trwy
31 Galilea. Ni fynnai Iesu i neb wybod hynny, oherwydd yr oedd yn dysgu ei ddisgyblion ac yn dweud wrthynt, " Y mae Mab y Dyn yn cael ei draddodi i ddwylo dynion, ac fe'i lladdant ef,
32 ac wedi cael ei ladd, ymhen tri diwrnod fe atgyfoda." Ond nid oeddent hwy'n deall ei eiriau, ac yr oedd arnynt ofn ei holi.

### *Pwy yw'r Mwyaf?*
(Mth 18.1-5; Lc 9.46-48)

33 Daethant i Gapernaum, ac wedi cyrraedd y tŷ gofynnodd
34 iddynt, " Beth oeddech chwi'n ei drafod ar y ffordd ?" Ond tewi a wnaethant, oherwydd ar y ffordd buont yn dadlau â'i
35 gilydd pwy oedd y mwyaf. Eisteddodd i lawr a galwodd y Deuddeg, a dweud wrthynt, " Pwy bynnag sydd am fod yn
36 flaenaf, rhaid iddo fod yn olaf o bawb ac yn was i bawb." A chymerodd blentyn, a'i osod yn eu canol hwy; cymerodd ef
37 i'w freichiau, a dywedodd wrthynt, " Pwy bynnag sy'n derbyn un plentyn fel hwn yn fy enw i, y mae'n fy nerbyn i, a phwy bynnag sy'n fy nerbyn i, nid myfi y mae'n ei dderbyn, ond yr hwn a'm hanfonodd i."

### *Yr Hwn nid yw yn ein Herbyn, Drosom Ni y Mae*
(Lc 9.49-50)

38 Meddai Ioan wrtho, " Athro, gwelsom un yn bwrw allan gythreuliaid yn dy enw di, a buom yn ei wahardd, am nad oedd
39 yn ein dilyn ni." Ond dywedodd Iesu, " Peidiwch â'i wahardd, oherwydd ni all neb sy'n gwneud gwyrth yn fy enw i roi drygair
40 imi yn fuan wedyn. Yr hwn nid yw yn ein herbyn, drosom ni
41 y mae. Oherwydd pwy bynnag a rydd gwpanaid o ddŵr i chwi

---

*adn. 29: ychwanega rhai llawysgrifau, *ac ympryd*.

i'w yfed o achos eich bod yn perthyn i'r Meseia, yn wir, 'rwy'n dweud wrthych, ni chyll hwnnw mo'i wobr.

### *Achosion Cwymp*
(Mth 18.6-9; Lc 17.1-2)

42 " A phwy bynnag sy'n achos cwymp i un o'r rhai bychain hyn sy'n credu ynof fi, byddai'n well iddo fod wedi ei daflu i'r môr â maen melin mawr ynghrog am ei wddf. 43 Os bydd dy law yn achos cwymp iti, tor hi ymaith; y mae'n well iti fynd i mewn i'r bywyd yn anafus na mynd, â'r ddwy law gennyt, i uffern, i'r tân anniffoddadwy.* 45 Ac os bydd dy droed yn achos cwymp iti, tor ef ymaith; y mae'n well iti fynd i mewn i'r bywyd yn gloff na chael dy daflu, â'r ddau droed gennyt, i uffern.* 47 Ac os bydd dy lygad yn achos cwymp iti, tyn ef allan; y mae'n well iti fynd i mewn i deyrnas Dduw yn unllygeidiog na chael dy daflu, â dau lygad gennyt, i uffern, 48 lle nid yw eu pryf yn marw na'r tân yn diffodd. 49 Oblegid fe helltir pob un â thân. 50 Da yw'r halen, ond os paid yr halen â bod yn hallt, â pha beth y rhowch flas arno ? Bydded gennych halen ynoch eich hunain, a byddwch heddychlon tuag at eich gilydd."

### *Dysgeidiaeth ar Ysgariad*
(Mth 19.1-12)

**10** Cychwynnodd oddi yno a daeth i diriogaeth Jwdea a'r tu hwnt i'r Iorddonen. Daeth tyrfaoedd ynghyd ato drachefn, a thrachefn yn ôl ei arfer dechreuodd eu dysgu. 2 A daeth Phariseaid ato a gofyn iddo a oedd yn gyfreithlon i ddyn ysgaru ei wraig; rhoi prawf arno yr oeddent. 3 Atebodd yntau hwy gan ofyn, " Beth a orchmynnodd Moses i chwi ?" 4 Dywedasant hwythau, " Rhoddodd Moses ganiatâd i ysgrifennu llythyr ysgar a'i hysgaru." 5 Ond meddai Iesu wrthynt, " Oherwydd eich bod mor anhydrin yr ysgrifennodd ef y gorchymyn hwn ichwi. 6 Ond o ddechreuad y greadigaeth, yn wryw a benyw y gwnaeth Duw hwy. 7 O achos hyn bydd dyn yn gadael ei dad a'i fam ac ymlynu wrth ei wraig, 8 a bydd y ddau yn un cnawd. Gan hynny nid dau mohonynt mwyach, ond un cnawd. 9 Felly, yr hyn a gysylltodd Duw, ni ddylai dyn ei wahanu." 10 Wedi mynd

*adnodau 43, 45: ychwanega rhai llawysgrifau adnodau 44, 46, sy'n cyfateb yn union i adnod 48.

11 yn ôl i'r tŷ, holodd ei ddisgyblion ef ynghylch hyn. Ac meddai wrthynt, " Pwy bynnag sy'n ysgaru ei wraig ac yn priodi un
12 arall, y mae'n godinebu yn ei herbyn hi; ac os bydd iddi hithau ysgaru ei gŵr a phriodi un arall, y mae hi'n godinebu."

*Bendithio Plant Bach*
(Mth 19.13-15; Lc 18.15-17)

13 Yr oeddent yn dod â phlant ato, iddo gyffwrdd â hwy, ond yr
14 oedd y disgyblion yn eu ceryddu. A phan welodd Iesu hyn aeth yn ddig, a dywedodd wrthynt, " Gadewch i'r plant ddod ataf fi; peidiwch â'u rhwystro, oherwydd i rai fel hwy y mae
15 teyrnas Dduw yn perthyn. Yn wir, 'rwy'n dweud wrthych, pwy bynnag nad yw'n derbyn teyrnas Dduw yn null plentyn,
16 nid â byth i mewn iddi." A chymerodd hwy yn ei freichiau a'u bendithio, gan roi ei ddwylo arnynt.

*Y Dyn Cyfoethog*
(Mth 19.16-30; Lc 18.18-30)

17 Wrth iddo fynd i'w daith, rhedodd rhyw ddyn ato a phenlinio o'i flaen a gofyn iddo, " Athro da, beth a wnaf i etifeddu
18 bywyd tragwyddol ?" A dywedodd Iesu wrtho, " Pam yr wyt yn fy ngalw i yn dda ? Nid oes neb da ond un, sef Duw.
19 Gwyddost y gorchmynion: ' Na ladd, na odineba, na ladrata, na chamdystiolaetha, na chamgolleda, anrhydedda dy dad a'th
20 fam.' " Meddai yntau wrtho, " Athro, yr wyf wedi cadw'r
21 rhain i gyd o'm hieuenctid." Edrychodd Iesu arno ac fe'i hoffodd, a dywedodd wrtho, " Un peth sy'n eisiau ynot; dos, gwerth y cwbl sydd gennyt a dyro i'r tlodion, a chei drysor yn y
22 nef; a thyrd, canlyn fi." Cymylodd ei wedd ar y gair, ac aeth ymaith yn drist; yr oedd yn berchen meddiannau lawer.
23 Edrychodd Iesu o'i gwmpas ac meddai wrth ei ddisgyblion, " Mor anodd fydd hi i'r rhai goludog fynd i mewn i deyrnas
24 Dduw !" Syfrdanwyd y disgyblion gan ei eiriau, ond meddai Iesu wrthynt drachefn, " Blant, mor anodd yw mynd* i mewn
25 i deyrnas Dduw ! Y mae'n haws i gamel fynd trwy grau nodwydd nag i ddyn cyfoethog fynd i mewn i deyrnas Dduw."

---

*adn. 24: yn ôl darlleniad arall, *mor anodd yw i'r rhai sy'n ymddiried mewn golud fynd.*

Synasant yn fwy byth, ac meddent wrth ei gilydd, " Pwy ynteu all gael ei achub ?" Edrychodd Iesu arnynt a dywedodd, " Gyda dynion y mae'n amhosibl, ond nid gyda Duw. Y mae pob peth yn bosibl gyda Duw." Dechreuodd Pedr ddweud wrtho, " Dyma ni wedi gadael pob peth ac wedi dy ganlyn di." Meddai Iesu, " Yn wir, 'rwy'n dweud wrthych, nid oes neb a adawodd dŷ neu frodyr neu chwiorydd neu fam neu dad neu blant neu diroedd er fy mwyn i ac er mwyn yr Efengyl, na chaiff dderbyn ganwaith cymaint yn awr yn yr amser hwn, yn dai a brodyr a chwiorydd a mamau a phlant a thiroedd, ynghyd ag erledigaethau, ac yn yr oes sy'n dod fywyd tragwyddol. Ond bydd llawer sy'n flaenaf yn olaf, a'r rhai olaf yn flaenaf." 26 27 28 29 30 31

*Iesu y Drydedd Waith yn Rhagfynegi ei Farwolaeth a'i Atgyfodiad*
(Mth 20.17-19; Lc 18.31-34)

Yr oeddent ar y ffordd yn mynd i fyny i Jerwsalem, ac Iesu'n mynd o'u blaen. Yr oedd arswyd arnynt, ac ofn ar y rhai oedd yn canlyn. Cymerodd y Deuddeg ato drachefn a dechreuodd sôn wrthynt am yr hyn oedd i ddigwydd iddo: " Dyma ni'n mynd i fyny i Jerwsalem; fe gaiff Mab y Dyn ei draddodi i'r prif offeiriaid a'r ysgrifenyddion; condemniant ef i farwolaeth, a'i drosglwyddo i'r estroniaid; a gwatwarant ef, a phoeri arno a'i fflangellu a'i ladd, ac wedi tridiau fe atgyfoda." 32 33 34

*Cais Iago ac Ioan*
(Mth 20.20-28)

Daeth Iago ac Ioan, meibion Sebedeus, ato a dweud wrtho, " Athro, yr ydym am iti wneud i ni y peth a ofynnwn gennyt." Meddai yntau wrthynt, " Beth yr ydych am imi ei wneud i chwi ?" A dywedasant wrtho, " Dyro i ni gael eistedd, un ar dy law dde ac un ar dy law chwith yn dy ogoniant." Ac meddai Iesu wrthynt, " Ni wyddoch beth yr ydych yn ei ofyn. A allwch chwi yfed y cwpan yr wyf fi yn ei yfed, neu gael eich bedyddio â'r bedydd y bedyddir fi ag ef ?" Dywedasant hwythau wrtho, " Gallwn." Ac meddai Iesu wrthynt, " Cewch yfed y cwpan yr wyf fi yn ei yfed, a bedyddir chwi â'r bedydd y bedyddir fi ag ef, ond eistedd ar fy llaw dde neu ar fy llaw chwith, nid gennyf fi y mae'r hawl i'w roi; y mae'n perthyn i'r rhai y mae wedi ei ddarparu ar eu cyfer." Pan glywodd y deg, 35 36 37 38 39 40 41

42 aethant yn ddig wrth Iago ac Ioan. Galwodd Iesu hwy ato ac meddai wrthynt, " Gwyddoch fod y rhai a ystyrir yn llywodraethwyr ar y Cenhedloedd yn arglwyddiaethu arnynt, a'u
43 gwŷr mawr hwy yn dangos eu hawdurdod drostynt. Ond nid felly y mae yn eich plith chwi; yn hytrach, pwy bynnag sydd
44 am fod yn fawr yn eich plith, rhaid iddo fod yn was i chwi, a phwy bynnag sydd am fod yn flaenaf yn eich plith, rhaid iddo
45 fod yn gaethwas i bawb. Oherwydd Mab y Dyn yntau, ni ddaeth i gael ei wasanaethu ond i wasanaethu, ac i roi ei einioes yn bridwerth dros lawer."

*Iacháu Bartimeus Ddall*
(Mth 20.29-34; Lc 18.35-43)

46 Daethant i Jericho. Ac fel yr oedd yn mynd allan o Jericho gyda'i ddisgyblion a chryn dyrfa, yr oedd mab Timeus,
47 Bartimeus, dyn dall, yn eistedd ar fin y ffordd yn cardota. A phan glywodd mai Iesu o Nasareth ydoedd, dechreuodd weiddi
48 a dweud, " Iesu, Fab Dafydd, trugarha wrthyf." Ac yr oedd llawer yn ei geryddu ac yn dweud wrtho am dewi; ond yr oedd yntau'n gweiddi'n uwch fyth, " Fab Dafydd, trugarha wrthyf."
49 Safodd Iesu, a dywedodd, " Galwch arno." A dyma hwy'n galw ar y dyn dall a dweud wrtho, " Cod dy galon a saf ar dy
50 draed; y mae'n galw arnat." Taflodd yntau ei fantell oddi
51 arno, llamodd ar ei draed a daeth at Iesu. Cyfarchodd Iesu ef a dweud, " Beth yr wyt ti am i mi ei wneud iti ?" Ac meddai'r dyn dall wrtho, " Rabbwni, mae arnaf eisiau cael fy ngolwg yn
52 ôl." Dywedodd Iesu wrtho, " Dos, dy ffydd sydd wedi dy iacháu di." A chafodd ei olwg yn ôl yn y fan, a dechreuodd ei ganlyn ef ar hyd y ffordd.

*Yr Ymdaith Fuddugoliaethus i mewn i Jerwsalem*
(Mth 21.1-11; Lc 19.28-40; In 12.12-19)

**11** Pan ddaethant yn agos i Jerwsalem, at Bethffage a Bethania,
2 ger Mynydd yr Olewydd, anfonodd ddau o'i ddisgyblion, ac meddai wrthynt, " Ewch i'r pentref sydd gyferbyn â chwi, ac yn syth wrth i chwi fynd i mewn iddo, cewch ebol wedi ei rwymo, un nad oes neb wedi bod ar ei gefn erioed. Gollyng-
3 wch ef a dewch ag ef yma. Ac os dywed rhywun wrthych, 'Pam yr ydych yn gwneud hyn ?' dywedwch, 'Y mae ar y Meistr ei angen, a bydd yn ei anfon yn ôl yma yn union deg.' "

Aethant ymaith a chawsant ebol wedi ei rwymo wrth ddrws y tu allan ar yr heol, a gollyngasant ef. Ac meddai rhai o'r sawl oedd yn sefyll yno wrthynt, "Beth ydych yn ei wneud, yn gollwng yr ebol?" Atebasant hwythau fel yr oedd Iesu wedi dweud, a gadawyd iddynt fynd. Daethant â'r ebol at Iesu a bwrw eu mentyll arno, ac eisteddodd yntau ar ei gefn. Taenodd llawer eu mentyll ar y ffordd, ac eraill ganghennau deiliog yr oeddent wedi eu torri o'r meysydd. Ac yr oedd y rhai ar y blaen a'r rhai o'r tu ôl yn llefain: 4 5 6 7 8 9

"Hosanna!
Bendith ar yr hwn sy'n dyfod yn enw'r Arglwydd.
Bendith ar y deyrnas sy'n dyfod, teyrnas ein tad Dafydd; 10
Hosanna yn y goruchaf!"

Aeth i mewn i Jerwsalem ac i'r deml, ac wedi edrych o'i gwmpas ar bopeth, gan ei bod eisoes yn hwyr, aeth allan i Fethania gyda'r Deuddeg. 11

## *Melltithio'r Ffigysbren*
(Mth 21.18-19)

Trannoeth, wedi iddynt ddod allan o Fethania, daeth chwant bwyd arno. A phan welodd o bell ffigysbren ac arno ddail, aeth i edrych tybed a gâi rywbeth arno. A phan ddaeth ato ni chafodd ddim ond dail, oblegid nid oedd yn dymor ffigys. Dywedodd wrtho, "Na fwytaed neb ffrwyth ohonot ti byth mwy!" Ac yr oedd ei ddisgyblion yn gwrando. 12 13 14

## *Glanhau'r Deml*
(Mth 21.12-17; Lc 19.45-48; In 2.13-22)

Daethant i Jerwsalem. Aeth i mewn i'r deml a dechreuodd fwrw allan y rhai oedd yn gwerthu a'r rhai oedd yn prynu yn y deml; taflodd i lawr fyrddau'r cyfnewidwyr arian a chadeiriau'r rhai oedd yn gwerthu colomennod, ac ni adawai i neb gludo dim trwy'r deml. A dechreuodd eu dysgu a dweud wrthynt, "Onid yw'n ysgrifenedig: 15 16 17

'Gelwir fy nhŷ i yn dŷ gweddi i'r holl genhedloedd.
Ond yr ydych chwi wedi ei wneud yn ogof lladron'?"

Clywodd y prif offeiriaid a'r ysgrifenyddion am hyn, ac yr oeddent yn ceisio ffordd i'w ladd ef, achos yr oedd arnynt ei ofn, gan fod yr holl dyrfa wedi ei syfrdanu gan ei ddysgeidiaeth. A phan aeth hi'n hwyr aethant allan o'r ddinas. 18 19

### *Gwers y Ffigysbren Crin*
(Mth 21.20-22)

20 Yn y bore, wrth fynd heibio gwelsant y ffigysbren wedi crino 21 o'r gwraidd. Cofiodd Pedr, a dywedodd wrtho, " Rabbi, 22 edrych, y mae'r ffigysbren a felltithiaist wedi crino." Atebodd 23 Iesu hwy: " Os oes gennych ffydd yn Nuw, yn wir, 'rwy'n dweud wrthych, pwy bynnag a ddywed wrth y mynydd hwn, 'Coder di a bwrier di i'r môr', heb amau yn ei galon, ond 24 credu y digwydd yr hyn a ddywed, fe'i rhoddir iddo. Gan hynny 'rwy'n dweud wrthych, beth bynnag oll yr ydych yn gweddïo ac yn gofyn amdano, credwch eich bod wedi ei 25 dderbyn, ac fe'i rhoddir i chwi. A phan fyddwch ar eich traed yn gweddïo, os bydd gennych rywbeth yn erbyn unrhyw un, maddeuwch iddo, er mwyn i'ch Tad sydd yn y nefoedd faddau i chwithau eich camweddau."*

### *Amau Awdurdod Iesu*
(Mth 21.23-27; Lc 20.1-8)

27 Daethant drachefn i Jerwsalem. Ac wrth ei fod yn rhodio yn y deml, dyma'r prif offeiriaid a'r ysgrifenyddion a'r henur-28 iaid yn dod ato, ac meddent wrtho, " Trwy ba awdurdod yr wyt ti'n gwneud y pethau hyn ? Pwy roddodd i ti'r awdurdod 29 hon i wneud y pethau hyn ?" Dywedodd Iesu wrthynt, " Fe ofynnaf un peth i chwi; atebwch fi, ac fe ddywedaf wrthych 30 trwy ba awdurdod yr wyf yn gwneud y pethau hyn. Bedydd 31 Ioan, ai o'r nef yr oedd, ai o ddynion ? Atebwch fi." Dechreu-sant ddadlau â'i gilydd a dweud, " Os dywedwn, ' O'r nef ', 32 fe ddywed, ' Pam, ynteu, na chredasoch ef ? ' Eithr a ddywed-wn, ' O ddynion '?"—yr oedd arnynt ofn y dyrfa, oherwydd yr oedd pawb yn dal fod Ioan yn broffwyd mewn gwirionedd. 33 Atebasant Iesu, " Ni wyddom ni ddim." Ac meddai Iesu wrthynt, " Ni ddywedaf finnau chwaith wrthych chwi trwy ba awdurdod yr wyf yn gwneud y pethau hyn."

---

*adn. 25: ychwanega rhai llawysgrifau adnod 26: *Ond os na faddeuwch chwi, ni faddeua chwaith eich Tad sydd yn y nefoedd eich camweddau chwi.*

*Dameg y Winllan a'r Tenantiaid*
(Mth 21.33-46; Lc 20.9-19)

**12** Dechreuodd lefaru wrthynt ar ddamhegion. " Fe blannodd dyn winllan, a chododd glawdd o'i hamgylch, a chloddio cafn i'r gwinwryf, ac adeiladu tŵr. Gosododd hi i denantiaid, ac aeth oddi cartref. 2 Pan ddaeth yn amser, anfonodd was at y tenantiaid i dderbyn ganddynt gyfran o ffrwyth y winllan. 3 Daliasant hwythau ef, a'i guro, a'i yrru i ffwrdd yn waglaw. 4 Anfonodd drachefn was arall atynt; trawsant hwnnw ar ei ben a'i amharchu. 5 Ac anfonodd un arall; lladdasant hwnnw. A llawer eraill yr un fath; curo rhai a lladd y lleill. 6 Yr oedd ganddo un eto, mab annwyl; anfonodd ef atynt yn olaf, gan ddweud, ' Fe barchant fy mab '. 7 Ond dywedodd y tenantiaid hynny wrth ei gilydd, ' Hwn yw'r etifedd; dewch, lladdwn ef, a bydd yr etifeddiaeth yn eiddo i ni.' 8 A chymerasant ef, a'i ladd, a'i fwrw allan o'r winllan. 9 Beth ynteu a wna perchen y winllan ? Fe ddaw ac fe ddifetha'r tenantiaid, ac fe rydd y winllan i eraill. 10 Onid ydych wedi darllen yr Ysgrythur hon:

' Y maen a wrthododd yr adeiladwyr,
hwn a ddaeth yn faen y gongl;
11 gan yr Arglwydd y gwnaethpwyd hyn,
a rhyfeddol yw yn ein golwg ni ' ? "

12 Ceisiasant ei ddal ef, ond yr oedd arnynt ofn y dyrfa, oherwydd gwyddent mai yn eu herbyn hwy y dywedodd y ddameg. A gadawsant ef a mynd ymaith.

*Talu Trethi i Gesar*
(Mth 22.15-22; Lc 20.20-26)

13 Anfonwyd ato rai o'r Phariseaid ac o'r Herodianiaid i'w faglu ar air. 14 Daethant, ac meddent wrtho, " Athro, gwyddom dy fod yn ddiffuant, ac na waeth gennyt am neb; yr wyt yn ddidderbyn-wyneb, ac yn dysgu ffordd Duw yn gwbl ddiffuant. A yw'n gyfreithlon talu treth i Gesar, ai nid yw ? A ydym i dalu, neu beidio â thalu ? " 15 Deallodd yntau eu rhagrith, ac meddai wrthynt, " Pam yr ydych yn rhoi prawf arnaf ? Dewch â darn arian yma, imi gael golwg arno." 16 A daethant ag un, ac meddai ef wrthynt, " Llun ac arysgrif pwy sydd yma ? " 17 Dywedasant hwythau wrtho, " Cesar." A dywedodd Iesu

wrthynt, "Talwch bethau Cesar i Gesar, a phethau Duw i Dduw." Ac yr oeddent yn rhyfeddu ato.

*Holi ynglŷn â'r Atgyfodiad*
(Mth 22.23-33; Lc 20.27-40)

18 Daeth ato Sadwceaid, y bobl sy'n dweud nad oes dim 19 atgyfodiad, a dechreusant ei holi. "Athro," meddent, "ysgrifennodd Moses ar ein cyfer, 'Os bydd rhywun farw, a gadael gwraig, ond heb adael plentyn, y mae ei frawd i gymryd 20 y wraig ac i godi plant i'w frawd'. Yr oedd saith o frodyr. Cymerodd y cyntaf wraig, a phan fu ef farw ni adawodd blant. 21 A chymerodd yr ail hi, a bu farw heb adael plant; a'r trydydd 22 yr un modd. Ac ni adawodd yr un o'r saith blant. Yn olaf oll 23 bu farw'r wraig hithau. Yn yr atgyfodiad, pan atgyfodant, gwraig prun ohonynt fydd hi? Oherwydd cafodd y saith hi'n 24 wraig." Meddai Iesu wrthynt, "Onid dyma achos eich cyfeiliorni, eich bod heb ddeall na'r Ysgrythurau na gallu Duw? 25 Oherwydd pan atgyfodant oddi wrth y meirw, ni phriodant ac ni phriodir hwy, eithr y maent fel yr angylion yn y nefoedd. 26 Ond ynglŷn â bod y meirw yn codi, onid ydych wedi darllen yn llyfr Moses, yn hanes y Berth, sut y dywedodd Duw wrtho, 'Myfi, Duw Abraham a Duw Isaac a Duw Jacob ydwyf'? 27 Nid Duw'r meirw yw ef, ond y rhai byw. Yr ydych ymhell ar gyfeiliorn."

*Y Gorchymyn Mawr*
(Mth 22.34-40; Lc 10.25-28)

28 Daeth un o'r ysgrifenyddion ato, wedi eu clywed yn dadlau, ac yn gweld ei fod wedi eu hateb yn dda, a gofynnodd iddo, 29 "Prun yw'r gorchymyn cyntaf o'r cwbl?" Atebodd Iesu, "Y cyntaf yw, 'Clyw, Israel, yr Arglwydd ein Duw, un 30 Arglwydd ydyw, a châr yr Arglwydd dy Dduw â'th holl galon 31 ac â'th holl enaid ac â'th holl feddwl ac â'th holl nerth.' Yr ail yw hwn, 'Câr dy gymydog fel ti dy hun.' Nid oes gorchymyn 32 arall mwy na'r rhain." Dywedodd yr ysgrifennydd wrtho, "Da y dywedaist, Athro; gwir mai un Duw ydyw, ac nad oes 33 arall ond efe. Ac y mae ei garu ef â'r holl galon ac â'r holl ddeall ac â'r holl nerth, a charu dy gymydog fel ti dy hun, yn 34 rhagorach na'r holl boeth-offrymau a'r aberthau." A phan

welodd Iesu ei fod wedi ateb yn feddylgar, dywedodd wrtho, "Nid wyt ymhell oddi wrth deyrnas Dduw." Ac ni feiddiai neb ei holi ddim mwy.

*Holi ynglŷn â Mab Dafydd*
(Mth 22.41-46; Lc 20.41-44)

35 Wrth ddysgu yn y deml dywedodd Iesu, "Sut y mae'r ysgrifenyddion yn gallu dweud fod y Meseia yn Fab Dafydd? 36 Dywedodd Dafydd ei hun, trwy'r Ysbryd Glân:

'Dywedodd yr Arglwydd wrth fy Arglwydd i,
"Eistedd ar fy neheulaw
hyd oni osodaf dy elynion o dan dy draed."'

37 Y mae Dafydd ei hun yn ei alw'n Arglwydd; sut felly y mae'n fab iddo?" Yr oedd y dyrfa fawr yn gwrando arno'n llawen.

*Cyhuddo'r Ysgrifenyddion*
(Mth 23.1-36; Lc 20.45-47)

38 Ac wrth eu dysgu meddai, "Ymogelwch rhag yr ysgrifenyddion sy'n hoffi rhodianna mewn gwisgoedd llaes, a chael cyfarchiadau yn y marchnadoedd, 39 a'r prif gadeiriau yn y synagogau, a'r seddau anrhydedd mewn gwleddoedd. 40 Dyma'r rhai sy'n difa cartrefi gwragedd gweddwon, ac mewn rhagrith yn gweddïo'n faith; fe dderbyn y rhain drymach dedfryd."

*Offrwm y Weddw*
(Lc 21.1-4)

41 Eisteddodd i lawr gyferbyn â chist y drysorfa, ac yr oedd yn sylwi ar y modd yr oedd y dyrfa yn rhoi arian i mewn yn y gist. Yr oedd llawer o bobl gyfoethog yn rhoi yn helaeth. 42 A daeth gweddw dlawd a rhoi dwy hatling, hynny yw ffyrling. 43 Galwodd ei ddisgyblion ato a dywedodd wrthynt, "Yn wir, 'rwy'n dweud wrthych fod y weddw dlawd hon wedi rhoi mwy na phawb arall sy'n rhoi i'r drysorfa. 44 Oherwydd rhoi a wnaethant hwy i gyd o'r mwy na digon sydd ganddynt, ond rhoddodd hon o'i phrinder y cwbl oedd ganddi i fyw arno."

*Rhagfynegi Dinistr y Deml*
(Mth 24.1-2; Lc 21.5-6)

**13** Wrth iddo fynd allan o'r deml, dyma un o'i ddisgyblion yn dweud wrtho, "Edrych, Athro; y fath feini enfawr a'r fath

2 adeiladau gwych !" A dywedodd Iesu wrtho, " A weli di'r adeiladau mawr yma ? Ni adewir yma faen ar faen; ni bydd yr un heb ei fwrw i lawr."

*Dechrau'r Gwewyr*
(Mth 24.3-14; Lc 21.7-19)

3 Fel yr oedd yn eistedd ar Fynydd yr Olewydd gyferbyn â'r deml, gofynnodd Pedr ac Iago ac Ioan ac Andreas iddo, o'r 4 neilltu, " Dywed wrthym pa bryd y bydd hyn, a beth fydd yr 5 arwydd pan fydd hyn oll ar ddod i ben ?" A dechreuodd Iesu 6 ddweud wrthynt, " Gwyliwch na fydd i neb eich twyllo. Fe ddaw llawer yn fy enw i gan ddweud, ' Myfi yw ', ac fe dwyllant 7 lawer. A phan glywch am ryfeloedd a sôn am ryfeloedd, peidiwch â chyffroi. Rhaid i hyn ddigwydd, ond nid yw'r 8 diwedd eto. Oblegid cyfyd cenedl yn erbyn cenedl, a theyrnas yn erbyn teyrnas. Bydd daeargrynfâu mewn mannau. Bydd 9 adegau o newyn. Dechrau'r gwewyr fydd hyn. A chwithau, gwyliwch eich hunain; fe'ch traddodir chwi i lysoedd, a chewch eich fflangellu mewn synagogau a'ch gosod i sefyll gerbron llywodraethwyr a brenhinoedd o'm hachos i, i ddwyn 10 tystiolaeth yn eu gŵydd. Ond yn gyntaf rhaid i'r Efengyl gael 11 ei chyhoeddi i'r holl genhedloedd. A phan ânt â chwi i'ch traddodi, peidiwch â phryderu ymlaen llaw beth i'w ddweud, eithr pa beth bynnag a roddir i chwi y pryd hwnnw, dywedwch hynny; oblegid nid chwi sydd yn llefaru, ond yr Ysbryd Glân. 12 Bradycha brawd ei frawd i farwolaeth, a thad ei blentyn, a 13 chyfyd plant yn erbyn eu rhieni a pheri eu lladd. A chas fyddwch gan bawb o achos fy enw i; ond y sawl sy'n dyfalbarhau i'r diwedd a gaiff ei gadw.

*Y Gorthrymder Mawr*
(Mth 24.15-28; Lc 21.20-24)

14 " Ond pan welwch ' y ffieiddbeth diffeithiol ' yn sefyll lle na ddylai fod (dealled y darllenydd), yna ffoed y rhai sydd yn 15 Jwdea i'r mynyddoedd. Yr hwn sydd ar ben y tŷ, peidied â 16 dod i lawr i fynd i mewn i gipio dim o'i dŷ; a'r hwn sydd yn y 17 cae, peidied â throi yn ei ôl i gymryd ei fantell. Gwae'r gwragedd beichiog a'r rhai sy'n rhoi'r fron yn y dyddiau 18,19 hynny ! A gweddïwch na ddigwydd hyn yn y gaeaf, oblegid

bydd y dyddiau hynny yn orthrymder na fu ei debyg o ddechrau'r greadigaeth a greodd Duw hyd yn awr, ac na fydd byth. Ac oni bai fod yr Arglwydd wedi byrhau'r dyddiau ni fuasai 20 undyn byw wedi ei gadw; eithr er mwyn yr etholedigion a etholodd, fe fyrhaodd y dyddiau. Ac yna, os dywed rhywun 21 wrthych, ' Edrych, dyma'r Meseia ', neu, ' Edrych, dacw ef ', peidiwch â'i gredu. Oherwydd fe gyfyd gau-feseiâu a gau- 22 broffwydi, a rhoddant arwyddion a rhyfeddodau i arwain ar gyfeiliorn yr etholedigion, petai hynny'n bosibl. Ond gwyliwch 23 chwi; yr wyf wedi dweud y cwbl wrthych ymlaen llaw.

*Dyfodiad Mab y Dyn*
(Mth 24.29-31; Lc 21.25-28)

" Eithr yn y dyddiau hynny, ar ôl y gorthrymder hwnnw, 24
' Tywyllir yr haul,
ni rydd y lloer ei llewyrch,
syrth y sêr o'r nef, 25
ac ysgydwir y nerthoedd sy'n y nefoedd.'

A'r pryd hwnnw gwelant Fab y Dyn yn dyfod yn y cymylau 26 gyda nerth mawr a gogoniant. Ac yna'r anfona ei angylion a 27 chynnull ei etholedigion o'r pedwar gwynt, o eithaf y ddaear hyd at eithaf y nef.

*Gwers y Ffigysbren*
(Mth 24.32-35; Lc 21.29-33)

" Dysgwch wers oddi wrth y ffigysbren. Pan fydd ei gangen 28 yn ir ac yn dechrau deilio, gwyddoch fod yr haf yn agos. Felly 29 chwithau, pan welwch y pethau hyn yn digwydd, byddwch yn gwybod ei fod yn agos, wrth y drws. Yn wir, 'rwy'n dweud 30 wrthych, nid â'r genhedlaeth hon heibio nes i'r holl bethau hyn ddigwydd. Y nef a'r ddaear, ânt heibio, ond fy ngeiriau i, nid 31 ânt heibio ddim.

*Y Dydd a'r Awr Anhysbys*
(Mth 24.36-44)

" Ond am y dydd hwnnw neu'r awr ni ŵyr neb, na'r angylion 32 yn y nef, na'r Mab, neb ond y Tad. Gwyliwch, byddwch effro; 33 oherwydd ni wyddoch pa bryd y bydd yr amser. Y mae fel dyn 34 a aeth oddi cartref, gan adael ei dŷ a rhoi awdurdod i'w weision,

35 i bob un ei waith, a gorchymyn i'r porthor wylio. Byddwch wyliadwrus gan hynny—oherwydd ni wyddoch pa bryd y daw meistr y tŷ, ai gyda'r hwyr, ai ar hanner nos, ai ar ganiad y 36 ceiliog, ai yn fore—rhag ofn iddo ddod yn ddisymwth a'ch cael 37 chwi'n cysgu. A'r hyn yr wyf yn ei ddweud wrthych chwi, yr wyf yn ei ddweud wrth bawb: byddwch wyliadwrus."

*Y Cynllwyn i Ladd Iesu*
(Mth 26.1-5; Lc 22.1-2; In 11.45-53)

**14** Yr oedd y Pasg a gŵyl y Bara Croyw ymhen deuddydd. Ac yr oedd y prif offeiriaid a'r ysgrifenyddion yn ceisio modd 2 i'w ddal trwy ddichell, a'i ladd. Oherwydd dweud yr oeddent, " Nid yn ystod yr ŵyl, rhag bod cynnwrf ymhlith y bobl."

*Yr Eneinio ym Methania*
(Mth 26.6-13; In 12.1-8)

3 A phan oedd ef ym Methania yn nhŷ Simon y gwahan-glwyfus, yn eistedd wrth bryd bwyd, daeth gwraig â chanddi ffiol alabaster o ennaint drudfawr, nard pur; torrodd y ffiol a 4 thywalltodd yr ennaint ar ei ben ef. Ac yr oedd rhai yn ddig ac yn dweud wrth ei gilydd, " I ba beth y bu'r gwastraff hwn 5 ar yr ennaint ? Oherwydd gallesid gwerthu'r ennaint hwn am fwy na deg punt ar hugain* a'i roi i'r tlodion." Ac yr oeddent 6 yn ffromi wrthi. Ond dywedodd Iesu, " Gadewch iddi; pam yr ydych yn ei phoeni ? Gweithred brydferth a wnaeth hi i mi. 7 Bydd y tlodion gyda chwi bob amser, a gallwch wneud cym-wynas â hwy pa bryd bynnag y mynnwch; ond ni fyddaf fi 8 gyda chwi bob amser. A allodd hi, fe'i gwnaeth; achubodd y 9 blaen i eneinio fy nghorff erbyn y gladdedigaeth. Yn wir, 'rwy'n dweud wrthych, pa le bynnag y pregethir yr Efengyl yn yr holl fyd, adroddir hefyd yr hyn a wnaeth hon, er cof amdani."

*Jwdas yn Cydsynio i Fradychu Iesu*
(Mth 26.14-16; Lc 22.3-6)

10 Yna aeth Jwdas Iscariot, hwnnw oedd yn un o'r Deuddeg, 11 at y prif offeiriaid i'w fradychu ef iddynt. Pan glywsant, yr oeddent yn llawen ac addawsant roi arian iddo. A dechreuodd geisio cyfle i'w fradychu ef.

---

*adn. 5: neu, *thri chan denarius.*

*Gwledd y Pasg gyda'r Disgyblion*
(Mth 26.17-25; Lc 22.7-14, 21-23; In 13.21-30)

Ar ddydd cyntaf gŵyl y Bara Croyw, pan leddid oen y Pasg, 12 dywedodd ei ddisgyblion wrtho, "I ble yr wyt ti am inni fynd i baratoi i ti i fwyta gwledd y Pasg?" Ac anfonodd ddau o'i 13 ddisgyblion, ac meddai wrthynt, "Ewch i'r ddinas, ac fe ddaw dyn i'ch cyfarfod, yn cario stên o ddŵr. Dilynwch ef, a dywed- 14 wch wrth ŵr y tŷ lle'r â i mewn, 'Y mae'r Athro'n gofyn, "Ble mae f'ystafell, lle yr wyf i fwyta gwledd y Pasg gyda'm disgybl- ion?"' Ac fe ddengys ef i chwi oruwchystafell fawr wedi ei 15 threfnu'n barod; yno paratowch i ni." Aeth y disgyblion 16 ymaith, a daethant i'r ddinas a chael fel yr oedd ef wedi dweud wrthynt, a pharatoesant wledd y Pasg. Gyda'r nos daeth yno 17 gyda'r Deuddeg. Ac fel yr oeddent wrth y bwrdd yn bwyta, 18 dywedodd Iesu, "Yn wir, 'rwy'n dweud wrthych y bydd i un ohonoch fy mradychu i, un sy'n bwyta gyda mi." Dechreusant 19 dristáu a dweud wrtho y naill ar ôl y llall, "Nid myfi?" Dywedodd yntau wrthynt, "Un o'r Deuddeg, un sy'n gwlychu 20 ei fara gyda mi yn y ddysgl. Y mae Mab y Dyn yn wir yn 21 ymadael, fel y mae'n ysgrifenedig amdano, ond gwae'r dyn hwnnw y bradychir Mab y Dyn ganddo! Da fuasai i'r dyn hwnnw petai heb ei eni."

*Sefydlu Swper yr Arglwydd*
(Mth 26.26-30; Lc 22.15-20; I Cor 11.23-25)

Ac wrth iddynt fwyta, cymerodd fara, ac wedi bendithio fe'i 22 torrodd a'i roi iddynt, a dywedodd, "Cymerwch; hwn yw fy nghorff." A chymerodd gwpan, ac wedi diolch fe'i rhoddodd 23 iddynt, ac yfodd pawb ohono. A dywedodd wrthynt, "Hwn 24 yw fy ngwaed i, gwaed y cyfamod, sy'n cael ei dywallt er mwyn llawer. Yn wir, 'rwy'n dweud wrthych nad yfaf byth mwy o 25 ffrwyth y winwydden hyd y dydd hwnnw pan yfaf ef yn newydd yn nheyrnas Dduw." Ac wedi iddynt ganu emyn, 26 aethant allan i Fynydd yr Olewydd.

*Rhagfynegi Gwadiad Pedr*
(Mth 26.31-35; Lc 22.31-34; In 13.36-38)

A dywedodd Iesu wrthynt, "Fe ddaw cwymp i bob un 27 ohonoch. Oherwydd y mae'n ysgrifenedig:

'Trawaf y bugail,
a gwasgerir y defaid.'

28 Eithr wedi i mi gyfodi af o'ch blaen chwi i Galilea."
29 Meddai Pedr wrtho, " Er iddynt gwympo bob un, ni wnaf fi."
30 Ac meddai Iesu wrtho, " Yn wir, 'rwy'n dweud wrthyt y bydd i ti heno nesaf, cyn i'r ceiliog ganu ddwywaith, fy ngwadu i
31 deirgwaith." Ond taerai yntau'n fwy byth, " Petai'n rhaid imi farw gyda thi, ni'th wadaf byth." A'r un modd yr oeddent yn dweud i gyd.

*Y Weddi yng Ngethsemane*
(Mth 26.36-46; Lc 22.39-46)

32 Daethant i le o'r enw Gethsemane, ac meddai ef wrth ei
33 ddisgyblion, " Eisteddwch yma tra byddaf yn gweddïo." Ac fe gymerodd gydag ef Pedr ac Iago ac Ioan; a dechreuodd
34 deimlo arswyd a thrallod dwys, ac meddai wrthynt, " Y mae f'enaid yn drist iawn hyd at farw. Arhoswch yma a gwyliwch."
35 Aeth ymlaen ychydig, a syrthiodd ar y ddaear a gweddïo ar i'r
36 awr, petai'n bosibl, fynd heibio iddo. " Abba ! Dad ! " meddai, " y mae pob peth yn bosibl i ti. Cymer y cwpan hwn oddi wrthyf. Eithr nid yr hyn a fynnaf fi, ond yr hyn a fynni
37 di." Daeth yn ôl a'u cael hwy'n cysgu, ac meddai wrth Pedr, " Simon, ai cysgu yr wyt ti ? Oni ellaist wylio am un awr ?
38 Gwyliwch, a gweddïwch na ddewch i gael eich profi. Y mae'r
39 ysbryd yn barod ond y cnawd yn wan." Aeth ymaith drachefn
40 a gweddïo, gan lefaru'r un geiriau. A phan ddaeth yn ôl fe'u cafodd hwy'n cysgu eto, oherwydd yr oedd eu llygaid yn drwm;
41 ac ni wyddent beth i'w ddweud wrtho. Daeth y drydedd waith, a dweud wrthynt, " A ydych yn dal i gysgu a gorffwys ?* Dyna ddigon.** Daeth yr awr; dyma Fab y Dyn yn cael ei fradychu
42 i ddwylo dynion pechadurus. Codwch ac awn. Dyma fy mradychwr yn agosáu."

*Bradychu a Dal Iesu*
(Mth 26.47-56; Lc 22.47-53; In 18.2-12)

43 Ac yna, tra oedd yn dal i siarad, dyma Jwdas, un o'r Deuddeg, yn cyrraedd, a chydag ef dyrfa yn dwyn cleddyfau a phastynau, wedi eu hanfon gan y prif offeiriaid a'r ysgrifenydd-

---

*adn. 41: neu, *Cysgwch bellach a gorffwyswch.*

**adn. 41: yr ystyr yn ansicr. Yn ôl ystyr arall, *Fe gafodd ei dâl.* Yn ôl darlleniad arall, *A yw'r diwedd yn bell* ?

ion a'r henuriaid. Yr oedd ei fradychwr wedi rhoi arwydd 44 iddynt gan ddweud, " Yr un a gusanaf yw'r dyn; daliwch ef a mynd ag ef ymaith yn ddiogel." Ac yn union wedi cyrraedd, 45 aeth ato ef a dweud, " Rabbi," a chusanodd ef. Rhoesant 46 hwythau eu dwylo arno a'i ddal. Tynnodd rhywun o blith y 47 rhai oedd yn sefyll gerllaw gleddyf, a thrawodd was yr archoffeiriad a thorri ei glust i ffwrdd. A dywedodd Iesu wrthynt, 48 " Ai fel at leidr, â chleddyfau a phastynau, y daethoch allan i'm dal i ? Yr oeddwn gyda chwi beunydd, yn dysgu yn y deml, ac 49 ni ddaliasoch fi. Eithr cyflawner yr Ysgrythurau." A gadawodd 50 y disgyblion ef bob un, a ffoi.

### *Y Dyn Ifanc a Ffôdd*

Ac yr oedd rhyw ddyn ifanc yn ei ganlyn ef, yn gwisgo darn o 51 liain dros ei gorff noeth. Cydiasant ynddo ef, ond dihangodd, 52 gan adael y lliain a ffoi'n noeth.

### *Iesu gerbron y Sanhedrin*

(Mth 26.57-68; Lc 22.54-55, 63-71; In 18.12-14, 19-24)

Aethant â Iesu ymaith at yr archoffeiriad, a daeth y prif 53 offeiriaid oll a'r henuriaid a'r ysgrifenyddion ynghyd. Canlyn- 54 odd Pedr ef o hirbell, bob cam i mewn i gyntedd yr archoffeiriad, ac yr oedd yn eistedd gyda'r gwasanaethwyr, yn ymdwymo wrth y tân. Yr oedd y prif offeiriaid a'r holl Sanhedrin 55 yn ceisio tystiolaeth yn erbyn Iesu, i'w roi i farwolaeth, ond yn methu cael dim. Oherwydd yr oedd llawer yn rhoi cam- 56 dystiolaeth yn ei erbyn, ond nid oedd eu tystiolaeth yn gyson. Cododd rhai a cham-dystio yn ei erbyn, " Clywsom ni ef yn 57,58 dweud, ' Mi fwriaf i lawr y deml hon o waith llaw, ac mewn tridiau mi adeiladaf un arall heb fod o waith llaw.' " Ond hyd 59 yn oed felly nid oedd eu tystiolaeth yn gyson. Yna cododd yr 60 archoffeiriad ar ei draed yn y canol, a holodd Iesu: " Onid atebi ddim ? Beth am dystiolaeth y rhain yn dy erbyn ?" Parhaodd yntau'n fud, heb ateb dim. Holodd yr archoffeiriad 61 ef drachefn, ac meddai wrtho, " Ai ti yw'r Meseia, Mab y Bendigedig ? " Dywedodd Iesu, " Myfi yw, ac 62

' fe welwch Fab y Dyn
yn eistedd ar ddeheulaw'r Gallu
ac yn dyfod gyda chymylau'r nef.' "

63 Yna rhwygodd yr archoffeiriad ei ddillad a dweud, "Pa raid i 64 ni wrth dystion bellach? Clywsoch ei gabledd; sut y barnwch chwi?" A'u dedfryd gytûn arno oedd ei fod yn haeddu mar-65 wolaeth. A dechreuodd rhai boeri arno a rhoi gorchudd ar ei wyneb, a'i gernodio a dweud wrtho, "Proffwyda." Ac ymosododd y gwasanaethwyr arno â dyrnodiau.

### *Pedr yn Gwadu Iesu*
(Mth 26.69-75; Lc 22.56-62; In 18.15-18, 25-27)

66 Yr oedd Pedr islaw yn y cyntedd. Daeth un o forynion yr 67 archoffeiriad, a phan welodd Pedr yn ymdwymo edrychodd arno ac meddai, "Yr oeddit tithau hefyd gyda'r Nasaread, 68 Iesu." Ond gwadodd ef a dweud, "Nid wyf yn gwybod nac yn deall am beth yr wyt ti'n sôn." Ac aeth allan i'r porth.* 69 Gwelodd y forwyn ef, a dechreuodd ddweud wedyn wrth y rhai oedd yn sefyll yn ymyl, "Y mae hwn yn un ohonynt." 70 Gwadodd yntau drachefn. Ymhen ychydig, dyma'r rhai oedd yn sefyll yn ymyl yn dweud wrth Pedr, "Yr wyt yn wir yn un 71 ohonynt, achos Galilead wyt ti." Dechreuodd yntau regi a thyngu: "Nid wyf yn adnabod y dyn hwn yr ydych yn sôn 72 amdano." Ac yna canodd y ceiliog yr ail waith. Cofiodd Pedr ymadrodd Iesu wrtho, fel y dywedodd, "Cyn i'r ceiliog ganu ddwywaith, fe'm gwedi i deirgwaith." A thorrodd i wylo.

### *Iesu gerbron Pilat*
(Mth 27.1-2, 11-14; Lc 23.1-5; In 18.28-38)

**15** Cyn gynted ag y daeth hi'n ddydd, yngynghorodd y prif offeiriaid â'r* henuriaid a'r ysgrifenyddion a'r holl Sanhedrin; yna rhwymasant Iesu a mynd ag ef ymaith a'i drosglwyddo i 2 Pilat. Holodd Pilat ef: "Ai ti yw Brenin yr Iddewon?" 3 Atebodd yntau ef: "Ti sy'n dweud hynny."* Ac yr oedd y prif offeiriaid yn dwyn llawer o gyhuddiadau yn ei erbyn. 4 Holodd Pilat ef wedyn: "Onid atebi ddim? Edrych faint o 5 gyhuddiadau y maent yn eu dwyn yn dy erbyn." Ond nid atebodd Iesu ddim mwy, er syndod i Pilat.

---

*adn. 68: ychwanega rhai llawysgrifau, *A chanodd y ceiliog.*
*adn. 1: yn ôl darlleniad arall, *ffurfiodd y prif offeiriaid gynllwyn gyda'r.*
*adn. 2: neu, *Yr wyt yn dweud y gwir.*

*Dedfrydu Iesu i Farwolaeth*
(Mth 27.15-26; Lc 23.13-25; In 18.39-19.16)

Ar yr ŵyl yr oedd Pilat yn arfer rhyddhau iddynt un carcharor y gofynnent amdano. Ac yr oedd y dyn a elwid Barabbas yn y carchar gyda'r gwrthryfelwyr hynny oedd wedi llofruddio yn ystod y gwrthryfel. Daeth y dyrfa i fyny a dechrau gofyn i Pilat wneud yn ôl ei arfer iddynt. Atebodd Pilat hwy: "A fynnwch i mi ryddhau i chwi Frenin yr Iddewon?" Oherwydd gwyddai mai o genfigen yr oedd y prif offeiriaid wedi ei draddodi ef. Ond cyffrôdd y prif offeiriaid y dyrfa i geisio ganddo yn hytrach ryddhau Barabbas iddynt. Atebodd Pilat drachefn, ac meddai wrthynt, "Beth, ynteu, a wnaf â hwn yr ydych yn ei alw yn Frenin yr Iddewon?" Gwaeddasant hwythau yn ôl, "Croeshoelia ef." Meddai Pilat wrthynt, "Ond pa ddrwg a wnaeth ef?" Gwaeddasant hwythau yn uwch byth, "Croeshoelia ef." A chan ei fod yn awyddus i fodloni'r dyrfa, rhyddhaodd Pilat Barabbas iddynt a thraddododd Iesu, ar ôl ei fflangellu, i'w groeshoelio. 6 7 8 9 10 11 12 13 14 15

*Y Milwyr yn Gwatwar Iesu*
(Mth 27.27-31; In 19.2-3)

Aeth y milwyr ag ef ymaith i mewn i'r cyntedd, hynny yw, i'r Praetoriwm, a galw ynghyd yr holl fintai. A gwisgasant ef â phorffor, a phlethu coron ddrain a'i gosod am ei ben. A dechreusant ei gyfarch: "Henffych well, Frenin yr Iddewon!" Curasant ei ben â gwialen, a phoeri arno, a phlygu eu gliniau ac ymgrymu iddo. Ac wedi iddynt ei watwar, tynasant y porffor oddi amdano a'i wisgo ef â'i ddillad ei hun. Yna aethant ag ef allan i'w groeshoelio. 16 17 18 19 20

*Croeshoelio Iesu*
(Mth 27.32-44; Lc 23.26-43; In 19.17-27)

Gorfodasant un oedd yn mynd heibio ar ei ffordd o'r wlad, Simon o Gyrene, tad Alexander a Rwffws, i gario ei groes ef. Daethant ag ef i'r lle a elwir Golgotha, hynny yw, o'i gyfieithu, "Lle Penglog." Cynigiasant iddo win â myrr ynddo, ond ni chymerodd ef. A chroeshoeliasant ef, 21 22 23 24

> a rhanasant ei ddillad,
>
> gan fwrw coelbren arnynt i benderfynu beth a gâi pob un.

25 Naw o'r gloch y bore oedd hi pan groeshoeliasant ef.
26 Ac yr oedd arysgrif y cyhuddiad yn ei erbyn yn dweud:
27 " Brenin yr Iddewon." A chydag ef croeshoeliasant ddau leidr,
29 un ar y dde ac un ar y chwith iddo.* Yr oedd y rhai oedd yn mynd heibio yn ei gablu ef, yn ysgwyd eu pennau a dweud, " Oho, ti sydd am fwrw'r deml i lawr a'i hadeiladu mewn trid-
30,31 iau, disgyn oddi ar y groes ac achub dy hun." A'r un modd yr oedd y prif offeiriaid hefyd, ynghyd â'r ysgrifenyddion, yn ei watwar wrth ei gilydd, ac yn dweud, " Fe achubodd eraill; ni
32 all ei achub ei hun. Disgynned y Meseia, Brenin Israel, yn awr oddi ar y groes, er mwyn inni weld a chredu." Yr oedd hyd yn oed y rhai a groeshoeliwyd gydag ef yn ei wawdio.

### *Marwolaeth Iesu*

(Mth 27.45-56; Lc 23.44-49; In 19.28-30)

33 A phan ddaeth yn hanner dydd, bu tywyllwch dros yr holl
34 wlad hyd dri o'r gloch y prynhawn. Ac am dri o'r gloch gwaeddodd Iesu â llef uchel, " Eloï, Eloï, lema sabachtani," hynny yw, o'i gyfieithu, " Fy Nuw, fy Nuw, pam yr wyt wedi
35 fy ngadael ? " O glywed hyn, meddai rhai o'r sawl oedd yn
36 sefyll gerllaw, " Clywch, y mae'n galw ar Elias." Rhedodd rhywun a llenwi ysbwng â gwin sur a'i ddodi ar flaen gwialen a'i gynnig iddo i'w yfed. " Gadewch inni weld," meddai, " a
37 ddaw Elias i'w dynnu ef i lawr." Ond rhoes Iesu lef uchel, a
38 bu farw. A rhwygwyd llen y deml yn ddwy o'r pen i'r gwaelod.
39 Pan welodd y canwriad, oedd yn sefyll gyferbyn ag ef, mai gyda gwaedd felly y bu farw, dywedodd, " Yn wir, Mab Duw*
40 oedd y dyn hwn." Yr oedd gwragedd hefyd yn edrych o hirbell; yn eu plith yr oedd Mair Magdalen, a Mair mam Iago Fychan a
41 Joses, a Salome, gwragedd a fu'n ei ganlyn a gweini arno pan oedd yng Ngalilea, a llawer o wragedd eraill oedd wedi dod i fyny gydag ef i Jerwsalem.

### *Claddu Iesu*

(Mth 27.57-61; Lc 23.50-56; In 19.38-42)

42 Yr oedd hi eisoes yn hwyr, a chan ei bod yn ddydd Paratoad,
43 hynny yw, y dydd cyn y Saboth, daeth Joseff o Arimathea,

---

*adn. 27: ychwanega rhai llawysgrifau adnod 28: *A chyflawnwyd yr Ysgrythur sy'n dweud, " A chyfrifwyd ef gyda'r troseddwyr."*

*adn. 39: neu, *mab i Dduw.*

cynghorwr uchel ei barch oedd yntau'n disgwyl am deyrnas Dduw, a mentrodd fynd i mewn at Pilat a gofyn am gorff Iesu. Rhyfeddodd Pilat ei fod eisoes wedi marw, a galwodd y canwr- 44 iad ato a gofyn iddo a oedd wedi marw ers meitin. Ac wedi 45 cael gwybod gan y canwriad, rhoddodd y corff i Joseff. Pryn- 46 odd yntau liain, ac wedi ei dynnu ef i lawr, a'i amdói yn y lliain, gosododd ef mewn bedd oedd wedi ei naddu o'r graig; a threiglodd faen at ddrws y bedd. Ac yr oedd Mair Magdalen, a Mair 47 mam Joses, yn edrych ym mhle y gosodwyd ef.

*Atgyfodiad Iesu*
(Mth 28.1-8; Lc 24.1-12; In 20.1-10)

Wedi i'r Saboth fynd heibio, prynodd Mair Magdalen, a **16** Mair mam Iago, a Salome, beraroglau, er mwyn mynd i'w eneinio ef. Ac yn fore iawn ar y dydd cyntaf o'r wythnos, a'r 2 haul newydd godi, dyma hwy'n dod at y bedd. Ac meddent 3 wrth ei gilydd, "Pwy a dreigla'r maen i ffwrdd i ni oddi wrth ddrws y bedd?" Ond wedi edrych i fyny, gwelsant fod y maen 4 wedi ei dreiglo i ffwrdd; oherwydd yr oedd yn un mawr iawn. Aethant i mewn i'r bedd, a gwelsant ddyn ifanc yn eistedd ar yr 5 ochr dde, â gwisg laes wen amdano, a daeth arswyd arnynt. Meddai yntau wrthynt, "Peidiwch ag arswydo. Yr ydych yn 6 ceisio Iesu, y gŵr o Nasareth a groeshoeliwyd. Y mae wedi cyfodi; nid yw yma; dyma'r man lle gosodasant ef. Ond ewch, 7 dywedwch wrth ei ddisgyblion ac wrth Pedr, 'Y mae'n mynd o'ch blaen chwi i Galilea; yno y gwelwch ef, fel y dywedodd wrthych.'" Daethant allan, a ffoi oddi wrth y bedd, oherwydd 8 yr oeddent yn crynu o arswyd. Ac ni ddywedasant ddim wrth neb, oherwydd yr oedd ofn arnynt.*

---

* adn. 8: dyma ddiwedd Efengyl Marc yn ôl y llawysgrifau gorau, ond ychwanega llawysgrifau eraill adnodau 9–20 fel a ganlyn:

Ymddangos i Fair Magdalen
(Mth 28.9-10; In 20.11-18)

*Ar ôl atgyfodi yn fore ar y dydd cyntaf o'r wythnos, ym-* 9 *ddangosodd yn gyntaf i Fair Magdalen, gwraig yr oedd wedi bwrw saith gythraul ohoni. Aeth hi a dweud y newydd wrth ei* 10 *ganlynwyr yn eu galar a'u dagrau. A'r rheini, pan glywsant ei* 11 *fod yn fyw ac wedi ei weld ganddi hi, ni chredasant.*

## Ymddangos i Ddau Ddisgybl
(Lc 24.13-35)

12 *Ar ôl hynny, ymddangosodd mewn ffurf arall i ddau ohonynt* 13 *fel yr oeddent yn cerdded ar eu ffordd i'r wlad; ac aethant hwy ymaith a dweud y newydd wrth y lleill. Ond ni chredodd y rheini chwaith.*

## Rhoi Comisiwn i'r Disgyblion
(Mth 28.16-20; Lc 24.36-49; In 20.19-23; Act 1.6-8)

14 *Yn ddiweddarach, ymddangosodd i'r un ar ddeg pan oeddent wrth bryd bwyd, ac edliw iddynt eu hanghrediniaeth a'u dallineb meddwl, am iddynt beidio â chredu y rhai oedd wedi ei weld ef ar* 15 *ôl ei gyfodi. A dywedodd wrthynt, " Ewch i'r holl fyd a phregeth-* 16 *wch yr Efengyl i'r greadigaeth i gyd. Yr hwn a gred ac a fedyddir,* 17 *fe gaiff ei achub, ond yr hwn ni chred, fe'i condemnir. A bydd yr arwyddion hyn yn dilyn i'r sawl a gredodd: bwriant allan* 18 *gythreuliaid yn fy enw i, llefarant â thafodau newydd, gafaelant mewn seirff, ac os yfant wenwyn marwol ni wna ddim niwed iddynt; rhoddant eu dwylo ar gleifion, ac iach fyddant."*

## Esgyniad Iesu
(Lc 24.50-53; Act 1.9-11)

19 *Felly, wedi iddo lefaru wrthynt, cymerwyd yr Arglwydd Iesu i* 20 *fyny i'r nef ac eisteddodd ar ddeheulaw Duw. Ac aethant hwy allan a phregethu ym mhob man, a'r Arglwydd yn cydweithio â hwy ac yn cadarnhau'r gair trwy'r arwyddion oedd yn dilyn.*

Yn lle, neu'n ychwanegol at, yr adnodau 9-20 uchod, rhydd rhai llawysgrifau y diweddglo a ganlyn :

*Adroddasant yn gryno y cwbl a orchmynnwyd iddynt wrth Pedr a'r rhai oedd gydag ef. Wedi hynny, anfonodd Iesu ei hunan allan trwyddynt hwy, o'r dwyrain hyd at y gorllewin, genadwri sanctaidd ac anllygradwy iachawdwriaeth dragwyddol. Amen.*

## YR EFENGYL YN ÔL

# LUC

### *Cyflwyniad i Theoffilus*

Yn gymaint â bod llawer wedi ymgymryd ag ysgrifennu 1 hanes y pethau a gyflawnwyd yn ein plith, fel y traddodwyd 2 hwy inni gan y rhai a fu o'r dechreuad yn llygad-dystion ac yn weision y gair, penderfynais innau, gan fy mod wedi ymchwil- 3 io yn fanwl i bopeth o'r dechreuad, eu hysgrifennu i ti yn eu trefn, ardderchocaf Theoffilus, er mwyn iti gael sicrwydd am 4 y wybodaeth a dderbyniaist.

### *Rhagfynegi Genedigaeth Ioan Fedyddiwr*

Yn nyddiau Herod, brenin Jwdea, yr oedd offeiriad o adran 5 Abia, o'r enw Sachareias, â chanddo wraig o blith merched Aaron; ei henw hi oedd Elisabeth. Yr oeddent ill dau yn 6 gyfiawn gerbron Duw, yn ymddwyn yn ddi-fai yn ôl holl orchmynion ac ordeiniadau'r Arglwydd. Nid oedd ganddynt 7 blant, oherwydd yr oedd Elisabeth yn ddiffrwyth, ac yr oeddent ill dau wedi cyrraedd oedran mawr. Ond pan oedd Sachareias 8 a'i adran, yn eu tro, yn gweinyddu fel offeiriaid gerbron Duw, yn ôl arferiad y swydd daeth i'w ran fynd i mewn i gysegr yr 9 Arglwydd ac offrymu'r arogldarth; ac ar awr yr offrymu yr 10 oedd holl dyrfa'r bobl y tu allan yn gweddïo. A dyma angel yr 11 Arglwydd yn ymddangos iddo, yn sefyll ar yr ochr dde i allor yr arogldarth; a phan welodd Sachareias ef, fe'i cythryblwyd a 12 daeth ofn arno. Ond dywedodd yr angel wrtho, "Paid ag ofni, 13 Sachareias, oherwydd y mae dy ddeisyfiad wedi ei wrando; bydd dy wraig Elisabeth yn esgor ar fab i ti, a gelwi ef Ioan. Fe gei lawenydd a gorfoledd, a bydd llawer yn llawenychu o 14 achos ei enedigaeth ef; oherwydd mawr fydd ef gerbron yr 15 Arglwydd, ac nid yf win byth na diod gadarn; llenwir ef â'r Ysbryd Glân, ie, yng nghroth ei fam, ac fe dry lawer o feibion 16 Israel yn ôl at yr Arglwydd eu Duw. Bydd yn cerdded o flaen 17 yr Arglwydd yn ysbryd a nerth Elias, i droi calonnau tadau at eu plant, ac i droi'r anufudd i feddylfryd y cyfiawn, er mwyn darparu i'r Arglwydd bobl wedi eu paratoi." Meddai Sacharei- 18

as wrth yr angel, “ Sut y caf sicrwydd o hyn ? Oherwydd yr wyf fi yn hen, a'm gwraig wedi cyrraedd oedran mawr.”
19 Atebodd yr angel ef, “ Myfi yw Gabriel, sydd yn sefyll gerbron Duw, ac anfonwyd fi i lefaru wrthyt ac i gyhoeddi iti y newydd
20 da hwn; ac wele, byddi yn fud a heb allu llefaru hyd y dydd y digwydd hyn, am iti beidio â chredu fy ngeiriau, geiriau a gyflawnir yn eu hamser priodol.”
21 Yr oedd y bobl yn disgwyl am Sachareias, ac yn synnu ei fod
22 yn oedi yn y cysegr. A phan ddaeth allan, ni allai lefaru wrthynt, a deallasant iddo gael gweledigaeth yn y cysegr; yr
23 oedd yntau yn amneidio arnynt ac yn parhau yn fud. Pan
24 ddaeth dyddiau ei wasanaeth i ben, dychwelodd adref. Ond wedi'r dyddiau hynny beichiogodd Elisabeth ei wraig; ac fe'i
25 cuddiodd ei hun am bum mis, gan ddweud, “ Fel hyn y gwnaeth yr Arglwydd i mi yn y dyddiau yr edrychodd arnaf i dynnu ymaith fy ngwarth ymhlith dynion.”

### *Rhagfynegi Genedigaeth Iesu*

26 Yn y chweched mis anfonwyd yr angel Gabriel gan Dduw i
27 dref yng Ngalilea o'r enw Nasareth, at wyryf oedd wedi ei dyweddïo i ŵr o'r enw Joseff, o dŷ Dafydd; enw'r wyryf oedd
28 Mair. Aeth yr angel ati a dweud, “ Henffych well, tydi, yr un y rhoddodd Duw ei ffafr iddi ! Y mae'r Arglwydd gyda thi.”
29 Ond cythryblwyd hi drwyddi gan ei eiriau, a cheisiodd ddirnad
30 pa fath gyfarchiad a allai hwn fod. Meddai'r angel wrthi,
31 “ Paid ag ofni, Mair, oherwydd cefaist ffafr gyda Duw; ac wele, byddi yn beichiogi yn dy groth ac yn esgor ar fab, a gelwi ef
32 Iesu. Bydd hwn yn fawr, a Mab y Goruchaf y gelwir ef; rhydd
33 yr Arglwydd Dduw iddo orsedd Dafydd ei dad, ac fe deyrnasa ar dŷ Jacob yn dragywydd, ac ar ei deyrnas ni bydd diwedd.”
34 Meddai Mair wrth yr angel, “ Sut y digwydd hyn, gan nad wyf
35 yn adnabod gŵr ?” Atebodd yr angel hi, “ Daw'r Ysbryd Glân arnat, a bydd nerth y Goruchaf yn dy gysgodi; am hynny,
36 gelwir y plentyn a genhedlir yn sanctaidd, Mab Duw. Ac wele, y mae Elisabeth dy berthynas hithau hefyd wedi beichiogi ar fab yn ei henaint, a dyma'r chweched mis i'r hon a elwir yn
37 ddiffrwyth; oherwydd ni bydd dim yn amhosibl gyda Duw.”
38 Dywedodd Mair, “ Dyma gaethferch yr Arglwydd; bydded i mi yn ôl dy air di.” Ac aeth yr angel i ffwrdd oddi wrthi.

*Mair yn ymweld ag Elisabeth*

Ar hynny cychwynnodd Mair ac aeth ar frys i'r mynydd-dir, 39 i un o drefi Jwda; aeth i dŷ Sachareias a chyfarch Elisabeth. 40 Pan glywodd hi gyfarchiad Mair, llamodd y plentyn yn ei 41 chroth a llanwyd Elisabeth â'r Ysbryd Glân; a llefodd â llais 42 uchel, " Bendigedig wyt ti ymhlith gwragedd, a bendigedig yw ffrwyth dy groth. Sut y daeth i'm rhan i fod mam fy Arglwydd 43 yn dod ataf? Pan glywais dy lais yn fy nghyfarch, dyma'r 44 plentyn yn fy nghroth yn llamu o orfoledd. Gwyn ei byd yr 45 hon a gredodd y cyflawnid yr hyn a lefarwyd wrthi gan yr Arglwydd."

*Emyn Mawl Mair*

Ac meddai Mair: 46

" Y mae fy enaid yn mawrygu yr Arglwydd,
a gorfoleddodd fy ysbryd yn Nuw, fy ngwaredwr, 47
am iddo ystyried distadledd ei gaethferch. 48
Oherwydd wele, o hyn allan fe'm gelwir yn wynfydedig gan yr holl genedlaethau,
oherwydd gwnaeth yr hwn sydd nerthol bethau mawr i mi, 49
a sanctaidd yw ei enw ef;
y mae ei drugaredd o genhedlaeth i genhedlaeth 50
i'r rhai sydd yn ei ofni ef.
Gwnaeth rymuster â'i fraich, 51
gwasgarodd ddynion balch eu calon;
tynnodd dywysogion oddi ar eu gorseddau, 52
a dyrchafodd y rhai distadl;
llwythodd y newynog â rhoddion, 53
ac anfonodd y cyfoethogion ymaith yn waglaw.
Cynorthwyodd ef Israel ei was, 54
gan ddwyn i'w gof ei drugaredd—
fel y llefarodd wrth ein tadau— 55
ei drugaredd wrth Abraham a'i had yn dragywydd."

Ac arhosodd Mair gyda hi tua thri mis, ac yna dychwelodd 56 adref.

*Genedigaeth Ioan Fedyddiwr*

Am Elisabeth, cyflawnwyd yr amser iddi esgor, a ganwyd 57 iddi fab. Clywodd ei chymdogion a'i pherthnasau am dru- 58 garedd fawr yr Arglwydd iddi, ac yr oeddent yn llawenychu gyda hi. A'r wythfed dydd daethant i enwaedu ar y plentyn, 59

60 ac yr oeddent am ei enwi ar ôl ei dad, Sachareias. Ond atebodd
61 ei fam, " Nage, Ioan yw ei enw i fod." Meddent wrthi, " Nid
62 oes neb o'th deulu â'r enw hwnnw arno." Yna gofynasant drwy
63 arwyddion i'w dad sut y dymunai ef ei enwi. Galwodd yntau
am lechen fach ac ysgrifennodd, " Ioan yw ei enw." A synnodd
64 pawb. Ar unwaith rhyddhawyd ei enau a'i dafod, a dechreuodd
65 lefaru a bendithio Duw. Daeth ofn ar eu holl gymdogion, a bu
trafod ar yr holl ddigwyddiadau hyn trwy fynydd-dir Jwdea
66 i gyd; a chadwyd hwy ar gof gan bawb a glywodd amdanynt.
" Beth gan hynny fydd y plentyn hwn ?" meddent. Ac yn wir
yr oedd llaw'r Arglwydd gydag ef.

*Proffwydoliaeth Sachareias*

67 Llanwyd Sachareias ei dad ef â'r Ysbryd Glân, a phroffwyd-
odd fel hyn:

68 " Bendigedig fyddo Arglwydd Dduw Israel
am iddo ymweld â'i bobl a'u prynu i ryddid;
69 cyfododd waredigaeth gadarn i ni
yn nhŷ Dafydd ei was—
70 fel y llefarodd trwy enau ei broffwydi sanctaidd yn yr
oesoedd a fu—
71 gwaredigaeth rhag ein gelynion ac o afael pawb sydd
yn ein casáu;
72 fel hyn y cymerodd drugaredd ar ein tadau,
a chofio ei gyfamod sanctaidd,
73 y llw a dyngodd wrth Abraham ein tad,
74 y rhoddai inni gael ein hachub o afael gelynion,
75 a'i addoli yn ddi-ofn mewn sancteiddrwydd a chyfiawnder
ger ei fron ef holl ddyddiau ein bywyd.
76 A thithau, fy mhlentyn, gelwir di yn broffwyd y Goruchaf,
oherwydd byddi'n cerdded o flaen yr Arglwydd i
baratoi ei lwybrau,
77 i roi i'w bobl wybodaeth am waredigaeth
trwy faddeuant eu pechodau.
78 Hyn yw trugaredd calon ein Duw—
fe ddaw â'r wawrddydd oddi uchod i'n plith,
79 i lewyrchu ar y rhai sy'n eistedd yn nhywyllwch cysgod
angau,
a chyfeirio ein traed i ffordd tangnefedd."

Yr oedd y plentyn yn tyfu ac yn cryfhau yn ei ysbryd; a bu yn yr anialwch hyd y dydd y dangoswyd ef i Israel. 80

*Genedigaeth Iesu*
(Mth 1.18–25)

Yn y dyddiau hynny aeth gorchymyn allan oddi wrth Cesar Awgwstus i gofrestru'r holl Ymerodraeth. Digwyddodd y cofrestru cyntaf hwn pan oedd Cyrenius yn llywodraethu ar Syria. Fe aeth pawb felly i'w gofrestru, pob un i'w dref ei hun. Oherwydd ei fod yn perthyn i dŷ a theulu Dafydd, aeth Joseff i fyny o dref Nasareth yng Ngalilea i Jwdea, i dref Dafydd, a elwir Bethlehem, i ymgofrestru ynghyd â Mair ei ddyweddi; ac yr oedd hi'n feichiog. Pan oeddent yno, cyflawnwyd yr amser iddi esgor, ac esgorodd ar ei mab cyntafanedig; a rhwymodd ef mewn dillad baban a'i osod mewn preseb, am nad oedd lle iddynt yn y gwesty. **2** 2 3 4 5 6 7

*Y Bugeiliaid a'r Angylion*

Yn yr un ardal yr oedd bugeiliaid allan yn y wlad yn gwarchod eu praidd liw nos. A safodd angel yr Arglwydd yn eu hymyl a disgleiriodd gogoniant yr Arglwydd o'u hamgylch; a daeth arswyd arnynt. Yna dywedodd yr angel wrthynt, "Peidiwch ag ofni, oherwydd wele, yr wyf yn cyhoeddi i chwi y newydd da am lawenydd mawr a ddaw i'r holl bobl: ganwyd i chwi heddiw yn nhref Dafydd waredwr, yr hwn yw'r Meseia, yr Arglwydd; a dyma'r arwydd i chwi: cewch hyd i'r un bach wedi ei rwymo mewn dillad baban ac yn gorwedd mewn preseb." Yn sydyn ymddangosodd gyda'r angel dyrfa o'r llu nefol, yn moli Duw gan ddweud: 8 9 10 11 12 13

"Gogoniant yn y goruchaf i Dduw,
ac ar y ddaear tangnefedd ymhlith dynion sydd wrth ei fodd."* 14

Wedi i'r angylion fynd ymaith oddi wrthynt i'r nef, dechreuodd y bugeiliaid ddweud wrth ei gilydd, "Gadewch inni fynd i Fethlehem a gweld yr hyn sydd wedi digwydd, y peth yr hysbysodd yr Arglwydd ni amdano." Aethant ar frys, a chawsant hyd i Mair a Joseff, a'r baban yn gorwedd yn y 15 16

---

*adn. 14: yn ôl darlleniad arall, *ac ar y ddaear tangnefedd; ymhlith dynion, ewyllys da.*

17 preseb; ac wedi ei weld mynegasant yr hyn oedd wedi ei lefaru
18 wrthynt am y plentyn hwn. Rhyfeddodd pawb a'u clywodd at
19 y pethau a ddywedodd y bugeiliaid wrthynt; ond yr oedd Mair
yn cadw'r holl bethau hyn yn ddiogel yn ei chalon ac yn
20 myfyrio arnynt. Dychwelodd y bugeiliaid gan ogoneddu a moli
Duw am yr holl bethau a glywsant ac a welsant, yn union fel y
llefarwyd wrthynt.

21 Pan ddaeth yr amser i enwaedu arno ymhen wyth diwrnod,
galwyd ef Iesu, yr enw a roddwyd iddo gan yr angel cyn i'w
fam feichiogi arno.

### *Cyflwyno Iesu yn y Deml*

22 Pan ddaeth amser eu puredigaeth yn ôl Cyfraith Moses,
cymerodd ei rieni ef i fyny i Jerwsalem i'w gyflwyno i'r
23 Arglwydd, yn unol â'r hyn sydd wedi ei ysgrifennu yng Nghyf-
raith yr Arglwydd: "Pob gwryw cyntafanedig a elwir yn
24 sanctaidd i'r Arglwydd"; ac i roi offrwm yn unol â'r hyn sydd
wedi ei ddweud yng Nghyfraith yr Arglwydd: "Pâr o durturod
neu ddwy golomen ifanc."

25 Yn awr yr oedd dyn yn Jerwsalem o'r enw Simeon; dyn
cyfiawn a duwiol oedd hwn, yn disgwyl am ddiddanwch Israel;
26 ac yr oedd yr Ysbryd Glân arno. Yr oedd wedi cael datguddiad
gan yr Ysbryd Glân na welai farwolaeth cyn gweld Meseia'r
27 Arglwydd. Daeth i'r deml dan arweiniad yr Ysbryd; a phan
ddaeth y rhieni â'r plentyn Iesu i mewn, i wneud ynglŷn ag ef
28 yn unol ag arfer y Gyfraith, cymerodd Simeon ef i'w freichiau
a bendithiodd Dduw gan ddweud:

29 "Yn awr yr wyt yn gollwng dy was yn rhydd, O Arglwydd,
mewn tangnefedd yn unol â'th air;
30 oherwydd y mae fy llygaid wedi gweld dy iachawdwr-
iaeth,
31 a ddarperaist yng ngŵydd yr holl bobloedd:
32 goleuni i fod yn ddatguddiad i'r Cenhedloedd
ac yn ogoniant i'th bobl Israel."

33 Yr oedd ei dad a'i fam yn rhyfeddu at y pethau oedd yn cael eu
34 dweud amdano. Yna bendithiodd Simeon hwy, a dywedodd
wrth Mair ei fam, "Wele, gosodwyd hwn er cwymp a chyfod-
35 iad llawer yn Israel, ac i fod yn arwydd a wrthwynebir; a
thithau, trywenir dy enaid di gan gleddyf; felly y datguddir
meddyliau calonnau lawer."

Yr oedd proffwydes hefyd, Anna ferch Phanuel, o lwyth Aser. Yr oedd hon yn oedrannus iawn, wedi byw saith mlynedd gyda'i gŵr ar ôl priodi, ac wedi parhau'n weddw nes ei bod yn awr yn wyth deg a phedair blwydd oed. Ni byddai byth yn ymadael â'r deml, ond yn addoli gan ymprydio a gweddïo ddydd a nos. A'r awr honno safodd hi gerllaw a moli Duw, a llefaru am y plentyn wrth bawb oedd yn disgwyl rhyddhad Jerwsalem. 36 37 38

*Dychwelyd i Nasareth*

Wedi iddynt gyflawni popeth yn unol â Chyfraith yr Arglwydd, dychwelsant i Galilea, i Nasareth eu tref eu hunain. Yr oedd y plentyn yn tyfu yn gryf ac yn llawn doethineb; ac yr oedd ffafr Duw arno. 39

*Y Bachgen Iesu yn y Deml*

Byddai ei rieni yn teithio i Jerwsalem bob blwyddyn ar gyfer gŵyl y Pasg. Pan oedd ef yn ddeuddeng mlwydd oed, aethant i fyny yn unol â'r arfer ar yr ŵyl, a chadw ei dyddiau yn gyflawn. Ond pan oeddent yn dychwelyd, arhosodd y bachgen Iesu yn Jerwsalem yn ddiarwybod i'w rieni. Gan dybio ei fod gyda'u cyd-deithwyr, gwnaethant daith diwrnod cyn dechrau chwilio amdano ymhlith eu perthnasau a'u cydnabod. Wedi methu cael hyd iddo, dychwelsant i Jerwsalem gan chwilio amdano. Ymhen tridiau daethant o hyd iddo yn y deml, yn eistedd yng nghanol yr athrawon, yn gwrando arnynt a'u holi; ac yr oedd pawb a'i clywodd yn rhyfeddu mor ddeallus oedd ei atebion. Pan welodd ei rieni ef, fe'u syfrdanwyd, ac meddai ei fam wrtho, "Fy mhlentyn, pam y gwnaethost hyn inni? Dyma dy dad a minnau yn llawn pryder wedi bod yn chwilio amdanat." Meddai ef wrthynt, "Pam y buoch yn chwilio amdanaf? Onid oeddech yn gwybod mai yn nhŷ fy Nhad y mae'n rhaid i mi fod?" Ond ni ddeallasant hwy y peth a ddywedodd wrthynt. Yna aeth ef i lawr gyda hwy yn ôl i Nasareth, a bu'n ufudd iddynt. Cadwodd ei fam y cyfan yn ddiogel yn ei chalon. Ac yr oedd Iesu yn cynyddu mewn doethineb a maintioli, a ffafr gyda Duw a dynion. 41 42 43 44 45 46 47 48 49 50 51 52

*Pregethu Ioan Fedyddiwr*

(Mth 3.1-12; Mc 1.1-8; In 1.19-18)

**3** Yn y bymthegfed flwyddyn o deyrnasiad Tiberius Cesar, pan oedd Pontius Pilat yn llywodraethu ar Jwdea, a Herod yn

dywysog Galilea, a phan oedd Philip ei frawd yn dywysog tiriogaeth Itwrea a Trachonitis, a Lysanias yn dywysog
2 Abilene, ac yn amser archoffeiriadaeth Annas a Caiaphas,
3 daeth gair Duw at Ioan fab Sachareias yn yr anialwch. Aeth ef drwy'r holl wlad oddi amgylch yr Iorddonen gan gyhoeddi
4 bedydd edifeirwch yn foddion maddeuant pechodau, fel y mae'n ysgrifenedig yn llyfr geiriau'r proffwyd Eseia:

" Llais un yn llefain yn yr anialwch,
' Paratowch ffordd yr Arglwydd,
gwnewch lwybrau union iddo.
5 Llenwir pob ceulan,
lefelir pob mynydd a bryn;
daw'r llwybrau troellog yn union,
a'r ffyrdd garw yn llyfn;
6 a bydd pob dyn yn gweld iachawdwriaeth Duw.' "

7 Dywedai wrth y tyrfaoedd oedd yn dod allan i'w bedyddio ganddo: " Chwi epil gwiberod, pwy a'ch rhybuddiodd i ffoi
8 rhag y digofaint sydd i ddod? Dygwch ffrwythau gan hynny a fydd yn deilwng o'ch edifeirwch. Peidiwch â dechrau dweud wrthych eich hunain, ' Y mae gennym Abraham yn dad ', oherwydd 'rwy'n dweud wrthych y gall Duw godi plant i
9 Abraham o'r cerrig hyn. Ac y mae'r fwyell eisoes wrth wraidd y coed; felly, y mae pob coeden nad yw'n dwyn ffrwyth da yn
10 cael ei thorri i lawr a'i bwrw i'r tân." Gofynnai'r tyrfaoedd
11 iddo, " Beth a wnawn ni felly ?" Atebai yntau, " Rhaid i ddyn â chanddo ddau grys eu rhannu â dyn heb yr un crys, a rhaid i
12 ddyn â chanddo fwyd wneud yr un peth." Daeth casglwyr trethi hefyd i'w bedyddio, ac meddent wrtho, " Athro, beth a
13 wnawn ?" Meddai yntau wrthynt, " Peidiwch â mynnu dim
14 mwy na'r swm a bennwyd i chwi." Byddai dynion ar wasanaeth milwrol hefyd yn gofyn iddo, " Beth a wnawn ninnau ?" Meddai wrthynt, " Peidiwch ag ysbeilio neb trwy drais neu gam-gyhuddiad, ond byddwch fodlon ar eich cyflog."

15 Gan fod y bobl yn disgwyl, a phawb yn ystyried yn ei galon
16 tybed ai Ioan oedd y Meseia, dywedodd ef wrth bawb: " Yr wyf fi yn eich bedyddio â dŵr; ond y mae un cryfach na mi yn dod. Nid wyf fi'n deilwng i ddatod carrai ei esgidiau ef.
17 Bydd ef yn eich bedyddio â'r Ysbryd Glân ac â thân. Y mae ei wyntyll yn barod yn ei law, i nithio'n lân yr hyn a ddyrnwyd, ac i gasglu'r gwenith i'w ysgubor. Ond am yr us, bydd yn llosgi

hwnnw â thân anniffoddadwy." Fel hyn, a chyda llawer anogaeth arall hefyd, yr oedd yn cyhoeddi'r newydd da i'r bobl. Ond gan ei fod yn ceryddu'r Tywysog Herod ynglŷn â Herodias, gwraig ei frawd, ac ynglŷn â'i holl weithredoedd drygionus, ychwanegodd Herod ddrygioni arall at y cwbl, a chloi Ioan yng ngharchar. 18 19 20

*Bedydd Iesu*
(Mth 3.13-17; Mc 1.9-11)

Pan oedd yr holl bobl yn cael eu bedyddio, yr oedd Iesu, ar ôl ei fedydd ef, yn gweddïo. Agorwyd y nef, a disgynnodd yr Ysbryd Glân arno mewn ffurf gorfforol fel colomen; a daeth llais o'r nef: "Ti yw fy Mab, yr Anwylyd; ynot ti yr wyf yn ymhyfrydu." 21 22

*Llinach Iesu*
(Mth 1.1-17)

Tua deng mlwydd ar hugain oed oedd Iesu ar ddechrau ei weinidogaeth. Yr oedd yn fab, yn ôl y dybiaeth gyffredin, i Joseff fab Eli, fab Mathat, fab Lefi, fab Melchi, fab Jannai, fab Joseff, fab Matathias, fab Amos, fab Nahum, fab Esli, fab Nagai, fab Maath, fab Matathias, fab Semein, fab Josech, fab Joda, fab Joanan, fab Rhesa, fab Sorobabel, fab Salathiel, fab Neri, fab Melchi, fab Adi, fab Cosam, fab Elmadam, fab Er, fab Iesu, fab Elieser, fab Jorim, fab Mathat, fab Lefi, fab Simeon, fab Jwda, fab Joseff, fab Jonam, fab Eliacim, fab Melea, fab Menna, fab Matatha, fab Nathan, fab Dafydd, fab Jesse, fab Obed, fab Boas, fab Sala, fab Naason, fab Aminadab, fab Admin, fab Arni, fab Hesrom, fab Phares, fab Jwda, fab Jacob, fab Isaac, fab Abraham, fab Tera, fab Nachor, fab Serwch, fab Ragau, fab Phalec, fab Eber, fab Sala, fab Cainan, fab Arffaxad, fab Sem, fab Noa, fab Lamech, fab Mathwsala, fab Enoch, fab Jaret, fab Maleleel, fab Cainan, fab Enos, fab Seth, fab Adda, fab Duw. 23 24 25 26 27 28,29 30 31 32 33 34 35 36 37 38

*Temtiad Iesu*
(Mth 4.1-11; Mc 1.12-13)

Dychwelodd Iesu, yn llawn o'r Ysbryd Glân, o'r Iorddonen, ac arweiniwyd ef gan yr Ysbryd yn yr anialwch am ddeugain diwrnod, a'r diafol yn ei demtio. Ni fwytaodd ddim yn ystod y 4 2

dyddiau hynny, ac ar eu diwedd daeth arno eisiau bwyd.
3 Meddai'r diafol wrtho, " Os Mab Duw wyt ti, dywed wrth y
4 garreg hon am droi'n fara." Atebodd Iesu ef, " Y mae'n
5 ysgrifenedig: 'Nid ar fara yn unig y bydd dyn fyw.' " Yna aeth y diafol ag ef i fyny a dangos iddo ar amrantiad holl
6 deyrnasoedd y byd, a dywedodd wrtho, " I ti y rhof yr holl arglwyddiaeth ar y rhain a'u gogoniant hwy; oherwydd i mi y mae wedi ei thraddodi, ac yr wyf yn ei rhoi i bwy bynnag a
7 fynnaf. Felly, os addoli di fi, dy eiddo di fydd y cyfan."
8 Atebodd Iesu ef, " Y mae'n ysgrifenedig:

'Yr Arglwydd dy Dduw a addoli,
ac ef yn unig a wasanaethi.' "

9 Ond aeth y diafol ag ef i Jerwsalem, a'i osod ar dŵr uchaf y deml, a dweud wrtho, " Os Mab Duw wyt ti, bwrw dy hun i
10 lawr oddi yma; oherwydd y mae'n ysgrifenedig:

'Rhydd orchymyn i'w angylion amdanat,
i'th warchod di rhag pob perygl',

11 a hefyd:

'Fe'th gludant ar eu dwylo,
rhag iti daro dy droed yn erbyn carreg.' "

12 Yna atebodd Iesu ef, " Y mae'r Ysgrythur yn dweud: 'Paid â
13 gosod yr Arglwydd dy Dduw ar ei brawf.' " Ac ar ôl iddo ei demtio ym mhob modd ymadawodd y diafol ag ef, gan aros ei gyfle.

### *Dechrau'r Weinidogaeth yng Ngalilea*
(Mth 4.12-17; Mc 1.14-15)

14 Dychwelodd Iesu yn nerth yr Ysbryd i Galilea. Aeth y sôn
15 amdano ar hyd a lled y gymdogaeth. Yr oedd yn dysgu yn eu synagogau ac yn cael clod gan bawb.

### *Gwrthod Iesu yn Nasareth*
(Mth 13.53-58; Mc 6.1-6)

16 Daeth i Nasareth, lle yr oedd wedi ei fagu. Yn ôl ei arfer aeth i'r synagog ar y dydd Saboth, a chododd i ddarllen.
17 Rhoddwyd iddo lyfr y proffwyd Eseia, ac agorodd y sgrôl a chael y man lle'r oedd yn ysgrifenedig:

18 " Y mae Ysbryd yr Arglwydd arnaf,
oherwydd iddo f'eneinio
i bregethu'r newydd da i dlodion.

Y mae wedi f'anfon i gyhoeddi rhyddhad i garcharorion,
ac adferiad golwg i ddeillion,
i beri i'r gorthrymedig gerdded yn rhydd,
i gyhoeddi blwyddyn ffafr yr Arglwydd." 19

Wedi cau'r sgrôl a'i rhoi yn ôl i'r swyddog, fe eisteddodd; ac 20 yr oedd llygaid pawb yn y synagog yn syllu arno. A'i eiriau 21 cyntaf wrthynt oedd: " Heddiw yn eich clyw chwi y mae'r Ysgrythur hon wedi ei chyflawni." Yr oedd pawb yn ei 22 gymeradwyo ac yn rhyfeddu at y geiriau grasusol oedd yn dod o'i enau ef, gan ddweud, " Onid mab Joseff yw hwn ?" Ac 23 meddai wrthynt, " Diau yr adroddwch wrthyf y ddihareb, ' Feddyg, iachâ dy hun ', a dweud, ' Yr holl bethau y clywsom iddynt ddigwydd yng Nghapernaum, gwna hwy yma hefyd ym mro dy febyd.' " Ond meddai, " Yn wir, 'rwy'n dweud wrth- 24 ych nad oes dim croeso i'r un proffwyd ym mro ei febyd. Ar 25 fy ngwir 'rwy'n dweud wrthych, yr oedd llawer o wragedd gweddw yn Israel yn nyddiau Elias pan gaewyd y ffurfafen am dair blynedd a chwe mis, ac y bu newyn mawr ar yr holl wlad. Ond nid at un ohonynt hwy yr anfonwyd Elias, ond yn hytrach 26 at wraig weddw yn Sarepta yng ngwlad Sidon. Ac yr oedd 27 llawer o wahangleifion yn Israel yn amser y proffwyd Eliseus, ac ni lanhawyd yr un ohonynt hwy, ond yn hytrach Naaman y Syriad." Wrth glywed hyn llanwyd pawb yn y synagog â 28 dicter: codasant, a bwriasant ef allan o'r dref a mynd ag ef hyd 29 at ael y bryn yr oedd eu tref wedi ei hadeiladu arno, i'w luchio o'r clogwyn. Ond aeth ef drwy eu canol hwy, ac ymaith ar ei 30 daith.

*Y Dyn ag Ysbryd Aflan ynddo*
(Mc 1.21-28)

Aeth i lawr i Gapernaum, tref yng Ngalilea, a bu'n dysgu'r 31 bobl ar y Saboth. Yr oeddent yn synnu at yr hyn yr oedd yn ei 32 ddysgu, oherwydd yr oedd ei air yn llawn awdurdod. Yn y 33 synagog yr oedd dyn â chanddo ysbryd cythraul aflan. Gwae- ddodd hwnnw â llais uchel, " Och, beth sydd a fynni di â ni, 34 Iesu o Nasareth ? A wyt ti wedi dod i'n difetha ni ? Mi wn pwy wyt ti—Sanct Duw." Ceryddodd Iesu ef â'r geiriau, 35 " Taw, a dos allan ohono." Lluchiodd y cythraul y dyn i'w canol ac aeth allan ohono heb niweidio dim arno. Aeth pawb 36 yn syn a dechreusant siarad â'i gilydd, gan ddweud, " Pa air

yw hwn? Y mae ef yn gorchymyn yr ysbrydion aflan ag
37 awdurdod ac â nerth, ac y maent yn mynd allan." Yr oedd sôn
amdano yn mynd ar hyd a lled y gymdogaeth.

*Iachâu Llawer*
(Mth 8.14-17; Mc 1.29-34)

38 Ymadawodd Iesu â'r synagog ac aeth i dŷ Simon. Yr oedd
mam-yng-nghyfraith Simon yn dioddef dan dwymyn lem, a
39 deisyfasant ar Iesu ar ei rhan. Safodd ef uwch ei phen a cheryddu'r dwymyn, a gadawodd y dwymyn hi; ac ar unwaith
40 cododd a dechrau gweini arnynt. Ac ar fachlud haul, pawb oedd
â chleifion yn dioddef dan amrywiol afiechydon, daethant â
hwy ato; a gosododd yntau ei ddwylo ar bob un ohonynt a'u
41 hiachâu. Yr oedd cythreuliaid yn ymadael â llawer o bobl gan
floeddio, "Mab Duw wyt ti." Ond eu ceryddu yr oedd ef, a
gwahardd iddynt ddweud gair, am eu bod yn gwybod mai'r
Meseia oedd ef.

*Taith Bregethu*
(Mc 1.35-39)

42 Pan ddaeth hi'n ddydd aeth allan a theithio i le unig. Yr oedd
y tyrfaoedd yn chwilio amdano, a daethant hyd ato a cheisio ei
43 rwystro rhag mynd ymaith oddi wrthynt. Ond dywedodd ef
wrthynt, "Y mae'n rhaid imi gyhoeddi'r newydd da am
deyrnas Dduw i'r trefi eraill yn ogystal, oherwydd i hynny y'm
44 hanfonwyd i." Ac yr oedd yn pregethu yn synagogau Jwdea.

*Galw'r Disgyblion Cyntaf*
(Mth 4.18-22; Mc 1.16-20)

**5** Unwaith pan oedd y dyrfa'n gwasgu ato ac yn gwrando ar air
2 Duw, ac ef ei hun yn sefyll ar lan Llyn Genesaret, gwelodd
ddau gwch yn sefyll wrth y lan. Yr oedd y pysgotwyr wedi dod
3 allan ohonynt, ac yr oeddent yn golchi eu rhwydau. Aeth ef i
mewn i un o'r cychod, eiddo Simon, a gofyn iddo wthio allan
ychydig o'r tir; yna eisteddodd, a dechrau dysgu'r tyrfaoedd
4 o'r cwch. Pan orffennodd lefaru dywedodd wrth Simon, "Dos
allan i'r dŵr dwfn, a gollyngwch eich rhwydau am ddalfa."
5 Atebodd Simon, "Meistr, drwy gydol y nos buom yn llafurio
heb ddal dim, ond ar dy air di mi ollyngaf y rhwydau."

Gwnaethant hyn, a daliasant nifer enfawr o bysgod, nes bod eu rhwydau bron â rhwygo. Amneidiasant ar eu partneriaid yn y cwch arall i ddod i'w cynorthwyo. Daethant hwy, a llwythasant y ddau gwch nes eu bod ar suddo. Pan welodd Simon Pedr hyn syrthiodd wrth liniau Iesu gan ddweud, " Dos ymaith oddi wrthyf, oherwydd dyn pechadurus wyf fi, Arglwydd." Yr oedd ef, a phawb oedd gydag ef, wedi eu syfrdanu o weld y llwyth pysgod yr oeddent wedi eu dal; a'r un modd Iago ac Ioan, meibion Sebedeus, oedd yn bartneriaid i Simon. Ac meddai Iesu wrth Simon, " Paid ag ofni; o hyn allan dal dynion y byddi di." Yna daethant â'r cychod yn ôl i'r lan, a gadael popeth, a'i ganlyn ef. 6 7 8 9 10 11

### *Glanhau Dyn Gwahanglwyfus*
(Mth 8.1-4; Mc 1.40-45)

Pan oedd Iesu yn un o'r trefi, dyma ddyn yn llawn o'r gwahanglwyf yn ei weld ac yn syrthio ar ei wyneb ac yn ymbil arno, " Syr, os mynni, gelli fy nglanhau." Estynnodd Iesu ei law a chyffwrdd ag ef gan ddweud, " Yr wyf yn mynnu, glanhaer di." Ac ymadawodd y gwahanglwyf ag ef ar unwaith. Gorchmynnodd Iesu iddo beidio â dweud wrth neb: " Dos ymaith," meddai, " a dangos dy hun i'r offeiriad, ac offryma dros dy lanhad fel y gorchmynnodd Moses, yn dystiolaeth i'r bobl." Ond yr oedd y sôn amdano yn ymledu fwyfwy, ac yr oedd tyrfaoedd lawer yn ymgynnull i wrando ac i gael eu hiacháu oddi wrth eu clefydau. Ond byddai ef yn encilio i'r mannau unig ac yn gweddïo. 12 13 14 15 16

### *Iacháu Dyn wedi ei Barlysu*
(Mth 9.1-8; Mc 2.1-12)

Un diwrnod yr oedd ef yn dysgu, ac yn eistedd yno yr oedd Phariseaid ac athrawon y Gyfraith oedd wedi dod o bob pentref yng Ngalilea ac o Jwdea ac o Jerwsalem; ac yr oedd nerth yr Arglwydd gydag ef i iacháu. A dyma wŷr yn cario ar wely ddyn wedi ei barlysu; ceisio yr oeddent ddod ag ef i mewn a'i osod o flaen Iesu. Wedi methu cael ffordd i ddod ag ef i mewn oherwydd y dyrfa, dringasant ar y to a'i ollwng drwy'r priddlechi, ynghyd â'i fatras, i'r canol o flaen Iesu. Wrth weld eu ffydd hwy dywedodd ef, " Ddyn, y mae dy bechodau wedi eu maddau 17 18 19 20

21 iti." A dechreuodd yr ysgrifenyddion a'r Phariseaid feddwl, " Pwy yw hwn sy'n llefaru cabledd ? Pwy ond Duw yn unig a
22 all faddau pechodau ? " Ond synhwyrodd Iesu eu meddyliau, ac meddai wrthynt, " Pam yr ydych yn dadlau ynoch eich
23 hunain ? Prun sydd hawsaf, ai dweud, ' Y mae dy bechodau
24 wedi eu maddau iti ', ai ynteu dweud, ' Cod a cherdda ' ? Ond er mwyn i chwi wybod fod gan Fab y Dyn hawl ar y ddaear i faddau pechodau "—meddai wrth y claf, " Dyma fi'n dweud
25 wrthyt, cod a chymer dy fatras a dos adref." Ac ar unwaith cododd yntau yn eu gŵydd, cymerodd y fatras y bu'n gorwedd
26 arni, ac aeth adref gan ogoneddu Duw. Daeth syndod dros bawb a dechreusant ogoneddu Duw; llanwyd hwy ag ofn, ac meddent, " Yr ydym wedi gweld pethau anhygoel heddiw."

### *Galw Lefi*
(Mth 9.9-13; Mc 2.13-17)

27 Wedi hyn aeth allan ac edrychodd ar gasglwr trethi o'r enw Lefi, oedd yn eistedd wrth y dollfa, ac meddai wrtho, " Canlyn
28,29 fi." A chan adael popeth cododd yntau a'i ganlyn. Yna gwnaeth Lefi wledd fawr iddo yn ei dŷ; ac yr oedd tyrfa
30 niferus o gasglwyr trethi ac eraill yn cydfwyta gyda hwy. Yr oedd y Phariseaid a'u hysgrifenyddion yn grwgnach wrth ei ddisgyblion gan ddweud, " Pam yr ydych yn bwyta ac yn yfed
31 gyda chasglwyr trethi a phechaduriaid ? " Atebodd Iesu hwy,
32 " Nid ar rai iach, ond ar y cleifion y mae angen meddyg; i alw pechaduriaid i edifeirwch, nid rhai cyfiawn, yr wyf fi wedi dod."

### *Holi ynglŷn ag Ymprydio*
(Mth 9.14-17; Mc 2.18-22)

33 Ond meddent hwythau wrtho, " Y mae disgyblion Ioan yn ymprydio yn aml ac yn adrodd eu gweddïau, a rhai'r Phariseaid yr un modd, ond bwyta ac yfed y mae dy ddisgyblion di."
34 Meddai Iesu wrthynt, " A allwch wneud i westeion priodas
35 ymprydio tra bydd y priodfab gyda hwy ? Ond fe ddaw dyddiau pan ddygir y priodfab oddi wrthynt; yna fe ymprydiant yn
36 y dyddiau hynny." Adroddodd hefyd ddameg wrthynt: " Ni fydd neb yn rhwygo clwt allan o ddilledyn newydd a'i roi ar hen ddilledyn; os gwna, nid yn unig fe fydd yn rhwygo'r newydd, ond ni fydd y clwt o'r newydd yn gweddu i'r hen.

Ac ni fydd neb yn tywallt gwin newydd i hen grwyn; os gwna, 37 bydd y gwin newydd yn rhwygo'r crwyn, a heblaw sarnu'r gwin fe ddifethir y crwyn. I grwyn newydd y mae tywallt gwin 38 newydd. Ac ni fydd neb sydd wedi yfed hen win yn dymuno 39 gwin newydd; oherwydd y mae'n dweud, 'Yr hen sydd dda.'"

*Tynnu Tywysennau ar y Saboth*
(Mth 12.1-8; Mc 2.23-28)

Un Saboth yr oedd yn mynd trwy gaeau ŷd, ac yr oedd ei **6** ddisgyblion yn tynnu tywysennau ac yn eu bwyta, gan eu rhwbio yn eu dwylo. Ond dywedodd rhai o'r Phariseaid, 2 "Pam yr ydych yn gwneud peth sy'n groes i'r Gyfraith ar y Saboth?" Atebodd Iesu hwy, "Onid ydych wedi darllen am 3 y peth hwnnw a wnaeth Dafydd pan oedd eisiau bwyd arno ef a'r rhai oedd gydag ef? Sut yr aeth i mewn i dŷ Duw a 4 chymryd y torthau cysegredig a'u bwyta a'u rhoi i'r rhai oedd gydag ef, torthau nad yw'n gyfreithlon i neb eu bwyta ond yr offeiriaid yn unig?" Ac meddai wrthynt, "Y mae Mab y Dyn 5 yn arglwydd ar y Saboth."

*Y Dyn â'r Llaw Ddiffrwyth*
(Mth 12.9-14; Mc 3.1-6)

Ar Saboth arall aeth i mewn i'r synagog a dysgu. Yr oedd 6 yno ddyn â'i law dde yn ddiffrwyth. Yr oedd yr ysgrifenyddion 7 a'r Phariseaid â'u llygaid arno i weld a oedd yn iacháu ar y Saboth, er mwyn cael hyd i gyhuddiad yn ei erbyn. Ond yr 8 oedd ef yn deall eu meddyliau, ac meddai wrth y dyn â'r llaw ddiffrwyth, "Cod a saf yn y canol"; a chododd yntau ar ei draed. Meddai Iesu wrthynt, "Yr wyf yn gofyn i chwi, a yw'n 9 gyfreithlon gwneud da ar y Saboth, ynteu gwneud drwg, achub bywyd, ynteu ei ddifetha?" Yna edrychodd o gwmpas arnynt 10 oll; dywedodd wrth y dyn, "Estyn dy law." Estynnodd yntau hi, a gwnaed ei law yn iach. Ond llanwyd hwy â gorffwylledd, 11 a dechreusant drafod â'i gilydd beth i'w wneud i Iesu.

*Dewis y Deuddeg*
(Mth 10.1-4; Mc 3.13-19)

Un o'r dyddiau hynny aeth allan i'r mynydd i weddïo, a bu 12 ar hyd y nos yn gweddïo ar Dduw. Pan ddaeth hi'n ddydd 13

galwodd ei ddisgyblion ato. Dewisodd o'u plith ddeuddeg, a
14 rhoi'r enw apostolion iddynt: Simon, a enwodd hefyd yn Pedr;
15 Andreas ei frawd; Iago, Ioan, Philip a Bartholomeus; Mathew,
16 Thomas, Iago fab Alffeus, a Simon, a elwid y Selot; Jwdas
fab Iago, a Jwdas Iscariot, a droes yn fradwr.

### *Gweinidogaethu i Dyrfa Fawr*
(Mth 4.23-25)

17 Aeth i lawr gyda hwy a sefyll ar dir gwastad, gyda thyrfa
fawr o'i ddisgyblion, a llu niferus o bobl o Jwdea gyfan a
18 Jerwsalem ac o arfordir Tyrus a Sidon, oedd wedi dod i wrando
arno ac i'w hiacháu o'u clefydau; yr oedd y rhai a flinid gan
19 ysbrydion aflan hefyd yn cael eu gwella. Ac yr oedd yr holl
dyrfa'n ceisio cyffwrdd ag ef, oherwydd yr oedd nerth yn mynd
allan ohono ac yn iacháu pawb.

### *Gwynfydau a Gwaeau*
(Mth 5.1-12)

20 Yna cododd ef ei lygaid ar ei ddisgyblion a dweud:
"Gwyn eich byd chwi'r tlodion,
oherwydd eiddoch chwi yw teyrnas Dduw.
21 Gwyn eich byd chwi sydd yn awr yn newynog,
oherwydd cewch eich digon.
Gwyn eich byd chwi sydd yn awr yn wylo,
oherwydd cewch chwerthin.
22 Gwyn eich byd pan fydd dynion yn eich casáu a'ch ysgymuno
a'ch gwaradwyddo, a dirmygu eich enw fel peth drwg, o achos
23 Mab y Dyn. Byddwch lawen y dydd hwnnw a llamwch o
orfoledd, oherwydd, ystyriwch, y mae eich gwobr yn fawr yn y
nef. Oherwydd felly'n union y gwnaeth eu tadau i'r proffwydi.
24 "Ond gwae chwi'r cyfoethogion,
oherwydd yr ydych wedi cael eich diddanwch.
25 Gwae chwi sydd yn awr wedi eich llenwi,
oherwydd daw arnoch newyn.
Gwae chwi sydd yn awr yn chwerthin,
oherwydd cewch ofid a dagrau.
26 Gwae chwi pan fydd pob dyn yn eich canmol, oherwydd felly'n
union y gwnaeth eu tadau i'r gau-broffwydi.

*Caru Gelynion*
(Mth 5.38-48; 7.12a)

" Ond wrthych chwi sy'n gwrando 'rwy'n dweud: carwch 27 eich gelynion, gwnewch ddaioni i'r rhai sy'n eich casáu, ben- 28 dithiwch y rhai sy'n eich melltithio, gweddïwch dros y rhai sy'n eich cam-drin. Pan fydd dyn yn dy daro di ar dy foch, cynigia'r 29 llall iddo hefyd; pan fydd dyn yn cymryd dy fantell, paid â'i rwystro rhag cymryd dy grys hefyd. Rho i bawb sy'n gofyn 30 gennyt, ac os bydd rhywun yn cymryd dy eiddo, paid â gofyn amdano'n ôl. Fel y dymunwch i ddynion wneud i chwi, 31 gwnewch chwithau yr un fath iddynt hwy. Os ydych yn caru'r 32 rhai sy'n eich caru chwi, pa ddiolch fydd i chwi ? Y mae hyd yn oed y pechaduriaid yn caru'r rhai sy'n eu caru hwy. Ac os 33 gwnewch ddaioni i'r rhai sy'n gwneud daioni i chwi, pa ddiolch fydd i chwi ? Y mae hyd yn oed y pechaduriaid yn gwneud cymaint â hynny. Os rhowch fenthyg i'r rhai yr ydych yn 34 disgwyl derbyn ganddynt, pa ddiolch fydd i chwi ? Y mae hyd yn oed bechaduriaid yn rhoi benthyg i bechaduriaid dim ond iddynt gael yr un faint yn ôl. Nage, carwch eich gelynion a 35 gwnewch ddaioni a rhowch fenthyg heb ddisgwyl dim yn ôl.* Bydd eich gwobr yn fawr a byddwch yn feibion y Goruchaf, oherwydd y mae ef yn garedig wrth yr anniolchgar a'r drygionus. Byddwch yn drugarog fel y mae eich Tad yn drugarog. 36

*Barnu Eraill*
(Mth 7.1-5)

" Peidiwch â barnu, ac ni chewch eich barnu. Peidiwch â 37 chondemnio, ac ni chewch eich condemnio. Maddeuwch, ac fe faddeuir i chwi. Rhowch, ac fe roir i chwi; rhoir yn eich côl 38 fesur da, wedi ei wasgu i lawr a'i ysgwyd ynghyd nes gorlifo; oherwydd â'r mesur y rhowch y rhoir i chwi yn ôl." Adrodd- 39 odd hefyd ddameg wrthynt: " A fedr dyn dall arwain dyn dall? Onid syrthio i bydew a wna'r ddau ? Nid yw disgybl yn well 40 na'i athro: ond wedi ei lwyr gymhwyso bydd pob un fel ei athro. Pam yr wyt yn edrych ar y brycheuyn sydd yn llygad 41 dy frawd, a thithau heb sylwi ar y trawst sydd yn dy lygad dy hun ? Sut y gelli ddweud wrth dy frawd, ' Frawd, gad imi 42

*adn. 35: yn ôl darlleniad arall, *heb anobeithio am neb.*

dynnu allan y brycheuyn sydd yn dy lygad di ', a thi dy hun heb weld y trawst sydd yn dy lygad di ? Ragrithiwr, yn gyntaf tyn y trawst allan o'th lygad dy hun, ac yna fe weli yn ddigon eglur i dynnu'r brycheuyn sydd yn llygad dy frawd.

*Adnabod Coeden wrth ei Ffrwyth*
(Mth 7.17-20; 12.34b-35)

43 " Oherwydd nid yw coeden dda yn dwyn ffrwyth gwael, ac
44 nid yw coeden wael chwaith yn dwyn ffrwyth da. Wrth ei ffrwyth ei hun y mae pob coeden yn cael ei hadnabod; nid ar ddrain y mae casglu ffigys, ac nid ar lwyni mieri y mae pigo
45 grawnwin. Y mae'r dyn da yn dwyn daioni o drysor daionus ei galon, a'r dyn drwg yn dwyn drygioni o'i ddrygioni; oherwydd yn ôl yr hyn sy'n llenwi ei galon y mae ei enau yn llefaru.

*Y Ddwy Sylfaen*
(Mth 7.24-27)

46 " Pam yr ydych yn galw ' Arglwydd, Arglwydd ' arnaf, a heb
47 wneud yr hyn yr wyf yn ei ofyn ? Pob un sy'n dod ataf ac yn gwrando ar fy ngeiriau ac yn eu gwneud, dangosaf i chwi i bwy
48 y mae'n debyg: y mae'n debyg i ddyn yn adeiladu tŷ ac wedi cloddio yn ddwfn a gosod sylfaen ar y graig; a phan ddaeth llifogydd, ffrwydrodd yr afon yn erbyn y tŷ hwnnw, ond ni
49 allodd ei syflyd, gan iddo gael ei adeiladu yn gadarn. Ond y mae'r dyn sy'n clywed ond heb wneud yn debyg i ddyn a adeiladodd dŷ ar bridd, heb sylfaen; ffrwydrodd yr afon yn ei erbyn a chwalodd y tŷ hwnnw ar unwaith, a dirfawr fu ei gwymp."

*Iacháu Gwas Canwriad*
(Mth 8.5-13; In 4.43-54)

**7** Wedi iddo orffen llefaru'r holl eiriau hyn wrth y bobl aeth i
2 mewn i Gapernaum. Yr oedd canwriad ag iddo was, gwerth-
3 fawr yn ei olwg, oedd yn glaf ac ar fin marw. Pan glywodd y canwriad am Iesu anfonodd ato henuriaid o Iddewon, i ofyn
4 iddo ddod ac achub bywyd ei was. Daethant hwy at Iesu ac ymbil yn daer arno: " Y mae'n haeddu iti wneud hyn drosto,
5 oherwydd y mae'n caru ein cenedl, ac ef a adeiladodd ein
6 synagog i ni." Pan oedd Iesu ar ei ffordd gyda hwy ac eisoes heb fod ymhell o'r tŷ, anfonodd y canwriad rai o'i gyfeillion i

ddweud wrtho, " Paid â thrafferthu, Syr, oherwydd nid wyf yn deilwng i ti ddod dan fy nho. Am hynny bernais nad oeddwn 7 i fy hun yn deilwng i ddod atat; ond dywed air, a chaffed* fy ngwas ei iacháu. Oherwydd dyn sy'n cael ei osod dan awdurdod 8 wyf finnau, â chennyf filwyr danaf; byddaf yn dweud wrth hwn, ' Dos ', ac fe â, ac wrth un arall, ' Tyrd ', ac fe ddaw, ac wrth fy ngwas, ' Gwna hyn ', ac fe'i gwna." Pan glywodd Iesu hyn 9 fe ryfeddodd at y dyn, a chan droi at y dyrfa oedd yn ei ddilyn meddai, "'Rwy'n dweud wrthych, ni chefais hyd yn oed yn Israel ffydd mor fawr." Ac wedi i'r rhai a anfonwyd ddychwel- 10 yd i'r tŷ, cawsant y gwas yn holliach.

### *Cyfodi Mab y Weddw yn Nain*

Yn fuan wedyn aeth Iesu i dref a elwir Nain. Gydag ef ar y 11 daith yr oedd ei ddisgyblion a thyrfa fawr. Pan gyrhaeddodd yn 12 agos at borth y dref, dyma gynhebrwng yn dod allan; unig fab ei fam oedd y marw, a hithau'n wraig weddw. Yr oedd tyrfa niferus o'r dref gyda hi. Pan welodd yr Arglwydd hi, tostur- 13 iodd wrthi a dweud, " Paid ag wylo." Yna aeth ymlaen a 14 chyffwrdd â'r elor. Safodd y cludwyr, ac meddai ef, " Fy machgen, 'rwy'n dweud wrthyt, cod." Cododd y marw ar ei 15 eistedd a dechrau siarad, a rhoes Iesu ef i'w fam. Cydiodd 16 ofn ym mhawb a dechreusant ogoneddu Duw, gan ddweud, " Y mae proffwyd mawr wedi codi yn ein plith ", ac, " Y mae Duw wedi ymweld â'i bobl." Ac aeth yr hanes hwn amdano 17 drwy Jwdea gyfan a'r holl gymdogaeth.

### *Negesyddion Ioan Fedyddiwr*
(Mth 11.2-19)

Rhoes disgyblion Ioan adroddiad iddo ynglŷn â hyn oll. 18 Galwodd yntau ddau o'i ddisgyblion ato a'u hanfon at yr 19 Arglwydd, gan ofyn, " Ai ti yw'r hwn sydd i ddod, ai am rywun arall yr ydym i ddisgwyl ? " Daeth y dynion ato a 20 dweud, " Anfonodd Ioan Fedyddiwr ni atat, gan ofyn, 'Ai ti yw'r hwn sydd i ddod, ai am rywun arall yr ydym i ddisgwyl?' " Y pryd hwnnw iachaodd ef lawer o afael afiechydon a phlâu ac 21 ysbrydion drwg, a rhoes eu golwg i lawer o ddeillion. Ac ateb- 22 odd ef hwy, " Ewch a dywedwch wrth Ioan yr hyn yr ydych

---

*adn. 7: yn ôl darlleniad arall, *a chaiff*.

wedi ei weld ac wedi ei glywed. Y mae'r deillion yn cael eu golwg yn ôl, y cloffion yn cerdded, y gwahangleifion yn cael eu glanhau a'r byddariaid yn clywed, y meirw yn codi, y tlodion
23 yn cael clywed y newydd da. Gwyn ei fyd y sawl na ddaw
24 cwymp iddo o'm hachos i." Wedi i negesyddion Ioan ymadael, dechreuodd Iesu sôn am Ioan wrth y tyrfaoedd. "Beth yr aethoch allan i'r anialwch i edrych arno ? Ai brwynen yn siglo
25 yn y gwynt ? Beth yr aethoch allan i'w weld ? Ai dyn wedi ei wisgo mewn dillad esmwyth ? Ym mhlasau brenhinoedd y
26 mae gweld dynion moethus mewn dillad ysblennydd. Beth yr aethoch allan i'w weld ? Ai proffwyd ? Ie, meddaf wrthych,
27 a mwy na phroffwyd. Dyma'r un y mae'n ysgrifenedig amdano:

'Wele fi'n anfon fy nghennad o'th flaen,
i baratoi'r ffordd ar dy gyfer.'

28 'Rwy'n dweud wrthych, nid oes ymhlith meibion gwragedd neb mwy na Ioan; ac eto y mae'r lleiaf yn nheyrnas Dduw yn
29 fwy nag ef." (A chydnabod cyfiawnder Duw a wnaeth yr holl bobl a glywodd, a'r casglwyr trethi hefyd, oherwydd yr oedd-
30 ent wedi derbyn bedydd Ioan; ond troi heibio fwriad Duw ar eu cyfer a wnaeth y Phariseaid ac athrawon y Gyfraith, oherwydd yr oeddent hwy wedi gwrthod cael eu bedyddio ganddo.)
31 "Â phwy gan hynny y cymharaf ddynion y genhedlaeth hon?
32 I bwy y maent yn debyg ? Y maent yn debyg i'r plant sy'n eistedd yn y farchnad ac yn galw ar ei gilydd:

'Canasom ffliwt i chwi, ac ni ddawnsiasoch ;
canasom alarnad, ac nid wylasoch.'

33 Oherwydd y mae Ioan Fedyddiwr wedi dod, un nad yw'n bwyta bara nac yn yfed gwin, ac yr ydych yn dweud, 'Y mae
34 cythraul ynddo.' Y mae Mab y Dyn wedi dod, un sy'n bwyta ac yn yfed, ac yr ydych yn dweud, 'Dyma feddwyn glwth,
35 cyfaill i gasglwyr trethi a phechaduriaid.' Ac eto profir gan bawb o'i phlant fod doethineb Duw yn iawn."

## *Maddau i Wraig Bechadurus*

36 Gwahoddodd un o'r Phariseaid Iesu i bryd o fwyd gydag ef.
37 Aeth ef i dŷ'r Pharisead a chymryd ei le wrth y bwrdd. A dyma wraig o'r dref oedd yn bechadures yn dod i wybod ei fod yn cael bwyd yn nhŷ'r Pharisead. Daeth â ffiol alabaster o ennaint
38 a sefyll y tu ôl iddo wrth ei draed gan wylo. Yna dechreuodd wlychu ei draed â'i dagrau a'u sychu â gwallt ei phen; ac yr

oedd yn cusanu ei draed ac yn eu hiro â'r ennaint. Pan welodd 39 hyn dywedodd y Pharisead oedd wedi ei wahodd wrtho'i hun, "Pe bai'r dyn yma'n broffwyd, byddai'n gwybod pwy yw'r wraig sy'n cyffwrdd ag ef a sut un yw hi. Pechadures yw hi." Atebodd Iesu ef, "Simon, y mae gennyf rywbeth i'w ddweud 40 wrthyt." Meddai yntau, "Dywed, Athro." "Yr oedd gan fen- 41 thyciwr arian ddau ddyledwr," meddai Iesu. "Hanner can punt oedd dyled un, a phum punt oedd ar y llall. Gan nad oeddent 42 yn gallu talu'n ôl, diddymodd y benthyciwr eu dyled i'r ddau. Prun ohonynt, gan hynny, fydd yn ei garu fwyaf?" Atebodd 43 Simon, "Fe dybiwn i mai'r un y diddymwyd y ddyled fwyaf iddo." "Bernaist yn gywir," meddai ef wrtho. A chan droi at 44 y wraig, meddai wrth Simon, "A weli di'r wraig hon? Deuthum i mewn i'th dŷ, ac ni roddaist ddŵr imi at fy nhraed; ond hon, gwlychodd hi fy nhraed â'i dagrau a'u sychu â'i gwallt. Ni roddaist gusan imi; ond nid yw hon wedi peidio â chusanu 45 fy nhraed byth er pan ddeuthum i mewn. Nid iraist fy mhen 46 ag olew; ond irodd hon fy nhraed ag ennaint. Am hynny, 47 'rwy'n dweud wrthyt, y mae ei phechodau, er cynifer ydynt, wedi eu maddau; oherwydd y mae ei chariad yn fawr. Yr hwn y mae ychydig wedi ei faddau iddo, ychydig yw ei gariad." Ac wrth y wraig meddai, "Y mae dy bechodau wedi eu madd- 48 au." Yna dechreuodd y gwesteion eraill ddweud wrthynt eu 49 hunain, "Pwy yw hwn sydd hyd yn oed yn maddau pechodau?" Ac meddai ef wrth y wraig, "Dy ffydd sydd wedi dy achub di; 50 dos mewn tangnefedd."

*Gwragedd yn Cyd-deithio â Iesu*

Wedi hynny bu ef yn teithio trwy dref a phentref gan **8** bregethu a chyhoeddi'r newydd da am deyrnas Dduw. Yr oedd y Deuddeg gydag ef, ynghyd â rhai gwragedd oedd wedi eu 2 hiacháu oddi wrth ysbrydion drwg ac afiechydon: Mair a elwid Magdalen, yr un yr oedd saith cythraul wedi dod allan ohoni; Joanna gwraig Chwsa, goruchwyliwr Herod; Swsanna, a llawer 3 eraill; yr oedd y rhain yn gweini arnynt o'u hadnoddau eu hunain.

*Dameg yr Heuwr*
(Mth 13.1-9; Mc 4.1-9)

Yr oedd tyrfa fawr yn ymgynnull, a phobl o bob tref yn dod 4 ato. Dywedodd ef ar ddameg: "Aeth heuwr allan i hau ei had. 5

Wrth iddo hau, syrthiodd peth had ar hyd y llwybr; sathrwyd
6 arno, a bwytaodd adar yr awyr ef. Syrthiodd peth arall ar y
graig; tyfodd, ond gwywodd am nad oedd iddo wlybaniaeth.
7 Syrthiodd peth arall i ganol y drain; tyfodd y drain gydag ef
8 a'i dagu. A syrthiodd peth arall ar dir da; tyfodd, a chnydiodd
hyd ganwaith cymaint." Wrth ddweud hyn fe waeddodd,
"Yr hwn sydd ganddo glustiau i wrando, gwrandawed."

*Pwrpas y Damhegion*
(Mth 13.10-17; Mc 4.10-12)

9 Gofynnodd ei ddisgyblion iddo beth oedd ystyr y ddameg
10 hon. Meddai ef, "I chwi y mae gwybod cyfrinachau teyrnas
Dduw wedi ei roi, ond i bawb arall y maent ar ddamhegion, fel

'er edrych, na welant,
ac er gwrando, na ddeallant'.

*Egluro Dameg yr Heuwr*
(Mth 13.18-23; Mc 4.13-20)

11,12 "Dyma ystyr y ddameg. Yr had yw gair Duw. Y rhai ar
hyd y llwybr yw'r sawl sy'n clywed, ac yna daw'r diafol a chip-
13 io'r gair o'u calonnau, rhag iddynt gredu a chael eu hachub. Y
rhai ar y graig yw'r sawl sydd, pan glywant, yn croesawu'r gair
yn llawen. Ond gan y rhain nid oes gwreiddyn; dros dro y
14 credant, ac mewn awr o brawf fe wrthgiliant. Yr hyn a syrth-
iodd ymhlith y drain, dyma'r sawl sy'n clywed, ond wrth iddynt
fynd ar eu hynt cânt eu tagu gan ofalon a golud a phleserau
15 bywyd, ac ni ddygant eu ffrwyth i aeddfedrwydd. Ond hwnnw
yn y tir da, dyna'r sawl sy'n clywed y gair â chalon dda rinwedd-
ol, ac yn dal eu gafael ynddo a dwyn ffrwyth trwy ddyfalbarhad.

*Goleuni dan Lestr*
(Mc 4.21-25)

16 "Ni bydd neb yn cynnau cannwyll a'i chuddio â llestr neu ei
dodi dan y gwely. Nage, ar ganhwyllbren y dodir hi, er mwyn
17 i'r rhai sy'n dod i mewn weld ei goleuni. Oherwydd nid oes
dim yn guddiedig na ddaw'n amlwg, na dim dan gêl na cheir ei
18 wybod ac na ddaw i'r amlwg. Ystyriwch gan hynny sut yr
ydych yn gwrando, oherwydd i bwy bynnag y mae ganddo y
rhoir, ac oddi ar yr hwn nad oes ganddo y cymerir hyd yn oed
hynny y mae ef yn tybio ei fod ganddo."

### *Mam a Brodyr Iesu*
(Mth 12.46-50; Mc 3.31-35)

Daeth ei fam a'i frodyr i edrych amdano, ond ni allent 19 gyrraedd ato o achos y dyrfa. Hysbyswyd ef, " Y mae dy fam 20 a'th frodyr yn sefyll y tu allan ac yn dymuno dy weld." Ateb- 21 odd yntau hwy, " Fy mam a'm brodyr i yw'r rhain sy'n gwrando ar air Duw ac yn ei weithredu."

### *Gostegu Storm*
(Mth 8.23-27; Mc 4.35-41)

Un diwrnod, aeth ef i mewn i gwch, a'i ddisgyblion hefyd, 22 ac meddai wrthynt, " Awn drosodd i ochr draw'r llyn", a hwyliasant ymaith. Tra oeddent ar y dŵr, aeth Iesu i gysgu. 23 A disgynnodd tymestl o wynt ar y llyn; yr oedd y cwch yn llenwi, a hwythau mewn perygl. Aethant ato a'i ddeffro, a 24 dweud, " Meistr, meistr, mae hi ar ben arnom !" Deffrôdd ef, a cheryddodd y gwynt a'r dyfroedd tymhestlog; darfu'r dymestl a bu tawelwch. Yna meddai wrthynt, " Ble mae eich 25 ffydd ?" Daeth ofn a syndod arnynt, ac meddent wrth ei gilydd, " Pwy ynteu yw hwn ? Y mae'n gorchymyn hyd yn oed y gwyntoedd a'r dyfroedd, a hwythau'n ufuddhau iddo."

### *Iachâu'r Dyn Gwallgo yng Ngergesa*
(Mth 8.28-34; Mc 5.1-20)

Daethant i'r lan i wlad y Gergeseniaid,* sydd gyferbyn â 26 Galilea. Pan laniodd ef, daeth i'w gyfarfod ddyn o'r dref â 27 chythreuliaid ynddo. Ers amser maith nid oedd wedi gwisgo dilledyn, ac nid mewn tŷ yr oedd yn byw ond ymhlith y beddau. Pan welodd ef Iesu, rhoes floedd a syrthio o'i flaen, gan weiddi 28 â llais uchel, " Beth sydd a fynni di â mi, Iesu Fab y Duw Goruchaf ? Yr wyf yn erfyn arnat, paid â'm poenydio." Oherwydd yr oedd ef wedi gorchymyn i'r ysbryd aflan fynd 29 allan o'r dyn. Aml i dro yr oedd yr ysbryd wedi cydio ynddo, ac er ei rwymo â chadwynau a llyffetheiriau a'i warchod, bydd-ai'n dryllio'r rhwymau, a'r cythraul yn ei yrru i'r unigeddau. Yna gofynnodd Iesu iddo, " Beth yw dy enw ?" " Lleng," 30 meddai yntau, oherwydd yr oedd llawer o gythreuliaid wedi

---

*adn. 26: yn ôl darlleniadau eraill, *Geraseniaid* neu *Gadareniaid*.

31 mynd i mewn iddo. Yr oeddent yn ymbil ar Iesu beidio â gorchymyn iddynt fynd ymaith i'r pwll diwaelod.

32 Yr oedd yno genfaint fawr o foch yn pori ar y mynydd. Ymbiliodd y cythreuliaid arno ganiatáu iddynt fynd i mewn i'r 33 moch; ac fe ganiataodd iddynt. Aeth y cythreuliaid allan o'r dyn ac i mewn i'r moch, a rhuthrodd y genfaint dros y dibyn i'r 34 llyn a boddi. Pan welodd bugeiliaid y moch beth oedd wedi digwydd fe ffoesant, ac adrodd yr hanes yn y dref ac yn y wlad. 35 Daeth pobl allan i weld beth oedd wedi digwydd. Daethant at Iesu, a chael y dyn yr oedd y cythreuliaid wedi mynd allan ohono yn eistedd wrth draed Iesu, â'i ddillad amdano ac yn ei 36 iawn bwyll; a daeth arnynt ofn. Adroddwyd yr hanes wrthynt gan y rhai oedd wedi gweld sut yr iachawyd y dyn oedd wedi 37 bod ym meddiant y cythreuliaid. Yna gofynnodd holl boblogaeth gwlad y Gergeseniaid* iddo fynd ymaith oddi wrthynt, am fod ofn mawr wedi cydio ynddynt; ac aeth ef i mewn i'r 38 cwch i ddychwelyd. Yr oedd y dyn yr oedd y cythreuliaid wedi mynd allan ohono yn erfyn am gael bod gydag ef; ond 39 anfonodd Iesu ef yn ei ôl, gan ddweud, "Dychwel adref, ac adrodd gymaint y mae Duw wedi ei wneud drosot." Ac aeth ef ymaith trwy'r holl dref gan gyhoeddi gymaint yr oedd Iesu wedi ei wneud drosto.

## *Merch Jairus, a'r Wraig a Gyffyrddodd â Mantell Iesu*
(Mth 9.18-26; Mc 5.21-43)

40 Pan ddychwelodd Iesu croesawyd ef gan y dyrfa, oherwydd 41 yr oedd pawb yn disgwyl amdano. A dyma ddyn o'r enw Jairus yn dod, ac yr oedd ef yn arweinydd yn y synagog; syrthiodd 42 hwn wrth draed Iesu ac ymbil arno ddod i'w gartref, am fod ganddo unig ferch, ynghylch deuddeng mlwydd oed, a'i bod hi yn marw.

43 Tra oedd ef ar ei ffordd yr oedd y tyrfaoedd yn ei lethu. Yr oedd yno wraig ag arni waedlif ers deuddeng mlynedd. Er iddi wario ar feddygon y cwbl oedd ganddi i fyw arno, nid oedd wedi 44 llwyddo i gael gwellhad gan neb. Daeth hon ato o'r tu ôl a chyffwrdd ag ymyl ei fantell; ar unwaith peidiodd llif ei gwaed 45 hi. Ac meddai Iesu, "Pwy gyffyrddodd â mi?" Gwadodd pawb, ac meddai Pedr, "Meistr, y tyrfaoedd sy'n pwyso ac yn

---

*adn. 37: yn ôl darlleniadau eraill, *Geraseniaid* neu *Gadareniaid*.

gwasgu arnat." Ond meddai Iesu, " Fe gyffyrddodd rhywun 46
â mi, oherwydd fe synhwyrais i fod nerth wedi mynd allan
ohonof." Pan ganfu'r wraig nad oedd hi ddim wedi osgoi sylw, 47
daeth ymlaen dan grynu; syrthiodd wrth ei draed a mynegi
gerbron yr holl bobl pam yr oedd hi wedi cyffwrdd ag ef, a sut yr
oedd wedi gwella ar unwaith. Ac meddai ef wrthi, " Fy merch, 48
dy ffydd sydd wedi dy iacháu di; dos mewn tangnefedd."

Tra oedd ef yn llefaru, daeth rhywun o dŷ arweinydd y 49
synagog a dweud, " Y mae dy ferch wedi marw; paid â
phoeni'r Athro bellach." Ond clywodd Iesu, ac meddai wrtho, 50
" Paid ag ofni, dim ond credu, ac fe'i hachubir." Pan gyr- 51
haeddodd y tŷ, ni adawodd i neb fynd i mewn gydag ef ond
Pedr ac Ioan ac Iago, ynghyd â thad y ferch a'i mam. Yr oedd 52
pawb yn wylo ac yn galaru drosti. Ond meddai ef, " Peidiwch
ag wylo; nid yw hi wedi marw, cysgu y mae." Dechreusant 53
chwerthin am ei ben, am eu bod yn sicr ei bod wedi marw.
Gafaelodd ef yn ei llaw a dweud yn uchel, " Fy ngeneth, cod." 54
Yna dychwelodd ei hysbryd, a chododd ar unwaith. Gorch- 55
mynnodd ef roi iddi rywbeth i'w fwyta. Syfrdanwyd ei rhieni, 56
ond rhybuddiodd ef hwy i beidio â sôn gair wrth neb am yr hyn
oedd wedi digwydd.

### *Cenhadaeth y Deuddeg*
### (Mth 10.5-15; Mc 6.7-13)

Galwodd Iesu y Deuddeg ynghyd a rhoddodd iddynt nerth 9
ac awdurdod i fwrw allan gythreuliaid o bob math ac i wella
clefydau. Yna anfonodd hwy allan i gyhoeddi teyrnas Dduw 2
ac i iacháu'r cleifion. Meddai wrthynt, " Peidiwch â chymryd 3
dim ar gyfer y daith, na ffon na chod na bara nac arian, na bod
â dwy got yr un. I ba dŷ bynnag yr ewch, arhoswch yno nes y 4
byddwch yn ymadael â'r ardal; a phwy bynnag fydd yn 5
gwrthod eich derbyn, ewch allan o'r dref honno ac ysgydwch
ymaith y llwch oddi ar eich traed, yn rhybudd iddynt." Aeth- 6
ant allan a theithio o bentref i bentref, gan gyhoeddi'r newydd
da ac iacháu ym mhob man.

### *Pryder Herod*
### (Mth 14.1-12; Mc 6.14-29)

Clywodd y Tywysog Herod am yr holl bethau oedd yn 7
digwydd. Yr oedd mewn cyfyng-gyngor am fod rhai yn dweud

8 fod Ioan wedi ei godi oddi wrth y meirw, ac eraill fod Elias wedi ymddangos, ac eraill wedyn fod un o'r hen broffwydi wedi 9 atgyfodi. Ond meddai Herod, " Fe dorrais i ben Ioan; ond pwy yw hwn yr wyf yn clywed y fath bethau amdano ?" Ac yr oedd yn ceisio cael ei weld ef.

*Porthi'r Pum Mil*
(Mth 14.13-21; Mc 6.30-44; In 6.1-14)

10 Dychwelodd yr apostolion a dywedasant wrth Iesu yr holl bethau yr oeddent wedi eu gwneud. Cymerodd hwy gydag ef 11 ac encilio o'r neilltu i dref a elwir Bethsaida. Ond pan glywodd y tyrfaoedd hyn aethant ar ei ôl. Croesawodd ef hwy, a dechrau llefaru wrthynt am deyrnas Dduw ac iacháu'r rhai ag angen 12 gwellhad arnynt. Yn awr yr oedd y dydd yn dechrau dirwyn i ben, a daeth y Deuddeg ato a dweud, " Gollwng y dyrfa, iddynt fynd i'r pentrefi a'r wlad o amgylch a chael llety a bwyd, oher-13 wydd yr ydym mewn lle unig yma." Meddai ef wrthynt, " Rhowch chwi rywbeth i'w fwyta iddynt." Meddent hwy, " Nid oes gennym ddim ond pum torth a dau bysgodyn, heb 14 inni fynd a phrynu bwyd i'r holl bobl hyn." Yr oeddent ynghylch pum mil o wŷr. Ac meddai ef wrth ei ddisgyblion, " Parwch iddynt eistedd yn gwmnïoedd o ryw hanner cant yr 15,16 un." Gwnaethant felly, a pheri i bawb eistedd. Cymerodd yntau y pum torth a'r ddau bysgodyn, a chan edrych i fyny i'r nef fe'u bendithiodd, a'u torri, a'u rhoi i'w ddisgyblion i'w 17 gosod gerbron y dyrfa. Bwytasant a chafodd pawb ddigon. A chodwyd deuddeg basgedaid o dameidiau o'r hyn oedd dros ben ganddynt.

*Datganiad Pedr ynglŷn â Iesu*
(Mth 16.13-19; Mc 8.27-29)

18 Pan oedd Iesu yn gweddïo o'r neilltu yng nghwmni'r disgyblion, gofynnodd iddynt, " Pwy y mae'r tyrfaoedd yn dweud 19 ydwyf fi ?" Atebasant hwythau, " Mae rhai'n dweud Ioan Fedyddiwr, ac eraill Elias, ac eraill drachefn fod un o'r hen 20 broffwydi wedi atgyfodi." " A chwithau," gofynnodd iddynt, " pwy meddwch chwi ydwyf fi ?" Atebodd Pedr, " Meseia Duw."

### *Iesu'n Rhagfynegi Ei Farwolaeth a'i Atgyfodiad*
(Mth 16.20-28; Mc 8.30-9.1)

Rhybuddiodd ef hwy, a'u gwahardd rhag dweud hyn wrth neb. "Y mae'n rhaid i Fab y Dyn," meddai, "ddioddef llawer a chael ei wrthod gan yr henuriaid a'r prif offeiriaid a'r ysgrifenyddion, a'i ladd, a'r trydydd dydd ei atgyfodi." A dywedodd wrth bawb, "Os myn neb ddod ar fy ôl i, rhaid iddo ymwadu ag ef ei hun a chodi ei groes bob dydd a'm canlyn i. Oherwydd pwy bynnag a fyn gadw ei fywyd, fe'i cyll, ond pwy bynnag a gyll ei fywyd er fy mwyn i, fe'i ceidw. Pa elw a gaiff dyn o ennill yr holl fyd a'i ddifetha neu ei fforffedu ei hun? Oherwydd pwy bynnag y bydd arno gywilydd ohonof fi ac o'm geiriau, bydd ar Fab y Dyn gywilydd ohono yntau, pan ddaw yn ei ogoniant ef a'i Dad a'r angylion sanctaidd. Yn wir, 'rwy'n dweud wrthych, y mae rhai o'r sawl sy'n sefyll yma na phrofant flas marwolaeth nes iddynt weld teyrnas Dduw." 21 22 23 24 25 26 27

### *Gweddnewidiad Iesu*
(Mth 17.1-8; Mc 9.2-8)

Ynghylch wyth diwrnod wedi iddo ddweud hyn, cymerodd Pedr ac Ioan ac Iago gydag ef a mynd i fyny'r mynydd i weddïo. Tra oedd ef yn gweddïo, newidiodd gwedd ei wyneb a disgleiriodd ei ddillad yn llachar wyn. A dyma ddau ddyn yn ymddiddan ag ef; Moses ac Elias oeddent, wedi ymddangos mewn gogoniant ac yn siarad am ei ymadawiad, y weithred yr oedd i'w chyflawni yn Jerwsalem. Yr oedd Pedr a'r rhai oedd gydag ef wedi eu llethu gan gwsg; ond deffroesant a gweld ei ogoniant ef, a'r ddau ddyn oedd yn sefyll gydag ef. Wrth i'r rheini ymadael â Iesu, dywedodd Pedr wrtho, "Meistr, y mae'n dda i ni fod yma; gwnawn dair pabell, un i ti ac un i Moses ac un i Elias." Ni wyddai beth yr oedd yn ei ddweud. Tra oedd yn dweud hyn, daeth cwmwl a chysgodi drostynt, a chydiodd ofn ynddynt wrth iddynt fynd i mewn i'r cwmwl. Yna daeth llais o'r cwmwl yn dweud, "Hwn yw fy Mab, yr Etholedig; gwrandewch arno." Ac wedi i'r llais lefaru cafwyd Iesu wrtho'i hun. A bu'r disgyblion yn ddistaw, heb ddweud wrth neb y pryd hwnnw am yr hyn yr oeddent wedi ei weld. 28 29 30 31 32 33 34 35 36

### *Iacháu Bachgen ag Ysbryd Aflan ynddo*
(Mth 17.14-18; Mc 9.14-27)

37 Trannoeth, wedi iddynt ddod i lawr o'r mynydd, daeth tyrfa
38 fawr i'w gyfarfod. A dyma ddyn yn gweiddi o'r dyrfa, " Athro, 'rwy'n erfyn arnat edrych ar fy mab, gan mai ef yw fy unig fab.
39 Y mae ysbryd yn gafael ynddo ac â bloedd sydyn yn ei gynhyrfu nes ei fod yn malu ewyn; ac y mae'n dal i'w ddirdynnu yn
40 ddiollwng bron. Erfyniais ar dy ddisgyblion ei fwrw allan, ac
41 ni allasant." Atebodd Iesu, " O genhedlaeth ddi-ffydd a gwyrgam, pa hyd y byddaf gyda chwi a'ch goddef ? Tyrd â'th fab
42 yma." Wrth iddo ddod ymlaen bwriodd y cythraul ef ar lawr a'i gynhyrfu; ond ceryddodd Iesu yr ysbryd aflan, ac iacháu'r
43 plentyn a'i roi yn ôl i'w dad. Ac yr oedd pawb yn rhyfeddu at fawredd Duw.

### *Iesu Eilwaith yn Rhagfynegi ei Farwolaeth*
(Mth 17.22-23; Mc 9.30-32)

A thra oedd pawb yn synnu at ei holl weithredoedd, meddai
44 ef wrth ei ddisgyblion, " Clywch, a chofiwch chwi y geiriau hyn: y mae Mab y Dyn i'w draddodi i ddwylo dynion."
45 Ond nid oeddent yn deall yr ymadrodd hwn; yr oedd ei ystyr wedi ei guddio oddi wrthynt, fel nad oeddent yn ei ganfod, ac yr oedd arnynt ofn ei holi ynglŷn â'r ymadrodd hwn.

### *Pwy yw'r Mwyaf?*
(Mth 18.1-5; Mc 9.33-37)

46 Cododd trafodaeth yn eu plith, prun ohonynt oedd y mwyaf?
47 Ond gwyddai Iesu am feddyliau eu calonnau. Cymerodd
48 blentyn, a'i osod wrth ei ochr, ac meddai wrthynt, " Pwy bynnag sy'n derbyn y plentyn hwn yn fy enw i, y mae'n fy nerbyn i; a phwy bynnag sy'n fy nerbyn i, y mae'n derbyn yr hwn a'm hanfonodd i. Oherwydd y lleiaf yn eich plith chwi oll, hwnnw sydd fawr."

### *Yr Hwn nid yw yn eich Erbyn, Drosoch Chwi y Mae*
(Mc 9.38-40)

49 Atebodd Ioan, " Meistr, gwelsom un yn bwrw allan gythreuliaid yn dy enw di, a buom yn ei wahardd am nad yw'n dy
50 ddilyn gyda ni." Ond meddai Iesu wrtho, " Peidiwch â gwahardd, oherwydd yr hwn nid yw yn eich erbyn, drosoch chwi y mae."

*Pentref yn Samaria yn Gwrthod Derbyn Iesu*

Pan oedd y dyddiau cyn ei gymryd i fyny yn dirwyn i ben, 51 troes ef ei wyneb i fynd i Jerwsalem, ac anfonodd allan neges- 52 yddion o'i flaen. Cychwynasant, a mynd i mewn i bentref yn Samaria i baratoi ar ei gyfer. Ond gwrthododd y bobl ei 53 dderbyn am ei fod ar ei ffordd i Jerwsalem. Pan welodd ei 54 ddisgyblion, Iago ac Ioan, hyn, meddent, "Arglwydd, a fynni di inni alw tân i lawr o'r nef a'u dinistrio?"* Ond troes ef a'u 55 ceryddu.* Ac aethant i bentref arall. 56

*Rhai yn Dymuno Canlyn Iesu*
(Mth 8.19-22)

Pan oeddent ar y ffordd yn teithio, meddai rhywun wrtho, 57 "Canlynaf di lle bynnag yr ei." Meddai Iesu wrtho, "Y mae 58 gan y llwynogod ffeuau, ac adar yr awyr nythod, ond gan Fab y Dyn nid oes le i roi ei ben i lawr." Ac meddai wrth un arall, 59 "Canlyn fi." Meddai yntau, "Arglwydd, caniatâ imi yn gyntaf fynd a chladdu fy nhad." Ond meddai ef wrtho, "Gad 60 i'r meirw gladdu eu meirw eu hunain; dos di a chyhoedda deyrnas Dduw." Ac meddai un arall, "Canlynaf di, Arglwydd; 61 ond yn gyntaf caniatâ imi ffarwelio â'm teulu." Ond meddai 62 Iesu, "Nid yw'r sawl a osododd ei law ar yr aradr, ac sy'n edrych yn ôl, yn addas i deyrnas Dduw."

*Cenhadaeth y Deuddeg a Thrigain*

Wedi hynny penododd yr Arglwydd ddeuddeg* a thrigain **10** arall, a'u hanfon allan o'i flaen, bob yn ddau, i bob tref a man yr oedd ef ei hun am fynd iddynt. Dywedodd wrthynt, "Y 2 mae'r cynhaeaf yn fawr ond y gweithwyr yn brin; deisyfwch felly ar arglwydd y cynhaeaf anfon gweithwyr i'w gynhaeaf. Ewch; dyma fi'n eich anfon allan fel ŵyn i blith bleiddiaid. 3 Peidiwch â chario na phwrs na chod nac esgidiau, a pheidiwch 4 â chyfarch neb ar y ffordd. Pa dŷ bynnag yr ewch i mewn iddo, 5

---

*adn. 54: ychwanega rhai llawysgrifau, *fel y gwnaeth Elias.*

*adn. 55: ychwanega rhai llawysgrifau: "*Ni wyddoch,*" *meddai,* "*o ba ysbryd yr ydych. Oherwydd ni ddaeth Mab y Dyn i ddinistrio bywydau dynion ond i'w hachub.*"

*adn. 1: yn ôl darlleniad arall, *ddeg.*

6 dywedwch yn gyntaf, 'Tangnefedd i'r teulu hwn.' Os bydd yno fab tangnefedd, bydd eich tangnefedd yn gorffwys arno ef; 7 onid e, bydd yn dychwelyd atoch chwi. Arhoswch yn y tŷ hwnnw, a bwyta ac yfed yr hyn a gewch ganddynt, oherwydd y mae'r gweithiwr yn haeddu ei gyflog. Peidiwch â symud o dŷ 8 i dŷ. Ac i ba dref bynnag yr ewch, a chael derbyniad, bwytewch 9 yr hyn a osodir o'ch blaen. Iachewch y cleifion yno, a dywedwch wrthynt, 'Y mae teyrnas Dduw wedi dod yn agos atoch.' 10 Pa dref bynnag yr ewch iddi a chael eich gwrthod, ewch allan 11 i'w strydoedd a dywedwch, 'Yn eich erbyn chwi, yr ydym yn sychu ymaith hyd yn oed y llwch o'ch tref a lynodd wrth ein traed. Eto gwybyddwch hyn: y mae teyrnas Dduw wedi dod 12 yn agos.' 'Rwy'n dweud wrthych y caiff Sodom ar y Dydd hwnnw lai i'w ddioddef na'r dref honno.

*Gwae'r Trefi Di-edifar*
(Mth 11.20-24)

13 "Gwae di, Chorasin! gwae di, Bethsaida! Oherwydd petai'r gwyrthiau a wnaethpwyd ynoch chwi wedi eu gwneud yn Tyrus a Sidon, buasent ers talm wedi edifarhau, gan 14 eistedd mewn sachlïain a lludw. Eto, caiff Tyrus a Sidon lai 15 i'w ddioddef yn y Farn na chwi. A thithau, Capernaum,

'A ddyrchefir di hyd nef?
Fe'th ddymchwelir di hyd uffern.'

16 Y mae'r hwn sy'n gwrando arnoch chwi yn gwrando arnaf fi, a'r hwn sy'n eich anwybyddu chwi yn f'anwybyddu i; ac y mae'r hwn sy'n f'anwybyddu i yn anwybyddu'r hwn a'm hanfonodd i."

*Y Deuddeg a Thrigain yn Dychwelyd*

17 Dychwelodd y deuddeg* a thrigain yn llawen, gan ddweud, "Arglwydd, y mae hyd yn oed y cythreuliaid yn ymddarostwng 18 inni yn dy enw di." Meddai wrthynt, "Yr oeddwn yn gweld 19 Satan fel mellten yn syrthio o'r nef. Dyma fi wedi rhoi i chwi yr awdurdod i sathru ar seirff ac ysgorpionau, ac i drechu holl 20 nerth y gelyn; ac ni'ch niweidir chwi gan ddim. Eto, peidiwch â llawenhau yn hyn, fod yr ysbrydion yn ymddarostwng i chwi; llawenhewch oherwydd fod eich enwau wedi eu hysgrifennu yn y nefoedd."

---

*adn. 17: yn ôl darlleniad arall, *deg*.

*Iesu'n Gorfoleddu*
(Mth 11.25-27; 13.16-17)

Yr awr honno gorfoleddodd yn yr Ysbryd Glân, ac meddai, 21 "Yr wyf yn dy foliannu di, O Dad, Arglwydd nef a daear, am iti guddio'r pethau hyn rhag y doethion a'r deallusion, a'u datguddio i rai bychain; ie, O Dad, oherwydd felly y rhyngodd dy fodd di. Traddodwyd i mi bob peth gan fy Nhad. Ni ŵyr 22 neb pwy yw'r Mab ond y Tad, na phwy yw'r Tad ond y Mab a phwy bynnag y mae'r Mab yn dewis ei ddatguddio iddo." Yna troes at ei ddisgyblion ac meddai wrthynt o'r neilltu, 23 "Gwyn eu byd y llygaid sy'n gweld y pethau yr ydych chwi yn eu gweld. Oherwydd 'rwy'n dweud wrthych fod llawer o 24 broffwydi a brenhinoedd wedi dymuno gweld y pethau yr ydych chwi yn eu gweld, ac nis gwelsant, a chlywed y pethau yr ydych chwi yn eu clywed, ac nis clywsant."

*Y Samariad Trugarog*

Dyma un o athrawon y Gyfraith yn codi i roi prawf arno, 25 gan ddweud, "Athro, beth a wnaf i etifeddu bywyd tragwyddol?" Meddai ef wrtho, "Beth sy'n ysgrifenedig yn y 26 Gyfraith? Beth a ddarlleni di yno?" Atebodd yntau, "'Câr 27 yr Arglwydd dy Dduw â'th holl galon ac â'th holl enaid ac â'th holl nerth ac â'th holl feddwl, a châr dy gymydog fel ti dy hun.'" Meddai ef wrtho, "Atebaist yn gywir; gwna hynny, a byw 28 fyddi." Ond yr oedd ef am ei gyfiawnhau ei hun, ac meddai 29 wrth Iesu, "A phwy yw fy nghymydog?" Atebodd Iesu, 30 "Yr oedd dyn yn mynd i lawr o Jerwsalem i Jericho, a syrthiodd i blith lladron. Wedi tynnu ei ddillad oddi amdano a'i guro, aethant ymaith, a'i adael yn hanner marw. Fel y digwyddodd, 31 yr oedd offeiriad yn mynd i lawr ar hyd y ffordd honno; pan welodd ef, aeth heibio o'r ochr arall. Yr un modd daeth 32 Lefiad hefyd at y man; gwelodd ef, ac aeth heibio o'r ochr arall. Ond daeth teithiwr o Samariad ato; pan welodd hwn ef, 33 tosturiodd wrtho. Aeth ato a rhwymo ei glwyfau, gan arllwys 34 olew a gwin arnynt; gosododd ef ar ei anifail ei hun, a'i arwain i lety, a'i ymgeleddu. Trannoeth tynnodd ugain ceiniog* allan 35

*adn. 35: neu, *ddau ddenarius.*

a'u rhoi i'r gwesteiwr, gan ddweud, ' Gofala amdano. Os byddi wedi gwario rhywbeth dros ben, fe dalaf fi yn ôl iti pan ddych-
36 welaf.' Prun o'r tri hyn, dybi di, fu'n gymydog i'r dyn a syrth-
37 iodd i blith lladron ?" Meddai ef, " Yr un a gymerodd drugaredd arno." Ac meddai Iesu wrtho, " Dos, a gwna dithau yr un modd."

### *Ymweld â Martha a Mair*

38 Pan oeddent ar daith, aeth Iesu i mewn i bentref, a chroes-
39 awyd ef i'w chartref gan wraig o'r enw Martha. Yr oedd ganddi hi chwaer a elwid Mair; eisteddodd hi wrth draed yr Ar-
40 glwydd a gwrando ar ei air. Ond yr oedd Martha mewn dryswch oherwydd yr holl waith gweini, a daeth ato a dweud, " Arglwydd, a wyt ti heb hidio dim fod fy chwaer wedi fy ngadael i weini ar fy mhen fy hun ? Dywed wrthi, felly, am fy nghyn-
41 orthwyo." Atebodd yr Arglwydd hi, " Martha, Martha, yr wyt
42 yn pryderu ac yn trafferthu am lawer o bethau, ond un peth sy'n angenrheidiol. Y mae Mair wedi dewis y rhan orau, ac nis dygir oddi arni."

### *Dysgeidiaeth ar Weddi*
(Mth 6.9-15; 7.7-11)

**11** Yr oedd ef yn gweddïo mewn rhyw fan, ac wedi iddo orffen dywedodd un o'i ddisgyblion wrtho, " Arglwydd, dysg ni i
2 weddïo, fel y dysgodd Ioan yntau ei ddisgyblion ef." Ac meddai wrthynt, " Pan weddïwch, dywedwch:

' Dad,* sancteiddier dy enw;
deled dy deyrnas;**
3 dyro inni o ddydd i ddydd ein bara beunyddiol;
4 a maddau inni ein pechodau,
oherwydd yr ydym ninnau yn maddau i bob un sy'n troseddu yn ein herbyn;
a phaid â'n dwyn i brawf.' "*

---

* adn. 2: yn ôl darlleniad arall, *Ein Tad yn y nefoedd.*

**adn. 2: ychwanega rhai llawysgrifau, *gwneler dy ewyllys, ar y ddaear fel yn y nef.*

*adn. 4: ychwanega rhai llawysgrifau *ond gwared ni rhag yr Un drwg.*

Yna meddai wrthynt, "Pe bai un ohonoch yn mynd at 5 gyfaill ganol nos a dweud wrtho, 'Gyfaill, rho fenthyg tair torth imi, oherwydd y mae cyfaill imi wedi cyrraedd acw ar ôl 6 taith, ac nid oes gennyf ddim i'w osod o'i flaen'; a phe bai 7 yntau yn ateb o'r tu mewn, 'Paid â'm blino; y mae'r drws erbyn hyn wedi ei folltio, a'm plant gyda mi yn y gwely; ni allaf godi i roi dim iti.' 'Rwy'n dweud wrthych, hyd yn oed os 8 gwrthyd ef godi a rhoi rhywbeth iddo o achos eu cyfeillgarwch, eto oherwydd ei daerni digywilydd fe fydd yn codi a rhoi iddo gymaint ag sydd arno eisiau. Ac yr wyf fi yn dweud wrthych: 9 gofynnwch, ac fe roddir i chwi; chwiliwch, ac fe gewch; curwch, ac fe agorir i chwi. Oherwydd y mae pawb sy'n gofyn 10 yn derbyn, a'r hwn sy'n chwilio yn cael, ac i'r hwn sy'n curo agorir y drws. Os bydd mab un ohonoch yn gofyn i'w dad am 11 bysgodyn, a rydd ef iddo sarff yn lle pysgodyn? Neu os bydd 12 yn gofyn am wy, a rydd ef iddo ysgorpion? Am hynny, os 13 ydych chwi, sy'n ddynion drwg, yn medru rhoi rhoddion da i'ch plant, gymaint mwy y rhydd y Tad nefol yr Ysbryd Glân i'r rhai sy'n gofyn ganddo."

## *Iesu a Beelsebwl*

(Mth 12.22-30; Mc 3.20-27)

Yr oedd yn bwrw allan gythraul, a hwnnw'n un mud. Ac 14 wedi i'r cythraul fynd allan, llefarodd y mudan. Synnodd y tyrfaoedd, ond meddai rhai ohonynt, "Trwy Beelsebwl, 15 pennaeth y cythreuliaid, y mae'n bwrw allan gythreuliaid." Yr 16 oedd eraill am ei brofi, a gofynasant am arwydd ganddo o'r nef. Ond yr oedd ef yn deall eu meddyliau hwy, ac meddai wrthynt, 17 "Caiff pob teyrnas a ymrannodd yn ei herbyn ei hun ei difrodi, â'r tai yn cwympo ar ben ei gilydd. Ac os yw Satan yntau wedi 18 ymrannu yn ei erbyn ei hun, sut y saif ei deyrnas?—gan eich bod chwi'n dweud mai trwy Beelsebwl yr wyf yn bwrw allan gythreuliaid. Ac os trwy Beelsebwl yr wyf fi'n bwrw allan 19 gythreuliaid, trwy bwy y mae eich disgyblion chwi yn eu bwrw allan? Am hynny hwy fydd yn eich barnu. Ond os trwy fys 20 Duw yr wyf yn bwrw allan gythreuliaid, yna y mae teyrnas Dduw wedi cyrraedd atoch. Pan fydd dyn cryf yn ei arfwisg 21 yn gwarchod ei blasty ei hun, bydd ei eiddo yn cael llonydd; ond pan fydd un cryfach nag ef yn ymosod arno ac yn ei drechu, 22

bydd hwnnw'n cymryd yr arfwisg yr oedd ef wedi ymddiried
23 ynddi, ac yn rhannu'r ysbail. Os nad yw dyn gyda mi, yn fy
erbyn i y mae, ac os nad yw'n casglu gyda mi, gwasgaru y mae.

### *Yr Ysbryd Aflan yn Dychwelyd*
(Mth 12.43-45)

24 "Pan fydd ysbryd aflan yn mynd allan o ddyn, bydd yn
rhodio trwy fannau sychion gan geisio gorffwysfa. Ac wedi
methu ei gael y mae'n dweud, 'Mi ddychwelaf i'm cartref, y
25 lle y deuthum ohono.' Wedi cyrraedd, y mae'n ei gael wedi ei
26 ysgubo a'i osod mewn trefn. Yna y mae'n mynd ac yn cymryd
ato saith ysbryd arall mwy drygionus nag ef ei hun; y maent
yn mynd i mewn ac yn ymgartrefu yno; ac y mae cyflwr olaf y
dyn hwnnw yn waeth na'r cyntaf."

### *Gwynfyd Gwirioneddol*

27 Wrth iddo ddweud hyn, cododd gwraig o'r dyrfa ei llais ac
meddai wrtho, "Gwyn ei byd y groth a'th gariodd di a'r
28 bronnau a sugnaist." "Nage," meddai ef, "gwyn eu byd y
rhai sy'n clywed gair Duw ac yn ei gadw."

### *Ceisio Arwydd*
(Mth 12.38-42; Mc 8.12)

29 Wrth i'r tyrfaoedd gynyddu, dechreuodd lefaru: "Y mae'r
genhedlaeth hon yn genhedlaeth ddrygionus; y mae'n ceisio
30 arwydd. Eto ni roddir arwydd iddi ond arwydd Jona. Oherwydd
fel y bu Jona yn arwydd i bobl Ninefe, felly y bydd Mab
31 y Dyn yntau i'r genhedlaeth hon. Bydd Brenhines y De yn
codi yn y Farn gyda gwŷr y genhedlaeth hon, ac yn eu condemnio
hwy; oherwydd daeth hi o eithafoedd y ddaear i glywed
doethineb Solomon, ac yr ydych chwi'n gweld yma beth
32 mwy na Solomon. Bydd gwŷr Ninefe yn codi yn y Farn gyda'r
genhedlaeth hon, ac yn ei chondemnio hi; oherwydd edifarhasant
hwy dan genadwri Jona, ac yr ydych chwi'n gweld yma
beth mwy na Jona.

### *Goleuni'r Corff*
(Mth 5.15; 6.22-23)

33 "Ni bydd neb yn cynnau cannwyll a'i rhoi mewn man cudd
neu dan lestr, ond ar ganhwyllbren, er mwyn i'r rhai sy'n dod i

mewn weld ei goleuni. Dy lygad yw cannwyll dy gorff. Pan 34
fydd dy lygad yn iach, y mae dy gorff hefyd yn llawn goleuni; ond pan fydd yn sâl, y mae dy gorff hefyd yn llawn tywyllwch.
Ystyria gan hynny ai tywyllwch yw'r goleuni sydd ynot ti. 35
Felly, os yw dy gorff yn llawn goleuni, heb unrhyw ran ohono 36
mewn tywyllwch, bydd yn llawn goleuni, fel pan fydd cannwyll yn dy oleuo â'i llewyrch."

### *Cyhuddo'r Phariseaid ac Athrawon y Gyfraith*
(Mth 23.1-36; Mc 12.38-40; Lc 20.45-47)

Pan orffennodd lefaru, gwahoddodd Pharisead ef i bryd o 37
fwyd yn ei dŷ. Aeth i mewn a chymryd ei le wrth y bwrdd.
Pan welodd y Pharisead nad oedd wedi ymolchi yn gyntaf cyn 38
bwyta, fe synnodd. Ond meddai'r Arglwydd wrtho, " Yr ydych 39
chwi'r Phariseaid yn wir yn glanhau tu allan y cwpan a'r ddysgl, ond o'ch mewn yr ydych yn llawn o anrhaith a drygioni.
Ynfydion, onid yr hwn a wnaeth y tu allan a wnaeth y tu mewn 40
hefyd ? Ond rhowch yn elusen y pethau sydd y tu mewn i'r 41
cwpan, a dyna bopeth yn lân i chwi. Ond gwae chwi'r Phari- 42
seaid, oherwydd yr ydych yn talu degwm o fintys a rhyw a phob llysieuyn, ond yn diystyru cyfiawnder a chariad Duw, yr union bethau y dylasech ofalu amdanynt, ond heb esgeul-
uso'r lleill. Gwae chwi'r Phariseaid, oherwydd yr ydych yn 43
caru'r prif gadeiriau yn y synagogau a'r cyfarchiadau yn y
marchnadoedd. Gwae chwi, oherwydd yr ydych fel beddau 44
heb eu nodi, a dynion yn cerdded drostynt yn ddiarwybod."

Atebodd un o athrawon y Gyfraith ef, " Athro, wrth ddweud 45
hyn yr wyt yn ein sarhau ninnau." Meddai ef, " Gwae chwi- 46
thau athrawon y Gyfraith, oherwydd yr ydych yn beichio dynion â beichiau anodd eu dwyn, beichiau nad yw un o'ch
bysedd chwi byth yn cyffwrdd â hwy. Gwae chwi, oherwydd 47
yr ydych yn codi beddfeini i'r proffwydi, ond eich tadau chwi
a'u lladdodd. Gan hynny, yn ôl eich tystiolaeth eich hunain, 48
yr ydych yn cymeradwyo gweithredoedd eich tadau, oherwydd
hwy a'u lladdodd, a chwi sy'n codi'r beddfeini. Am hynny 49
hefyd y dywedodd Doethineb Duw, ' Anfonaf atynt broffwydi ac apostolion, a byddant yn lladd ac yn erlid rhai ohonynt ';
ac felly gelwir y genhedlaeth hon i gyfrif am waed yr holl 50
broffwydi a dywalltwyd er seiliad y byd, o waed Abel hyd at 51
waed Sachareias, a drengodd rhwng yr allor a'r cysegr. Ie,

’rwy’n dweud wrthych, fe elwir y genhedlaeth hon i gyfrif am-
52 dano. Gwae chwi athrawon y Gyfraith, oherwydd i chwi gymryd ymaith allwedd gwybodaeth; nid aethoch i mewn eich hunain, a’r rhai oedd am fynd i mewn, eu rhwystro a wnaeth-
53 och.” Wedi iddo fynd allan oddi yno dechreuodd yr ysgrifenyddion a’r Phariseaid fagu dig tuag ato, a’i holi yn fanwl yng-
54 hylch llawer o bethau, gan aros fel helwyr i’w faglu ar ryw air o’i enau.

*Rhybudd rhag Rhagrith*

**12** Yn y cyfamser yr oedd y dyrfa wedi ymgynnull yn ei miloedd, nes eu bod yn sathru ei gilydd dan draed. Dechreuodd ef ddweud wrth ei ddisgyblion yn gyntaf, “Gochelwch rhag
2 surdoes y Phariseaid, hynny yw, eu rhagrith. Nid oes dim wedi ei guddio na ddatguddir, na dim yn guddiedig na cheir ei
3 wybod. Am hyn, popeth y buoch yn ei ddweud yn y tywyllwch, fe’i clywir yng ngolau dydd; a’r hyn y buoch yn ei sibrwd yn y glust mewn ystafelloedd o’r neilltu, fe’i cyhoeddir ar bennau’r tai.

*Pwy i’w Ofni*
(Mth 10.28-31)

4 “ ’Rwy’n dweud wrthych chwi fy nghyfeillion, peidiwch ag ofni’r rhai sy’n lladd y corff, ac sydd wedi hynny heb allu i
5 wneud dim pellach. Ond dangosaf i chwi pwy i’w ofni: ofnwch yr hwn sydd ag awdurdod ganddo i fwrw i uffern wedi’r lladd;
6 ie, ’rwy’n dweud wrthych, ofnwch hwnnw. Oni werthir pump aderyn y to am ddwy geiniog ? Eto nid yw un ohonynt yn angof
7 gan Dduw. Yn wir, y mae hyd yn oed pob blewyn o wallt eich pen wedi ei rifo. Peidiwch ag ofni; yr ydych yn werth mwy na llawer o adar y to.

*Cyffesu Crist gerbron Dynion*
(Mth 10.32-23; 12.32; 10.19-20)

8 “ ’Rwy’n dweud wrthych, pwy bynnag a’m harddel i gerbron dynion, bydd Mab y Dyn hefyd yn ei arddel yntau gerbron
9 angylion Duw; ond yr hwn sydd yn fy ngwadu i gerbron
10 dynion, fe’i gwedir ef gerbron angylion Duw. A phwy bynnag a ddywed air yn erbyn Mab y Dyn, maddeuir iddo; ond ni
11 faddeuir i’r hwn sy’n cablu yn erbyn yr Ysbryd Glân. Pan ddygant chwi gerbron y synagogau a’r ynadon a’r awdurdodau,

peidiwch â phryderu am ddull nac am gynnwys eich amddiffyniad, nac am eich ymadrodd; oherwydd bydd yr Ysbryd 12 Glân yn eich dysgu chwi ar y pryd beth fydd yn rhaid ei ddweud."

*Dameg yr Ynfytyn Cyfoethog*

Meddai rhywun o'r dyrfa wrtho, "Athro, dywed wrth fy 13 mrawd am roi i mi fy nghyfran o'n hetifeddiaeth." Ond medd- 14 ai ef wrtho, "Ddyn, pwy a'm penododd i yn farnwr neu yn gymrodeddwr rhyngoch?" A dywedodd wrthynt, "Gofalwch 15 ymgadw rhag trachwant o bob math, oherwydd, er cymaint ei gyfoeth, nid yw bywyd neb yn dibynnu ar ei feddiannau." Ac 16 adroddodd ddameg wrthynt: "Yr oedd tir rhyw ŵr cyfoethog wedi dwyn cnwd da. A dechreuodd feddwl a dweud wrtho'i 17 hun, 'Beth a wnaf fi, oherwydd nid oes gennyf unman i gasglu fy nghnydau iddo?' Ac meddai, 'Dyma beth a wnaf fi: tynnaf 18 f'ysguboriau i lawr ac adeiladu rhai mwy, a chasglaf yno fy holl wenith a'm heiddo. Yna dywedaf wrthyf fy hun, "Ddyn, y 19 mae gennyt stôr o lawer o bethau ar gyfer blynyddoedd lawer; gorffwys, bwyta, yf, bydd lawen."' Ond meddai Duw wrtho, 20 'Yr ynfytyn, heno y mynnir dy einioes yn ôl gennyt, a phwy gaiff y pethau a baratoaist?' Felly y bydd hi ar yr hwn sy'n 21 casglu trysor iddo'i hun a heb fod yn gyfoethog ym mhethau Duw."

*Gofal a Phryder*
(Mth 6.25-34, 19-21)

Meddai wrth y disgyblion, "Am hynny 'rwy'n dweud wrth- 22 ych, peidiwch â phryderu am eich einioes nac am eich corff, beth i'w fwyta na beth i'w wisgo. Oherwydd y mae rhagor i 23 einioes dyn na lluniaeth, a rhagor i'w gorff na dillad. Ystyriwch 24 y brain: nid ydynt yn hau nac yn medi, nid oes ganddynt ystordy nac ysgubor, ac eto y mae Duw yn eu bwydo. Gymaint mwy gwerthfawr ydych chwi na'r adar! A phrun ohonoch a 25 all ychwanegu modfedd at ei daldra* trwy bryderu? Felly os 26 yw hyd yn oed y peth lleiaf y tu hwnt i'ch gallu, pam yr ydych yn pryderu am y gweddill? Ystyriwch y lili, pa fodd y mae'n 27 tyfu: nid yw'n llafurio nac yn nyddu; ond 'rwy'n dweud wrthych, nid oedd gan hyd yn oed Solomon yn ei holl ogoniant

---

*adn. 25: neu, *awr at hyd ei oes.*

28 wisg i'w chymharu ag un o'r rhain. Os yw Duw yn dilladu felly y glaswellt sydd heddiw yn y meysydd ac yfory yn cael ei daflu i'r ffwrn, gymaint mwy y dillada chwi, chwi o ychydig ffydd!
29 A chwithau, peidiwch â rhoi eich bryd ar beth i'w fwyta a beth
30 i'w yfed, a pheidiwch â byw mewn pryder; oherwydd dyna'r holl bethau y mae cenhedloedd y byd yn eu ceisio, ond y mae
31 gennych chwi Dad sy'n gwybod fod arnoch eu hangen. Ceisiwch yn hytrach ei deyrnas ef, a rhoir y pethau hyn yn ychwan-
32 eg i chwi. Peidiwch ag ofni, fy mhraidd bychan, oherwydd
33 gwelodd eich Tad yn dda roi i chwi'r deyrnas. Gwerthwch eich eiddo a rhowch ef yn elusen; gwnewch i chwi eich hunain byrsau nad ydynt yn treulio, trysor dihysbydd yn y nefoedd,
34 lle nad yw lleidr yn dod ar y cyfyl, na gwyfyn yn difa. Oherwydd lle mae eich trysor, yno hefyd y bydd eich calon.

*Gweision Gwyliadwrus*

(Mth 24.45-51)

35 "Bydded eich gwisg wedi ei thorchi a'ch canhwyllau
36 ynghynn. Byddwch chwithau fel dynion yn disgwyl dychweliad eu meistr o briodas, i agor iddo cyn gynted ag y daw a churo.
37 Gwyn eu byd y gweision hynny a geir ar ddihun gan eu meistr pan ddaw; yn wir, 'rwy'n dweud wrthych y bydd ef yn torchi ei wisg, ac yn eu gosod wrth y bwrdd, ac yn dod ac yn gweini
38 arnynt. Ac os daw ef ar hanner nos neu yn yr oriau mân, a'u
39 cael felly, gwyn eu byd. A gwybyddwch hyn: pe buasai meistr y tŷ yn gwybod pa bryd y byddai'r lleidr yn dod, ni fuasai wedi
40 gadael iddo dorri i mewn i'w dŷ. Chwithau hefyd, byddwch barod, oherwydd pryd na thybiwch y daw Mab y Dyn."
41 Meddai Pedr, "Arglwydd, ai i ni yr wyt yn adrodd y
42 ddameg hon, ai i bawb yn ogystal?" Dywedodd yr Arglwydd, "Pwy ynteu yw'r goruchwyliwr ffyddlon a chall a osodir gan ei feistr dros ei weision, i roi eu dogn bwyd iddynt yn ei bryd?
43 Gwyn ei fyd y gwas hwnnw a geir yn gwneud felly gan ei
44 feistr pan ddaw; yn wir, 'rwy'n dweud wrthych y gesyd ef dros
45 ei holl eiddo. Ond os dywed y gwas hwnnw yn ei galon, 'Y mae fy meistr yn oedi dod', a dechrau curo'r gweision a'r
46 morynion, a bwyta ac yfed a meddwi, yna bydd meistr y gwas hwnnw yn cyrraedd ar ddiwrnod annisgwyl iddo ef ac ar awr nas gŵyr; ac fe'i cosba yn llym, a gosod ei le gyda'r anffyddlon-
47 iaid. Bydd y gwas hwnnw sy'n gwybod ewyllys ei feistr, ac eto

heb ddarparu na gwneud dim yn ôl ei ewyllys, yn cael curfa dost; ond bydd y gwas nad yw'n gwybod, ond sydd wedi haeddu curfa, yn cael un ysgafn. A phob un y mae llawer wedi ei roi iddo, llawer a geisir ganddo; a'r hwn y mae llawer wedi ei ymddiried iddo, mwy fyth a ofynnir ganddo. 48

*Iesu'n Achos Ymraniad*
(Mth 10.34-36)

"Yr wyf fi wedi dod i fwrw tân ar y ddaear, ac O na fyddai eisoes wedi ei gynnau! Y mae bedydd y mae'n rhaid fy medyddio ag ef, a chymaint yw fy nghyfyngder hyd nes y cyflawnir ef! A ydych chwi'n tybio mai i roi heddwch i'r ddaear yr wyf fi wedi dod? Nage, meddaf wrthych, ond ymraniad. Oherwydd o hyn allan bydd un teulu o bump wedi ymrannu, tri yn erbyn dau a dau yn erbyn tri: 49 50 51 52

'Ymranna'r tad yn erbyn y mab, 53
a'r mab yn erbyn y tad,
y fam yn erbyn ei merch
a'r ferch yn erbyn ei mam,
y fam-yng-nghyfraith yn erbyn y ferch-yng-nghyfraith,
a'r ferch-yng-nghyfraith yn erbyn ei mam-yng-nghyfraith.'"

*Dehongli'r Amser*
(Mth 16.2-3)

Dywedodd wrth y tyrfaoedd hefyd, "Pan welwch gwmwl yn codi yn y gorllewin, yr ydych yn dweud ar unwaith, 'Daw yn law', ac felly y bydd; a phan welwch wynt y de yn chwythu, yr ydych yn dweud, 'Daw yn wres', a hynny fydd. Chwi ragrithwyr, medrwch ddehongli'r olwg ar y ddaear a'r ffurfafen, ond sut na fedrwch ddehongli'r amser hwn? 54 55 56

*Cymodi â'th Wrthwynebwr*
(Mth 5.25-26)

"A pham nad ydych ohonoch eich hunain yn barnu beth sydd yn iawn? Pan wyt yn mynd gyda'th wrthwynebwr at yr ynad, gwna dy orau ar y ffordd yno i gymodi ag ef, rhag iddo dy lusgo gerbron y barnwr, ac i'r barnwr dy draddodi i'r cwnstabl, ac i'r cwnstabl dy fwrw i garchar. 'Rwy'n dweud wrthyt, ni ddeui di byth allan oddi yno cyn talu'n ôl yr hatling olaf." 57 58 59

*Edifarhau neu Ddarfod Amdanoch*

**13** Yr un adeg, daeth rhywrai a mynegi iddo am y Galileaid y 2 cymysgodd Pilat eu gwaed â'u hebyrth. Atebodd ef hwy, " A ydych chwi'n tybio fod y rhain yn waeth pechaduriaid na'r holl 3 Galileaid eraill, am iddynt ddioddef hyn ? Nac oeddent, meddaf wrthych; eto, os nad edifarhewch, fe dderfydd am- 4 danoch oll yn yr un modd. Neu'r deunaw hynny y syrthiodd y tŵr arnynt yn Siloam a'u lladd, a ydych chwi'n tybio fod y rhain yn waeth troseddwyr na holl drigolion eraill Jerwsalem ? 5 Nac oeddent, meddaf wrthych; eto, os nad edifarhewch, fe dderfydd amdanoch oll yn yr un modd."

*Dameg y Ffigysbren Diffrwyth*

6 Adroddodd y ddameg hon: " Yr oedd gan ddyn ffigysbren wedi ei blannu yn ei winllan. Daeth i chwilio am ffrwyth arno, 7 ac ni chafodd ddim. Ac meddai wrth y gwinllannydd, ' Ers tair blynedd bellach yr wyf wedi bod yn dod i geisio ffrwyth ar y ffigysbren hwn, a heb gael dim. Am hynny tor ef i lawr; pam 8 y caiff dynnu maeth o'r pridd ?' Ond atebodd ef, ' Meistr, gad 9 iddo eleni eto, imi balu o'i gwmpas a'i wrteithio. Ac os daw â ffrwyth y flwyddyn nesaf, popeth yn iawn; onid e, cei ei dorri i lawr.' "

*Iacháu Gwraig Wargrwm ar y Saboth*

10,11 Yr oedd yn dysgu yn un o'r synagogau ar y Saboth. Yr oedd yno wraig oedd ers deunaw mlynedd yng ngafael ysbryd oedd wedi bod yn ei gwanychu nes ei bod yn wargrwm ac yn hollol 12 analluog i sefyll yn syth. Pan welodd Iesu hi galwodd arni, 13 " Wraig, yr wyt wedi dy waredu o'th wendid." Yna dododd ei ddwylo arni, ac ar unwaith ymunionodd drachefn, a dechrau 14 gogoneddu Duw. Ond yr oedd arweinydd y synagog yn ddig fod Iesu wedi iacháu ar y Saboth, ac meddai wrth y dyrfa, " Y mae chwe diwrnod gwaith; dewch i'ch iacháu ar y dyddiau 15 hynny, ac nid ar y dydd Saboth." Atebodd yr Arglwydd ef, " Chwi ragrithwyr, onid yw pob un ohonoch ar y Saboth yn gollwng ei ych neu ei asyn o'r preseb ac yn mynd ag ef allan i'r 16 dŵr ? Ond dyma un o ferched Abraham, a fu yn rhwymau Satan ers deunaw mlynedd; a ddywedwch na ddylasid ei 17 rhyddhau hi o'r rhwymyn hwn ar y dydd Saboth ?" Wrth iddo ddweud hyn, codwyd cywilydd ar ei holl wrthwynebwyr, a llawenychodd y dyrfa i gyd oherwydd ei holl weithredoedd gogoneddus.

### *Damhegion yr Hedyn Mwstard a'r Lefain*
(Mth 13.31-33; Mc 4.30-32)

Meddai gan hynny, " I beth y mae teyrnas Dduw yn debyg, 18
ac i beth y cyffelybaf hi ? Y mae'n debyg i hedyn mwstard; y 19
mae dyn yn ei gymryd a'i fwrw i'w ardd, ac y mae'n tyfu ac yn
dod yn goeden, ac y mae adar yr awyr yn nythu yn ei changhennau."

Ac meddai eto, " I beth y cyffelybaf deyrnas Dduw ? 20
Y mae'n debyg i lefain; y mae gwraig yn ei gymryd, ac yn ei 21
gymysgu â thri mesur o flawd gwenith, nes lefeinio'r cwbl."

### *Y Drws Cul*
(Mth 7.13-14; 21-23)

Yr oedd yn mynd trwy'r trefi a'r pentrefi gan ddysgu, ar ei 22
ffordd i Jerwsalem. Meddai rhywun wrtho, " Arglwydd, ai 23
ychydig yw'r rhai sy'n cael eu hachub ?" Ac meddai ef wrthynt, " Ymegnïwch i fynd i mewn trwy'r drws cul, oherwydd 24
'rwy'n dweud wrthych y bydd llawer yn ceisio mynd i mewn ac
yn methu. Unwaith y bydd meistr y tŷ wedi codi a chau'r 25
drws, gallwch chwithau sefyll y tu allan a churo ar y drws, gan
ddweud, ' Arglwydd, agor inni '; ond bydd ef yn eich ateb,
'Ni wn o ble'r ydych.' Yna dechreuwch ddweud, 'Buom yn 26
bwyta ac yn yfed gyda thi, a buost ti yn dysgu yn ein strydoedd
ni.' A dywed ef wrthych, 'Ni wn o ble'r ydych. Ewch ymaith 27
oddi wrthyf, chwi ddrwgweithredwyr oll.' Bydd yno wylo ac 28
ysgyrnygu dannedd, pan welwch Abraham ac Isaac a Jacob a'r
holl broffwydi yn nheyrnas Dduw, a chwithau'n cael eich bwrw
allan. A daw dynion o'r dwyrain a'r gorllewin ac o'r gogledd a'r 29
de, a chymryd eu lle yn y wledd yn nheyrnas Dduw. Ac yn wir, 30
bydd rhai sy'n olaf yn flaenaf, a rhai sy'n flaenaf yn olaf."

### *Y Galarnad dros Jerwsalem*
(Mth 23.37–39)

Y pryd hwnnw, daeth rhai Phariseaid ato a dweud wrtho, 31
" Dos i ffwrdd oddi yma, oherwydd y mae Herod â'i fryd ar dy
ladd di." Meddai ef wrthynt, " Ewch a dywedwch wrth y 32
cadno hwnnw, ' Heddiw ac yfory byddaf yn bwrw allan
gythreuliaid ac yn iacháu, a'r trydydd dydd cyrhaeddaf gyflawniad fy ngwaith.' Eto, heddiw ac yfory a thrennydd y mae'n 33

rhaid imi fynd ar fy nhaith, oherwydd ni ddichon i broffwyd
34 farw y tu allan i Jerwsalem. Jerwsalem, Jerwsalem, tydi sy'n lladd y proffwydi ac yn llabyddio'r rhai a anfonwyd atat, mor aml y dymunais gasglu dy blant ynghyd, fel y mae iâr yn casglu ei
35 chywion dan ei hadenydd, ond gwrthod a wnaethoch. Wele, y mae eich tŷ yn cael ei adael yn amddifad. Ac 'rwy'n dweud wrthych, ni chewch fy ngweld hyd y dydd pan ddywedwch, 'Bendigedig yw'r hwn sy'n dyfod yn enw'r Arglwydd.' "

### *Iacháu'r Dyn â Dropsi arno*

**14** Aeth i mewn i dŷ un o arweinwyr y Phariseaid ar y Saboth
2 am bryd o fwyd; ac yr oeddent hwy â'u llygaid arno. Ac yno
3 ger ei fron yr oedd dyn â'r dropsi arno. A llefarodd Iesu wrth athrawon y Gyfraith a'r Phariseaid, gan ddweud, " A yw'n
4 gyfreithlon iacháu ar y Saboth, ai nid yw?" Ond ni ddywedasant hwy ddim. Yna cymerodd y claf a'i iacháu a'i anfon
5 ymaith. Ac meddai wrthynt, " Pe bai mab* neu ych unrhyw un ohonoch yn syrthio i bydew, oni fyddech yn ei dynnu allan ar
6 unwaith, hyd yn oed ar y dydd Saboth ?" Ni allent gynnig unrhyw ateb i hyn.

### *Gwers i'r Gwesteion ac i Wahoddwr*

7 Yna adroddodd ddameg wrth y gwesteion, wrth iddo sylwi
8 sut yr oeddent yn dewis y seddau anrhydedd: " Pan wahoddir di gan rywun i wledd briodas, paid â chymryd y sedd anrhydedd, rhag ofn ei fod wedi gwahodd rhywun amlycach na
9 thi; oherwydd os felly, daw'r hwn a'ch gwahoddodd chwi'ch dau a dweud wrthyt, ' Rho dy le i hwn ', ac yna byddi dithau
10 mewn cywilydd yn cymryd y lle isaf. Yn hytrach, pan wahoddir di, dos a chymer y lle isaf, fel pan ddaw'r gwahoddwr y dywed wrthyt, ' Gyfaill, tyrd yn uwch '; yna dangosir parch
11 iti yng ngŵydd dy holl gyd-westeion. Oherwydd darostyngir pob un sy'n ei ddyrchafu ei hun, a dyrchefir pob un sy'n ei
12 ddarostwng ei hun." Meddai hefyd wrth ei wahoddwr, " Pan fyddi yn trefnu cinio neu swper, paid â gwahodd dy gyfeillion na'th frodyr na'th berthnasau na'th gymdogion cyfoethog, rhag ofn iddynt hwythau yn eu tro dy wahodd di, ac iti gael

---

*adn. 5: yn ôl darlleniad arall, *asyn.*

dy wobr felly. Pan fyddi yn trefnu gwledd, gwahodd yn 13 hytrach y tlodion, yr anafusion, y cloffion, a'r deillion; a gwyn 14 fydd dy fyd, am nad oes ganddynt fodd i dalu'n ôl iti; cei dy dalu'n ôl yn atgyfodiad y cyfiawn."

*Dameg y Wledd Fawr*
(Mth 22.1-10)

Clywodd un o'i gyd-westeion hyn ac meddai wrtho, "Gwyn 15 ei fyd yr hwn a gaiff gyfran yn y wledd yn nheyrnas Dduw." Ond meddai ef wrtho, "Yr oedd dyn yn trefnu gwledd fawr. 16 Gwahoddodd lawer o bobl, ac anfonodd ei was ar awr y wledd 17 i ddweud wrth y gwahoddedigion, 'Dewch, y mae popeth yn barod yn awr.' Ond dechreuodd pawb ymesgusodi yn unfryd. 18 Meddai'r cyntaf wrtho, ''Rwyf wedi prynu cae, ac y mae'n rhaid imi fynd allan i gael golwg arno; a wnei di fy esgusodi, os gweli di'n dda?' Meddai un arall, ''Rwyf wedi prynu pum 19 pâr o ychen, ac 'rwyf ar fy ffordd i roi prawf arnynt; a wnei di fy esgusodi, os gweli di'n dda?' Ac meddai un arall, ''Rwyf 20 newydd briodi, ac am hynny ni allaf ddod.' Aeth y gwas at ei 21 feistr a rhoi gwybod iddo. Yna digiodd meistr y tŷ, ac meddai wrth ei was, 'Dos allan ar unwaith i strydoedd a heolydd y dref, a thyrd â'r tlodion a'r anafusion a'r deillion a'r cloffion i mewn yma.' Pan ddywedodd y gwas, 'Meistr, y mae dy orchymyn 22 wedi ei gyflawni, ond y mae lle o hyd', meddai ei feistr wrtho, 23 'Dos allan i'r ffyrdd ac i'r cloddiau, a myn ganddynt hwy ddod i mewn, fel y llenwir fy nhŷ; oherwydd 'rwy'n dweud wrthych 24 na chaiff dim un o'r dynion hynny oedd wedi eu gwahodd brofi fy ngwledd.'"

*Cost Bod yn Ddisgybl*

Yr oedd tyrfaoedd niferus yn teithio gydag ef, a throes a 25 dweud wrthynt, "Os daw rhywun ataf fi heb gasáu ei dad ei 26 hun, a'i fam a'i wraig a'i blant a'i frodyr a'i chwiorydd, a hyd yn oed ei fywyd ei hun, ni all fod yn ddisgybl imi. Pwy 27 bynnag nad yw'n cario ei groes ei hun ac yn dod ar fy ôl i, ni all fod yn ddisgybl imi. Oherwydd os bydd un ohonoch chwi yn 28 dymuno adeiladu tŵr, oni fydd yn gyntaf yn eistedd i lawr i gyfrif y gost, er mwyn gweld a oes ganddo ddigon i gwblhau'r gwaith? Onid e, fe all ddigwydd iddo osod y sylfaen ac wedyn 29 fethu gorffen, nes bod pawb sy'n gwylio yn mynd ati i'w wat-

30 war gan ddweud, 'Dyma ddyn a ddechreuodd adeiladu ac a 31 fethodd orffen.' Neu os bydd brenin ar ei ffordd i ryfela yn erbyn brenin arall, oni fydd yn gyntaf yn eistedd i lawr i ystyried a all ef, â deng mil o filwyr, wrthsefyll un sy'n ymosod 32 arno ag ugain mil? Os na all, bydd yn anfon llysgenhadon i geisio telerau heddwch tra mae'r llall o hyd yn bell i ffwrdd. 33 Yr un modd, gan hynny, ni all neb ohonoch nad yw'n ymwrthod â'i holl feddiannau fod yn ddisgybl i mi.

*Halen Di-flas*
(Mth 5.13; Mc 9.50)

34 "Peth da yw halen. Ond os cyll yr halen ei hun ei flas, â 35 pha beth y rhoddir blas arno? Nid yw'n dda i'r pridd nac i'r domen; lluchir ef allan. Yr hwn sydd ganddo glustiau i wrando, gwrandawed."

*Dameg y Ddafad Golledig*
(Mth 18.12-14)

**15** Yr oedd yr holl gasglwyr trethi a'r pechaduriaid yn nesáu 2 ato i wrando arno. Ond yr oedd y Phariseaid a'r ysgrifenyddion yn grwgnach ymhlith ei gilydd, gan ddweud, "Y mae'r dyn 3 yma yn croesawu pechaduriaid ac yn cydfwyta â hwy." A 4 dywedodd ef y ddameg hon wrthynt: "Bwriwch fod gan un ohonoch chwi gant o ddefaid, a digwydd iddo golli un ohonynt; onid yw'n gadael y naw deg a naw ar eu porfa ac yn mynd ar ôl 5 y ddafad golledig nes dod o hyd iddi? Wedi dod o hyd iddi y 6 mae'n ei gosod ar ei ysgwyddau yn llawen, yn mynd adref, ac yn gwahodd ei gyfeillion a'i gymdogion ynghyd, gan ddweud wrthynt, 'Llawenhewch gyda mi, oherwydd yr wyf wedi cael 7 hyd i'm dafad golledig.' 'Rwy'n dweud wrthych, yr un modd bydd mwy o lawenydd yn y nef am un pechadur sy'n edifarhau nag am naw deg a naw o ddynion cyfiawn nad oes arnynt angen edifeirwch.

*Dameg y Darn Arian Colledig*

8 "Neu bwriwch fod gan wraig ddeg darn arian, a digwydd iddi golli un darn; onid yw hi'n cynnau cannwyll ac yn 9 ysgubo'r tŷ ac yn chwilio'n ddyfal nes dod o hyd iddo? Ac wedi dod o hyd iddo, y mae'n gwahodd ei chyfeillesau a'i chymdogion ynghyd, gan ddweud, 'Llawenhewch gyda mi,

oherwydd yr wyf wedi cael hyd i'r darn arian a gollais.' Yr un modd, 'rwy'n dweud wrthych, y mae llawenydd ymhlith angylion Duw am un pechadur sy'n edifarhau." 10

*Dameg y Mab Colledig*

Ac meddai, "Yr oedd dyn â chanddo ddau fab. Dywedodd yr ieuengaf ohonynt wrth ei dad, 'Fy nhad, dyro imi'r gyfran o'th ystad sydd i ddod imi.' A rhannodd yntau ei eiddo rhyngddynt. Ychydig ddyddiau yn ddiweddarach, wedi newid y cwbl am arian, ymfudodd y mab ieuengaf i wlad bell, ac yno gwastraffodd ei eiddo ar fyw'n afradlon. Pan oedd wedi gwario'r cyfan, daeth newyn enbyd ar y wlad honno, a dechreuodd yntau fod mewn eisiau. Aeth yn weithiwr cyflog i un o ddinasyddion y wlad, ac anfonodd hwnnw ef i'w gaeau i ofalu am y moch. Buasai'n falch o wneud pryd o'r plisg yr oedd y moch yn eu bwyta; ond nid oedd neb yn cynnig dim iddo. Yna daeth ato'i hun a dweud, 'Faint o weision cyflog sydd gan fy nhad, a phob un ohonynt yn cael mwy na digon o fara, a minnau yma yn marw o newyn? Fe godaf, ac fe af at fy nhad a dweud wrtho, "Fy nhad, pechais yn erbyn y nef ac yn dy erbyn di. Nid wyf mwyach yn haeddu fy ngalw'n fab iti; cymer fi fel un o'th weision cyflog." ' Yna cododd a mynd at ei dad. A phan oedd eto ymhell i ffwrdd, gwelodd ei dad ef. Tosturiodd wrtho, rhedodd ato, a rhoes ei freichiau am ei wddf a'i gusanu. Ac meddai ei fab wrtho, 'Fy nhad, pechais yn erbyn y nef ac yn dy erbyn di. Nid wyf mwyach yn haeddu fy ngalw'n fab iti.' Ond meddai ei dad wrth ei weision, 'Brysiwch! Dewch â gwisg allan, yr orau, a'i gosod amdano. Rhowch fodrwy ar ei fys ac esgidiau ar ei draed. Dewch â'r llo pasgedig a lladdwch ef. Gadewch inni wledda a llawenhau, oherwydd yr oedd hwn, fy mab, wedi marw, a daeth yn fyw eto; yr oedd ar goll, a chafwyd hyd iddo.' Yna dechreusant wledda yn llawen. 11,12 13 14 15 16 17 18 19 20 21 22 23 24

"Yr oedd ei fab hynaf yn y caeau. Pan nesaodd at y tŷ ar ei ffordd adref, clywodd sŵn cerddoriaeth a dawnsio. Galwodd un o'r gweision ato a gofyn beth oedd ystyr hyn. 'Dy frawd sydd wedi dychwelyd,' meddai ef wrtho, 'ac am iddo ei gael yn ôl yn holliach, y mae dy dad wedi lladd y llo pasgedig.' Digiodd ef, a gwrthod mynd i mewn. Daeth ei dad allan a'i gymell yn daer i'r tŷ, ond atebodd ef, 'Yr holl flynyddoedd hyn 25 26 27 28 29

bûm yn was bach iti, heb anufuddhau erioed i'th orchymyn. Ni roddaist erioed i mi gymaint â myn gafr, imi gael gwledda
30 gyda'm cyfeillion. Ond pan ddychwelodd hwn, dy fab sydd wedi traflyncu dy eiddo gyda phuteiniaid, lleddaist y llo pasg-
31 edig iddo ef.' 'Fy mhlentyn,' meddai'r tad wrtho, 'yr wyt ti bob amser gyda mi, ac y mae'r cwbl sydd gennyf yn eiddo i ti.
32 Yr oedd yn rhaid gwledda a llawenhau, oherwydd yr oedd hwn, dy frawd, wedi marw, a daeth yn fyw; yr oedd ar goll, a chafwyd hyd iddo.' "

*Dameg y Goruchwyliwr Anonest*

**16** Dywedodd wrth ei ddisgyblion hefyd, "Yr oedd dyn cyfoethog â chanddo oruchwyliwr. Achwynwyd wrth ei feistr
2 fod hwn yn gwastraffu ei eiddo ef. Galwodd ef ato a dweud wrtho, 'Beth yw'r hanes hwn amdanat? Dyro imi gyfrifon dy
3 oruchwyliaeth, oherwydd ni elli gadw dy swydd bellach.' Yna meddai'r goruchwyliwr wrtho'i hun, 'Beth a wnaf fi? Y mae fy meistr yn cymryd fy swydd oddi arnaf. Nid oes gennyf
4 mo'r nerth i labro, ac y mae arnaf gywilydd cardota. Fe wn i beth a wnaf i gael croeso i gartrefi pobl pan ddiswyddir fi.'
5 Galwodd ato bob un o ddyledwyr ei feistr, ac meddai wrth y
6 cyntaf, 'Faint sydd arnat i'm meistr?' Atebodd yntau, 'Mil o alwyni o olew olewydd.' 'Cymer dy gyfrif,' meddai ef,
7 'eistedd i lawr, ac ysgrifenna ar unwaith "bum cant."' Yna meddai wrth un arall, 'A thithau, faint sydd arnat ti?' Atebodd yntau, 'Mil o fwsieli o wenith.' 'Cymer dy gyfrif,'
8 meddai ef, 'ac ysgrifenna "wyth gant."' Cymeradwyodd y meistr y goruchwyliwr anonest am iddo weithredu yn gall; oherwydd y mae meibion y byd hwn yn gallach na meibion y
9 goleuni yn eu hymwneud â'u tebyg. Ac 'rwyf fi'n dweud wrthych, gwnewch gyfeillion i chwi eich hunain ag arian, sy'n gynnyrch anonestrwydd, er mwyn i chwi gael croeso i'r tragwyddol
10 bebyll pan ddaw dydd arian i ben. Y mae dyn sy'n gywir yn y pethau lleiaf yn gywir yn y pethau mawr hefyd, a'r dyn sy'n anonest yn y pethau lleiaf yn anonest yn y pethau mawr hefyd.
11 Gan hynny, os na fuoch yn gywir wrth drin arian, cynnyrch
12 anonestrwydd, pwy a ymddirieda i chwi y gwir olud? Ac os na fuoch yn gywir wrth drin eiddo pobl eraill, pwy a rydd i
13 chwi eich eiddo eich hunain? Ni all unrhyw was wasanaethu dau feistr; oherwydd bydd un ai'n casáu'r naill ac yn caru'r

llall, neu'n deyrngar i'r naill ac yn dirmygu'r llall. Ni allwch wasanaethu Duw ac Arian."

### *Y Gyfraith a Theyrnas Dduw*

Yr oedd y Phariseaid, sy'n ddynion ariangar, yn gwrando ar hyn oll ac yn ei watwar. Ac meddai wrthynt, "Chwi yw'r rhai sy'n ceisio eu cyfiawnhau eu hunain yng ngolwg dynion, ond y mae Duw yn adnabod eich calonnau; oherwydd yr hyn sydd aruchel ymhlith dynion, ffieiddbeth yw yng ngolwg Duw. Y Gyfraith a'r proffwydi oedd mewn grym hyd at Ioan; oddi ar hynny, y mae'r newydd da am deyrnas Dduw yn cael ei gyhoeddi, a phawb yn ceisio mynediad iddi trwy drais. Ond byddai'n haws i'r nef a'r ddaear ddarfod nag i fanylyn lleiaf y Gyfraith golli ei rym. Y mae pob un sy'n ysgaru ei wraig ac yn priodi un arall yn godinebu, ac y mae'r dyn sy'n priodi gwraig a ysgarwyd gan ei gŵr yn godinebu. 14 15 16 17 18

### *Y Dyn Cyfoethog a Lasarus*

"Yr oedd dyn cyfoethog oedd yn arfer gwisgo porffor a lliain main, ac yn gwledda'n wych bob dydd. Wrth ei ddrws gorweddai dyn tlawd, o'r enw Lasarus, yn llawn cornwydydd, ac yn dyheu am wneud pryd o'r hyn a syrthiai oddi ar fwrdd y dyn cyfoethog; ac yn wir byddai'r cŵn yn dod i lyfu ei gornwydydd. Bu farw'r dyn tlawd, a dygwyd ef ymaith gan yr angylion i wledda wrth ochr Abraham. Bu farw'r dyn cyfoethog yntau, a chladdwyd ef. Yn Nhrigfan y Meirw, ac yntau mewn poen arteithiol, cododd ei lygaid a gwelodd Abraham o bell, a Lasarus wrth ei ochr. A galwodd, 'Abraham, fy nhad, trugarha wrthyf; anfon Lasarus i wlychu blaen ei fys mewn dŵr ac i oeri fy nhafod, oherwydd yr wyf mewn ingoedd yn y tân hwn.' 'Fy mhlentyn,' meddai Abraham, 'cofia iti dderbyn dy wynfyd yn ystod dy fywyd, a Lasarus yr un modd ei adfyd; yn awr y mae ef yma yn cael ei ddiddanu, a thithau yn dioddef mewn ingoedd. Heblaw hyn oll, rhyngom ni a chwi y mae agendor llydan wedi ei osod, rhag i neb a ddymunai hynny groesi oddi yma atoch chwi, neu gyrraedd oddi yna atom ni.' Atebodd ef, 'Os felly, fy nhad, 'rwy'n erfyn arnat ei anfon ef i dŷ fy nhad, at y pum brawd sydd gennyf, i dystiolaethu wrthynt am y cyfan, rhag iddynt hwythau ddod i'w harteithio yn y lle hwn.' 19 20 21 22 23 24 25 26 27 28

29 Ond dywedodd Abraham, 'Y mae Moses a'r proffwydi gan-
30 ddynt; dylent wrando arnynt hwy.' 'Nage, Abraham, fy nhad,' atebodd ef, 'ond os â rhywun atynt oddi wrth y meirw,
31 fe edifarhânt.' Ond meddai ef wrtho, 'Os nad ydynt yn gwrando ar Moses a'r proffwydi, yna ni chânt eu hargyhoeddi hyd yn oed os cyfyd rhywun o blith y meirw.' "

*Rhai o Ddywediadau Iesu*

(Mth 18.6-7, 21-22; Mc 9.42)

**17** Dywedodd wrth ei ddisgyblion, "Y mae achosion cwymp yn rhwym o ddod, ond gwae'r hwn sy'n gyfrifol amdanynt;
2 byddai'n well iddo fod wedi ei daflu i'r môr â maen melin ynghrog am ei wddf, nag iddo fod yn achos cwymp i un o'r rhai
3 bychain hyn. Cymerwch ofal. Os pecha dy frawd, cerydda ef;
4 os edifarha, maddau iddo; os pecha yn dy erbyn saith gwaith mewn diwrnod, ac eto troi'n ôl atat saith gwaith gan ddweud, 'Y mae'n edifar gennyf', maddau iddo."

5 Meddai'r apostolion wrth yr Arglwydd, "Dyro i ni ffydd."
6 Ac meddai'r Arglwydd, "Pe bai gennych ffydd gymaint â hedyn mwstard, fe allech ddweud wrth y forwydden hon, 'Coder dy wreiddiau a phlanner di yn y môr', a byddai'n ufuddhau i chwi.

7 "Os oes gan un ohonoch was sy'n aredig neu'n bugeilio, a fydd yn dweud wrtho pan ddaw i mewn o'r caeau, 'Tyrd yma
8 ar unwaith a chymer dy le wrth y bwrdd'? Na, yr hyn a ddywed fydd, 'Paratoa swper imi; torcha dy wisg a gweina arnaf nes imi orffen bwyta ac yfed; ac wedyn cei fwyta ac yfed
9 dy hun.' A yw'n diolch i'w was am gyflawni'r gorchmynion a
10 gafodd? Felly chwithau; pan fyddwch wedi cyflawni'r holl orchmynion a gawsoch, dywedwch, 'Gweision ydym, heb unrhyw deilyngdod; cyflawni ein dyletswydd a wnaethom.' "

*Glanhau Deg o Ddynion Gwahanglwyfus*

11 Yr oedd ef, ar ei ffordd i Jerwsalem, yn mynd trwy'r wlad
12 rhwng Samaria a Galilea, ac yn mynd i mewn i ryw bentref, pan ddaeth deg o ddynion gwahanglwyfus i gyfarfod ag ef.
13 Safasant bellter oddi wrtho a chodi eu lleisiau arno: "Iesu,
14 feistr, trugarha wrthym." Gwelodd ef hwy ac meddai wrthynt, "Ewch i'ch dangos eich hunain i'r offeiriaid." Ac ar eu ffordd

yno, fe'u glanhawyd hwy. Ac un ohonynt, pan welodd ei fod 15
wedi ei iacháu, dychwelodd gan ogoneddu Duw â llais uchel.
Syrthiodd ar ei wyneb wrth draed Iesu gan ddiolch iddo; a 16
Samariad oedd ef. Atebodd Iesu, "Oni lanhawyd y deg? 17
Ble mae'r naw? Ai'r estron hwn yn unig a gafwyd i ddychwel- 18
yd ac i roi gogoniant i Dduw?" Yna meddai wrtho, "Cod, a 19
dos ar dy hynt; dy ffydd sydd wedi dy iacháu di."

*Dyfodiad y Deyrnas*
(Mth 24.23-28, 37-41)

Gofynnwyd iddo gan y Phariseaid pryd y deuai teyrnas 20
Dduw. Atebodd hwy, "Nid rhywbeth i wylio amdano yw
dyfodiad teyrnas Dduw. Ni bydd dynion yn dweud, 'Dyma 21
hi', neu 'Dacw hi'; edrychwch, y mae teyrnas Dduw yn eich
plith* chwi." Ac meddai wrth ei ddisgyblion, "Daw dyddiau 22
pan fyddwch yn dyheu am gael gweld un o ddyddiau Mab y
Dyn, ac ni welwch mohono. Dywedant wrthych, 'Dacw ef', 23
neu 'Dyma ef'; peidiwch â mynd, peidiwch â rhedeg ar eu hôl.
Oherwydd fel y fellten sy'n fflachio o'r naill gwr o'r nef hyd y 24
llall, felly y bydd Mab y Dyn yn ei ddydd ef. Ond yn gyntaf y 25
mae'n rhaid iddo ddioddef llawer, a chael ei wrthod gan y
genhedlaeth hon. Ac fel y bu hi yn nyddiau Noa, felly hefyd 26
y bydd hi yn nyddiau Mab y Dyn: yr oedd pobl yn bwyta, yn 27
yfed, yn cymryd gwragedd, yn cael gwŷr, hyd y dydd yr aeth
Noa i mewn i'r arch ac y daeth y dilyw a difa pawb. Fel y bu hi 28
yn nyddiau Lot: yr oedd dynion yn bwyta, yn yfed, yn prynu,
yn gwerthu, yn plannu, yn adeiladu; ond y dydd yr aeth Lot 29
allan o Sodom, fe lawiodd dân a brwmstan o'r nef a difa pawb.
Yn union felly y bydd hi y dydd y datguddir Mab y Dyn. Y 30,31
dydd hwnnw, os bydd rhywun ar y to, a'i bethau yn y tŷ, peid-
ied â mynd i lawr i'w cipio; a'r un modd peidied neb fydd yn
y cae â throi yn ei ôl. Cofiwch wraig Lot. Pwy bynnag a gais 32,33
gadw ei fywyd ei hun, fe'i cyll, a phwy bynnag a'i cyll, fe'i
ceidw yn fyw. 'Rwy'n dweud wrthych, y nos honno bydd dau 34
mewn un gwely; cymerir y naill a gadewir y llall. Bydd dwy 35
wraig yn malu yn yr un lle; cymerir y naill a gadewir y llall."*

---

*adn. 21: neu, *o'ch mewn.*

*adn. 35: ychwanega rhai llawysgrifau adn. 36: *Bydd dau yn y cae; cymerir y naill a gadewir y llall.*

37 Ac atebasant hwythau ef, "Ble, Arglwydd?" Meddai ef wrthynt, "Lle bydd y gelain, yno yr heidia'r eryrod."

*Dameg y Weddw a'r Barnwr*

**18** Dywedodd ddameg wrthynt i ddangos fod yn rhaid iddynt 2 weddïo bob amser yn ddiflino: "Mewn rhyw dref yr oedd barnwr. Nid oedd yn ofni Duw nac yn parchu dynion. 3 Yn y dref honno yr oedd hefyd wraig weddw a fyddai'n mynd ger ei fron ac yn dweud, 'Dyro imi ddedfryd gyfiawn yn erbyn 4 fy ngwrthwynebwr.' Am hir amser daliodd i'w gwrthod, ond yn y diwedd meddai wrtho'i hun, 'Er nad wyf yn ofni Duw 5 nac yn parchu dynion, eto, am fod y wraig weddw yma yn fy mhoeni o hyd, fe roddaf iddi'r ddedfryd, rhag iddi ddal i ddod 6 a'm plagio i farwolaeth.'" Ac meddai'r Arglwydd, "Clywch 7 eiriau'r barnwr anghyfiawn. A fydd Duw yn gwrthod cyfiawnder i'w etholedigion, sy'n galw'n daer arno ddydd a nos? A 8 fydd ef yn oedi yn eu hachos hwy? 'Rwy'n dweud wrthych y rhydd ef gyfiawnder iddynt yn ebrwydd. Ond eto, pan ddaw Mab y Dyn, a gaiff ef ffydd ar y ddaear?"

*Dameg y Pharisead a'r Casglwr Trethi*

9 Dywedodd hefyd y ddameg hon wrth rai oedd yn sicr eu bod 10 hwy eu hunain yn gyfiawn, ac yn dirmygu pawb arall: "Aeth dau ddyn i fyny i'r deml i weddïo, y naill yn Pharisead a'r llall 11 yn gasglwr trethi. Safodd y Pharisead wrtho'i hun a gweddïodd fel hyn: 'O Dduw, yr wyf yn diolch iti am nad wyf fi fel pawb arall, yn rheibus, yn anghyfiawn, yn odinebus, na chwaith 12 fel y casglwr trethi yma. Yr wyf yn ymprydio ddwywaith yr 13 wythnos, ac yn talu degwm ar bopeth a gaf.' Ond yr oedd y casglwr trethi yn sefyll ymhell i ffwrdd, heb geisio cymaint â chodi ei lygaid tua'r nef; yr oedd yn curo ei fron gan ddweud, 14 'O Dduw, bydd drugarog wrthyf fi, bechadur.' 'Rwy'n dweud wrthych, dyma'r dyn a aeth adref wedi ei gyfiawnhau, nid y llall; oherwydd darostyngir pob un sy'n ei ddyrchafu ei hun, a dyrchefir pob un sy'n ei ddarostwng ei hun."

*Bendithio Plant Bach*
(Mth 19.13-15; Mc 10.13-16)

15 Yr oeddent yn dod â'u babanod hefyd ato, iddo gyffwrdd â hwy, ond wrth weld hyn dechreuodd y disgyblion eu ceryddu.

Ond galwodd Iesu'r plant ato gan ddweud, " Gadewch i'r plant 16 ddod ataf fi a pheidiwch â'u rhwystro, oherwydd i rai fel hwy y mae teyrnas Dduw yn perthyn. Yn wir, 'rwy'n dweud 17 wrthych, pwy bynnag nad yw'n derbyn teyrnas Dduw yn null plentyn, nid â byth i mewn iddi."

*Y Llywodraethwr Ifanc Cyfoethog*
(Mth 19.16-30; Mc 10.17-31)

Gofynnodd aelod o'r Cyngor iddo, " Athro da, beth a wnaf i 18 etifeddu bywyd tragwyddol ?" Dywedodd Iesu wrtho, " Pam 19 yr wyt yn fy ngalw i yn dda ? Nid oes neb da ond un, sef Duw. Gwyddost y gorchmynion: ' Na odineba, na ladd, na ladrata, 20 na chamdystiolaetha, anrhydedda dy dad a'th fam.' " Meddai 21 yntau, " Yr wyf wedi cadw'r rhain i gyd o'm hieuenctid." Pan 22 glywodd Iesu hyn, dywedodd wrtho, " Un peth sydd ar ôl i ti ei wneud: gwerth y cwbl sydd gennyt, a rhanna ef ymhlith y tlodion, a chei drysor yn y nefoedd; a thyrd, canlyn fi." Ond 23 pan glywodd ef hyn, aeth yn drist iawn, oherwydd yr oedd yn gyfoethog dros ben.

Pan welodd Iesu ef wedi tristáu, meddai, " Mor anodd yw hi 24 i'r rhai goludog fynd i mewn i deyrnas Dduw ! Oherwydd y 25 mae'n haws i gamel fynd trwy grau nodwydd nag i ddyn cyfoethog fynd i mewn i deyrnas Dduw." Ac meddai'r gwran- 26 dawyr, " Pwy ynteu all gael ei achub ?" Atebodd yntau, " Y 27 mae'r hyn sy'n amhosibl gyda dynion yn bosibl gyda Duw." Yna dywedodd Pedr, " Dyma ni wedi gadael ein heiddo a'th 28 ganlyn di." Ond meddai ef wrthynt, " Yn wir, 'rwy'n dweud 29 wrthych nad oes neb a adawodd dŷ neu wraig neu frodyr neu rieni neu blant, er mwyn teyrnas Dduw, na chaiff dderbyn 30 yn ôl lawer gwaith cymaint yn yr amser hwn, ac yn yr oes sy'n dod fywyd tragwyddol."

*Iesu Unwaith Eto yn Rhagfynegi ei Farwolaeth a'i Atgyfodiad*
(Mth 20.17-19; Mc 10.32-34)

Cymerodd y Deuddeg gydag ef a dweud wrthynt, " Dyma 31 ni'n mynd i fyny i Jerwsalem, a chyflawnir ar Fab y Dyn bob peth sydd wedi ei ysgrifennu trwy'r proffwydi; oherwydd 32 caiff ei drosglwyddo i'r estroniaid, a'i watwar a'i gam-drin, a phoeri arno; ac wedi ei fflangellu lladdant ef, a'r trydydd dydd 33 fe atgyfoda." Nid oeddent hwy yn deall dim o hyn; yr oedd y 34 peth hwn wedi ei guddio rhagddynt, a'i eiriau y tu hwnt i'w hamgyffred.

*Iacháu Cardotyn Dall ger Jericho*

(Mth 20.29-34; Mc 10.46-52)

35 Wrth iddo nesáu at Jericho, yr oedd dyn dall yn eistedd ar 36 fin y ffordd yn cardota. Pan glywodd y dyrfa yn dod gofynnodd 37 beth oedd hynny, a mynegwyd iddo fod Iesu o Nasareth yn 38 mynd heibio. Bloeddiodd yntau, " Iesu, Fab Dafydd, trugarha 39 wrthyf." Yr oedd y rhai ar y blaen yn ei geryddu ac yn dweud wrtho am dewi; ond yr oedd ef yn gweiddi'n uwch fyth, " Fab 40 Dafydd, trugarha wrthyf." Safodd Iesu, a gorchymyn dod 41 ag ef ato. Wedi i'r dyn nesáu gofynnodd Iesu iddo, " Beth yr wyt ti am i mi ei wneud iti ?" Meddai ef, " Syr, mae arnaf 42 eisiau cael fy ngolwg yn ôl." Dywedodd Iesu wrtho, " Derbyn 43 dy olwg yn ôl; dy ffydd sydd wedi dy iacháu di." Cafodd ei olwg yn ôl ar unwaith, a dechreuodd ei ganlyn ef gan ogoneddu Duw. Ac o weld hyn rhoddodd yr holl bobl foliant i Dduw.

*Iesu a Sacheus*

**19** Yr oedd wedi dod i mewn i Jericho, ac yn mynd trwy'r dref. 2 Dyma ddyn o'r enw Sacheus, un oedd yn brif gasglwr trethi ac 3 yn ŵr cyfoethog, yn ceisio gweld prun oedd Iesu; ond yr oedd 4 yno ormod o dyrfa, ac yntau'n ddyn byr. Rhedodd ymlaen a dringo sycamorwydden er mwyn gweld Iesu, oherwydd yr oedd 5 ar fynd heibio y ffordd honno. Pan ddaeth Iesu at y fan, edrychodd i fyny a dweud wrtho, " Sacheus, tyrd i lawr ar dy 6 union; y mae'n rhaid imi aros yn dy dŷ di heddiw." Daeth ef i 7 lawr ar ei union a'i groesawu yn llawen. Pan welsant hyn, dechreuodd pawb rwgnach ymhlith ei gilydd gan ddweud, 8 " Y mae wedi mynd i letya at ddyn pechadurus." Ond safodd Sacheus yno, ac meddai wrth yr Arglwydd, " Dyma hanner fy eiddo, Syr, yn rhodd i'r tlodion; os mynnais arian ar gam gan 9 neb, fe'i talaf yn ôl bedair gwaith." " Heddiw," meddai Iesu wrtho, " daeth iachawdwriaeth i'r tŷ hwn, oherwydd mab i 10 Abraham yw'r gŵr hwn yntau. Daeth Mab y Dyn i geisio ac i achub y colledig "

### *Dameg y Deg Darn Aur*
(Mth 25.14-30)

Tra oeddent yn gwrando ar hyn, fe aeth ymlaen i ddweud dameg, am ei fod yn agos i Jerwsalem a hwythau'n tybied fod teyrnas Dduw i ymddangos ar unwaith. Meddai gan hynny, "Aeth dyn o uchel dras i wlad bell i gael ei wneud yn frenin, ac yna dychwelyd i'w deyrnas. Galwodd ato ddeg o'i weision a rhoi darn aur bob un iddynt, gan ddweud wrthynt, 'Ewch i fasnachu nes imi ddychwelyd.' Ond yr oedd ei ddeiliaid yn ei gasáu, ac anfonasant lysgenhadon ar ei ôl i ddatgan: 'Ni fynnwn hwn yn frenin arnom.' Ond dychwelodd ef wedi ei wneud yn frenin, a gorchmynnodd alw ato y gweision hynny yr oedd wedi rhoi'r arian iddynt, i gael gwybod pa lwyddiant yr oeddent wedi ei gael. Daeth y cyntaf ato gan ddweud, 'Meistr, y mae dy ddarn aur wedi ennill ato ddeg darn arall.' 'Ardderchog, fy ngwas da,' meddai yntau wrtho, 'am iti fod yn ffyddlon yn y pethau lleiaf, yr wyf yn dy benodi yn llywodraethwr ar ddeg tref.' Daeth yr ail gan ddweud, 'Y mae dy ddarn aur, Meistr, wedi gwneud pum darn.' 'Tithau hefyd,' meddai wrth hwn yn ei dro, 'bydd yn bennaeth ar bum tref.' Yna daeth y trydydd gan ddweud, 'Meistr, dyma dy ddarn aur. Fe'i cedwais yn ddiogel mewn cadach. Yr oedd arnaf dy ofn di. Yr wyt yn ddyn caled, yn cymryd yr hyn a ystoriodd eraill ac yn medi'r hyn a heuodd eraill.' 'Â'th eiriau dy hun,' atebodd ef, 'yr wyf yn dy gondemnio, y gwas drwg. Yr oeddit yn gwybod, meddi, fy mod yn ddyn caled, yn cymryd yr hyn a ystoriodd eraill ac yn medi'r hyn a heuodd eraill. Pam felly na roddaist fy arian mewn banc? Buasai wedi ennill llog erbyn imi ddod i'w godi.' Yna meddai wrth y rhai oedd yno, 'Cymerwch y darn aur oddi arno a rhowch ef i'r un â chanddo ddeg darn.' 'Meistr,' meddent hwy wrtho, 'y mae ganddo ddeg darn yn barod.' 'Rwy'n dweud wrthych, i bawb y mae ganddo y rhoddir, ond oddi ar yr hwn nad oes ganddo fe gymerir hyd yn oed hynny sydd ganddo. A'm gelynion, y rheini na fynnent fi yn frenin arnynt, dewch â hwy yma a lladdwch hwy yn fy ngŵydd."

11 12 13 14 15 16 17 18 19 20 21 22 23 24 25 26 27

### *Yr Ymdaith Fuddugoliaethus i mewn i Jerwsalem*
(Mth 21.1-11; Mc 11.1-11; In 12.12-19)

Wedi dweud hyn aeth rhagddo ar ei ffordd i fyny i Jerwsalem, 28

29 gan gerdded ar y blaen. Pan gyrhaeddodd yn agos i Bethffage a Bethania, ger y mynydd a elwir Olewydd, anfonodd ddau o'i 30 ddisgyblion gan ddweud, " Ewch i'r pentref gyferbyn. Wrth ichwi ddod i mewn iddo cewch yno ebol wedi ei rwymo, un nad oes neb wedi bod ar ei gefn erioed. Gollyngwch ef a dewch ag 31 ef yma. Ac os bydd rhywun yn gofyn i chwi, ' Pam yr ydych yn ei ollwng ?' dywedwch fel hyn: ' Y mae ar y Meistr ei 32 angen.' " Aeth y rhai a anfonwyd, a chael yr ebol, fel yr oedd 33 ef wedi dweud wrthynt. Pan oeddent yn gollwng yr ebol, meddai ei berchenogion wrthynt, " Pam yr ydych yn gollwng 34 yr ebol ?" Atebasant hwythau, " Y mae ar y Meistr ei angen ", 35 a daethant ag ef at Iesu. Yna taflasant eu mentyll ar yr ebol, a 36 gosod Iesu ar ei gefn. Wrth iddo fynd yn ei flaen, yr oedd pobl yn taenu eu mentyll ar y ffordd.

37 Pan oedd yn nesáu at y ffordd sy'n disgyn o Fynydd yr Olewydd, dechreuodd holl dyrfa ei ddisgyblion yn eu llawenydd foli Duw â llais uchel am yr holl wyrthiau yr oeddent wedi 38 eu gweld, gan ddweud:

" Bendith ar yr hwn sy'n dyfod
yn frenin yn enw'r Arglwydd;
yn y nef, tangnefedd,
a gogoniant yn y goruchaf."

39 Ac meddai rhai o'r Phariseaid wrtho o'r dyrfa, " Athro, 40 cerydda dy ddisgyblion." Atebodd yntau, " 'Rwy'n dweud wrthych, os bydd y rhain yn tewi, bydd y cerrig yn gweiddi."

41 Pan ddaeth yn agos a gweld y ddinas, wylodd drosti gan 42 ddweud, " Pe bait tithau, y dydd hwn, wedi adnabod ffordd 43 tangnefedd—ond na, fe'i cuddiwyd rhag dy lygaid. Oherwydd daw arnat ddyddiau pan fydd dy elynion yn codi clawdd yn dy 44 erbyn, a'th amgylchynu a gwasgu arnat o bob tu. Fe'th ddymchwelant hyd dy seiliau, ti a'th blant o'th fewn; ni adawant faen ar faen ynot ti, oherwydd dy fod heb adnabod yr amser pan ymwelwyd â thi."

### *Glanhau'r Deml*

(Mth 21.12-17; Mc 11.15-19; In 2.13-22)

45 Aeth i mewn i'r deml a dechreuodd fwrw allan y rhai oedd 46 yn gwerthu, gan ddweud wrthynt, " Y mae'n ysgrifenedig:

' A bydd fy nhŷ i yn dŷ gweddi,
ond gwnaethoch chwi ef yn ogof lladron.' "

Yr oedd yn dysgu o ddydd i ddydd yn y deml. Yr oedd y prif offeiriaid a'r ysgrifenyddion, ynghyd â gwŷr blaenaf y bobl, yn ceisio modd i'w ladd, ond heb daro ar ffordd i wneud hynny, oherwydd fod yr holl bobl yn gwrando arno ac yn dal ar ei eiriau. 47 48

*Amau Awdurdod Iesu*
(Mth 21.23-27; Mc 11.27-33)

**20** Un o'r dyddiau pan oedd ef yn dysgu'r bobl yn y deml ac yn cyhoeddi'r newydd da, daeth y prif offeiriaid a'r ysgrifenyddion, ynghyd â'r henuriaid, ato, ac meddent wrtho, 2 "Dywed wrthym trwy ba awdurdod yr wyt ti'n gwneud y pethau hyn, neu pwy roddodd i ti'r awdurdod hon." 3 Atebodd ef hwy, "Fe ofynnaf finnau rywbeth i chwi. 4 Dywedwch wrthyf: bedydd Ioan, ai o'r nef yr oedd, ai o ddynion ?" 5 Dadleusant â'i gilydd gan ddweud, "Os dywedwn, 'O'r nef', fe ddywed, 'Pam na chredasoch ef ?' 6 Ond os dywedwn, 'O ddynion', bydd yr holl bobl yn ein llabyddio, oherwydd y maent yn argyhoeddedig fod Ioan yn broffwyd." 7 Ac atebasant nad oeddent yn gwybod o ble'r oedd. 8 Meddai Iesu wrthynt, "Ni ddywedaf finnau chwaith wrthych chwi trwy ba awdurdod yr wyf yn gwneud y pethau hyn."

*Dameg y Winllan a'r Tenantiaid*
(Mth 21.33-46; Mc 12.1-12)

9 Dechreuodd ddweud y ddameg hon wrth y bobl: "Fe blannodd dyn winllan, ac wedi iddo ei gosod hi i denantiaid, aeth oddi cartref am amser hir. 10 Pan ddaeth yn amser, anfonodd was at y tenantiaid iddynt roi iddo gyfran o ffrwyth y winllan. Ond ei guro a wnaeth y tenantiaid, a'i yrru i ffwrdd yn waglaw. 11 Anfonodd ef was arall, ond curasant hwn hefyd a'i amharchu, a'i yrru i ffwrdd yn waglaw. 12 Anfonodd ef drachefn drydydd, ond clwyfasant hwn hefyd a'i fwrw allan. 13 Yna meddai perchen y winllan, 'Beth a wnaf fi ? Fe anfonaf fy mab, yr anwylyd; efallai y parchant ef.' 14 Ond pan welodd y tenantiaid hwn, dechreusant drafod ymhlith ei gilydd gan ddweud, 'Hwn yw'r etifedd; lladdwn ef, er mwyn i'r etifeddiaeth ddod yn eiddo i ni.' 15 A bwriasant ef allan o'r winllan a'i ladd. Beth ynteu a wna perchen y winllan iddynt ? 16 Fe ddaw ac fe ddifetha'r tenantiaid hynny, ac fe rydd y winllan i eraill." Pan glywsant hyn medd-

17 ent, "Na ato Duw!" Edrychodd ef arnynt a dweud, "Beth felly yw ystyr yr Ysgrythur hon:

'Y maen a wrthododd yr adeiladwyr,
hwn a ddaeth yn faen y gongl'?

18 Pawb sy'n syrthio ar y maen hwn, fe'i dryllir; pwy bynnag y
19 syrth y maen arno, fe'i maluria." Ceisiodd yr ysgrifenyddion a'r prif offeiriaid osod dwylo arno y pryd hwnnw, ond yr oedd arnynt ofn y bobl, oherwydd gwyddent mai yn eu herbyn hwy y dywedodd y ddameg hon.

### *Talu Trethi i Gesar*
(Mth 22.15-22; Mc 12.13-17)

20 Gwyliasant eu cyfle ac anfon ysbïwyr, yn rhith dynion gonest, i'w ddal ef ar air, er mwyn ei draddodi i awdurdod brawdlys y
21 llywodraethwr. Gofynasant iddo, "Athro, gwyddom fod dy eiriau a'th ddysgeidiaeth yn gywir; yr wyt yn ddi-dderbyn-
22 wyneb, ac yn dysgu ffordd Duw yn gwbl ddiffuant. A yw'n
23 gyfreithlon inni dalu treth i Gesar, ai nid yw?" Ond deallodd
24 ef eu hystryw, ac meddai wrthynt, "Dangoswch imi ddarn
25 arian. Llun ac arysgrif pwy sydd arno?" "Cesar," meddent hwy. Dywedodd ef wrthynt, "Gan hynny, talwch bethau
26 Cesar i Gesar, a phethau Duw i Dduw." Yr oeddent wedi methu ei ddal ar air o flaen y bobl, a chan ryfeddu at ei ateb aethant yn fud.

### *Holi ynglŷn â'r Atgyfodiad*
(Mth 22.23-33; Mc 12.18-27)

27 Daeth ato rai o'r Sadwceaid, y bobl sy'n dal nad oes dim
28 atgyfodiad. Gofynasant iddo, "Athro, ysgrifennodd Moses ar ein cyfer, os bydd rhywun farw yn ŵr priod, ond yn ddi-blant,
29 fod ei frawd i gymryd y wraig ac i godi plant i'w frawd. Yn awr, yr oedd saith o frodyr. Cymerodd y cyntaf wraig, a
30,31 bu farw'n ddi-blant. Cymerodd yr ail a'r trydydd hi, ac yn yr
32 un modd bu'r saith farw heb adael plant. Yn ddiweddarach
33 bu farw'r wraig hithau. Beth am y wraig felly? Yn yr atgyfodiad, gwraig prun ohonynt fydd hi? Oherwydd cafodd y saith
34 hi'n wraig." Meddai Iesu wrthynt, "Y mae plant y byd hwn
35 yn priodi ac yn cael eu priodi; ond y rhai a gafwyd yn deilwng o'r byd hwnnw ac o'r atgyfodiad oddi wrth y meirw, ni phriod-
36 ant ac ni phriodir hwy. Ni allant farw mwyach, oherwydd y

maent fel angylion. Plant Duw ydynt, am eu bod yn blant yr atgyfodiad. Ond bod y meirw yn codi, y mae Moses yntau wedi 37 dangos hynny yn hanes y Berth, pan ddywed, 'Arglwydd Dduw Abraham a Duw Isaac a Duw Jacob'. Nid Duw'r 38 meirw yw ef, ond y rhai byw, oherwydd y mae pawb yn fyw iddo ef." Atebodd rhai o'r ysgrifenyddion, "Athro, da y 39 dywedaist", oherwydd ni feiddient mwyach ei holi am ddim. 40

### *Holi ynglŷn â Mab Dafydd*
(Mth 22.41-46; Mc 12.35-37)

A dywedodd wrthynt, "Sut y mae pobl yn gallu dweud fod 41 y Meseia yn Fab Dafydd? Oherwydd y mae Dafydd ei hun yn 42 dweud yn llyfr y Salmau:

'Dywedodd yr Arglwydd wrth fy Arglwydd i,
"Eistedd ar fy neheulaw
hyd oni osodaf dy elynion yn droedfainc i'th draed."' 43

Yn awr, y mae Dafydd yn ei alw'n Arglwydd; sut felly y mae'n 44 fab iddo?"

### *Cyhuddo'r Ysgrifenyddion*
(Mth 23.1-36; Mc 12.38-40; Lc 11.37-54)

A'r holl bobl yn gwrando, meddai wrth ei ddisgyblion, 45 "Gochelwch rhag yr ysgrifenyddion sy'n hoffi rhodianna mewn 46 gwisgoedd llaes, sy'n caru cael cyfarchiadau yn y marchnadoedd, a'r prif gadeiriau yn y synagogau, a'r seddau anrhydedd mewn gwleddoedd, ac sy'n difa cartrefi gwragedd gweddwon, 47 ac mewn rhagrith yn gweddïo'n faith; fe dderbyn y rhain drymach dedfryd."

### *Offrwm y Weddw*
(Mc 12.41-44)

Cododd ei lygaid a gwelodd bobl gyfoethog yn rhoi eu rhodd- **21** ion i mewn yng nghist y drysorfa. Yna gwelodd wraig weddw 2 dlawd yn rhoi dwy hatling ynddi, ac meddai, "Yn wir, 'rwy'n 3 dweud wrthych fod y weddw dlawd hon wedi rhoi mwy na phawb. Oherwydd rhoddodd y rhain i gyd roddion o'r mwy 4 na digon sydd ganddynt, ond rhoddodd hon o'i phrinder y cwbl oedd ganddi i fyw arno."

### *Rhagfynegi Dinistr y Deml*
(Mth 24.1-2; Mc 13.1-2)

5 Wrth i rywrai sôn am y deml, ei bod wedi ei haddurno â
6 meini gwych a rhoddion cysegredig, meddai ef, " Am y pethau hyn yr ydych yn syllu arnynt, fe ddaw dyddiau pryd ni adewir maen ar faen; ni bydd yr un heb ei fwrw i lawr."

### *Arwyddion ac Erledigaethau*
(Mth 24.3-14; Mc 13.3-13)

7 Gofynasant iddo, " Athro, pa bryd y bydd hyn ? Beth fydd
8 yr arwydd pan fydd hyn ar ddigwydd ?" Meddai yntau, " Gwyliwch na chewch eich twyllo. Oherwydd fe ddaw llawer yn fy enw i gan ddweud, 'Myfi yw', ac, 'Y mae'r amser wedi
9 dod yn agos'. Peidiwch â mynd i'w canlyn. A phan glywch am ryfeloedd a gwrthryfeloedd, peidiwch â chymryd eich dychrynu. Rhaid i hyn ddigwydd yn gyntaf, ond nid yw'r diwedd i fod ar
10 unwaith." Y pryd hwnnw dywedodd wrthynt, " Cyfyd cenedl
11 yn erbyn cenedl, a theyrnas yn erbyn teyrnas. Bydd daeargrynfâu dirfawr, a newyn a phlâu mewn mannau. Bydd argoel-
12 ion arswydus ac arwyddion enfawr o'r nef. Ond cyn hyn oll byddant yn gosod dwylo arnoch ac yn eich erlid. Fe'ch traddodir i'r synagogau ac i garchar, fe'ch dygir gerbron
13 brenhinoedd a llywodraethwyr o achos fy enw i; hyn fydd eich
14 cyfle i dystiolaethu. Penderfynwch beidio â phryderu ymlaen
15 llaw ynglŷn â'ch amddiffyniad; fe roddaf fi i chwi huodledd a doethineb na all eich holl wrthwynebwyr ei wrthsefyll na'i
16 wrth-ddweud. Fe'ch bradychir gan eich rhieni a'ch brodyr a'ch
17 perthnasau a'ch cyfeillion, a pharant ladd rhai ohonoch. A
18 chas fyddwch gan bawb o achos fy enw i. Ond ni chollir yr un
19 blewyn o wallt eich pen. Trwy eich dyfalbarhad meddiannwch fywyd i chwi eich hunain.

### *Rhagfynegi Dinistr Jerwsalem*
(Mth 24.15-21; Mc 13.14-19)

20 " Ond pan welwch Jerwsalem wedi ei hamgylchynu gan fyddinoedd, yna byddwch yn gwybod fod awr ei diffeithio wedi
21 dod yn agos. Y pryd hwnnw, ffoed y rhai sydd yn Jwdea i'r mynyddoedd. Pob un sydd yng nghanol y ddinas, aed allan ohoni; a phob un sydd yn y wlad, peidied â mynd i mewn iddi.
22 Oherwydd dyddiau dial fydd y rhain, pan fydd pob peth sy'n

ysgrifenedig yn cael ei gyflawni. Gwae'r gwragedd beichiog a'r 23 rhai sy'n rhoi'r fron yn y dyddiau hynny! Daw cyfyngder dirfawr ar y wlad, a digofaint ar y bobl hon. Byddant yn 24 cwympo dan fin y cleddyf, ac fe'u dygir yn garcharorion i'r holl genhedloedd. Caiff Jerwsalem ei mathru dan draed estroniaid nes cyflawni eu hamserau hwy.

*Dyfodiad Mab y Dyn*
(Mth 24.29-31; Mc 13.24-27)

"Bydd arwyddion yn yr haul a'r lloer a'r sêr. Ar y ddaear 25 bydd cenhedloedd mewn cyfyngder yn eu pryder rhag trymru ac ymchwydd y môr. Bydd dynion yn llewygu gan ofn wrth 26 ddisgwyl y pethau sy'n dod ar y byd; oherwydd ysgydwir nerthoedd y nefoedd. A'r pryd hwnnw gwelant Fab y Dyn yn 27 dyfod mewn cwmwl gyda nerth a gogoniant mawr. Pan 28 ddechreua'r pethau hyn ddigwydd, ymunionwch a chodwch eich pennau, oherwydd y mae eich rhyddhad yn agosáu."

*Gwers y Ffigysbren*
(Mth 24.32-35; Mc 13.28-31)

Adroddodd ddameg wrthynt: "Edrychwch ar y ffigysbren 29 a'r holl goed. Pan fyddant yn dechrau deilio, fe wyddoch eich 30 hunain o'u gweld fod yr haf bellach yn agos. Felly chwithau, 31 pan welwch y pethau hyn yn digwydd, byddwch yn gwybod fod teyrnas Dduw yn agos. Yn wir, 'rwy'n dweud wrthych, 32 nid â'r genhedlaeth hon heibio nes i'r cwbl ddigwydd. Y nef 33 a'r ddaear, ânt heibio, ond fy ngeiriau i, nid ânt heibio ddim.

*Anogaeth i Fod yn Effro*

"Cymerwch ofal, rhag i'ch meddyliau gael eu pylu gan 34 ddiota a meddwi a gofalon bydol, ac i'r dydd hwnnw ddod arnoch yn ddisymwth. Fel magl y daw ar bawb sy'n trigo ar 35 wyneb y ddaear gyfan. Byddwch effro bob amser, gan ddeisyf 36 am nerth i ddianc rhag yr holl bethau hyn sydd ar ddigwydd, ac i sefyll yng ngŵydd Mab y Dyn."

Yn ystod y dydd byddai'n dysgu yn y deml, ond byddai'n 37 mynd allan ac yn treulio'r nos ar y mynydd a elwir Olewydd. Yn y bore bach deuai'r holl bobl ato yn y deml i wrando arno.* 38

---

*adn. 38: yma ychwanega rhai llawysgrifau yr adran a welir yn In 7. 53-8. 11.

### *Y Cynllwyn i Ladd Iesu*
(Mth 26.1-5, 14-16; Mc 14.1-2, 10-11; In 11.45-53)

**22** Yr oedd gŵyl y Bara Croyw, y Pasg fel y'i gelwir, yn agosáu. 2 Yr oedd y prif offeiriaid a'r ysgrifenyddion yn ceisio modd i'w 3 ladd, oherwydd yr oedd arnynt ofn y bobl. Ac aeth Satan i mewn i Jwdas, a elwid Iscariot, hwnnw oedd yn un o'r Deu- 4 ddeg. Aeth ef a thrafod gyda'r prif offeiriaid a swyddogion 5 gwarchodlu'r deml sut i fradychu Iesu iddynt. Cytunasant yn 6 llawen iawn i dalu arian iddo. Cydsyniodd yntau, a dechreuodd geisio cyfle i'w fradychu ef iddynt heb i'r dyrfa wybod.

### *Paratoi Gwledd y Pasg*
(Mth 26.17-25; Mc 14.12-21; In 13.21-30)

7 Daeth dydd gŵyl y Bara Croyw, pryd yr oedd yn rhaid lladd 8 oen y Pasg. Anfonodd ef Pedr ac Ioan gan ddweud, "Ewch a 9 pharatowch inni gael bwyta gwledd y Pasg." Meddent hwy 10 wrtho, "Ble yr wyt ti am inni ei baratoi?" Atebodd hwy, "Wedi i chwi fynd i mewn i'r ddinas fe ddaw dyn i'ch cyfarfod, 11 yn cario stên o ddŵr. Dilynwch ef i'r tŷ yr â i mewn iddo, a dywedwch wrth ŵr y tŷ, 'Y mae'r Athro yn gofyn i ti, "Ble mae f'ystafell, lle yr wyf i fwyta gwledd y Pasg gyda'm disgybl- 12 ion?"' Ac fe ddengys ef i chwi oruwchystafell fawr wedi ei 13 threfnu; yno paratowch." Aethant ymaith, a chael fel yr oedd ef wedi dweud wrthynt, a pharatoesant wledd y Pasg.

### *Sefydlu Swper yr Arglwydd*
(Mth 26.26-30; Mc 14.22-26; 1 Cor 11.23-25)

14 Pan ddaeth yr awr, cymerodd ei le wrth y bwrdd, a'r apostol- 15 ion gydag ef. Meddai wrthynt, "Mor daer y bûm yn dyheu am gael bwyta gwledd y Pasg hwn gyda chwi cyn imi ddioddef! 16 Oherwydd 'rwy'n dweud wrthych na fwytâf hi byth hyd nes y 17 cyflawnir hi yn nheyrnas Dduw." Derbyniodd gwpan, ac wedi diolch meddai, "Cymerwch hwn a rhannwch ef ymhlith eich 18 gilydd. Oherwydd 'rwy'n dweud wrthych nad yfaf o hyn allan 19 o ffrwyth y winwydden hyd nes y daw teyrnas Dduw." Cymer- odd fara, ac wedi diolch fe'i torrodd a'i roi iddynt gan ddweud, "Hwn yw fy nghorff, sy'n cael ei roi er eich mwyn chwi; 20 gwnewch hyn er cof amdanaf." Yr un modd hefyd fe gymer- odd y cwpan ar ôl swper gan ddweud, "Y cwpan hwn yw'r

cyfamod newydd yn fy ngwaed i, sy'n cael ei dywallt er eich mwyn chwi.* Ond dyma law fy mradychwr gyda'm llaw i ar 21 y bwrdd. Oherwydd y mae Mab y Dyn yn wir yn mynd ymaith, 22 yn ôl yr hyn sydd wedi ei bennu, ond gwae'r dyn hwnnw y bradychir ef ganddo!" A dechreusant ofyn ymhlith ei gilydd 23 prun ohonynt oedd yr un oedd am wneud hynny.

### *Y Ddadl ynglŷn â Mawredd*

Cododd cweryl hefyd yn eu plith: prun ohonynt oedd i'w 24 gyfrif y mwyaf? Meddai ef wrthynt, "Y mae brenhinoedd y 25 Cenhedloedd yn arglwyddiaethu arnynt, a'r rhai sydd ag awdurdod drostynt yn cael eu galw yn gymwynaswyr. Ond 26 peidiwch chwi â gwneud felly. Yn hytrach, bydded y mwyaf yn eich plith fel yr ieuengaf, a'r arweinydd fel un sy'n gweini. Pwy sydd fwyaf, yr hwn sy'n eistedd wrth y bwrdd neu'r hwn 27 sy'n gweini? Onid yr hwn sy'n eistedd? Ond yr wyf fi yn eich plith fel un sy'n gweini. Chwi yw'r rhai sydd wedi dal gyda mi 28 trwy gydol fy nhreialon. Ac fel y cyflwynodd fy Nhad deyrnas 29 i mi, yr wyf finnau yn cyflwyno un i chwi; cewch fwyta ac yfed 30 wrth fy mwrdd i yn fy nheyrnas i, ac eistedd ar orseddau gan farnu deuddeg llwyth Israel.

### *Rhagfynegi Gwadiad Pedr*
(Mth 26.31-35; Mc 14.27-31; In 13.36-38)

"Simon, Simon, dyma Satan wedi eich hawlio chwi, i'ch 31 gogrwn fel gwenith; ond yr wyf fi wedi deisyf drosot ti na fydd 32 dy ffydd yn pallu. A thithau, pan fyddi wedi dychwelyd ataf, cadarnha dy frodyr." Meddai ef wrtho, "Arglwydd, gyda thi 33 'rwy'n barod i fynd i garchar ac i farwolaeth." "'Rwy'n dweud 34 wrthyt, Pedr," atebodd ef, "ni chân y ceiliog heddiw cyn y byddi wedi gwadu deirgwaith dy fod yn fy adnabod i."

### *Pwrs, Cod a Chleddyf*

Dywedodd wrthynt, "Pan anfonais chwi allan heb bwrs na 35 chod nac esgidiau, a fuoch yn brin o ddim?" "Naddo,"

---

*adn. 19-20: y mae rhai llawysgrifau yn gadael allan *sy'n cael ei roi . . . ei dywallt er eich mwyn chwi*. Yn adn. 20 gellir cyfieithu: *Y cwpan hwn, sy'n cael ei dywallt er eich mwyn chwi, yw'r cyfamod newydd yn fy ngwaed i.*

36 atebasant. Meddai yntau, " Ond yn awr, bydded i'r hwn sydd â phwrs ganddo fynd ag ef i'w ganlyn, a'i god yr un modd; a'r hwn nid oes ganddo gleddyf, bydded iddo werthu ei fantell a 37 phrynu un. 'Rwy'n dweud wrthych fod yn rhaid cyflawni ynof fi yr Ysgrythur sy'n dweud: 'A chyfrifwyd ef gyda throseddwyr.' Oherwydd y mae'r hyn a ragddywedwyd amdanaf fi yn 38 dod i ben." " Arglwydd," atebasant hwy, " dyma ddau gleddyf." Meddai yntau wrthynt, " Dyna ddigon."

*Y Weddi ar Fynydd yr Olewydd*
(Mth 26.36-46; Mc 14.32-42)

39 Yna aeth allan, a cherdded yn ôl ei arfer i Fynydd yr 40 Olewydd, a'i ddisgyblion hefyd yn ei ddilyn. Pan gyrhaeddodd y fan, meddai wrthynt, " Gweddïwch na ddewch i gael eich 41 profi." Yna ymneilltuodd Iesu oddi wrthynt tuag ergyd carreg, 42 a chan benlinio dechreuodd weddïo gan ddweud, " Fy Nhad, os wyt ti'n fodlon, cymer y cwpan hwn oddi wrthyf. Ond 43 gwneler dy ewyllys di, nid fy ewyllys i." Ac ymddangosodd 44 angel o'r nef iddo, a'i gyfnerthu. Gan gymaint ei ing yr oedd yn gweddïo'n ddwysach, ac yr oedd ei chwŷs fel dafnau o waed 45 yn diferu ar y ddaear.* Cododd o'i weddi a mynd at ei 46 ddisgyblion a'u cael yn cysgu o achos eu gofid. Meddai wrthynt, " Pam yr ydych yn cysgu ? Codwch, a gweddïwch na ddewch i gael eich profi."

*Bradychu a Dal Iesu*
(Mth 26.47-56; Mc 14.43-50; In 18.3-11)

47 Tra oedd yn dal i siarad, fe ymddangosodd tyrfa, a Jwdas, fel y'i gelwid, un o'r Deuddeg, ar ei blaen. Nesaodd ef at Iesu 48 i'w gusanu. Meddai Iesu wrtho, " Jwdas, ai â chusan yr wyt 49 yn bradychu Mab y Dyn ?" Pan welodd ei ddilynwyr beth oedd ar ddigwydd, meddent, " Arglwydd, a gawn ni daro â'n 50 cleddyfau ?" Trawodd un ohonynt was yr archoffeiriad a 51 thorri ei glust dde i ffwrdd. Atebodd Iesu, " Peidiwch ! Dyna 52 ddigon !" Cyffyrddodd â'r glust a'i hadfer. Yna meddai Iesu wrth y rhai oedd wedi dod yn ei erbyn, y prif offeiriaid a swyddogion gwarchodlu'r deml a'r henuriaid, " Ai fel at leidr,

*adn. 43-4: y mae rhai llawysgrifau yn gadael allan *Ac ymddangosodd . . . ar y ddaear.*

â chleddyfau a phastynau, y daethoch allan ? Er fy mod gyda chwi beunydd yn y deml, ni wnaethoch ddim i'm dal. Ond eich awr chwi yw hon, a'r tywyllwch biau'r awdurdod." 53

*Pedr yn Gwadu Iesu*
(Mth 26.57-58, 69-75; Mc 14.53-54, 66-72; In 18.12-18, 25-27)

Daliasant ef, a mynd ag ef ymaith i mewn i dŷ'r archoffeiriad. 54 Yr oedd Pedr yn canlyn o hirbell. 55 Cynnodd rhai dân yng nghanol y cyntedd, ac eistedd gyda'i gilydd. Eisteddodd Pedr yn eu plith. 56 Gwelodd morwyn ef yn eistedd wrth y tân, ac wedi syllu arno meddai, " Yr oedd hwn hefyd gydag ef." 57 Ond gwadodd ef a dweud, " Nid wyf fi'n ei adnabod, ferch." 58 Yn fuan wedi hynny gwelodd un arall ef, ac meddai, " Yr wyt tithau yn un ohonynt." Ond meddai Pedr, " Nac ydwyf, ddyn." 59 Ymhen rhyw awr, dechreuodd un arall daeru, " Yn wir yr oedd hwn hefyd gydag ef, oherwydd Galilead ydyw." 60 Meddai Pedr, " Ddyn, nid wyf yn gwybod am beth yr wyt ti'n sôn." Ac ar unwaith, tra oedd yn dal i siarad, canodd y ceiliog. 61 Troes yr Arglwydd ac edrych ar Pedr, a chofiodd ef air yr Arglwydd wrtho, " Cyn i'r ceiliog ganu heddiw, fe'm gwedi i deirgwaith." 62 Aeth allan ac wylo'n chwerw.*

*Gwatwar a Churo Iesu*
(Mth 26.67-68; Mc 14.65)

63,64 Yr oedd gwarcheidwaid Iesu yn ei watwar a'i guro. Rhoesant orchudd amdano, a dechrau ei holi gan ddweud, " Proffwyda ! Pwy a'th drawodd ?" 65 A dywedasant lawer o bethau cableddus eraill wrtho.

*Iesu gerbron y Sanhedrin*
(Mth 26.59-66; Mc 14.55-64; In 18.19-24)

66 Pan ddaeth yn ddydd, cyfarfu Cyngor henuriaid y bobl, y prif offeiriaid a'r ysgrifenyddion. Daethant ag ef gerbron eu brawdlys gan ddweud, 67 " Os ti yw'r Meseia, dywed hynny wrthym." Meddai yntau wrthynt, " Os dywedaf hynny wrthych, fe wrthodwch gredu; 68 ac os holaf chwi, fe wrthodwch ateb. 69 O hyn allan bydd Mab y Dyn yn eistedd ar ddeheulaw Gallu

*adn. 62: y mae rhai llawysgrifau yn gadael allan *Aeth allan . . . chwerw.*

70 Duw." Meddent oll, "Ti felly yw Mab Duw?" Atebodd
71 hwy, "Chwi sy'n dweud mai myfi yw."* Yna meddent, "Pa raid inni wrth dystiolaeth bellach? Oherwydd clywsom ein hunain y geiriau o'i enau ef."

### *Dod â Iesu gerbron Pilat*
(Mth 27.1-2, 11-14; Mc 15.1-5; In 18.28-38)

**23** 2 Codasant oll yn dyrfa a dod ag ef gerbron Pilat. Dechreusant ei gyhuddo gan ddweud, "Cawsom y dyn hwn yn arwain ein cenedl ar gyfeiliorn, yn gwahardd talu trethi i Gesar, ac yn
3 dweud ei fod ef yn Feseia, yn frenin." Holodd Pilat ef: "Ai ti yw Brenin yr Iddewon?" Atebodd yntau ef, "Ti sy'n dweud
4 hynny."* Ac meddai Pilat wrth y prif offeiriaid a'r tyrfaoedd,
5 "Nid wyf yn cael dim trosedd yn achos y dyn hwn." Ond dal i daeru yr oeddent: "Y mae'n cyffroi'r bobl â'i ddysgeidiaeth, trwy Jwdea gyfan. Dechreuodd yng Ngalilea, ac y mae wedi cyrraedd hyd yma."

### *Iesu gerbron Herod*

6 Pan glywodd Pilat hyn, gofynnodd ai Galilead oedd y dyn;
7 ac wedi deall ei fod dan awdurdod Herod, cyfeiriodd yr achos
8 ato, gan fod Herod yntau yn Jerwsalem y dyddiau hynny. Pan welodd Herod Iesu, mawr oedd ei lawenydd; bu'n awyddus ers amser hir i'w weld, gan iddo glywed amdano, ac yr oedd yn
9 gobeithio ei weld yn cyflawni rhyw wyrth. Bu'n ei holi'n faith,
10 ond nid atebodd Iesu iddo yr un gair. Yr oedd y prif offeiriaid
11 a'r ysgrifenyddion yno, yn ei gyhuddo yn ffyrnig. A'i drin yn sarhaus a wnaeth Herod hefyd, ynghyd â'i filwyr. Fe'i gwatwarodd, a gosododd wisg ysblennydd amdano, cyn cyfeirio'r
12 achos yn ôl at Pilat. Daeth Herod a Philat yn gyfeillion i'w gilydd y dydd hwnnw; cyn hynny yr oedd gelyniaeth rhyngddynt.

### *Dedfrydu Iesu i Farwolaeth*
(Mth 27.15-26; Mc 15.6-15; In 18.39-19.16)

13 Galwodd Pilat y prif offeiriaid ac aelodau'r Cyngor a'r bobl
14 ynghyd, ac meddai wrthynt, "Daethoch â'r dyn hwn ger fy

---

*adn. 70: neu, *Yr ydych yn dweud y gwir; myfi yw.*

*adn. 3: neu, *Yr wyt yn dweud y gwir.*

mron fel un sy'n arwain y bobl ar gyfeiliorn. Yn awr, yr wyf fi wedi holi'r dyn hwn yn eich gŵydd chwi, a heb gael ei fod yn euog o unrhyw un o'ch cyhuddiadau yn ei erbyn; ac ni chafodd 15 Herod chwaith, oherwydd cyfeiriodd ef ei achos yn ôl atom ni. Fe welwch nad yw wedi gwneud dim sy'n haeddu marwolaeth. Gan hynny, mi ddysgaf wers iddo â'r chwip a'i ollwng yn 16 rhydd."* Ond gwaeddasant ag un llais, "Ymaith â hwn, 18 rhyddha Barabbas inni." Dyn oedd hwnnw wedi ei fwrw i 19 garchar o achos gwrthryfel a llofruddiaeth oedd wedi digwydd yn y ddinas. Drachefn anerchodd Pilat hwy, yn ei awydd i 20 ryddhau Iesu, ond bloeddiasant hwy, "Croeshoelia ef, 21 croeshoelia ef." Y drydedd waith meddai wrthynt, "Ond pa 22 ddrwg a wnaeth ef? Ni chefais unrhyw achos i'w ddedfrydu i farwolaeth. Gan hynny, mi ddysgaf wers iddo â'r chwip a'i ollwng yn rhydd." Ond yr oeddent yn pwyso arno â'u croch- 23 lefain byddarol, gan fynnu ei groeshoelio ef, ac yr oedd eu bonllefau yn ennill y dydd. Yna penderfynodd Pilat ganiatáu eu 24 cais; rhyddhaodd yr hwn yr oeddent yn gofyn amdano, y dyn 25 oedd wedi ei fwrw i garchar am wrthryfela a llofruddio, a thraddododd Iesu i'w hewyllys hwy.

### *Croeshoelio Iesu*

(Mth 27.32-44; Mc 15.21-32; In 19.17-27)

Wedi mynd ag ef ymaith gafaelsant yn Simon, dyn o 26 Gyrene, oedd ar ei ffordd o'r wlad, a gosod y groes ar ei gefn, iddo ei chario y tu ôl i Iesu. Yr oedd tyrfa fawr o'r bobl yn ei 27 ddilyn, ac yn eu plith wragedd yn galaru ac yn wylofain drosto. Troes Iesu atynt a dweud, "Ferched Jerwsalem, peidiwch ag 28 wylo amdanaf fi; wylwch yn hytrach amdanoch eich hunain ac am eich plant. Oherwydd dyma ddyddiau yn dod pan fydd 29 pobl yn dweud, 'Gwyn eu byd y gwragedd anffrwythlon, a'r crothau nad esgorasant a'r bronnau na roesant sugn.' Y pryd 30 hwnnw bydd dynion yn dechrau

'Dweud wrth y mynyddoedd,
"Syrthiwch arnom",
ac wrth y bryniau,
"Gorchuddiwch ni." '

---

*adn. 16: ychwanega rhai llawysgrifau adn. 17: *Yr oedd yn rhaid iddo ryddhau un carcharor iddynt ar y Pasg.*

31 Oherwydd os gwneir hyn i'r pren glas, pa beth a ddigwydd i'r pren crin ? "

32 Daethpwyd ag eraill hefyd, dau droseddwr, i'w dienyddio 33 gydag ef. Pan ddaethant i'r lle a elwir Y Benglog, yno croeshoeliwyd ef a'r troseddwyr, y naill ar y dde a'r llall ar y chwith 34 iddo. Ac meddai Iesu, " Fy Nhad, maddau iddynt, oherwydd ni wyddant beth y maent yn ei wneud."* A bwriasant goelbren 35 i rannu ei ddillad. Yr oedd y bobl yn sefyll yno, yn gwylio. Yr oedd aelodau'r Cyngor hwythau yn ei wawdio gan ddweud, " Fe achubodd eraill; achubed ei hun, os ef yw Meseia Duw, 36 yr Etholedig." Daeth y milwyr hefyd ato a'i watwar, gan 37 gynnig gwin sur iddo, a chan ddweud, " Os ti yw Brenin yr 38 Iddewon, achub dy hun." Yr oedd hefyd arysgrif uwch ei ben: " Hwn yw Brenin yr Iddewon."

39 Yr oedd un o'r troseddwyr ar ei groes yn ei gablu gan ddweud, " Onid ti yw'r Meseia ? Achub dy hun a ninnau." 40 Ond atebodd y llall, a'i geryddu: " Onid oes arnat ofn Duw, a 41 thithau dan yr un ddedfryd ? I ni, y mae hynny'n gyfiawn, oherwydd haeddiant ein gweithredoedd sy'n dod inni. Ond ni 42 wnaeth hwn ddim o'i le." Yna dywedodd, " Iesu, cofia fi pan 43 ddoi i deyrnasu." Atebodd yntau, " Yn wir, 'rwy'n dweud wrthyt, heddiw byddi gyda mi ym Mharadwys."

### *Marwolaeth Iesu*
### (Mth 27.45-56; Mc 15.33-41; In 19.28-30)

44 Erbyn hyn yr oedd hi tua hanner dydd. Daeth tywyllwch 45 dros yr holl wlad hyd dri o'r gloch y prynhawn, a'r haul wedi 46 diffodd. Rhwygwyd llen y deml yn ei chanol. Llefodd Iesu â llef uchel, " Fy Nhad, i'th ddwylo di yr wyf yn cyflwyno fy 47 ysbryd." A chan ddweud hyn bu farw. Pan welodd y canwriad yr hyn oedd wedi digwydd, dechreuodd ogoneddu Duw gan 48 ddweud, " Yn wir, dyn cyfiawn oedd hwn." Ac wedi gweld yr hyn a ddigwyddodd, troes yr holl dyrfaoedd, oedd wedi ymgynnull i wylio'r olygfa, tuag adref gan guro eu bronnau. Yr 49 oedd ei holl gyfeillion, ynghyd â'r gwragedd oedd wedi ei ddilyn ef o Galilea, yn sefyll yn y pellter ac yn gweld y pethau hyn.

---

*adn. 34: y mae rhai llawysgrifau yn gadael allan *Ac meddai . . . yn ei wneud.*

*Claddu Iesu*
(Mth 27.57-61; Mc 15.42-47; In 19.38-42)

Yr oedd dyn o'r enw Joseff, aelod o'r Cyngor a dyn da a chyfiawn, nad oedd wedi cydsynio â'u penderfyniad a'u gweithred hwy. Yr oedd yn hanu o Arimathea, un o drefi'r Iddewon, ac yn disgwyl am deyrnas Dduw. Aeth hwn at Pilat a gofyn am gorff Iesu. Wedi ei dynnu ef i lawr a'i amdói mewn lliain, gosododd ef mewn bedd wedi ei naddu, lle nad oedd neb hyd hynny wedi gorwedd. Dydd y Paratoad oedd hi, ac yr oedd y Saboth ar ddechrau. Fe'i dilynodd y gwragedd oedd wedi dod gyda Iesu o Galilea, a gwelsant y bedd a'r modd y gosodwyd ei gorff. Yna aethant yn eu holau i baratoi peraroglau ac eneiniau. 50 51 52 53 54 55 56

*Atgyfodiad Iesu*
(Mth 28.1-10; Mc 16.1-8; In 20.1-10)

Ar y Saboth buont yn gorffwys yn ôl y gorchymyn.

Ar y dydd cyntaf o'r wythnos, ar doriad gwawr, daethant at y bedd gan ddwyn y peraroglau yr oeddent wedi eu paratoi. Cawsant y maen wedi ei dreiglo i ffwrdd oddi wrth y bedd, ond pan aethant i mewn ni chawsant gorff yr Arglwydd Iesu.* Yna, a hwythau mewn penbleth ynglŷn â hyn, dyma ddau ddyn yn ymddangos iddynt mewn gwisgoedd llachar. Daeth ofn arnynt, a phlygasant eu hwynebau tua'r ddaear. Meddai'r dynion wrthynt, "Pam yr ydych yn ceisio ymhlith y meirw yr hwn sy'n fyw? Nid yw ef yma; y mae wedi cyfodi.* Cofiwch fel y llefarodd wrthych tra oedd eto yng Ngalilea, gan ddweud ei bod yn rhaid i Fab y Dyn gael ei draddodi i ddwylo dynion pechadurus, a'i groeshoelio, a'r trydydd dydd atgyfodi." A daeth ei eiriau ef i'w cof. Dychwelsant o'r bedd, ac adrodd yr holl bethau hyn wrth yr un ar ddeg ac wrth y lleill i gyd. Mair Magdalen a Joanna a Mair mam Iago oedd y gwragedd hyn; a'r un pethau a ddywedodd y gwragedd eraill hefyd, oedd gyda hwy, wrth yr apostolion. Ond i'w tyb hwy, lol oedd yr hanesion hyn a gwrthodasant gredu'r gwragedd. Ond cododd Pedr a 24 2 3 4 5 6 7 8 9 10 11 12

---

*adn. 3: yn ôl darlleniad arall, *y corff*.

*adn. 6: y mae rhai llawysgrifau yn gadael allan *Nid yw ef yma; y mae wedi cyfodi.*

rhedeg at y bedd; plygodd i edrych, ac ni welodd ddim ond y llieiniau. Ac aeth ymaith, gan ryfeddu wrtho'i hun at yr hyn oedd wedi digwydd.*

### *Cerdded i Emaus*
(Mc 16.12–13)

13 Yn awr, yr un dydd, yr oedd dau ohonynt ar eu ffordd i bentref, saith milltir a hanner o Jerwsalem, o'r enw Emaus.
14 Yr oeddent yn ymddiddan â'i gilydd am yr holl ddigwyddiadau
15 hyn. Yn ystod yr ymddiddan a'r trafod, nesaodd Iesu ei hun
16 atynt a dechrau cerdded gyda hwy, ond rhwystrwyd eu llygaid
17 rhag ei adnabod ef. Meddai wrthynt, " Beth yw'r sylwadau hyn yr ydych yn eu cyfnewid wrth gerdded ?" Safasant hwy,
18 a'u digalondid yn eu hwyneb. Atebodd yr un o'r enw Cleopas, " Rhaid mai ti yw'r unig un o drigolion Jerwsalem nad yw'n gwybod am y pethau sydd wedi digwydd yno y dyddiau
19 diwethaf hyn." " Pa bethau ?" meddai wrthynt. Atebasant hwythau, " Y pethau sydd wedi digwydd i Iesu o Nasareth, dyn oedd yn broffwyd nerthol ei weithredoedd a'i eiriau yng
20 ngŵydd Duw a'r holl bobl. Traddododd ein prif offeiriaid ac aelodau ein Cyngor ef i'w ddedfrydu i farwolaeth, ac fe'i croes-
21 hoeliasant. Ein gobaith ni oedd mai ef oedd yr un oedd yn mynd i brynu Israel i ryddid, ond at hyn oll, heddiw yw'r
22 trydydd dydd er pan ddigwyddodd y pethau hyn. Er hynny, fe'n syfrdanwyd gan rai gwragedd o'n plith; aethant yn y bore
23 bach at y bedd, a methasant gael ei gorff, ond dychwelsant gan daeru eu bod wedi gweld angylion yn ymddangos, a bod y
24 rheini yn dweud ei fod ef yn fyw. Aeth rhai o'n cwmni allan at y bedd, a'i gael yn union fel y dywedodd y gwragedd, ond ni
25 welsant mohono ef." Meddai Iesu wrthynt, " Mor ddiddeall ydych, a mor araf yw eich calonnau i gredu'r cwbl a lefarodd y
26 proffwydi ! Onid oedd yn rhaid i'r Meseia ddioddef y pethau
27 hyn, a mynd i mewn i'w ogoniant ?" A chan ddechrau gyda Moses a'r holl broffwydi, dehonglodd iddynt y pethau a ysgrifennwyd amdano ef ei hun yn yr holl Ysgrythurau.

28 Wedi iddynt nesáu at y pentref yr oeddent ar eu ffordd iddo,
29 cymerodd ef arno ei fod yn mynd ymhellach. Ond meddent wrtho, gan bwyso arno, " Aros gyda ni, oherwydd y mae hi'n nosi, a'r dydd yn dirwyn i ben." Yna aeth i mewn i aros gyda

*adn. 12: y mae rhai llawysgrifau yn gadael allan yr adnod hon.

hwy. Wedi eistedd wrth y bwrdd gyda hwy, cymerodd y bara 30 a bendithio, a'i dorri a'i roi iddynt. Agorwyd eu llygaid hwy, 31 ac adnabuasant ef. A diflannodd ef o'u golwg. Meddent wrth 32 ei gilydd, " Onid oedd ein calonnau ar dân ynom wrth iddo siarad â ni ar y ffordd, pan oedd yn egluro'r Ysgrythurau inni?" Codasant ar unwaith a dychwelyd i Jerwsalem. Cawsant yr un 33 ar ddeg a'u dilynwyr wedi ymgynnull ynghyd ac yn dweud 34 fod yr Arglwydd yn wir wedi cyfodi, ac wedi ymddangos i Simon. Adroddasant hwythau yr hanes am eu taith, ac fel yr 35 oeddent wedi ei adnabod ef ar doriad y bara.

*Ymddangos i'r Disgyblion*
(Mth 28.16-20; Mc 16.14-18; In 20.19-23; Act. 1.6-8)

Wrth iddynt ddweud hyn, ymddangosodd ef yn eu plith, ac 36 meddai wrthynt, " Tangnefedd i chwi."* O achos eu dychryn 37 a'u hofn, yr oeddent yn tybied eu bod yn gweld ysbryd. Gofynnodd iddynt, " Pam yr ydych wedi cynhyrfu? Pam y 38 mae amheuon yn codi yn eich meddyliau? Gwelwch fy nwylo 39 a'm traed; myfi yw, myfi fy hun. Cyffyrddwch â mi a gwelwch, oherwydd nid oes gan ysbryd gnawd ac esgyrn fel y canfyddwch fod gennyf fi." Wrth ddweud hyn dangosodd iddynt 40 ei ddwylo a'i draed.* A chan eu bod yn eu llawenydd yn dal i 41 wrthod credu ac yn rhyfeddu, meddai wrthynt, " A oes gennych rywbeth i'w fwyta yma?" Rhoesant iddo ddarn o bysgodyn 42 wedi ei rostio. Cymerodd ef, a bwyta yn eu gŵydd. 43

Dywedodd wrthynt, " Dyma ystyr fy ngeiriau a leferais 44 wrthych pan oeddwn eto gyda chwi: ei bod yn rhaid i bob peth gael ei gyflawni sy'n ysgrifenedig amdanaf yng Nghyfraith Moses a'r proffwydi a'r salmau." Yna agorodd eu meddyliau, 45 iddynt ddeall yr Ysgrythurau. Meddai wrthynt, " Fel hyn y 46 mae'n ysgrifenedig: fod y Meseia i ddioddef, ac i atgyfodi oddi wrth y meirw ar y trydydd dydd, a bod edifeirwch a maddeuant 47 pechodau i'w cyhoeddi yn ei enw ef i'r holl genhedloedd, gan ddechrau yn Jerwsalem. Chwi yw'r tystion i'r pethau hyn. 48 Ac yn awr yr wyf fi'n anfon arnoch yr hyn a addawodd fy Nhad; 49 chwithau, arhoswch yn y ddinas nes eich gwisgo chwi oddi uchod â nerth."

---

*adn. 36: y mae rhai llawysgrifau yn gadael allan *ac meddai . . . i chwi.*

*adn. 40: y mae rhai llawysgrifau yn gadael allan yr adnod hon.

*Esgyniad Iesu*
(Mc 16.19-20; Act 1.9-11)

50 Aeth â hwy allan i gyffiniau Bethania. Yna cododd ei ddwylo 51 a'u bendithio. Wrth iddo eu bendithio, fe ymadawodd â hwy 52 ac fe'i dygwyd i fyny i'r nef.* Wedi iddynt ei addoli ar eu 53 gliniau,* dychwelsant yn llawen iawn i Jerwsalem. Ac yr oeddent yn y deml yn ddi-baid, yn bendithio Duw.

---

*adn. 51: y mae rhai llawysgrifau yn gadael allan *ac fe'i . . . i'r nef.*

*adn. 52: y mae rhai llawysgrifau yn gadael allan *Wedi iddynt ei addoli ar eu gliniau.*

YR EFENGYL YN ÔL

# IOAN

### *Daeth y Gair yn Gnawd*

Yn y dechreuad yr oedd y Gair; yr oedd y Gair gyda Duw, a Duw oedd y Gair. Yr oedd ef yn y dechreuad gyda Duw. Daeth pob peth i fod trwyddo ef; hebddo ef ni ddaeth un dim i fod.* Yr hyn a ddaeth i fod, ynddo ef bywyd ydoedd,* a'r bywyd, goleuni dynion ydoedd. Y mae'r goleuni yn llewyrchu yn y tywyllwch, ac nid yw'r tywyllwch wedi ei drechu ef. 1 2 3 4 5

Daeth dyn wedi ei anfon oddi wrth Dduw, a'i enw Ioan. Daeth hwn yn dyst, i dystiolaethu am y goleuni, er mwyn i bawb ddod i gredu trwyddo. Nid ef oedd y goleuni, ond daeth i dystiolaethu am y goleuni. Yr oedd y gwir oleuni, sy'n goleuo pob dyn, eisoes yn dod i'r byd.* Yr oedd yn y byd, a daeth y byd i fod trwyddo, ac nid adnabu'r byd mohono. Daeth i'w gartref ei hun, ac ni dderbyniodd ei bobl ei hun mohono. Ond cynifer ag a'i derbyniodd, rhoes iddynt hwy, y rhai sy'n credu yn ei enw, hawl i ddod yn blant Duw, plant wedi eu geni nid o waed nac o ewyllys cnawd nac o ewyllys gŵr, ond o Dduw. 6 7 8 9 10 11 12 13

A daeth y Gair yn gnawd a phreswylio yn ein plith, yn llawn gras a gwirionedd; gwelsom ei ogoniant ef, ei ogoniant fel unig Fab yn dod oddi wrth y Tad.*. Y mae Ioan yn tystio amdano ac yn cyhoeddi: "Hwn oedd yr un y dywedais amdano, 'Y mae'r hwn sy'n dod ar f'ôl i wedi fy mlaenori i, oherwydd yr oedd yn bod o'm blaen i.'" O'i gyflawnder ef yr ydym ni oll wedi derbyn gras ar ôl gras. Oherwydd trwy Moses y rhoddwyd y Gyfraith, ond gras a gwirionedd, trwy Iesu Grist y daethant. Nid oes neb wedi gweld Duw erioed; yr uniganedig, ac yntau'n Dduw,* yr hwn sydd ym mynwes y Tad, hwnnw a'i gwnaeth yn hysbys. 14 15 16 17 18

---

*adnodau 3-4: neu, *ni ddaeth un dim sydd mewn bod. Ynddo ef yr oedd bywyd.*

*adn. 9: neu, *Ef oedd y gwir oleuni, sy'n goleuo pob dyn sy'n dod i'r byd.*

*adn. 14: neu, *yn ein plith; gwelsom ... y Tad, yn llawn gras a gwirionedd.*

*adn. 18: yn ôl darlleniad arall, *yr unig Fab.*

*Tystiolaeth Ioan Fedyddiwr*
(Mth 3.1-12; Mc 1.7-8; Lc 3.15-17)

19 Dyma dystiolaeth Ioan, pan anfonodd yr Iddewon o Jerwsalem offeiriaid a Lefiaid ato i ofyn iddo, " Pwy wyt ti ?"
20 Addefodd ac ni wadodd, a dyma a addefodd: " Nid myfi yw'r
21 Meseia." Yna gofynasant iddo: " Beth wyt ti, ynteu ? Ai Elias wyt ti ?" " Nage," meddai. " Ai ti yw'r Proffwyd ?"
22 " Nage," atebodd eto. Ar hynny dywedasant wrtho, " Pwy wyt ti ? Rhaid i ni roi ateb i'r rhai a'n hanfonodd ni. Beth
23 sydd gennyt i'w ddweud amdanat dy hun ? " " Myfi," meddai, " yw

' Llais un yn llefain yn yr anialwch :
" Unionwch ffordd yr Arglwydd " '—

24 fel y dywedodd y proffwyd Eseia." Yr oeddent wedi eu hanfon
25 gan y Phariseaid, a holasant ef a gofyn iddo, " Pam ynteu yr wyt yn bedyddio os nad wyt ti na'r Meseia nac Elias na'r
26 Proffwyd ? " Atebodd Ioan hwy: " Yr wyf fi'n bedyddio â dŵr, ond y mae yn sefyll yn eich plith un nad ydych chwi'n ei
27 adnabod, yr un sy'n dod ar f'ôl i, nad wyf fi'n deilwng i ddatod
28 carrai ei esgid." Digwyddodd hyn ym Methania,* y tu hwnt i'r Iorddonen, lle'r oedd Ioan yn bedyddio.

*Dyma Oen Duw*

29 Trannoeth gwelodd Iesu'n dod tuag ato, a dywedodd,
30 " Dyma Oen Duw sy'n cymryd ymaith bechod y byd. Hwn yw'r un y dywedais i amdano, ' Ar f'ôl i y mae gŵr yn dod sydd wedi fy mlaenori i, oherwydd yr oedd yn bod o'm blaen i.'
31 Nid oeddwn innau'n ei adnabod, ond deuthum i yn bedyddio
32 â dŵr er mwyn hyn, iddo ef gael ei amlygu i Israel." A thystiodd Ioan fel hyn: " Gwelais yr Ysbryd yn disgyn o'r nef fel
33 colomen, ac fe arhosodd arno ef. Nid oeddwn innau'n ei adnabod, ond yr un a'm hanfonodd i fedyddio â dŵr, dywedodd ef wrthyf, ' Pwy bynnag y gweli di'r Ysbryd yn disgyn ac yn
34 aros arno, hwn yw'r un sy'n bedyddio â'r Ysbryd Glân.' Yr wyf finnau wedi gweld ac wedi dwyn tystiolaeth mai Mab* Duw yw hwn."

---

*adn. 28: yn ôl darlleniad arall, *ym Methabara.*

*adn. 34: yn ôl darlleniad arall, *Etholedig.*

*Y Disgyblion Cyntaf*

Trannoeth yr oedd Ioan yn sefyll eto gyda dau o'i ddisgyblion, ac wrth wylio Iesu'n cerdded heibio meddai, " Dyma Oen Duw." Clywodd ei ddau ddisgybl ef yn dweud hyn, ac aethant i ganlyn Iesu. Troes Iesu, ac wrth eu gweld yn canlyn, dywedodd wrthynt, " Beth yr ydych yn ei geisio ?" Dywedasant wrtho, " Rabbi," (ystyr hyn, o'i gyfieithu, yw Athro) " lle'r wyt ti'n aros ?" Dywedodd wrthynt, " Dewch i weld." Felly aethant a gweld lle'r oedd yn aros; a'r diwrnod hwnnw arosasant gydag ef. Yr oedd hi tua phedwar o'r gloch y prynhawn. Andreas, brawd Simon Pedr, oedd un o'r ddau a aeth i ganlyn Iesu ar ôl gwrando ar Ioan. Y peth cyntaf a wnaeth hwn oedd cael hyd i'w frawd, Simon, a dweud wrtho, " Yr ydym wedi darganfod y Meseia " (hynny yw, o'i gyfieithu, Crist). Daeth ag ef at Iesu. Edrychodd Iesu arno a dywedodd, " Ti yw Simon fab Ioan; dy enw fydd Ceffas " (enw a gyfieithir Pedr). 35 36 37 38 39 40 41 42

*Galw Philip a Nathanael*

Trannoeth, penderfynodd Iesu ymadael a mynd i Galilea. Cafodd hyd i Philip, ac meddai wrtho, " Canlyn fi." Gŵr o Fethsaida, tref Andreas a Pedr, oedd Philip. Cafodd Philip hyd i Nathanael a dweud wrtho, " Yr ydym wedi darganfod y gŵr yr ysgrifennodd Moses yn y Gyfraith amdano, a'r proffwydi hefyd, Iesu, mab Joseff o Nasareth." Dywedodd Nathanael wrtho, " A all dim da ddod o Nasareth ?" " Tyrd i weld," ebe Philip wrtho. Gwelodd Iesu Nathanael yn dod tuag ato, ac meddai amdano, "Dyma Israeliad gwerth yr enw, heb ddim twyll ynddo." Gofynnodd Nathanael iddo, " Sut yr wyt yn f'adnabod i ? " Atebodd Iesu ef: " Gwelais di cyn i Philip alw arnat, pan oeddit dan y ffigysbren." " Rabbi," meddai Nathanael wrtho, " ti yw Mab Duw, ti yw Brenin Israel." Atebodd Iesu ef: " A wyt yn credu oherwydd i mi ddweud wrthyt fy mod wedi dy weld o dan y ffigysbren ? Cei weld pethau mwy na hyn." Ac meddai wrtho, " Yn wir, yn wir, 'rwy'n dweud wrthych, cewch weld y nef wedi agor, ac angylion Duw yn esgyn ac yn disgyn ar Fab y Dyn." 43 44 45 46 47 48 49 50 51

*Y Briodas yng Nghana*

Y trydydd dydd yr oedd priodas yng Nghana Galilea, ac yr oedd mam Iesu yno. Gwahoddwyd Iesu hefyd, a'i ddisgyblion, **2** 2

3 i'r briodas. Pallodd y gwin, ac meddai mam Iesu wrtho ef,
4 "Nid oes ganddynt win." Dywedodd Iesu wrthi hi, "Wraig, pam yr wyt ti yn ymyrryd â mi? Nid yw f'awr i wedi dod eto."
5 Dywedodd ei fam wrth y gwasanaethyddion, "Gwnewch beth
6 bynnag a ddywed wrthych." Yr oedd yno chwech o lestri carreg i ddal dŵr, wedi eu gosod ar gyfer defod glanhad yr Iddewon, a phob un yn dal ugain neu ddeg ar hugain o alwyni.
7 Dywedodd Iesu wrthynt, "Llanwch y llestri â dŵr", a llan-
8 wasant hwy hyd yr ymyl. Yna meddai wrthynt, "Yn awr tynnwch beth allan ac ewch ag ef i lywydd y wledd." A
9 gwnaethant felly. Profodd llywydd y wledd y dŵr, a oedd bellach yn win, heb wybod o ble'r oedd wedi dod, er bod y gwasanaethyddion a fu'n tynnu'r dŵr yn gwybod. Yna galwodd
10 llywydd y wledd ar y priodfab ac meddai wrtho, "Bydd pawb yn rhoi'r gwin da yn gyntaf, ac yna, pan fydd pobl wedi meddwi, y gwin salach; ond yr wyt ti wedi cadw'r gwin da hyd
11 yn awr." Gwnaeth Iesu hyn, y cyntaf o'i arwyddion, yng Nghana Galilea; amlygodd felly ei ogoniant, a chredodd ei ddisgyblion ynddo.
12 Wedi hyn aeth ef a'i fam a'i frodyr a'i ddisgyblion i lawr i Gapernaum, ac aros yno am ychydig ddyddiau.

### *Glanhau'r Deml*
(Mth 21.12-13; Mc 11.15-18; Lc 19.45-46)

13 Yr oedd Pasg yr Iddewon yn ymyl, ac aeth Iesu i fyny i
14 Jerwsalem. A chafodd yn y deml y rhai oedd yn gwerthu ychen a defaid a cholomennod, a'r cyfnewidwyr arian wrth eu byrdd-
15 au. Gwnaeth chwip o gordenni, a gyrrodd hwy oll allan o'r deml, y defaid a'r ychen hefyd. Taflodd arian mân y cyfnewid-
16 wyr ar chwâl, a bwrw eu byrddau wyneb i waered. Ac meddai wrth y rhai oedd yn gwerthu colomennod, "Ewch â'r rhain oddi yma. Peidiwch â gwneud tŷ fy Nhad i yn dŷ masnach."
17 Cofiodd ei ddisgyblion eiriau'r Ysgrythur: "Sêl dros dy dŷ
18 di a'm difetha i." Yna heriodd yr Iddewon ef a gofyn, "Pa arwydd sydd gennyt i'w ddangos i ni, yn awdurdod dros wneud
19 y pethau hyn?" Atebodd Iesu hwy: "Dinistriwch y deml
20 hon, ac mewn tridiau fe'i codaf hi." Dywedodd yr Iddewon, "Chwe blynedd a deugain y bu'r deml hon yn cael ei hadeil-
21 adu, ac a wyt ti'n mynd i'w chodi mewn tridiau?" Ond sôn yr

oedd ef am deml ei gorff. Felly, wedi iddo atgyfodi oddi wrth y meirw, cofiodd ei ddisgyblion iddo ddweud hyn, a chredasant yr Ysgrythur, a'r gair yr oedd Iesu wedi ei lefaru. 22

### *Iesu'n Adnabod Pob Dyn*

Tra oedd yn Jerwsalem yn dathlu gŵyl y Pasg, credodd llawer yn ei enw ef wrth weld yr arwyddion yr oedd yn eu gwneud. Ond nid oedd Iesu yn ei ymddiried ei hun iddynt, oherwydd yr oedd yn adnabod pob dyn. Nid oedd arno angen tystiolaeth neb ynglŷn â dyn; yr oedd ef ei hun yn gwybod beth oedd mewn dyn. 23 24 25

### *Iesu a Nicodemus*

Yr oedd dyn o blith y Phariseaid, o'r enw Nicodemus, aelod o Gyngor yr Iddewon. Daeth hwn at Iesu liw nos a dweud wrtho, "Rabbi, fe wyddom iti ddod atom yn athro oddi wrth Dduw; ni allai neb wneud yr arwyddion hyn yr wyt ti'n eu gwneud oni bai fod Duw gydag ef." Atebodd Iesu ef: "Yn wir, yn wir, 'rwy'n dweud wrthyt, oni chaiff dyn ei eni o'r newydd* ni all weld teyrnas Dduw." Meddai Nicodemus wrtho, "Sut y gall dyn gael ei eni ac yntau'n hynafgwr? A yw'n bosibl, tybed, iddo fynd i mewn eilwaith i groth ei fam a chael ei eni?" Atebodd Iesu: "Yn wir, yn wir, 'rwy'n dweud wrthyt, oni chaiff dyn ei eni o ddŵr a'r Ysbryd ni all fynd i mewn i deyrnas Dduw. Yr hyn sydd wedi ei eni o'r cnawd, cnawd yw, a'r hyn sydd wedi ei eni o'r Ysbryd, ysbryd yw. Paid â rhyfeddu imi ddweud wrthyt, 'Y mae'n rhaid eich geni chwi o'r newydd.'* Y mae'r gwynt* yn chwythu lle y myn, ac yr wyt yn clywed ei sŵn, ond ni wyddost o ble y mae'n dod nac i ble y mae'n mynd. Felly y mae gyda phob un sydd wedi ei eni o'r Ysbryd."* Dywedodd Nicodemus wrtho, "Sut y gall hyn fod?" Atebodd Iesu ef: "Ti yw athro Israel; a wyt heb ddeall y pethau hyn? Yn wir, yn wir, 'rwy'n dweud wrthyt mai am yr hyn a wyddom yr ydym yn siarad ac am yr hyn a welsom yr ydym yn tystiolaethu; ac eto nid ydych yn derbyn ein tystiolaeth. Os nad ydych yn credu ar ôl imi lefaru wrthych 3 2 3 4 5 6 7 8 9 10 11 12

---

*adn. 3 ac adn. 7: y mae'r Groeg yma yn golygu hefyd *oddi uchod*.

*adn. 8: yr un gair Groeg sydd wedi ei gyfieithu *gwynt* ar ddechrau'r adnod ac *Ysbryd* ar ei diwedd. Perthyn y ddau ystyr i'r gair.

am bethau'r ddaear, sut y credwch os llefaraf wrthych am
13 bethau'r nefoedd? Nid oes neb wedi esgyn i'r nef ond yr un a
14 ddisgynnodd o'r nef, Mab y Dyn.* Ac fel y dyrchafodd Moses
y sarff yn yr anialwch, felly y mae'n rhaid i Fab y Dyn gael ei
15 ddyrchafu, er mwyn i bob un sy'n credu gael bywyd tragwyddol ynddo ef."

16 Do, carodd Duw y byd gymaint nes iddo roi ei unig Fab, er
mwyn i bob un sy'n credu ynddo ef beidio â mynd i ddistryw
17 ond cael bywyd tragwyddol. Oherwydd nid i gondemnio'r byd
yr anfonodd Duw ei Fab i'r byd, ond er mwyn i'r byd gael ei
18 achub trwyddo ef. Nid yw neb sy'n credu ynddo ef yn cael ei
gondemnio, ond y mae'r hwn nad yw'n credu wedi ei gondemnio eisoes, oherwydd ei fod heb gredu yn enw unig Fab
19 Duw. A dyma'r condemniad, i'r goleuni ddod i'r byd ond i
ddynion garu'r tywyllwch yn hytrach na'r goleuni, am fod eu
20 gweithredoedd yn ddrwg. Oherwydd y mae pob un sy'n
gwneud drwg yn casáu'r goleuni, ac nid yw'n dod at y goleuni
21 rhag ofn i'w weithredoedd gael eu dadlennu. Ond y mae'r hwn
sy'n gwneud y gwirionedd yn dod at y goleuni, fel yr amlyger
mai yn Nuw y mae ei weithredoedd ef wedi eu cyflawni.

### *Rhaid iddo Ef Gynyddu ac i Minnau Leihau*

22 Ar ôl hyn aeth Iesu a'i ddisgyblion i wlad Jwdea, a bu'n aros
23 yno gyda hwy ac yn bedyddio. Yr oedd Ioan yntau yn bedyddio
yn Ainon, yn agos i Salim, am fod digonedd o ddŵr yno; ac
24 yr oedd pobl yn dod yno ac yn cael eu bedyddio. Nid oedd
25 Ioan eto wedi ei garcharu. Yna cododd dadl rhwng rhai o
ddisgyblion Ioan a rhyw Iddew* ynghylch defod glanhad.
26 Daethant at Ioan a dweud wrtho, "Rabbi, y dyn hwnnw oedd
gyda thi y tu hwnt i'r Iorddonen, yr un yr wyt ti wedi dwyn
tystiolaeth iddo, edrych, y mae ef yn bedyddio a phawb yn dod
27 ato ef." Atebodd Ioan: "Ni all dyn dderbyn un dim os nad
28 yw wedi ei roi iddo o'r nef. Yr ydych chwi eich hunain yn
dystion i mi, imi ddweud, 'Nid myfi yw'r Meseia; un wedi ei
29 anfon o'i flaen ef wyf fi.' Y priodfab yw'r hwn y mae'r briodferch ganddo; y mae cyfaill y priodfab, sydd wrth ei ochr ac
yn gwrando arno, yn fawr ei lawenydd wrth glywed llais y

---

*adn. 13: ychwanega rhai llawysgrifau, *yr hwn sydd yn y nef.*

*adn. 25: yn ôl darlleniad arall, *Iddewon.*

priodfab. Dyma'r llawenydd, ynteu, sy'n eiddo i mi yn ei gyflawnder. Y mae'n rhaid iddo ef gynyddu ac i minnau leihau." 30

### *Yr Hwn sy'n Dod o'r Nef*

Y mae'r hwn sy'n dod oddi uchod goruwch pawb; y mae'r 31 hwn sydd o'r ddaear yn ddaearol ei anian ac yn ddaearol ei iaith. Y mae'r hwn sy'n dod o'r nef goruwch pawb; y mae'n tyst- 32 iolaethu am yr hyn a welodd ac a glywodd, ond nid yw neb yn derbyn ei dystiolaeth. Y mae'r hwn sydd yn derbyn ei dyst- 33 iolaeth yn rhoi ei sêl ar fod Duw yn eirwir. Oherwydd y mae'r 34 hwn a anfonodd Duw yn llefaru geiriau Duw; nid wrth fesur y bydd Duw yn rhoi'r Ysbryd. Y mae'r Tad yn caru'r Mab, ac 35 y mae wedi rhoi pob peth yn ei ddwylo ef. Yr hwn sy'n credu 36 yn y Mab, y mae bywyd tragwyddol ganddo; yr hwn sy'n an-ufudd i'r Mab, ni wêl fywyd, ond y mae digofaint Duw yn aros arno ef.

### *Iesu a'r Wraig o Samaria*

Pan ddeallodd Iesu fod y Phariseaid wedi clywed ei fod ef **4** yn ennill ac yn bedyddio mwy o ddisgyblion na Ioan (er nad 2 Iesu ei hun, ond ei ddisgyblion, fyddai'n bedyddio), gadawodd 3 Jwdea ac aeth yn ôl i Galilea. Ac yr oedd yn rhaid iddo fynd 4 trwy Samaria. Felly daeth i dref yn Samaria o'r enw Sychar, 5 yn agos i'r darn tir a roddodd Jacob i'w fab Joseff. Yno yr oedd 6 ffynnon Jacob, a chan fod Iesu wedi blino ar ôl ei daith eistedd-odd i lawr wrth y ffynnon. Yr oedd hi tua hanner dydd.

Dyma wraig o Samaria yn dod yno i dynnu dŵr. Meddai 7 Iesu wrthi, "Rho i mi beth i'w yfed." Yr oedd ei ddisgyblion 8 wedi mynd i'r dref i brynu bwyd. A dyma'r wraig o Samaria 9 yn dweud wrtho, "Sut yr wyt ti, a thi yn Iddew, yn gofyn am rywbeth i'w yfed gennyf fi, a minnau'n wraig o Samaria?" (Wrth gwrs, ni bydd yr Iddewon yn rhannu'r un llestri* â'r Samariaid). Atebodd Iesu hi, "Pe bait yn gwybod beth yw 10 rhodd Duw, a phwy sy'n gofyn i ti, 'Rho i mi beth i'w yfed', ti fyddai wedi gofyn iddo ef a byddai ef wedi rhoi i ti ddŵr bywiol." "Syr," meddai'r wraig wrtho, "nid oes gennyt ddim 11 i dynnu dŵr, ac y mae'r pydew'n ddwfn. O ble, felly, y mae gennyt y 'dŵr bywiol' yma? A wyt ti'n fwy na Jacob, ein tad 12

---

*adn. 9: neu, *yn cyfeillachu.*

ni, a roddodd y pydew inni, ac a yfodd ohono, yntau a'i feibion
13 a'i anifeiliaid ?" Atebodd Iesu hi, " Bydd pawb sy'n yfed o'r
14 dŵr hwn yn profi syched eto; ond pwy bynnag sy'n yfed o'r
dŵr a roddaf fi iddo, ni bydd arno syched byth. Bydd y dŵr a
roddaf iddo yn troi yn ffynnon o ddŵr o'i fewn, yn ffrydio i
15 fywyd tragwyddol." " Syr," meddai'r wraig wrtho, " rho'r
dŵr hwn i mi, i'm cadw rhag sychedu a dal i ddod yma i dynnu
dŵr."

16 Dywedodd Iesu wrthi, " Dos adref, galw dy ŵr a thyrd yn
17 ôl yma." " Nid oes gennyf ŵr," atebodd y wraig. Meddai
Iesu wrthi, " Dywedaist y gwir wrth ddweud, ' Nid oes gennyf
18 ŵr.' Oherwydd fe gefaist bump o wŷr, ac nid gŵr i ti yw'r dyn
sydd gennyt yn awr. Yr wyt wedi dweud y gwir am hyn."
19 " Syr," meddai'r wraig wrtho, " 'rwy'n gweld dy fod ti'n
20 broffwyd. Yr oedd ein tadau yn addoli ar y mynydd hwn.
Ond yr ydych chwi'r Iddewon yn dweud mai yn Jerwsalem y
21 mae'r man lle dylid addoli." " Cred fi, wraig," meddai Iesu
wrthi, " y mae amser yn dod pan na fyddwch yn addoli'r Tad
22 nac ar y mynydd hwn nac yn Jerwsalem. Yr ydych chwi'r
Samariaid yn addoli heb wybod beth yr ydych yn ei addoli. Yr
ydym ni'n gwybod beth yr ydym yn ei addoli, oherwydd oddi
23 wrth yr Iddewon y mae iachawdwriaeth yn dod. Ond y mae
amser yn dod, yn wir y mae yma eisoes, pan fydd y gwir addol-
wyr yn addoli'r Tad mewn ysbryd a gwirionedd, oherwydd
rhai felly y mae'r Tad yn eu ceisio i fod yn addolwyr iddo.
24 Ysbryd yw Duw, a rhaid i'w addolwyr ef addoli mewn ysbryd a
25 gwirionedd." Meddai'r wraig wrtho, "Mi wn fod y Meseia"
(ystyr hyn yw Crist) "yn dod. Pan ddaw ef, bydd yn dweud
26 pob peth wrthym." Dywedodd Iesu wrthi, " Myfi yw, sef yr
un sy'n siarad â thi."

27 Ar hyn daeth ei ddisgyblion yn ôl. Yr oeddent yn synnu ei
fod yn siarad â gwraig, ac eto ni ofynnodd neb, " Beth wyt ti'n
28 ei geisio ? " neu " Pam yr wyt yn siarad â hi ? " Gadawodd y
wraig ei hystên ac aeth i ffwrdd i'r dref, ac meddai wrth y bobl
29 yno, " Dewch i weld dyn a ddywedodd wrthyf bopeth yr wyf
wedi ei wneud. A yw'n bosibl mai hwn yw'r Meseia ? "
30 Daethant allan o'r dref a chychwyn tuag ato ef.

31 Yn y cyfamser yr oedd y disgyblion yn ei gymell, gan
32 ddweud, " Rabbi, cymer fwyd." Dywedodd ef wrthynt, " Y
mae gennyf fi fwyd i'w fwyta na wyddoch chwi ddim amdano."

Ar hynny, dechreuodd y disgyblion ofyn i'w gilydd, " A oes 33 rhywun, tybed, wedi dod â bwyd iddo ?" Meddai Iesu wrthynt, 34 " Fy mwyd i yw gwneud ewyllys yr hwn a'm hanfonodd, a gorffen y gwaith a osododd ef arnaf. Oni fyddwch chwi'n 35 dweud, ' Pedwar mis eto, ac yna daw'r cynhaeaf '? Ond dyma fi'n dweud wrthych, codwch eich llygaid ac edrychwch ar y meysydd, oherwydd y maent yn wyn ac yn barod i'w cynaeafu. Eisoes y mae'r medelwr yn derbyn ei dâl ac yn casglu ffrwyth 36 i fywyd tragwyddol, ac felly bydd yr heuwr a'r medelwr yn cydlawenhau. Yn hyn o beth y mae'r dywediad yn wir: ' Y 37 mae un yn hau ac un arall yn medi.' Anfonais chwi i fedi 38 cynhaeaf nad ydych wedi llafurio amdano. Eraill sydd wedi llafurio, a chwithau wedi cerdded i mewn i'w llafur."

Daeth llawer o'r Samariaid o'r dref honno i gredu yn Iesu 39 drwy air y wraig a dystiodd: " Dywedodd wrthyf bopeth yr wyf wedi ei wneud." Felly pan ddaeth y Samariaid hyn ato ef 40 gofynasant iddo aros gyda hwy; ac fe arhosodd yno am ddau ddiwrnod. A daeth llawer mwy i gredu ynddo trwy ei air ei 41 hun. Meddent wrth y wraig, " Nid trwy'r hyn a ddywedaist ti 42 yr ydym yn credu mwyach, oherwydd yr ydym wedi ei glywed drosom ein hunain, ac fe wyddom mai hwn yn wir yw Gwaredwr y byd."

### *Iacháu Mab y Swyddog*
### (Mth 8.5-13; Lc 7.1-10)

Ymhen y ddau ddiwrnod ymadawodd Iesu a mynd oddi yno 43 i Galilea. Oherwydd Iesu ei hun a dystiodd nad oes i broffwyd 44 anrhydedd yn ei wlad ei hun. Pan gyrhaeddodd Galilea croes- 45 awodd y Galileaid ef, oherwydd yr oeddent hwythau wedi bod yn yr ŵyl ac wedi gweld y cwbl a wnaeth ef yn Jerwsalem yn ystod yr ŵyl.

Daeth Iesu unwaith eto i Gana Galilea, lle'r oedd wedi troi'r 46 dŵr yn win. Yr oedd rhyw swyddog i'r brenin â mab ganddo yn glaf yng Nghapernaum. Pan glywodd hwn fod Iesu wedi 47 dod i Galilea o Jwdea, aeth ato a gofyn iddo ddod i lawr i iacháu ei fab, oherwydd ei fod ar fin marw. Dywedodd Iesu wrtho, 48 " Heb ichwi weld arwyddion a rhyfeddodau, ni chredwch chwi byth." Meddai'r swyddog wrtho, " Tyrd i lawr, Syr, cyn i'm 49 plentyn farw." " Dos adref," meddai Iesu wrtho, " y mae dy 50 fab yn fyw." Credodd y dyn y gair a ddywedodd Iesu wrtho, a chychwynnodd ar ei daith. Pan oedd ar ei ffordd i lawr, daeth 51

52 ei weision i'w gyfarfod a dweud bod ei fachgen yn fyw. Holodd hwy felly am yr amser pan fu i'r bachgen ddechrau gwella, ac atebasant ef, " Am un o'r gloch brynhawn ddoe y gadawodd y 53 dwymyn ef." Yna sylweddolodd y tad mai dyna'r union awr y dywedodd Iesu wrtho, " Y mae dy fab yn fyw." Ac fe gredodd, 54 ef a'i deulu i gyd. Hwn felly oedd yr ail arwydd i Iesu ei wneud, wedi iddo ddod o Jwdea i Galilea.

### *Iacháu wrth y Pwll*

5 Ar ôl hyn aeth Iesu i fyny i Jerwsalem i ddathlu un o wyliau'r 2 Iddewon. Y mae yn Jerwsalem, wrth Borth y Defaid, bwll a elwir Bethesda* yn iaith yr Iddewon, a phum cyntedd colofnog 3 yn arwain iddo. Yn y cynteddau hyn byddai tyrfa o gleifion yn gorwedd, yn ddeillion a chloffion a phobl wedi eu parlysu.* 5 Yn eu plith yr oedd dyn a fu'n wael ers deunaw mlynedd ar 6 hugain. Pan welodd Iesu ef yn gorwedd yno, a deall ei fod fel hyn ers amser maith, dywedodd wrtho, " A wyt ti'n dymuno 7 cael dy wella ?" Atebodd y claf ef, " Syr, nid oes gennyf neb i'm gosod yn y pwll pan ddaw cynnwrf i'r dŵr, a thra byddaf fi ar fy ffordd bydd rhywun arall yn mynd i mewn o'm blaen i." 8,9 Meddai Iesu wrtho, " Cod, cymer dy fatras a cherdda." Ac ar unwaith yr oedd y dyn wedi gwella, a chymerodd ei fatras a dechrau cerdded.

10 Yr oedd yn Saboth y dydd hwnnw. Dywedodd yr Iddewon felly wrth y dyn oedd wedi ei iacháu, " Y Saboth yw hi; nid 11 yw'n gyfreithlon i ti gario dy fatras." Atebodd yntau hwy, " Y dyn hwnnw a'm gwellodd a ddywedodd wrthyf, ' Cymer 12 dy fatras a cherdda.' " Gofynasant iddo, " Pwy yw'r dyn a 13 ddywedodd wrthyt, ' Cymer dy fatras a cherdda ' ?" Ond nid oedd y dyn a iachawyd yn gwybod pwy oedd ef, oherwydd yr 14 oedd Iesu wedi troi oddi yno, am fod tyrfa yn y lle. Maes o law daeth Iesu o hyd i'r dyn yn y deml, ac meddai wrtho, " Dyma ti wedi gwella. Paid â phechu mwyach, rhag i rywbeth gwaeth

---

*adn. 2: yn ôl darlleniad arall, *Bethsatha*. Yn ôl un arall, *Bethsaida*.

*adn. 3: ychwanega rhai llawysgrifau adnodau 3b-4: *yn disgwyl cynnwrf yn y dŵr, oherwydd byddai angel yr Arglwydd o bryd i'w gilydd yn dod i lawr i'r pwll ac yn cynhyrfu'r dŵr, ac yna byddai'r cyntaf i fynd i mewn i'r pwll ar ôl i'r dŵr gael ei gynhyrfu yn dod yn iach o'r afiechyd, beth bynnag ydoedd, yr oedd yn dioddef oddi wrtho.*

ddigwydd iti." Aeth y dyn i ffwrdd a dywedodd wrth yr 15 Iddewon mai Iesu oedd y dyn a'i gwellodd. A dyna pam y 16 dechreuodd yr Iddewon erlid Iesu, am ei fod yn gwneud y pethau hyn ar y Saboth. Ond atebodd Iesu hwy, "Y mae fy 17 Nhad yn dal i weithio hyd y foment hon, ac yr wyf finnau'n gweithio hefyd." Parodd hyn i'r Iddewon geisio'n fwy byth 18 ei ladd ef, oherwydd nid yn unig yr oedd yn torri'r Saboth, ond yr oedd hefyd yn galw Duw yn dad iddo ef ei hun, ac yn ei wneud ei hun felly yn gydradd â Duw.

*Awdurdod y Mab*

Felly atebodd Iesu hwy, "Yn wir, yn wir, 'rwy'n dweud 19 wrthych, nid yw'r Mab yn gallu gwneud dim ohono ei hun, dim ond yr hyn y mae'n gweld y Tad yn ei wneud. Beth bynnag y mae'r Tad yn ei wneud, hyn y mae'r Mab yntau yn ei wneud yr un modd. Oherwydd y mae'r Tad yn caru'r Mab ac 20 yn dangos iddo'r holl bethau y mae ef ei hun yn eu gwneud. Ac fe ddengys iddo weithredoedd mwy na'r rhain, i beri i chwi ryfeddu. Oherwydd fel y mae'r Tad yn codi'r meirw ac yn rhoi 21 bywyd iddynt, felly hefyd y mae'r Mab yntau yn rhoi bywyd i'r sawl a fyn. Nid yw'r Tad chwaith yn barnu neb, ond y mae 22 wedi rhoi pob hawl i farnu i'r Mab, er mwyn i bawb roi i'r Mab 23 yr un parch ag a rônt i'r Tad. O beidio â pharchu'r Mab, y mae dyn yn peidio â pharchu'r Tad a'i hanfonodd ef. Yn wir, 24 yn wir, 'rwy'n dweud wrthych fod y sawl sy'n gwrando ar fy ngair i ac yn credu'r hwn a'm hanfonodd i yn meddu ar fywyd tragwyddol. Nid yw'n dod dan gondemniad; i'r gwrthwyneb, y mae wedi croesi o farwolaeth i fywyd. Yn wir, yn wir, 'rwy'n 25 dweud wrthych fod amser yn dod, yn wir y mae yma eisoes, pan fydd y meirw yn clywed llais Mab Duw, a'r rhai sy'n clywed yn cael bywyd. Oherwydd fel y mae gan y Tad fywyd 26 ynddo ef ei hun, felly hefyd rhoddodd i'r Mab gael bywyd ynddo ef ei hun. Rhoddodd iddo hefyd awdurdod i weinyddu 27 barn, am mai Mab y Dyn yw ef. Peidiwch â rhyfeddu at hyn, 28 oherwydd y mae amser yn dod pan fydd pawb sydd yn eu beddau yn clywed ei lais ef ac yn dod allan; bydd y rhai a 29 wnaeth ddaioni yn codi i fywyd, a'r rhai a wnaeth ddrygioni yn yn codi i farn.

*Tystion i Iesu*

"Nid wyf fi'n gallu gwneud dim ohonof fy hun. Fel yr wyf 30

yn clywed, felly yr wyf yn barnu, ac y mae fy marn i yn gyfiawn, oherwydd nid fy ewyllys i fy hun yr wyf yn ei cheisio, ond
31 ewyllys yr hwn a'm hanfonodd i. Os wyf fi'n tystiolaethu am-
32 danaf fy hun, nid yw fy nhystiolaeth yn wir. Y mae un arall sydd yn tystiolaethu amdanaf fi, ac mi wn mai gwir yw'r
33 dystiolaeth y mae ef yn ei thystio amdanaf. Yr ydych chwi wedi anfon at Ioan, ac y mae gennych dystiolaeth ganddo ef i'r gwir-
34 ionedd. Nid oddi wrth ddyn, yn wir, y mae'r dystiolaeth sydd i mi, ond 'rwy'n dweud hyn er mwyn i chwi gael eich achub.
35 Cannwyll oedd Ioan, yn llosgi ac yn llewyrchu, a buoch chwi'n
36 fodlon gorfoleddu dros dro yn ei oleuni ef. Ond y mae gennyf fi dystiolaeth fwy na'r eiddo Ioan, oherwydd y gweithredoedd a roes y Tad i mi i'w cyflawni, yr union weithredoedd yr wyf yn eu gwneud, y rhain sy'n tystiolaethu amdanaf fi mai'r Tad
37 sydd wedi fy anfon. A'r Tad a'm hanfonodd i, y mae ef ei hun wedi tystiolaethu amdanaf fi. Nid ydych chwi erioed wedi
38 clywed ei lais na gweld ei wedd, ac nid oes gennych mo'i air ef yn aros ynoch, oherwydd nid ydych chwi'n credu'r hwn a
39 anfonodd ef. Yr ydych yn chwilio'r Ysgrythurau oherwydd tybio yr ydych fod i chwi fywyd tragwyddol ynddynt hwy. Ond
40 tystiolaethu amdanaf fi y mae'r rhain; eto ni fynnwch ddod ataf fi i gael bywyd.

41,42 "Nid oddi wrth ddynion y mae'r clod sydd i mi. Ond mi wn i amdanoch chwi, nad oes gennych ddim cariad tuag at
43 Dduw ynoch eich hunain. Yr wyf fi wedi dod yn enw fy Nhad ac nid ydych yn fy nerbyn i; os daw rhywun arall yn ei enw ei
44 hun, fe dderbyniwch hwnnw. Sut y gallwch gredu, a chwithau yn derbyn clod gan eich gilydd a heb geisio'r clod sy gan yr unig
45 Dduw i'w roi? Peidiwch â meddwl mai myfi fydd yn dwyn cyhuddiad yn eich erbyn gerbron y Tad. Moses yw'r un sydd yn eich cyhuddo, hwnnw yr ydych chwi wedi rhoi eich gobaith
46 arno. Pe baech yn credu Moses byddech yn fy nghredu i,
47 oherwydd amdanaf fi yr ysgrifennodd ef. Ond os nad ydych yn credu'r hyn a ysgrifennodd ef, sut yr ydych i gredu'r hyn yr wyf fi'n ei ddweud?"

### *Porthi'r Pum Mil*

(Mth 14.13-21; Mc 6.30-44; Lc 9.10-17)

**6** Ar ôl hyn aeth Iesu ymaith ar draws Môr Galilea (hynny yw,
2 Môr Tiberias). Ac ar oedd tyrfa fawr yn ei ganlyn, oherwydd

yr oeddent wedi gweld yr arwyddion yr oedd wedi eu gwneud ar y cleifion. Aeth Iesu i fyny'r mynydd ac eistedd yno gyda'i ddisgyblion. Yr oedd y Pasg, gŵyl yr Iddewon, yn ymyl. Yna cododd Iesu ei lygaid a gwelodd fod tyrfa fawr yn dod tuag ato, ac meddai wrth Philip, " Lle y gallwn brynu bara i'r rhain gael bwyta ?" Dweud hyn yr oedd i roi prawf arno, oherwydd gwyddai ef ei hun beth yr oedd yn mynd i'w wneud. Atebodd Philip ef, " Ni byddai gwerth ugain punt* o fara yn ddigon i roi tamaid bach i bob un ohonynt." A dyma un o'i ddisgyblion, Andreas, brawd Simon Pedr, yn dweud wrtho, " Y mae bachgen yma â phum torth haidd a dau bysgodyn ganddo, ond beth yw hynny rhwng cynifer ?" Dywedodd Iesu, " Gwnewch i'r bobl eistedd i lawr." Yr oedd llawer o laswellt yn y lle, ac eisteddodd y dynion i lawr, rhyw bum mil ohonynt. Yna cymerodd Iesu y torthau, ac wedi diolch fe'u rhannodd i'r rhai oedd yn eistedd. Gwnaeth yr un peth hefyd â'r pysgod, gan roi i bob un faint a fynnai. A phan oeddent wedi cael digon, meddai wrth ei ddisgyblion, " Casglwch y tameidiau sy'n weddill, rhag i ddim fynd yn wastraff." Fe'u casglasant, felly, a llenwi deuddeg basged â'r tameidiau yr oedd y bwytawyr wedi eu gadael yn weddill o'r pum torth haidd. Pan welodd y bobl yr arwydd hwn yr oedd Iesu wedi ei wneud, dywedasant, " Hwn yn wir yw'r Proffwyd sy'n dod i'r byd." Yna synhwyrodd Iesu eu bod am ddod a'i gipio ymaith i'w wneud yn frenin, a chiliodd i'r mynydd eto ar ei ben ei hun.

3 4 5 6 7 8 9 10 11 12 13 14 15

### *Cerdded ar y Dŵr*
(Mth 14.22-27; Mc 6.45-52)

Pan aeth hi'n hwyr, aeth ei ddisgyblion i lawr at y môr ac i mewn i gwch, a dechrau croesi'r môr i Gapernaum. Yr oedd hi eisoes yn dywyll, ac nid oedd Iesu wedi dod atynt hyd yn hyn. Yr oedd gwynt cryf yn chwythu a'r môr yn arw. Yna, wedi iddynt rwyfo am ryw dair neu bedair milltir, dyma hwy'n gweld Iesu yn cerdded ar y môr ac yn nesu at y cwch, a daeth ofn arnynt. Ond meddai ef wrthynt, " Myfi yw ; peidiwch ag ofni." Yr oeddent am ei gymryd ef i'r cwch, ond ar unwaith cyrhaeddodd y cwch i'r lan yr oeddent yn hwylio ati.

16,17 18,19 20 21

---

*adn. 7: neu: *dau can denarius.*

### *Iesu, Bara'r Bywyd*

22 Trannoeth, sylwodd y dyrfa oedd wedi aros ar yr ochr arall i'r môr na fu ond un cwch yno. Gwyddent nad oedd Iesu wedi mynd i'r cwch gyda'i ddisgyblion, ond eu bod wedi hwylio 23 ymaith ar eu pen eu hunain. Ond yr oedd cychod eraill o Diberias wedi dod yn agos i'r fan lle'r oeddent wedi bwyta'r 24 bara ar ôl i'r Arglwydd roi diolch. Felly pan welodd y dyrfa nad oedd Iesu yno, na'i ddisgyblion chwaith, aethant hwythau 25 i'r cychod hyn a hwylio i Gapernaum i chwilio am Iesu. Fe'i cawsant ef yr ochr draw i'r môr, ac meddent wrtho, "Rabbi, 26 pryd y daethost ti yma ?" Atebodd Iesu hwy, "Yn wir, yn wir, 'rwy'n dweud wrthych, yr ydych yn fy ngheisio i, nid am i chwi weld arwyddion, ond am i chwi fwyta'r bara a chael digon. 27 Gweithiwch, nid am y bwyd sy'n darfod, ond am y bwyd sy'n para i fywyd tragwyddol. Mab y Dyn a rydd hwn i chwi, oherwydd arno ef y mae Duw, y Tad, wedi gosod sêl ei awdur-28 dod." Yna gofynasant iddo, "Beth sydd raid inni ei wneud i 29 gyflawni'r gweithredoedd a fyn Duw ?" Atebodd Iesu, "Dyma'r gwaith a fyn Duw: eich bod yn credu yn yr un y mae 30 ef wedi ei anfon." "Os felly," meddent wrtho, "pa arwydd a wnei di, i ni gael gweld a chredu ynot ? Beth fedri di ei wneud? 31 Cafodd ein tadau fanna i'w fwyta yn yr anialwch, fel y mae'n 32 ysgrifenedig, 'Rhoddodd iddynt fara o'r nef i'w fwyta.'" Yna dywedodd Iesu wrthynt, "Yn wir, yn wir, 'rwy'n dweud wrthych, nid Moses sydd wedi rhoi'r bara o'r nef i chwi, ond fy 33 Nhad sydd yn rhoi i chwi y gwir fara o'r nef. Oherwydd y bara y mae Duw yn ei roi yw'r hwn sy'n disgyn o'r nef ac yn rhoi bywyd i'r byd."

34 Dywedasant wrtho ef, "Syr, rho'r bara hwn inni bob amser." 35 Meddai Iesu wrthynt, "Myfi yw bara'r bywyd. Ni bydd eisiau bwyd byth ar y sawl sy'n dod ataf fi, ac ni bydd syched 36 byth ar y sawl sy'n credu ynof fi. Ond fel y dywedais wrthych, yr ydych chwi wedi fy ngweld, ac eto nid ydych yn credu. 37 Bydd pob un y mae'r Tad yn ei roi i mi yn dod ataf fi, ac ni 38 fwriaf allan byth mo'r sawl sy'n dod ataf fi. Oherwydd yr wyf wedi disgyn o'r nef nid i wneud fy ewyllys fy hun ond ewyllys 39 yr hwn a'm hanfonodd i. Ac ewyllys yr hwn a'm hanfonodd i yw hyn: nad wyf i golli neb o'r rhai y mae ef wedi eu rhoi i mi, 40 ond fy mod i'w hatgyfodi yn y dydd olaf. Oherwydd ewyllys fy Nhad yw hyn: fod pob un sy'n gweld y Mab ac yn credu

ynddo i gael bywyd tragwyddol. A byddaf fi'n ei atgyfodi ef yn y dydd olaf."

41 Yna dechreuodd yr Iddewon rwgnach amdano oherwydd iddo ddweud, "Myfi yw'r bara a ddisgynnodd o'r nef." 42 "Onid hwn," meddent, "yw Iesu, mab Joseff? Yr ydym ni'n adnabod ei dad a'i fam. Sut y gall ef ddweud yn awr, 'Yr wyf wedi disgyn o'r nef'?" 43 Atebodd Iesu hwy, "Peidiwch â grwgnach ymhlith eich gilydd. 44 Ni all neb ddod ataf fi heb i'r Tad a'm hanfonodd i ei dynnu ef; a byddaf fi'n ei atgyfodi ef yn y dydd olaf. 45 Y mae'n ysgrifenedig yn y proffwydi: 'Fe gânt oll eu dysgu gan Dduw.' Y mae pob un a wrandawodd ar y Tad ac a ddysgodd ganddo yn dod ataf fi. 46 Nid bod neb wedi gweld y Tad, ac eithrio'r hwn sydd oddi wrth Dduw; y mae hwnnw wedi gweld y Tad. 47 Yn wir, yn wir, 'rwy'n dweud wrthych, y mae gan yr hwn sy'n credu fywyd tragwyddol yn ei feddiant. 48,49 Myfi yw bara'r bywyd. Bwytaodd ein tadau y manna yn yr anialwch, ac eto buont farw. 50 Ond dyma'r bara sy'n disgyn o'r nef, er mwyn i ddyn gael bwyta ohono a pheidio â marw. 51 Myfi yw'r bara bywiol hwn a ddisgynnodd o'r nef. Caiff pwy bynnag sy'n bwyta o'r bara hwn fyw am byth. A'r bara sydd gennyf fi i'w roi yw fy nghnawd; a'i roi a wnaf dros fywyd y byd."

52 Yna dechreuodd yr Iddewon ddadlau'n daer â'i gilydd, gan ddweud, "Sut y gall hwn roi ei gnawd i ni i'w fwyta?" 53 Felly dywedodd Iesu wrthynt, "Yn wir, yn wir, 'rwy'n dweud wrthych, oni fwytewch gnawd Mab y Dyn ac yfed ei waed, ni bydd gennych fywyd ynoch. 54 Y mae gan yr hwn sy'n bwyta fy nghnawd i ac yn yfed fy ngwaed i fywyd tragwyddol yn ei feddiant, a byddaf fi'n ei atgyfodi ef yn y dydd olaf. 55 Oherwydd fy nghnawd i yw'r gwir fwyd, a'm gwaed i yw'r wir ddiod. 56 Y mae'r hwn sy'n bwyta fy nghnawd i ac yn yfed fy ngwaed i yn aros ynof fi, a minnau ynddo yntau. 57 Y Tad byw a'm hanfonodd i, ac yr wyf fi'n byw oherwydd y Tad; felly'n union bydd hwnnw sy'n fy mwyta i yn byw o'm herwydd innau. 58 Dyma'r bara a ddisgynnodd o'r nef. Nid yw hwn fel y bara a fwytaodd y tadau; buont hwy farw. Caiff yr hwn sy'n bwyta'r bara hwn fyw am byth." 59 Dywedodd Iesu y pethau hyn wrth ddysgu yn y synagog yng Nghapernaum.

*Geiriau Bywyd Tragwyddol*

60 Wedi iddynt ei glywed, meddai llawer o'i ddisgyblion,

61 "Geiriau caled yw'r rhain. Pwy all wrando arnynt?" Gwyddai Iesu ynddo'i hun fod ei ddisgyblion yn grwgnach am ei eiriau, ac meddai wrthynt, "A yw hyn yn peri tramgwydd i chwi ? 62 Beth ynteu os gwelwch Fab y Dyn yn esgyn i'r lle'r oedd o'r 63 blaen ? Yr Ysbryd sy'n rhoi bywyd; nid yw'r cnawd yn tycio dim. Y mae'r geiriau yr wyf fi wedi eu llefaru wrthych yn 64 ysbryd ac yn fywyd. Ac eto y mae rhai ohonoch sydd heb gredu." Yr oedd Iesu, yn wir, yn gwybod o'r cychwyn pwy oedd y rhai oedd heb gredu, a phwy oedd yr un a'i bradychai. 65 " Dyna pam," meddai, " y dywedais wrthych na allai neb ddod ataf fi heb i'r Tad beri iddo wneud hynny."

66 O'r amser hwn, felly, trodd llawer o'i ddisgyblion yn eu holau 67 a pheidio mwyach â mynd o gwmpas gydag ef. Yna gofynnodd Iesu i'r Deuddeg, "A ydych chwithau hefyd, efallai, am fy 68 ngadael ? " Atebodd Simon Pedr ef, " Arglwydd, at bwy yr 69 awn ni ? Mae geiriau bywyd tragwyddol gennyt ti, ac yr ydym 70 ni wedi dod i gredu a gwybod mai ti yw Sanct Duw." Atebodd Iesu hwy, " Onid myfi a'ch dewisodd chwi'r Deuddeg ? Ac 71 eto, onid diafol yw un ohonoch ?" Yr oedd yn siarad am Jwdas, mab Simon Iscariot, oherwydd yr oedd hwn, er ei fod yn un o'r Deuddeg, yn mynd i'w fradychu ef.

### *Anghrediniaeth Brodyr Iesu*

**7** Ar ôl hyn bu Iesu'n teithio o amgylch yng Ngalilea. Ni fynnai fynd o amgylch yn Jwdea, oherwydd yr oedd yr Iddewon 2 yn chwilio amdano i'w ladd. Yr oedd gŵyl yr Iddewon, Gŵyl 3 y Pebyll, yn ymyl, ac felly dywedodd ei frodyr wrtho, " Dylit adael y lle hwn a mynd i Jwdea, er mwyn i'th ddisgyblion hefyd 4 weld y gweithredoedd yr wyt yn eu gwneud. Oherwydd nid yw neb sy'n ceisio bod yn yr amlwg yn gwneud dim yn y dirgel. Os wyt yn gwneud y pethau hyn, dangos dy hun i'r 5,6 byd." Nid oedd hyd yn oed ei frodyr yn credu ynddo. Felly dyma Iesu'n dweud wrthynt, " Nid yw'r amser yn aeddfed i 7 mi eto, ond i chwi y mae unrhyw amser yn addas. Ni all y byd eich casáu chwi, ond y mae'n fy nghasáu i am fy mod i'n tystio 8 amdano fod ei weithredoedd yn ddrwg. Ewch chwi i fyny i'r ŵyl. Nid wyf fi'n mynd* i fyny i'r ŵyl hon, oherwydd nid yw 9 fy amser i wedi dod i'w gyflawniad eto." Wedi dweud hyn fe arhosodd ef yng Ngalilea.

---

*adn. 8: yn ôl darlleniad arall, *Nid wyf fi eto'n mynd.*

*Iesu yng Ngŵyl y Pebyll*

10 Ond pan oedd ei frodyr wedi mynd i fyny i'r ŵyl, yna fe aeth 11 yntau hefyd i fyny, nid yn agored ond yn ddirgel. Yr oedd yr Iddewon yn chwilio amdano yn yr ŵyl ac yn dweud, " Lle mae 12 ef ?" Yr oedd llawer o sibrwd amdano ymhlith y dyrfa: rhai yn dweud, " Dyn da yw ef ", ond " Na," meddai eraill, 13 "twyllo'r bobl y mae." Er hynny, nid oedd neb yn siarad yn agored amdano, rhag ofn yr Iddewon.

14 Pan oedd yr ŵyl eisoes ar ei hanner, aeth Iesu i fyny i'r deml a 15 dechrau dysgu. Yr oedd yr Iddewon yn rhyfeddu ac yn gofyn, " Sut y mae gan hwn y fath ddysg, ac yntau heb gael hyfforddiant ?" 16 Atebodd Iesu hwy, " Nid eiddof fi yw'r hyn yr wyf yn 17 ei ddysgu, ond eiddo'r hwn a'm hanfonodd i. Pwy bynnag sy'n ewyllysio gwneud ei ewyllys ef, caiff hwnnw wybod a yw'r hyn yr wyf yn ei ddysgu yn dod oddi wrth Dduw, ai ynteu siarad 18 ohonof fy hunan yr wyf. Y mae'r dyn sy'n siarad ohono'i hun yn ceisio anrhydedd iddo'i hun; ond y dyn sy'n ceisio anrhydedd i'r hwn a'i hanfonodd, y mae hwn yn ddiffuant, heb ddim 19 dichell ynddo. Onid yw Moses wedi rhoi'r Gyfraith i chwi ? Ac eto nid oes neb ohonoch yn cadw'r Gyfraith. Pam yr ydych 20 yn ceisio fy lladd i ?" Atebodd y dyrfa, " Y mae cythraul ynot. 21 Pwy sy'n ceisio dy ladd di ?" Meddai Iesu wrthynt, " Un weithred a wneuthum ar y Saboth, ac yr ydych oll yn rhyfeddu 22 o'r herwydd. Rhoddodd Moses i chwi ddefod enwaediad—er nad gyda Moses y cychwynnodd ond gyda'r patriarchiaid—23 ac yr ydych yn enwaedu ar ddyn ar y Saboth. Os enwaedir ar ddyn ar y Saboth rhag torri Cyfraith Moses, a ydych yn ddig 24 wrthyf fi am imi iacháu holl gorff dyn ar y Saboth ? Peidiwch â barnu yn ôl yr olwg, ond yn ôl safonau barn gyfiawn."

*Ai Hwn yw'r Meseia* ?

25 Yna dechreuodd rhai o drigolion Jerwsalem ddweud, " Onid 26 hwn yw'r dyn y maent yn ceisio ei ladd ? A dyma fe'n siarad yn agored heb i neb ddweud dim yn ei erbyn. Tybed a yw'r llywodraethwyr wedi dod i wybod i sicrwydd mai hwn yw'r 27 Meseia ? Ac eto, fe wyddom ni o ble y mae'r dyn yma'n dod ; ond pan ddaw'r Meseia, ni fydd neb yn gwybod o ble y mae'n 28 dod." Ar hynny, gwaeddodd Iesu, wrth ddysgu yn y deml, " Yr ydych yn f'adnabod i ac yn gwybod o ble 'rwy'n dod. Ond nid wyf wedi dod ohonof fy hun. Y mae'r hwn a'm hanfonodd

i â'i hanfod yn y gwirionedd, ond nid ydych chwi'n ei adnabod
29 ef. Yr wyf fi'n ei adnabod ef, oherwydd oddi wrtho ef y
30 deuthum, ac ef a'm hanfonodd." Am hynny ceisiasant ei ddal, ond ni osododd neb law arno, oherwydd nid oedd ei awr ef wedi
31 dod eto. Credodd llawer o blith y dyrfa ynddo, ac meddent, "A fydd y Meseia, pan ddaw, yn gwneud mwy o arwyddion nag a wnaeth y dyn hwn ?"

### *Anfon Swyddogion i Ddal Iesu*

32 Clywodd y Phariseaid y dyrfa'n sibrwd y pethau hyn amdano. Ac fe anfonodd y prif offeiriaid a'r Phariseaid swyddogion i'w
33 ddal ef. Felly dywedodd Iesu, "Am ychydig amser eto y bydd-
34 af gyda chwi, ac yna af at yr hwn a'm hanfonodd i. Fe chwiliwch amdanaf fi, ond ni chewch hyd imi; lle yr wyf fi ni allwch
35 chwi ddod." Meddai'r Iddewon wrth ei gilydd, "I ble mae hwn ar fynd, fel na bydd i ni gael hyd iddo ? A yw ar fynd, tybed, at y rhai sydd ar wasgar ymhlith y Groegiaid, a dysgu'r
36 Groegiaid ? Beth yw ystyr y gair hwn a ddywedodd, 'Fe chwiliwch amdanaf fi, ond ni chewch hyd i mi; lle yr wyf fi, ni allwch chwi ddod'?"

### *Ffrydiau o Ddŵr Bywiol*

37 Ar ddydd olaf yr ŵyl, y dydd mawr, safodd Iesu a chyhoeddi'n uchel: "Pwy bynnag sy'n sychedig, deued ataf fi ac
38 yfed. Y dyn sy'n credu ynof fi, allan ohono ef,* fel y dywedodd
39 yr Ysgrythur, y bydd ffrydiau o ddŵr bywiol yn llifo." Sôn yr oedd am yr Ysbryd yr oedd y rhai a gredodd ynddo ef yn mynd i'w dderbyn. Oherwydd nid oedd yr Ysbryd yno eto, am nad oedd Iesu wedi cael ei ogoneddu eto.

### *Ymraniad ymhlith y Dyrfa*

40 Ar ôl ei glywed yn dweud hyn, meddai rhai o blith y dyrfa,
41 "Hwn yn wir yw'r Proffwyd." Meddai eraill, "Hwn yw'r Meseia." Ond meddai rhai, "'Does bosibl mai o Galilea y
42 mae'r Meseia yn dod ? Onid yw'r Ysgrythur yn dweud mai o linach Dafydd, ac o Fethlehem, y pentref lle'r oedd Dafydd yn
43 byw, y daw'r Meseia ?" Felly bu ymraniad ymhlith y dyrfa o'i

---

*adn. 37-38: neu, *deued ataf fi, ac yfed y dyn sy'n credu ynof fi. Allan ohono ef.*

achos ef. Yr oedd rhai ohonynt yn awyddus i'w ddal, ond ni osododd neb ddwylo arno. 44

*Anghrediniaeth y Llywodraethwyr*

Daeth y swyddogion yn ôl at y prif offeiriaid a'r Phariseaid, 45 a gofynnodd y rheini iddynt, " Pam na ddaethoch ag ef yma ?" Atebodd y swyddogion, " Ni lefarodd dyn erioed fel hyn." 46 Yna dywedodd y Phariseaid, " A ydych chwithau hefyd wedi 47 eich twyllo ? A oes unrhyw un o'r llywodraethwyr wedi credu 48 ynddo, neu o'r Phariseaid ? Ond y dyrfa yma nad yw'n gwybod 49 dim am y Gyfraith, dan felltith y maent." Yr oedd Nicodemus, 50 y dyn oedd wedi dod ato o'r blaen, yn un ohonynt; meddai ef wrthynt, " A yw ein Cyfraith ni yn barnu dyn heb roi gwran- 51 dawiad iddo yn gyntaf, a chael gwybod beth y mae'n ei wneud?" Atebasant ef, " A wyt tithau hefyd yn dod o Galilea ? Chwilia'r 52 Ysgrythurau, a chei weld nad yw proffwyd byth yn codi o Galilea."*

---

*adn. 52: ychwanega rhai llawysgrifau adnodau 7.53–8.11 fel a ganlyn:

Y Wraig oedd wedi ei Dal mewn Godineb

*Ac aethant adref bob un.* 53

*Ond aeth Iesu i Fynydd yr Olewydd. Yn y bore bach daeth eto* 2 **8** *i'r deml, ac yr oedd y bobl i gyd yn dod ato. Wedi iddo eistedd a dechrau eu dysgu, dyma'r ysgrifenyddion a'r Phariseaid yn dod â* 3 *gwraig ato oedd wedi ei dal mewn godineb, a'i rhoi i sefyll yn y canol. " Athro," meddent wrtho, " y mae'r wraig hon wedi ei dal* 4 *yn y weithred o odinebu. Gorchmynnodd Moses yn y Gyfraith i* 5 *ni labyddio gwragedd o'r fath. Beth sydd gennyt ti i'w ddweud ?" Dweud hyn yr oeddent er mwyn rhoi prawf arno, a chael cyhudd-* 6 *iad i'w ddwyn yn ei erbyn. Plygodd Iesu i lawr ac ysgrifennu ar y llawr â'i fys. Ond gan eu bod yn dal ati i ofyn y cwestiwn iddo,* 7 *ymsythodd ac meddai wrthynt, " Pwy bynnag ohonoch sy'n ddi-bechod, gadewch i hwnnw fod yn gyntaf i daflu carreg ati." Yna* 8 *plygodd eto ac ysgrifennu ar y llawr. A dechreuodd y rhai oedd* 9 *wedi clywed fynd allan, un ar ôl y llall, y rhai hynaf yn gyntaf, nes i Iesu gael ei adael ar ei ben ei hun, a'r wraig yno yn y canol. Ymsythodd Iesu a gofyn iddi, " Wraig, lle maent ? Onid oes neb* 10 *wedi dy gondemnio ? " Meddai hithau, " Neb, Syr." Ac* 11 *meddai Iesu, " Nid wyf finnau'n dy gondemnio chwaith. Dos, ac o hyn allan paid â phechu mwyach."*

### *Iesu, Goleuni'r Byd*

8 12 Yna llefarodd Iesu wrthynt eto. "Myfi yw goleuni'r byd," meddai. "Ni bydd neb sy'n fy nghanlyn i byth yn rhodio yn y 13 tywyllwch, ond bydd ganddo oleuni'r bywyd." Meddai'r Phariseaid wrtho, "Tystiolaethu amdanat dy hun yr wyt ti; 14 nid yw dy dystiolaeth yn wir." Atebodd Iesu hwy, "Er mai myfi sydd yn tystiolaethu amdanaf fy hun, y mae fy nhystiolaeth yn wir am fy mod yn gwybod o ble y deuthum ac i ble'r wyf yn mynd. Ond ni wyddoch chwi o ble'r wyf yn dod nac i 15 ble'r wyf yn mynd. Yr ydych chwi'n barnu yn ôl safonau 16 dynion. Minnau, nid wyf yn barnu neb, ac os byddaf yn barnu y mae'r farn a roddaf yn ddilys, oherwydd nid myfi yn unig 17 sy'n barnu, ond myfi a'r Tad a'm hanfonodd i. Y mae'n ysgrifenedig yn eich Cyfraith chwi fod tystiolaeth dau ddyn yn wir. 18 Myfi yw'r un sydd yn tystiolaethu amdanaf fy hun, ac y mae'r 19 Tad a'm hanfonodd i hefyd yn tystiolaethu amdanaf." Yna meddent wrtho, "Lle mae dy Dad di?" Atebodd Iesu, "Nid ydych yn fy adnabod i na'm Tad; pe baech yn fy adnabod i, 20 byddech yn adnabod fy Nhad hefyd." Llefarodd y geiriau hyn yn y trysordy, wrth ddysgu yn y deml. Ond ni afaelodd neb ynddo, oherwydd nid oedd ei awr wedi dod eto.

### *Lle'r Wyf Fi'n Mynd, Ni Allwch Chwi Ddod*

21 Dywedodd wrthynt wedyn, "Yr wyf fi'n ymadael â chwi. Fe chwiliwch amdanaf fi, ond byddwch farw yn eich pechod. 22 Lle'r wyf fi'n mynd, ni allwch chwi ddod." Meddai'r Iddewon felly, "A yw'n mynd i'w ladd ei hun, gan ei fod yn dweud, 23 'Lle'r wyf fi'n mynd, ni allwch chwi ddod'?" Meddai Iesu wrthynt, "Yr ydych chwi oddi isod, yr wyf fi oddi uchod. Yr 24 ydych chwi o'r byd hwn, nid wyf fi o'r byd hwn. Dyna pam y dywedais wrthych y byddwch farw yn eich pechodau; oherwydd marw yn eich pechodau a wnewch, os na chredwch mai 25 myfi yw." Gofynasant iddo felly, "Pwy wyt ti?" Atebodd Iesu hwy, "Yr wyf o'r dechrau yr hyn yr wyf yn ei ddweud 26 wrthych.* Gallwn ddweud llawer amdanoch, a hynny mewn barn. Ond y mae'r hwn a'm hanfonodd i yn eirwir, a'r hyn a glywais ganddo ef yw'r hyn yr wyf yn ei gyhoeddi i'r byd."

---

*adn. 25: neu, "*Pam yr wyf yn siarad o gwbl â chwi?*"

Nid oeddent hwy'n deall mai am y Tad yr oedd yn llefaru wrthynt. Felly dywedodd Iesu wrthynt, "Pan fyddwch wedi dyrchafu Mab y Dyn byddwch yn gwybod mai myfi yw, ac nad wyf yn gwneud dim ohonof fy hun, ond fy mod yn dweud yr union bethau y mae'r Tad wedi eu dysgu imi. Ac y mae'r hwn a'm hanfonodd i gyda mi; nid yw wedi fy ngadael ar fy mhen fy hun, oherwydd yr wyf bob amser yn gwneud y pethau sydd wrth ei fodd ef." Wrth iddo ddweud hyn, daeth llawer i gredu ynddo. 27 28 29 30

*Bydd y Gwirionedd yn eich Rhyddhau*

Yna dywedodd Iesu wrth yr Iddewon oedd wedi credu ynddo, "Os arhoswch chwi yn fy ngair i, yr ydych mewn gwirionedd yn ddisgyblion i mi. Cewch wybod y gwirionedd, a bydd y gwirionedd yn eich rhyddhau." Atebasant ef, "Plant Abraham ydym ni, ac ni buom erioed yn gaethweision i neb. Sut y gelli di ddweud, 'Fe'ch gwneir yn ddynion rhydd'?" Atebodd Iesu hwy, "Yn wir, yn wir, 'rwy'n dweud wrthych fod pob un sy'n cyflawni pechod yn gaethwas i bechod. Ac nid oes gan y caethwas le arhosol yn y tŷ, ond y mae'r mab yn aros am byth. Felly os yw'r mab yn eich rhyddhau chwi, byddwch yn rhydd mewn gwirionedd. 'Rwy'n gwybod mai plant Abraham ydych. Ond yr ydych yn ceisio fy lladd i am nad yw fy ngair i yn cael lle ynoch. Yr wyf fi'n siarad am y pethau yr wyf wedi eu gweld gyda'm Tad, ac yr ydych chwi'n gwneud y pethau a glywsoch gan eich tad." 31 32 33 34 35 36 37 38

*Eich Tad y Diafol*

Atebasant ef, "Abraham yw ein tad ni." Meddai Iesu wrthynt, "Pe baech yn blant i Abraham, byddech yn gwneud* yr un gweithredoedd ag Abraham. Ond dyma chwi yn awr yn ceisio fy lladd i, dyn sydd wedi llefaru i chwi y gwirionedd a glywais gan Dduw. Ni wnaeth Abraham mo hynny. Gwneud gweithredoedd eich tad eich hunain yr ydych chwi." "Nid plant gordderch mohonom," meddent wrtho. "Un Tad sydd gennym, sef Duw." Meddai Iesu wrthynt, "Petai Duw yn dad i chwi, byddech yn fy ngharu i, oherwydd oddi wrth Dduw y deuthum allan a dod yma. Nid wyf wedi dod ohonof fy hun, 39 40 41 42

---

*adn. 39: yn ôl darlleniad arall, *Os ydych yn blant i Abraham, gwnewch.*

43 ond ef a'm hanfonodd. Pam nad ydych yn deall yr hyn yr wyf yn ei ddweud ? Am nad ydych yn gallu gwrando ar fy ngair i.
44 Plant ydych chwi i'ch tad, y diafol, ac yr ydych â'ch bryd ar gyflawni dymuniadau eich tad. Lladdwr dynion oedd ef o'r cychwyn; nid yw'n sefyll yn y gwirionedd, oherwydd nid oes dim gwirionedd ynddo. Pan fydd yn dweud celwydd, datgudd-io'i natur ei hun y mae, oherwydd un celwyddog yw ef, a thad
45 pob celwydd. Ond yr wyf fi'n dweud y gwirionedd, ac am
46 hynny nid ydych yn fy nghredu. Pwy ohonoch chwi sydd am brofi fy mod i'n euog o bechod ? Os wyf yn dweud y gwir, pam
47 nad ydych chwi yn fy nghredu ? Y mae'r hwn sydd o Dduw yn gwrando geiriau Duw. Nid ydych chwi o Dduw, a dyna pam nad ydych yn gwrando."

### *Cyn Geni Abraham, yr Wyf Fi*

48 Atebodd yr Iddewon ef, " Onid ydym ni'n iawn wrth
49 ddweud, ' Samariad wyt ti, ac y mae cythraul ynot '?" Ateb-odd Iesu, " Nid oes cythraul ynof; parchu fy Nhad yr wyf fi,
50 a chwithau'n fy amharchu i. Nid wyf fi'n ceisio fy ngogoniant
51 fy hun, ond y mae un sydd yn ei geisio, ac ef sy'n barnu. Yn wir, yn wir, 'rwy'n dweud wrthych, os bydd dyn yn cadw fy
52 ngair i, ni wêl hwnnw farwolaeth byth." Meddai'r Iddewon wrtho, " Yr ydym yn gwybod yn awr fod cythraul ynot. Bu Abraham farw, a'r proffwydi hefyd, a dyma ti'n dweud, ' Os bydd dyn yn cadw fy ngair i, ni chaiff hwnnw brofi blas
53 marwolaeth byth.' A wyt ti'n fwy na'n tad ni, Abraham ? Bu ef farw, a bu'r proffwydi farw. Pwy yr wyt ti'n dy gyfrif dy
54 hun ?" Atebodd Iesu, " Os fy ngogoneddu fy hun yr wyf fi, nid yw fy ngogoniant yn ddim. Fy Nhad sydd yn fy ngogon-eddu, yr un yr ydych chwi'n dweud amdano, ' Ef yw ein Duw
55 ni.' Nid ydych yn ei adnabod, ond yr wyf fi'n ei adnabod. Pe bawn yn dweud nad wyf yn ei adnabod, byddwn yn gelwyddog fel chwithau. Ond yr wyf yn ei adnabod, ac yr wyf yn cadw ei
56 air ef. Gorfoleddu a wnaeth eich tad Abraham o weld fy nydd i;
57 fe'i gwelodd, a llawenhau." Yna meddai'r Iddewon wrtho, " Nid wyt ti'n hanner cant oed eto. A wyt ti wedi gweld
58 Abraham ?" Dywedodd Iesu wrthynt, " Yn wir, yn wir,
59 'rwy'n dweud wrthych, cyn geni Abraham, yr wyf fi." Yna codasant gerrig i'w taflu ato. Ond aeth Iesu o'u golwg, ac allan o'r deml.

### *Iacháu Dyn Dall o'i Enedigaeth*

9 Wrth fynd ar ei daith, gwelodd Iesu ddyn dall o'i enedigaeth. 2 Gofynnodd ei ddisgyblion iddo, " Rabbi, pwy a bechodd, ai hwn ynteu ei rieni, i beri iddo gael ei eni'n ddall ?" 3 Atebodd Iesu, " Ni phechodd hwn na'i rieni chwaith, ond ynddo ef yr amlygir gweithredoedd Duw. 4 Y mae'n rhaid i ni* gyflawni gweithredoedd yr hwn a'm hanfonodd i tra mae hi'n ddydd. Y mae'r nos yn dod, pan na all neb weithio. 5 Tra byddaf yn y byd, goleuni'r byd ydwyf." 6 Wedi dweud hyn poerodd ar y llawr a gwneud clai o'r poeryn; yna irodd lygaid y dyn â'r clai, ac meddai wrtho, 7 " Dos i ymolchi ym mhwll Siloam " (enw a gyfieithir Anfonedig). Aeth y dyn yno ac ymolchi, a phan ddaeth yn ôl yr oedd yn gweld. 8 Dyma'i gymdogion, felly, a'r bobl oedd wedi arfer o'r blaen ei weld fel cardotyn, yn dweud, " Onid hwn yw'r dyn fyddai'n eistedd i gardota ?" 9 Meddai rhai, " Hwn yw ef." " Na," meddai eraill, " ond y mae'n debyg iddo." Ac meddai'r dyn ei hun, " Myfi yw ef." 10 Gofynasant iddo felly, " Sut yr agorwyd dy lygaid di ?" 11 Atebodd yntau, " Y dyn a elwir Iesu a wnaeth glai ac iro fy llygaid a dweud wrthyf, ' Dos i Siloam i ymolchi.' Ac wedi imi fynd yno ac ymolchi, cefais fy ngolwg." 12 Gofynasant iddo, " Lle mae ef?" " Ni wn i," meddai yntau.

### *Y Phariseaid yn Archwilio'r Iachâd*

13 Aethant â'r dyn oedd wedi bod gynt yn ddall at y Phariseaid. 14 Yr oedd yn Saboth y dydd hwnnw pan wnaeth Iesu glai ac agor llygaid y dyn. 15 A dyma'r Phariseaid yn gofyn iddo eto sut yr oedd wedi cael ei olwg. Ac meddai wrthynt, " Rhoddodd glai ar fy llygaid ac ymolchais, a dyma fi'n gweld." 16 Felly dywedodd rhai o'r Phariseaid, " Nid yw'r dyn hwn o Dduw; nid yw'n cadw'r Saboth." Ond meddai eraill, " Sut y gall dyn sy'n bechadur wneud y fath arwyddion ?" Ac yr oedd ymraniad yn eu plith, 17 a dyma hwy'n gofyn eto i'r dyn dall, " Beth sydd gennyt ti i'w ddweud amdano ef, gan iddo agor dy lygaid di ?" Atebodd yntau, " Proffwyd yw ef."

18 Gwrthododd yr Iddewon gredu amdano iddo fod yn ddall a 19 derbyn ei olwg, nes iddynt alw rhieni'r dyn a'u holi hwy: " Ai

---

*adn. 4: yn ôl darlleniad arall, *mi.*

hwn yw eich mab chwi ? A ydych chwi'n dweud ei fod wedi ei
20 eni'n ddall ? Sut felly y mae'n gweld yn awr ?" Atebodd ei
rieni, " Fe wyddom mai hwn yw ein mab a'i fod wedi ei eni'n
21 ddall. Ond ni wyddom sut y mae'n gweld yn awr, ac ni wyddom
pwy a agorodd ei lygaid. Gofynnwch iddo ef. Y mae'n ddigon
22 hen. Caiff ateb drosto'i hun." Atebodd ei rieni fel hyn am fod
arnynt ofn yr Iddewon, oherwydd yr oedd yr Iddewon eisoes
wedi cytuno fod unrhyw un a fyddai'n cyffesu Iesu fel Meseia
23 i gael ei dorri allan o'r synagog. Dyna pam y dywedodd ei
rieni, " Y mae'n ddigon hen. Gofynnwch iddo ef."
24 Yna galwasant atynt am yr ail waith y dyn a fu'n ddall, ac
meddent wrtho, " Dywed y gwir gerbron Duw. Fe wyddom
25 ni mai pechadur yw'r dyn hwn." Atebodd yntau, " Ni wn i a
yw'n bechadur ai peidio. Un peth a wn i: 'roeddwn i'n ddall,
26 ac yn awr 'rwyf yn gweld." Meddent wrtho, " Beth wnaeth ef
27 i ti ? Sut yr agorodd ef dy lygaid di ?" Atebodd hwy, " 'Rwyf
wedi dweud wrthych eisoes, ond nid ydych wedi gwrando.
Pam yr ydych mor awyddus i glywed y peth eto ? 'Does bosibl
eich bod chwi hefyd yn awyddus i fod yn ddisgyblion iddo ?"
28 Ar hyn, dyma hwy'n ei ddifrïo a dweud wrtho, " Ti sy'n
29 ddisgybl i'r dyn. Disgyblion Moses ydym ni. Fe wyddom fod
Duw wedi llefaru wrth Moses, ond am y dyn hwn, ni wyddom
30 o ble y mae wedi dod." Atebodd y dyn hwy, " Y peth rhyfedd
yw hyn, na wyddoch chwi o ble y mae wedi dod, ac eto fe
31 agorodd ef fy llygaid i. Fe wyddom nad yw Duw yn gwrando
ar bechaduriaid, ond ei fod yn gwrando ar unrhyw ddyn sy'n
32 dduwiol ac yn gwneud ei ewyllys ef. Ni chlywyd erioed fod neb
33 wedi agor llygaid dyn oedd wedi ei eni'n ddall. Oni bai fod y
34 dyn hwn o Dduw, ni allai wneud dim." Atebodd y Phariseaid
ef, " Fe'th aned di yn gyfan gwbl mewn pechod, ac a wyt ti yn
ein dysgu ni ?" Yna taflasant ef allan.

### *Dallineb Ysbrydol*

35 Clywodd Iesu eu bod wedi ei daflu allan, a phan gafodd hyd
iddo gofynnodd iddo, " A wyt ti'n credu ym Mab y Dyn ?"*
36 Atebodd yntau, " Pwy yw ef, Syr, er mwyn imi gredu ynddo."
37 Meddai Iesu wrtho, " Yr wyt wedi ei weld ef. Yr un sy'n
38 siarad â thi, hwnnw yw ef." " Yr wyf yn credu, Arglwydd,"

---

*adn. 35: yn ôl darlleniad arall, *Mab Duw*.

meddai'r dyn, gan ymgrymu o'i flaen. A dywedodd Iesu, " I 39
farnu y deuthum i i'r byd hwn, er mwyn i'r rhai nad ydynt yn
gweld gael gweld, ac i'r rhai sydd yn gweld fynd yn ddall."

Clywodd rhai o'r Phariseaid oedd yno gydag ef hyn, ac 40
meddent wrtho, " A ydym ni hefyd yn ddall ? " Atebodd Iesu 41
hwy: " Pe baech yn ddall, ni byddai gennych bechod. Ond
am eich bod yn awr yn dweud, ' Yr ydym yn gweld ', y mae
eich pechod yn aros.

### *Dameg Corlan y Defaid*

" Yn wir, yn wir, 'rwy'n dweud wrthych, lleidr ac ysbeiliwr **10**
yw'r dyn hwnnw nad yw'n mynd i mewn trwy'r drws i gorlan y
defaid, ond sy'n dringo i mewn rywle arall. Y dyn sy'n mynd i 2
mewn trwy'r drws yw bugail y defaid. Y mae ceidwad y drws 3
yn agor i hwn, ac y mae'r defaid yn clywed ei lais, ac yntau'n
galw ei ddefaid ei hun wrth eu henwau ac yn eu harwain hwy
allan. Pan fydd wedi dod â'i ddefaid ei hun i gyd allan, bydd 4
yn cerdded o'u blaen, a'r defaid yn ei ganlyn oherwydd eu bod
yn adnabod ei lais ef. Ni chanlynant neb dieithr byth, ond ffoi 5
oddi wrtho, oherwydd nid ydynt yn adnabod llais dieithriaid."
Dywedodd Iesu hyn wrthynt ar ddameg, ond nid oeddent 6
hwy'n deall ystyr yr hyn yr oedd yn ei lefaru wrthynt.

### *Iesu, y Bugail Da*

Felly dywedodd Iesu eto, " Yn wir, yn wir, 'rwy'n dweud 7
wrthych, myfi yw drws y defaid. Lladron ac ysbeilwyr oedd 8
pawb a ddaeth o'm blaen i; ond ni wrandawodd y defaid
arnynt hwy. Myfi yw'r drws; os daw rhywun i mewn trwof fi, 9
caiff ei gadw'n ddiogel, caiff fynd i mewn ac allan, a dod o hyd i
borfa. Ni ddaw'r lleidr ond i ladrata ac i ladd ac i ddinistrio. 10
Yr wyf fi wedi dod er mwyn i ddynion gael bywyd, a'i gael yn ei
holl gyflawnder. Myfi yw'r bugail da. Y mae'r bugail da yn 11
rhoi ei einioes dros y defaid. Y mae'r gwas cyflog, nad yw'n 12
fugail nac yn berchen y defaid, yn gweld y blaidd yn dod ac yn
gadael y defaid ac yn ffoi; ac y mae'r blaidd yn eu hysglyfio ac
yn eu gyrru ar chwâl. Y mae'n ffoi am mai gwas cyflog yw, ac 13
am nad oes ofal arno am y defaid. Myfi yw'r bugail da; 14
yr wyf yn adnabod fy nefaid, a'm defaid yn f'adnabod i, yn 15
union fel y mae'r Tad yn f'adnabod i, a minnau'n adnabod y

16 Tad. Ac yr wyf yn rhoi fy einioes dros y defaid. Y mae gennyf ddefaid eraill hefyd, nad ydynt yn perthyn i'r gorlan hon. Rhaid imi ddod â'r rheini i mewn, ac fe wrandawant ar fy llais.
17 Yna bydd un praidd ac un bugail. Y mae'r Tad yn fy ngharu i
18 oherwydd fy mod yn rhoi fy einioes, i'w derbyn eilwaith. Nid yw neb yn ei dwyn oddi arnaf, ond myfi ohonof fy hun sy'n ei rhoi. Y mae gennyf hawl i'w rhoi, ac y mae gennyf hawl i'w derbyn eilwaith. Hyn a gefais yn orchymyn gan fy Nhad."

19 Bu ymraniad eto ymhlith yr Iddewon o achos y geiriau hyn.
20 Yr oedd llawer ohonynt yn dweud, "Y mae cythraul ynddo, y
21 mae'n wallgof. Pam yr ydych yn gwrando arno?" Ond yr oedd eraill yn dweud, "Nid geiriau dyn â chythraul ynddo yw'r rhain. A yw cythraul yn gallu agor llygaid y deillion?"

### *Yr Iddewon yn Gwrthod Iesu*

22 Yna daeth amser dathlu Gŵyl y Cysegru yn Jerwsalem.
23 Yr oedd yn aeaf, ac yr oedd Iesu'n cerdded yn y deml, yng
24 Nghloestr Solomon. Daeth yr Iddewon o'i amgylch a gofyn iddo, "Am ba hyd yr wyt ti am ein cadw ni mewn ansicrwydd?
25 Os tydi yw'r Meseia, dywed hynny wrthym yn blaen." Atebodd Iesu hwy, "Yr wyf wedi dweud wrthych, ond nid ydych yn credu. Y mae'r gweithredoedd hyn yr wyf fi yn eu gwneud
26 yn enw fy Nhad yn tystiolaethu amdanaf fi. Ond nid ydych
27 chwi'n credu, am nad ydych yn perthyn i'm defaid i. Y mae fy nefaid i yn gwrando ar fy llais i, ac yr wyf fi'n eu hadnabod, a
28 hwythau'n fy nghanlyn i. Yr wyf fi'n rhoi bywyd tragwyddol iddynt; nid ânt byth i ddistryw, ac ni chaiff neb eu cipio hwy
29 allan o'm llaw i. Hwy yw rhodd fy Nhad i mi, rhodd sy'n fwy
30 na'r cwbl,* ac ni all neb eu cipio allan o law fy Nhad. Myfi a'r Tad, un ydym."

31 Unwaith eto casglodd yr Iddewon gerrig i'w labyddio ef.
32 Dywedodd Iesu wrthynt, "Yr wyf wedi dangos i chwi lawer o weithredoedd da trwy rym y Tad. O achos prun ohonynt yr
33 ydych am fy llabyddio?" Atebodd yr Iddewon ef, "Nid am weithred dda yr ydym yn dy labyddio, ond am gabledd, oherwydd dy fod ti, a thithau'n ddyn, yn dy wneud dy hun yn
34 Dduw." Atebodd Iesu hwythau, "Onid yw'n ysgrifenedig yn

---

*adn. 29: yn ôl darlleniad arall, *Y mae fy Nhad, a'u rhoddodd hwy i mi, yn fwy na phawb.*

eich Cyfraith chwi, 'Yr wyf fi wedi dweud: "Duwiau ydych."' Os galwodd ef y rhai hynny y daeth gair Duw atynt yn dduwiau 35 —ac ni ellir diddymu'r Ysgrythur—sut yr ydych chwi yn 36 dweud, 'Yr wyt yn cablu', oherwydd fy mod i, yr un y mae Duw wedi ei gysegru a'i anfon i'r byd, wedi dweud, 'Mab Duw ydwyf'? Os nad wyf yn gwneud gweithredoedd fy Nhad, 37 peidiwch â'm credu. Ond os wyf yn eu gwneud, credwch y 38 gweithredoedd, hyd yn oed os na chredwch fi, er mwyn ichwi ganfod a gwybod bod y Tad ynof fi, a minnau yn y Tad." Gwnaethant gais eto i'w ddal ef, ond llithrodd trwy eu dwylo 39 hwy.

Aeth Iesu i ffwrdd eto dros yr Iorddonen i'r lle yr oedd Ioan 40 yn gynt wedi bod yn bedyddio, ac arhosodd yno. Daeth llawer 41 ato yno, ac yr oeddent yn dweud, "Ni wnaeth Ioan unrhyw arwydd, ond yr oedd popeth a ddywedodd Ioan am y dyn hwn yn wir." A daeth llawer i gredu ynddo yn y lle hwnnw. 42

### *Marwolaeth Lasarus*

Yr oedd rhyw ddyn o'r enw Lasarus yn wael. Yr oedd yn **11** byw ym Methania, pentref Mair a'i chwaer Martha. Mair oedd 2 y ferch a eneiniodd yr Arglwydd ag ennaint, a sychu ei draed â'i gwallt; a'i brawd hi, Lasarus, oedd yn wael. Anfonodd y 3 chwiorydd, felly, neges at Iesu: "Y mae dy gyfaill, Syr, yma'n wael." Pan glywodd Iesu, meddai, "Nid yw'r gwaeledd 4 hwn i fod yn angau i Lasarus, ond yn ogoniant i Dduw; bydd yn gyfrwng i Fab Duw gael ei ogoneddu drwyddo." Yn awr 5 yr oedd Iesu'n caru Martha a'i chwaer a Lasarus. Ac wedi 6 clywed ei fod ef yn wael, arhosodd am ddau ddiwrnod yn y fan lle'r oedd. Ac wedyn, dywedodd wrth ei ddisgyblion, "Gad- 7 ewch inni fynd yn ôl i Jwdea." "Rabbi," meddai'r disgyblion 8 wrtho, "gynnau yr oedd yr Iddewon yn ceisio dy labyddio. Sut y gelli fynd yn ôl yno?" Atebodd Iesu: "Onid oes deu- 9 ddeg awr mewn diwrnod? Os yw dyn yn cerdded yng ngolau dydd, nid yw'n baglu, oherwydd y mae'n gweld golau'r byd hwn. Ond os yw dyn yn cerdded yn y nos, y mae'n baglu, am 10 nad oes golau ganddo." Ar ôl dweud hyn meddai wrthynt, "Y 11 mae ein cyfaill Lasarus yn huno, ond yr wyf yn mynd yno i'w ddeffro." Dywedodd y disgyblion wrtho, "Arglwydd, os yw'n 12 huno fe gaiff ei wella." Ond at ei farwolaeth ef yr oedd Iesu 13

wedi cyfeirio, a hwythau'n meddwl mai siarad am hun cwsg yr
14 oedd. Felly dywedodd Iesu wrthynt yn blaen, "Y mae
15 Lasarus wedi marw. Ac er eich mwyn chwi yr wyf yn falch nad
oeddwn yno, er mwyn i chwi gredu. Ond gadewch inni fynd
16 ato." Ac meddai Thomas, a elwir Didymus, wrth ei gyd-
ddisgyblion, "Gadewch i ninnau fynd hefyd, i farw gydag ef."

### *Iesu, yr Atgyfodiad a'r Bywyd*

17 Pan gyrhaeddodd yno, cafodd Iesu fod Lasarus eisoes yn ei
18 fedd ers pedwar diwrnod. Yr oedd Bethania yn ymyl Jerwsalem,
19 ryw ddwy filltir oddi yno. Ac yr oedd llawer o'r Iddewon wedi
20 dod at Martha a Mair i'w cysuro ar golli eu brawd. Pan glyw-
odd Martha fod Iesu yn dod, aeth i'w gyfarfod; ond eisteddodd
21 Mair yn y tŷ. Dywedodd Martha wrth Iesu, "Pe buasit ti
22 yma, Syr, ni buasai fy mrawd wedi marw. A hyd yn oed yn awr,
mi wn y rhydd Duw i ti beth bynnag a ofynni ganddo."
23,24 Dywedodd Iesu wrthi, "Fe atgyfoda dy frawd." "Mi wn,"
meddai Martha wrtho, "y bydd yn atgyfodi yn yr atgyfodiad
25 ar y dydd olaf." Dywedodd Iesu wrthi, "Myfi yw'r atgyfodiad
a'r bywyd. Pwy bynnag sy'n credu ynof fi, er iddo farw, fe
26 fydd byw; a phob un sy'n byw ac yn credu ynof fi, ni bydd
27 marw byth. A wyt ti'n credu hyn?" "Ydwyf, Arglwydd,"
atebodd hithau, "yr wyf fi'n credu mai tydi yw'r Meseia, Mab
Duw, yr Un sy'n dod i'r byd."

### *Iesu'n Wylo*

28 Wedi iddi ddweud hyn, aeth ymaith a galw ei chwaer Mair
a dweud wrthi o'r neilltu, "Y mae'r Athro wedi cyrraedd, ac y
29 mae am dy weld." Pan glywodd Mair hyn, cododd ar frys a
30 mynd ato ef. Nid oedd Iesu wedi dod i mewn i'r pentref eto,
ond yr oedd yn dal yn y fan lle'r oedd Martha wedi ei gyfarfod.
31 Pan welodd yr Iddewon, a oedd gyda hi yn y tŷ yn ei chysuro,
fod Mair wedi codi ar frys a mynd allan, aethant ar ei hôl gan
32 dybio ei bod hi'n mynd at y bedd, i wylo yno. A phan ddaeth
Mair i'r fan lle'r oedd Iesu, a'i weld, syrthiodd wrth ei draed ac
meddai wrtho, "Pe buasit ti yma, Syr, ni buasai fy mrawd wedi
33 marw." Wrth ei gweld hi'n wylo, a'r Iddewon oedd wedi dod
gyda hi hwythau'n wylo, cynhyrfwyd ysbryd Iesu gan deimlad
34 dwys. "Lle'r ydych wedi ei roi i orwedd?" gofynnodd.

"Tyrd i weld, Syr," meddant wrtho. Torrodd Iesu i wylo. 35
Yna dywedodd yr Iddewon, " Gwelwch gymaint yr oedd yn ei 36
garu ef." Ond dywedodd rhai ohonynt, " Oni allai hwn, a 37
agorodd lygaid y dall, gadw'r dyn yma hefyd rhag marw ? "

*Galw Lasarus o'r Bedd*

Dan deimlad dwys drachefn, daeth Iesu at y bedd. Ogof 38
ydoedd, a maen yn gorwedd ar ei thraws. "Symudwch y maen," 39
meddai Iesu. A dyma Martha, chwaer y dyn oedd wedi marw,
yn dweud wrtho, " Erbyn hyn, Syr, y mae'n drewi; y mae yma
ers pedwar diwrnod." " Oni ddywedais wrthyt," meddai Iesu 40
wrthi, " y cait weld gogoniant Duw, dim ond i ti gredu ? "
Felly symudasant y maen. A chododd Iesu ei lygaid i fyny a 41
dweud, " O Dad, 'rwy'n diolch i ti am wrando arnaf. 'Roedd- 42
wn i'n gwybod dy fod bob amser yn gwrando arnaf, ond
dywedais hyn o achos y dyrfa sy'n sefyll o gwmpas, er mwyn
iddynt gredu mai tydi a'm hanfonodd." Ac wedi dweud hyn, 43
gwaeddodd â llais uchel, " Lasarus, tyrd allan." Daeth y dyn a 44
fu farw allan, â'i draed a'i ddwylo wedi eu rhwymo â llieiniau,
a chadach am ei wyneb. Dywedodd Iesu wrthynt, " Datodwch
ei rwymau, a gadewch iddo fynd."

*Y Cynllwyn i Ladd Iesu*
(Mth 26.1-5; Mc 14.1-2; Lc 22.1-2)

Felly daeth llawer o'r Iddewon, y rhai oedd wedi dod at Mair 45
a gweld beth yr oedd Iesu wedi ei wneud, i gredu ynddo. Ond 46
aeth rhai ohonynt i ffwrdd at y Phariseaid a dweud wrthynt beth
yr oedd Iesu wedi ei wneud. Am hynny galwodd y prif offeiriaid 47
a'r Phariseaid gyfarfod o'r Sanhedrin, a dywedasant: " Beth
yr ydym am ei wneud ? Y mae'r dyn yma'n gwneud llawer o
arwyddion. Os gadawn iddo barhau fel hyn, bydd pawb yn 48
credu ynddo, ac fe ddaw'r Rhufeiniaid a chymryd oddi wrthym
ein teml a'n cenedl hefyd." Ond dyma un ohonynt, Caiaffas, a 49
oedd yn archoffeiriad y flwyddyn honno, yn dweud wrthynt:
" Nid ydych chwi'n deall dim. Nid ydych yn sylweddoli mai 50
mantais i chwi fydd i un dyn farw dros y bobl, yn hytrach na
bod y genedl gyfan yn cael ei difodi." Nid ohono'i hun y 51
dywedodd hyn, ond proffwydo yr oedd, ac yntau'n arch-
offeiriad y flwyddyn honno, fod Iesu'n mynd i farw dros y

52 genedl, ac nid dros y genedl yn unig ond hefyd er mwyn casglu
53 plant Duw oedd ar wasgar, a'u gwneud yn un. O'r diwrnod hwnnw, felly, gwnaethant gynllwyn i'w ladd ef.

54 Am hynny, peidiodd Iesu mwyach â mynd oddi amgylch yn agored ymhlith yr Iddewon. Aeth i ffwrdd oddi yno i'r wlad sydd yn ymyl yr anialwch, i dref a elwir Effraim, ac arhosodd yno gyda'i ddisgyblion.

55 Yn awr yr oedd Pasg yr Iddewon yn ymyl, ac aeth llawer i fyny i Jerwsalem o'r wlad cyn y Pasg, ar gyfer defod eu puredig-
56 aeth. Ac yr oeddent yn chwilio am Iesu, ac yn sefyll yn y deml a dweud wrth ei gilydd, "Beth dybiwch chwi? Nad yw ef
57 ddim yn dod i'r ŵyl?" Ac er mwyn iddynt ei ddal, yr oedd y prif offeiriaid a'r Phariseaid wedi rhoi gorchymyn, os oedd rhywun yn gwybod lle'r oedd ef, ei fod i'w hysbysu hwy.

*Yr Eneinio ym Methania*
(Mth 26.6-13; Mc 14.3-9)

**12** Chwe diwrnod cyn y Pasg, daeth Iesu i Fethania, lle'r oedd Lasarus yn byw, y dyn yr oedd wedi ei godi oddi wrth y meirw.
2 Yno gwnaethpwyd iddo swper; yr oedd Martha yn gweini, a Lasarus yn un o'r rhai oedd yn eistedd gydag ef wrth y bwrdd.
3 A chymerodd Mair bwys o ennaint costfawr, nard pur, ac eneiniodd draed Iesu a'u sychu â'i gwallt. A llanwyd y tŷ gan
4 bersawr yr ennaint. A dyma Jwdas Iscariot, un o'i ddisgyblion,
5 yr un oedd yn mynd i'w fradychu, yn dweud, "Pam na werthwyd yr ennaint hwn am ddeg punt ar hugain* a'i roi i'r
6 tlodion?" Ond fe ddywedodd hyn, nid am fod pryder arno am y tlodion, ond am mai lleidr ydoedd, yn cymryd o'r cyfraniadau
7 yn y god arian oedd yn ei ofal. "Gad lonydd iddi," meddai Iesu, "er mwyn iddi gadw'r ddefod ar gyfer dydd fy nghladd-
8 edigaeth. Y mae'r tlodion gyda chwi bob amser, ond nid wyf fi gyda chwi bob amser."

*Y Cynllwyn yn erbyn Lasarus*

9 Daeth tyrfa fawr o'r Iddewon i wybod ei fod yno, a daethant ato, nid o achos Iesu yn unig, ond er mwyn gweld Lasarus
10 hefyd, y dyn yr oedd ef wedi ei godi oddi wrth y meirw. Ond
11 gwnaeth y prif offeiriaid gynllwyn i ladd Lasarus hefyd, gan

---

*adn. 5: neu, *dri chan denarius.*

fod llawer o'r Iddewon, o'i achos ef, yn gwrthgilio ac yn credu yn Iesu.

### *Yr Ymdaith Fuddugoliaethus i mewn i Jerwsalem*
(Mth 21.1-11; Mc 11.1-11; Lc 19.28-40)

Trannoeth, clywodd y dyrfa fawr, oedd wedi dod i'r ŵyl, fod 12 Iesu'n dod i Jerwsalem. Cymerasant ganghennau o'r palmwydd 13 ac aethant allan i'w gyfarfod, gan weiddi,

"Hosanna !
Bendith ar yr hwn sy'n dyfod yn enw'r Arglwydd,
Bendith ar Frenin Israel."

Cafodd Iesu hyd i asyn ac eistedd arno, fel y mae'n ysgrifenedig: 14

"Paid ag ofni, ferch Seion; 15
dyma dy frenin yn dyfod,
yn eistedd ar ebol asyn."

Ar y cyntaf ni ddeallodd y disgyblion ystyr y pethau hyn, ond 16 wedi i Iesu gael ei ogoneddu, yna cofiasant fod y pethau hyn yn ysgrifenedig amdano, ac iddynt eu gwneud iddo. Yr oedd y 17 dyrfa, a oedd gydag ef pan alwodd Lasarus o'r bedd a'i godi o blith y meirw, yn tystiolaethu am hynny. Dyna pam yr aeth 18 tyrfa'r ŵyl i'w gyfarfod—yr oeddent wedi clywed am yr arwydd yma yr oedd wedi ei wneud. Gan hynny dywedodd y Phari- 19 seaid wrth ei gilydd, "Edrychwch, nid ydych yn llwyddo o gwbl. Aeth y byd i gyd ar ei ôl ef."

### *Groegiaid yn Ceisio Iesu*

Ymhlith y bobl oedd yn dod i fyny i addoli ar yr ŵyl, yr oedd 20 rhyw Roegiaid. Daeth y rhain at Philip, a oedd o Fethsaida yng 21 Ngalilea, a gofyn iddo, "Syr, fe hoffem weld Iesu." Aeth 22 Philip i ddweud wrth Andreas; ac aeth Andreas a Philip i ddweud wrth Iesu. A dyma Iesu'n eu hateb. "Y mae'r awr 23 wedi dod," meddai, "i Fab y Dyn gael ei ogoneddu. Yn wir, 24 yn wir, 'rwy'n dweud wrthych, os nad yw'r gronyn gwenith yn syrthio i'r ddaear ac yn marw, y mae'n aros ar ei ben ei hun; ond os yw'n marw, y mae'n dwyn llawer o ffrwyth. Y mae'r 25 sawl sy'n caru ei fywyd yn ei golli; a'r sawl sy'n casáu ei fywyd yn y byd hwn, bydd yn ei gadw i fywyd tragwyddol. Os yw 26 dyn am fy ngwasanaethu i, rhaid iddo fy nghanlyn i; lle bynnag yr wyf fi, yno hefyd y bydd fy ngwasanaethwr. Os yw dyn yn fy ngwasanaethu i, fe gaiff ei anrhydeddu gan y Tad.

*Rhaid i Fab y Dyn gael Ei Ddyrchafu*

27 "Yn awr y mae fy enaid mewn cynnwrf. Beth a ddywedaf? 'O Dad, gwared fi rhag yr awr hon'? Na, i'r diben hwn y 28 deuthum i'r awr hon. O Dad, gogonedda dy enw." Yna daeth llais o'r nef: "Yr wyf wedi ei ogoneddu, ac fe'i gogoneddaf 29 eto." Pan glywodd y dyrfa oedd yn sefyll gerllaw, dechreusant ddweud mai taran oedd; dywedodd eraill, "Angel sydd wedi 30 llefaru wrtho." Atebodd Iesu, "Nid er fy mwyn i, ond er eich 31 mwyn chwi, y daeth y llais hwn. Dyma awr barnu'r byd hwn; 32 yn awr y mae Tywysog y byd hwn i gael ei fwrw allan. A minnau, os caf fy nyrchafu oddi ar y ddaear, fe dynnaf bawb 33 ataf fy hun." Dywedodd hyn i ddangos beth fyddai dull y 34 farwolaeth oedd yn ei aros. Yna atebodd y dyrfa ef: "Yr ydym ni wedi dysgu o'r Gyfraith fod y Meseia i aros am byth. Sut yr wyt ti'n dweud, felly, bod yn rhaid i Fab y Dyn gael ei 35 ddyrchafu? Pwy yw'r Mab y Dyn yma?" Dywedodd Iesu wrthynt, "Am ychydig amser eto y bydd y goleuni yn eich plith. Rhodiwch tra mae'r goleuni gennych, rhag i'r tywyllwch eich goddiweddyd. Nid yw'r dyn sy'n rhodio yn y tywyllwch 36 yn gwybod lle y mae'n mynd. Tra mae'r goleuni gennych, credwch yn y goleuni, ac felly meibion y goleuni fyddwch."

*Anghrediniaeth yr Iddewon*

Wedi iddo lefaru'r geiriau hyn, aeth Iesu i ffwrdd ac ym-37 guddio rhagddynt. Er iddo wneud cynifer o arwyddion yng 38 ngŵydd y bobl, nid oeddent yn credu ynddo. Cyflawnwyd felly y gair a ddywedodd y proffwyd Eseia:

"Arglwydd, pwy a gredodd yr hyn a glywsant gennym?
I bwy y datguddiwyd braich yr Arglwydd?"

39 O achos hyn ni allent gredu, oherwydd dywedodd Eseia beth arall:

40 "Y mae ef wedi dallu eu llygaid,
ac wedi tywyllu eu deall,
rhag iddynt weld â'u llygaid,
a deall â'u meddwl, a throi'n ôl,
i mi eu hiacháu."

41 Dywedodd Eseia hyn am iddo weld gogoniant Iesu; amdano ef 42 yr oedd yn llefaru. Eto i gyd fe gredodd llawer hyd yn oed o'r llywodraethwyr ynddo ef; ond o achos y Phariseaid ni fynnent

ei arddel, rhag iddynt gael eu torri allan o'r synagog. Dewisach 43
oedd ganddynt glod gan ddynion na chlod gan Dduw.

### *Gair Iesu yn Barnu*

Cododd Iesu ei leferydd a chyhoeddi: " Y mae'r sawl sy'n 44
credu ynof fi yn credu nid ynof fi ond yn yr un a'm hanfonodd i.
Ac y mae'r sawl sy'n fy ngweld i yn gweld yr un a'm hanfonodd 45
i. Yr wyf fi wedi dod i'r byd yn oleuni, ac felly nid yw neb sy'n 46
credu ynof fi yn aros yn y tywyllwch. Os yw dyn yn clywed fy 47
ngeiriau i ac yn gwrthod eu cadw, nid myfi sy'n ei farnu,
oherwydd ni ddeuthum i farnu'r byd ond i achub y byd. Y mae 48
gan y dyn sy'n fy ngwrthod i, ac yn peidio â derbyn fy ngeiriau,
un sydd yn ei farnu. Bydd y gair hwnnw a leferais i yn ei farnu
ef yn y dydd olaf. Oherwydd nid ohonof fy hunan y lleferais, 49
ond y Tad ei hun, hwnnw a'm hanfonodd i, sydd wedi rhoi
gorchymyn i mi beth a ddywedaf a beth a lefaraf. A gwn fod ei 50
orchymyn ef yn fywyd tragwyddol. Yr hyn yr wyf fi'n ei lefaru,
felly, 'rwy'n ei lefaru yn union fel y mae'r Tad wedi dweud
wrthyf."

### *Golchi Traed y Disgyblion*

Ar drothwy Gŵyl y Pasg, yr oedd Iesu'n gwybod fod ei awr **13**
wedi dod, iddo ymadael â'r byd hwn a mynd at y Tad. Yr oedd
wedi caru'r rhai oedd yn eiddo iddo yn y byd, ac fe'u carodd
hyd yr eithaf. Yn ystod swper, pan oedd y diafol eisoes wedi 2
gosod yng nghalon Jwdas, mab Simon Iscariot, y bwriad i'w
fradychu ef, dyma Iesu, ac yntau'n gwybod fod y Tad wedi 3
rhoi pob peth yn ei ddwylo ef, a'i fod wedi dod oddi wrth Dduw
a'i fod yn mynd at Dduw, yn codi o'r swper ac yn rhoi ei ddillad 4
o'r neilltu, a chymryd tywel a'i glymu am ei ganol. Yna 5
tywalltodd ddŵr i'r badell, a dechreuodd olchi traed y disgybl-
ion, a'u sychu â'r tywel oedd am ei ganol. Daeth at Simon 6
Pedr yn ei dro, ac meddai ef wrtho, " Arglwydd, a wyt ti am
olchi fy nhraed i ?" Atebodd Iesu ef: " Ni wyddost ti ar hyn 7
o bryd beth yr wyf fi am ei wneud, ond fe ddoi i wybod ar ôl
hyn." Meddai Pedr wrtho, " Ni chei di olchi fy nhraed i byth." 8
Atebodd Iesu ef, " Os na chaf dy olchi di, nid oes lle i ti gyda
mi." " Arglwydd," meddai Simon Pedr wrtho, " nid fy nhraed 9
yn unig, ond golch fy nwylo a'm pen hefyd." Dywedodd Iesu 10
wrtho, " Y mae'r dyn sydd wedi ymolchi drosto yn lân i gyd,

ac nid oes arno angen golchi dim ond ei draed.* Ac yr ydych
11 chwi yn lân, ond nid pawb ohonoch." Oherwydd gwyddai pwy
oedd am ei fradychu. Dyna pam y dywedodd, "Nid yw pawb
ohonoch yn lân."

12 Wedi iddo olchi eu traed, ac ymwisgo a chymryd ei le un-
waith eto, gofynnodd iddynt, "A ydych yn deall beth yr wyf
13 wedi ei wneud i chwi? Yr ydych chwi'n fy ngalw i yn 'Athro'
ac yn 'Arglwydd', a hynny'n gwbl briodol, oherwydd dyna
14 wyf fi. Os wyf fi, felly, a minnau'n Arglwydd ac yn Athro, wedi
golchi eich traed chwi, fe ddylech chwithau hefyd olchi traed
15 eich gilydd. Yr wyf wedi rhoi esiampl i chwi; yr ydych chwi-
16 thau i wneud yn union fel yr wyf fi wedi gwneud i chwi. Yn
wir, yn wir, 'rwy'n dweud wrthych, nid yw gwas yn fwy na'i
feistr, ac nid yw'r hwn a anfonwyd yn fwy na'r hwn a'i hanfon-
17 odd. Os gwyddoch y pethau hyn, gwyn eich byd os gweithred-
18 wch arnynt. Nid wyf yn siarad amdanoch i gyd. Yr wyf fi'n
gwybod pwy a ddewisais. Ond y mae'n rhaid i'r Ysgrythur
gael ei chyflawni: 'Y mae'r dyn sy'n bwyta fy mara i yn barod
19 i roi ergyd i mi.' Yr wyf fi'n dweud wrthych yn awr, cyn i'r
peth ddigwydd, er mwyn i chwi gredu, pan ddigwydd, mai
20 myfi yw. Yn wir, yn wir, 'rwy'n dweud wrthych, y mae'r sawl
sy'n derbyn unrhyw un a anfonaf fi yn fy nerbyn i, ac y mae'r
sawl sy'n fy nerbyn i yn derbyn yr hwn a'm hanfonodd i."

### *Iesu'n Rhagfynegi ei Fradychu*
### (Mth 26.20-25; Mc 14.17-21; Lc 22.21-23)

21 Wedi iddo ddweud hyn, cynhyrfwyd ysbryd Iesu a thystiodd
fel hyn: "Yn wir, yn wir, 'rwy'n dweud wrthych fod un ohon-
22 och yn mynd i'm bradychu i." Dechreuodd y disgyblion edrych
23 ar ei gilydd, yn methu dyfalu am bwy yr oedd yn sôn. Yr oedd
un o'i ddisgyblion, yr un yr oedd Iesu'n ei garu, yn gorwedd
24 nesaf ato ef wrth y bwrdd. A dyma Simon Pedr yn rhoi arwydd
25 i hwn i holi Iesu am bwy yr oedd yn sôn. A dyma'r disgybl
hwnnw yn pwyso'n ôl ar fynwes Iesu ac yn gofyn iddo, "Pwy
26 yw ef, Arglwydd?" Atebodd Iesu, "Yr un y gwlychaf y
tamaid yma o fara a'i roi iddo, hwnnw yw ef." Yna gwlychodd
27 y tamaid a'i roi i Jwdas, mab Simon Iscariot. Ac yn dilyn ar
hyn, aeth Satan i mewn i hwnnw. Meddai Iesu wrtho, "Yr

---

*adn. 10: yn ôl darlleniad arall, *angen ymolchi eto.*

hyn yr wyt yn ei wneud, brysia i'w gyflawni." Nid oedd neb 28 o'r cwmni wrth y bwrdd yn deall pam y dywedodd hynny wrtho. Gan mai yng ngofal Jwdas yr oedd y god arian, tybiodd rhai 29 fod Iesu wedi dweud wrtho, " Pryn y pethau y mae arnom eu heisiau at yr ŵyl", neu am roi rhodd i'r tlodion. Yn union wedi 30 cymryd y tamaid bara aeth Jwdas allan. Yr oedd hi'n nos.

### *Y Gorchymyn Newydd*

Ar ôl i Jwdas fynd allan dywedodd Iesu, " Yn awr y mae 31 Mab y Dyn wedi ei ogoneddu, a Duw wedi ei ogoneddu ynddo ef. Ac os yw Duw wedi ei ogoneddu ynddo ef, bydd Duw 32 yntau yn ei ogoneddu ef ynddo'i hun, ac yn ei ogoneddu ar unwaith. Fy mhlant, am ychydig amser eto y byddaf gyda chwi; 33 fe chwiliwch amdanaf, a'r hyn a ddywedais wrth yr Iddewon, yr wyf yn awr yn ei ddweud wrthych chwi hefyd, ' Ni allwch chwi ddod lle'r wyf fi'n mynd.' Yr wyf yn rhoi i chwi orch- 34 ymyn newydd: carwch eich gilydd. Fel y cerais i chwi, felly yr ydych chwithau i garu'ch gilydd. Os bydd gennych gariad 35 tuag at eich gilydd, wrth hynny bydd pawb yn gwybod mai disgyblion i mi ydych."

### *Rhagfynegi Gwadiad Pedr*
(Mth 26.31-35; Mc 14.27-31; Lc 22.31-34)

Meddai Simon Pedr wrtho, "Arglwydd, lle'r wyt ti'n mynd?" 36 Atebodd Iesu ef, " Lle'r wyf fi'n mynd, ni elli di ar hyn o bryd fy nghanlyn, ond fe fyddi'n fy nghanlyn maes o law." " Arglwydd," gofynnodd Pedr iddo, " pam na allaf dy ganlyn 37 yn awr ? Fe roddaf fy einioes drosot." Atebodd Iesu, " A 38 roddi dy einioes drosof ? Yn wir, yn wir, 'rwy'n dweud wrthyt, ni chân y ceiliog cyn iti fy ngwadu i dair gwaith.

### *Iesu, y Ffordd at y Tad*

"Peidiwch â gadael i ddim gynhyrfu'ch calon. Credwch yn **14** Nuw, a chredwch ynof finnau. Yn nhŷ fy Nhad y mae llawer o 2 drigfannau; pe na byddai felly, a fyddwn i wedi dweud wrth- ych fy mod yn mynd i baratoi lle i chwi ?* Ac os af a pharatoi 3 lle i chwi, fe ddof yn ôl, a'ch cymryd chwi ataf fy hun, er mwyn

---

*adn. 2: neu, *byddwn wedi dweud wrthych. Oherwydd yr wyf yn mynd i baratoi lle i chwi.*

4 i chwithau fod lle'r wyf fi. Fe wyddoch y ffordd i'r lle'r wyf
5 fi'n mynd."* Meddai Thomas wrtho, "Arglwydd, ni wyddom i ble'r wyt yn mynd. Sut y gallwn wybod y ffordd?"
6 Dywedodd Iesu wrtho, "Myfi yw'r ffordd a'r gwirionedd a'r
7 bywyd. Nid yw neb yn dod at y Tad ond trwof fi. Os ydych wedi f'adnabod i, byddwch* yn adnabod y Tad hefyd. Yn wir,
8 yr ydych bellach yn ei adnabod ef ac wedi ei weld ef." Meddai Philip wrtho, "Arglwydd, dangos i ni y Tad, a bydd hynny'n
9 ddigon inni." Atebodd Iesu ef, "A wyf wedi bod gyda chwi cyhyd heb i ti fy adnabod, Philip? Y mae'r sawl sydd wedi fy ngweld i wedi gweld y Tad. Sut y medri di ddweud, 'Dangos
10 i ni y Tad'? Onid wyt yn credu fy mod i yn y Tad, a'r Tad ynof fi? Y geiriau yr wyf fi'n eu llefaru wrthych, nid ohonof fy hun yr wyf yn eu llefaru; y Tad sy'n aros ynof fi sydd yn
11 gwneud ei waith ei hun. Credwch fi pan ddywedaf fy mod i yn y Tad, a'r Tad ynof fi; neu ynteu credwch ar sail y gweithred-
12 oedd eu hunain. Yn wir, yn wir, 'rwy'n dweud wrthych, bydd yr hwn sy'n credu ynof fi yntau hefyd yn gwneud y gweithredoedd yr wyf fi'n eu gwneud; yn wir, bydd yn gwneud rhai mwy
13 na'r rheini, oherwydd fy mod i'n mynd at y Tad. Beth bynnag a ofynnwch yn fy enw i, fe'i gwnaf, er mwyn i'r Tad gael ei
14 ogoneddu yn y Mab. Os gofynnwch unrhyw beth i mi* yn fy enw i, fe'i gwnaf.

### *Addo'r Ysbryd*

15 "Os ydych yn fy ngharu i, fe gadwch fy ngorchmynion i.
16 Ac fe ofynnaf finnau i'm Tad, ac fe rydd ef i chwi Eiriolwr arall
17 i fod gyda chwi am byth, Ysbryd y Gwirionedd. Ni all y byd ei dderbyn ef, am nad yw'r byd yn ei weld nac yn ei adnabod ef; yr ydych chwi yn ei adnabod, oherwydd gyda chwi y mae'n
18 aros ac ynoch chwi y mae. Ni adawaf chwi'n amddifad; fe
19 ddof yn ôl atoch chwi. Ymhen ychydig amser, ni bydd y byd yn fy ngweld i ddim mwy, ond byddwch chwi'n fy ngweld, fy
20 mod yn fyw; a byw fyddwch chwithau hefyd. Yn y dydd hwnnw byddwch chwi'n gwybod fy mod i yn y Tad, a'ch bod

---

*adn. 4: yn ôl darlleniad arall, *Fe wyddoch lle'r wyf fi'n mynd, ac fe wyddoch y ffordd yno.*

*adn. 7: yn ôl darlleniad arall, *Pe byddech yn f'adnabod i, byddech.*

*adn. 14: y mae rhai llawysgrifau yn gadael allan *i mi.*

chwi ynof fi, a minnau ynoch chwithau. Yr un y mae fy 21
ngorchmynion i ganddo ac sy'n eu cadw hwy, hwnnw yw'r un
sy'n fy ngharu i. A'r un sy'n fy ngharu i, fe'i cerir gan fy Nhad,
ac fe'i caraf finnau ef, a'm hamlygu fy hun iddo." Meddai 22
Jwdas wrtho (nid Jwdas Iscariot), "Arglwydd, beth sydd wedi
digwydd i beri dy fod yn mynd i'th amlygu dy hun i ni, ac nid
i'r byd?" Atebodd Iesu ef: "Os yw dyn yn fy ngharu, bydd 23
yn cadw fy ngair i, a bydd fy Nhad yn ei garu ef, ac fe ddown
ato ef a gwneud ein trigfa gydag ef. Nid yw'r dyn nad yw'n fy 24
ngharu i yn cadw fy ngeiriau i. A'r gair hwn yr ydych chwi yn
ei glywed, nid fy ngair i ydyw, ond gair y Tad a'm hanfonodd i.

"Yr wyf wedi dweud hyn wrthych tra wyf yn aros gyda 25
chwi. Ond bydd yr Eiriolwr, yr Ysbryd Glân, a anfona'r Tad 26
yn fy enw i, yn dysgu popeth ichwi, ac yn dwyn ar gof i chwi
y cwbl a ddywedais i wrthych. Yr wyf yn gadael i chwi dang- 27
nefedd; yr wyf yn rhoi i chwi fy nhangnefedd i fy hun. Nid fel
y mae'r byd yn rhoi yr wyf fi'n rhoi i chwi. Peidiwch â gadael i
ddim gynhyrfu'ch calon, a pheidiwch ag ofni. Clywsoch beth 28
a ddywedais i wrthych, 'Yr wyf fi yn ymadael â chwi, ac fe
ddof atoch chwi.' Pe baech yn fy ngharu i, byddech yn
llawenhau fy mod yn mynd at y Tad, oherwydd y mae'r Tad
yn fwy na mi. Yr wyf fi wedi dweud wrthych yn awr, cyn i'r 29
peth ddigwydd, er mwyn i chwi gredu pan ddigwydd. Ni 30
byddaf yn siarad llawer gyda chwi eto, oherwydd y mae
Tywysog y byd hwn yn dod. Nid oes ganddo ddim gafael arnaf
fi, ond rhaid i'r byd wybod fy mod i'n caru'r Tad ac yn 31
gwneud yn union fel y mae'r Tad wedi gorchymyn imi.
Codwch, ac awn oddi yma.

### *Iesu, y Wir Winwydden*

"Myfi yw'r wir winwydden, a'm Tad yw'r gwinllannwr. **15**
Y mae ef yn torri i ffwrdd bob cangen ynof fi nad yw'n dwyn 2
ffrwyth, ac yn glanhau pob un sydd yn dwyn ffrwyth, er mwyn
iddi ddwyn mwy o ffrwyth. Yr ydych chwi eisoes yn lân trwy'r 3
gair yr wyf wedi ei lefaru wrthych. Arhoswch ynof fi, a minnau 4
ynoch chwi. Ni all y gangen ddwyn ffrwyth ohoni ei hun, heb
iddi aros yn y winwydden; ac felly'n union ni allwch chwithau
heb i chwi aros ynof fi. Myfi yw'r winwydden; chwi yw'r cang- 5
hennau. Y mae'r hwn sydd yn aros ynof fi, a minnau ynddo ef,
yn dwyn llawer o ffrwyth, oherwydd ar wahân i mi ni allwch

6 wneud dim. Os na fydd dyn yn aros ynof fi, caiff ei daflu i ffwrdd fel y gangen ddiffrwyth, ac fe wywa; dyma'r canghen-
7 nau a gesglir, i'w taflu i'r tân a'u llosgi. Os arhoswch ynof fi, ac os erys fy ngeiriau ynoch chwi, gofynnwch am beth a fyn-
8 nwch, ac fe'i rhoddir i chwi. Dyma sut y gogoneddir fy Nhad: trwy i chwi ddwyn llawer o ffrwyth a bod yn ddisgyblion i mi.
9 Fel y mae'r Tad wedi fy ngharu i, yr wyf finnau wedi eich caru
10 chwi. Arhoswch yn fy nghariad i. Os cadwch fy ngorchmynion fe arhoswch yn fy nghariad, yn union fel yr wyf fi wedi cadw gorchmynion fy Nhad, ac yr wyf yn aros yn ei gariad ef.

11 " Yr wyf wedi dweud hyn wrthych er mwyn i'm llawenydd i
12 fod ynoch, ac i'ch llawenydd chwi fod yn gyflawn. Dyma fy
13 ngorchymyn i: carwch eich gilydd fel y cerais i chwi. Nid oes gan neb gariad mwy na hyn, sef bod dyn yn rhoi ei einioes dros
14 ei gyfeillion. Yr ydych chwi'n gyfeillion i mi os gwnewch yr
15 hyn yr wyf fi'n ei orchymyn i chwi. Nid wyf mwyach yn eich galw yn weision, oherwydd nid yw'r gwas yn gwybod beth y mae ei feistr yn ei wneud. Yr wyf wedi eich galw yn gyfeillion, oherwydd yr wyf wedi gwneud yn hysbys i chwi bob peth a
16 glywais gan fy Nhad. Nid chwi a'm dewisodd i, ond myfi a'ch dewisodd chwi, a'ch penodi i fynd allan a dwyn ffrwyth, ffrwyth sy'n aros. Ac yna, fe rydd y Tad i chwi beth bynnag a
17 ofynnwch ganddo yn fy enw i. Dyma'r gorchymyn yr wyf yn ei roi i chwi: carwch eich gilydd.

### *Casineb y Byd*

18 " Os yw'r byd yn eich casáu chwi, fe wyddoch ei fod wedi fy
19 nghasáu i o'ch blaen chwi. Pe baech yn perthyn i'r byd, byddai'r byd yn caru'r eiddo'i hun. Ond gan nad ydych yn perthyn i'r byd, oherwydd i mi eich dewis chwi allan o'r byd,
20 y mae'r byd yn eich casáu chwi. Cofiwch y gair a ddywedais i wrthych: ' Nid yw gwas yn fwy na'i feistr.' Os erlidiasant fi, fe'ch erlidiant chwithau; os cadwasant fy ngair i, fe gadwant
21 yr eiddoch chwithau. Fe wnânt hyn oll i chwi o achos fy enw i,
22 am nad ydynt yn adnabod yr hwn a'm hanfonodd i. Pe buaswn i heb ddod a llefaru wrthynt, ni buasai ganddynt bechod. Ond yn awr nid oes ganddynt esgus am eu pechod.
23,24 Y mae'r hwn sy'n fy nghasáu i yn casáu fy Nhad hefyd. Pe buaswn i heb wneud gweithredoedd yn eu plith na wnaeth neb arall, ni buasai ganddynt bechod. Ond yn awr y maent wedi

gweld, ac wedi casáu fy Nhad a minnau. Ond rhaid oedd 25 cyflawni'r gair sy'n ysgrifenedig yn eu Cyfraith hwy: 'Y maent wedi fy nghasáu yn ddiachos.'

"Pan ddaw'r Eiriolwr a anfonaf fi atoch oddi wrth y Tad, 26 sef Ysbryd y Gwirionedd, sy'n dod oddi wrth y Tad, bydd ef yn tystiolaethu amdanaf fi. Ac yr ydych chwi hefyd yn tyst- 27 iolaethu, am eich bod gyda mi o'r dechrau.

"Yr wyf wedi dweud y pethau hyn wrthych i'ch cadw rhag **16** cwympo. Fe'ch torrant chwi allan o'r synagogau; yn wir y 2 mae'r amser yn dod pan fydd pawb fydd yn eich lladd chwi yn meddwl ei fod yn offrymu gwasanaeth i Dduw. Fe wnânt hyn 3 am nad ydynt wedi adnabod na'r Tad na myfi. Ond yr wyf wedi 4 dweud y pethau hyn wrthych er mwyn ichwi gofio, pan ddaw'r amser iddynt ddigwydd, fy mod i wedi eu dweud wrthych.

### *Gwaith yr Ysbryd*

"Ni ddywedais hyn wrthych o'r dechrau, oherwydd yr oeddwn i gyda chwi. Ond yn awr, yr wyf yn mynd at yr hwn 5 a'm hanfonodd i, ac eto nid yw neb ohonoch yn gofyn i mi, 'Lle'r wyt ti'n mynd?' Ond am fy mod wedi dweud hyn 6 wrthych, daeth tristwch i lenwi eich calon. Yr wyf fi'n dweud 7 y gwir wrthych: y mae'n fuddiol i chwi fy mod i'n mynd ymaith. Oherwydd os nad af, ni ddaw'r Eiriolwr atoch chwi. Ond os af, fe'i hanfonaf ef atoch. A phan ddaw, fe argyhoedda 8 ef y byd ynglŷn â phechod, a chyfiawnder, a barn; ynglŷn â 9 phechod am nad ydynt yn credu ynof fi; ynglŷn â chyfiawnder 10 oherwydd fy mod i'n mynd at y Tad, ac na chewch fy ngweld ddim mwy; ynglŷn â barn am fod Tywysog y byd hwn wedi 11 cael ei farnu.

"Y mae gennyf lawer eto i'w ddweud wrthych, ond ni 12 allwch ddal y baich ar hyn o bryd. Ond pan ddaw ef, Ysbryd y 13 Gwirionedd, fe'ch arwain chwi yn* yr holl wirionedd. Oherwydd nid ohono'i hun y bydd yn llefaru; ond yr hyn a glyw y bydd yn ei lefaru, a'r hyn sy'n dod y bydd yn ei fynegi i chwi. Bydd ef yn fy ngogoneddu i, oherwydd bydd yn cymryd o'r 14 hyn sy'n eiddo i mi ac yn ei fynegi i chwi. Y mae pob peth sydd 15 gan y Tad yn eiddo i mi. Dyna pam y dywedais ei fod yn cymryd o'r hyn sy'n eiddo i mi ac yn ei fynegi i chwi.

---

*adn. 13: yn ôl darlleniad arall, *at*.

### *Troi Tristwch yn Llawenydd*

16 "Ymhen ychydig amser, ni byddwch yn fy ngweld i ddim mwy, ac ymhen ychydig wedyn, fe fyddwch yn fy ngweld." 17 Yna meddai rhai o'i ddisgyblion wrth ei gilydd, "Beth yw hyn y mae'n ei ddweud wrthym, 'Ymhen ychydig amser, ni byddwch yn fy ngweld i, ac ymhen ychydig amser wedyn, fe fyddwch yn fy ngweld', ac 'Oherwydd fy mod i'n mynd at y Tad'? 18 Beth," meddent, "yw'r 'ychydig amser' yma y mae'n sôn amdano? Nid ydym yn deall am beth y mae'n siarad." 19 Sylweddolodd Iesu eu bod yn awyddus i'w holi, ac meddai wrthynt, "Ai dyma'r hyn yr ydych yn ei drafod gyda'ch gilydd, fy mod i wedi dweud, 'Ymhen ychydig amser, ni fyddwch yn fy ngweld i, ac ymhen ychydig amser wedyn, fe fyddwch yn fy ngweld'? 20 Yn wir, yn wir, 'rwy'n dweud wrthych y byddwch chwi'n wylo a galaru, ac y bydd y byd yn llawenhau. Byddwch chwi'n drist, ond fe droir eich tristwch yn llawenydd. 21 Y mae gwraig wrth esgor mewn poen, gan fod ei hamser wedi dod. Ond pan fydd y plentyn wedi ei eni, nid yw hi'n cofio'r gwewyr ddim mwy gan gymaint ei llawenydd fod dyn wedi ei eni i'r byd. 22 Felly chwithau, yr ydych yn awr mewn tristwch. Ond fe'ch gwelaf chwi eto, ac fe lawenha eich calon, ac ni chaiff neb ddwyn eich llawenydd oddi arnoch. 23 Y dydd hwnnw ni byddwch yn holi dim arnaf. Yn wir, yn wir, 'rwy'n dweud wrthych, beth bynnag a ofynnwch gan y Tad yn fy enw i, bydd ef yn ei roi i chwi. 24 Hyd yn hyn nid ydych wedi gofyn dim yn fy enw i. Gofynnwch, ac fe gewch, ac felly bydd eich llawenydd yn gyflawn.

### *Yr Wyf Fi wedi Gorchfygu'r Byd*

25 "Yr wyf wedi dweud y pethau hyn wrthych ar ddamhegion. Y mae amser yn dod pan na fyddaf yn siarad wrthych ar ddamhegion ddim mwy, ond yn llefaru wrthych yn gwbl eglur am y Tad. 26 Yn y dydd hwnnw, byddwch yn gofyn yn fy enw i; nid wyf yn dweud wrthych y byddaf fi'n gweddïo ar y Tad drosoch chwi. 27 Oherwydd y mae'r Tad ei hun yn eich caru chwi, am i chwi fy ngharu i a chredu fy mod i wedi dod oddi wrth Dduw. 28 Deuthum oddi wrth y Tad, ac yr wyf wedi dod i'r byd; bellach yr wyf yn gadael y byd eto ac yn mynd at y Tad."

Meddai ei ddisgyblion ef, "Dyma ti yn awr yn siarad yn gwbl 29 eglur; nid ar ddameg yr wyt yn llefaru mwyach. Yn awr fe 30 wyddom dy fod yn gwybod pob peth, ac nad oes arnat angen i neb dy holi. Dyna pam yr ydym yn credu dy fod wedi dod oddi wrth Dduw." Atebodd Iesu hwy, "A ydych yn credu yn 31 awr? Edrychwch, y mae amser yn dod, yn wir y mae wedi dod, 32 pan gewch eich gwasgaru bob un i'w le ei hun, a'm gadael i ar fy mhen fy hun. Ac eto, nid wyf ar fy mhen fy hun, oherwydd y mae'r Tad gyda mi. Yr wyf wedi dweud hyn wrthych er 33 mwyn i chwi, ynof fi, gael tangnefedd. Yn y byd fe gewch orthrymder, ond codwch eich calon, yr wyf fi wedi gorchfygu'r byd."

*Gweddi Iesu*

Wedi iddo lefaru'r geiriau hyn, cododd Iesu ei lygaid i'r nef **17** a dywedodd: "O Dad, y mae'r awr wedi dod. Gogonedda dy Fab, er mwyn i'r Mab dy ogoneddu di. Oherwydd rhoddaist 2 iddo ef awdurdod ar bob dyn, awdurdod i roi bywyd tragwyddol i bawb yr wyt ti wedi eu rhoi iddo ef. A hyn yw 3 bywyd tragwyddol: dy adnabod Di, yr unig wir Dduw, a'r hwn a anfonaist ti, Iesu Grist. Yr wyf fi wedi dy ogoneddu ar y 4 ddaear trwy orffen y gwaith a roddaist i mi i'w wneud. Yn awr, 5 O Dad, gogonedda di fyfi ger dy fron dy hun â'r gogoniant oedd i mi ger dy fron cyn bod y byd.

"Yr wyf wedi amlygu dy enw i'r dynion a roddaist imi allan 6 o'r byd. Eiddot ti oeddent, ac fe'u rhoddaist i mi. Y maent wedi cadw dy air di. Y maent yn gwybod yn awr mai oddi 7 wrthyt ti y mae popeth a roddaist i mi. Oherwydd yr wyf wedi 8 rhoi iddynt hwy y geiriau a roddaist ti i mi, a hwythau wedi eu derbyn, a chanfod mewn gwirionedd mai oddi wrthyt ti y deuthum, a chredu mai ti a'm hanfonodd i. Drostynt hwy yr 9 wyf fi'n gweddïo. Nid dros y byd yr wyf yn gweddïo, ond dros y rhai a roddaist imi, oherwydd eiddot ti ydynt. Y mae popeth 10 sy'n eiddof fi yn eiddot ti, a'r eiddot ti yn eiddof fi. Ac yr wyf fi wedi fy ngogoneddu ynddynt hwy. Nid wyf fi mwyach yn y 11 byd, ond y maent hwy yn y byd. Yr wyf fi'n dod atat ti. O Dad sanctaidd, cadw hwy'n ddiogel trwy dy enw, yr enw a roddaist* i mi, er mwyn iddynt fod yn un fel yr ydym ni yn un. Pan 12 oeddwn gyda hwy, yr oeddwn i'n eu cadw'n ddiogel trwy dy enw, yr enw a roddaist* i mi. Gwyliais drostynt, ac ni chollwyd

*adn. 11 a 12: yn ôl darlleniad arall, *y rhai a roddaist.*

yr un ohonynt, ar wahân i fab colledigaeth, i'r Ysgrythur gael ei
13 chyflawni. Ond yn awr yr wyf yn dod atat ti, ac yr wyf yn
llefaru'r geiriau hyn yn y byd er mwyn i'm llawenydd i fod
14 ganddynt yn gyflawn ynddynt hwy eu hunain. Yr wyf fi wedi
rhoi iddynt dy air di, ac y mae'r byd wedi eu casáu hwy, am
nad ydynt yn perthyn i'r byd, fel nad wyf finnau'n perthyn i'r
15 byd. Nid wyf yn gweddïo ar i ti eu cymryd allan o'r byd, ond
16 ar i ti eu cadw'n ddiogel rhag yr un drwg. Nid ydynt yn
17 perthyn i'r byd, fel nad wyf finnau'n perthyn i'r byd. Cysegra
18 hwy yn y gwirionedd. Dy air di yw'r gwirionedd. Fel yr anfon-
19 aist ti fi i'r byd, yr wyf fi'n eu hanfon hwy i'r byd. Ac er eu
mwyn hwy yr wyf fi'n fy nghysegru fy hun, er mwyn iddynt
hwythau fod wedi eu cysegru yn y gwirionedd.

20 "Ond nid dros y rhain yn unig yr wyf yn gweddïo, ond
hefyd dros y rhai fydd yn credu ynof fi trwy eu gair hwy.
21 'Rwy'n gweddïo ar iddynt oll fod yn un, ie, fel yr wyt ti, O Dad,
ynof fi a minnau ynot ti, iddynt hwy hefyd fod ynom ni, er
22 mwyn i'r byd gredu mai tydi a'm hanfonodd i. Yr wyf fi wedi
rhoi iddynt hwy y gogoniant a roddaist ti i mi, er mwyn iddynt
23 fod yn un fel yr ydym ni yn un: myfi ynddynt hwy, a thydi
ynof fi, a hwythau felly wedi eu dwyn i undod perffaith, er
mwyn i'r byd wybod mai tydi a'm hanfonodd i, ac i ti eu caru
24 hwy fel y ceraist fi. O Dad, am y rhai yr wyt ti wedi eu rhoi i
mi, fy nymuniad yw iddynt hwy fod gyda mi lle'r wyf fi, er
mwyn iddynt weld fy ngogoniant, y gogoniant a roddaist i mi
25 oherwydd i ti fy ngharu cyn seilio'r byd. O Dad cyfiawn, nid
yw'r byd yn dy adnabod, ond yr wyf fi'n dy adnabod, ac y
26 mae'r rhain yn gwybod mai tydi a'm hanfonodd i. Yr wyf wedi
gwneud dy enw di yn hysbys iddynt, ac fe wnaf hynny eto, er
mwyn i'r cariad â'r hwn yr wyt wedi fy ngharu i fod ynddynt
hwy, ac i minnau fod ynddynt hwy."

### *Bradychu a Dal Iesu*
(Mth 26.47-56; Mc 14.43-50; Lc 22.47-53)

**18** Wedi iddo ddweud hyn, aeth Iesu allan gyda'i ddisgyblion a
chroesi nant Cedron. Yr oedd gardd yno, ac iddi hi yr aeth ef
2 a'i ddisgyblion. Yr oedd Jwdas hefyd, ei fradychwr, yn gwybod
am y lle, oherwydd yr oedd Iesu lawer gwaith wedi cyfarfod â'i
3 ddisgyblion yno. Cymerodd Jwdas felly fintai o filwyr, a
swyddogion oddi wrth y prif offeiriaid a'r Phariseaid, ac aeth

yno gyda llusernau a ffaglau ac arfau. Gan fod Iesu'n gwybod 4 pob peth oedd ar fin digwydd iddo, aeth allan atynt a gofyn, "Pwy yr ydych yn ei geisio?" Atebasant ef, "Iesu o Nasareth." 5 "Myfi yw," meddai yntau wrthynt. Ac yr oedd Jwdas, ei fradychwr, yn sefyll yno gyda hwy. Pan ddywedodd Iesu 6 wrthynt, "Myfi yw", ciliasant yn ôl a syrthio i'r llawr. Felly 7 gofynnodd iddynt eilwaith, "Pwy yr ydych yn ei geisio?" "Iesu o Nasareth," meddent hwythau. Atebodd Iesu, 8 "Dywedais wrthych mai myfi yw. Os myfi yr ydych yn ei geisio, gadewch i'r rhain fynd." Felly cyflawnwyd y gair yr 9 oedd wedi ei lefaru: "Ni chollais yr un o'r rhai a roddaist imi." Yna tynnodd Simon Pedr y cleddyf oedd ganddo, a tharo gwas 10 yr archoffeiriad a thorri ei glust dde i ffwrdd. Enw'r gwas oedd Malchus. Ac meddai Iesu wrth Pedr, "Rho dy gleddyf yn ôl 11 yn y wain. Onid wyf am yfed y cwpan y mae'r Tad wedi ei roi imi?"

### *Iesu gerbron yr Archoffeiriad*
(Mth 26. 57-58; Mc 14.53-54; Lc 22.54)

Yna cymerodd y fintai a'i chapten, a swyddogion yr Iddewon, 12 afael yn Iesu a'i rwymo. Aethant ag ef at Annas yn gyntaf. Ef 13 oedd tad-yng-nghyfraith Caiaffas, a oedd yn archoffeiriad y flwyddyn honno. Caiaffas oedd y dyn a gynghorodd yr Iddew- 14 on mai mantais fyddai i un dyn farw dros y bobl.

### *Pedr yn Gwadu Iesu*
(Mth 26.69-70; Mc 14.66-68; Lc 22.55-57)

Yr oedd Simon Pedr yn canlyn Iesu, a disgybl arall hefyd. 15 Yr oedd y disgybl hwn yn adnabyddus i'r archoffeiriad, ac fe aeth i mewn gyda Iesu i gyntedd yr archoffeiriad, ond safodd 16 Pedr wrth y drws y tu allan. Felly aeth y disgybl arall, yr un oedd yn adnabyddus i'r archoffeiriad, allan a siarad â'r forwyn oedd yn cadw'r drws, a daeth â Pedr i mewn. A dyma'r 17 forwyn oedd yn cadw'r drws yn dweud wrth Pedr, "Tybed a wyt tithau'n un o ddisgyblion y dyn yma?" "Nac ydwyf," atebodd yntau. A chan ei bod yn oer, yr oedd y gweision a'r 18 swyddogion wedi gwneud tân golosg, ac yr oeddent yn sefyll yn ymdwymo wrtho. Ac yr oedd Pedr yntau yn sefyll gyda hwy yn ymdwymo.

### *Yr Archoffeiriad yn Holi Iesu*
(Mth 26.59-66; Mc 14.55-64; Lc 22.66-71)

19 Yna holodd yr archoffeiriad Iesu am ei ddisgyblion ac am ei 20 ddysgeidiaeth. Atebodd Iesu ef: "Yr wyf fi wedi siarad yn agored wrth y byd. Yr oeddwn i bob amser yn dysgu yn y synagog ac yn y deml, lle bydd yr Iddewon i gyd yn ymgynnull; 21 nid wyf wedi siarad dim yn y dirgel. Pam yr wyt yn fy holi i? Hola'r rhai sydd wedi clywed yr hyn a leferais wrthynt. Dyma'r 22 sawl sy'n gwybod beth a ddywedais i." Pan ddywedodd hyn, rhoddodd un o'r swyddogion oedd yn sefyll yn ei ymyl gernod i Iesu, gan ddweud, "Ai felly yr wyt yn ateb yr archoffeiriad?" 23 Atebodd Iesu, "Os dywedais rywbeth o'i le, rho dystiolaeth ynglŷn â hynny. Ond os oeddwn yn fy lle, pam yr wyt yn fy 24 nharo?" Yna anfonodd Annas ef, wedi ei rwymo, at Caiaffas, yr archoffeiriad.

### *Pedr yn Gwadu Iesu Eto*
(Mth 26.71-75; Mc 14.69-72; Lc 22.58-62)

25 Yr oedd Simon Pedr yn sefyll yno yn ymdwymo. Meddent wrtho felly, "Tybed a wyt tithau'n un o'i ddisgyblion?" 26 Gwadodd yntau: "Nac ydwyf," meddai. Dyma un o weision yr archoffeiriad, perthynas i'r un y torrodd Pedr ei glust i ffwrdd, yn gofyn iddo, "Oni welais i di yn yr ardd gydag ef?" 27 Yna gwadodd Pedr eto. Ac ar hynny, canodd y ceiliog.

### *Iesu gerbron Pilat*
(Mth 27.1-2, 11-14; Mc 15.1-5; Lc 23.1-5)

28 Aethant â Iesu oddi wrth Caiaffas i'r Praetoriwm. Yr oedd yn fore. Nid aeth yr Iddewon eu hunain i mewn i'r Praetoriwm, rhag iddynt gael eu halogi, er mwyn gallu bwyta gwledd y Pasg. 29 Am hynny, daeth Pilat allan atynt hwy, ac meddai, "Beth yw'r cyhuddiad yr ydych yn ei ddwyn yn erbyn y dyn hwn?" 30 Atebasant ef, "Oni bai fod hwn yn droseddwr, ni buasem wedi 31 ei drosglwyddo i ti." Yna dywedodd Pilat wrthynt, "Cymerwch chwi ef, a barnwch ef yn ôl eich Cyfraith eich hunain." Meddai'r Iddewon wrtho, "Nid yw'n gyfreithlon i ni roi neb i 32 farwolaeth." Felly cyflawnwyd y gair yr oedd Iesu wedi ei lefaru i ddangos beth fyddai dull y farwolaeth oedd yn ei aros. 33 Yna, aeth Pilat i mewn i'r Praetoriwm eto. Galwodd Iesu, ac

meddai wrtho, "Ai ti yw Brenin yr Iddewon?" Atebodd Iesu, 34
"Ai ohonot dy hun yr wyt ti'n dweud hyn, ai ynteu eraill a
ddywedodd hyn wrthyt amdanaf fi?" Atebodd Pilat, "Ai 35
Iddew wyf fi? Dy genedl dy hun a'i phrif offeiriaid sydd wedi
dy drosglwyddo di i mi. Beth wnaethost ti?" Atebodd Iesu, 36
"Nid yw fy nheyrnas i o'r byd hwn. Pe bai fy nheyrnas i o'r
byd hwn, byddai fy ngwasanaethwyr i yn ymladd, rhag imi gael
fy nhrosglwyddo i'r Iddewon. Ond y gwir yw, nid dyma dardd-
le fy nheyrnas i." Yna meddai Pilat wrtho, "Yr wyt ti yn 37
frenin, ynteu?" "Ti sy'n dweud fy mod yn frenin," atebodd
Iesu. "Er mwyn hyn yr wyf fi wedi cael fy ngeni, ac er mwyn
hyn y deuthum i'r byd, i dystiolaethu i'r gwirionedd. Y mae
pawb sy'n perthyn i'r gwirionedd yn gwrando ar fy llais i."
Meddai Pilat wrtho, "Beth yw gwirionedd?" 38

*Dedfrydu Iesu i Farwolaeth*
(Mth 27.15-31; Mc 15.6-20; Lc 23.13-25)

Wedi iddo ddweud hyn, daeth allan eto at yr Iddewon ac
meddai wrthynt, "Nid wyf fi'n cael unrhyw achos yn ei erbyn.
Ond y mae'n arfer gennych i mi ryddhau un carcharor i chwi ar 39
y Pasg. A ydych yn dymuno, felly, imi ryddhau i chwi Frenin
yr Iddewon?" Yna gwaeddasant yn ôl, "Na, nid hwnnw, 40
ond Barabbas." Lleidr oedd Barabbas.

Yna cymerodd Pilat Iesu, a'i fflangellu. A phlethodd y 2 **19**
milwyr goron o ddrain a'i gosod ar ei ben ef, a rhoi mantell
borffor amdano. Ac yr oeddent yn dod ato ac yn dweud, 3
"Henffych well, Frenin yr Iddewon!" ac yn ei gernodio.
Daeth Pilat allan eto, ac meddai wrthynt, "Edrychwch, 'rwy'n 4
dod ag ef allan atoch, er mwyn ichwi wybod nad wyf yn cael
unrhyw achos yn ei erbyn." Daeth Iesu allan, felly, yn gwisgo'r 5
goron ddrain a'r fantell borffor. A dywedodd Pilat wrthynt,
"Dyma'r dyn." Pan welodd y prif offeiriaid a'r swyddogion ef, 6
gwaeddasant, "Croeshoelia, croeshoelia." "Cymerwch ef eich
hunain a chroeshoeliwch," meddai Pilat wrthynt, "oherwydd
nid wyf fi'n cael achos yn ei erbyn." Atebodd yr Iddewon ef, 7
"Y mae gennym ni Gyfraith, ac yn ôl y Gyfraith honno fe
ddylai farw, oherwydd fe'i gwnaeth ei hun yn Fab Duw."

Pan glywodd Pilat y gair hwn, ofnodd yn fwy byth. Aeth yn 8,9
ei ôl i mewn i'r Praetorium, a gofynnodd i Iesu, "O ble'r wyt

10 ti'n dod ?" Ond ni roddodd Iesu ateb iddo. Dyma Pilat felly yn gofyn iddo, " Onid wyt ti am siarad â mi ? Oni wyddost fod gennyf awdurdod i'th ryddhau di, a bod gennyf awdurdod 11 hefyd i'th groeshoelio di ?" Atebodd Iesu ef, " Ni fyddai gennyt ddim awdurdod arnaf fi oni bai ei fod wedi ei roi i ti oddi uchod. Gan hynny, y mae'r hwn a'm trosglwyddodd i ti 12 yn euog o bechod mwy." O hyn allan, ceisiodd Pilat ei ryddhau ef. Ond yr oedd yr Iddewon yn dal i weiddi: " Os wyt yn rhyddhau'r dyn hwn, nid cyfaill i Gesar mohonot. Y mae pob un sy'n ei wneud ei hun yn frenin yn gwrthryfela yn erbyn Cesar."

13 Pan glywodd Pilat y geiriau hyn, daeth â Iesu allan, ac eisteddodd ar y brawdle yn y lle a elwir Y Palmant (yn Hebraeg, 14 Gabbatha). Dydd Paratoad y Pasg oedd hi, tua hanner dydd. A dywedodd Pilat wrth yr Iddewon, " Dyma eich brenin." 15 Gwaeddasant hwythau, " Ymaith ag ef, ymaith ag ef, croeshoelia ef." Meddai Pilat wrthynt, " A wyf i groeshoelio eich brenin chwi ?" Atebodd y prif offeiriaid, " Nid oes gennym 16 frenin ond Cesar." Yna traddododd Pilat Iesu iddynt i'w groeshoelio.

### *Croeshoelio Iesu*

(Mth 27.32-44; Mc 15.21-32; Lc 23.26-43)

17 Felly cymerasant Iesu. Ac aeth allan, gan gario'i groes ei hun, i'r fan a elwir Lle'r Benglog (yn Hebraeg fe'i gelwir Gol- 18 gotha). Yno croeshoeliasant ef, a dau arall gydag ef, un ar bob 19 ochr a Iesu yn y canol. Ysgrifennodd Pilat deitl, a'i osod ar y groes; dyma'r hyn a ysgrifennwyd: " Iesu o Nasareth, Brenin 20 yr Iddewon." Darllenodd llawer o'r Iddewon y teitl hwn, oherwydd yr oedd y fan lle croeshoeliwyd Iesu yn agos i'r ddinas. Yr oedd y teitl wedi ei ysgrifennu mewn Hebraeg, 21 Lladin a Groeg. Yna meddai prif offeiriaid yr Iddewon wrth Pilat, " Paid ag ysgrifennu, ' Brenin yr Iddewon ', ond yn hytrach, ' Dywedodd ef, " Brenin yr Iddewon wyf fi." ' " 22 Atebodd Pilat, " Yr hyn a ysgrifennais a ysgrifennais."

23 Wedi iddynt groeshoelio Iesu, cymerodd y milwyr ei ddillad ef a'u rhannu'n bedair rhan, un i bob milwr. Cymerasant ei fantell hefyd; yr oedd hon yn ddiwnïad, wedi ei gweu o'r pen 24 yn un darn. " Peidiwn â'i rhwygo hi," meddai'r milwyr wrth ei gilydd, " gadewch inni fwrw coelbren amdani, i benderfynu

pwy caiff hi." Felly cyflawnwyd yr Ysgrythur sy'n dweud:

> " Rhanasant fy nillad yn eu plith eu hunain,
> a bwrw coelbren ar fy ngwisg."

Felly y gwnaeth y milwyr. Ond yn ymyl croes Iesu yr oedd ei 25 fam ef yn sefyll gyda'i chwaer, Mair gwraig Clopas, a Mair Magdalen. Pan welodd Iesu ei fam, felly, a'r disgybl yr oedd 26 yn ei garu yn sefyll yn ei hymyl, meddai wrth ei fam, " Wraig, dyma dy fab di." Yna dywedodd wrth y disgybl, " Dyma dy 27 fam di." Ac o'r awr honno, cymerodd y disgybl hi i mewn i'w gartref.

*Marwolaeth Iesu*

(Mth 27.45-56; Mc 15.33-41; Lc 23.44-49)

Ar ôl hyn yr oedd Iesu'n gwybod fod pob peth bellach wedi 28 ei orffen, ac er mwyn i'r Ysgrythur gael ei chyflawni dywedodd, " Y mae arnaf syched." Yr oedd llestr ar lawr yno, yn llawn o 29 win sur, a dyma hwy'n dodi ysbwng, wedi ei lenwi â'r gwin yma, ar ddarn o hysop, a'i godi at ei wefusau. Yna, wedi iddo 30 gymryd y gwin, dywedodd Iesu, " Gorffennwyd." Gwyrodd ei ben, a rhoi i fyny ei ysbryd.

*Trywanu Ystlys Iesu*

Yna, gan ei bod yn ddydd Paratoad, gofynnodd yr Iddewon 31 i Pilat am gael torri coesau'r rhai a groeshoeliwyd, a chymryd y cyrff i lawr, rhag iddynt ddal i fod ar y groes ar y Saboth, oherwydd yr oedd y Saboth hwnnw'n uchel-ŵyl. Felly daeth y 32 milwyr, a thorri coesau'r naill a'r llall, a groeshoeliwyd gyda Iesu. Ond pan ddaethant at Iesu a gweld ei fod ef eisoes yn 33 farw, ni thorasant ei goesau. Ond fe drywanodd un o'r milwyr 34 ei ystlys ef â phicell, ac ar unwaith, dyma waed a dŵr yn llifo allan. Y mae'r un a welodd y peth wedi dwyn tystiolaeth i hyn, 35 ac y mae ei dystiolaeth ef yn wir. Y mae hwnnw'n gwybod ei fod yn dweud y gwir, a gallwch chwithau felly gredu. Digwydd- 36 odd hyn er mwyn i'r Ysgrythur gael ei chyflawni: " Ni thorrir yr un o'i esgyrn ". Ac y mae'r Ysgrythur hefyd yn dweud, 37 mewn lle arall: " Edrychant ar yr hwn a drywanwyd ganddynt."

*Claddu Iesu*

(Mth 27.57-61; Mc 15.42-47; Lc 23.50-56)

Ar ôl hyn, gofynnodd Joseff o Arimathea ganiatâd gan Pilat i 38 gymryd corff Iesu i lawr. Yr oedd Joseff yn ddisgybl i Iesu,

ond yn ddisgybl cudd, gan fod ofn yr Iddewon arno. Rhoddodd Pilat ganiatâd, ac felly aeth Joseff i gymryd y corff i lawr.
39 Aeth Nicodemus hefyd, y dyn oedd wedi dod at Iesu y tro cyntaf liw nos, a daeth ef â thua chan pwys o fyrr ac aloes yn
40 gymysg. Cymerasant gorff Iesu, a'i rwymo, ynghyd â'r perarogiau, mewn llieiniau, yn unol ag arferion claddu'r Iddew-
41 on. Yn y fan lle croeshoeliwyd ef yr oedd gardd, ac yn yr ardd yr oedd bedd newydd, nad oedd neb erioed wedi ei roi i orwedd
42 ynddo. Felly, gan ei bod yn ddydd Paratoad i'r Iddewon, a chan fod y bedd hwn yn ymyl, rhoesant Iesu i orwedd ynddo.

*Atgyfodiad Iesu*

(Mth 28.1-10; Mc 16.1-8; Lc 24.1-12)

**20** Ar y dydd cyntaf o'r wythnos, yn fore, tra oedd hi eto'n dywyll, dyma Mair Magdalen yn dod at y bedd, ac yn gweld
2 bod y maen wedi ei dynnu oddi wrth y bedd. Rhedodd, felly, nes dod at Simon Pedr a'r disgybl arall, yr un yr oedd Iesu'n ei garu. Ac meddai wrthynt, "Y maent wedi cymryd yr Arglwydd allan o'r bedd, ac ni wyddom lle y maent wedi ei roi i
3 orwedd." Yna cychwynnodd Pedr a'r disgybl arall allan, a mynd
4 at y bedd. Yr oedd y ddau'n cydredeg, ond rhedodd y disgybl arall ymlaen yn gynt na Pedr, a chyrraedd y bedd yn gyntaf.
5 Plygodd i edrych, a gwelodd y llieiniau yn gorwedd yno, ond
6 nid aeth i mewn. Yna daeth Simon Pedr ar ei ôl, a mynd i
7 mewn i'r bedd. Gwelodd y llieiniau yn gorwedd yno, a hefyd y cadach oedd wedi bod am ei ben ef; nid oedd hwn yn gorwedd
8 gyda'r llieiniau, ond ar wahân, wedi ei blygu ynghyd. Yna aeth y disgybl arall, y cyntaf i ddod at y bedd, yntau i mewn. Gwel-
9 odd, ac fe gredodd. Oherwydd nid oeddent eto wedi deall yr hyn a ddywed yr Ysgrythur, fod yn rhaid iddo atgyfodi oddi
10 wrth y meirw. Yna aeth y disgyblion adref yn eu holau.

*Iesu'n Ymddangos i Fair Magdalen*

(Mc 16.9-11)

11 Ond yr oedd Mair yn dal i sefyll y tu allan i'r bedd, yn wylo.
12 Wrth iddi wylo felly, plygodd i edrych i mewn i'r bedd, a gwelodd ddau angel mewn dillad gwyn yn eistedd lle'r oedd corff Iesu wedi bod yn gorwedd, un wrth y pen a'r llall wrth y
13 traed. Ac meddai'r rhain wrthi, "Wraig, pam yr wyt ti'n

wylo ?" Atebodd hwy, "Y maent wedi cymryd fy Arglwydd i ffwrdd, ac ni wn i lle y maent wedi ei roi i orwedd." Wedi iddi 14 ddweud hyn, troes yn ei hôl, a gwelodd Iesu yn sefyll yno, ond heb sylweddoli mai Iesu ydoedd. "Wraig," meddai Iesu wrthi, 15 "pam yr wyt ti'n wylo ? Pwy yr wyt yn ei geisio ?" Gan feddwl mai'r garddwr ydoedd, dywedodd hithau wrtho, "Os mai ti, Syr, a'i cymerodd ef, dywed wrthyf lle y rhoddaist ef i orwedd, ac fe'i cymeraf fi ef i'm gofal." Meddai Iesu wrthi, 16 "Mair." Troes hithau, ac meddai wrtho mewn Hebraeg, "Rabbwni" (hynny yw, Athro). Meddai Iesu wrthi, "Paid â 17 glynu wrthyf, oherwydd nid wyf eto wedi esgyn at y Tad. Ond dos at fy mrodyr, a dywed wrthynt, 'Yr wyf yn esgyn at fy Nhad i a'ch Tad chwi, fy Nuw i a'ch Duw chwi.'" Ac aeth 18 Mair Magdalen i gyhoeddi'r newydd i'r disgyblion. "Yr wyf wedi gweld yr Arglwydd," meddai, ac eglurodd ei fod wedi dweud y geiriau hyn wrthi.

### *Iesu'n Ymddangos i'r Disgyblion*
(Mth 28.16-20; Mc 16.14-18; Lc 24.36-49)

Gyda'r nos ar y dydd cyntaf hwnnw o'r wythnos, yr oedd y 19 drysau wedi eu cloi lle'r oedd y disgyblion, oherwydd eu bod yn ofni'r Iddewon. A dyma Iesu'n dod ac yn sefyll yn eu canol, ac yn dweud wrthynt, "Tangnefedd i chwi!" Wedi dweud hyn, 20 dangosodd ei ddwylo a'i ystlys iddynt. Pan welsant yr Arglwydd, llawenychodd y disgyblion. Meddai ef wrthynt 21 eilwaith, "Tangnefedd i chwi! Fel y mae'r Tad wedi fy anfon i, yr wyf fi hefyd yn eich anfon chwi." Ac wedi dweud hyn, 22 anadlodd arnynt a dweud: "Derbyniwch yr Ysbryd Glân. Os maddeuwch bechodau rhywun, y maent wedi eu maddau 23 iddo; os peidiwch â'u maddau, y maent heb eu maddau."

### *Anghrediniaeth Thomas*

Nid oedd Thomas, a elwir Didymus, un o'r Deuddeg, gyda 24 hwy pan ddaeth Iesu atynt. Ac felly dywedodd y disgyblion 25 eraill wrtho, "Yr ydym wedi gweld yr Arglwydd." Ond meddai ef wrthynt, "Os na welaf ôl yr hoelion yn ei ddwylo, a rhoi fy mys yn ôl yr hoelion, a'm llaw yn ei ystlys, ni chredaf fi byth." Ac ymhen wythnos, yr oedd y disgyblion unwaith eto yn y tŷ, 26 a Thomas gyda hwy. A dyma Iesu'n dod, er fod y drysau wedi

eu cloi, ac yn sefyll yn y canol a dweud, "Tangnefedd i chwi!"
27 Yna meddai wrth Thomas, " Estyn dy fys yma. Edrych ar fy nwylo. Estyn dy law a'i rhoi yn fy ystlys. A phaid â bod yn
28 anghredadun, bydd yn gredadun." Atebodd Thomas ef, " Fy
29 Arglwydd a'm Duw!" Dywedodd Iesu wrtho, "Ai am i ti fy ngweld i yr wyt ti wedi credu ? Gwyn eu byd y rhai a gredodd heb iddynt weld."

*Amcan y Llyfr*

30 Yr oedd llawer o arwyddion eraill, yn wir, a wnaeth Iesu yng ngŵydd ei ddisgyblion, nad ydynt wedi eu cofnodi yn y llyfr
31 hwn. Ond y mae'r rhain wedi eu cofnodi er mwyn i chwi gredu mai Iesu yw'r Meseia, Mab Duw, ac er mwyn i chwi trwy gredu gael bywyd yn ei enw ef.

*Iesu'n Ymddangos i'r Saith Disgybl*

**21** Ar ôl hyn, amlygodd Iesu ei hun unwaith eto i'w ddisgyblion,
2 ar lan Môr Tiberias. A dyma sut y gwnaeth hynny. Yr oedd Simon Pedr, a Thomas, a elwir Didymus, a Nathanael o Gana Galilea, a meibion Sebedeus, a dau arall o'i ddisgyblion, i gyd
3 gyda'i gilydd. A dyma Simon Pedr yn dweud wrth y lleill, " 'Rwy'n mynd i bysgota." Atebasant ef, " 'Rydym ninnau yn dod gyda thi." Aethant allan, a mynd i mewn i'r cwch.
4 Ond ni ddaliasant ddim y noson honno. Pan ddaeth y bore, safodd Iesu ar y traeth, ond nid oedd y disgyblion yn gwybod
5 mai Iesu ydoedd. Dyma Iesu felly'n gofyn iddynt, " 'Does gennych ddim pysgod, fechgyn ?" " Nac oes ", atebasant ef.
6 Meddai yntau wrthynt, " Bwriwch y rhwyd i'r ochr dde i'r llong, ac fe gewch helfa." Gwnaethant felly, ac ni allent
7 dynnu'r rhwyd i mewn gan gymaint y pysgod oedd ynddi. A dyma'r disgybl hwnnw yr oedd Iesu'n ei garu yn dweud wrth Pedr, " Yr Arglwydd yw." Yna, pan glywodd Simon Pedr mai'r Arglwydd ydoedd, clymodd ei wisg uchaf amdano (oherwydd yr oedd wedi tynnu ei ddillad), a neidiodd i mewn i'r môr.
8 Daeth y disgyblion eraill yn y cwch, gan lusgo'r rhwyd yn llawn o bysgod; nid oeddent yn bell o'r lan, dim ond rhyw gan llath.
9 Wedi iddynt lanio, gwelsant dân golosg wedi ei wneud, a
10 physgod arno, a bara. Meddai Iesu wrthynt, " Dewch â rhai
11 o'r pysgod yr ydych newydd eu dal." Dringodd Simon Pedr

i'r cwch, a thynnu'r rhwyd i'r lan yn llawn o bysgod braf, cant pum deg a thri ohonynt. Ac er fod cymaint ohonynt, ni thorrodd y rhwyd. " Dewch," meddai Iesu wrthynt, " cymerwch 12 frecwast." Ond nid oedd neb o'r disgyblion yn beiddio gofyn iddo, " Pwy wyt ti ?" Yr oeddent yn gwybod mai yr Arglwydd ydoedd. Daeth Iesu atynt, a chymerodd y bara a'i roi iddynt, 13 a'r pysgod yr un modd. Dyma, yn awr, y drydedd waith i Iesu 14 ymddangos i'w ddisgyblion ar ôl iddo gyfodi oddi wrth y meirw.

### *Portha Fy Nefaid*

Yna, wedi iddynt gael brecwast, gofynnodd Iesu i Simon 15 Pedr, " Simon fab Ioan, a wyt ti'n fy ngharu i yn fwy na'r rhain ?" Atebodd ef, " Ydwyf, Arglwydd, fe wyddost ti fy mod yn dy garu di."* Meddai Iesu wrtho, " Portha fy ŵyn." Wedyn 16 gofynnodd iddo yr ail waith, " Simon fab Ioan, a wyt ti'n fy ngharu i ?" " Ydwyf Arglwydd," meddai Pedr wrtho, " fe wyddost ti fy mod yn dy garu di."* Meddai Iesu wrtho, " Bugeilia fy nefaid." Gofynnodd iddo y drydedd waith, 17 " Simon fab Ioan, a wyt ti'n fy ngharu i ?"** Aeth Pedr yn drist am ei fod wedi gofyn iddo y drydedd waith, " A wyt ti'n fy ngharu i ?"** Ac meddai wrtho, " Arglwydd, fe wyddost ti bob peth, ac 'rwyt yn gwybod fy mod yn dy garu di."* Dywedodd Iesu wrtho, " Portha fy nefaid. Yn wir, yn wir, 18 'rwy'n dweud wrthyt, pan oeddit yn ifanc, yr oeddit yn dy wregysu dy hunan, ac yn mynd lle bynnag y mynnit. Ond pan fyddi'n hen, byddi'n estyn dy ddwylo i rywun arall dy wregysu, a mynd â thi lle nad wyt yn mynnu." Dywedodd hyn i 19 ddangos beth fyddai dull y farwolaeth yr oedd Pedr i ogoneddu Duw trwyddi. Ac wedi iddo ddweud hyn, meddai wrth Pedr, " Canlyn fi."

### *Y Disgybl Annwyl*

Trodd Pedr, a gwelodd y disgybl yr oedd Iesu'n ei garu yn 20 eu canlyn—yr un oedd wedi pwyso'n ôl ar fynwes Iesu yn ystod y swper, ac wedi gofyn iddo, " Arglwydd, pwy yw'r un sy'n mynd i'th fradychu di ?" Pan welodd Pedr hwn, felly, gofyn- 21

---

*adnodau 15, 16, 17: neu, *yn gyfaill i ti.*

**adn. 17: neu, *A wyt ti'n gyfaill i mi?*

22 nodd i Iesu, " Arglwydd, beth am hwn ?" Atebodd Iesu ef, " Os byddaf yn dymuno iddo ef aros hyd nes y dof fi, beth yw
23 hynny i ti ? Canlyn di fi." Aeth y gair yma ar led ymhlith y brodyr, a thybiwyd nad oedd y disgybl hwnnw i farw. Ond ni ddywedodd Iesu wrtho nad oedd i farw; ond, " Os byddaf yn dymuno iddo aros hyd nes y dof fi, beth yw hynny i ti ? "

24 Hwn yw'r disgybl sydd yn tystiolaethu am y pethau hyn, ac sydd wedi ysgrifennu'r pethau hyn. Ac fe wyddom ni fod ei dystiolaeth ef yn wir.*

25 Y mae hefyd lawer o bethau eraill a wnaeth Iesu. Petai pob un o'r rhain yn cael ei gofnodi, ni byddai'r byd, i'm tyb i, yn ddigon mawr i ddal y llyfrau fyddai'n cael eu hysgrifennu.

---

*adn. 24: yma ychwanega rhai llawysgrifau yr adran a welir yn In 7.53 - 8.11.

# ACTAU'R APOSTOLION

*Addo'r Ysbryd Glân*

Ysgrifennais y llyfr cyntaf, Theoffilus, am yr holl bethau y 1
dechreuodd Iesu eu gwneud a'u dysgu* hyd y dydd y cymerwyd 2
ef i fyny, wedi iddo roi gorchmynion trwy'r Ysbryd Glân i'r
apostolion yr oedd wedi eu dewis. Dangosodd ei hun hefyd 3
iddynt yn fyw, wedi ei ddioddefaint, drwy lawer o arwyddion,
gan fod yn weledig iddynt yn ystod deugain diwrnod a llefaru
am deyrnas Dduw. Ac wrth fod gyda hwy, gorchmynnodd 4
iddynt beidio ag ymadael o Jerwsalem, ond disgwyl am yr hyn
a addawodd y Tad. "Fe glywsoch am hyn," meddai, "gennyf
fi. Oherwydd â dŵr y bedyddiodd Ioan, ond fe'ch bedyddir 5
chwi â'r Ysbryd Glân ymhen ychydig ddyddiau."

*Esgyniad Iesu*

Felly wedi iddynt ddod ynghyd, fe ofynasant iddo, "Ar- 6
glwydd, ai dyma'r adeg yr wyt ti am adfer y deyrnas i Israel?"
Dywedodd yntau wrthynt, "Nid chwi sydd i wybod amseroedd 7
neu brydiau; y mae'r Tad wedi gosod y rhain o fewn ei awdur-
dod ef ei hun. Ond fe dderbyniwch nerth wedi i'r Ysbryd 8
Glân ddod arnoch, a byddwch yn dystion i mi yn Jerwsalem,
ac yn holl Jwdea a Samaria, a hyd eithaf y ddaear." Wedi iddo 9
ddweud hyn, a hwythau'n edrych, fe'i dyrchafwyd, a chipiodd
cwmwl ef o'u golwg. Fel yr oeddent yn syllu tua'r nef, ac 10
yntau'n mynd, dyma ddau ŵr yn sefyll yn eu hymyl mewn
dillad gwyn, ac meddai'r rhain, "Wŷr Galilea, pam yr ydych 11
yn sefyll yn edrych tua'r nef? Yr Iesu hwn, sydd wedi ei
gymryd i fyny oddi wrthych i'r nef, bydd yn dod yn yr un modd
ag y gwelsoch ef yn mynd i'r nef."

*Dewis Olynydd Jwdas*

Yna dychwelsant i Jerwsalem o'r mynydd a elwir Olewydd, 12
sydd yn agos i Jerwsalem, daith Saboth oddi yno. Wedi 13
cyrraedd, aethant i fyny i'r oruwchystafell, lle'r oeddent yn

---

*adn. 1: neu, *a wnaeth ac a ddysgodd Iesu o'r dechrau.*

aros: Pedr ac Ioan ac Iago ac Andreas, Philip a Thomas, Bartholomeus a Mathew, Iago fab Alffeus a Simon y Selot a
14 Jwdas fab Iago. Yr oedd y rhain oll yn dyfalbarhau yn unfryd mewn gweddi, ynghyd â rhai gwragedd a Mair, mam Iesu, a chyda'i frodyr.

15 Un o'r dyddiau hynny cododd Pedr ymysg y brodyr—yr oedd tyrfa o bobl yn yr un lle, rhyw gant ac ugain ohonynt—
16 ac meddai, "Frodyr, rhaid oedd cyflawni'r Ysgrythur a rag-ddywedodd yr Ysbryd Glân trwy enau Dafydd am Jwdas, yr
17 un a ddangosodd y ffordd i'r rhai a ddaliodd Iesu; oherwydd fe'i cyfrifid yn un ohonom ni, a chafodd ei ran yn y weinidog-
18 aeth hon." (Fe brynodd hwn faes â'r tâl am ei ddrygwaith, ac wedi syrthio ar ei wyneb byrstiodd yn ei ganol, a llifodd ei holl
19 ymysgaroedd allan. A daeth hyn yn hysbys i holl drigolion Jerwsalem, ac felly galwyd y maes hwnnw yn eu hiaith hwy yn
20 Aceldama, hynny yw, Maes y Gwaed.) "Oherwydd y mae'n ysgrifenedig yn Llyfr y Salmau:

'Aed ei gartrefle yn anghyfannedd
ac na foed i neb drigo ynddo',

a hefyd:

'Cymered un arall ei oruchwyliaeth.'

21 Felly, o'r gwŷr a fu yn ein cwmni ni yr holl amser y bu'r
22 Arglwydd Iesu yn mynd i mewn ac allan yn ein plith ni, o fedydd Ioan hyd y dydd y cymerwyd ef i fyny oddi wrthym, rhaid i un o'r rhain ddod yn dyst gyda ni o'i atgyfodiad ef."
23 Ystyriwyd dau: Joseff, a elwid Barsabas ac a gyfenwid Jwstus,
24 a Mathias. Yna aethant i weddi: "Adwaenost ti, Arglwydd,
25 galonnau pawb. Amlyga prun o'r ddau hyn a ddewisaist i gymryd ei le yn y weinidogaeth a'r apostolaeth hon, y gwrth-
26 giliodd Jwdas ohoni i fynd i'w le ei hun." Bwriasant goelbren-nau arnynt, a syrthiodd y coelbren ar Mathias, a chafodd ef ei restru gyda'r un apostol ar ddeg.

*Dyfodiad yr Ysbryd Glân*

**2** Ar ddydd cyflawni cyfnod y Pentecost yr oeddent oll ynghyd
2 yn yr un lle, ac yn sydyn fe ddaeth o'r nef sŵn fel gwynt grymus yn rhuthro, ac fe lanwodd yr holl dŷ lle'r oeddent yn
3 eistedd. Ymddangosodd iddynt dafodau o dân yn ymrannu
4 ac yn eistedd un ar bob un ohonynt; a llanwyd hwy oll â'r Ysbryd Glân, a dechreusant lefaru â thafodau dieithr, fel yr

oedd yr Ysbryd yn rhoi lleferydd iddynt.

Yr oedd yn trigo yn Jerwsalem Iddewon, gwŷr duwiol o 5 bob cenedl dan y nef; ac wrth glywed y sŵn hwn fe ymgynull- 6 odd y dyrfa, ac yr oeddent wedi drysu'n lân am fod pob un ohonynt yn eu clywed hwy yn siarad yn ei iaith ei hun. Yr 7 oeddent yn synnu a rhyfeddu, ac meddent, "Onid Galileaid yw'r rhain oll sy'n llefaru ? A sut yr ydym ni yn eu clywed bob 8 un ohonom yn ei iaith ei hun, iaith ei fam ? Parthiaid a Mediaid 9 ac Elamitiaid, a thrigolion Mesopotamia, Jwdea a Chapadocia, Pontus ac Asia, Phrygia a Pamffylia, yr Aifft a pharthau Libya 10 tua Chyrene, a'r ymwelwyr o Rufain, yn Iddewon a phroselyt- 11 iaid, Cretiaid ac Arabiaid, yr ydym yn eu clywed hwy yn llefaru yn ein hieithoedd ni am fawrion weithredoedd Duw." Yr oedd 12 pawb yn synnu mewn penbleth, gan ddweud y naill wrth y llall, "Beth yw ystyr hyn ?" Ond yr oedd eraill yn dweud yn 13 wawdlyd, "Wedi meddwi y maent."

*Araith Pedr ar y Pentecost*

Safodd Pedr ynghyd â'r un ar ddeg, a chododd ei lais a'u 14 hannerch: "Wŷr o Iddewon a thrigolion Jerwsalem oll, bydded hyn yn hysbys i chwi; gwrandewch ar fy ngeiriau. Nid yw'r rhain wedi meddwi, fel yr ydych chwi'n tybio, 15 oherwydd dim ond naw o'r gloch y bore yw hi. Eithr dyma'r 16 hyn a ddywedwyd drwy'r proffwyd Joel :

'A hyn a fydd yn y dyddiau olaf, medd Duw : 17
tywalltaf o'm Hysbryd ar bob dyn;
a bydd eich meibion a'ch merched yn proffwydo;
bydd eich gwŷr ifainc yn gweld gweledigaethau,
a'ch hynafgwyr yn breuddwydio breuddwydion ;
ac ar fy nghaethweision hefyd a'm caethforynion, 18
yn y dyddiau hynny, fe dywalltaf o'm Hysbryd,
ac fe broffwydant.
A rhoddaf ryfeddodau yn y nef uchod 19
ac arwyddion ar y ddaear isod,
gwaed a thân a tharth mwg;
troir yr haul yn dywyllwch, 20
a'r lloer yn waed,
cyn i ddydd yr Arglwydd, y dydd mawr a disglair, ddod;
a bydd pawb sy'n galw ar enw yr Arglwydd yn cael ei 21
achub.'

22 "Wŷr Israel, clywch hyn: sôn yr wyf am Iesu o Nasareth, gŵr y mae ei benodi gan Dduw wedi ei amlygu i chwi trwy wyrthiau a rhyfeddodau ac arwyddion a gyflawnodd Duw trwyddo ef yn eich mysg chwi, fel y gwyddoch chwi eich hunain.
23 Yr oedd hwn wedi ei draddodi trwy fwriad penodedig a rhagwybodaeth Duw, ac fe groeshoeliasoch chwi ef drwy law
24 estroniaid, a'i ladd. Ond cyfododd Duw ef, gan ei ryddhau o wewyr angau, oherwydd nid oedd dichon i angau ei ddal yn ei
25 afael. Oherwydd y mae Dafydd yn dweud amdano:

'Yr oeddwn yn gweld yr Arglwydd ger fy mron yn wastad,
canys ar fy neheulaw y mae, fel na'm hysgydwer.
26 Am hynny y llawenychodd fy nghalon ac y gorfoleddodd fy nhafod,
ie, a bydd fy nghnawd hefyd yn ymgartrefu mewn gobaith;
27 am na adewi fy enaid yn Nhrigfan y Meirw,
na gadael i'th Sanct weld llygredigaeth.
28 Hysbysaist imi ffyrdd bywyd;
yr wyt yn fy llenwi â llawenydd yn dy wyddfod.'

29 "Frodyr, gallaf siarad yn hy wrthych am y patriarch Dafydd, iddo farw a chael ei gladdu, ac y mae ei fedd gyda ni hyd y
30 dydd hwn. Felly, ac yntau'n broffwyd ac yn gwybod i Dduw
31 dyngu iddo ar lw y gosodai un o'i linach ar ei orsedd, rhagweld atgyfodiad y Meseia yr oedd pan ddywedodd:*

'Ni adawyd ef yn Nhrigfan y Meirw,
ac ni welodd ei gnawd lygredigaeth.'

32 Yr Iesu hwn, fe gyfododd Duw ef, peth yr ydym ni oll yn
33 dystion ohono. Felly, wedi iddo gael ei ddyrchafu trwy* ddeheulaw Duw a derbyn gan y Tad ei addewid am yr Ysbryd Glân, fe dywalltodd y peth hwn yr ydych chwi yn ei weld a'i
34 glywed. Canys nid Dafydd a esgynnodd i'r nefoedd; y mae ef ei hun yn dweud:

'Dywedodd yr Arglwydd wrth fy Arglwydd i,
"Eistedd ar fy neheulaw,
35 hyd oni osodaf dy elynion yn droedfainc i'th draed."'

36 Felly gwybydded holl dŷ Israel yn sicr fod Duw wedi ei wneud ef yn Arglwydd ac yn Feseia, yr Iesu hwn a groeshoeliasoch chwi."

---

*adn. 31: neu, *rhagweld yr oedd atgyfodiad y Meseia wrth lefaru, oherwydd.*
*adn. 33: neu, *at.*

Pan glywsant hyn, fe'u dwysbigwyd yn eu calon, a dywedasant wrth Pedr a'r apostolion eraill, " Beth a wnawn ni, frodyr ?" Meddai Pedr wrthynt, " Edifarhewch, a bedyddier pob un ohonoch yn enw Iesu Grist er maddeuant eich pechodau, ac fe dderbyniwch yr Ysbryd Glân yn rhodd. Oherwydd i chwi y mae'r addewid, ac i'ch plant ac i bawb sydd ymhell, pob un y bydd i'r Arglwydd ein Duw ni ei alw ato." Ac â geiriau eraill lawer y pwysodd arnynt, a'u hannog, " Dihangwch rhag y genhedlaeth wyrgam hon." Felly bedyddiwyd y rhai a dderbyniodd ei air, ac ychwanegwyd atynt y diwrnod hwnnw tua thair mil o bersonau. Yr oeddent yn dyfalbarhau yn nysgeidiaeth yr apostolion ac yn y gymdeithas, yn y torri bara ac yn y gweddïau. 37 38 39 40 41 42

*Bywyd y Credinwyr*

Yr oedd ofn ar bob enaid; yr oedd rhyfeddodau ac arwyddion lawer yn cael eu gwneud drwy'r apostolion. Yr oedd yr holl gredinwyr ynghyd yn dal pob peth yn gyffredin. Byddent yn gwerthu eu heiddo a'u meddiannau, a'u rhannu rhwng pawb yn ôl fel y byddai angen pob un. A chan ddyfalbarhau beunydd yn unfryd yn y deml, a thorri bara yn eu tai, yr oeddent yn cydgyfranogi o'r lluniaeth mewn llawenydd a symledd calon, dan foli Duw a chael ewyllys da'r holl bobl. Ac yr oedd yr Arglwydd yn ychwanegu beunydd at y gynulleidfa y rhai oedd yn cael eu hachub. 43 44 45 46 47

*Iachâu'r Dyn Cloff wrth Borth y Deml*

**3** Yr oedd Pedr ac Ioan yn mynd i fyny i'r deml erbyn yr awr weddi, sef tri o'r gloch y prynhawn. 2 Ac yr oedd rhywrai'n dod â dyn oedd yn gloff o'i enedigaeth, ac yn ei osod beunydd wrth borth y deml, yr un a elwid Y Porth Prydferth, i erfyn am gardod gan y rhai a fyddai'n mynd i mewn i'r deml. 3 Pan welodd hwn Pedr ac Ioan ar fynd i mewn i'r deml, gofynnodd am gardod. 4 A syllodd Pedr arno, ac Ioan yntau, a dywedodd, " Edrych arnom." 5 Gwyliodd yntau hwy, gan ddisgwyl cael rhywbeth ganddynt. 6 Dywedodd Pedr, " Arian ac aur nid oes gennyf; ond yr hyn sydd gennyf, hynny yr wyf yn ei roi iti; yn enw Iesu Grist o Nasareth, cerdda." 7 A gafaelodd ynddo gerfydd ei law ddeau, a chododd ef. Ac yn y fan cryfhaodd ei draed a'i fferau; 8 neidiodd i fyny, safodd, a dechreuodd gerdded, ac aeth i mewn gyda hwy i'r deml dan gerdded a neidio a moli Duw. 9 Gwelodd yr holl bobl ef yn cerdded ac yn moli Duw.

10 Yr oeddent yn sylweddoli mai hwn oedd y dyn a fyddai'n eistedd i gardota wrth Borth Prydferth y deml, a llanwyd hwy â braw a syndod am yr hyn oedd wedi digwydd iddo.

*Araith Pedr yng Nghloestr Solomon*

11 Tra oedd ef yn gafael yn Pedr ac Ioan, rhedodd yr holl bobl ynghyd atynt i'r fan a elwir yn Gloestr Solomon, wedi eu syfrdanu. 12 A phan welodd Pedr hyn, fe anerchodd y bobl: "Wŷr Israel, pam yr ydych yn rhyfeddu at hyn? Pam yr ydych yn syllu arnom ni, fel petaem wedi peri iddo gerdded trwy ein nerth neu ein duwioldeb ni ein hunain? 13 Duw Abraham ac Isaac a Jacob, Duw ein tadau ni, sydd wedi gogoneddu ei Was Iesu, yr hwn a draddodasoch chwi a'i wadu gerbron Pilat, wedi i hwnnw benderfynu ei ryddhau. 14 Eithr chwi, gwadasoch yr Un sanctaidd a chyfiawn, a deisyf, fel ffafr i chwi, ryddhau llofrudd. 15 Lladdasoch Awdur bywyd, ond cyfododd Duw ef oddi wrth y meirw. O hyn yr ydym ni'n dystion. 16 Ar sail ffydd yn ei enw ef y cyfnerthwyd y dyn yma yr ydych yn ei weld a'i adnabod, a'r ffydd sydd drwyddo ef a roddodd iddo'r llwyr wellhad hwn yn eich gŵydd chwi i gyd. 17 Yn awr, frodyr, gwn mai gweithredu mewn anwybodaeth a wnaethoch, fel eich llywodraethwyr hwythau. 18 Ond fel hyn y cyflawnodd Duw yr hyn a ragfynegodd drwy enau'r holl broffwydi, sef dioddefaint ei Feseia. 19 Edifarhewch, ynteu, a throwch at Dduw, er mwyn dileu eich pechodau. 20 Felly y daw oddi wrth yr Arglwydd dymhorau adnewyddiad, 21 ac yr anfona ef y Meseia a benodwyd i chwi, sef Iesu, yr hwn y mae'n rhaid i'r nef ei dderbyn hyd amseroedd cyflawni pob peth a lefarodd Duw trwy enau ei broffwydi sanctaidd erioed. 22 Dywedodd Moses, 'Fe gyfyd yr Arglwydd eich Duw broffwyd i chwi o blith eich brodyr, megis y cododd fi.* Yr ydych i wrando arno ef ym mhob peth a lefara wrthych. 23 A phob enaid na wrendy ar y proffwyd hwnnw, fe'i llwyr ddifethir o blith y bobl.' 24 A'r holl broffwydi o Samuel a'i olynwyr, cynifer ag a lefarodd, cyhoeddasant hwythau y dyddiau hyn. 25 Chwi yw meibion y proffwydi, a phlant y cyfamod a wnaeth Duw â'ch tadau pan ddywedodd wrth Abraham, 'Yn dy had di y bendithir holl dylwythau'r ddaear.' 26 Wedi i Dduw gyfodi ei Was, anfonodd ef atoch chwi yn gyntaf, i'ch bendithio chwi trwy eich troi bob un oddi wrth eich drygioni."

---

*adn. 22: neu, *megis myfi*.

*Pedr ac Ioan gerbron y Cyngor*

4 Tra oeddent yn llefaru wrth y bobl, daeth yr offeiriaid a phrif 2 swyddog gwarchodlu'r deml a'r Sadwceaid ar eu gwarthaf, yn flin am eu bod hwy'n dysgu'r bobl ac yn cyhoeddi ynglŷn â Iesu yr atgyfodiad oddi wrth y meirw. 3 Cymerasant afael arnynt a'u rhoi mewn dalfa hyd drannoeth, oherwydd yr oedd hi'n hwyr eisoes. 4 Ond daeth llawer o'r rhai oedd wedi clywed y gair yn gredinwyr, ac aeth y nifer i gyd yn rhyw bum mil.

5 Trannoeth bu cyfarfod o lywodraethwyr a henuriaid ac ysgrifenyddion yr Iddewon yn Jerwsalem. 6 Yr oedd Annas yr archoffeiriad yno, a Caiaffas ac Ioan ac Alexander a phawb oedd o deulu archoffeiriadol. 7 Rhoesant y carcharorion i sefyll gerbron, a dechrau eu holi, "Trwy ba nerth neu drwy ba enw y gwnaethoch chwi hyn?" 8 Yna, wedi ei lenwi â'r Ysbryd Glân, dywedodd Pedr wrthynt: 9 "Lywodraethwyr y bobl, a henuriaid, os ydym ni heddiw yn cael ein croesholi am gymwynas i ddyn claf, a sut y mae wedi cael ei iacháu, 10 bydded hysbys i chwi i gyd ac i holl bobl Israel mai trwy enw Iesu Grist o Nasareth, a groeshoeliasoch chwi ac a gyfododd Duw oddi wrth y meirw, trwy hwnnw y mae hwn yn sefyll ger eich bron yn iach. 11 Iesu yw

'Y maen a ddiystyrwyd gennych chwi yr adeiladwyr,
ac a ddaeth yn faen y gongl.'

12 Ac nid oes iachawdwriaeth yn neb arall, oblegid nid oes enw arall dan y nef, wedi ei roi i ddynion, y mae i ni gael ein hachub drwyddo." 13 Wrth weld hyder Pedr ac Ioan, a sylweddoli mai lleygwyr annysgedig oeddent, yr oeddent yn rhyfeddu. Yr oeddent yn sylweddoli hefyd eu bod hwy wedi bod gyda Iesu. 14 Ac wrth weld y dyn oedd wedi ei iacháu yn sefyll gyda hwy, nid oedd ganddynt ddim ateb. 15 Ac wedi gorchymyn iddynt fynd allan o'r llys, 16 dechreusant ymgynghori â'i gilydd. "Beth a wnawn," meddent, "â'r dynion hyn? Oherwydd y mae'n amlwg i bawb sy'n preswylio yn Jerwsalem fod gwyrth hynod wedi digwydd trwyddynt hwy, ac ni allwn ni wadu hynny. 17 Ond rhag taenu'r peth ymhellach ymhlith y bobl, gadewch inni eu rhybuddio nad ydynt i lefaru mwyach yn yr enw hwn wrth neb o gwbl." 18 Galwasant hwy i mewn, a gorchymyn nad oeddent i siarad na dysgu o gwbl yn enw Iesu. 19 Ond atebodd Pedr ac Ioan hwy: "A yw'n iawn yng ngolwg Duw wrando arnoch chwi yn hytrach nag ar Dduw? Barnwch chwi. 20 Ni allwn ni dewi â sôn am y pethau yr ydym wedi eu gweld a'u clywed."

21 Ar ôl eu rhybuddio ymhellach gollyngodd y llys hwy'n rhydd, heb gael dim modd i'w cosbi, oherwydd y bobl; oblegid yr oedd 22 pawb yn gogoneddu Duw am yr hyn oedd wedi digwydd. Yr oedd y dyn y gwnaethpwyd y wyrth iachaol hon arno dros ddeugain mlwydd oed.

### *Y Credinwyr yn Gweddïo am Hyder*

23 Wedi eu gollwng, aethant at eu pobl eu hunain ac adrodd y cyfan yr oedd y prif offeiriaid a'r henuriaid wedi ei ddweud 24 wrthynt. Wedi clywed, codasant hwythau eu llef yn unfryd at Dduw: " O Benllywydd, tydi a wnaeth y nef a'r ddaear a'r môr 25 a phob peth sydd ynddynt, ac a ddywedodd drwy'r Ysbryd Glân yng ngenau Dafydd dy was, ein tad ni:

'Pam y terfysgodd y Cenhedloedd
ac y cynlluniodd y bobloedd bethau ofer?
26 Safodd brenhinoedd y ddaear,
ac ymgasglodd y llywodraethwyr ynghyd
yn erbyn yr Arglwydd ac yn erbyn ei Feseia ef.'

27 Canys ymgasglodd yn wir yn y ddinas hon yn erbyn dy Was sanctaidd, Iesu, yr hwn a eneiniaist, Herod a Pontius Pilat 28 ynghyd â'r Cenhedloedd a phobloedd Israel, i wneud yr holl 29 bethau y rhagluniodd dy law a'th gyngor di iddynt ddod. Ac yn awr, Arglwydd, edrych ar eu bygythion, a dyro i'th weis- 30 ion lefaru dy air â phob hyder, a thithau yn estyn dy law i beri iachâd ac arwyddion a rhyfeddodau drwy enw dy Was 31 sanctaidd, Iesu." Ac wedi iddynt weddïo, ysgydwyd y lle yr oeddent wedi ymgynnull ynddo, a llanwyd hwy oll â'r Ysbryd Glân, a llefarasant air Duw yn hy.

### *Popeth yn Gyffredin*

32 Yr oedd y lliaws credinwyr o un galon ac enaid, ac ni fyddai neb yn dweud am ddim o'i feddiannau mai ei eiddo ef ei hun 33 ydoedd, ond yr oedd ganddynt bopeth yn gyffredin. Â nerth mawr yr oedd yr apostolion yn rhoi eu tystiolaeth am atgyfod- 34 iad yr Arglwydd Iesu, a gras mawr oedd arnynt oll. Yn wir, nid oedd neb anghenus yn eu plith, oherwydd byddai pawb oedd yn berchenogion tiroedd neu dai yn eu gwerthu, a dod â'r 35 tâl am y pethau a werthid, a'i roi wrth draed yr apostolion; a 36 rhennid i bawb yn ôl fel y byddai angen pob un. Yr oedd Joseff, a gyfenwid Barnabas gan yr apostolion (sef, o'i gyf- 37 ieithu, Mab Anogaeth), Lefiad, Cypriad o enedigaeth, yn

berchen darn o dir, a gwerthodd ef, a daeth â'r arian a'i roi wrth draed yr apostolion.

*Ananias a Saffeira*

5 Ond yr oedd rhyw ddyn o'r enw Ananias, ynghyd â'i wraig Saffeira, wedi gwerthu eiddo. 2 Cadwodd ef beth o'r tâl yn ôl, a'i wraig hithau'n gwybod, a daeth â rhyw gyfran a'i osod wrth draed yr apostolion. 3 Ond meddai Pedr, " Ananias, sut y bu i Satan lenwi dy galon i ddweud celwydd wrth yr Ysbryd Glân, a chadw'n ôl beth o'r tâl am y tir ? 4 Tra oedd yn aros heb ei werthu, onid yn dy feddiant di yr oedd yn aros ? Ac wedi ei werthu, onid gennyt ti yr oedd yr hawl ar yr arian ? Sut y rhoddaist le yn dy feddwl i'r fath weithred ? Nid wrth ddynion y dywedaist gelwydd, ond wrth Dduw." 5 Wrth glywed y geiriau hyn syrthiodd Ananias yn farw, a daeth ofn mawr ar bawb a glywodd. 6 A chododd y dynion ifainc, a rhoi amdo amdano a mynd ag ef allan, a'i gladdu.

7 Aeth rhyw deirawr heibio, a daeth ei wraig i mewn, heb wybod beth oedd wedi digwydd. 8 Dywedodd Pedr wrthi, " Dywed i mi, ai am hyn a hyn y gwerthasoch y tir ?" " Ie," meddai hithau, " am hyn a hyn." 9 Ac meddai Pedr wrthi, " Sut y bu ichwi gytuno i roi prawf ar Ysbryd yr Arglwydd ? Dyma wrth y drws sŵn traed y rhai a fu'n claddu dy ŵr, ac fe ânt â thithau allan hefyd." 10 A syrthiodd hithau yn y fan wrth ei draed, a bu farw. Daeth y dynion ifainc i mewn a'i chael hi'n gorff, ac aethant â hi allan, a'i chladdu gyda'i gŵr. 11 Daeth ofn mawr ar yr holl eglwys ac ar bawb a glywodd am hyn.

*Gwneud Arwyddion a Rhyfeddodau Lawer*

12 Trwy ddwylo'r apostolion gwnaed arwyddion a rhyfeddodau lawer ymhlith y bobl. Yr oeddent bawb yn arfer dod ynghyd yng Nghloestr Solomon. 13 Nid oedd neb arall yn meiddio ymlynu wrthynt, ond yr oedd y bobl yn eu mawrygu, 14 ac yr oedd credinwyr yn cael eu chwanegu fwyfwy at yr Arglwydd, luoedd o wŷr a gwragedd. 15 Yn wir, yr oeddent hyd yn oed yn dod â'r cleifion allan i'r heolydd, a'u gosod ar welyau a matresi, fel pan fyddai Pedr yn mynd heibio y câi ei gysgod o leiaf ddisgyn ar ambell un ohonynt. 16 Byddai'r dyrfa'n ymgynnull hefyd o'r trefi o amgylch Jerwsalem, gan ddod â chleifion a rhai oedd yn cael eu blino gan ysbrydion aflan; ac yr oeddent yn cael eu hiacháu bob un.

*Erlid yr Apostolion*

17 Ond llanwyd yr archoffeiriad ag eiddigedd, a'r holl rai hynny
18 oedd gydag ef, sef plaid y Sadwceaid. Cymerasant afael yn yr
19 apostolion, a'u rhoi mewn dalfa gyhoeddus. Ond yn ystod y
nos agorodd angel yr Arglwydd ddrysau'r carchar a dod â hwy
20 allan; a dywedodd, " Ewch, safwch yn y deml a llefarwch wrth
21 y bobl bob peth ynglŷn â'r Bywyd hwn." Wedi iddynt glywed
hyn, aethant ar doriad dydd i mewn i'r deml, a dechreusant
ddysgu. Wedi i'r archoffeiriad a'r rhai oedd gydag ef gyrraedd,
galwasant ynghyd y Sanhedrin, sef senedd gyflawn cenedl
22 Israel, ac anfonasant i'r carchar i gyrchu'r apostolion. Ond ni
chafodd y swyddogion a ddaeth yno hyd iddynt yn y carchar.
23 Daethant yn eu holau, ac adrodd, " Cawsom y carchar wedi ei
gloi yn gwbl ddiogel a'r gwylwyr yn sefyll wrth y drysau, ond
24 wedi agor ni chawsom neb oddi mewn." A phan glywodd prif
swyddog gwarchodlu'r deml, a'r prif offeiriaid, y geiriau hyn,
yr oeddent mewn penbleth yn eu cylch, beth a allai hyn ei
25 olygu. Ond daeth rhywun a dweud wrthynt, " Y mae'r dynion
a roesoch yn y carchar yn sefyll yn y deml ac yn dysgu'r bobl."
26 Yna aeth y swyddog gyda'i filwyr i'w nôl, ond heb drais, am eu
bod yn ofni cael eu llabyddio gan y bobl.
27 Wedi dod â hwy yno, gwnaethant iddynt sefyll gerbron y
28 Sanhedrin. Holodd yr archoffeiriad hwy, a dweud, " Rhoesom
orchymyn pendant i chwi beidio â dysgu yn yr enw hwn, a
dyma chwi wedi llenwi Jerwsalem â'ch dysgeidiaeth, a'ch
bwriad yw rhoi'r bai arnom ni am farwolaeth y dyn hwn."
29 Atebodd Pedr a'r apostolion, " Rhaid ufuddhau i Dduw yn
30 hytrach nag i ddynion. Y mae Duw ein tadau ni wedi cyfodi
Iesu, yr hwn yr oeddech chwi wedi ei lofruddio trwy ei grogi ar
31 groesbren. Hwn a ddyrchafodd Duw â'i* law ddeau yn Ben-
tywysog a Gwaredwr, i roi edifeirwch i Israel a maddeuant
32 pechodau. Ac yr ydym ni'n dystion o'r pethau hyn, ni a'r
Ysbryd Glân a roddodd Duw i'r rhai sy'n ufuddhau iddo."
33 Pan glywsant hwy hyn, aethant yn ffyrnig a chynllwynio i'w
34 lladd. Ond fe gododd yn y Sanhedrin ryw Pharisead o'r enw
Gamaliel, athro'r Gyfraith, gŵr parchus gan yr holl bobl, ac
35 archodd anfon y dynion allan am ychydig. " Wŷr Israel,"
meddai, " cymerwch ofal beth yr ydych am ei wneud â'r dyn-

*adn. 31: neu, *at ei.*

ion hyn. Oherwydd dro'n ôl cododd Theudas, gan honni ei fod yn rhywun, ac ymunodd nifer o ddynion ag ef, ynghylch pedwar cant. Lladdwyd ef, a chwalwyd pawb oedd yn ei ganlyn, ac aethant yn ddim. Ar ôl hwn, cododd Jwdas y Galilead yn nyddiau'r cofrestru, a thynnodd bobl i'w ganlyn. Ond darfu amdano yntau hefyd, a gwasgarwyd pawb o'i ganlynwyr. Ac yn yr achos hwn, 'rwy'n dweud wrthych, ymogelwch rhag y dynion hyn; gadewch lonydd iddynt. Oherwydd os o ddynion y mae'r bwriad hwn neu'r weithred hon, fe'i dymchwelir; ond os o Dduw y mae, ni fyddwch yn abl i'w ddymchwelyd. Fe all y'ch ceir chwi yn ymladd yn erbyn Duw." Ac fe'u perswadiwyd ganddo. Galwasant yr apostolion atynt, ac wedi eu fflangellu a gorchymyn iddynt beidio â llefaru yn enw Iesu, gollyngasant hwy'n rhydd. Aethant hwythau ar eu taith o ŵydd y Sanhedrin, yn llawen am iddynt gael eu cyfrif yn deilwng i dderbyn amarch er mwyn yr Enw. A phob dydd, yn y deml ac yn eu tai, nid oeddent yn peidio â dysgu a chyhoeddi'r newydd da am y Meseia, Iesu. 36 37 38 39 40 41 42

## *Ethol y Saith*

**6** Yn y dyddiau hynny, pan oedd y disgyblion yn amlhau, bu grwgnach gan yr Helenistiaid yn erbyn yr Hebreaid, am fod eu gweddwon hwy yn cael eu hesgeuluso yn y ddarpariaeth feunyddiol. 2 Galwodd y Deuddeg gynulleidfa'r disgyblion atynt, a dweud, " Nid yw'n addas ein bod ni'n gadael Gair Duw i weini wrth fyrddau. 3 Dewiswch, frodyr, saith o wŷr o'ch plith ag iddynt air da, yn llawn o'r Ysbryd ac o ddoethineb, ac fe'u gosodwn hwy ar hyn o orchwyl. 4 Fe barhawn ni yn ddyfal yn y gweddïo ac yng ngwasanaeth y Gair." 5 A bu eu geiriau yn gymeradwy gan yr holl gynulleidfa, ac etholasant Steffan, gŵr llawn o ffydd ac o'r Ysbryd Glân, a Philip a Prochorus a Nicanor a Timon a Parmenas a Nicolaus, proselyt o Antiochia. 6 Gosodasant y rhain gerbron yr apostolion, ac wedi gweddïo rhoesant hwythau eu dwylo arnynt.

7 Yr oedd Gair Duw'n mynd ar gynnydd. Yr oedd nifer y disgyblion yn Jerwsalem yn lluosogi'n ddirfawr, a thyrfa fawr o'r offeiriaid hefyd yn ufuddhau i'r ffydd.

## *Dal Steffan*

8 Yr oedd Steffan, yn llawn gras a nerth, yn gwneud rhyfedd-

9 odau ac arwyddion mawr ymhlith y bobl. Ond daeth rhai o aelodau'r synagog a elwid yn Synagog y Libertiniaid a'r Cyreniaid a'r Alexandriaid, a rhai o wŷr Cilicia ac Asia, a 10 dadlau â Steffan, ond ni allent wrthsefyll y ddoethineb a'r 11 Ysbryd yr oedd yn llefaru drwyddynt. Yna annos dynion a wnaethant i ddweud, "Clywsom ef yn llefaru pethau cableddus 12 yn erbyn Moses a Duw." A chynyrfasant y bobl a'r henuriaid a'r ysgrifenyddion, ac ymosod arno a'i gipio a dod ag ef gerbron 13 y Sanhedrin, a gosod gau-dystion i ddweud, "Y mae'r dyn yma byth a hefyd yn llefaru pethau yn erbyn y lle sanctaidd hwn a'r 14 Gyfraith; oherwydd clywsom ef yn dweud y bydd Iesu'r Nasaread yma yn distrywio'r lle hwn, ac yn newid y defodau a 15 draddododd Moses i ni." A syllodd pawb oedd yn eistedd yn y Sanhedrin arno, a gwelsant ei wyneb ef fel wyneb angel.

*Araith Steffan*

**7** 2 Gofynnodd yr archoffeiriad: "Ai felly y mae?" Meddai yntau: "Frodyr a thadau, clywch. Ymddangosodd Duw'r gogoniant i'n tad ni, Abraham, ac yntau ym Mesopotamia cyn 3 iddo ymsefydlu yn Charan, a dywedodd wrtho, 'Dos allan o'th wlad ac oddi wrth dy berthnasau, a thyrd i'r wlad a ddangosaf 4 iti.' Yna fe aeth allan o wlad y Chaldeaid, ac ymsefydlodd yn Charan. Oddi yno, wedi i'w dad farw, fe symudodd Duw ef 5 i'r wlad hon, lle'r ydych chwi'n preswylio yn awr. Eto ni roes iddo etifeddiaeth ynddi, naddo, ddim troedfedd. Addo a wnaeth ei rhoi iddo ef i'w meddiannu, ac i'w ddisgynyddion ar 6 ei ôl, ac yntau heb blentyn. Llefarodd Duw fel hyn: 'Bydd ei ddisgynyddion yn alltudion mewn gwlad ddieithr, a chânt eu 7 caethiwo a'u cam-drin am bedwar can mlynedd. Ac mi rof farn ar y genedl y byddant hwy yn gaethion iddi,' meddai Duw, 8 'ac wedi hynny dônt allan, ac addolant fi yn y lle hwn.' A rhoddodd iddo gyfamod enwaediad. Felly wedi geni iddo Isaac enwaedodd arno yr wythfed dydd. Ac i Isaac fe aned Jacob, ac i Jacob y deuddeg patriarch.

9 "Cenfigennodd y patriarchiaid wrth Joseff a'i werthu i'r 10 Aifft. Ond yr oedd Duw gydag ef, ac achubodd ef o'i holl gyfyngderau, a rhoddodd iddo ffafr a doethineb yng ngolwg Pharo, brenin yr Aifft, a gosododd yntau ef yn llywodraethwr 11 dros yr Aifft a thros ei holl dŷ. Daeth newyn ar yr Aifft i gyd ac ar Ganaan; yr oedd yn gyfyngder mawr, ac ni allai ein tadau

gael lluniaeth. Ond clywodd Jacob fod bwyd yn yr Aifft, ac 12
anfonodd ein tadau yno y tro cyntaf. Yr ail dro fe adnabuwyd 13
Joseff gan ei frodyr, a daeth tylwyth Joseff yn hysbys i Pharo.
Anfonodd Joseff, a galw Jacob ei dad ato, a'i holl berthnasau, 14
yn bymtheg a thrigain o bersonau. Ac aeth Jacob i lawr i'r Aifft. 15
Bu farw, ef a'n tadau, a throsglwyddwyd hwy i Sichem, a'u 16
claddu yn y bedd yr oedd Abraham wedi ei brynu am arian
gan feibion Emor yn Sichem.

"Fel yr oedd yr amser yn agosáu i gyflawni'r addewid yr 17
oedd Duw wedi ei rhoi i Abraham, cynyddodd y bobl a lluosogi
yn yr Aifft, nes i frenin gwahanol godi ar yr Aifft, un na wyddai 18
ddim am Joseff. Bu hwn yn ddichellgar wrth ein cenedl ni, gan 19
gam-drin ein tadau, a pheri bwrw eu babanod allan fel na ched-
wid mohonynt yn fyw. Y pryd hwnnw y ganed Moses, ac yr 20
oedd yn blentyn hoff yng ngolwg Duw. Magwyd ef am dri mis
yn nhŷ ei dad, a phan fwriwyd ef allan, cymerodd merch Pharo 21
ef ati, a'i fagu yn fab iddi hi ei hun. Hyfforddwyd Moses yn holl 22
ddoethineb yr Eifftwyr, ac yr oedd yn nerthol yn ei eiriau a'i
weithredoedd.

"Yn ystod ei ddeugeinfed flwyddyn, clywodd ar ei galon 23
ymweld â'i frodyr, meibion Israel. Pan welodd un ohonynt yn 24
cael cam, fe'i hamddiffynnodd, a dialodd gam yr hwn oedd
dan orthrwm trwy daro'r Eifftiwr. Yr oedd yn tybio y byddai 25
ei frodyr yn deall fod Duw trwyddo ef yn rhoi gwaredigaeth
iddynt. Ond nid oeddent yn deall. Trannoeth daeth ar eu 26
traws pan oeddent yn ymladd, a cheisiodd eu cymodi a chael
heddwch, gan ddweud, 'Ddynion, brodyr ydych; pam y
gwnewch gam â'ch gilydd?' Ond dyma'r un oedd yn gwneud 27
cam â'i gymydog yn ei wthio i ffwrdd, gan ddweud, 'Pwy a'th
osododd di yn llywodraethwr ac yn farnwr arnom ni? A wyt 28
ti am fy lladd i fel y lleddaist yr Eifftiwr ddoe?' A ffôdd Moses 29
ar y gair hwn, ac aeth yn alltud yn nhir Midian, lle y ganed iddo
ddau fab.

"Ymhen deugain mlynedd, fe ymddangosodd iddo yn anial- 30
wch mynydd Sinai angel mewn fflam dân mewn perth. Pan 31
welodd Moses ef, bu ryfedd ganddo'r olygfa. Wrth iddo nesu i
edrych yn fanwl, daeth llais yr Arglwydd: 'Myfi yw Duw dy 32
dadau, Duw Abraham ac Isaac a Jacob.' Cafodd Moses fraw,
ac ni feiddiodd edrych. Meddai'r Arglwydd wrtho, 'Datod dy 33
esgidiau oddi am dy draed, canys y mae'r lle'r wyt yn sefyll

34 arno yn dir sanctaidd. Gwelais, do, gwelais sut y mae fy mhobl sydd yn yr Aifft yn cael eu cam-drin, a chlywais eu griddfan, a disgynnais i'w gwaredu. Yn awr tyrd, imi gael dy anfon di i'r 35 Aifft.' Y Moses hwn, y gŵr a wrthodasant gan ddweud, 'Pwy a'th osododd di yn llywodraethwr ac yn farnwr?'—hwnnw a anfonodd Duw yn llywodraethwr ac yn rhyddhawr, trwy law'r 36 angel a ymddangosodd iddo yn y berth. Hwn a'u harweiniodd hwy allan, gan wneud rhyfeddodau ac arwyddion yng ngwlad yr Aifft ac yn y Môr Coch, ac am ddeugain mlynedd yn yr 37 anialwch. Hwn yw'r Moses a ddywedodd wrth feibion Israel, 'Fe gyfyd Duw broffwyd i chwi o blith eich brodyr, megis y 38 cododd fi.'* Hwn a fu yn y gynulleidfa yn yr anialwch gyda'r angel a lefarodd wrtho ar fynydd Sinai a chyda'n tadau ni. 39 Derbyniodd ef oraclau byw i'w rhoi i chwi. Eithr ni fynnodd ein tadau ymddarostwng iddo, ond ei wthio o'r ffordd a 40 wnaethant, a throi'n ôl yn eu calonnau at yr Aifft, gan ddweud wrth Aaron, 'Gwna i ni dduwiau i fynd o'n blaen; oblegid y Moses yma, a ddaeth â ni allan o wlad yr Aifft, ni wyddom ni 41 beth sydd wedi dod ohono.' Gwnaethant lo y pryd hwnnw, ac offrymu aberth i'r eilun, ac ymlawenhau yng nghynnyrch eu 42 dwylo eu hunain. A throes Duw ymaith, a'u rhoi i fyny i addoli sêr y nef, fel y mae'n ysgrifenedig yn llyfr y proffwydi:

'A offrymasoch i mi laddedigion ac aberthau
am ddeugain mlynedd yn yr anialwch, chwi dŷ Israel?
43 Na yn wir, dyrchafasoch babell Moloch,
a seren y duw Raiffan,
y delwau a wnaethoch i ymgrymu iddynt.
Alltudiaf chwi y tu hwnt i Fabilon.'

44 "Yr oedd pabell y dystiolaeth gan ein tadau yn yr anialwch, fel y gorchmynnodd yr hwn a lefarodd wrth Moses ei fod i'w 45 gwneud yn ôl y patrwm yr oedd wedi ei weld. Daeth ein tadau yn eu tro â hi yma gyda Josua, wrth iddynt oresgyn y cenhedloedd a yrrodd Duw allan o'u blaenau. Ac felly y bu hyd ddydd- 46 iau Dafydd. Cafodd ef ffafr gerbron Duw, a deisyfodd am gael 47 tabernacl i dŷ* Jacob. Eithr Solomon oedd yr un a adeiladodd 48 dŷ iddo. Ond nid yw'r Goruchaf yn trigo mewn tai o waith llaw; fel y mae'r proffwyd yn dweud:

---

*adn 37: neu, *megis myfi.*

*adn. 46: yn ôl darlleniad arall, *i Dduw.*

'Y nef sy'n orsedd imi, 49
a'r ddaear yw troedfainc fy nhraed.
Pa fath dŷ a adeiladwch imi, medd yr Arglwydd;
pa le fydd fy ngorffwysfa ?
Onid fy llaw i a wnaeth y pethau hyn oll ?' 50

"Chwi rai gwargaled a dienwaededig o galon a chlust, yr 51 ydych chwi yn wastad yn gwrthwynebu'r Ysbryd Glân; fel eich tadau, felly chwithau. Prun o'r proffwydi na fu'ch tadau 52 yn ei erlid ? Ie, lladdasant y rhai a ragfynegodd ddyfodiad yr Un Cyfiawn. A chwithau yn awr, bradwyr a llofruddion fuoch iddo ef, chwi y rhai a dderbyniodd y Gyfraith yn ôl cyfarwydd- 53 yd angylion, ac eto ni chadwasoch mohoni."

*Llabyddio Steffan*

Wrth glywed y pethau hyn aethant yn ffyrnig yn eu calonnau, 54 ac ysgyrnygu eu dannedd arno. Yn llawn o'r Ysbryd Glân, 55 syllodd Steffan tua'r nef a gwelodd ogoniant Duw, ac Iesu'n sefyll ar ddeheulaw Duw, a dywedodd, "Edrychwch, 'rwy'n 56 gweld y nefoedd yn agored, a Mab y Dyn yn sefyll ar ddeheulaw Duw." Rhoesant hwythau waedd uchel, a chau eu clustiau, a 57 rhuthro'n unfryd arno, a'i fwrw allan o'r ddinas, a mynd ati i'w 58 labyddio. Dododd y tystion eu dillad wrth draed dyn ifanc o'r enw Saul. Ac wrth iddynt ei labyddio, yr oedd Steffan yn galw, 59 "Arglwydd Iesu, derbyn fy ysbryd." Yna penliniodd, a 60 gwaeddodd â llais uchel, "Arglwydd, paid â dal y pechod hwn yn eu herbyn." Ac wedi dweud hynny, fe hunodd. Yr oedd **8** Saul yn cydsynio â'i lofruddio.

*Saul yn Erlid yr Eglwys*

Y diwrnod hwnnw dechreuodd erlid mawr ar yr eglwys yn Jerwsalem. Gwasgarwyd hwy oll, oddieithr yr apostolion, trwy barthau Jwdea a Samaria. Claddwyd Steffan gan wŷr 2 duwiol, ac yr oeddent yn galarnadu'n uchel amdano. Ond 3 anrheithio'r eglwys yr oedd Saul: mynd i mewn i dŷ ar ôl tŷ, a llusgo allan wŷr a gwragedd, a'u traddodi i garchar.

*Pregethu'r Efengyl yn Samaria*

Am y rhai a wasgarwyd, teithiasant gan bregethu'r Gair. 4 Aeth Philip i lawr i'r ddinas* yn Samaria, a dechreuodd gy- 5

*adn. 5: yn ôl darlleniad arall, *i ddinas*.

6 hoeddi'r Meseia iddynt. Yr oedd y tyrfaoedd yn dal yn unfryd ar eiriau Philip, wrth glywed a gweld yr arwyddion yr oedd yn
7 eu gwneud; oherwydd yr oedd ysbrydion aflan yn dod allan o lawer oedd wedi eu meddiannu ganddynt, gan weiddi â llais uchel, ac iachawyd llawer o rai wedi eu parlysu ac o rai cloff.
8 A bu llawenydd mawr yn y ddinas honno.

9 Yr oedd rhyw ŵr o'r enw Simon eisoes yn y ddinas, yn dewinio ac yn synnu cenedl Samaria. Yr oedd yn dweud ei fod
10 yn rhywun mawr, ac yr oedd pawb, o fawr i fân, yn dal sylw arno ac yn dweud, " Hwn yw'r gallu dwyfol a elwir Y Gallu
11 Mawr." Yr oeddent yn dal sylw arno am ei fod ers talwm yn
12 eu synnu â'i ddewiniaeth. Ond wedi iddynt gredu Philip a'i newydd da am deyrnas Dduw ac enw Iesu Grist, dechreuwyd
13 eu bedyddio hwy, yn wŷr a gwragedd. Credodd Simon ei hun hefyd, ac wedi ei fedyddio yr oedd yn glynu'n ddyfal wrth Philip; wrth weld arwyddion a grymusterau mawr yn cael eu cyflawni, yr oedd yn synnu.

14 Pan glywodd yr apostolion yn Jerwsalem fod Samaria wedi
15 derbyn Gair Duw, anfonasant atynt Pedr ac Ioan, ac wedi iddynt hwy ddod i lawr yno, gweddïasant drostynt ar iddynt
16 dderbyn yr Ysbryd Glân, oherwydd nid oedd eto wedi disgyn ar neb ohonynt, dim ond eu bod wedi eu bedyddio i enw yr
17 Arglwydd Iesu. Yna rhoes Pedr ac Ioan eu dwylo arnynt, a
18 derbyniasant yr Ysbryd Glân. Pan welodd Simon mai trwy arddodiad dwylo'r apostolion y rhoddid yr Ysbryd, daeth ag
19 arian iddynt, a dywedodd, " Rhowch y gallu yma i minnau, fel y bydd i bwy bynnag y rhof fy nwylo arno dderbyn yr Ysbryd
20 Glân." Ond dywedodd Pedr wrtho, " Melltith arnat ti a'th arian, am iti feddwl meddiannu rhodd Duw trwy dalu amdani!
21 Nid oes iti ran na chyfran yn hyn o beth, oblegid nid yw dy
22 galon yn uniawn yng ngolwg Duw. Felly edifarha am y drygioni hwn o'r eiddot, ac erfyn ar yr Arglwydd, i weld a
23 faddeuir i ti feddylfryd dy galon, oherwydd 'rwy'n gweld dy
24 fod yn llawn chwerwder ac yn gaeth i anwiredd." Atebodd Simon, " Gweddïwch chwi drosof fi ar yr Arglwydd, fel na ddaw arnaf ddim o'r pethau a ddywedsoch."

25 Hwythau, wedi iddynt dystiolaethu a llefaru gair yr Arglwydd, cychwynasant yn ôl i Jerwsalem, a chyhoeddi'r newydd da i lawer o bentrefi'r Samariaid.

*Philip a'r Eunuch o Ethiopia*

Llefarodd angel yr Arglwydd wrth Philip: " Cod," meddai, 26 " a chymer daith tua'r de, i'r ffordd sy'n mynd i lawr o Jerwsalem i Gasa." Ffordd anial yw hon. Cododd yntau ac aeth. A 27 dyma ŵr o Ethiop, eunuch, swyddog uchel i Candace, brenhines yr Ethiopiaid, ac yn ben ar ei holl drysor hi; yr oedd hwn wedi dod i Jerwsalem i addoli, ac yr oedd yn dychwelyd ac yn 28 eistedd yn ei gerbyd, yn darllen y proffwyd Eseia. Dywedodd 29 yr Ysbryd wrth Philip, " Dos a glŷn wrth y cerbyd yna." Rhedodd Philip ato a chlywodd ef yn darllen y proffwyd Eseia, 30 ac meddai, " A wyt ti'n deall, tybed, beth yr wyt yn ei ddarllen?" Meddai yntau, " Wel, sut y gallwn i, heb i rywun 31 fy nghyfarwyddo?" Gwahoddodd Philip i ddod i fyny ac eistedd gydag ef. A hon oedd yr adran o'r Ysgrythur yr oedd 32 yn ei darllen:

" Aethpwyd ag ef fel dafad i'r lladdfa,
ac fel y mae oen yn fud gerbron ei gneifiwr,
felly nid yw'n agor ei enau.
Yn ei ddarostyngiad gomeddwyd iddo farn. 33
Pwy a draetha ei genhedlaeth?
Canys cipir ei fywyd oddi ar y ddaear."

Meddai'r eunuch wrth Philip, " Dywed i mi, am bwy y 34 mae'r proffwyd yn dweud hyn? Ai amdano'i hun, ai am rywun arall?" Yna agorodd Philip ei enau, a chan ddechrau o'r rhan 35 hon o'r Ysgrythur traethodd y newydd da am Iesu iddo. Fel 36 yr oeddent yn mynd rhagddynt ar eu ffordd, daethant at ryw ddŵr, ac ebe'r eunuch, " Dyma ddŵr; beth sy'n rhwystro imi gael fy medyddio?"* A gorchmynnodd i'r cerbyd sefyll, ac 38 aethant i lawr ill dau i'r dŵr, Philip a'r eunuch, ac fe'i bedyddiodd ef. Pan ddaethant i fyny o'r dŵr, cipiwyd Philip ymaith 39 gan Ysbryd yr Arglwydd, ac ni welodd yr eunuch mohono mwyach; aeth hwnnw ymlaen ar ei ffordd yn llawen. Cafodd 40 Philip ei hun yn Asotus, ac aeth o gwmpas dan gyhoeddi'r newydd da yn yr holl ddinasoedd nes iddo ddod i Gesarea.

---

*adn. 36: ychwanega rhai llawysgrifau adn. 37: *Dywedodd Philip, "Os wyt yn credu â'th holl galon, fe elli." Atebodd yntau, "Yr wyf yn credu mai Mab Duw yw Iesu Grist."*

*Tröedigaeth Saul*
(Act 22.6-16; 26.12-18)

9 Yr oedd Saul yn dal i chwythu bygythion angheuol yn erbyn 2 disgyblion yr Arglwydd, ac fe aeth at yr archoffeiriad a gofyn iddo am lythyrau at y synagogau yn Namascus, fel os byddai'n cael hyd i rywrai o bobl y Ffordd, yn wŷr neu'n wragedd, y 3 gallai eu dal a dod â hwy i Jerwsalem. Pan oedd ar ei daith ac yn agosáu at Ddamascus, yn sydyn fflachiodd o'i amgylch 4 oleuni o'r nef. Syrthiodd ar lawr, a chlywodd lais yn dweud 5 wrtho, " Saul, Saul, pam yr wyt yn fy erlid i ?" Dywedodd yntau, " Pwy wyt ti, Arglwydd ? " Ac ebe'r llais, " Iesu wyf fi, 6 yr hwn yr wyt ti yn ei erlid. Ond cod, a dos i mewn i'r ddinas, 7 ac fe ddywedir wrthyt beth sy raid iti ei wneud." Yr oedd y dynion oedd yn cyd-deithio ag ef yn sefyll yn fud, yn clywed y 8 llais ond heb weld neb. Cododd Saul oddi ar lawr, ond er bod ei lygaid yn agored ni allai weld dim. Arweiniasant ef gerfydd 9 ei law i mewn i Ddamascus. Bu am dridiau heb weld, ac ni chymerodd na bwyd na diod.

10 Yr oedd rhyw ddisgybl yn Namascus o'r enw Ananias, a dywedodd yr Arglwydd wrtho ef mewn gweledigaeth, "Ananias." 11 Dywedodd yntau, " Dyma fi, Arglwydd." Ac meddai'r Arglwydd wrtho, " Cod, a dos i'r stryd a elwir Y Stryd Union, a gofyn yn nhŷ Jwdas am ddyn o Darsus o'r enw Saul; cei 12 hyd iddo yno, yn gweddïo; ac y mae wedi gweld mewn gweledigaeth ddyn o'r enw Ananias yn dod i mewn ac yn rhoi 13 ei ddwylo arno i roi ei olwg yn ôl iddo." Atebodd Ananias, " Arglwydd, yr wyf wedi clywed gan lawer am y dyn hwn, faint 14 o ddrwg y mae wedi ei wneud i'th saint di yn Jerwsalem. Yma hefyd y mae ganddo awdurdod oddi wrth y prif offeiriaid i ddal 15 pawb sy'n galw ar dy enw di." Ond dywedodd yr Arglwydd wrtho, " Dos di; llestr dewis i mi yw hwn, i ddwyn fy enw gerbron y Cenhedloedd a'u brenhinoedd, a gerbron meibion 16 Israel. Dangosaf fi iddo faint sy raid iddo'i ddioddef dros fy 17 enw i." Aeth Ananias ymaith ac i mewn i'r tŷ, a rhoddodd ei ddwylo arno a dweud, " Y brawd Saul, yr Arglwydd sydd wedi fy anfon—sef Iesu, yr un a ymddangosodd iti ar dy ffordd yma —er mwyn iti gael dy olwg yn ôl, a'th lenwi â'r Ysbryd 18 Glân." Yn y fan syrthiodd rhywbeth fel cen oddi ar ei lygaid, 19 a chafodd ei olwg yn ôl. Cododd, ac fe'i bedyddiwyd, a chymerodd luniaeth ac ymgryfhaodd.

### *Saul yn Pregethu yn Namascus*

Bu gyda'r disgyblion oedd yn Namascus am rai dyddiau, ac ar unwaith dechreuodd bregethu Iesu yn y synagogau, a chyhoeddi mai Mab Duw oedd ef. Yr oedd pawb oedd yn ei glywed yn rhyfeddu. "Onid dyma'r dyn," meddent, "a wnaeth ddifrod yn Jerwsalem ar y rhai sy'n galw ar yr enw hwn? Ac onid i hyn yr oedd wedi dod yma, sef i fynd â hwy yn rhwym at y prif offeiriaid?" Ond yr oedd Saul yn ymrymuso fwyfwy, ac yn drysu'r Iddewon oedd yn byw yn Namascus wrth brofi mai Iesu oedd y Meseia. 20 21 22

### *Saul yn Dianc rhag yr Iddewon*

Fel yr oedd dyddiau lawer yn mynd heibio, cynllwyniodd yr Iddewon i'w ladd. Ond daeth eu cynllwyn yn hysbys i Saul. Yr oeddent hefyd yn gwylio'r pyrth ddydd a nos er mwyn ei ladd ef. Ond cymerodd ei ddisgyblion ef yn y nos a'i ollwng i lawr y mur, gan ei ostwng mewn basged. 23 24 25

### *Saul yn Jerwsalem*

Wedi iddo gyrraedd Jerwsalem ceisiodd ymuno â'r disgyblion; ond yr oedd ar bawb ei ofn, gan nad oeddent yn credu ei fod yn ddisgybl. Ond cymerodd Barnabas ef a mynd ag ef at yr apostolion, ac adroddodd wrthynt fel yr oedd wedi gweld yr Arglwydd ar y ffordd, ac iddo siarad ag ef, ac fel yr oedd wedi llefaru yn hy yn Namascus yn enw Iesu. Bu gyda hwy, yn mynd i mewn ac allan yn Jerwsalem, gan lefaru'n hy yn enw yr Arglwydd; byddai'n siarad ac yn dadlau gyda'r Helenistiaid, ond yr oeddent hwy'n ceisio'i ladd ef. Pan ddaeth y brodyr i wybod, aethant ag ef i lawr i Gesarea, a'i anfon ymaith i Darsus. 26 27 28 29 30

Yr oedd yr eglwys yn awr, drwy holl Jwdea a Galilea a Samaria, yn cael heddwch. Yr oedd yn ymgyfnerthu, a thrwy rodio yn ofn yr Arglwydd ac yn niddanwch yr Ysbryd Glân yn mynd ar gynnydd. 31

### *Iachâu Aeneas*

Pan oedd Pedr yn mynd ar daith ac yn galw heibio i bawb, fe ddaeth i lawr at y saint oedd yn trigo yn Lyda. Yno cafodd ryw ddyn o'r enw Aeneas, a oedd yn gorwedd ers wyth mlynedd ar 32 33

34 ei wely, wedi ei barlysu. Dywedodd Pedr wrtho, "Aeneas, y mae Iesu Grist yn dy iacháu di; cod, a chyweiria dy wely."
35 Ac yn y fan fe gododd. Gwelodd holl drigolion Lyda a Saron ef, a throesant at yr Arglwydd.

### *Adfer Bywyd Dorcas*

36 Yr oedd yn Jopa ryw ddisgybl o'r enw Tabitha; ystyr hyn, o'i gyfieithu, yw Dorcas.* Yr oedd hon yn llawn o weithred-
37 oedd da ac o elusennau. Yr adeg honno fe glafychodd, a bu farw. Golchasant ei chorff a'i roi i orwedd mewn ystafell ar y
38 llofft. A chan fod Lyda yn agos i Jopa, pan glywodd y disgybl-ion fod Pedr yno, anfonasant ddau ddyn ato i ddeisyf arno,
39 "Tyrd drosodd atom heb oedi." Cododd Pedr ac aeth gyda hwy. Wedi iddo gyrraedd, aethant ag ef i fyny i'r ystafell, a safodd yr holl wragedd gweddwon yn ei ymyl dan wylo a dangos y crysau a'r holl ddillad yr oedd Dorcas wedi eu gwneud
40 pan oedd gyda hwy. Ond trodd Pedr bawb allan, a phenliniodd a gweddïo, a chan droi at y corff meddai, "Tabitha, cod." Agorodd hithau ei llygaid, a phan welodd Pedr, cododd ar ei
41 heistedd. Rhoddodd yntau ei law iddi a'i chodi, a galwodd y saint a'r gwragedd gweddwon, a'i chyflwyno iddynt yn fyw.
42 Aeth y peth yn hysbys drwy Jopa i gyd, a daeth llawer i gredu
43 yn yr Arglwydd. Arhosodd Pedr am beth amser yn Jopa gyda rhyw farcer o'r enw Simon.

### *Pedr a Cornelius*

**10** Yr oedd rhyw ŵr yng Nghesarea o'r enw Cornelius, canwriad
2 o'r fintai Italaidd, fel y gelwid hi; gŵr defosiynol ydoedd, yn ofni Duw, ef a'i holl deulu. Byddai'n rhoi elusennau lawer i'r
3 bobl Iddewig, ac yn gweddïo ar Dduw yn gyson. Tua thri o'r gloch y prynhawn, gwelodd yn eglur mewn gweledigaeth angel Duw yn dod i mewn ato ac yn dweud wrtho, "Cornelius."
4 Syllodd yntau arno a brawychodd, ac meddai, "Beth sydd, f'Arglwydd?" Dywedodd yr angel wrtho, "Y mae dy weddïau
5 a'th elusennau wedi esgyn yn offrwm coffa gerbron Duw. Ac yn awr anfon ddynion i Jopa i gyrchu dyn o'r enw Simon, a
6 gyfenwir Pedr. Y mae hwn yn lletya gyda rhyw farcer o'r enw

*adn. 36: enw Groeg yn golygu *Gafrewig*.

Simon, sydd â'i dŷ wrth y môr." Wedi i'r angel oedd yn llefaru 7 wrtho ymadael, galwodd ddau o'r gweision tŷ a milwr defosiynol, un o'i weision agos, ac adroddodd y cwbl wrthynt a'u 8 hanfon i Jopa.

Trannoeth, pan oedd y rhain ar eu taith ac yn agosáu at y 9 ddinas, aeth Pedr i fyny ar y to i weddïo, tua chanol dydd. Daeth chwant bwyd arno ac eisiau cael pryd; a thra oeddent 10 yn ei baratoi, llewygodd. Gwelodd y nef yn agored, a rhyw- 11 beth fel hwyl fawr yn disgyn ac yn cael ei ollwng wrth bedair congl tua'r ddaear. O'i fewn yr oedd holl bedwarcarnolion ac 12 ymlusgiaid y ddaear ac ehediaid y nef. A daeth llais ato, " Cod, 13 Pedr, lladd a bwyta ". Dywedodd Pedr, " Na, na, Arglwydd; 14 nid wyf fi erioed wedi bwyta dim halogedig nac aflan." A 15 thrachefn eilwaith meddai'r llais wrtho, " Yr hyn y mae Duw wedi ei lanhau, paid ti â'i alw'n halogedig." Digwyddodd hyn 16 deirgwaith; yna yn sydyn cymerwyd y peth i fyny i'r nef.

Tra oedd Pedr yn amau ynddo'i hun beth allai ystyr y weledigaeth fod, dyma'r dynion oedd wedi eu hanfon gan Cornelius, 17 wedi iddynt holi am dŷ Simon, yn dod a sefyll wrth y drws. Galwasant a gofyn, " A yw Simon, a gyfenwir Pedr, yn lletya 18 yma ?" Tra oedd Pedr yn synfyfyrio ynghylch y weledigaeth, 19 dywedodd yr Ysbryd, " Y mae yma ddau ddyn yn chwilio amdanat. Cod, dos i lawr, a dos gyda hwy heb amau dim, 20 oherwydd myfi sydd wedi eu hanfon." Aeth Pedr i lawr at y 21 dynion, ac meddai, " Dyma fi, y dyn yr ydych yn chwilio amdano. Pam y daethoch yma?" Meddent hwythau, " Y canwr- 22 iad Cornelius, gŵr cyfiawn sy'n ofni Duw ac sydd â gair da iddo gan holl genedl yr Iddewon, a rybuddiwyd gan angel sanctaidd i anfon amdanat i'w dŷ, ac i glywed y pethau sydd gennyt i'w dweud." Felly gwahoddodd hwy i mewn a rhoi 23 llety iddynt.

Trannoeth, cododd ac aeth ymaith gyda hwy, ac aeth rhai o'r brodyr oedd yn Jopa gydag ef. A thrannoeth, cyrhaeddodd 24 Gesarea. Yr oedd Cornelius yn eu disgwyl, ac wedi galw ynghyd ei berthnasau a'i gyfeillion agos. Wedi i Pedr ddod i 25 mewn, aeth Cornelius i'w gyfarfod, a syrthiodd wrth ei draed ac ymgrymu iddo. Ond cododd Pedr ef ar ei draed, gan 26 ddweud, " Cod ; dyn wyf finnau hefyd." A than ymddiddan 27 ag ef aeth i mewn, a chael llawer wedi ymgynnull, ac meddai 28 wrthynt, " Fe wyddoch chwi ei bod yn anghyfreithlon i ŵr o

Iddew gadw cwmni gydag estron neu ymweld ag ef; eto dangosodd Duw i mi na ddylwn alw'r un dyn yn halogedig
29 neu'n aflan. Dyna pam y deuthum, heb wrthwynebu o gwbl, pan anfonwyd amdanaf. 'Rwy'n gofyn, felly, pam yr anfon-
30 asoch amdanaf." Ac ebe Cornelius, " Pedwar diwrnod i'r awr hon, yr oeddwn ar weddi am dri o'r gloch y prynhawn yn fy
31 nhŷ, a dyma ŵr yn sefyll o'm blaen mewn gwisg ddisglair, ac meddai, ' Cornelius, y mae Duw wedi clywed dy weddi di ac
32 wedi cofio am dy elusennau. Anfon, felly, i Jopa a gwahodd atat Simon, a gyfenwir Pedr; y mae hwn yn lletya yn nhŷ
33 Simon y barcer, wrth y môr.' Anfonais atat, felly, ar unwaith, a gwelaist tithau yn dda ddod. Yn awr, ynteu, yr ydym ni bawb yma gerbron Duw i glywed popeth a orchmynnwyd i ti gan yr Arglwydd."

*Araith Pedr yn Nhŷ Cornelius*

34 A dechreuodd Pedr lefaru: " Ar fy ngwir," meddai, " 'rwy'n
35 deall nad yw Duw yn dangos ffafraeth, ond bod y sawl ym mhob cenedl sy'n ei ofni ac yn gweithredu cyfiawnder yn
36 dderbyniol ganddo ef. Y gair hwn a anfonodd i feibion Israel, gan gyhoeddi Efengyl tangnefedd drwy Iesu Grist; hwn yw
37 Arglwydd pawb. Gwyddoch chwi'r peth a fu drwy holl Jwdea, gan ddechrau yng Ngalilea wedi'r bedydd a gyhoeddodd Ioan—
38 Iesu o Nasareth, y modd yr eneiniodd Duw ef â'r Ysbryd Glân ac â nerth. Aeth ef oddi amgylch gan wneud daioni ac iacháu
39 pawb oedd dan ormes y diafol, am fod Duw gydag ef. Ac yr ydym ni'n dystion o'r holl bethau a wnaeth yng ngwlad yr Iddewon ac yn Jerwsalem. A lladdasant ef, gan ei grogi ar
40 groesbren. Ond cyfododd Duw ef ar y trydydd dydd, a pheri
41 iddo ddod yn weledig, nid i'r holl bobl, ond i dystion oedd wedi eu rhagethol gan Dduw, sef i ni, y rhai a fu'n cydfwyta ac yn cydyfed ag ef wedi iddo atgyfodi oddi wrth y meirw.
42 Gorchmynnodd i ni bregethu i'r bobl, a thystiolaethu mai hwn yw'r un a benodwyd gan Dduw yn farnwr y byw a'r meirw.
43 I hwn y mae'r holl broffwydi'n tystio, y bydd pawb sy'n credu ynddo ef yn derbyn maddeuant pechodau trwy ei enw."

*Y Cenhedloedd yn Derbyn yr Ysbryd Glân*

44 Tra oedd Pedr yn dal i lefaru'r pethau hyn, syrthiodd yr
45 Ysbryd Glân ar bawb oedd yn gwrando'r gair. Synnodd y

credinwyr Iddewig, cynifer ag oedd wedi dod gyda Pedr, am fod dawn yr Ysbryd Glân wedi ei dywallt hyd yn oed ar y Cenhedloedd; oherwydd yr oeddent yn eu clywed yn llefaru â 46 thafodau ac yn mawrygu Duw. Yna dywedodd Pedr, " A all 47 unrhyw un wrthod y dŵr i fedyddio'r rhain, a hwythau wedi derbyn yr Ysbryd Glân fel ninnau ?" A gorchmynnodd eu 48 bedyddio hwy yn enw Iesu Grist. Yna gofynasant iddo aros am rai dyddiau.

### *Adroddiad Pedr i'r Eglwys yn Jerwsalem*

Clywodd yr apostolion a'r brodyr oedd yn Jwdea fod y **11** Cenhedloedd hefyd wedi derbyn Gair Duw. Pan ddaeth Pedr i 2 fyny i Jerwsalem, dechreuodd plaid yr enwaediad ddadlau ag ef, a dweud, " Buost yn ymweld â dynion dienwaededig, ac yn 3 cydfwyta â hwy." Dechreuodd Pedr adrodd yr hanes wrthynt 4 yn ei drefn. " Yr oeddwn i," meddai, " yn nhref Jopa yn 5 gweddïo, a gwelais mewn llewyg weledigaeth; yr oedd rhywbeth fel hwyl fawr yn disgyn ac yn cael ei gollwng o'r nef wrth bedair congl, a daeth hyd ataf. Syllais arni a cheisio amgyffred; 6 gwelais bedwarcarnolion y ddaear a'r bwystfilod a'r ymlusgiaid ac ehediaid y nef. A chlywais lais yn dweud wrthyf, ' Cod, 7 Pedr, lladd a bwyta.' Ond dywedais, ' Na, na, Arglwydd; nid 8 aeth dim halogedig neu aflan erioed i'm genau.' Atebodd llais 9 o'r nef eilwaith, ' Yr hyn y mae Duw wedi ei lanhau, paid ti â'i alw'n halogedig.' Digwyddodd hyn deirgwaith, ac yna tynnwyd 10 y cyfan i fyny yn ôl i'r nef. Ac yn union dyma dri dyn yn dod a 11 sefyll wrth y tŷ lle'r oeddwn, wedi eu hanfon ataf o Gesarea. A 12 dywedodd yr Ysbryd wrthyf am fynd gyda hwy heb amau dim. Daeth y chwe brawd hyn gyda mi, ac aethom i mewn i dŷ'r dyn hwnnw. Mynegodd yntau i ni fel yr oedd wedi gweld yr angel 13 yn sefyll yn ei dŷ ac yn dweud, ' Anfon i Jopa i gyrchu Simon, a gyfenwir Pedr; fe lefara ef eiriau wrthyt, a thrwyddynt hwy 14 achubir di a'th holl deulu.' Ac nid cynt y dechreuais lefaru nag 15 y syrthiodd yr Ysbryd Glân arnynt hwy fel yr oedd wedi syrthio arnom ninnau ar y cyntaf. Cofiais air yr Arglwydd, fel yr oedd 16 wedi dweud, ' A dŵr y bedyddiodd Ioan, ond fe'ch bedyddir chwi â'r Ysbryd Glân.' Os rhoddodd Duw, ynteu, yr un rhodd 17 iddynt hwy ag i ninnau pan gredasom yn yr Arglwydd Iesu Grist, pwy oeddwn i i allu lluddias Duw ?" Ac wedi iddynt 18 glywed hyn, fe dawsant, a gogoneddu Duw gan ddweud,

" Felly rhoddodd Duw i'r Cenhedloedd hefyd yr edifeirwch a rydd fywyd."

*Yr Eglwys yn Antiochia*

19 Yn awr yr oedd y rhai a wasgarwyd oherwydd yr erlid a gododd o achos Steffan wedi teithio cyn belled â Phenice a Chyprus ac Antiochia, heb lefaru'r Gair wrth neb ond Iddewon 20 yn unig. Ond yr oedd rhai ohonynt yn wŷr o Gyprus a Chyrene a dechreusant hwy, wedi iddynt ddod i Antiochia, lefaru wrth y Groegiaid* hefyd, gan gyhoeddi'r newydd da am yr Arglwydd 21 Iesu. Yr oedd llaw'r Arglwydd gyda hwy, a mawr oedd y nifer 22 a ddaeth i gredu a throi at yr Arglwydd. Daeth yr hanes amdanynt i glustiau'r eglwys oedd yn Jerwsalem, ac anfonasant 23 Barnabas allan i Antiochia. Wedi iddo gyrraedd, a gweld gras Duw, yr oedd yn llawen, a bu'n annog pawb i lynu wrth yr 24 Arglwydd o wir fwriad calon; achos yr oedd yn ddyn da, yn llawn o'r Ysbryd Glân ac o ffydd. A chwanegwyd cryn dyrfa 25 i'r Arglwydd. Yna fe aeth ymaith i Darsus i geisio Saul, 26 ac wedi ei gael daeth ag ef i Antiochia. Am flwyddyn gyfan cawsant gydymgynnull gyda'r eglwys a dysgu cryn dyrfa; ac yn Antiochia y cafodd y disgyblion yr enw Cristionogion gyntaf.

27 Yn y dyddiau hynny daeth proffwydi i lawr o Jerwsalem i 28 Antiochia, a chododd un ohonynt, o'r enw Agabus, a rhoi arwydd trwy'r Ysbryd fod newyn mawr ar ddod dros yr holl 29 fyd; ac felly y bu yn amser Claudius. Penderfynodd y disgyblion, bob un ohonynt, gyfrannu, yn ôl fel y gallai fforddio, at 30 gynhaliaeth y brodyr oedd yn trigo yn Jwdea. Gwnaethant hynny, ac anfon eu cyfraniad at yr henuriaid trwy law Barnabas a Saul.

*Lladd Iago a Charcharu Pedr*

**12** Tua'r amser hwnnw, fe gymerodd y Brenin Herod afael ar 2 rai o aelodau'r eglwys i'w drygu. Fe laddodd Iago, brawd Ioan, 3 â'r cleddyf. Pan welodd fod hyn yn gymeradwy gan yr Iddewon, aeth ymlaen i ddal Pedr hefyd. Yn ystod dyddiau Gŵyl y 4 Bara Croyw y bu hyn. Wedi dal Pedr, fe'i rhoddodd yng ngharchar, a'i draddodi i bedwar pedwariad o filwyr i'w warchod, gan fwriadu dod ag ef gerbron, ar ôl y Pasg, yng ngŵydd y 5 bobl. Felly yr oedd Pedr dan warchodaeth yn y carchar. Ond yr oedd yr eglwys yn gweddïo'n daer ar Dduw ar ei ran.

*adn. 20: yn ôl darlleniad arall, *yr Helenistiaid.*

*Rhyddhau Pedr o'r Carchar*

Pan oedd Herod ar fin ei ddwyn gerbron, y nos honno yr oedd Pedr yn cysgu rhwng dau filwr, wedi ei rwymo â dwy gadwyn, a gwylwyr o flaen y drws yn gwarchod y carchar. A dyma angel yr Arglwydd yn sefyll yno, a goleuni yn disgleirio yn y gell. Trawodd Bedr ar ei ystlys, a'i ddeffro a dweud, " Cod ar unwaith." A syrthiodd ei gadwynau oddi ar ei ddwylo. Meddai'r angel wrtho, " Rho dy wregys a gwisg dy sandalau." Ac felly y gwnaeth. Meddai wrtho wedyn, " Rho dy fantell amdanat, a chanlyn fi." Ac fe'i canlynodd oddi yno. Ni wyddai fod yr hyn oedd yn cael ei gyflawni drwy'r angel yn digwydd mewn gwirionedd, ond yr oedd yn tybio mai gweld gweledigaeth yr oedd. Aethant heibio i'r wyliadwriaeth gyntaf a'r ail, a daethant at y porth haearn oedd yn arwain i'r ddinas; agorodd hwn iddynt ohono'i hun, ac aethant allan a mynd rhagddynt hyd un heol. Yna'n ebrwydd ymadawodd yr angel ag ef. Wedi i Pedr ddod ato'i hun, fe ddywedodd, " Yn awr mi wn yn wir i'r Arglwydd anfon ei angel a'm gwared i o law Herod a rhag popeth yr oedd yr Iddewon yn ei ddisgwyl." Wedi iddo sylweddoli hyn, aeth i dŷ Mair, mam Ioan a gyfenwid Marc, lle'r oedd cryn nifer wedi ymgasglu ac yn gweddïo. Curodd wrth ddrws y cyntedd, a daeth morwyn, o'r enw Rhoda, i'w ateb. Pan adnabu hi lais Pedr nid agorodd y drws gan lawenydd, ond rhedodd i mewn a mynegodd fod Pedr yn sefyll wrth ddrws y cyntedd. Dywedasant wrthi, " 'Rwyt ti'n wallgof." Ond taerodd hithau mai felly yr oedd. Meddent hwythau, " Ei angel ydyw." Yr oedd Pedr yn dal i guro, ac wedi iddynt agor a'i weld, fe'u syfrdanwyd. Amneidiodd yntau arnynt â'i law i fod yn ddistaw, ac adroddodd wrthynt sut yr oedd yr Arglwydd wedi dod ag ef allan o'r carchar. Dywedodd hefyd, " Mynegwch hyn i Iago a'r brodyr." Yna ymadawodd, ac aeth ymaith i le arall. 6 7 8 9 10 11 12 13 14 15 16 17

Wedi iddi ddyddio, yr oedd cynnwrf nid bychan ymhlith y milwyr: beth allai fod wedi digwydd i Pedr? Wedi i Herod chwilio amdano a methu ei gael, holodd y gwylwyr a gorchmynnodd eu dienyddio. Yna aeth i lawr o Jwdea i Gesarea, ac aros yno. 18 19

*Marwolaeth Herod*

Yr oedd Herod yn gynddeiriog yn erbyn gwŷr Tyrus a Sidon. Ond daethant hwy yn unfryd ato, ac wedi ennill Blastus, 20

siambrlen y brenin, o'u plaid, deisyfasant heddwch, am fod eu
21 gwlad hwy yn cael ei chynhaliaeth o wlad y brenin. Ar ddi-
wrnod penodedig, a'i wisg frenhinol amdano, eisteddodd Herod
22 ar ei orsedd a dechrau gwneud araith iddynt; a bloeddiodd y
23 bobl, " Llais Duw ydyw, nid llais dyn !" Yn y fan trawodd
angel yr Arglwydd ef, am nad oedd wedi rhoi'r gogoniant i
Dduw; ac fe'i hyswyd gan bryfed, a threngodd.

24 Yr oedd Gair yr Arglwydd yn cynyddu ac yn mynd ar led.
25 Dychwelodd Barnabas a Saul o* Jerwsalem wedi iddynt
gyflawni eu gwaith, a chymryd gyda hwy Ioan, a gyfenwid
Marc.

*Rhoi Comisiwn i Barnabas a Saul*

**13** Yr oedd yn yr eglwys oedd yn Antiochia broffwydi ac
athrawon—Barnabas a Simeon, a elwid Niger, a Lwcius o
Gyrene a Manaen, un o wŷr llys y Tywysog Herod, a Saul.
2 Tra oeddent hwy'n offrymu addoliad i'r Arglwydd ac yn ym-
prydio, dywedodd yr Ysbryd Glân, " Neilltuwch yn awr i mi
3 Barnabas a Saul, i'r gwaith yr wyf wedi eu galw iddo." Yna
wedi ymprydio a gweddïo a rhoi eu dwylo arnynt, gollyngasant
hwy.

*Yr Apostolion yn Pregethu yng Nghyprus*

4 Felly, wedi eu hanfon allan gan yr Ysbryd Glân, daeth y
5 rhain i lawr i Seleucia, ac oddi yno hwylio i Gyprus. Wedi
cyrraedd Salamis, cyhoeddasant air Duw yn synagogau'r
Iddewon. Yr oedd ganddynt Ioan hefyd yn gynorthwywr.
6 Aethant drwy'r holl ynys hyd Paffos, a chael yno ryw ddewin,
7 gau-broffwyd o Iddew, o'r enw Bar-Iesu; yr oedd hwn gyda'r
rhaglaw, Sergius Paulus, gŵr deallus. Galwodd hwnnw
8 Barnabas a Saul ato, a cheisio cael clywed gair Duw. Ond yr
oedd Elymas y dewin (felly y cyfieithir ei enw) yn eu gwrth-
9 wynebu, a cheisio gŵyrdroi'r rhaglaw oddi wrth y ffydd. Ond
dyma Saul (a elwir hefyd yn Paul), wedi ei lenwi â'r Ysbryd
10 Glân, yn syllu arno a dweud, " Ti, sy'n llawn o bob twyll a
phob dichell, fab diafol, gelyn pob cyfiawnder, oni pheidi di â
11 gŵyrdroi union ffyrdd yr Arglwydd ? Yn awr dyma law'r
Arglwydd arnat, ac fe fyddi'n ddall, heb weld yr haul, am beth
amser." Ac yn y fan syrthiodd arno niwl a thywyllwch, a dyna

*adn. 25: yn ôl darlleniad arall, *i*.

lle'r oedd yn ymbalfalu am rywun i estyn llaw iddo. Yna pan welodd y rhaglaw beth oedd wedi digwydd, daeth i gredu, wedi ei synnu'n fawr gan y ddysgeidiaeth am yr Arglwydd. 12

*Paul a Barnabas yn Antiochia Pisidia*

Wedi hwylio o Paffos, daeth Paul a'i gymdeithion i Perga yn Pamffylia. Ond cefnodd Ioan arnynt, a dychwelyd i Jerwsalem. 13 Aethant hwythau yn eu blaenau o Perga a chyrraedd Antiochia Pisidia, ac aethant i'r synagog ar y dydd Saboth, ac eistedd yno. 14 Ar ôl y darllen o'r Gyfraith a'r proffwydi, anfonodd arweinwyr y synagog atynt a gofyn: "Frodyr, os oes gennych air o anogaeth i'r bobl, traethwch." 15 Cododd Paul, ac wedi amneidio â'i law dywedodd: 16

"Wŷr Israel, a chwi sy'n ofni Duw, gwrandewch. 17 Duw'r bobl hyn, Israel, fe ddewisodd hwn ein tadau ni, a dyrchafodd y bobl pan oeddent yn estroniaid yng ngwlad yr Aifft, ac â braich estynedig fe ddaeth â hwy allan oddi yno. 18 Am ryw ddeugain mlynedd bu'n cydymddwyn â hwy* yn yr anialwch. 19 Yna dinistriodd saith cenedl yng ngwlad Canaan, a rhoi eu tir hwy yn etifeddiaeth iddynt am ryw bedwar can mlynedd a 20 hanner. Ac wedi hynny rhoddodd iddynt farnwyr hyd at y proffwyd Samuel. 21 Ar ôl hyn gofynasant am gael brenin, a rhoddodd Duw iddynt Saul, mab Cis, gŵr o lwyth Benjamin, am ddeugain mlynedd. 22 Yna fe'i diorseddodd ef, a chodi Dafydd yn frenin iddynt, a thystiolaethu iddo gan ddweud, 'Cefais Ddafydd fab Jesse yn ŵr wrth fodd fy nghalon, un sy'n gwneud popeth yr wyf yn ei ddymuno.' 23 O blith disgynyddion hwn y daeth Duw, yn ôl ei addewid, â Gwaredwr i Israel, sef Iesu. 24 Yr oedd Ioan eisoes, cyn iddo ef ddod, wedi cyhoeddi bedydd edifeirwch i holl bobl Israel. 25 Ac wrth ei fod yn cwblhau ei yrfa, dywedodd Ioan, 'Beth yr ydych chwi'n tybio fy mod? Nid hynny wyf fi. Na, dyma un yn dod ar f'ôl i nad wyf fi'n deilwng i ddatod yr esgidiau am ei draed.'

26 "Frodyr, meibion cenedl Abraham a'r rhai yn eich plith sy'n ofni Duw, i ni yr anfonwyd gair yr iachawdwriaeth hon. 27 Oherwydd nid adnabu trigolion Jerwsalem a'u llywodraethwyr mo hwn; ni ddeallasant chwaith eiriau'r proffwydi a ddarllenir bob Saboth, ond eu cyflawni trwy ei gondemnio ef. 28 Er na

---

*adn. 18: yn ôl darlleniad arall, *bu'n eu meithrin.*

chawsant ddim rheswm dros ei roi i farwolaeth, ceisiasant gan
29 Pilat ei ladd; ac wedi iddynt ddwyn i ben bopeth oedd wedi ei ysgrifennu amdano, tynasant ef i lawr oddi ar y croesbren a'i
30 roi mewn bedd. Ond cyfododd Duw ef oddi wrth y meirw;
31 ac fe ymddangosodd dros ddyddiau lawer i'r rhai oedd wedi dod i fyny gydag ef o Galilea i Jerwsalem, ac y mae'r rhain yn
32 awr yn dystion iddo i'r bobl. Yr ydym ninnau yn cyhoeddi i
33 chwi newydd da am yr addewid a wnaed i'r tadau, fod Duw wedi ei llwyr gyflawni hi i ni eu plant* trwy atgyfodi Iesu, fel y mae'n ysgrifenedig hefyd yn yr ail Salm:

'Fy mab wyt ti;
myfi heddiw a'th genhedlodd di.'

34 Ac ynglŷn â'i fod wedi ei atgyfodi ef oddi wrth y meirw, byth i ddychwelyd mwy i lygredigaeth, y mae wedi dweud fel hyn:

'Rhoddaf i chwi y pethau sanctaidd sy'n perthyn i Ddafydd, y pethau sicr.'

35 Oherwydd mewn lle arall eto y mae'n dweud:

'Ni adewi i'th Sanct weld llygredigaeth.'

36 Canys Dafydd, wedi iddo yn ei genhedlaeth ei hun wasanaethu ewyllys Duw, fe hunodd ef, ac fe'i rhoddwyd i orffwys gyda'i
37 dadau, a gwelodd lygredigaeth; ond yr hwn a gyfododd Duw,
38 ni welodd hwnnw lygredigaeth. Felly bydded hysbys i chwi, frodyr, mai trwy hwn y cyhoeddir i chwi faddeuant pechodau,
39 a thrwy hwn y rhyddheir pawb sy'n credu oddi wrth yr holl bethau nad oedd modd eich rhyddhau oddi wrthynt trwy
40 Gyfraith Moses. Gwyliwch, ynteu, na ddaw arnoch yr hyn a ddywedwyd yn y proffwydi:

41 'Gwelwch, chwi ddirmygwyr,
a rhyfeddwch, a diflannwch,
canys yr wyf fi'n cyflawni gweithred yn eich dyddiau chwi,
gweithred na chredwch ynddi byth, er ei hadrodd yn llawn i chwi.' "

42 Wrth iddynt fynd allan, yr oedd y bobl yn deisyf arnynt
43 lefaru'r pethau hyn wrthynt y Saboth wedyn. Wedi i'r gynulleidfa gael ei gollwng, aeth llawer o'r Iddewon, ac o'r proselytiaid oedd yn addolwyr Duw, ar ôl Paul a Barnabas, a buont hwythau yn llefaru wrthynt a'u hannog i lynu wrth ras Duw.
44 Y Saboth dilynol, daeth yr holl ddinas bron ynghyd i glywed

*adn. 33: yn ôl darlleniad arall, *i'n plant.*

gair yr Arglwydd. Pan welodd yr Iddewon y tyrfaoedd fe'u llanwyd â chenfigen, ac yr oeddent yn gwrthddweud y pethau yr oedd Paul yn eu llefaru, gan ei ddifenwi. Yna llefarodd Paul a Barnabas yn hy: " I chwi," meddent, " yr oedd yn rhaid llefaru gair Duw yn gyntaf. Ond gan eich bod yn ei wrthod, ac yn eich dyfarnu eich hunain yn annheilwng o'r bywyd tragwyddol, dyma ni'n troi at y Cenhedloedd. Oblegid hyn yw gorchymyn yr Arglwydd i ni : 45 46 47

' Gosodais di yn oleuni'r Cenhedloedd
er mwyn iti fod yn gyfrwng iachawdwriaeth hyd eithaf y ddaear.' "

Wrth glywed hyn, yr oedd y Cenhedloedd yn llawenychu a gogoneddu gair yr Arglwydd, a chredodd cynifer ag oedd wedi eu penodi i fywyd tragwyddol. Yr oedd gair yr Arglwydd yn ymdaenu drwy'r holl fro. Ond fe gyffrôdd yr Iddewon y gwragedd bonheddig oedd yn addolwyr Duw, a phrif wŷr y ddinas, a chodasant erlid yn erbyn Paul a Barnabas, a'u bwrw allan o'u hardal. Ysgydwasant hwythau'r llwch oddi ar eu traed yn eu herbyn, a daethant i Iconium. A llanwyd y disgyblion â llawenydd ac â'r Ysbryd Glân. 48 49 50 51 52

*Paul a Barnabas yn Iconium*

**14** Yn Iconium eto, aethant* i mewn i synagog yr Iddewon a llefaru yn y fath fodd nes i liaws mawr o Iddewon a Groegiaid gredu. Ond dyma'r Iddewon a wrthododd gredu yn cyffroi meddyliau'r Cenhedloedd, a'u gŵyrdroi yn erbyn y brodyr. Treuliasant, felly, gryn amser yn llefaru'n hy yn yr Arglwydd, a thystiodd yntau i air ei ras trwy beri gwneud arwyddion a rhyfeddodau trwy eu llaw. Rhannwyd pobl y ddinas; yr oedd rhai gyda'r Iddewon, a rhai gyda'r apostolion. Pan wnaed cynnig gan y Cenhedloedd a'r Iddewon, ynghyd â'u harweinwyr, i'w cam-drin a'u llabyddio, wedi cael achlust o'r peth ffoesant i Lystra a Derbe, dinasoedd Lycaonia, ac i'r wlad o amgylch, ac yno yr oeddent yn cyhoeddi'r newydd da. 2 3 4 5 6 7

*Paul a Barnabas yn Lystra*

Ac yn Lystra yr oedd yn eistedd ryw ddyn â'i draed yn ddiffrwyth, un cloff o'i enedigaeth, nad oedd erioed wedi cerdded. 8

*adn. 1: neu, *aethant ynghyd.*

9 Yr oedd hwn yn gwrando ar Paul yn llefaru. Syllodd yntau
10 arno, a gwelodd fod ganddo ffydd i gael ei iacháu, a dywedodd â llais uchel, " Saf yn unionsyth ar dy draed." Neidiodd yntau
11 i fyny a dechrau cerdded. Pan welodd y tyrfaoedd yr hyn yr oedd Paul wedi ei wneud, gwaeddasant yn iaith Lycaonia:
12 " Y duwiau a ddaeth i lawr atom ar lun dynion "; a galwasant Barnabas yn Zeus, a Paul yn Hermes, gan mai ef oedd y siarad-
13 wr blaenaf. Yr oedd teml Zeus y tu allan i'r ddinas, a daeth yr offeiriad â theirw a thorchau at y pyrth gan fwriadu offrymu
14 aberth gyda'r tyrfaoedd. Pan glywodd yr apostolion, Barnabas a Paul, am hyn, rhwygasant eu dillad, a neidio allan i blith y
15 dyrfa dan weiddi, " Ddynion, pam yr ydych yn gwneud hyn? Bodau dynol ydym ninnau, o'r un anian â chwi. Cyhoeddi newydd da i chwi yr ydym, i'ch troi oddi wrth y pethau ofer hyn at y Duw byw a wnaeth y nef a'r ddaear a'r môr a phopeth
16 sydd ynddynt. Yn yr oesoedd a fu, goddefodd ef i'r holl gen-
17 hedloedd rodio yn eu ffyrdd eu hunain. Ac eto ni adawodd ei hun heb dÿst, gan iddo gyfrannu bendithion: rhoi glaw i chwi o'r nef, a thymhorau ffrwythlon, a chyflawnder calon o luniaeth
18 a llawenydd." Ond er dweud hyn, o'r braidd yr ataliasant y tyrfaoedd rhag offrymu aberth iddynt.

19 Daeth Iddewon yno o Antiochia ac Iconium; ac wedi iddynt berswadio'r tyrfaoedd, lluchiasant gerrig at Paul, a'i lusgo allan
20 o'r ddinas, gan dybio ei fod wedi marw. Ond ffurfiodd y disgyblion gylch o'i gwmpas, a chododd yntau ac aeth i mewn i'r ddinas. Trannoeth, aeth ymaith gyda Barnabas i Dderbe.

### *Dychwelyd i Antiochia yn Syria*

21 Buont yn cyhoeddi'r newydd da i'r ddinas honno, ac wedi gwneud disgyblion lawer, dychwelsant i Lystra ac i Iconium
22 ac i Antiochia, a chadarnhau eneidiau'r disgyblion a'u hannog i lynu wrth y ffydd, gan ddweud, " Trwy lawer o gyfyngderau
23 yr ydym i fynd i mewn i deyrnas Dduw." Penodasant iddynt henuriaid ymhob eglwys, a'u cyflwyno, ar ôl gweddïo ac ym-prydio, i'r Arglwydd, yr hwn yr oeddent wedi credu ynddo.
24,25 Wedi iddynt deithio drwy Pisidia, daethant i Pamffylia; ac
26 wedi llefaru'r gair yn Perga, aethant i lawr i Atalia, ac oddi yno hwyliasant i Antiochia, i'r fan lle'r oeddent wedi eu cyflwyno i ras Duw at y gwaith yr oeddent wedi ei gyflawni.

Wedi iddynt gyrraedd, cynullasant yr eglwys ynghyd ac adrodd 27 gymaint yr oedd Duw wedi ei wneud gyda hwy, ac fel yr oedd wedi agor drws ffydd i'r Cenhedloedd. A threuliasant gryn 28 dipyn o amser gyda'r disgyblion.

*Y Cyngor yn Jerwsalem*

Yna daeth rhai i lawr o Jwdea a dysgu'r brodyr: "Os nad **15** enwaedir arnoch yn ôl defod Moses, ni ellir eich achub." A 2 chododd ymryson ac ymddadlau nid bychan rhyngddynt a Paul a Barnabas, a threfnwyd bod Paul a Barnabas, a rhai eraill o'u plith, yn mynd i fyny at yr apostolion a'r henuriaid yn Jerwsalem ynglŷn â'r cwestiwn yma. Felly anfonwyd hwy gan 3 yr eglwys, ac ar eu taith trwy Phenice a Samaria buont yn adrodd yr hanes am dröedigaeth y Cenhedloedd, a pharasant lawenydd mawr i'r holl frodyr. Wedi iddynt gyrraedd Jerwsa- 4 lem, fe'u derbyniwyd gan yr eglwys a'r apostolion a'r henuriaid, a mynegasant gymaint yr oedd Duw wedi ei wneud. Ond 5 cododd rhai credinwyr oedd o sect y Phariseaid, a dweud, "Y mae'n rhaid enwaedu arnynt, a'u gorchymyn i gadw Cyfraith Moses."

Ymgynullodd yr apostolion a'r henuriaid i ystyried y mater 6 yma. Ar ôl llawer o ddadlau, cododd Pedr a dywedodd wrth- 7 ynt: "Frodyr, gwyddoch chwi fod Duw yn y dyddiau cynnar yn eich plith wedi dewis bod y Cenhedloedd, trwy fy ngenau i, yn cael clywed gair yr Efengyl, a chredu. Ac y mae Duw, sy'n 8 adnabod calonnau, wedi dwyn tystiolaeth iddynt trwy roi iddynt hwy yr Ysbryd Glân yr un fath ag i ninnau; ac ni 9 wnaeth ddim gwahaniaeth rhyngom ni a hwythau, gan iddo lanhau eu calonnau hwy drwy ffydd. Yn awr, ynteu, pam yr 10 ydych yn rhoi prawf ar Dduw trwy osod ar war y disgyblion iau na allodd ein tadau na ninnau mo'i dwyn? Ond yr ydym ni'n 11 credu mai trwy ras yr Arglwydd Iesu yr achubir ni, a hwythau yr un modd."

Tawodd yr holl gynulliad, a gwrando ar Barnabas a Paul yn 12 adrodd am yr holl arwyddion a rhyfeddodau yr oedd Duw wedi eu gwneud ymhlith y Cenhedloedd drwyddynt hwy. Wedi 13 iddynt dewi, dywedodd Iago, "Frodyr, gwrandewch arnaf fi. Y mae Simeon wedi dweud sut y gofalodd Duw gyntaf am gael 14 o blith y Cenhedloedd bobl yn dwyn ei enw. Ac y mae geiriau'r 15 proffwydi yn cytuno â hyn, fel y mae'n ysgrifenedig:

16 ' " Ar ôl hyn dychwelaf,
ac adeiladaf drachefn babell syrthiedig Dafydd,
adeiladaf ei hadfeilion drachefn,
a'i hatgyweirio,
17 fel y ceisier yr Arglwydd gan y gweddill o ddynion,
a chan yr holl Genhedloedd a alwyd wrth fy enw i,"
18 medd yr Arglwydd, sy'n gwneud y pethau hyn yn
hysbys erioed.'

19 Felly fy marn i yw na ddylem boeni'r rhai o blith y Cenhedl-
20 oedd sy'n troi at Dduw, ond ysgrifennu atynt am iddynt ym-
gadw rhag bwyta pethau sydd wedi eu halogi gan eilunod, a
rhag anlladrwydd,* a rhag bwyta na'r hyn sydd wedi ei dagu,
21 na gwaed.** Oherwydd y mae gan Moses, er yr oesau cyntaf.
rai sy'n ei bregethu ym mhob tref, ac fe'i darllenir yn y synagog-
au bob Saboth."

### *Y Cyngor yn Ateb*

22 Yna penderfynodd yr apostolion a'r henuriaid, ynghyd â'r
holl eglwys, ethol gwŷr o'u plith a'u hanfon i Antiochia gyda
Paul a Barnabas, sef Jwdas, a elwid Barsabas, a Silas, gwŷr
23 blaenllaw ymhlith y brodyr. Rhoesant y llythyr hwn iddynt i
fynd yno: " Y brodyr, yn apostolion a henuriaid, at y brodyr
sydd o blith y Cenhedloedd yn Antiochia a Syria a Chilicia,
24 cyfarchion. Oherwydd inni glywed fod rhai ohonom ni wedi'ch
tarfu â'u geiriau, ac ansefydlu eich meddyliau, heb i ni eu
25 gorchymyn, yr ydym wedi penderfynu'n unfryd ddewis gwŷr
i'w hanfon atoch gyda'n cyfeillion annwyl, Barnabas a Paul,
26 dynion sydd wedi cysegru eu bywydau dros enw ein Harglwydd
27 Iesu Grist. Felly yr ydym yn anfon Jwdas a Silas, a byddant
28 hwy'n mynegi yr un neges ar lafar. Penderfynwyd gan yr
Ysbryd Glân a chennym ninnau beidio â gosod arnoch ddim
29 mwy o faich na'r pethau angenrheidiol hyn: ymgadw rhag
bwyta yr hyn sydd wedi ei aberthu i eilunod, neu waed, neu'r

---

*adn. 20: y mae rhai llawysgrifau yn gadael allan *a rhag anlladrwydd.*

**adn. 20: yn ôl darlleniad arall, *rhag bwyta pethau sydd wedi eu halogi gan eilunod, a rhag anlladrwydd, a rhag gwaed, ac i beidio â gwneud i eraill yr hyn na hoffent iddo ddigwydd iddynt eu hunain.*

hyn sydd wedi ei dagu, a rhag anlladrwydd.* Os cadwch rhag y pethau hyn, fe wnewch yn dda. Ffarwel."

Anfonwyd hwy, felly, a daethant i lawr i Antiochia, ac wedi 30 galw'r gynulleidfa ynghyd, cyflwynwyd y llythyr. Wedi ei 31 ddarllen, yr oeddent yn llawen ar gyfrif yr anogaeth yr oedd yn ei rhoi. Gan fod Jwdas a Silas hwythau'n broffwydi, dywedasant 32 lawer i annog y brodyr a'u cadarnhau. Wedi iddynt dreulio 33 peth amser fe'u hanfonwyd mewn tangnefedd oddi wrth y brodyr yn ôl at y rhai a'u hanfonodd.* Arhosodd Paul a 35 Barnabas yn Antiochia, gan ddysgu a phregethu gair yr Arglwydd, ynghyd â llawer eraill.

### *Paul a Barnabas yn Ymwahanu*

Wedi rhai dyddiau, dywedodd Paul wrth Barnabas, "Gad- 36 ewch inni ddychwelyd, yn awr, ac ymweld â'r brodyr ym mhob un o'r dinasoedd y buom yn cyhoeddi gair yr Arglwydd ynddynt, i weld sut y mae hi arnynt." Yr oedd Barnabas yn 37 dymuno cymryd Ioan, a elwid Marc, gyda hwy; ond yr oedd 38 Paul yn barnu na ddylent gymryd yn gydymaith un oedd wedi cefnu arnynt yn Pamffylia, a heb gydweithio â hwy. Bu 39 cymaint cynnen rhyngddynt nes iddynt ymwahanu. Cymerodd Barnabas Marc, a hwylio i Gyprus; ond dewisodd Paul Silas, 40 ac aeth i ffwrdd, wedi ei gyflwyno gan y brodyr i ras yr Arglwydd. A bu'n teithio drwy Syria a Chilicia, gan gadarnhau'r 41 eglwysi.

### *Timotheus yn Mynd gyda Paul a Silas*

Cyrhaeddodd Dderbe a Lystra. Yno yr oedd disgybl o'r **16** enw Timotheus, mab i wraig grediniol o Iddewes, a'i dad yn Roegwr. Yr oedd gair da iddo gan y brodyr yn Lystra ac 2 Iconium. Yr oedd Paul am i hwn fynd ymaith gydag ef, a 3 chymerodd ef ac enwaedu arno, o achos yr Iddewon oedd yn y lleoedd hynny, oherwydd yr oeddent i gyd yn gwybod mai

---

*adn. 29: y mae rhai llawysgrifau yn gadael allan *a rhag anlladrwydd.* Yn ôl darlleniad arall, *rhag bwyta yr hyn sydd wedi ei aberthu i eilunod, a rhag gwaed, a rhag anlladrwydd, ac i beidio â gwneud i eraill yr hyn na hoffech iddo ddigwydd i chwi eich hunain.*

*adn. 33: ychwanega rhai llawysgrifau adn. 34: *Ond penderfynodd Silas aros yno.*

4 Groegwr oedd ei dad. Fel yr oeddent yn teithio drwy'r dinasoedd, yr oeddent yn traddodi iddynt, er mwyn iddynt eu cadw, y gorchmynion a ddyfarnwyd gan yr apostolion a'r henuriaid
5 oedd yn Jerwsalem. Felly yr oedd yr eglwysi yn ymgadarnhau yn y ffydd, ac yn amlhau mewn rhif beunydd.

### *Y Gŵr o Facedonia yn ymddangos i Paul*

6 Aethant trwy ranbarth Phrygia a Galatia, ar ôl i'r Ysbryd
7 Glân eu rhwystro rhag llefaru'r gair yn Asia. Wedi iddynt ddod hyd at Mysia, yr oeddent yn ceisio mynd i Bithynia, ond
8 ni chaniataodd ysbryd Iesu iddynt. Ac aethant heibio i Mysia,
9 a dod i lawr i Troas. Ymddangosodd gweledigaeth i Paul un noson—gŵr o Facedonia yn sefyll ac yn ymbil arno a dweud,
10 " Tyrd drosodd i Facedonia, a chymorth ni." Pan gafodd ef y weledigaeth, rhoesom gynnig ar fynd i Facedonia ar ein hunion, gan gasglu mai Duw oedd wedi ein galw i gyhoeddi'r newydd da iddynt hwy.

### *Tröedigaeth Lydia*

11 Ac wedi hwylio o Troas, aethom ar union hynt i Samothrace,
12 a thrannoeth i Neapolis, ac oddi yno i Philipi; dinas yw hon yn rhanbarth gyntaf Macedonia,*ac y mae'n drefedigaeth Rufeinig.
13 Buom yn treulio rhai dyddiau yn y ddinas hon. Ar y dydd Saboth aethom y tu allan i'r porth at lan afon gan dybio fod yno le gweddi. Wedi eistedd, dechreusom lefaru wrth y gwragedd
14 oedd wedi dod ynghyd. Ac yn gwrando yr oedd gwraig o'r enw Lydia, un oedd yn gwerthu porffor, o ddinas Thyatira, ac un oedd yn addoli Duw. Agorodd yr Arglwydd ei chalon hi i
15 ddal ar y pethau yr oedd Paul yn eu dweud. Fe'i bedyddiwyd hi a'i theulu, ac yna deisyfodd arnom, gan ddweud, " Os ydych yn barnu fy mod yn credu yn yr Arglwydd, dewch i mewn ac arhoswch yn fy nhŷ." A mynnodd ein cael yno.

### *I'r Carchar yn Philipi*

16 Rhyw dro pan oeddem ar ein ffordd i'r lle gweddi, daeth rhyw eneth â chanddi ysbryd dewiniaeth i'n cyfarfod, un oedd yn dwyn elw mawr i'w meistri trwy ragfynegi pethau.
17 Dilynodd hon Paul a ninnau, a gweiddi: " Gweision y Duw

---

*adn. 12: yn ôl darlleniad arall, *hon yw prif ddinas rhanbarth Macedonia.*

Goruchaf yw'r dynion hyn, ac y maent yn cyhoeddi i chwi ffordd iachawdwriaeth." Gwnaeth hyn am ddyddiau lawer. 18 Blinodd Paul arni, a throes ar yr ysbryd a dweud: " 'Rwy'n gorchymyn i ti, yn enw Iesu Grist, ddod allan ohoni." Ac allan y daeth, y munud hwnnw. Pan welodd ei meistri hi fod eu 19 gobaith am elw wedi diflannu, daliasant Paul a Silas, a'u llusgo i'r farchnadfa o flaen yr awdurdodau, ac wedi dod â hwy ger- 20 bron yr ynadon, meddent: " Y mae'r dynion yma'n cythryblu ein dinas ni; Iddewon ydynt, ac y maent yn cyhoeddi defodau 21 nad yw gyfreithlon i ni, sy'n Rhufeinwyr, eu derbyn na'u harfer." Yna ymunodd y dyrfa yn yr ymosod arnynt. Rhwyg- 22 odd yr ynadon eu dillad oddi amdanynt, a gorchymyn eu curo â gwialennod. Ac wedi rhoi curfa dost iddynt bwriasant hwy i 23 garchar, gan rybuddio ceidwad y carchar i'w cadw yn ddiogel. Gan iddo gael y fath rybudd, bwriodd yntau hwy i'r carchar 24 mewnol, a rhwymo'u traed yn y cyffion.

Tua hanner nos, yr oedd Paul a Silas yn gweddïo ac yn canu 25 mawl i Dduw, a'r carcharorion yn gwrando arnynt. Ac yn 26 sydyn bu daeargryn mawr, nes siglo seiliau'r carchar. Agor-wyd yr holl ddrysau yn y fan, a datodwyd rhwymau pawb. Deffrôdd ceidwad y carchar, a phan welodd ddrysau'r carchar 27 yn agored, tynnodd ei gleddyf ac yr oedd ar fin ei ladd ei hun, gan dybio fod ei garcharorion wedi dianc, pan waeddodd Paul 28 yn uchel, " Paid â gwneud dim niwed i ti dy hun; yr ydym yma i gyd." Galwodd ef am oleuadau, a rhuthrodd i mewn; daeth 29 cryndod arno, a syrthiodd o flaen Paul a Silas. Yna daeth â 30 hwy allan a dweud, " Foneddigion, beth sy raid imi ei wneud i gael fy achub?" Dywedasant hwythau, " Cred yn yr 31 Arglwydd Iesu, ac fe gei dy achub, ti a'th deulu." A thraeth- 32 asant air yr Arglwydd wrtho ef ac wrth bawb oedd yn ei dŷ. Er ei bod yn hwyr y nos, aeth ef â hwy a golchi eu briwiau; ac 33 yn union wedyn fe'i bedyddiwyd ef a phawb o'i deulu. Yna, 34 wedi dod â hwy i'w dŷ, gosododd bryd o fwyd o'u blaen, a gorfoleddodd gyda'i holl deulu am ei fod wedi credu yn Nuw.

Pan ddaeth yn ddydd, anfonodd yr ynadon y rhingylliaid â'r 35 neges: " Gollwng y dynion hynny yn rhydd." Adroddodd 36 ceidwad y carchar y neges wrth Paul: " Y mae'r ynadon wedi anfon gair i'ch gollwng yn rhydd. Felly, dewch allan yn awr, ac ewch mewn tangnefedd." Ond atebodd Paul hwy, " Cyn 37 ein bwrw ni i garchar, fflangellasant ni ar goedd, heb farnu ein hachos, er ein bod yn ddinasyddion Rhufain. A ydynt yn awr am gael ein bwrw ni allan yn ddirgel? Nac ydynt, yn wir! 38 Gadewch iddynt ddod eu hunain a'n tywys ni allan." Adroddodd y rhingylliaid y neges hon wrth yr ynadon, a chawsant hwy 39 fraw pan glywsant mai Rhufeinwyr oedd Paul a Silas. Aethant i ymddiheuro iddynt, ac wedi eu tywys hwy allan, gofynasant 40 iddynt fynd i ffwrdd o'r ddinas. Wedi dod allan o'r carchar, aethant i dŷ Lydia, a gwelsant y brodyr, a'u calonogi. Yna aethant ymaith.

### *Y Cyffro yn Thesalonica*

**17** Aethant ar hyd y ffordd trwy Amffipolis ac Apolonia, a chyr- 2 raedd Thesalonica, lle yr oedd synagog gan yr Iddewon. Ac yn ôl ei arfer aeth Paul i mewn atynt, ac am dri Saboth bu'n 3 ymresymu â hwy ar sail yr Ysgrythurau, gan esbonio a phrofi fod yn rhaid i'r Meseia ddioddef a chyfodi oddi wrth y meirw. Byddai'n dweud, "Hwn yw'r Meseia—Iesu, yr hwn yr wyf 4 fi'n ei gyhoeddi i chwi." Credodd rhai ohonynt, ac ymuno â Paul a Silas; ac felly hefyd y gwnaeth lliaws mawr o'r Groegiaid oedd yn addoli Duw, ac nid ychydig o'r gwragedd blaenaf. 5 Ond cenfigennodd yr Iddewon, ac wedi cael gafael ar rai dihirod o blith segurwyr y sgwâr, a'u casglu'n dorf, dechreusant greu terfysg yn y ddinas. Ymosodasant ar dŷ Jason, a cheisio dod â 6 Paul a Silas allan gerbron y dinasyddion. Ond wedi methu dod o hyd iddynt hwy, llusgasant Jason a rhai brodyr o flaen llywodraethwyr y ddinas, gan weiddi, "Y mae aflonyddwyr yr 7 Ymerodraeth wedi dod yma hefyd, ac y mae Jason wedi rhoi croeso iddynt; y mae'r bobl hyn i gyd yn troseddu yn erbyn ordeiniadau Cesar trwy ddweud fod ymerawdwr arall, sef Iesu." 8 Cyffrowyd y dyrfa a'r llywodraethwyr pan glywsant hyn, 9 ond ar ôl cael gwystl gan Jason a'r lleill, gollyngasant hwy'n rhydd.

### *Yr Apostolion yn Berea*

10 Ar unwaith, anfonodd y brodyr Paul a Silas yn ystod y nos i Berea, ac wedi iddynt gyrraedd aethant i synagog yr Iddewon. 11 Yr oedd y rhain yn fwy eangfrydig na'r rhai yn Thesalonica, gan iddynt dderbyn y gair gyda phob eiddgarwch, gan chwilio'r Ysgrythurau beunydd i weld a oedd pethau fel yr oeddent hwy 12 yn dweud. Gan hynny, credodd llawer ohonynt, ac nid ychydig

o'r Groegiaid, yn wragedd bonheddig ac yn wŷr. Ond pan 13 ddaeth Iddewon Thesalonica i wybod fod gair Duw wedi ei gyhoeddi gan Paul yn Berea hefyd, daethant i godi terfysg a chythryblu'r tyrfaoedd yno hefyd. Yna anfonodd y brodyr 14 Paul ymaith yn ddi-oed i fynd hyd at y môr, ond arhosodd Silas a Timotheus yno. Daeth hebryngwyr Paul ag ef i Athen, 15 ac aethant oddi yno gyda gorchymyn i Silas a Timotheus ddod ato cyn gynted ag y gallent.

*Paul yn Athen*

Tra oedd Paul yn eu disgwyl yn Athen, cythruddid ei ysbryd 16 ynddo wrth weld y ddinas yn llawn eilunod. Gan hynny, 17 ymresymodd yn y synagog â'r Iddewon ac â'r rhai oedd yn addoli Duw, ac yn y sgwâr bob dydd â phwy bynnag oedd yno. Yr oedd rhai o'r athronwyr, yn Epicwriaid a Stoiciaid, yn 18 dadlau ag ef hefyd, a rhai'n dweud, "Beth yn y byd y mae'r clebryn yma yn mynnu ei ddweud?" Meddai eraill, "Y mae'n ymddangos ei fod yn cyhoeddi duwiau dieithr." Oherwydd cyhoeddi'r newydd da am Iesu a'r atgyfodiad yr oedd. Cymer- 19 asant afael ynddo, a mynd ag ef at yr Areopagus, gan ddweud, "A gawn ni wybod beth yw'r ddysgeidiaeth newydd yma a draethir gennyt ti? Oherwydd yr wyt yn dwyn i'n clyw ni ryw 20 bethau dieithr. Yr ydym yn dymuno cael gwybod, felly, beth yw ystyr y pethau hyn." Nid oedd gan neb o'r Atheniaid, na'r 21 dieithriaid oedd ar ymweliad â'r lle, hamdden i ddim arall ond i adrodd neu glywed y peth diweddaraf.

Safodd Paul yng nghanol yr Areopagus, ac meddai: "Wŷr 22 Athen, yr wyf yn gweld ar bob llaw eich bod yn dra chrefydd-gar. Oherwydd wrth fynd o gwmpas ac edrych ar eich pethau 23 cysegredig, cefais yn eu plith allor ag arni'n ysgrifenedig, 'I Dduw nid adwaenir.' Yr hyn, ynteu, yr ydych chwi'n ei addoli heb ei adnabod, dyna'r hyn yr wyf fi'n ei gyhoeddi i chwi. Y 24 Duw a wnaeth y byd a phopeth sydd ynddo, nid yw ef, ac yntau'n Arglwydd nef a daear, yn preswylio mewn temlau o waith llaw. Ni wasanaethir ef chwaith â dwylo dynol, fel pe bai 25 arno angen rhywbeth, gan mai ef ei hun sy'n rhoi i bawb fywyd ac anadl a'r cwbl oll. Gwnaeth ef hefyd o un dyn* bob cenedl o 26 ddynion, i breswylio ar holl wyneb y ddaear, gan bennu cyfnod-

*adn. 26: neu, *o un cyff*. Yn ôl darlleniad arall, *o un gwaed*.

27 au ordeiniedig a therfynau eu preswylfod. Yr oeddent i geisio Duw, yn y gobaith y gallent rywfodd ymbalfalu amdano a'i ddarganfod; ac eto nid yw ef nepell oddi wrth yr un ohonom.

28 'Oherwydd ynddo ef yr ydym yn byw ac yn symud ac yn bod,' fel, yn wir, y dywedodd rhai o'ch beirdd chwi:

'Canys ei hiliogaeth ef hefyd ydym ni.'

29 Os ydym ni, felly, yn hiliogaeth Duw, ni ddylem dybio fod y Duwdod yn debyg i aur neu arian neu faen, gwaith nadd 30 celfyddyd a dychymyg dyn. Edrychodd Duw heibio, yn wir, i amserau anwybodaeth; ond yn awr y mae'n gorchymyn i 31 ddynion fod pawb ym mhob man i edifarhau, oblegid gosododd ddiwrnod pryd y bydd yn barnu'r byd mewn cyfiawnder, trwy ŵr a benododd, ac fe roes sicrwydd o hyn i bawb trwy ei atgyfodi ef oddi wrth y meirw."

32 Pan glywsant am atgyfodiad y meirw, dechreuodd rhai wawdio, ond dywedodd eraill, "Cawn dy wrando ar y pwnc 33,34 hwn rywdro eto." Felly aeth Paul allan o'u mysg. Ond ymlynodd rhai gwŷr wrtho, a chredu, ac yn eu plith Dionysius, aelod o lys yr Areopagus, a gwraig o'r enw Damaris, ac eraill gyda hwy.

### *Paul yng Nghorinth*

**18** Wedi hynny fe ymadawodd ag Athen, a dod i Gorinth.
2 A daeth o hyd i Iddew o'r enw Acwila, brodor o Pontus, gŵr oedd newydd ddod o'r Eidal gyda'i wraig, Priscila, o achos gorchymyn Claudius i'r holl Iddewon ymadael â Rhufain.
3 Aeth atynt, ac am ei fod o'r un grefft, arhosodd gyda hwy, a gweithio; gwneuthurwyr pebyll oeddent wrth eu crefft.
4 Byddai'n ymresymu yn y synagog bob Saboth, a cheisio argyhoeddi Iddewon a Groegiaid.

5 Pan ddaeth Silas a Timotheus i lawr o Facedonia, dechreuodd Paul ymroi yn llwyr i bregethu'r Gair, gan dystiolaethu 6 wrth yr Iddewon mai Iesu oedd y Meseia. Ond yr oeddent hwy'n dal i'w wrthwynebu a'i ddifenwi, ac felly fe ysgydwodd ei ddillad a dweud wrthynt, "Ar eich pen chwi y bo'ch gwaed! Nid oes bai arnaf fi; o hyn allan mi af at y Cenhedloedd."
7 Symudodd oddi yno ac aeth i dŷ dyn o'r enw Titius Jwstus, un oedd yn addoli Duw; yr oedd ei dŷ y drws nesaf i'r synagog.
8 Credodd Crispus, arweinydd y synagog, yn yr Arglwydd, ynghyd â'i holl deulu. Ac wrth glywed, credodd llawer o'r

Corinthiaid a chael eu bedyddio. Dywedodd yr Arglwydd 9
wrth Paul un noson, trwy weledigaeth, " Paid ag ofni, ond dal
ati i lefaru, a phaid â thewi; oherwydd yr wyf fi gyda thi, ac ni 10
fydd i neb ymosod arnat ti i wneud niwed iti, oblegid y mae
gennyf lawer o bobl yn y ddinas hon." Ac fe arhosodd flwydd- 11
yn a chwe mis, gan ddysgu gair Duw yn eu plith.

Pan oedd Galio yn rhaglaw Achaia, cododd yr Iddewon yn 12
unfryd yn erbyn Paul, a dod ag ef gerbron y llys barn, gan 13
ddweud, " Y mae hwn yn annog dynion i addoli Duw yn groes
i'r Gyfraith." Pan oedd Paul ar agor ei enau, dywedodd Galio 14
wrth yr Iddewon, " Pe bai yn fater o drosedd neu gamwedd
ysgeler, byddwn wrth reswm yn rhoi gwrandawiad i chwi,
Iddewon; ond gan mai dadleuon yw'r rhain ynghylch geiriau 15
ac enwau a'ch Cyfraith arbennig chwi, cymerwch y cyfrifoldeb
eich hunain. Nid oes arnaf fi eisiau bod yn farnwr ar y pethau
hyn." A gyrrodd hwy allan o'r llys. Yna gafaelodd pawb 16,17
ohonynt yn Sosthenes, arweinydd y synagog, a'i guro yng
ngŵydd y llys. Ond nid oedd Galio yn poeni dim am hynny.

*Paul yn Dychwelyd i Antiochia*

Arhosodd Paul yno eto gryn ddyddiau, ac wedi ffarwelio â'r 18
brodyr fe hwyliodd ymaith i Syria, a Priscila ac Acwila gydag
ef. Eilliodd ei ben yn Cenchreae, am fod adduned arno. Pan 19
gyraeddasant Effesus, gadawodd hwy yno, a mynd ei hun i
mewn i'r synagog ac ymresymu â'r Iddewon. A phan ofynasant 20
iddo aros am amser hwy, ni chydsyniodd. Ond wedi ffarwelio 21
gan ddweud, " Dychwelaf atoch eto, os Duw a'i myn ", hwyl-
iodd o Effesus. Wedi glanio yng Nghesarea, aeth i fyny a 22
chyfarchodd yr eglwys. Yna aeth i lawr i Antiochia, ac wedi 23
treulio peth amser yno, aeth ymaith, a theithio o le i le trwy
wlad Galatia a Phrygia, gan gadarnhau'r holl ddisgyblion.

*Apolos yn Pregethu yn Effesus*

Daeth rhyw Iddew o'r enw Apolos i Effesus. Brodor o Alex- 24
andria ydoedd, a gŵr huawdl, cadarn yn yr Ysgrythurau. Yr 25
oedd hwn wedi ei addysgu yn Ffordd yr Arglwydd, ac yn frwd
ei ysbryd yr oedd yn llefaru ac yn dysgu yn fanwl y ffeithiau
am Iesu, er mai am fedydd Ioan yn unig y gwyddai. Dechreu- 26
odd hwn hefyd lefaru'n hy yn y synagog, a phan glywodd

Priscila ac Acwila ef, cymerasant ef atynt, ac esbonio iddo
27 Ffordd Duw yn fanylach. A chan ei fod yn dymuno mynd drosodd i Achaia, cefnogodd y brodyr ef, ac ysgrifennu at y disgyblion, ar iddynt ei groesawu. Ac wedi iddo gyrraedd, bu'n
28 gynhorthwy mawr i'r rhai oedd trwy ras wedi credu, oherwydd yr oedd yn ymegnïo i ddymchwelyd dadleuon yr Iddewon yn llwyr, gan brofi ar goedd trwy'r Ysgrythurau mai Iesu oedd y Meseia.

*Paul yn Effesus*

**19** Tra oedd Apolos yng Nghorinth, teithiodd Paul drwy'r parthau uchaf, a daeth i Effesus. Yno daeth o hyd i rai disgybl-
2 ion, a gofynnodd iddynt, " A dderbyniasoch yr Ysbryd Glân, pan gredasoch ?" Meddent hwythau wrtho, " Naddo; ni
3 chlywsom hyd yn oed fod yna Ysbryd Glân." Dywedodd yntau, " Â pha fedydd, ynteu, y bedyddiwyd chwi ?" Ateb-
4 asant hwythau, " Â bedydd Ioan." Ac meddai Paul, " Bedydd edifeirwch oedd bedydd Ioan, ac fe ddywedodd wrth y bobl am gredu yn yr hwn oedd yn dod ar ei ôl ef, hynny yw, yn Iesu."
5 Pan glywsant hyn, fe'u bedyddiwyd hwy i enw'r Arglwydd Iesu,
6 a phan roddodd Paul ei ddwylo arnynt daeth yr Ysbryd Glân
7 arnynt, a dechreusant lefaru â thafodau a phroffwydo. Tua deuddeg gŵr oeddent i gyd.
8 Aeth i mewn i'r synagog, ac am dri mis bu'n llefaru'n hy yno, gan ymresymu a cheisio eu hargyhoeddi ynghylch teyrnas
9 Dduw. Ond gan fod rhai yn ymgaledu ac yn gwrthod credu, ac yn difenwi'r Ffordd yng ngŵydd y gynulleidfa, ymneilltuodd oddi wrthynt gan gymryd ei ddisgyblion oddi yno, a
10 pharhau i ymresymu bob dydd yn neuadd Tyranus. Parhaodd hyn am ddwy flynedd, nes i holl drigolion Asia, yn Iddewon a Groegiaid, glywed gair yr Arglwydd.

*Meibion Scefa*

11 Gan mor rhyfeddol oedd y gwyrthiau yr oedd Duw'n eu
12 gwneud trwy ddwylo Paul, byddai pobl yn dod â chadachau a llieiniau oedd wedi cyffwrdd â'i groen ef, ac yn eu gosod ar y cleifion, a byddai eu clefydau yn eu gadael, a'r ysbrydion drwg
13 yn mynd allan ohonynt. A dyma rai o'r Iddewon a fyddai'n mynd o amgylch gan fwrw allan gythreuliaid, hwythau'n ceisio enwi enw'r Arglwydd Iesu uwch ben y rhai oedd ag ysbrydion

drwg ganddynt, gan ddweud, "Yn enw Iesu, yr un y mae Paul yn ei bregethu." Ac yr oedd gan ryw Scefa, prif offeiriad 14 Iddewig, saith mab oedd yn gwneud hyn. Ond atebodd yr 15 ysbryd drwg hwy, "Iesu, yr wyf yn ei adnabod ef; a Paul, gwn amdano yntau; ond chwi, pwy ydych?" Yna llamodd y dyn â 16 chanddo'r ysbryd drwg arnynt, a'u trechu i gyd, a'u maeddu nes iddynt ffoi o'r tŷ yn noeth a chlwyfedig. Daeth hyn yn 17 hysbys i'r holl Iddewon a Groegiaid oedd yn trigo yn Effesus, a dychrynodd pawb; a chafodd enw'r Arglwydd Iesu ei fawrygu. Daeth llawer o'r rhai oedd bellach yn gredinwyr, a 18 chyffesu eu dewiniaeth ar goedd. Casglodd llawer o'r rhai a fu'n 19 ymarfer â swynion eu llyfrau ynghyd, a'u llosgi yng ngŵydd pawb; cyfrifwyd gwerth y rhain, a'i gael yn hanner can mil o ddarnau arian. Felly, yn ôl nerth yr Arglwydd, yr oedd y 20 Gair* yn cynyddu a chryfhau.

### *Y Cynnwrf yn Effesus*

Wedi i'r pethau hyn gael eu cwblhau, rhoddodd Paul ei fryd 21 ar* deithio trwy Facedonia ac Achaia, ac yna mynd i Jerwsalem. "Wedi i mi fod yno," meddai, "rhaid imi weld Rhufain hefyd." Anfonodd i Facedonia ddau o'r rhai oedd yn gweini arno, 22 Timotheus ac Erastus, ond arhosodd ef ei hun am amser yn Asia.

Yn ystod y cyfnod hwnnw, bu cynnwrf nid bychan ynglŷn 23 â'r Ffordd. Yr oedd gof arian, o'r enw Demetrius, un oedd yn 24 gwneud cysegrau arian i Artemis,* ac felly yn cael llawer o waith i'w grefftwyr. Casglodd y rhain ynghyd, gyda'r gweith- 25 wyr o grefftau cyffelyb, a dywedodd: "Ddynion, fe wyddoch mai o'r fasnach hon y daw ein ffyniant ni. Yr ydych hefyd yn 26 gweld ac yn clywed fod y Paul yma wedi argyhoeddi tyrfa fawr, nid yn Effesus yn unig ond drwy Asia gyfan bron, a'u camarwain drwy ddweud nad duwiau mo'r duwiau o waith llaw. Yn awr, y mae perygl nid yn unig y daw anfri ar ein crefft, ond 27 hefyd y cyfrifir teml y dduwies fawr Artemis* yn ddiddim, a hyd yn oed y bydd hi, y dduwies y mae Asia gyfan a'r byd yn ei haddoli, yn cael ei hamddifadu o'i mawrhydi."

Pan glywsant hyn, llanwyd hwy â dicter, a dechreusant 28

---

*adn. 20: neu, *mor gadarn yr oedd gair yr Arglwydd.*
*adn. 21: neu, *penderfynodd Paul dan arweiniad yr Ysbryd.*
*adnodau 24, 27: neu, *Diana.*

29 weiddi, "Mawr yw Artemis* yr Effesiaid." Llanwyd y ddinas â'u cynnwrf, a rhuthrasant yn unfryd i'r theatr, gan lusgo gyda hwy Gaius ac Aristarchus, Macedoniaid, a chyd-deithwyr Paul.
30 Yr oedd Paul yn dymuno cael mynd gerbron y dinasyddion,
31 ond ni adawai'r disgyblion iddo; a hefyd anfonodd rhai o'r Asiarchiaid, oedd yn gyfeillgar ag ef, neges ato i erfyn arno
32 beidio â mentro i'r theatr. Yn y cyfamser, yr oedd rhai yn gweiddi un peth ac eraill beth arall, oherwydd yr oedd y cyfarfod mewn cynnwrf, ac ni wyddai'r rhan fwyaf i beth yr
33 oeddent wedi dod ynghyd. Ond tybiodd rhai o'r dyrfa mai Alexander oedd yr achos,* gan i'r Iddewon ei wthio ef i'r blaen. Gwnaeth yntau arwydd â'i law, gan ddymuno ei amddiffyn ei
34 hun wrth y dinasyddion. Ond pan ddeallwyd mai Iddew ydoedd, cododd un llef oddi wrthynt oll, a buont yn gweiddi am
35 tua dwy awr, "Mawr yw Artemis* yr Effesiaid." Ond tawelodd clerc y ddinas y dyrfa, a dweud, "Wŷr Effesus, pa ddyn nad yw'n gwybod fod dinas yr Effesiaid yn geidwad teml
36 Artemis* fawr, a'r maen a syrthiodd o'r nef? Felly, gan na all neb wadu hyn, rhaid i chwithau fod yn dawel a pheidio â
37 gwneud dim yn fyrbwyll. Yr ydych wedi dod â'r dynion hyn gerbron, er nad ydynt yn ysbeilwyr temlau nac yn cablu ein
38 duwies ni. Gan hynny, os oes gan Demetrius a'i gyd-grefftwyr achos yn erbyn rhywun, y mae'r llysoedd barn yn cael eu cynnal ac y mae rhaglawiaid yno; gadewch i'r ddwy ochr
39 gyhuddo ei gilydd yn ffurfiol. Ond os ydych am fynd â'r peth ymhellach, mewn cyfarfod rheolaidd o'r dinasyddion y mae i
40 gael ei benderfynu. Yn wir, y mae perygl y cyhuddir ninnau o derfysg ynglŷn â'r cyfarfod heddiw, gan nad oes dim achos amdano, ac am hynny ni allwn roi cyfrif am y cynnwrf yma."
41 Ac â'r geiriau hyn daeth â'r cyfarfod i ben.

### *Taith Paul i Facedonia a Gwlad Groeg*

**20** Pan beidiodd y cynnwrf, anfonodd Paul am y disgyblion, ac wedi eu hannog, ffarweliodd â hwy ac aeth ymaith ar ei ffordd i
2 Facedonia. Wedi teithio trwy'r parthau hynny ac annog llawer
3 ar y disgyblion yno, daeth i wlad Groeg. Treuliodd dri mis

---

*adnodau 28, 34, 35: neu, *Diana.*
*adn. 33: neu, *Ond eglurodd rhai o'r dyrfa y mater i Alexander.*

yno, a phan oedd ar hwylio i Syria, gwnaeth yr Iddewon gynllwyn yn ei erbyn, a phenderfynodd ddychwelyd trwy Facedonia. 4 Ei gyd-deithwyr oedd Sopater o Berea, mab Pyrrhus, y Thesaloniaid Aristarchus a Secwndus, Gaius o Dderbe,* a Timotheus, a'r Asiaid Tychicus a Troffimus. 5 Yr oedd y rhain wedi mynd o'n blaen, ac yn aros amdanom yn Troas. 6 Hwyliasom ninnau, wedi dyddiau'r Bara Croyw, o Philipi, a chyrraedd atynt yn Troas ymhen pum diwrnod; ac yno y buom am saith diwrnod.

### *Ymweliad Olaf Paul â Troas*

7 Ar ddydd cyntaf yr wythnos, daethom ynghyd i dorri bara. Dechreuodd Paul, a oedd i fynd ymaith drannoeth, eu hannerch, a daliodd i draethu hyd hanner nos. 8 Yr oedd llawer o lampau yn yr oruwchystafell lle'r oeddem wedi ymgynnull, 9 ac yr oedd dyn ifanc, o'r enw Eutychus, yn eistedd wrth y ffenestr. Yr oedd hwn yn mynd yn fwy a mwy cysglyd, wrth i Paul ddal i ymhelaethu. Pan drechwyd ef yn llwyr gan gwsg, syrthiodd o'r trydydd llawr, a chodwyd ef fel pe wedi marw. 10 Ond aeth Paul i lawr; syrthiodd arno a'i gofleidio, a dywedodd, "Peidiwch â chynhyrfu; y mae bywyd ynddo." 11 Yna aeth i fyny, a thorri'r bara a bwyta. Yna, wedi ymddiddan am amser hir hyd doriad dydd, aeth ymaith. 12 Ond aethant â'r llanc adref yn fyw, ac fe'u calonogwyd yn anghyffredin.

### *Y Fordaith o Troas i Miletus*

13 Ninnau, aethom o flaen Paul i'r llong, a hwylio i gyfeiriad Asos, gan fwriadu ei gymryd i'r llong yno; oblegid dyma'r cyfarwyddyd a roddodd ef, gan fwriadu mynd ei hun dros y tir. 14 Pan gyfarfu â ni yn Asos, cymerasom ef i'r llong a mynd ymlaen i Mitylene. 15 Wedi hwylio oddi yno drannoeth, cyraeddasom gyferbyn â Chios, a'r ail ddiwrnod croesi i Samos, a'r dydd* wedyn dod i Miletus. 16 Oherwydd yr oedd Paul wedi penderfynu hwylio heibio i Effesus, rhag iddo orfod colli amser yn Asia, gan ei fod yn brysio er mwyn bod yn Jerwsalem, pe bai modd, erbyn dydd y Pentecost.

---

*adn. 4: neu, *o Ddoberius.*

*adn. 15: yn ôl darlleniad arall, *ac ar ôl aros yn Trogylium, y dydd.*

*Araith Paul i Henuriaid Effesus*

17 Anfonodd o Miletus i Effesus a galw ato henuriaid yr eglwys.
18 Pan gyraeddasant ato, dywedodd wrthynt, " Fe wyddoch fel y bûm i gyda chwi yr holl amser, er y diwrnod cyntaf y rhois fy
19 nhroed yn Asia, yn gwasanaethu'r Arglwydd â phob gostyngeiddrwydd, ac â dagrau a threialon a ddaeth i'm rhan trwy
20 gynllwynion yr Iddewon. Gwyddoch nad ymateliais rhag cyhoeddi i chwi ddim o'r hyn sydd fuddiol, na rhag eich dysgu
21 chwi yn gyhoeddus ac yn eich cartrefi, gan dystiolaethu i Iddewon a Groegiaid am edifeirwch tuag at Dduw a ffydd yn
22 ein Harglwydd Iesu. Ac yn awr dyma fi, dan orfodaeth yr Ysbryd, ar fy ffordd i Jerwsalem, heb wybod beth a ddigwydd
23 imi yno, ond bod yr Ysbryd Glân o dref i dref yn tystiolaethu
24 imi fod rhwymau a gorthrymderau yn fy aros. Ond yr wyf yn cyfrif nad yw fy mywyd o unrhyw werth i mi, dim ond imi allu cwblhau fy ngyrfa, a'r weinidogaeth a gefais gan yr Arglwydd Iesu, i dystiolaethu i Efengyl gras Duw.

25 " Ac yn awr, 'rwy'n gwybod na chewch weld fy wyneb mwyach, chwi oll y bûm i'n teithio yn eich plith gan gyhoeddi'r
26 Deyrnas. Gan hynny, yr wyf yn tystio i chwi y dydd hwn fy
27 mod yn ddieuog o waed neb; oblegid nid ymateliais rhag cy-
28 hoeddi holl arfaeth Duw i chwi. Gofalwch amdanoch eich hunain ac am yr holl braidd, y gosododd yr Ysbryd Glân chwi yn esgobion* drosto, i fugeilio eglwys Duw,** yr hon a enillodd
29 ef â gwaed ei briod un.*** Mi wn i y daw i'ch plith, wedi fy
30 ymadawiad i, fleiddiaid mileinig nad arbedant y praidd, ac y cyfyd o'ch plith chwi eich hunain ddynion yn llefaru pethau
31 llygredig, i ddenu'r disgyblion ymaith ar eu hôl. Gan hynny byddwch yn wyliadwrus, gan gofio na pheidiais i, na nos na dydd dros dair blynedd, â rhybuddio pob un ohonoch â dagrau.
32 Ac yn awr yr wyf yn eich cyflwyno i Dduw ac i air ei ras, sydd â'r gallu ganddo i'ch adeiladu, ac i roi i chwi eich etifeddiaeth
33 ymhlith yr holl rai a sancteiddiwyd. Ni chwenychais arian nac
34 aur na gwisgoedd neb. Fe wyddoch eich hunain mai'r dwylo hyn a fu'n gweini i'm hanghenion i ac eiddo'r rhai oedd gyda mi.
35 Ym mhopeth, dangosais i chwi mai wrth lafurio felly y mae'n

---

*adn. 28: neu, *arolygwyr*.

**adn. 28: yn ôl darlleniad arall, *yr Arglwydd*.

***adn. 28: neu, *â'i waed ei hun*.

rhaid cynorthwyo'r rhai gwan, a dwyn ar gof y geiriau a lefarodd yr Arglwydd Iesu ei hun: 'Dedwyddach yw rhoi na derbyn.'"

Wedi dweud hyn, fe benliniodd gyda hwy oll a gweddïo. 36 Torrodd pawb i wylo'n hidl, a syrthio ar wddf Paul a'i gusanu, 37 gan ofidio yn bennaf am iddo ddweud nad oeddent mwyach i 38 weld ei wyneb. Yna aethant i'w hebrwng ef i'r llong.

*Taith Paul i Jerwsalem*

Wedi i ni ymadael â hwy a chodi angor, daethom ar union **21** hynt i Cos, a thrannoeth i Rhodos, ac oddi yno i Patara. Caw- 2 som long yn croesi i Phenice, ac aethom arni a hwylio ymaith. Wedi dod i olwg Cyprus, a'i gadael ar y chwith, hwyliasom 3 ymlaen i Syria, a glanio yn Tyrus, oherwydd yno yr oedd y llong yn dadlwytho. Daethom o hyd i'r disgyblion, ac aros yno 4 saith diwrnod; a dywedodd y rhain wrth Paul trwy'r Ysbryd am beidio â mynd ymlaen i Jerwsalem. Ond pan ddaeth ein 5 dyddiau yno i ben, ymadawsom ar ein taith, a phawb ohonynt, ynghyd â'u gwragedd a'u plant, yn ein hebrwng i'r tu allan i'r ddinas. Aethom ar ein gliniau ar y traeth, a gweddïo, a ffarwelio 6 â'n gilydd. Yna aethom ar fwrdd y llong, a dychwelsant hwythau adref.

Daeth ein mordaith o Tyrus i ben wrth inni gyrraedd 7 Ptolemais. Cyfarchasom y brodyr yno ac aros un diwrnod gyda hwy. Trannoeth, aethom ymaith a dod i Gesarea; ac aethom i 8 mewn i dŷ Philip yr efengylwr, un o'r Saith, ac aros gydag ef. Yr oedd gan hwn bedair merch ddibriod, a dawn proffwydo 9 ganddynt. Yn ystod y dyddiau lawer y buom gydag ef, daeth 10 dyn i lawr o Jwdea, proffwyd o'r enw Agabus. Daeth atom, a 11 chymryd gwregys Paul, a rhwymo'i draed a'i ddwylo ei hun, a dywedodd, "Dyma eiriau'r Ysbryd Glân: 'Y gŵr biau'r gwregys hwn, fel hyn y rhwyma'r Iddewon ef yn Jerwsalem, a'i draddodi i ddwylo'r Cenhedloedd.'" Pan glywsom hyn, 12 dechreusom ni a phobl y lle erfyn arno beidio â mynd i fyny i Jerwsalem. Yna atebodd Paul, "Beth yr ydych yn ei wneud, 13 yn wylo ac yn torri fy nghalon? Oherwydd yr wyf fi'n barod, nid yn unig i gael fy rhwymo, ond hyd yn oed i farw, yn Jerwsalem er mwyn enw'r Arglwydd Iesu." A chan nad oedd 14 perswâd arno, tawsom gan ddweud, "Gwneler ewyllys yr Arglwydd."

15 Wedi'r dyddiau hyn, gwnaethom ein paratoadau a chychwyn
16 i fyny i Jerwsalem; ac fe ddaeth rhai o'r disgyblion o Gesarea gyda ni, gan ddod â'r gŵr* yr oeddem i letya gydag ef, Mnason o Gyprus, un oedd wedi bod yn ddisgybl o'r dechrau.

*Paul yn Ymweld â Iago*

17 Wedi inni gyrraedd Jerwsalem, cawsom groeso llawen gan y
18 brodyr. A thrannoeth, aeth Paul gyda ni at Iago, ac yr oedd yr
19 henuriaid i gyd yno. Ar ôl eu cyfarch, adroddodd yn fanwl y pethau yr oedd Duw wedi eu gwneud ymhlith y Cenhedloedd
20 trwy ei weinidogaeth. O glywed hyn, dechreuodd y brodyr ogoneddu Duw, a dywedasant wrtho, "Yr wyt yn gweld, frawd, fod credinwyr dirifedi ymhlith yr Iddewon, ac y maent i
21 gyd yn selog dros y Gyfraith; a chawsant wybodaeth amdanat ti, dy fod yn dysgu'r holl Iddewon sydd ymysg y Cenhedloedd i wrthgilio oddi wrth Moses, gan ddweud wrthynt am beidio ag
22 enwaedu ar eu plant na byw yn ôl ein defodau. Beth sydd i'w wneud, felly? Y maent yn siŵr o glywed dy fod wedi dod.
23 Felly, gwna'r hyn a ddywedwn wrthyt. Y mae gennym bedwar
24 dyn sydd o dan lw. Cymer y rhain, a dos di gyda hwy trwy ddefod y pureiddio, a thâl y gost drostynt, iddynt gael eillio eu pennau; yna fe wêl pawb nad oes dim yn y wybodaeth a gawsant amdanat, ond dy fod dithau hefyd yn dilyn ac yn
25 cadw'r Gyfraith. Ond am y credinwyr o blith y Cenhedloedd, yr ydym ni wedi ysgrifennu atynt a rhoi ein dyfarniad, eu bod i ymgadw rhag bwyta yr hyn a aberthwyd i eilunod, neu waed,
26 neu'r hyn a dagwyd, a rhag anlladrwydd."* Yna fe gymerodd Paul y gwŷr, a thrannoeth aeth trwy ddefod y pureiddio gyda hwy, ac aeth i mewn i'r deml, i roi rhybudd pa bryd y cyflawnid dyddiau'r pureiddio ac yr offrymid yr offrwm dros bob un ohonynt.

*Dal Paul yn y Deml*

27 Ond pan oedd y saith diwrnod bron ar ben, gwelodd yr Iddewon o Asia ef yn y deml. Codasant gynnwrf yn yr holl
28 dyrfa, a chymryd gafael ynddo, gan weiddi, "Wŷr Israel, help!

---

*adn. 16: neu, *ddod â ni i dŷ'r gŵr.*

*adn. 25: yn ôl darlleniad arall, *rhag bwyta yr hyn a aberthwyd i eilunod, a rhag gwaed, a rhag anlladrwydd.*

Hwn yw'r dyn sy'n dysgu pawb ym mhob man yn erbyn ein pobl a'r Gyfraith a'r lle hwn, ac sydd hefyd wedi dod â Groegiaid i mewn i'r deml, a halogi'r lle sanctaidd hwn." Oherwydd 29 yr oeddent cyn hynny wedi gweld Troffimus yr Effesiad yn y ddinas gydag ef, ac yr oeddent yn meddwl fod Paul wedi dod ag ef i mewn i'r deml. Cyffrowyd yr holl ddinas, a rhuthrodd y 30 bobl ynghyd. Cymerasant afael yn Paul, a'i lusgo allan o'r deml, a chaewyd y drysau ar unwaith. Fel yr oeddent yn 31 ceisio'i ladd ef, aeth neges i fyny at gapten y fintai fod Jerwsalem i gyd mewn cynnwrf. Cymerodd yntau ar unwaith 32 filwyr a chanwriaid, a rhedeg i lawr atynt; a phan welsant hwy'r capten a'r milwyr, rhoesant y gorau i guro Paul. Yna daeth y 33 capten atynt, a chymryd gafael yn Paul, a gorchymyn ei rwymo â dwy gadwyn. Dechreuodd holi pwy oedd, a beth yr oedd wedi ei wneud. Yr oedd rhai yn y dyrfa yn bloeddio un peth, ac 34 eraill beth arall. A chan na allai ddod o hyd i'r gwir oherwydd y dwndwr, gorchmynnodd ei ddwyn i'r pencadlys. A phan 35 ddaeth at y grisiau, bu raid i'r milwyr ei gario oherwydd ffyrnigrwydd y dyrfa, oblegid yr oedd tyrfa o bobl yn canlyn dan 36 weiddi, "Ymaith ag ef!"

### *Paul yn ei Amddiffyn ei Hun*

Pan oedd ar fin cael ei ddwyn i mewn i'r pencadlys, dyma 37 Paul yn dweud wrth y capten, "A gaf fi ddweud gair wrthyt?" Meddai yntau, "A wyt ti yn medru Groeg? Nid tydi felly yw'r 38 Eifftiwr, a gododd derfysg beth amser yn ôl, ac a arweiniodd allan i'r anialwch y pedair mil o derfysgwyr arfog?" Dywedodd Paul, "Iddew wyf fi, o Darsus yng Nghilicia, dinesydd o 39 ddinas nid dinod; ac 'rwy'n erfyn arnat, caniatâ imi lefaru wrth y bobl." Ac wedi iddo gael caniatâd, safodd Paul ar y 40 grisiau, a gwnaeth arwydd â'i law ar y bobl, ac ar ôl cael distawrwydd llwyr anerchodd hwy yn iaith yr Iddewon, gan ddweud:

"Frodyr a thadau, gwrandewch ar f'amddiffyniad ger eich **22** bron yn awr." Pan glywsant mai yn iaith yr Iddewon yr oedd 2 yn eu hannerch, rhoesant wrandawiad mwy tawel iddo. Ac meddai, "Iddew wyf fi, wedi fy ngeni yn Nharsus yng 3 Nghilicia, ac wedi fy nghodi yn y ddinas hon. Cefais fy addysg wrth draed Gamaliel yn ôl llythyren Cyfraith ein tadau, ac yr

wyf yn selog dros Dduw, fel yr ydych chwithau oll heddiw.
4 Erlidiais y Ffordd hon hyd at ladd, gan rwymo a rhoi yng
5 ngharchar wŷr a gwragedd, fel y mae'r archoffeiriad a holl Gyngor yr henuriaid yn dystion i mi; oddi wrthynt hwy yn wir y derbyniais lythyrau at y brodyr yn Namascus, a chychwyn ar daith i ddod â'r rhai oedd yno hefyd yn rhwym i Jerwsalem i'w cosbi.

### *Paul yn Sôn am ei Dröedigaeth*
(Act 9.1-19; 26.12-18)

6 " Ond pan oeddwn ar fy nhaith ac yn agosáu at Ddamascus, yn sydyn tua chanol dydd fe fflachiodd goleuni mawr o'r nef
7 o'm hamgylch. Syrthiais ar y ddaear, a chlywais lais yn dweud
8 wrthyf, ' Saul, Saul, pam yr wyt yn fy erlid i ? ' Atebais innau, 'Pwy wyt ti, Arglwydd?' A dywedodd wrthyf, 'Iesu o Nasareth
9 wyf fi, yr hwn yr wyt ti yn ei erlid.' Gwelodd y rhai oedd gyda mi y goleuni, ond ni chlywsant lais y sawl oedd yn llefaru
10 wrthyf. A dywedais, ' Beth a wnaf, Arglwydd ?' Dywedodd yr Arglwydd wrthyf, ' Cod a dos i Ddamascus, ac yno fe
11 ddywedir wrthyt bopeth yr ordeiniwyd iti ei wneud.' Gan nad oeddwn yn gweld dim oherwydd disgleirdeb y goleuni hwnnw, fe'm harweiniwyd gerfydd fy llaw gan y rhai oedd gyda mi, a deuthum i Ddamascus.
12 "Daeth rhyw Ananias ataf, gŵr duwiol yn ôl y Gyfraith, â
13 gair da iddo gan yr holl Iddewon oedd yn byw yno. Safodd hwn yn f'ymyl a dywedodd wrthyf, ' Y brawd Saul, derbyn dy olwg yn ôl.' Edrychais innau arno a derbyn fy ngolwg yn ôl y
14 munud hwnnw. A dywedodd yntau: ' Y mae Duw ein tadau wedi dy benodi di i wybod ei ewyllys, ac i weld yr Un Cyfiawn
15 a chlywed llais o'i enau ef; oherwydd fe fyddi di'n dyst iddo
16 wrth bob dyn o'r hyn yr wyt wedi ei weld a'i glywed. Ac yn awr, pam yr wyt yn oedi ? Tyrd i gael dy fedyddio a chael golchi ymaith dy bechodau, gan alw ar ei enw ef.'

### *Anfon Paul at y Cenhedloedd*

17 " Wedi imi ddychwelyd i Jerwsalem, dyma a ddigwyddodd
18 pan oeddwn yn gweddïo yn y deml: euthum i lesmair, a'i weld ef yn dweud wrthyf, ' Brysia ar unwaith allan o Jerwsalem,
19 oherwydd ni dderbyniant dy dystiolaeth amdanaf fi.' Dywedais innau, ' Arglwydd, y maent hwy'n gwybod i mi fod o synagog i

synagog yn carcharu ac yn fflangellu'r rhai oedd yn credu ynot ti. A phan oedd gwaed Steffan, dy dyst, yn cael ei dywallt, yr 20 oeddwn innau hefyd yn sefyll yn ymyl, ac yn cydsynio, ac yn gwarchod dillad y rhai oedd yn ei ladd.' A dywedodd wrthyf, 21 'Dos, oherwydd yr wyf fi am dy anfon di ymhell at y Cenhedloedd.' "

### *Paul a'r Capten Rhufeinig*

Yr oeddent wedi gwrando arno hyd at y gair hwn, ond yna 22 dechreusant weiddi, "Ymaith ag ef oddi ar y ddaear! Y mae'n warth fod y fath ddyn yn cael byw." Fel yr oeddent yn gweiddi 23 ac yn ysgwyd eu dillad ac yn taflu llwch i'r awyr, gorchmyn- 24 nodd y capten ei ddwyn ef i mewn i'r pencadlys, a'i holi trwy ei chwipio, er mwyn cael gwybod pam yr oeddent yn bloeddio felly yn ei erbyn. Ond pan glymwyd ef i'w fflangellu, dywed- 25 odd Paul wrth y canwriad oedd yn sefyll gerllaw, "A oes gennych hawl i fflangellu dinesydd Rhufeinig, a hynny heb farnu ei achos?" Pan glywodd y canwriad hyn, aeth at y capten, a 26 rhoi adroddiad iddo, gan ddweud, "Beth yr wyt ti am ei wneud? Y mae'r dyn yma yn ddinesydd Rhufeinig." Daeth y 27 capten ato, ac meddai, "Dywed i mi, a wyt ti'n ddinesydd Rhufeinig?" "Ydwyf," meddai yntau. Atebodd y capten, 28 "Mi delais i swm mawr i gael y ddinasyddiaeth hon." Ond dywedodd Paul, "Cefais i fy ngeni iddi." Ar hyn, ciliodd y 29 rhai oedd ar fin ei holi oddi wrtho. Daeth ofn ar y capten hefyd pan ddeallodd mai dinesydd Rhufeinig ydoedd, a'i fod wedi ei rwymo ef.

### *Paul gerbron y Cyngor*

Trannoeth, gan fod y capten am wybod yn sicr beth oedd 30 cyhuddiad yr Iddewon, fe ollyngodd Paul, a gorchymyn i'r prif offeiriaid a'r holl Sanhedrin ymgynnull. Yna daeth ag ef i lawr, a'i osod ger eu bron. Syllodd Paul ar y Sanhedrin, ac meddai, **23** "Frodyr, yr wyf fi wedi byw â chydwybod lân gerbron Duw hyd y dydd hwn." Ond gorchmynnodd Ananias yr arch- 2 offeiriad i'r rhai oedd yn sefyll yn ei ymyl ei daro ar ei geg. Yna 3 dywedodd Paul wrtho, "Y mae Duw yn mynd i'th daro di, tydi bared gwyngalchog. A wyt ti'n beiddio eistedd i'm barnu i yn ôl y Gyfraith, a thorri'r Gyfraith trwy orchymyn fy nharo?" Ond dywedodd y rhai oedd yn sefyll yn ei ymyl, "A wyt ti'n 4 beiddio sarhau archoffeiriad Duw?" Ac meddai Paul, "Ni 5 wyddwn, frodyr, mai'r archoffeiriad ydoedd; oherwydd y mae'n ysgrifenedig, 'Paid â dweud yn ddrwg am bennaeth dy bobl.' "

6 Sylweddolodd Paul fod y naill ran yn Sadwceaid, a'r llall yn Phariseaid, a dechreuodd lefaru'n uchel yn y Sanhedrin: "Frodyr, Pharisead wyf fi, a mab i Phariseaid. Ynglŷn â 7 gobaith am atgyfodiad y meirw yr wyf ar fy mhrawf." Wrth iddo ddweud hyn, aeth yn ddadl rhwng y Phariseaid a'r 8 Sadwceaid, a rhannwyd y cynulliad. Oherwydd y mae'r Sadwceaid yn dweud nad oes nac atgyfodiad nac angel nac 9 ysbryd, ond y mae'r Phariseaid yn eu cydnabod i gyd. Bu gweiddi mawr, a chododd rhai o'r ysgrifenyddion oedd yn perthyn i blaid y Phariseaid, a dadlau'n daer, gan ddweud, "Nid ydym yn cael dim drwg yn y dyn hwn; a beth os llef- 10 arodd ysbryd wrtho, neu angel?" Ac wrth i'r ddadl boethi, daeth ofn ar y capten rhag i Paul gael ei dynnu'n ddarnau ganddynt, a gorchmynnodd i'r milwyr ddod i lawr i'w gipio ef o'u plith hwy, a mynd ag ef i'r pencadlys.

11 Y noson honno, safodd yr Arglwydd yn ei ymyl, a dywedodd, "Cod dy galon! Oherwydd fel y tystiolaethaist amdanaf fi yn Jerwsalem, felly y mae'n rhaid i ti dystiolaethu yn Rhufain hefyd."

### *Y Cynllwyn i Ladd Paul*

12 Pan ddaeth yn ddydd, gwnaeth yr Iddewon gynllwyn: aethant ar eu llw i beidio â bwyta nac yfed dim hyd nes y 13 byddent wedi lladd Paul. Yr oedd mwy na deugain wedi 14 gwneud y cydfwriad hwn. Aethant at y prif offeiriaid a'r henuriaid, a dweud, "Yr ydym wedi mynd ar ein llw mwyaf difrifol i beidio â phrofi dim bwyd hyd nes y byddwn wedi 15 lladd Paul. Rhowch chwi, felly, ynghyd â'r Sanhedrin, rybudd yn awr i'r capten, iddo ddod ag ef i lawr atoch, ar yr esgus eich bod am ymchwilio yn fanylach i'w achos. Ac yr ydym ninnau 16 yn barod i'w ladd ef cyn iddo gyrraedd." Ond fe glywodd mab i chwaer Paul am y cynllwyn, ac aeth i'r pencadlys, a mynd i 17 mewn ac adrodd yr hanes wrth Paul. Galwodd Paul un o'r canwriaid ato, ac meddai, "Dos â'r llanc yma at y capten; y 18 mae ganddo rywbeth i'w ddweud wrtho." Felly cymerodd y canwriad ef, a mynd ag ef at y capten, ac meddai, "Galwodd y carcharor Paul fi, a gofyn imi ddod â'r llanc hwn atat ti, am fod

ganddo rywbeth i'w ddweud wrthyt." Cymerodd y capten 19 afael yn ei law, a mynd ag ef o'r neilltu a holi, "Beth yw'r hyn sydd gennyt i'w ddweud wrthyf?" Meddai yntau, "Cytunodd 20 yr Iddewon i ofyn i ti fynd â Paul i lawr yfory i'r Sanhedrin, ar yr esgus fod y rheini am holi yn fanylach yn ei gylch. Yn awr, 21 paid â gwrando arnynt, oherwydd y mae mwy na deugain o'u dynion yn aros i ymosod arno; y maent wedi mynd ar eu llw i beidio â bwyta nac yfed hyd nes y byddant wedi ei ladd ef, ac y maent yn barod yn awr, yn disgwyl am dy ganiatâd di." Yna 22 anfonodd y capten y llanc ymaith, ar ôl gorchymyn iddo, "Paid â dweud wrth neb dy fod wedi rhoi gwybod imi am hyn."

### *Anfon Paul at Ffelix, y Rhaglaw*

Yna galwodd ato ddau ganwriad arbennig, a dweud wrthynt, 23 "Paratowch ddau gant o filwyr, i fynd i Gesarea, a saith deg o wŷr meirch a dau gan picellwr, erbyn naw o'r gloch y nos. Darparwch hefyd anifeiliaid, iddynt osod Paul arnynt a mynd 24 ag ef yn ddiogel at Ffelix, y rhaglaw." Ac ysgrifennodd lythyr 25 i'r perwyl hwn: "Claudius Lysias at yr Ardderchocaf Raglaw 26 Ffelix, cyfarchion. Daliwyd y dyn hwn gan yr Iddewon, ac yr 27 oedd ar fin cael ei ladd ganddynt, ond deuthum ar eu gwarthaf gyda'm milwyr ac achubais ef, wedi imi ddeall ei fod yn ddinesydd Rhufeinig. Gan fy mod yn awyddus i gael gwybod 28 pam yr oeddent yn ei gyhuddo, euthum ag ef i lawr gerbron eu Sanhedrin. Cefais ei fod yn cael ei gyhuddo ynglŷn â materion 29 dadleuol yn eu Cyfraith hwy, ond nad oedd yn wynebu cyhuddiad oedd yn haeddu marwolaeth neu garchar. A chan imi gael 30 ar ddeall y byddai cynllwyn ganddynt yn erbyn y dyn, yr wyf fi* yn ei anfon atat ti, wedi gorchymyn i'w gyhuddwyr hefyd gyflwyno ger dy fron di eu hachos yn ei erbyn ef."**

Felly cymerodd y milwyr Paul, yn ôl y gorchymyn a gawsant, 31 a mynd ag ef yn ystod y nos i Antipatris. Trannoeth, dychwel- 32 sant i'r pencadlys, gan adael i'r gwŷr meirch fynd ymlaen gydag ef. Wedi i'r rhain fynd i mewn i Gesarea, rhoesant y 33 llythyr i'r rhaglaw, a throsglwyddo Paul iddo hefyd. Darllen- 34 odd yntau'r llythyr, a holi o ba dalaith yr oedd yn dod. Pan

---

*adn. 30: yn ôl darlleniad arall, *cynllwyn yn erbyn y dyn, yr wyf fi ar unwaith.*

**adn. 30: y mae rhai llawysgrifau yn ychwanegu *Ffarwel.*

35 ddeallodd ei fod o Gilicia, dywedodd, " Gwrandawaf dy achos pan fydd dy gyhuddwyr hefyd wedi cyrraedd." A gorchmynnodd ei gadw dan warchodaeth ym Mhraetoriwm Herod.

*Yr Achos yn erbyn Paul*

**24** Pum diwrnod yn ddiweddarach, daeth Ananias yr archoffeiriad i lawr gyda rhai henuriaid, a dadleuydd o'r enw Tertulus, a gosodasant gerbron y rhaglaw eu hachos yn erbyn 2 Paul. Galwyd yntau gerbron, a dechreuodd Tertulus ei erlyniad, gan ddweud: " Trwot ti yr ydym yn mwynhau cyflawnder o heddwch, a thrwy dy ddarbodaeth y mae gwelliannau yn dod 3 i ran y genedl hon ym mhob modd ac ym mhob man. Yr ydym yn eu derbyn, ardderchocaf Ffelix, gyda phob diolchgarwch. 4 Ond rhag i mi dy gadw di yn rhy hir, yr wyf yn deisyf arnat 5 wrando ar ychydig eiriau gennym, os byddi mor garedig. Cawsom y dyn yma yn bla, yn codi ymrafaelion ymhlith yr holl Iddewon trwy'r byd, ac yn arweinydd yn sect y Nasareaid. 6 Gwnaeth gynnig ar halogi'r deml hyd yn oed, ond daliasom 8 ef.* Ac os holi di ef dy hun, gelli gael sicrwydd am bob dim 9 yr ydym yn ei gyhuddo ohono." Ymunodd yr Iddewon hefyd yn y cyhuddo, gan daeru mai felly yr oedd hi.

*Paul yn ei Amddiffyn ei Hun gerbron Ffelix*

10 Yna atebodd Paul, wedi i'r rhaglaw amneidio arno i lefaru: " Mi wn dy fod di ers llawer blwyddyn yn farnwr i'r genedl hon, ac am hynny yr wyf yn amddiffyn fy achos yn galonnog. 11 Oherwydd gelli gael sicrwydd nad oes dim mwy na deuddeg 12 diwrnod er pan euthum i fyny i addoli yn Jerwsalem. Ni chawsant mohonof yn dadlau â neb nac yn casglu tyrfa, yn y 13 deml nac yn y synagogau nac yn y ddinas, ac ni allant brofi i ti wirionedd y cyhuddiadau y maent yn eu dwyn yn awr yn fy 14 erbyn i. Ond yr wyf yn cyfaddef hyn i ti, mai yn null y Ffordd, a alwant hwy yn sect, felly yr wyf yn addoli Duw ein tadau. Yr wyf yn credu pob peth sydd yn ôl y Gyfraith ac sy'n ysgrifenedig 15 yn y proffwydi, ac yn gobeithio yn Nuw—ac y maent hwy eu

*adn. 6: ychwanega rhai llawysgrifau adnodau 6b-8a: *ac yr oeddem yn bwriadu ei farnu yn ôl ein Cyfraith ni. Ond daeth Lysias y capten a'i gymryd ef trwy drais mawr allan o'n dwylo ni, a gorchymyn i'w gyhuddwyr ddod ger dy fron di.*

hunain yn derbyn y gobaith hwn, y bydd atgyfodiad i'r cyfiawn ac i'r anghyfiawn. Oherwydd hyn, yr wyf finnau hefyd yn 16 ymroi i gadw cydwybod ddianaf gerbron Duw a dynion yn wastad. Ac ar ôl amryw flynyddoedd, deuthum i wneud elusen- 17 nau i'm cenedl ac i offrymu aberthau, ac wrthi'n gwneud hyn y 18 cawsant fi, wedi fy mhureiddio, yn y deml. Nid oedd yno na thyrfa na therfysg. Ond yr oedd yno ryw Iddewon o Asia, a 19 hwy a ddylai fod yma ger dy fron di i'm cyhuddo i, a chaniatáu fod ganddynt rywbeth yn fy erbyn; neu dyweded y rhain yma 20 pa gamwedd a gawsant ynof pan sefais gerbron y Sanhedrin, heblaw'r un ymadrodd hwnnw a waeddais pan oeddwn yn sefyll 21 yn eu plith: 'Ynghylch atgyfodiad y meirw yr wyf ar fy mhrawf heddiw ger eich bron.'"

Yr oedd gan Ffelix wybodaeth led fanwl am y Ffordd, a 22 gohiriodd yr achos, gan ddweud, "Pan ddaw Lysias y capten i lawr, rhoddaf ddyfarniad yn eich achos." Gorchmynnodd i'r 23 canwriad fod Paul i'w gadw dan warchodaeth, ac i gael peth rhyddid, ac nad oeddent i rwystro i neb o'i gyfeillion weini arno.

### *Dal Paul yn Garcharor*

Rhai dyddiau wedi hynny, daeth Ffelix yno gyda'i wraig 24 Drwsila, a oedd yn Iddewes. Fe anfonodd am Paul, a gwrandawodd ar ei eiriau ynghylch ffydd yng Nghrist Iesu. Ond 25 wrth iddo drafod cyfiawnder a hunan-ddisgyblaeth a'r Farn oedd i ddod, daeth ofn ar Ffelix a dywedodd, "Dyna ddigon am y tro; anfonaf amdanat eto pan gaf gyfle." Yr un pryd, yr 26 oedd yn gobeithio cael cil-dwrn gan Paul, ac oherwydd hynny byddai'n anfon amdano yn lled fynych, ac yn sgwrsio ag ef.

Aeth dwy flynedd heibio, a dilynwyd Ffelix gan Porcius 27 Ffestus; a chan ei fod yn awyddus i ennill ffafr yr Iddewon, gadawodd Ffelix Paul yn garcharor.

### *Paul yn Apelio i Gesar*

Felly, dridiau wedi i Ffestus gyrraedd ei dalaith, aeth i fyny i **25** Jerwsalem o Gesarea, a gosododd y prif offeiriaid a gwŷr 2 blaenaf yr Iddewon eu hachos yn erbyn Paul ger ei fron. Yr 3 oeddent yn ceisio gan Ffestus eu ffafrio hwy yn ei erbyn ef, yn deisyf am iddo anfon amdano i Jerwsalem, ac ar yr un pryd yn gwneud cynllwyn i'w ladd ar y ffordd. Atebodd Ffestus, fodd 4 bynnag, fod Paul dan warchodaeth yng Nghesarea, a'i fod ef ei

5 hun yn bwriadu cychwyn i ffwrdd yn fuan. " Felly," meddai, " gadewch i'r gwŷr sydd ag awdurdod yn eich plith ddod i lawr gyda mi a'i gyhuddo ef, os yw'r dyn wedi gwneud rhywbeth o'i le."

6 Arhosodd Ffestus gyda hwy am wyth neu ddeg diwrnod ar y mwyaf. Yna aeth i lawr i Gesarea, a thrannoeth cymerodd ei 7 le yn y llys a gorchymyn dod â Paul gerbron. Pan ymddangosodd Paul, safodd yr Iddewon oedd wedi dod i lawr o Jerwsalem o'i amgylch, gan ddwyn llawer o gyhuddiadau difrifol yn ei 8 erbyn. Ond ni allent eu profi yn wyneb amddiffyniad Paul: " Nid wyf fi wedi troseddu o gwbl, nac yn erbyn Cyfraith yr 9 Iddewon, nac yn erbyn y deml, nac yn erbyn Cesar." Ond gan fod Ffestus yn awyddus i ennill ffafr yr Iddewon, gofynnodd i Paul: " A wyt yn dewis mynd i fyny i Jerwsalem a chael dy 10 farnu yno ger fy mron i am y pethau hyn?" Dywedodd Paul: " Yr wyf fi'n sefyll gerbron llys Cesar, lle y dylid fy marnu. Ni throseddais o gwbl yn erbyn yr Iddewon, fel y gwyddost ti 11 yn eithaf da. Fodd bynnag, os wyf yn droseddwr, ac os wyf wedi gwneud rhywbeth sy'n haeddu marwolaeth, nid wyf yn ceisio osgoi'r ddedfryd i farw. Ond os yw cyhuddiadau'r bobl hyn yn fy erbyn yn ddi-sail, ni all neb fy nhrosglwyddo iddynt 12 fel ffafr. Yr wyf yn apelio i Gesar." Yna, wedi iddo drafod y mater â'i gynghorwyr, atebodd Ffestus: " I Gesar yr wyt wedi apelio; at Gesar y cei fynd."

*Dod â Paul gerbron Agripa a Bernice*

13 Ymhen rhai dyddiau daeth y Brenin Agripa a Bernice i lawr 14 i Gesarea i groesawu Ffestus. A chan eu bod yn treulio dyddiau lawer yno, cyflwynodd Ffestus achos Paul i sylw'r brenin. " Y mae yma ddyn," meddai, " wedi ei adael gan Ffelix yn garchar-15 or, a phan oeddwn yn Jerwsalem gosododd y prif offeiriaid a henuriaid yr Iddewon ei achos ef ger fy mron, a gofyn am ei 16 gondemnio. Atebais hwy nad oedd yn arfer gan Rufeinwyr drosglwyddo unrhyw ddyn fel ffafr cyn bod y cyhuddedig yn dod wyneb yn wyneb â'i gyhuddwyr, ac yn cael cyfle i'w am-17 ddiffyn ei hun yn erbyn y cyhuddiad. Felly, pan ddaethant ynghyd yma, heb oedi dim cymerais fy lle drannoeth yn y llys, 18 a gorchymyn dod â'r dyn gerbron. Pan gododd ei gyhuddwyr i'w erlyn, nid oeddent yn ei gyhuddo o'r un o'r troseddau a 19 ddisgwyliwn i. Ond rhyw ddadleuon oedd ganddynt ag ef

ynghylch eu crefydd eu hunain, ac ynghylch rhyw Iesu oedd wedi marw, ond y mynnai Paul ei fod yn fyw. A chan fy mod 20 mewn penbleth ynglŷn â'r ddadl ar y pethau hyn, gofynnais iddo a oedd yn dymuno mynd i Jerwsalem, a chael ei farnu amdanynt yno. Ond gan i Paul apelio am gael ei gadw dan 21 warchodaeth, i gael dyfarniad gan yr Ymerawdwr, gorchmynnais ei gadw felly nes imi ei anfon at Gesar." Meddai Agripa 22 wrth Ffestus, " Mi hoffwn innau glywed y dyn." Meddai yntau, " Fe gei ei glywed yfory."

Trannoeth, felly, daeth Agripa a Bernice, yn fawr eu rhwysg, 23 a mynd i mewn i'r llys ynghyd â chapteiniaid a gwŷr amlwg y ddinas; ac ar orchymyn Ffestus, daethpwyd â Paul gerbron. Ac meddai Ffestus, " Y Brenin Agripa, a chwi wŷr oll sydd 24 yma gyda ni, yr ydych yn gweld y dyn hwn, y gwnaeth holl liaws yr Iddewon gais gennyf yn ei gylch, yn Jerwsalem ac yma, gan weiddi na ddylai gael byw ddim mwy. Ond gwelais i nad 25 oedd wedi gwneud dim yn haeddu marwolaeth; a chan i'r dyn ei hun apelio at yr Ymerawdwr, penderfynais ei anfon ato. Ond 26 nid oes gennyf ddim byd pendant i'w ysgrifennu amdano at ein Harglwydd. Gan hynny, yr wyf wedi dod ag ef ymlaen ger eich bron chwi, ac yn enwedig ger dy fron di, y Brenin Agripa, er mwyn gwneud archwiliad, a chael rhywbeth i'w ysgrifennu. Oherwydd yn fy marn i peth afresymol yw anfon carcharor 27 ymlaen heb hyd yn oed egluro'r cyhuddiadau yn ei erbyn."

### *Paul yn ei Amddiffyn ei Hun gerbron Agripa*

Meddai Agripa wrth Paul, " Y mae caniatâd i ti siarad drosot **26** dy hun." Yna fe estynnodd Paul ei law, a dechrau ei amddiffyniad: " Yr wyf yn f'ystyried fy hun yn ffodus, y Brenin Agripa, 2 mai ger dy fron di yr wyf i'm hamddiffyn fy hun heddiw ynglŷn â'r holl gyhuddiadau y mae'r Iddewon yn eu dwyn yn fy erbyn, yn enwedig gan dy fod yn hyddysg yn yr holl arferion a dadl- 3 euon a geir ymhlith yr Iddewon. Gan hynny, 'rwy'n erfyn arnat fy ngwrando yn amyneddgar. Y mae fy muchedd i o'm 4 mebyd, y modd y bûm yn byw o'r dechrau ymhlith fy nghenedl, a hefyd yn Jerwsalem, yn hysbys i bob Iddew. Y maent yn 5 gwybod ers amser maith, os dymunant dystiolaethu, mai yn ôl sect fwyaf caeth ein crefydd y bûm i'n byw, yn Pharisead. Yn 6 awr yr wyf yn sefyll fy mhrawf ar gyfrif gobaith sydd wedi ei seilio ar yr addewid a wnaed gan Dduw i'n tadau ni, addewid y 7

mae ein deuddeg llwyth ni, trwy ddwys addoli nos a dydd, yn gobeithio ei sylweddoli; ac am y gobaith hwn yr wyf yn cael fy
8 nghyhuddo, O Frenin, gan Iddewon! Pam y bernir yn ang-
9 hredadwy gennych chwi fod Duw yn codi'r meirw? Eto, yr oeddwn i fy hun yn tybio unwaith y dylwn weithio'n ddygn yn
10 erbyn enw Iesu o Nasareth; a gwneuthum hynny yn Jerwsalem. Ar awdurdod y prif offeiriaid, caeais lawer o'r saint mewn carcharau, a phan fyddent yn cael eu lladd, rhoddais fy mhleid-
11 lais yn eu herbyn; a thrwy'r holl synagogau mi geisiais lawer gwaith, trwy gosb, eu gorfodi i gablu. Yr oeddwn yn enbyd o ffyrnig yn eu herbyn, ac yn eu herlid hyd ddinasoedd estron hyd yn oed.

### *Paul yn Sôn am ei Dröedigaeth*
### (Act 9.1-19; 22.6-16)

12 "Pan oeddwn yn teithio i Ddamascus ar y perwyl hwn gydag
13 awdurdod a chennad y prif offeiriaid, gwelais ar y ffordd ganol dydd, O Frenin, oleuni mwy llachar na'r haul yn llewyrchu o'r
14 nef o'm hamgylch i a'r rhai oedd yn teithio gyda mi. Syrthiodd pob un ohonom ar y ddaear, a chlywais lais yn dweud wrthyf yn iaith yr Iddewon, 'Saul, Saul, pam yr wyt yn fy erlid i? Y
15 mae'n galed iti wingo yn erbyn y symbylau.' Dywedais innau, 'Pwy wyt ti, Arglwydd?' A dywedodd yr Arglwydd, 'Iesu
16 wyf fi, yr hwn yr wyt ti yn ei erlid. Ond cod a saf ar dy draed; oherwydd i hyn yr wyf wedi ymddangos i ti, sef i'th benodi di yn was imi, ac yn dyst o'r hyn yr wyt wedi ei weld, ac a weli eto,
17 ohonof fi. Gwaredaf di oddi wrth y bobl hyn ac oddi wrth y
18 Cenhedloedd yr wyf yn dy anfon atynt, i agor eu llygaid a'u troi o dywyllwch i oleuni, o awdurdod Satan at Dduw, er mwyn iddynt gael maddeuant pechodau a chyfran ymhlith y rhai a sancteiddiwyd trwy ffydd ynof fi.'

### *Paul yn Dyst i'r Iddewon a'r Cenhedloedd*

19 "O achos hyn, y Brenin Agripa, ni fûm anufudd i'r weledig-
20 aeth nefol, ond bûm yn cyhoeddi i drigolion Damascus yn gyntaf, ac yn Jerwsalem, a thrwy holl wlad Jwdea, ac i'r Cenhedloedd, eu bod i edifarhau a throi at Dduw, a gweithredu yn
21 deilwng o'u hedifeirwch. Oherwydd hyn y daliodd yr Iddewon
22 fi yn y deml, a cheisio fy llofruddio. Ond mi gefais gymorth

gan Dduw hyd heddiw, ac yr wyf yn sefyll gan dystiolaethu i fawr a mân, heb ddweud dim ond y pethau y dywedodd y proffwydi, a Moses hefyd, eu bod i ddigwydd, sef fod yn rhaid 23 i'r Meseia ddioddef, a'i fod ef, y cyntaf i atgyfodi oddi wrth y meirw, i gyhoeddi goleuni i bobl Israel ac i'r Cenhedloedd."

### *Paul yn Apelio ar i Agripa Gredu*

Ar ganol yr amddiffyniad hwn, dyma Ffestus yn gweiddi, 24 " Yr wyt yn wallgof, Paul; y mae dy fawr ddysg yn dy yrru di'n wallgof." Meddai Paul, " Na, nid wyf yn wallgof, ardderchocaf 25 Ffestus; llefaru geiriau gwirionedd a phwyll yr wyf. Oherwydd 26 fe ŵyr y brenin am y pethau hyn, ac yr wyf yn llefaru yn hy wrtho. Ni allaf gredu fod dim un o'r pethau hyn yn anhysbys iddo, oherwydd nid mewn rhyw gongl y gwnaed hyn. A wyt ti, 27 y Brenin Agripa, yn credu'r proffwydi ? Mi wn i dy fod yn credu." Ac meddai Agripa wrth Paul, " Yr wyt am fy mher- 28 swadio, mewn byr amser, i ymddwyn fel Cristion." Atebodd 29 Paul, " Byr neu hir, mi allwn i weddïo ar Dduw, nid am i ti yn unig, ond am i bawb sy'n fy ngwrando heddiw fod yr un fath ag yr wyf fi, ar wahân i'r rhwymau yma."

Yna cododd y brenin a'r rhaglaw, a Bernice a'r rhai oedd yn 30 eistedd gyda hwy, ac wedi iddynt ymneilltuo, buont yn ym- 31 ddiddan â'i gilydd gan ddweud, " Nid yw'r dyn yma yn gwneud dim oll sy'n haeddu marwolaeth na charchar." Ac 32 meddai Agripa wrth Ffestus, " Gallasai'r dyn yma fod wedi cael ei ollwng yn rhydd, onibai ei fod wedi apelio i Gesar."

### *Paul yn Hwylio tua Rhufain*

Pan benderfynwyd ein bod i hwylio i'r Eidal, trosglwyddwyd **27** Paul a rhai carcharorion eraill i ofal canwriad o'r enw Jwlius, o'r fintai Ymerodrol. Aethom ar fwrdd llong o Adramytium 2 oedd ar hwylio i'r porthladdoedd ar hyd glannau Asia, a chodi angor. Yr oedd Aristarchus, Macedoniad o Thesalonica, gyda ni. Trannoeth, cyraeddasom Sidon. Bu Jwlius yn garedig wrth 3 Paul, a rhoi caniatâd iddo fynd at ei gyfeillion, iddynt ofalu amdano. Oddi yno, wedi codi angor, hwyliasom yng nghysgod 4 Cyprus, am fod y gwyntoedd yn ein herbyn; ac wedi i ni 5 groesi'r môr sydd gyda glannau Cilicia a Pamffylia, cyraedd- asom Myra yn Lycia. Yno cafodd y canwriad long o Alexandria 6

7 oedd yn hwylio i'r Eidal, a gosododd ni arni. Buom am ddyddiau lawer yn hwylio'n araf, a chael trafferth i gyrraedd i ymyl Cnidus. Gan fod y gwynt yn dal i'n rhwystro, hwyliasom i
8 gysgod Creta gyferbyn â Salmone, a thrwy gadw gyda'r tir, daethom gyda chryn drafferth i le a elwid Porthladdoedd Teg, nepell o dref Lasaia.

9 Gan fod cryn amser wedi mynd heibio, a bod morio bellach yn beryglus, oherwydd yr oedd hyd yn oed Gŵyl yr Ympryd
10 drosodd eisoes, rhoes Paul y cyngor hwn iddynt: "Ddynion, 'rwy'n gweld y bydd mynd ymlaen â'r fordaith yma yn sicr o beri difrod a cholled enbyd, nid yn unig i'r llwyth ac i'r llong,
11 ond i'n bywydau ni hefyd." Ond yr oedd y canwriad yn rhoi
12 mwy o goel ar y peilot a'r capten nag ar eiriau Paul. A chan fod y porthladd yn anghymwys i fwrw'r gaeaf ynddo, yr oedd y rhan fwyaf o blaid hwylio oddi yno, yn y gobaith y gallent rywfodd gyrraedd Phenix, porthladd yng Nghreta yn wynebu'r de-orllewin a'r gogledd-orllewin, a bwrw'r gaeaf yno.

## *Y Storm ar y Môr*

13 Pan gododd gwynt ysgafn o'r de, tybiasant fod eu bwriad o fewn eu cyrraedd. Codasant angor, a dechrau hwylio gyda
14 glannau Creta, yn agos i'r tir. Ond cyn hir, rhuthrodd gwynt
15 tymhestlog, Euraculon fel y'i gelwir, i lawr o'r tir. Cipiwyd y llong ymaith, a chan na ellid dal ei thrwyn i'r gwynt, bu raid
16 ildio, a chymryd ein gyrru o'i flaen. Wedi rhedeg dan gysgod rhyw ynys fechan a elwir Cauda, llwyddasom, trwy ymdrech, i
17 gael y bad dan reolaeth. Codasant ef o'r dŵr, a mynd ati gyda chyfarpar i amwregysu'r llong; a chan fod arnynt ofn cael eu bwrw ar y Syrtis, tynasant y gêr hwylio i lawr, a mynd felly
18 gyda'r lli. Trannoeth, gan ei bod hi'n dal yn storm enbyd
19 arnom, dyma ddechrau taflu'r llwyth i'r môr; a'r trydydd dydd,
20 lluchio gêr y llong i ffwrdd â'u dwylo eu hunain. Ond heb na haul na sêr i'w gweld am ddyddiau lawer, a'r storm fawr yn dal i'n llethu, yr oedd pob gobaith am gael ein hachub bellach yn diflannu.

21 Yna, wedi iddynt fod heb fwyd am amser hir, cododd Paul yn eu canol hwy a dweud: "Ddynion, dylasech fod wedi gwrando arnaf fi, a pheidio â hwylio o Greta, ac arbed y difrod
22 hwn a'r golled. Ond yn awr yr wyf yn eich cynghori i godi'ch

calon; oherwydd ni bydd dim colli bywyd yn eich plith chwi, dim ond colli'r llong. Oherwydd neithiwr safodd yn fy ymyl 23 angel y Duw a'm piau, yr hwn yr wyf yn ei addoli, a dweud, 24 'Paid ag ofni, Paul; y mae'n rhaid i ti sefyll gerbron Cesar, a dyma Dduw o'i ras wedi rhoi i ti fywydau pawb o'r rhai sy'n morio gyda thi.' Felly codwch eich calonnau, ddynion, oher- 25 wydd yr wyf yn credu Duw, mai felly y bydd, fel y dywedwyd wrthyf. Ond y mae'n rhaid i ni gael ein bwrw ar ryw ynys." 26

Daeth y bedwaredd nos ar ddeg, a ninnau'n dal i fynd gyda'r 27 lli ar draws môr Adria. Tua chanol nos, dechreuodd y morwyr dybio fod tir yn agosáu. Wedi plymio, cawsant ddyfnder o 28 ugain gwryd, ac ymhen ychydig, plymio eilwaith a chael pymtheg gwryd. Gan fod arnynt ofn i ni efallai gael ein bwrw 29 ar leoedd creigiog, taflasant bedair angor o'r starn, a deisyf am iddi ddyddio. Dechreuodd y morwyr geisio dianc o'r llong, a 30 gollwng y bad i'r dŵr, dan esgus mynd i osod angorion o'r pen blaen. Ond dywedodd Paul wrth y canwriad a'r milwyr, "Os 31 na fydd y rhain yn aros yn y llong, ni allwch chwi gael eich achub." Yna fe dorrodd y milwyr raffau'r bad, a gadael iddo 32 gwympo ymaith.

Pan oedd hi ar ddyddio, dechreuodd Paul annog pawb i 33 gymryd bwyd, gan ddweud, "Heddiw yw'r pedwerydd dydd ar ddeg i chwi fod yn disgwyl yn bryderus, ac yn dal heb gymryd tamaid o ddim i'w fwyta. Felly yr wyf yn eich annog i 34 gymryd bwyd, oherwydd bydd hynny'n ei gwneud yn haws ichwi gael eich achub; oherwydd ni chollir blewyn oddi ar ben yr un ohonoch." Wedi iddo ddweud hyn, cymerodd fara, a 35 diolchodd i Dduw yng ngŵydd pawb, a'i dorri a dechrau bwyta. Cododd pawb eu calon, a chymryd bwyd, hwythau hefyd. 36 Rhwng pawb yr oedd dau gant saith deg a chwech ohonom yn 37 y llong. Wedi iddynt gael digon o fwyd, dechreusant ysgafn- 38 hau'r llong trwy daflu'r ŷd allan i'r môr.

### *Y Llongddrylliad*

Pan ddaeth hi'n ddydd, nid oeddent yn adnabod y tir, ond 39 gwelsant gilfach ag iddi draeth, a phenderfynwyd gyrru'r llong i'r lan yno, os oedd modd. Torasant yr angorion i ffwrdd, a'u 40 gadael yn y môr. Yr un pryd, datodwyd cyplau'r llywiau, a

41 chodi'r hwyl flaen i'r awel, a chyfeirio tua'r traeth. Ond daliwyd hwy gan ddeufor-gyfarfod, a gyrasant y llong i dir. Glynodd y pen blaen, a sefyll yn ddiysgog, ond dechreuodd y 42 starn ymddatod dan rym y tonnau. Penderfynodd y milwyr ladd y carcharorion, rhag i neb ohonynt nofio i ffwrdd a dianc. 43 Ond gan fod y canwriad yn awyddus i achub Paul, rhwystrodd hwy rhag cyflawni eu bwriad, a gorchmynnodd i'r rhai a fedrai nofio neidio yn gyntaf oddi ar y llong, a chyrraedd y 44 tir, ac yna'r lleill, rhai ar ystyllod ac eraill ar ddarnau o'r llong. Ac felly y bu i bawb ddod yn ddiogel i dir.

### *Paul ar Ynys Melita*

**28** Wedi inni ddod i ddiogelwch, cawsom wybod mai Melita y 2 gelwid yr ynys. Dangosodd y brodorion garedigrwydd anghyffredin inni. Cyneuasant goelcerth, a'n croesawu ni bawb at 3 y tân, oherwydd yr oedd yn dechrau glawio, ac yn oer. Casglodd Paul beth wmbredd o danwydd, ac wedi iddo'u rhoi ar y 4 tân, daeth gwiber allan o'r gwres, a glynu wrth ei law. Pan welodd y brodorion y neidr ynghrog wrth ei law, meddent wrth ei gilydd, "Llofrudd, yn sicr, yw'r dyn yma, ac er ei fod wedi dianc yn ddiogel o'r môr nid yw'r dduwies Cyfiawnder wedi 5 gadael iddo fyw." Yna, ysgydwodd ef y neidr ymaith i'r tân, 6 heb gael dim niwed; yr oeddent hwy'n disgwyl iddo ddechrau chwyddo, neu syrthio'n farw yn sydyn. Ar ôl iddynt ddisgwyl yn hir, a gweld nad oedd dim anghyffredin yn digwydd iddo, newidiasant eu meddwl a dechrau dweud mai duw ydoedd. 7 Yng nghyffiniau'r lle hwnnw, yr oedd tiroedd gan ŵr blaenaf yr ynys, un o'r enw Poplius. Derbyniodd hwn ni, a'n lletya yn 8 gyfeillgar am dridiau. Yr oedd tad Poplius yn digwydd bod yn gorwedd yn glaf, yn dioddef gan byliau o dwymyn a chan ddisentri. Aeth Paul i mewn ato, a chan weddïo a rhoi ei ddwylo 9 arno, fe'i hiachaodd. Wedi i hyn ddigwydd, daeth y lleill yn yr 10 ynys oedd dan afiechyd ato hefyd, a chael eu hiacháu. Rhoddodd y bobl hyn anrhydeddau lawer inni, ac wrth inni gychwyn ymaith, ein llwytho â phopeth y byddai arnom ei angen.

### *Paul yn Cyrraedd Rhufain*

11 Tri mis yn ddiweddarach, hwyliasom i ffwrdd mewn llong o

Alexandria oedd wedi bwrw'r gaeaf yn yr ynys, a'r Efeilliaid Nefol yn arwydd arni. Wedi cyrraedd Syracwsa, ac aros yno 12 dridiau, hwyliasom oddi yno a dod i Rhegium. Ar ôl diwrnod, 13 cododd gwynt o'r de, a'r ail ddydd, daethom i Potioli. Yno 14 cawsom frodyr yn y Ffydd, a gwahoddwyd ni i aros gyda hwy am saith diwrnod. A dyna sut y daethom i Rufain. Pan glyw- 15 odd y brodyr amdanom, daethant allan cyn belled â Marchnad Apius a'r Tair Tafarn i'n cyfarfod. Pan welodd Paul hwy, fe ddiolchodd i Dduw, ac ymwrolodd.

Pan aethom i mewn i Rufain fe ganiatawyd i Paul letya ar ei 16 ben ei hun, gyda'r milwr oedd yn ei warchod.

### *Paul yn Pregethu yn Rhufain*

Ymhen tridiau, galwodd Paul ynghyd y prif ddynion ymysg 17 yr Iddewon. Wedi iddynt ddod at ei gilydd, dywedodd wrthynt, " Er nad wyf fi, frodyr, wedi gwneud dim yn erbyn fy mhobl na defodau'r tadau, cefais fy nhraddodi yn garcharor o Jerwsalem i ddwylo'r Rhufeiniaid. Yr oeddent hwy, wedi 18 iddynt fy holi, yn dymuno fy ngollwng yn rhydd, am nad oedd dim rheswm dros fy rhoi i farwolaeth. Ond oherwydd gwrth- 19 wynebiad yr Iddewon, cefais fy ngorfodi i apelio i Gesar; nid bod gennyf unrhyw gyhuddiad yn erbyn fy nghenedl. Dyna'r 20 rheswm, ynteu, fy mod wedi gofyn am eich gweld a chael ymddiddan â chwi; oherwydd o achos gobaith Israel y mae gennyf y gadwyn hon amdanaf." Dywedasant hwythau wrtho, 21 " Nid ydym wedi derbyn unrhyw lythyrau amdanat ti o Jwdea, ac ni ddaeth neb o'r brodyr yma chwaith i adrodd na llefaru dim drwg amdanat ti. Ond fe garem glywed gennyt ti beth yw 22 dy ddaliadau; oherwydd fe wyddom ni am y sect hon, ei bod yn cael ei gwrthwynebu ym mhobman."

Penasant ddiwrnod iddo, a daethant ato i'w lety yn dyrfa. 23 O fore tan nos, bu yntau yn esbonio iddynt, gan dystiolaethu am deyrnas Dduw, a cheisio eu hargyhoeddi ynghylch Iesu ar sail Cyfraith Moses a'r proffwydi. Yr oedd rhai yn credu ei 24 eiriau, ac eraill ddim yn credu; ac yr oeddent yn dechrau ym- 25 wahanu, mewn anghytundeb â'i gilydd, pan ddywedodd Paul un gair ymhellach: " Da y llefarodd yr Ysbryd Glân, trwy'r proffwyd Eseia, wrth eich tadau chwi, gan ddweud: 26

‘ Dos at y bobl yma a dywed,
“ Er gwrando a gwrando, ni ddeallwch ddim,
er edrych ac edrych, ni welwch ddim.”
27 Canys brasawyd deall y bobl yma,
y mae eu clyw yn drwm,
a’u llygaid wedi cau;
rhag iddynt weld â’u llygaid,
a chlywed â’u clustiau,
a deall â’u meddwl a throi,
ac i mi eu hiacháu.’

28 Bydded hysbys, felly, i chwi fod yr iachawdwriaeth hon, sydd oddi wrth Dduw, wedi ei hanfon at y Cenhedloedd; fe wrandawant hwy.”*

30 Arhosodd Paul ddwy flynedd gyfan yno ar ei gost ei hun, a 31 byddai’n derbyn pawb a ddôi i mewn ato, gan gyhoeddi teyrnas Dduw a dysgu am yr Arglwydd Iesu Grist, gyda phob hyder, heb neb yn ei wahardd.

*adn. 28: ychwanega rhai llawysgrifau adn. 29: *Ac wedi iddo ddweud hyn, ymadawodd yr Iddewon, gan ddadlau’n frwd â’i gilydd.*

LLYTHYR PAUL AT Y

# RHUFEINIAID

### *Cyfarch*

Paul, gwas Crist Iesu, apostol trwy alwad Duw, ac wedi ei neilltuo i wasanaeth Efengyl Duw, sy'n ysgrifennu. Addawodd Duw yr Efengyl hon ymlaen llaw trwy ei broffwydi yn yr Ysgrythurau sanctaidd, Efengyl am ei Fab: yn nhrefn y cnawd, ganwyd ef yn llinach Dafydd; ond yn nhrefn sanctaidd yr Ysbryd, cyhoeddwyd ef yn Fab Duw, â mawr allu, trwy atgyfodiad o farwolaeth. Dyma Iesu Grist ein Harglwydd. Trwyddo ef derbyniasom ras a swydd apostol, i ennill, ar ei ran, ffydd ac ufudd-dod ymhlith yr holl Genhedloedd. Ymhlith y rhain yr ydych chwithau, yn rhai wedi eich galw ac yn eiddo i Iesu Grist. Yr wyf yn cyfarch pawb yn Rhufain* sydd yn annwyl gan Dduw, a thrwy ei alwad ef yn saint. Gras a thangnefedd i chwi oddi wrth Dduw ein Tad a'r Arglwydd Iesu Grist. 1 2 3 4 5 6 7

### *Paul yn Dymuno Ymweld â Rhufain*

Yn gyntaf oll, yr wyf yn diolch i'm Duw, trwy Iesu Grist, amdanoch chwi oll, oherwydd y mae'r sôn am eich ffydd yn cerdded trwy'r holl fyd. Y mae Duw yn dyst imi, y Duw y mae fy ysbryd yn ei wasanaethu yn Efengyl ei Fab, mor ddi-baid y byddaf bob amser yn eich galw i gof yn fy ngweddïau wrth ofyn ganddo, os dyna'i ewyllys, a gaf fi yn awr o'r diwedd, rywsut neu'i gilydd, rwydd hynt i ddod atoch. Oherwydd y mae hiraeth arnaf am eich gweld, er mwyn eich cynysgaeddu â rhyw ddawn ysbrydol i'ch cadarnhau; neu'n hytrach, os caf esbonio, i mi, yn eich cymdeithas, gael fy nghalonogi ynghyd â chwi trwy'r ffydd sy'n gyffredin i'r naill a'r llall ohonom. Yr wyf am i chwi wybod, fy mrodyr, imi fwriadu lawer gwaith ddod atoch, er mwyn cael peth ffrwyth yn eich plith chwi fel y cefais ymhlith y rhelyw o'r Cenhedloedd, ond hyd yma yr wyf wedi fy rhwystro. Groegiaid a barbariaid, doethion ac annoeth- 8 9 10 11 12 13 14

*adn. 7: y mae rhai llawysgrifau yn gadael allan *yn Rhufain*.

15 ion—yr wyf dan rwymedigaeth iddynt oll. A dyma'r rheswm fy mod i mor eiddgar i bregethu'r Efengyl i chwithau sydd yn Rhufain.*

*Gallu'r Efengyl*

16 Nid oes arnaf gywilydd o'r Efengyl, oherwydd gallu Duw yw hi ar waith er iachawdwriaeth i bob un sy'n credu, yr Iddew yn 17 gyntaf a hefyd y Groegwr. Ynddi hi y datguddir cyfiawnder Duw, a hynny trwy ffydd o'r dechrau i'r diwedd, fel y mae'n ysgrifenedig: " Y sawl sydd trwy ffydd yn gyfiawn a gaiff fyw."

*Euogrwydd y Ddynolryw*

18 Y mae digofaint Duw yn cael ei ddatguddio o'r nef yn erbyn holl annuwioldeb ac anghyfiawnder y dynion sydd, trwy eu 19 hanghyfiawnder, yn atal y gwirionedd. Oherwydd y mae'r hyn y gellir ei wybod am Dduw yn amlwg iddynt, a Duw sydd wedi 20 ei amlygu iddynt. Yn wir, er pan greodd Duw y byd, y mae ei briodoleddau anweledig ef, ei dragwyddol allu a'i dduwdod, i'w gweld yn eglur gan y deall yn y pethau a greodd. Am hynny, 21 y maent yn ddiesgus. Oherwydd, er iddynt wybod am Dduw, nid ydynt wedi rhoi gogoniant na diolch iddo fel Duw, ond, yn hytrach, troi eu meddyliau at bethau cwbl ofer; ac y mae wedi 22 mynd yn dywyllwch arnynt yn eu calon ddiddeall. Er honni eu bod yn ddoeth, y maent wedi eu gwneud eu hunain yn 23 ffyliaid. Y maent wedi ffeirio gogoniant yr anfarwol Dduw am ddelw ar lun dyn marwol, neu adar neu anifeiliaid neu seirff.

24 Am hynny, y mae Duw wedi eu traddodi, trwy chwantau eu calonnau, i gaethiwed aflendid, i'w cyrff gael eu hamharchu 25 ganddynt hwy eu hunain.* Dyma'u tynged, gan iddynt ffeirio gwirionedd Duw am anwiredd, ac addoli a gwasanaethu'r hyn a grewyd yn lle'r Creawdwr. Bendigedig yw ef yn dragywydd! 26 Amen. Felly y mae Duw wedi eu traddodi i gaethiwed nwydau gwarthus. Y mae eu merched wedi cefnu ar arfer naturiol eu 27 rhyw, a throi at arferion annaturiol; a'r meibion yr un modd, y maent wedi gadael heibio gyfathrach naturiol â merch, gan losgi yn eu blys am ei gilydd, meibion yn cyflawni bryntni ar feibion, ac yn derbyn ynddynt eu hunain y tâl anochel am eu camwedd.

---

*adn. 15: y mae rhai llawysgrifau yn gadael allan *sydd yn Rhufain.*

*adn. 24: neu, *nes eu bod yn amharchu eu cyrff yn eu plith eu hunain.*

Am iddynt wrthod cydnabod Duw, y mae Duw wedi eu 28 traddodi i gaethiwed meddwl llygredig, ac am hynny y mae eu gweithredoedd yn wrthun, a hwythau yn gyforiog o bob math o 29 anghyfiawnder a drygioni a thrachwant ac anfadwaith. Y maent yn llawn cenfigen, llofruddiaeth, cynnen, cynllwyn a malais. Clepgwn ydynt, a difenwyr, casddynion Duw, dynion rhyfygus 30 a thrahaus ac ymffrostgar, dyfeiswyr drygioni, heb barch i'w rhieni, heb ddeall, heb deyrngarwch, heb serch, heb dosturi. 31 Yr oedd gorchymyn cyfiawn Duw, fod y sawl sy'n cyflawni'r 32 fath droseddau yn teilyngu marwolaeth, yn gwbl hysbys i'r dynion hyn; ond y maent, nid yn unig yn dal i'w gwneud, ond hefyd yn cymeradwyo'r sawl sydd yn eu cyflawni.

*Barn Gyfiawn Duw*

Yn wyneb hyn, yr wyt ti, y dyn, pwy bynnag wyt, sy'n eistedd **2** mewn barn, yn ddiesgus. Oherwydd, wrth farnu dy gyd-ddyn, yr wyt yn dy gollfarnu dy hun, gan dy fod ti, y barnwr, yn cyflawni'r un troseddau. Fe wyddom fod barn Duw ar y sawl 2 sy'n cyflawni'r fath droseddau yn gwbl gywir. Ond a wyt ti, y 3 dyn sy'n eistedd mewn barn ar y rhai sy'n cyflawni'r fath droseddau, ac yn eu gwneud dy hun, a wyt ti'n tybied y cei di ddianc rhag barn Duw ? Neu, ai dibris gennyt yw cyfoeth ei diriondeb 4 a'i ymatal a'i amynedd ? A fynni di beidio â gweld mai amcan tiriondeb Duw yw dy ddwyn i edifeirwch ? Wrth ddilyn 5 ystyfnigrwydd dy galon ddiedifar, yr wyt yn casglu i ti dy hunan stôr o ddigofaint yn Nydd digofaint, Dydd datguddio barn gyfiawn Duw. Bydd ef yn talu i bob un yn ôl ei weithredoedd: 6 bywyd tragwyddol i'r rhai sy'n dal ati i wneud daioni, gan 7 geisio gogoniant, anrhydedd ac anfarwoldeb; ond digofaint a 8 dicter i'r rheini a ysgogir gan gymhellion hunanol i fod yn ufudd, nid i'r gwirionedd, ond i anghyfiawnder. Gorthrymder 9 ac ing fydd i bob un dyn sy'n gwneud drygioni, i'r Iddew yn gyntaf a hefyd i'r Groegwr; ond gogoniant ac anrhydedd a 10 thangnefedd fydd i bob un sy'n gwneud daioni, i'r Iddew yn gyntaf a hefyd i'r Groegwr. Nid oes ffafriaeth gerbron Duw. 11 Caiff pawb a bechodd heb y Gyfraith drengi hefyd heb y 12 Gyfraith, a chaiff pawb a bechodd â'r Gyfraith ganddo ei farnu trwy'r Gyfraith. Nid gwrandawyr y Gyfraith a geir yn gyfiawn 13 gerbron Duw. Na, gwneuthurwyr y Gyfraith a ddyfernir yn gyfiawn ganddo ef. Pan yw Cenhedloedd sydd heb y Gyfraith 14

yn cadw gofynion y Gyfraith wrth reddf, y maent, gan eu bod
15 heb y Gyfraith, yn gyfraith iddynt eu hunain. Y maent yn
dangos bod yr hyn a ofynnir gan y Gyfraith wedi ei ysgrifennu
yn eu calonnau, gan fod eu cydwybod yn cyd-dystiolaethu â'r
Gyfraith, a'u meddyliau weithiau'n cyhuddo ac weithiau,
16 hefyd, yn amddiffyn. Felly, yn ôl yr Efengyl yr wyf fi'n ei
phregethu, y bydd yn y Dydd pan fydd Duw yn barnu meddyl-
iau cuddiedig dynion trwy Iesu Grist.

### *Yr Iddewon a'r Gyfraith*

17 Amdanat ti, fe ddichon dy fod yn cario'r enw "Iddew", yn
18 pwyso ar y Gyfraith, yn ymffrostio yn Nuw, yn gwybod ei
ewyllys, ac oherwydd dy hyfforddi yn y Gyfraith, yn gallu
19 canfod yr hyn sy'n rhagori. Fe ddichon dy fod yn argyhoedd-
edig dy fod yn arweinydd i'r dall, yn oleuni i'r rhai sydd mewn
20 tywyllwch, yn ddisgyblwr y ffôl, yn athro i'r ifanc, a hynny am
fod gennyt yn y Gyfraith holl gynnwys gwybodaeth a gwir-
21 ionedd. Os felly, ti sy'n dysgu dy gyd-ddyn, onid wyt ti'n dy
ddysgu dy hun ? A wyt ti, sy'n pregethu yn erbyn lladrata, yn
22 lleidr ? A wyt ti, sy'n llefaru yn erbyn godinebu, yn odinebwr?
23 A wyt ti, sy'n ffieiddio eilunod, yn ysbeilio temlau ? A wyt ti,
sy'n ymffrostio yn y Gyfraith, yn dwyn gwarth ar Dduw trwy
24 dorri ei Gyfraith ? Fel y mae'r Ysgrythur yn dweud, " O'ch
25 achos chwi, ceblir enw Duw ymhlith y Cenhedloedd." Yn
ddiau y mae gwerth i enwaediad, os wyt yn cadw'r Gyfraith.
Ond os torri'r Gyfraith yr wyt ti, y mae dy enwaediad wedi
26 mynd yn ddienwaediad. Os yw'r sawl nad enwaedwyd arno
yn cadw gorchmynion y Gyfraith, oni fydd Duw yn cyfrif ei
27 ddienwaediad yn enwaediad ? Bydd y dienwaededig ei gorff,
os yw'n cyflawni'r Gyfraith, yn farnwr arnat ti, sydd yn dros-
eddwr y Gyfraith er fod gennyt holl freintiau cyfraith ysgrif-
28 enedig a'r enwaediad. Nid Iddew mo'r Iddew sydd yn y golwg.
Nid enwaediad chwaith mo'r enwaediad sydd yn y golwg yn y
29 cnawd. Y gwir Iddew yw'r Iddew cuddiedig, a'r gwir enwaed-
iad yw enwaediad y galon, peth ysbrydol, nid llythrennol.
Dyma'r dyn sy'n cael ei glod, nid gan ddynion, ond gan Dduw.

**3** Yn wyneb hyn, pa ragorfraint sydd i'r Iddew ? Pa werth
2 sydd i'r enwaediad ? Y mae llawer, ym mhob modd. Yn y lle
3 cyntaf, i'r Iddewon yr ymddiriedwyd oraclau Duw. Ond beth

os bu rhai yn anffyddlon ? A all eu hanffyddlondeb hwy ddileu ffyddlondeb Duw ? Ddim ar unrhyw gyfrif ! Rhaid bod Duw 4 yn eirwir, er i bob dyn fod yn gelwyddog. Fel y mae'n ysgrifenedig:

" Er mwyn dy gael yn gywir yn dy eiriau,
ac i ti orchfygu wrth sefyll dy brawf."

Ond os yw'n hanghyfiawnder ni yn dwyn i'r golau gyfiawnder 5 Duw, beth a ddywedwn ? Mai anghyfiawn yw'r Duw sy'n bwrw ei ddigofaint arnom ? (Siarad fel dyn yr wyf). Ddim ar 6 unrhyw gyfrif ! Os nad yw Duw yn gyfiawn, sut y gall farnu'r byd ? Ie, ond* os yw fy anwiredd i yn foddion i ddangos hel- 7 aethrwydd gwirionedd Duw, a dwyn gogoniant iddo, pam yr wyf fi o hyd dan farn fel pechadur ? " Gadewch i ni wneud 8 drygioni er mwyn i ddaioni ddilyn "—ai dyna yr ydym yn ei ddweud, fel y mae rhai o'n henllibwyr yn mynnu ? Y mae'r rheini'n llawn haeddu'r gosb a gânt.

### *Nid oes Neb Cyfiawn*

Wel, ynteu, a ydym ni'r Iddewon yn rhagori ? Ddim o 9 gwbl !* Yr ydym eisoes wedi cyhuddo Iddewon a Groegiaid, fel ei gilydd, o fod dan lywodraeth pechod. Fel y mae'n ysgrif- 10 enedig:

" Nid oes neb cyfiawn, nid oes un,
neb sydd yn deall, 11
neb yn ceisio Duw.
Y mae pawb wedi gwyro, yn ddi-fudd ynghyd; 12
nid oes neb yn gwneud daioni,
nac oes un.
Bedd agored yw eu llwnc, 13
a'u tafodau'n traethu twyll;
gwenwyn nadredd dan eu gwefusau,
a'u genau'n llawn melltithion sur. 14
Cyflym eu traed i dywallt gwaed, 15
distryw a thrallod sydd ar eu ffyrdd; 16
ffordd tangnefedd, nid ydynt yn ei hadnabod; 17
ofn Duw, nid ydynt yn meddwl amdano." 18

---

*adn. 7: yn ôl darlleniad arall, *Oherwydd.*

*adn. 9: neu, *yn waeth ein cyflwr*? *Ddim yn hollol.*

19 Fe wyddom mai wrth bobl y Gyfraith y mae'r Gyfraith yn llefaru pob dim a ddywed. Felly dyna daw ar bob ceg, a'r byd i 20 gyd wedi ei osod dan farn Duw. Oherwydd, yng ngeiriau'r Ysgrythur, " gerbron Duw ni chyfiawnheir undyn meidrol " trwy gadw gofynion cyfraith. Y cwbl a geir trwy'r Gyfraith yw ymwybyddiaeth o bechod.

### *Cyfiawnder Trwy Ffydd*

21 Ond yn awr, yn annibynnol ar gyfraith, y mae cyfiawnder 22 Duw wedi ei amlygu. Y mae'r Gyfraith a'r proffwydi, yn wir, yn dwyn tystiolaeth iddo, ond cyfiawnder Duw ydyw, sy'n gweithredu trwy ffydd yn Iesu Grist er mwyn pawb sy'n credu. 23 Ie, pawb yn ddiwahaniaeth, oherwydd y maent oll wedi pechu, 24 ac yn amddifad o ogoniant Duw. Gan ras Duw, ac am ddim, y maent yn cael eu cyfiawnhau, trwy'r prynedigaeth sydd yng 25 Nghrist Iesu, yr hwn a osododd Duw gerbron y byd, yn ei farw aberthol, yn foddion puredigaeth trwy ffydd. Gwnaeth Duw hyn i ddangos ei gyfiawnder yn ddiymwad, yn wyneb yr an-26 wybyddu a fu ar bechodau'r gorffennol yn amser ymatal Duw; ie, i ddangos ei gyfiawnder yn ddiymwad yn yr amser presennol hwn, sef, ei fod ef ei hun yn gyfiawn a hefyd yn cyfiawnhau'r sawl sy'n pwyso ar ffydd yn Iesu.

27 A oes lle, felly, i'n hymffrost ? Na, y mae wedi ei gau allan. Ar ba egwyddor ? Egwyddor cadw gofynion cyfraith ? Nage'n 28 wir, ond ar egwyddor ffydd. Ein dadl yw y cyfiawnheir dyn 29 trwy gyfrwng ffydd heb iddo gadw gofynion cyfraith. Ai Duw'r Iddewon yn unig yw Duw ? Onid yw'n Dduw Cenedl-ddynion 30 hefyd ? Wrth gwrs ei fod, oherwydd un yw Duw, a bydd yn cyfiawnhau'r enwaededig ar sail ffydd, a'r dienwaededig trwy 31 ffydd. A ydym, ynteu, yn dileu'r Gyfraith â'n ffydd ? Nac ydym, ddim o gwbl ! Cadarnhau'r Gyfraith yr ydym.

### *Abraham yn Esiampl*

**4** Beth, gan hynny, a ddywedwn am Abraham, hendad ein 2 llinach ? Beth a ddarganfu ef ? Oherwydd os cafodd Abraham ei gyfiawnhau ar gyfrif cadw gofynion cyfraith, y mae ganddo rywbeth i ymffrostio o'i herwydd. Ond na, gerbron Duw nid 3 oes ganddo ddim. Oherwydd beth y mae'r Ysgrythur yn ei ddweud? "Rhoes Abraham ei ffydd yn Nuw, ac fe'i cyfrifwyd iddo yn gyfiawnder." Pan fydd dyn yn cyflawni gofynion ei waith, nid fel rhodd y cyfrifir ei dâl iddo, ond fel peth sy'n ddyledus. Pan na fydd dyn yn cyflawni gofynion ei waith, ond yn rhoi ei ffydd yn yr hwn sy'n cyfiawnhau'r annuwiol, cyfrifir ei ffydd iddo ef yn gyfiawnder. Dyna ystyr yr hyn y mae Dafydd yn ei ddweud am wynfyd y gŵr y mae Duw yn cyfrif cyfiawnder iddo, heb iddo gadw gofynion cyfraith: 4 5 6

" Gwyn eu byd y rhai y maddeuwyd eu troseddau, 7
ac y cuddiwyd eu pechodau;
gwyn ei fyd y gŵr na fydd yr Arglwydd yn cyfrif ei 8
bechod yn ei erbyn."

Y gwynfyd hwn, ai braint yn dilyn ar enwaediad yw ? Oni cheir ef heb enwaediad hefyd ? Ceir yn wir, oherwydd ein hymadrodd yw, " cyfrifwyd ei ffydd i Abraham yn gyfiawnder." Ond sut y bu'r cyfrif ? Ai ar ôl enwaedu arno, ynteu cyn hynny ? Cyn yr enwaedu, nid ar ei ôl. Ac wedyn, derbyniodd arwydd yr enwaediad, yn sêl o'r cyfiawnder oedd eisoes yn eiddo iddo trwy ffydd, heb enwaediad. O achos hyn, y mae yn dad i bawb y mae cyfiawnder yn cael ei gyfrif iddynt am fod ganddynt ffydd, heb enwaediad. Y mae yn dad hefyd i'r rhai enwaededig sydd, nid yn unig yn enwaededig, ond hefyd yn dilyn camre'r ffydd oedd yn eiddo i Abraham ein tad cyn enwaedu arno. 9 10 11 12

### *Cyflawni'r Addewid Trwy Ffydd*

Y mae'r addewid i Abraham, neu i'w had, y byddai yn etifedd y byd, wedi ei rhoi nid trwy'r Gyfraith, ond trwy'r cyfiawnder a geir trwy ffydd. Oherwydd, os y rhai sy'n pwyso ar y Gyfraith yw'r etifeddion, yna gwagedd yw ffydd, a diddim yw'r addewid. Digofaint yw cynnyrch y Gyfraith, ond lle nad oes gyfraith, nid oes drosedd yn ei herbyn chwaith. Am hynny, y mae trefn Duw yn gofyn am ffydd, er mwyn gweithredu trwy ras a sicrhau bod yr addewid yn dal i bawb o had Abraham, nid yn unig i'r rhai sy'n pwyso ar y Gyfraith, ond hefyd i'r rhai sy'n pwyso ar ffydd Abraham. Y mae Abraham yn dad i ni i gyd; fel y mae'n ysgrifenedig: " Yr wyf yn dy benodi yn dad cenhedloedd lawer." Dyma drefn y Duw y credodd Abraham ynddo, y Duw sy'n gwneud y meirw'n fyw, ac yn galw i fod yr hyn nad yw'n bod. A'r credu hwn, â gobaith y tu hwnt i obaith, a'i gwnaeth yn dad cenhedloedd lawer, yn ôl yr hyn a lefarwyd: " Felly y bydd dy had." Er ei fod tua chant oed, ni wanychodd yn ei 13 14 15 16 17 18 19

ffydd, wrth ystyried cyflwr marw ei gorff ei hun a marweidd-
20 dra croth Sara. Nid amheuodd ddim ynglŷn ag addewid Duw,
na diffygio mewn ffydd, ond yn hytrach grymusodd yn ei ffydd
21 a rhoi gogoniant i Dduw, yn llawn hyder fod Duw yn abl i
22 gyflawni'r hyn yr oedd wedi ei addo. Dyma pam y cyfrifwyd
23 ei ffydd iddo yn gyfiawnder. Ond ysgrifennwyd y geiriau,
" fe'i cyfrifwyd iddo ", nid ar gyfer Abraham yn unig, ond ar
24 ein cyfer ni hefyd. Y mae cyfiawnder i'w gyfrif i ni, sydd â
ffydd gennym yn yr hwn a gyfododd Iesu ein Harglwydd oddi
25 wrth y meirw. Cafodd Iesu ei draddodi i farwolaeth am ein
camweddau, a'i gyfodi i'n cyfiawnhau ni.

### *Canlyniadau Cyfiawnhad*

**5** Am hynny, oherwydd ein bod wedi ein cyfiawnhau trwy
ffydd, y mae gennym feddiant* ar heddwch â Duw trwy ein
2 Harglwydd Iesu Grist. Trwyddo ef, yn wir, cawsom ffordd,
trwy ffydd, i ddod i'r gras hwn yr ydym yn sefyll ynddo. Yr
ydym hefyd yn gorfoleddu* yn y gobaith y cawn gyfranogi yng
3 ngogoniant Duw. Heblaw hynny, yr ydym hyd yn oed yn
gorfoleddu* yn ein gorthrymderau, oherwydd fe wyddom mai
4 o orthrymder y daw'r gallu i ymddál, ac o'r gallu i ymddál y
5 daw rhuddin cymeriad, ac o gymeriad y daw gobaith. A dyma
obaith na chawn ein siomi ganddo, oherwydd y mae cariad Duw
eisoes wedi ei dywallt yn ein calonnau trwy'r Ysbryd Glân y
6 mae ef wedi ei roi i ni. Y mae hyn cyn sicred â bod* Crist
eisoes, yn yr amser priodol, a ninnau'n ddiymadferth, wedi
7 marw dros yr annuwiol. Go brin y bydd neb yn marw dros
ddyn cyfiawn. Efallai y ceir rhywun yn ddigon dewr i farw dros
8 ddyn da. Ond prawf Duw o'r cariad sydd ganddo tuag atom ni
yw bod Crist wedi marw drosom pan oeddem yn dal yn becha-
9 duriaid. A ninnau yn awr wedi ein cyfiawnhau trwy ei farw
aberthol ef, y mae'n sicrach fyth y cawn ein hachub trwyddo ef
10 rhag y digofaint. Oherwydd os cymodwyd ni, pan oeddem yn
elynion, â Duw trwy farwolaeth ei Fab, y mae'n sicrach fyth y
11 cawn, ar ôl ein cymodi, ein hachub trwy ei fywyd. Ond heblaw

---

*adn. 1: yn ôl darlleniad arall, *gadewch inni ddal ein meddiant.*

*adn. 2: neu *Gadewch inni orfoleddu hefyd.*

*adn. 3: neu, *gadewch inni hyd yn oed orfoleddu.*

*adn. 6: yn ôl darlleniad arall, *Oherwydd y mae.*

hynny, yr ydym hefyd yn gorfoleddu yn Nuw trwy ein Harglwydd Iesu Grist; trwyddo ef yr ydym yn awr wedi ein derbyn i'r cymod.

### *Adda a Christ*

Ein dadl yw hyn. Daeth pechod i'r byd trwy un dyn, a thrwy bechod farwolaeth, ac yn y modd hwn ymledodd marwolaeth i'r ddynolryw i gyd, yn gymaint ag i bawb bechu. Y mae'n wir fod pechod yn y byd cyn bod y Gyfraith, ond yn niffyg cyfraith, nid yw pechod yn cael ei gyfrif. Serch hynny, teyrnasodd marwolaeth o Adda hyd Moses, hyd yn oed ar y rhai oedd heb bechu ar batrwm trosedd Adda; ac y mae Adda yn rhaglun o'r Dyn oedd i ddod. 12 13 14

Ond nid yw'r weithred sy'n drosedd yn cyfateb yn hollol i'r weithred sy'n ras. Y mae'n wir i drosedd un dyn ddwyn y rhelyw o ddynion i farwolaeth; ond gymaint mwy sydd ar yr ochr arall: helaethrwydd gras Duw a'i rodd raslon o'r un dyn, Iesu Grist, i'r rhelyw o ddynion. Ac ni ellir cymharu canlyniad pechod un dyn â chanlyniad rhodd Duw. Ar y naill law, yn dilyn ar un weithred o drosedd, y mae dedfryd gyfreithiol sy'n collfarnu; ar y llaw arall, yn dilyn ar droseddau lawer, y mae gweithred o ras sy'n diheuro. Y mae'n wir i farwolaeth, trwy drosedd un dyn, deyrnasu trwy'r un dyn hwnnw; ond gymaint mwy sydd ar yr ochr arall: dynion sy'n derbyn helaethrwydd gras Duw, a'i gyfiawnder yn rhodd, yn cael byw a theyrnasu trwy un dyn, Iesu Grist. Dyma'r gymhariaeth gan hynny: fel y daeth collfarn, trwy un weithred o drosedd, ar y ddynolryw i gyd, felly hefyd y daeth cyfiawnhad a bywyd, trwy un weithred o gyfiawnder, i'r ddynolryw i gyd; fel y gwnaethpwyd y rhelyw yn bechaduriaid trwy anufudd-dod un dyn, felly hefyd y gwneir y rhelyw yn gyfiawn trwy ufudd-dod un dyn. Ond daeth y Gyfraith i mewn fel atodiad, er mwyn i drosedd amlhau; ond lle'r amlhaodd pechod, daeth gorlif helaethach o ras; ac felly, fel y teyrnasodd pechod trwy farwolaeth, y mae gras i deyrnasu trwy gyfiawnder, gan ddwyn dynion i fywyd tragwyddol trwy Iesu Grist ein Harglwydd. 15 16 17 18 19 20 21

### *Yn Farw i Bechod, ond yn Fyw yng Nghrist*

Beth, ynteu, sydd i'w ddweud? A ydym i barhau mewn pechod, er mwyn i ras amlhau? Ddim ar unrhyw gyfrif! Pobl 6 2

ydym a fu farw i bechod; sut y gallwn ni, mwyach, fyw ynddo?
3 A ydych heb ddeall fod pawb ohonom a fedyddiwyd i Grist
4 Iesu wedi ein bedyddio i'w farwolaeth ? Trwy'r bedydd hwn i farwolaeth, fe'n claddwyd gydag ef, fel, megis yr atgyfodwyd Crist oddi wrth y meirw mewn amlygiad o ogoniant y Tad, y
5 byddai i ninnau gael byw ar wastad bywyd newydd. Oherwydd os daethom ni yn un ag ef trwy farwolaeth ar lun ei farwolaeth ef, fe'n ceir hefyd yn un ag ef trwy atgyfodiad ar lun ei atgyfod-
6 iad ef. Fe wyddom fod yr hen ddyn oedd ynom wedi ei groes-hoelio gydag ef, er mwyn dirymu ein natur ddynol bechadurus, ac i'n cadw rhag bod, mwyach, yn gaethweision i bechod.
7 Oherwydd y mae'r dyn sydd wedi marw wedi ei ryddhau oddi
8 wrth bechod. Ac os buom ni farw gyda Christ, yr ydym yn
9 credu y cawn fyw gydag ef hefyd, oherwydd y mae'n sicr na fydd marw mwyach i'r Crist sydd wedi ei gyfodi oddi wrth y
10 meirw. Collodd marwolaeth ei harglwyddiaeth arno ef. Yn gymaint ag iddo farw, i bechod y bu farw, un waith am byth;
11 yn gymaint â'i fod yn fyw, i Dduw y mae'n byw. Felly, yr ydych chwithau i'ch cyfrif eich hunain fel rhai sy'n farw i bechod, ond sy'n fyw i Dduw, yng Nghrist Iesu.

12 Felly, nid yw pechod i deyrnasu yn eich corff marwol a'ch
13 gorfodi i ufuddhau i'w chwantau. Peidiwch ag ildio eich cyn-eddfau i bechod, i'w defnyddio i amcanion drwg. Yn hytrach, ildiwch eich hunain i Dduw, yn rhai byw o blith y meirw, ac ildiwch eich cyneddfau iddo, i'w defnyddio i amcanion da.
14 Nid yw pechod i arglwyddiaethu arnoch, oherwydd nid ydych mwyach dan deyrnasiad cyfraith, ond dan deyrnasiad gras.

### *Caethweision Cyfiawnder*

15 Ond beth sy'n dilyn ? A ydym i ymroi i bechu, am nad ydym dan deyrnasiad cyfraith, ond dan deyrnasiad gras ? Ddim ar
16 unrhyw gyfrif ! Fe ddylech wybod, os ydych yn eich ildio eich hunain ag ufudd-dod caethwas i rywun, mai caethweision ydych i hwnnw sy'n cael eich ufudd-dod; a'ch dewis yw, naill ai bod yn gaethweision i bechod, a marwolaeth yn dilyn, neu bod yn gaethweision i ufudd-dod, a chyfiawnder yn dilyn.
17 Ond, diolch i Dduw, yr ydych chwi, a fu'n gaethweision pechod, yn awr wedi rhoi ufudd-dod calon i'r patrwm hwnnw o athraw-
18 iaeth y traddodwyd chwi iddo. Cawsoch eich rhyddid oddi
19 wrth bechod, ac aethoch yn gaethweision cyfiawnder. Yr wyf

yn arfer ymadroddion cyfarwydd, o achos eich cyfyngiadau dynol chwi. Fel yr ildiasoch eich cyneddfau gynt i fod yn gaethweision aflendid ac anghyfraith, a phenrhyddid yn dilyn, felly ildiwch eich cyneddfau yn awr i fod yn gaethweision cyfiawnder, i gael bywyd sanctaidd i ddilyn. Pan oeddech yn 20 gaeth i bechod, yr oeddech yn rhydd oddi wrth gyfiawnder. Ond beth oedd ffrwyth y cyfnod hwnnw ? Onid pethau sy'n 21 codi cywilydd arnoch yn awr ? Oherwydd diwedd y pethau hyn yw marwolaeth. Ond, yn awr, yr ydych wedi eich rhydd- 22 hau oddi wrth bechod, a'ch gwneud yn gaethweision Duw, ac y mae ffrwyth hyn yn eich meddiant, sef bywyd sanctaidd, a'r diwedd fydd bywyd tragwyddol. Y mae pechod yn talu cyflog, 23 sef marwolaeth; ond rhoi yn rhad y mae Duw, rhoi bywyd tragwyddol yng Nghrist Iesu ein Harglwydd.

*Priodas yn Enghraifft*

A ydych heb wybod, frodyr,—ac yr wyf yn siarad â rhai sy'n **7** gwybod y Gyfraith—fod gan gyfraith awdurdod dros ddyn cyhyd ag y bydd yn fyw ? Er enghraifft, y mae gwraig briod 2 wedi ei rhwymo gan y gyfraith wrth ei gŵr tra bydd ef yn fyw. Ond os bydd y gŵr farw, y mae hi wedi ei rhyddhau o'i rhwym-au cyfreithiol wrtho. Felly, os bydd iddi, yn ystod bywyd ei 3 gŵr, ei rhoi ei hun i ddyn arall, godinebwraig fydd yr enw arni. Ond os bydd y gŵr farw, y mae hi'n rhydd o'r gyfraith hon, ac ni bydd yn odinebwraig wrth ei rhoi ei hun i ddyn arall. Ac 4 felly, fy mrodyr, yr ydych chwi hefyd, trwy gorff Crist, wedi eich gwneud yn farw mewn perthynas â'r Gyfraith, ac wedi eich rhoi eich hunain i rywun arall, sef yr un a gyfodwyd oddi wrth y meirw, er mwyn i ni ddwyn ffrwyth i Dduw. Pan oedd- 5 em yn byw ym myd y cnawd, yr oedd y nwydau pechadurus, a ysgogir gan y Gyfraith, ar waith yn ein cyneddfau, yn peri i ni ddwyn ffrwyth i farwolaeth. Ond yn awr, gan ein bod wedi 6 marw i'r Gyfraith oedd yn ein dal yn gaeth, fe'n rhyddhawyd o'i rhwymau, a gallwn roi ein gwasanaeth i'n Meistr yn ffordd newydd yr Ysbryd, ac nid yn hen ffordd cyfraith ysgrifenedig.

*Problem y Pechod sy'n Cartrefu Ynom*

Beth, ynteu, sydd i'w ddweud ? Mai pechod yw'r Gyfraith ? 7 Ddim ar unrhyw gyfrif ! Er hynny, trwy'r Gyfraith yn unig y

deuthum i wybod am bechod, ac ni buaswn yn gwybod beth yw chwant, onibai fod y Gyfraith yn dweud, "Paid â chwantu."
8 A thrwy'r gorchymyn hwn cafodd pechod ei gyfle, a chyffroi ynof bob math o chwantau drwg. Oherwydd, heb gyfraith,
9 peth marw yw pechod. Yr oeddwn i'n fyw, un adeg, heb
10 gyfraith; yna daeth y gorchymyn, a daeth pechod yn fyw, a bûm innau farw. Y canlyniad i mi oedd i'r union orchymyn a fwriadwyd yn gyfrwng bywyd droi yn gyfrwng marwolaeth.
11 Oherwydd trwy'r gorchymyn cafodd pechod ei gyfle, twyllodd
12 fi, a thrwy'r gorchymyn fe'm lladdodd. Gan hynny, y mae'r Gyfraith yn sanctaidd, a'r gorchymyn yn sanctaidd a chyfiawn a da.

13 Os felly, a drôdd y peth da hwn yn farwolaeth i mi? Naddo, ddim o gwbl! Yn hytrach, y mae pechod yn defnyddio'r peth da hwn, ac yn dwyn marwolaeth i mi, er mwyn i wir natur pechod ddod i'r golwg. Mewn gair, swydd y gorchymyn yw
14 dwyn pechod i anterth ei bechadurusrwydd. Gwyddom, yn wir, fod y Gyfraith yn perthyn i fyd yr Ysbryd. Ond perthyn i fyd y cnawd yr wyf fi, un sydd wedi ei werthu yn gaethwas i
15 bechod. Ni allaf ddeall fy ngweithredoedd, oherwydd yr wyf yn gwneud, nid y peth yr wyf yn ei ewyllysio, ond y peth yr wyf
16 yn ei gasáu. Ac os wyf yn gwneud yr union beth sy'n groes i'm hewyllys, yna yr wyf yn cytuno â'r Gyfraith, ac yn cydnabod ei
17 bod yn dda. Ond y gwir yw, nid myfi sy'n gweithredu mwyach,
18 ond y pechod sy'n cartrefu ynof fi, oherwydd mi wn nad oes dim da yn cartrefu ynof fi, hynny yw, yn fy nghnawd. Y mae'r ewyllys i wneud daioni gennyf; y peth nad yw gennyf yw'r
19 gweithredu. Yr wyf yn cyflawni, nid y daioni yr wyf yn ei ewyllysio, ond yr union ddrygioni sy'n groes i'm hewyllys.
20 Ond os wyf yn gwneud yr union beth sy'n groes i'm hewyllys, yna nid myfi sy'n gweithredu mwyach, ond y pechod sy'n
21 cartrefu ynof fi. Yr wyf yn cael y ddeddf hon ar waith: pan wyf yn ewyllysio gwneud daioni, drygioni sy'n ei gynnig ei hun imi.
22 Y mae'r gwir ddyn sydd ynof yn ymhyfrydu yng nghyfraith
23 Duw. Ond yr wyf yn canfod cyfraith arall yn fy nghyneddfau corfforol, yn brwydro yn erbyn y gyfraith y mae fy neall yn ei chydnabod, ac yn fy ngwneud yn garcharor i'r gyfraith sydd yn
24 fy nghyneddfau, sef cyfraith pechod. Y dyn truenus ag ydwyf!
25 Pwy a'm gwared i o'r corff hwn a'i farwolaeth? Duw, diolch iddo, trwy Iesu Grist ein Harglwydd! Dyma, felly, sut y mae

hi arnaf: yr wyf fi, y gwir fi, â'm deall yn gwasanaethu cyfraith Duw, ond â'm cnawd yr wyf yn gwasanaethu cyfraith pechod.

*Bywyd yn yr Ysbryd*

Yn awr, felly, nid yw'r rhai sydd yng Nghrist Iesu dan gollfarn o unrhyw fath. **8** Yng Nghrist Iesu, y mae cyfraith yr **2** Ysbryd, sy'n rhoi bywyd, wedi fy rhyddhau o afael cyfraith pechod a marwolaeth. Yr hyn oedd y tu hwnt i allu'r Gyfraith, **3** yn ei gwendid dan gyfyngiadau'r cnawd, y mae Duw wedi ei gyflawni. Wrth anfon ei Fab ei hun, mewn ffurf debyg i'n cnawd pechadurus ni, i ddelio â phechod,* y mae wedi collfarnu pechod yn y cnawd. Gwnaeth hyn er mwyn i ofynion **4** cyfiawn y Gyfraith gael eu cyflawni ynom ni, sy'n byw, nid ar wastad y cnawd, ond ar wastad yr Ysbryd. Oherwydd y sawl **5** sydd â'u bodolaeth ar wastad y cnawd, ar bethau'r cnawd y mae eu bryd; ond y sawl sydd ar wastad yr Ysbryd, ar bethau'r Ysbryd y mae eu bryd. Yn wir, y mae bod â'n bryd ar y cnawd **6** yn farwolaeth, ond y mae bod â'n bryd ar yr Ysbryd yn fywyd a heddwch. Oherwydd y mae bod â'n bryd ar y cnawd yn elyn- **7** iaeth tuag at Dduw, gan nad yw, a chan na all fod, yn ddarostyngiad i Gyfraith Duw. Ni all y sawl sy'n byw ym myd y **8** cnawd foddhau Duw. Ond nid ym myd y cnawd yr ydych chwi, **9** ond yn yr Ysbryd, gan fod Ysbryd Duw yn cartrefu ynoch chwi. Pwy bynnag sydd heb Ysbryd Crist, nid eiddo Crist mo hwnnw. Ond os yw Crist ynoch chwi, y mae'r corff yn beth marw o **10** achos pechod, ond y mae'r ysbryd yn beth byw o achos cyfiawnder achubol Duw. Os yw Ysbryd yr hwn a gyfododd **11** Iesu oddi wrth y meirw yn cartrefu ynoch, bydd yr hwn a gyfododd Grist oddi wrth y meirw yn rhoi bywyd newydd hyd yn oed i'ch cyrff marwol chwi, trwy ei Ysbryd, sy'n ymgartrefu ynoch chwi.

Am hynny, frodyr, yr ydym dan rwymedigaeth, ond nid i'r **12** cnawd, nac i fyw ar wastad y cnawd. Oherwydd, os ar wastad **13** y cnawd yr ydych yn byw, yr ydych yn sicr o farw; ond os ydych, trwy'r Ysbryd, yn rhoi arferion drwg y corff i farwolaeth, byw fyddwch. Y mae pawb sy'n cael eu harwain gan **14** Ysbryd Duw yn feibion Duw. Oherwydd nid yw'r Ysbryd a **15** dderbyniasoch yn eich gwneud unwaith eto yn gaethweision

*adn. 3: neu, *i fod yn aberth tros bechod.*

ofn; yn hytrach, eich gwneud yn feibion y mae, trwy fabwys-
16 iad, ac yn yr Ysbryd yr ydym yn llefain, "Abba! Dad!" Y
mae'r Ysbryd ei hun yn cyd-dystiolaethu â'n hysbryd ni, ein
17 bod yn blant i Dduw. Ac os plant, etifeddion hefyd, etifedd-
ion Duw a chydetifeddion â Christ, oherwydd yr ydym yn
cyfranogi o'i ddioddefaint ef er mwyn cyfranogi o'i ogoniant
hefyd.

*Y Gogoniant sydd i Ddod*

18 Yr wyf fi'n cyfrif nad yw dioddefiadau'r presennol i'w
cymharu â'r gogoniant y mae'r dyfodol i'w ddatguddio i ni.
19 Yn wir, y mae'r greadigaeth yn disgwyl yn daer am i feibion
20 Duw gael eu datguddio. Oherwydd darostyngwyd y greadig-
aeth i oferedd, nid o'i dewis ei hun, ond trwy'r hwn a'i daros-
21 tyngodd, yn y gobaith y câi'r greadigaeth hithau ei rhyddhau o
gaethiwed a llygredigaeth, a'i dwyn i ryddid a gogoniant plant
22 Duw. Oherwydd fe wyddom fod yr holl greadigaeth yn
23 ochneidio, ac mewn gwewyr drwyddi, hyd heddiw. Ac nid y
greadigaeth yn unig, ond nyni sydd â blaenffrwyth yr Ysbryd
gennym, yr ydym ninnau'n ochneidio ynom ein hunain wrth
ddisgwyl ein mabwysiad yn feibion Duw, a rhyddhad ein corff
24 o gaethiwed. Oherwydd yn y gobaith hwn y cawsom ein
hachub. Ond nid gobaith mo'r gobaith sy'n gweld. Pwy sy'n
25 gobeithio* am yr hyn y mae'n ei weld? Yr hyn nad ydym yn ei
weld yw gwrthrych gobaith, ac felly yr ydym yn dal i aros
amdano mewn amynedd.

26 Yn yr un modd, y mae'r Ysbryd yn ein cynorthwyo yn ein
gwendid. Oherwydd ni wyddom ni sut y dylem weddïo, ond y
mae'r Ysbryd ei hun yn ymbil trosom ag ocheneidiau y tu hwnt
27 i eiriau, ac y mae Duw, sy'n chwilio calonnau dynion, yn deall
bwriad yr Ysbryd, mai ymbil y mae tros saint Duw i amcanion
28 Duw. Gwyddom fod Duw, ym mhob peth, yn gweithio er
daioni gyda'r* rhai sy'n ei garu,** y rhai sydd wedi eu galw yn
29 ôl ei fwriad. Oherwydd, cyn eu bod hwy, fe'u hadnabu, a'u
rhagordeinio i fod yn unffurf ac unwedd â'i Fab, fel mai cyntaf-
30 anedig fyddai ef ymhlith brodyr lawer. A'r rhai a ragordein-
iodd, fe'u galwodd hefyd; a'r rhai a alwodd, fe'u cyfiawnhaodd
hefyd; a'r rhai a gyfiawnhaodd, fe'u gogoneddodd hefyd.

---

*adn. 24: yn ôl darlleniad arall, *sy'n dal i aros.*
*adn. 28: neu, *o blaid y.*
**adn. 28: neu, *fod pob peth yn cydweithio er daioni i'r rhai sy'n caru Duw.*

### *Cariad Duw*

O ystyried hyn oll, beth a ddywedwn ? Os yw Duw trosom, 31 pwy sydd i'n herbyn ? Nid arbedodd Duw ei Fab ei hun, ond 32 ei draddodi i farwolaeth trosom ni oll. Ac os rhoddodd ei Fab, sut y gall beidio â rhoi pob peth i ni gydag ef ? Pwy sydd i 33 ddwyn cyhuddiad yn erbyn etholedigion Duw ? Ai Duw, ac yntau'r un sy'n eu dyfarnu yn ddieuog ?* Pwy sydd yn ein 34 collfarnu ? Ai Crist Iesu, ac yntau'r un a fu farw, yn hytrach, a gyfodwyd, yr un sydd ar ddeheulaw Duw, yr un sydd yn ymbil trosom ?* Pwy a'n gwahana ni oddi wrth gariad Crist ? Ai 35 gorthrymder, neu ing, neu erlid, neu newyn, neu noethni, neu berygl, neu gleddyf ? Hyn yn wir yw ein rhan, fel y mae'n 36 ysgrifenedig:

> "Er dy fwyn di, fe'n rhoddir i farwolaeth ar hyd y dydd,
> fe'n cyfrifir fel defaid i'w lladd."

Ond yn y pethau hyn i gyd yr ydym yn ennill buddugoliaeth 37 lwyr trwy'r hwn a'n carodd ni. Yr wyf yn gwbl sicr na all nac 38 angau nac einioes, nac angylion na thywysogaethau, na'r presennol na'r dyfodol, na grymusterau nac uchelderau na 39 dyfnderau, na dim arall a grewyd, ein gwahanu ni oddi wrth gariad Duw yng Nghrist Iesu ein Harglwydd.

### *Ethol Israel gan Dduw*

Ar fy ngwir yng Nghrist, heb ddim anwiredd—ac y mae fy 9 nghydwybod, dan arweiniad yr Ysbryd Glân, yn fy ategu—y 2 mae fy ngofid yn fawr, ac y mae gennyf loes ddi-baid yn fy nghalon. Gallwn ddymuno i mi fy hunan fod dan felltith, ac yn 3 ysgymun oddi wrth Grist, pe bai hynny o les iddynt hwy, fy mrodyr i, fy mhobl i o ran cenedl. Israeliaid ydynt; hwy a 4 dderbyniwyd gan Dduw yn feibion iddo, hwy a gafodd weld ei ogoniant, ac a gafodd ganddo'r cyfamodau,* a'r Gyfraith, a'r addoliad, a'r addewidion. Iddynt hwy y mae'r tadau yn 5 perthyn, ac oddi wrthynt hwy, yn ôl ei linach naturiol, y daeth y Meseia. I'r Duw sy'n llywodraethu'r cwbl boed bendith* yn oes oesoedd. Amen.

---

*adn. 33: neu, *Duw yw'r un sy'n eu dyfarnu yn ddieuog.*
*adn. 34: neu, *Crist Iesu yw'r un a fu farw . . . ymbil trosom.*
*adn. 4: yn ôl darlleniad arall, *cyfamod.*
*adn. 5: neu, *y Meseia, sy'n llywodraethu'r cwbl, yn Dduw bendigedig.*

6 Ond ni ellir dweud fod gair Duw wedi methu. Oherwydd
7 nid yw pawb sydd o linach Israel yn wir Israel. Ac ni ellir dweud eu bod, bawb ohonynt, yn had Abraham ac yn blant iddo. Yn hytrach, yng ngeiriau'r Ysgrythur, "Dy ddisgyn-
8 yddion trwy Isaac a elwir yn had i ti." Hynny yw, nid y plant o linach naturiol Abraham, nid y rheini sy'n blant i Dduw. Yn hytrach, plant yr addewid sy'n cael eu cyfrif yn "had".
9 Oherwydd dyma air yr addewid: "Mi ddof yn yr amser hwnnw,
10 a bydd i Sara fab." Ond y mae enghraifft arall hefyd. Beich-
11 iogodd Rebecca o gyfathrach ag un dyn, ein tad Isaac. Eto i gyd, er mwyn i fwriad Duw, sy'n gweithredu trwy etholedig-
12 aeth, ddal mewn grym, yn cael ei lywio nid gan weithredoedd dynion ond gan yr hwn sy'n galw, dywedodd Duw wrthi, cyn geni'r plant a chyn iddynt wneud dim, na da na drwg, "Bydd y
13 mwyaf yn was i'r lleiaf." Fel y mae'n ysgrifenedig:

"Jacob a gerais,
ond Esau, yr oedd ef yn gas gennyf."

14 Beth, ynteu, a atebwn i hyn? Bod Duw yn coleddu ang-
15 hyfiawnder? Ddim ar unrhyw gyfrif! Y mae'n dweud wrth Moses:

"Trugarhaf wrth bwy bynnag y trugarhaf wrtho,
a thosturiaf wrth bwy bynnag y tosturiaf wrtho."

16 Felly, nid mater o ewyllys neu o ymdrech dyn ydyw, ond o
17 drugaredd Duw. Fel y dywedir wrth Pharo yn yr Ysgrythur, "Fy unig amcan wrth dy godi di oedd dangos fy ngallu trwot
18 ti, a thaenu fy enw tros yr holl ddaear." Gwelir, felly, fod Duw yn trugarhau wrth unrhyw un a fyn, a'i fod yn gwneud unrhyw un a fyn yn wargaled.

### *Digofaint Duw, a'i Drugaredd*

19 Ond fe ddywedi wrthyf, "Os felly, pam y mae Duw yn dal i
20 feio dyn? Pwy a all wrthsefyll ei ewyllys?" Ie, gyfaill, ond pwy wyt ti i ateb Duw yn ôl? A yw hi'n debyg y dywed y clai
21 wrth ei luniwr, "Pam y lluniaist fi fel hyn?" Onid yw'r crochenydd yn feistr ar y clai? Onid oes hawl ganddo i wneud,
22 o'r un telpyn, un llestr i gael parch a'r llall amarch? Ond beth os yw Duw, yn ei awydd i ddangos ei ddigofaint ac i amlygu ei nerth, wedi dioddef â hir amynedd y llestri hynny sy'n wrth-
23 rychau digofaint ac yn barod i'w dinistrio? Ei amcan yn hyn

fyddai dwyn i'r golau y cyfoeth o ogoniant oedd ganddo ar gyfer y llestri sy'n wrthrychau trugaredd, y rheini yr oedd ef wedi eu paratoi ymlaen llaw i ogoniant. A ni yw'r rhain, ni sydd wedi ein galw, nid yn unig o blith yr Iddewon, ond hefyd o blith y Cenhedloedd. Fel y mae'n dweud yn llyfr Hosea hefyd: 24 25

" Galwaf yn bobl i mi rai nad ydynt yn bobl i mi,
a galwaf yn anwylyd un nad yw yn anwylyd ;
ac yn y lle y dywedwyd wrthynt, ' Nid pobl i mi mohonoch chwi ', 26
yno, fe'u gelwir yn feibion y Duw byw."

Ac y mae Eseia yn datgan am Israel: " Er i bobl Israel fod mor niferus â thywod y môr, gweddill ohonynt yn unig a gaiff eu hachub, oherwydd llwyr a llym fydd dedfryd yr Arglwydd ar y ddaear." A'r un yw neges gair blaenorol Eseia: 27 28 29

" Oni bai i Arglwydd y lluoedd adael ychydig o had i ni,
buasem fel Sodom,
a thebyg i Gomorra."

*Israel a'r Efengyl*

Beth, ynteu, a ddywedwn ? Hyn, fod Cenhedloedd, nad oeddent yn ceisio am gyfiawnder, wedi dod o hyd iddo, sef y cyfiawnder sydd trwy ffydd; ond bod Israel, er iddi geisio am gyfraith a fyddai'n dod â chyfiawnder, heb ei gael. Am ba reswm ? Am iddynt weithredu, nid trwy ffydd, ond ar y dybiaeth mai cadw gofynion cyfraith oedd y ffordd. Syrthiasant ar " y maen i syrthio drosto", y mae'r Ysgrythur yn sôn amdano: 30 31 32 33

" Wele, yr wyf yn gosod yn Seion faen i syrthio drosto, a chraig i faglu arni,
a'r hwn sydd yn credu ynddo, ni chywilyddir mohono."

**10** Fy mrodyr, ewyllys fy nghalon, a'm gweddi ar Dduw tros fy mhobl, yw iddynt gael eu dwyn i iachawdwriaeth. Gallaf dystio o'u plaid fod ganddynt sêl tros Dduw. Ond sêl heb ddeall ydyw. Oherwydd, wrth iddynt anwybyddu'r cyfiawnder sy'n eiddo Duw, a cheisio sefydlu eu cyfiawnder eu hunain, y maent wedi gwrthod ymostwng i gyfiawnder Duw. Oherwydd y mae Crist yn ddiwedd ar y Gyfraith, ac felly, i bob un sy'n credu y daw cyfiawnder Duw. 2 3 4

*Iachawdwriaeth i Bawb*

5 Ysgrifennodd Moses am y cyfiawnder sy'n seiliedig ar y
6 Gyfraith: " Y dyn a'i cyflawnodd a gaiff fyw drwyddo." Ond fel hyn y dywed y cyfiawnder sy'n seiliedig ar ffydd: " Paid â dweud yn dy galon, 'Pwy a esgyn i'r nef?' "—hynny yw, i
7 ddwyn Crist i lawr—" neu, 'Pwy a ddisgyn i Drigfan y Meirw?' "—hynny yw, i ddwyn Crist i fyny oddi wrth y
8 meirw. Na, nid dyna iaith cyfiawnder, ond yn hytrach:

" Mae'r gair yn agos atat,
yn dy enau ac yn dy galon."

9 A dyma'r gair yr ydym ni yn ei bregethu, gair ffydd, sef: " Os cyffesi Iesu yn Arglwydd â'th enau, ac os credi yn dy galon fod Duw wedi ei gyfodi ef oddi wrth y meirw, cei dy achub."
10 Oherwydd credu â'r galon sy'n ein dwyn i gyfiawnder, a
11 chyffesu â'r genau sy'n ein dwyn i iachawdwriaeth. Y mae'r Ysgrythur yn dweud: " Pob un sy'n credu ynddo, ni chywil-
12 yddir mohono." Nid oes dim gwahaniaeth rhwng Iddew a Groegwr. Yr un Arglwydd sydd i bawb, a chyfoeth ei ras i
13 bawb sy'n galw arno. Oherwydd, yng ngeiriau'r Ysgrythur, "bydd pawb sy'n galw ar enw yr Arglwydd yn cael ei achub, pwy bynnag yw."

14 Ond sut y mae dynion i alw ar rywun nad ydynt wedi credu ynddo? Sut y maent i gredu yn rhywun nad ydynt wedi ei glywed? Sut y maent i glywed, heb fod rhywun yn pregethu?
15 Sut y maent i bregethu, heb gael eu hanfon? Ond y mae'r Ysgrythur yn dweud hyn: " Mor hyfryd yw sŵn traed y rhai
16 sy'n cyhoeddi newyddion da." Eto nid pawb a ufuddhaodd i'r newydd da. Oherwydd y mae Eseia'n dweud, " Arglwydd,
17 pwy a gredodd yr hyn a glywsant gennym?" Felly, o'r hyn a
18 glywir y daw ffydd, a daw'r clywed trwy air Crist. Ond y mae'n rhaid gofyn, "A oedd dichon iddynt fethu clywed?" Nac oedd, yn wir, oherwydd:

" Ymledodd eu lleferydd i'r holl ddaear,
cyrhaeddodd eu geiriau derfynau'r byd."

19 Ond i ofyn peth arall, " A oedd dichon i Israel fethu deall?" Ceir yr ateb yn gyntaf gan Moses:

" Cyffroaf chwi i eiddigedd wrth genedl nad yw'n genedl,
a deffroaf chwi i ddig wrth genedl ddiddeall."

Ac yna, y mae Eseia'n beiddio dweud: 20
" Cafwyd fi gan rai nad oeddent yn fy ngheisio;
gwelwyd fi gan rai nad oeddent yn holi amdanaf."
Ond am Israel y mae'n dweud: " Ar hyd y dydd yr wyf wedi 21
estyn fy nwylo at bobl anufudd a gwrthnysig."

*Gweddill Israel*

Yr wyf yn gofyn, felly, a yw'n bosibl fod Duw wedi gwrthod **11**
ei bobl ei hun ? Nac ydyw, ddim o gwbl ! Oherwydd yr wyf
fi yn Israeliad, o had Abraham, o lwyth Benjamin. Nid yw 2
Duw wedi gwrthod ei bobl, y bobl a adnabu cyn eu bod.
Gwyddoch beth y mae'r Ysgrythur yn ei ddweud wrth adrodd
hanes Elias yn galw ar Dduw yn erbyn Israel: " Arglwydd, y 3
maent wedi lladd dy broffwydi a dinistrio dy allorau. Myfi yn
unig sy wedi fy ngadael, ac y maent yn ceisio fy einioes innau."
Ond yr atebiad dwyfol iddo oedd: " Yr wyf wedi cadw i mi fy 4
hun bum mil o wŷr sydd heb blygu glin i Baal." Felly hefyd yn 5
yr amser presennol hwn, y mae gweddill ar gael, gweddill sydd
wedi ei ethol gan ras Duw. Ond os trwy ras y bu hyn, ni all fod 6
yn tarddu o gadw gofynion cyfraith; petai felly, byddai gras yn
peidio â bod yn ras. Mewn gair, y peth y mae Israel yn ei 7
geisio, nid Israel a'i cafodd, ond yr ychydig a etholodd Duw;
dallineb a gafodd y lleill, fel y mae'n ysgrifenedig: 8
" Rhoddodd Duw iddynt ysbryd swrth,
llygaid i beidio â gweld,
a chlustiau i beidio â chlywed,
hyd y dydd heddiw."
Ac y mae Dafydd yn dweud: 9
" Bydded eu bwrdd yn fagl i'w rhwydo,
ac yn groglath i'w cosbi;
aed eu llygaid yn dywyll, iddynt beidio â gweld, 10
a gwna hwy'n wargrwm tros byth."

*Iachawdwriaeth y Cenhedloedd*

Yr wyf yn gofyn, felly, a yw eu llithriad yn gwymp i ddinistr ? 11
Nac ydyw, ddim o gwbl ! I'r gwrthwyneb, am iddynt hwy
droseddu y mae iachawdwriaeth wedi dod i'r Cenhedloedd, i
gyffroi'r Iddewon i eiddigedd. Ond os yw eu trosedd yn 12
gyfrwng i gyfoethogi'r byd, a'u diffyg yn gyfrwng i gyfoethogi'r

Cenhedloedd, pa faint mwy fydd y cyfoethogi pan ddônt yn eu cyflawn rif?

13 Ond i droi atoch chwi y Cenhedloedd. Yr wyf fi'n apostol y 14 Cenhedloedd, ac fel y cyfryw rhoi bri ar fy swydd yr wyf wrth geisio cyffroi fy mhobl i eiddigedd, ac achub rhai ohonynt. 15 Oherwydd os bu eu bwrw hwy allan yn gymod i'r byd, bydd eu 16 derbyn i mewn, yn sicr, yn fywyd o blith y meirw. Os yw'r tamaid toes a offrymir yn sanctaidd, yna y mae'r toes i gyd yn sanctaidd. Os yw'r gwreiddyn yn sanctaidd, y mae'r canghennau hefyd yn sanctaidd.

17 Os torrwyd rhai canghennau i ffwrdd, a'th impio di yn eu plith, er mai olewydden wyllt oeddit, ac os daethost felly i gael 18 rhan o faeth gwreiddyn yr olewydden, paid ag ymffrostio ar draul y canghennau a dorrwyd. Os wyt am ymffrostio, cofia nad tydi sy'n cynnal y gwreiddyn, ond y gwreiddyn sy'n dy 19 gynnal di. Ond fe ddywedi, "Ie, ond torrwyd y canghennau i 20 ffwrdd er mwyn i mi gael fy impio i mewn." Eithaf gwir; fe'u torrwyd hwy ar gyfrif eu diffyg ffydd, ac fe gefaist ti dy le trwy ffydd. Rho'r gorau i feddyliau mawreddog, a meithrin ofn Duw 21 yn eu lle. Oherwydd os nad arbedodd Duw y canghennau 22 naturiol, nid arbeda dithau chwaith. Am hynny, ystyria'r modd y mae Duw yn dangos ei diriondeb a'i erwinder: ei erwinder i'r rhai a gwympodd i fai, ond ei diriondeb i ti, cyhyd ag y cedwi dy hun o fewn cylch ei diriondeb. Os na wnei, cei 23 dithau dy dorri allan o'r cyff. Ond amdanynt hwy, os na fynnant aros yn eu hanghrediniaeth, cânt eu himpio i mewn i'r 24 cyff, oherwydd y mae Duw yn abl i'w himpio'n ôl. Oherwydd, os cest ti dy dorri o olewydden oedd yn wyllt wrth natur, a'th impio i mewn, yn groes i natur, i olewydden gardd, gymaint tebycach yw y cânt hwy, sydd wrth natur yn ganghennau olewydden gardd, eu himpio i mewn i'w holewydden hwy eu hunain!

### *Adfer Israel*

25 Oherwydd yr wyf am i chwi wybod, frodyr, am y dirgelwch hwn (bydd hynny'n eich cadw rhag bod yn ddoeth yn eich tyb eich hunain), fod dallineb rhannol wedi syrthio ar Israel, hyd 26 nes y daw'r Cenhedloedd i mewn yn eu cyflawn rif. Pan ddigwydd hynny, caiff Israel i gyd ei hachub. Fel y mae'n ysgrifenedig:

"Daw'r Gwaredydd o Seion,
a throi pob annuwioldeb oddi wrth Jacob;
a dyma'r cyfamod a wnaf fi â hwy, 27
pan gymeraf ymaith eu pechodau."

O safbwynt yr Efengyl, gelynion Duw ydynt, ond y mae 28 hynny'n fantais i chwi. O safbwynt eu hethol gan Dduw, y maent yn annwyl ganddo, ond y maent felly o achos y tadau. Oherwydd nid oes tynnu'n ôl ar roddion graslon Duw, a'i 29 alwad ef. Buoch chwi unwaith yn anufudd i Dduw, ond yn 30 awr, yn ateb i'w hanufudd-dod hwy, yr ydych wedi cael trugaredd. Yn yr un modd, yn ateb i'r trugaredd a gawsoch chwi, 31 y maent hwy hefyd wedi anufuddhau yn awr, fel mai derbyn trugaredd a wnânt hwythau yn awr. Y mae Duw wedi cloi 32 pawb yng ngharchar anufudd-dod, er mwyn gwneud pawb yn wrthrychau ei drugaredd.

O ddyfnder cyfoeth Duw, a'i ddoethineb a'i wybodaeth! 33 Mor anchwiliadwy ei farnedigaethau, mor anolrheiniadwy ei ffyrdd! Oherwydd, 34

"Pwy a adnabu feddwl yr Arglwydd,
pwy a fu gynghorwr iddo ef?
Pwy a achubodd y blaen arno â rhodd, 35
i gael rhodd yn ôl ganddo?"

Oherwydd efe yw ffynhonnell, cyfrwng a diben pob peth. 36 Iddo ef y bo'r gogoniant yn oes oesoedd! Amen.

### *Y Bywyd Newydd yng Nghrist*

**12** Am hynny, yr wyf yn ymbil arnoch, frodyr, ar sail tosturiaethau Duw, i'ch offrymu eich hunain yn aberth byw, sanctaidd a derbyniol gan Dduw. Felly y rhowch iddo addoliad ysbrydol.* A pheidiwch â chydymffurfio â'r byd hwn, ond 2 gadewch i Dduw eich trawsffurfio trwy adnewyddu eich meddwl, a'ch galluogi i ganfod beth yw ei ewyllys, beth sy'n dda a derbyniol a pherffaith yn ei olwg ef.

Oherwydd, yn rhinwedd y gras y mae Duw wedi ei roi i mi, 3 yr wyf yn dweud wrth bob un yn eich plith am beidio â'i gyfrif ei hun yn well nag y dylid ei gyfrif, ond bod yn gyfrifol yn ei gyfrif, ac yn gyson â'r mesur o ffydd y mae Duw wedi ei roi i bob un. Yn union fel y mae gennym aelodau lawer mewn un 4

---

*adn. 1: neu, *addoliad bodau rhesymol.*

5 corff, ond nad oes gan yr holl aelodau yr un gwaith, felly hefyd yr ydym ni, sy'n llawer, yn un corff yng Nghrist, ac yn aelodau 6 bob un i'w gilydd. A chan fod gennym ddoniau sy'n amrywio yn ôl y gras a roddwyd i ni, dylem eu harfer yn gyson â hynny. Os proffwydoliaeth yw dy ddawn, arfer hi yn gymesur â'th 7 ffydd. Os dawn gweini ydyw, arfer hi i weini. Os athro ydwyt, 8 arfer dy ddawn i addysgu, ac os pregethwr wyt, i bregethu. Os wyt yn rhannu ag eraill, gwna hynny gyda haelioni; os wyt yn arweinydd, gwna'r gwaith gydag ymroddiad; os wyt yn dangos tosturi, gwna hynny gyda llawenydd.

*Rheolau'r Bywyd Cristionogol*

9 Bydded eich cariad yn ddiragrith. Casewch ddrygioni. 10 Glynwch wrth ddaioni. Byddwch wresog yn eich serch at eich gilydd fel brawdoliaeth. Rhowch y blaen i'ch gilydd mewn 11 parch. Yn ddiorffwys eich ymroddiad, yn frwd eich ysbryd, 12 gwasanaethwch yr Arglwydd. Llawenhewch mewn gobaith. Safwch yn gadarn dan orthrymder. Daliwch ati i weddïo. 13 Cyfrannwch at reidiau'r saint, a byddwch barod eich lletygar-14 wch. Bendithiwch y rhai sy'n eich erlid, bendithiwch heb 15 felltithio byth. Llawenhewch gyda'r rhai sy'n llawenhau, ac 16 wylwch gyda'r rhai sy'n wylo. Byddwch yn gytûn ymhlith eich gilydd. Gochelwch feddyliau mawreddog; yn hytrach, rhodiwch gyda'r distadl. Peidiwch â'ch cyfrif eich hunain yn ddoeth. 17 Peidiwch â thalu drwg am ddrwg i neb. Rhowch eich bryd ar 18 bethau fydd yn ennyn edmygedd pob dyn. Os yw'n bosibl, ac os yw'n dibynnu arnoch chwi, daliwch mewn heddwch â phob 19 dyn. Peidiwch â mynnu dial, gyfeillion annwyl, ond rhowch ei gyfle i'r digofaint dwyfol, fel y mae'n ysgrifenedig: "'Myfi 20 piau dial, myfi a dalaf yn ôl,' medd yr Arglwydd." Yn hytrach, os bydd dy elyn yn newynu, rho fwyd iddo; os bydd yn sychedu, rho iddo beth i'w yfed. Os gwnei hyn, byddi'n bwrw 21 marwor poeth ar ei ben. Paid â goddef dy drechu gan ddrygioni. Trecha di ddrygioni â daioni.

*Ufuddhau i Lywodraethwyr*

**13** Y mae'n rhaid i bob dyn ymostwng i'r awdurdodau sy'n ben. Oherwydd nid oes awdurdod heb i Dduw ei sefydlu, ac y mae'r 2 awdurdodau sydd ohoni wedi eu sefydlu gan Dduw. Am hynny, y mae'r sawl sy'n gwrthsefyll y fath awdurdod yn gwrthwynebu sefydliad sydd o Dduw. Ac y mae'r cyfryw yn sicr o dynnu barn arnynt eu hunain. 3 Y mae'r llywodraethwyr yn ddychryn, nid i'r sawl sy'n gwneud daioni, ond i'r sawl sy'n gwneud drygioni. A wyt ti am fyw heb ofni'r awdurdod? Gwna ddaioni, a chei glod ganddo. 4 Oherwydd gwas Duw ydyw, yn gweini arnat ti er dy les. Ond os drygioni a wnei, dylit ofni, oherwydd nid i ddim byd y mae'n gwisgo'r cleddyf. Gwas Duw ydyw, ie, dialydd i ddwyn digofaint dwyfol ar y drwgweithredwr. 5 Y mae rheidrwydd arnom, felly, i ymostwng, nid yn unig o achos y digofaint, ond hefyd o achos cydwybod. 6 Dyma pam hefyd yr ydych yn talu trethi, oherwydd gwasanaethu Duw y mae'r awdurdodau wrth fod yn ddyfal yn y gwaith hwn. 7 Talwch i bob un ohonynt beth bynnag sy'n ddyledus iddo, boed dreth, boed doll, boed barch, boed anrhydedd.

### *Cariad Brawdol*

8 Peidiwch â bod mewn dyled i neb, ar wahân i'r ddyled o garu eich gilydd. Y mae'r hwn sy'n caru ei gyd-ddyn wedi cyflawni holl ofynion y Gyfraith. 9 Oherwydd y mae'r gorchmynion, "Na odineba, na lofruddia, na ladrata, na chwennych", a phob gorchymyn arall, wedi eu crynhoi yn y gorchymyn hwn: "Câr dy gymydog fel ti dy hun." 10 Ni all cariad wneud cam â chymydog. Y mae cariad, felly, yn gyflawniad o holl ofynion y Gyfraith.

### *Dydd Crist yn Agosáu*

11 Ie, gwnewch hyn oll fel rhai sy'n ymwybodol o'r amser, mai dyma'r awr i chwi ddeffro o gwsg. Erbyn hyn, y mae'r waredigaeth yn nes atom nag oedd pan ddaethom i gredu. 12 Mae'r nos ar ddod i ben, a'r dydd ar wawrio. Gadewch inni, felly, roi heibio gweithredoedd y tywyllwch, a gwisgo arfau'r goleuni. 13 Gadewch inni fyw yn weddus, fel yng ngolau dydd, heb roi dim lle i loddest a meddw-dod, i anniweirdeb ac anlladrwydd, i gynnen ac eiddigedd. 14 Gwisgwch yr Arglwydd Iesu Grist amdanoch; a diystyrwch y cnawd a galwad ei chwantau ef.

### *Paid â Barnu Dy Frawd*

**14** Derbyniwch i'ch plith y dyn sy'n wan ei ffydd, ond nid er mwyn codi dadleuon. 2 Y mae gan ambell ddyn ddigon o ffydd

i fwyta pob peth, ond y mae dyn arall, gan fod ei ffydd mor
3 wan, yn bwyta llysiau yn unig. Rhaid i'r dyn sy'n bwyta pob peth beidio â bychanu'r dyn sy'n ymwrthod, a rhaid i'r dyn sy'n ymwrthod beidio â barnu'r dyn sy'n bwyta, oherwydd y
4 mae Duw wedi ei dderbyn. Pwy wyt ti, i fod yn farnwr ar was rhywun arall? Gan ei Feistr y mae'r hawl i benderfynu a yw ef yn sefyll neu'n syrthio. A sefyll a wna, oherwydd y mae'r
5 Meistr yn abl i beri iddo sefyll. Y mae ambell ddyn yn ystyried un dydd yn well na'r llall, a dyn arall yn eu hystyried i gyd yn gyfartal. Rhaid i'r naill a'r llall fod yn gwbl argyhoeddedig yn
6 ei feddwl ei hun. Y mae'r sawl sy'n cadw'r dydd yn ei gadw er gogoniant yr Arglwydd; a'r sawl sy'n bwyta pob peth yn gwneud hynny er gogoniant yr Arglwydd, oherwydd y mae'n rhoi diolch i Dduw. Ac y mae'r hwn sy'n ymwrthod yn ymwrthod er gogoniant yr Arglwydd; y mae yntau yn rhoi
7 diolch i Dduw. Oherwydd nid oes neb ohonom yn byw iddo'i hun, na neb yn marw iddo'i hun. Os byw yr ydym, i'r Arglwydd
8 yr ydym yn byw, ac os marw, i'r Arglwydd yr ydym yn marw. Prun bynnag ai byw ai marw yr ydym, eiddo'r Arglwydd ydym.
9 Oherwydd pwrpas Crist wrth farw a dod yn fyw oedd bod yn
10 Arglwydd ar y meirw a'r byw. Pam yr wyt ti yn barnu dy frawd? A thithau, pam yr wyt yn bychanu dy frawd? Oherwydd bydd rhaid inni bob un sefyll gerbron brawdle Duw.
11 Fel y mae'n ysgrifenedig:

"Cyn sicred â'm bod i yn fyw, medd yr Arglwydd, fe blyga
pob glin i mi,
a bydd pob tafod yn moliannu* Duw."

12 Am hynny, bydd rhaid i bob un ohonom roi cyfrif amdano ef ei hun i Dduw.

### *Paid â Bod yn Achos Cwymp i'th Frawd*

13 Felly, peidiwn mwyach â barnu ein gilydd. Yn hytrach, dyfarnwch nad oes neb i roi achlysur i frawd gwympo neu faglu.
14 Mi wn i sicrwydd, yn yr Arglwydd Iesu, nad oes dim yn aflan ohono'i hun. Yr unig beth yw, os bydd dyn yn ystyried rhyw-
15 beth yn aflan, i hwnnw y mae yn aflan. Ac felly, os yw'r math o fwyd yr wyt ti'n ei fwyta yn achos gofid i'th frawd, nid wyt ti mwyach yn ymddwyn yn ôl gofynion cariad. Paid â dwyn i

---

*adn. 11: neu, *cyffesu.*

ddistryw, â'th fwyd, frawd y bu Crist farw drosto. Peidiwch â gadael i'r peth sy'n dda yn eich golwg gael gair drwg. Nid bwyta ac yfed yw teyrnas Dduw, ond cyfiawnder a heddwch a llawenydd yn yr Ysbryd Glân. Y mae'r sawl sy'n gwasanaethu Crist yn y modd hwn yn dderbyniol gan Dduw ac yn gymeradwy gan ddynion. Gadewch inni, felly, geisio'r pethau sy'n arwain i heddwch, ac yn adeiladu perthynas gadarn â'n gilydd. Peidiwch â thynnu i lawr, o achos bwyd, yr hyn a wnaeth Duw. Y mae pob bwyd yn lân, ond y mae'n beth drwg i ddyn fwyta a thrwy hynny beri cwymp i rywun. Y peth iawn yw peidio â bwyta cig nac yfed gwin, na gwneud dim a all beri i'th frawd gwympo. Cadw dy ffydd, yn hyn o beth, rhyngot ti a Duw. Dedwydd yw'r dyn nad yw'n amau'r hyn y mae'n ei gymeradwyo. Ond os, ar waethaf ei amheuon, y bydd dyn yn bwyta pob peth, y mae wedi ei gollfarnu. Oherwydd nid o ffydd y bydd yn gweithredu. Ac y mae popeth nad yw'n tarddu o ffydd yn bechod.* 16 17 18 19 20 21 22 23

### *Plesio Dy Gymydog, Nid dy Blesio dy Hun*

**15** Y mae'n ddyletswydd arnom ni, y rhai cryf, i oddef gwendidau'r rhai sy'n eiddil eu cydwybod, a pheidio â'n plesio ein hunain. 2 Y mae pob un ohonom i blesio ei gymydog, gan anelu at yr hyn sydd dda er adeiladu ein gilydd. 3 Oherwydd nid ei blesio ei hun a wnaeth Crist. I'r gwrthwyneb, fel y mae'n ysgrifenedig: "Y mae sarhad y rhai oedd yn dy sarhau di wedi syrthio arnaf fi." 4 Ac fe ysgrifennwyd yr Ysgrythurau gynt er mwyn ein dysgu ni, er mwyn i ni, trwy ddyfalbarhad a thrwy eu hanogaeth hwy, ddal ein gafael yn ein gobaith. 5 A rhodded Duw, ffynhonnell pob dyfalbarhad ac anogaeth, i chwi fod yn gytûn eich meddwl ymhlith eich gilydd, yn ôl ewyllys Crist Iesu, 6 er mwyn i chwi, yn unfryd ac yn unllais, ogoneddu Duw a Thad ein Harglwydd Iesu Grist.

### *Yr Efengyl i'r Iddewon a'r Cenhedloedd Fel ei Gilydd*

7 Am hynny, derbyniwch eich gilydd, fel y derbyniodd Crist chwi, er gogoniant Duw. 8 Oherwydd yr wyf yn dweud bod Crist wedi dod yn was i'r Iddewon er mwyn dangos geirwiredd

---

*adn. 23: ychwanega rhai llawysgrifau yma yr adran a welir yn 16.25-27.

9 Duw, sef ei fod yn cadarnhau'r addewidion i'r tadau, a hefyd er mwyn i'r Cenhedloedd ogoneddu Duw am ei drugaredd. Fel y mae'n ysgrifenedig:

"O achos hyn y moliannaf di ymhlith y Cenhedloedd,
ac y canaf i'th enw di."

10 Ac y mae'n dweud eilwaith:

"Llawenhewch, Genhedloedd, ynghyd â'i bobl ef."

11 Ac eto:

"Molwch yr Arglwydd, yr holl Genhedloedd,
a'r holl bobloedd yn dyblu'r mawl."

12 Y mae Eseia hefyd yn dweud:

"Fe ddaw gwreiddyn Jesse,
y gŵr sy'n codi i lywodraethu'r Cenhedloedd;
arno ef y bydd y Cenhedloedd yn seilio'u gobaith."

13 A bydded i Dduw, ffynhonnell gobaith, eich llenwi â phob llawenydd a thangnefedd wrth ichwi arfer eich ffydd, nes eich bod, trwy nerth yr Ysbryd Glân, yn gorlifo â gobaith.

*Comisiwn Cenhadol Paul*

14 Yr wyf fi, o'm rhan fy hun, yn gwbl sicr, fy mrodyr, eich bod chwithau yn llawn daioni, yn gyforiog o bob gwybodaeth, ac yn 15 alluog i hyfforddi eich gilydd. Bûm braidd yn hy arnoch, mewn mannau yn fy llythyr, wrth geisio deffro eich cof. Ond gwneuthum hyn ar bwys y gorchwyl a roddodd Duw i mi o'i 16 ras, i fod yn weinidog Crist Iesu i'r Cenhedloedd, yn gweini fel offeiriad ar Efengyl Duw, er mwyn cyflwyno'r Cenhedloedd iddo yn offrwm cymeradwy, offrwm wedi ei gysegru gan yr 17 Ysbryd Glân. Yng Nghrist Iesu, felly, y mae gennyf le i 18 ymffrostio yn fy ngwasanaeth i Dduw, oherwydd nid wyf am feiddio sôn am ddim ond yr hyn a gyflawnodd Crist trwof fi, yn y dasg o ennill y Cenhedloedd i ufuddhau iddo, mewn gair a 19 gweithred, trwy rym arwyddion a rhyfeddodau, trwy nerth yr Ysbryd. Ac felly, yr wyf fi wedi cwblhau cyhoeddi Efengyl Crist mewn cylch eang, o Jerwsalem cyn belled ag Ilyricum. 20 Yn hyn oll fe'i cedwais yn nod i bregethu'r Efengyl yn y mannau hynny yn unig oedd heb glywed sôn am enw Crist, 21 rhag i mi fod yn adeiladu ar sylfaen rhywun arall; fel y mae'n ysgrifenedig:

"Caiff pobl ei weld, na chyhoeddwyd dim wrthynt amdano,
a phobl ei ddeall, na chlywsant ddim amdano."

*Bwriad Paul i Ymweld â Rhufain*

Hwn oedd y rhwystr a'm cadwodd cyhyd o amser rhag dod 22 atoch chwi. Ond yn awr, a minnau heb faes cenhadol mwyach 23 yn yr ardaloedd hyn, a'r awydd arnaf ers blynyddoedd lawer i ddod atoch chwi pryd bynnag y byddaf ar fy ffordd i Sbaen, 24 yr wyf yn gobeithio ymweld â chwi wrth fynd trwodd, a chael fy hebrwng gennych ar fy nhaith yno, ar ôl mwynhau eich cwmni am ychydig. Ond ar hyn o bryd, yr wyf ar fy ffordd i 25 Jerwsalem, i fynd â chymorth i'r saint yno. Oherwydd y mae 26 Macedonia ac Achaia wedi gweld yn dda gyfrannu i gronfa ar ran y tlodion ymhlith y saint yn Jerwsalem. Gwelsant yn dda, 27 do, ond yr oeddent hefyd yn ddyledwyr iddynt. Oherwydd os cafodd y Cenhedloedd gyfran o'u trysor ysbrydol hwy, y mae'n ddyled ar y Cenhedloedd weini arnynt mewn pethau tymhorol. Felly, pan fyddaf wedi cyflawni'r gorchwyl hwn, a gosod y 28 casgliad yn ddiogel yn eu dwylo, caf gychwyn ar y daith i Sbaen a galw heibio i chwi. Gwn y bydd fy ymweliad â chwi dan 29 fendith gyflawn Crist.

Yr wyf yn ymbil arnoch, frodyr, trwy ein Harglwydd Iesu 30 Grist, a thrwy'r cariad sy'n ffrwyth yr Ysbryd: ymunwch â mi yn fy ymdrech, a gweddïo ar Dduw trosof, ar i mi gael fy arbed 31 rhag yr anghredinwyr yn Jwdea, ac i'r cymorth sydd gennyf i Jerwsalem fod yn dderbyniol gan y saint; ac felly i mi gael y 32 llawenydd o ddod atoch, trwy ewyllys Duw, a'm hatgyfnerthu yn eich cwmni. A Duw yr heddwch fyddo gyda chwi oll! 33 Amen.*

*Cyfarchion Personol*

Yr wyf yn cyflwyno i chwi Phebe, ein chwaer, sydd yn **16** gwasanaethu'r eglwys yn Cenchreae. Derbyniwch hi yn enw'r 2 Arglwydd, mewn modd teilwng o'r saint, a byddwch yn gefn iddi ym mhob peth y gall fod arni angen eich cymorth, oherwydd y mae hithau wedi bod yn gefn i lawer, ac i mi yn bersonol.

Rhowch fy nghyfarchion i Prisca ac Acwila, fy nghydweith- 3 wyr yng Nghrist Iesu, deuddyn a fentrodd eu heinioes i arbed 4 fy mywyd i. Nid myfi yn unig sydd yn diolch iddynt, ond holl eglwysi'r Cenhedloedd. Fy nghyfarchion hefyd i'r eglwys sy'n 5 ymgynnull yn eu tŷ. Cyflwynwch fy nghyfarchion i'm cyfaill

---

*adn. 33: y mae un llawysgrif yn gadael allan *Amen,* ac yn ychwanegu yma yr adran a welir yn 16.25-27.

6 annwyl, Epainetus, y cyntaf yn Asia i ddod at Grist. Cyfarch-
7 ion i Fair, a fu'n ddiflin ei llafur ar eich rhan. Cyfarchion i Andronicus a Jwnias, sydd o'r un genedl â mi, ac a fu'n gyd-garcharorion â mi, gwŷr amlwg ymhlith yr apostolion, a oedd
8 yn Gristionogion o'm blaen i. Cyfarchion i Amplias, fy
9 nghyfaill annwyl yn yr Arglwydd. Cyfarchion i Wrbanus, ein
10 cydweithiwr yng Nghrist, a'n cyfaill annwyl, Stachus. Cyfarchwch Apeles, sy'n Gristion profedig. Cyfarchwch y rhai sydd o
11 dŷ Aristobwlus. Cyfarchwch Herodion, sydd o'r un genedl â
12 mi. Cyfarchwch y Cristionogion sydd o dŷ Narcisus. Cyfarchwch Tryffena a Tryffosa, chwiorydd sy'n llafurio yng ngwasanaeth yr Arglwydd. Cyfarchwch Persis, chwaer annwyl sydd
13 wedi llafurio gymaint yn ei wasanaeth. Cyfarchwch Rwffus,
14 sy'n Gristion dethol, a'i fam, sy'n fam i minnau. Cyfarchwch Asyncritus, Phlegon, Hermes, Patrobas, Hermas, a'r brodyr
15 sydd gyda hwy. Cyfarchwch Philologus a Jwlia, Nereus a'i
16 chwaer Olympas, a'r holl saint sydd gyda hwy. Cyfarchwch eich gilydd â chusan sanctaidd. Y mae holl eglwysi Crist yn eich cyfarch.

17 Yr wyf yn ymbil arnoch, frodyr, gwyliwch y rhai sydd yn peri rhwyg ac yn codi rhwystrau, yn groes i'r athrawiaeth a ddysg-
18 asoch chwi. Gochelwch rhagddynt, oherwydd nid gwasanaethu Crist ein Harglwydd y mae rhai fel hyn, ond eu chwantau eu hunain; dynion ydynt sydd, trwy eiriau teg a gweniaith, yn
19 hudo meddyliau'r diniwed ar gyfeiliorn. Ond y mae eich ufudd-dod chwi yn hysbys i bawb. Dyna pam yr wyf yn llawenhau o'ch plegid; ac eto yr wyf am i chwi barhau i fod yn ddoeth
20 mewn daioni ond yn ddiniwed mewn drygioni. Ac felly, buan y bydd Duw yr heddwch yn malu Satan dan eich traed. Gras ein Harglwydd Iesu fyddo gyda chwi !*

21 Y mae Timotheus, fy nghydweithiwr, yn eich cyfarch, a hefyd Lwcius a Jason a Sosipater, gwŷr o'r un genedl â mi.
22 (Ac yr wyf finnau, Tertius, sydd wedi ysgrifennu'r llythyr hwn,
23 yn eich cyfarch yn yr Arglwydd.) Y mae Gaius, a roes ei gartref yn llety i mi ac i'r holl eglwys, yn eich cyfarch. Y mae Erastus, trysorydd y ddinas, yn eich cyfarch, a hefyd y brawd Cwartus.*

---

*adn. 20: y mae rhai llawysgrifau yn gadael allan *Gras . . . gyda chwi*!

*adn. 23: ychwanega rhai llawysgrifau adnod 24: *Gras ein Harglwydd Iesu Grist fyddo gyda chwi oll! Amen.*

*Mawlwers*

Iddo ef sy'n abl i'ch gwneud yn gadarn, yn ôl yr Efengyl yr 25 wyf fi'n ei phregethu, a'r genadwri am Iesu Grist, yn ôl y datguddiad o'r dirgelwch a fu'n guddiedig ers oesoedd amser, ond sydd yn awr wedi ei amlygu trwy'r ysgrythurau proffwydol, 26 ac wedi ei hysbysu ar orchymyn y Duw tragwyddol i'r holl Genhedloedd, i'w hennill i ffydd ac ufudd-dod; i Dduw, yr 27 unig un doeth, y bo'r gogoniant, trwy Iesu Grist—iddo ef y bo'r gogoniant yn oes oesoedd ! Amen.*

---

*adn. 27: y mae rhai llawysgrifau yn gadael allan adnodau 25-27 yma (gweler y nodiadau ar 14.23 a 15.33).

LLYTHYR CYNTAF PAUL AT Y

# CORINTHIAID

### *Cyfarch a Diolch*

1 Paul, apostol Crist Iesu trwy alwad a thrwy ewyllys Duw, 2 a'r brawd Sosthenes, at eglwys Duw sydd yng Nghorinth, at y rhai a sancteiddiwyd yng Nghrist Iesu, ac sydd trwy alwad Duw yn saint, ynghyd â phawb ym mhob man sydd yn galw ar enw ein Harglwydd Iesu Grist, eu Harglwydd hwy a ninnau. 3 Gras a thangnefedd i chwi oddi wrth Dduw ein Tad a'r Arglwydd Iesu Grist.

4 Yr wyf yn diolch i'm Duw bob amser amdanoch chwi, ar 5 gyfrif y gras dwyfol a roddwyd i chwi yng Nghrist Iesu, am eich cyfoethogi trwyddo ef ym mhob peth, ym mhob ymadrodd 6 a phob gwybodaeth, fel y cadarnhawyd y dystiolaeth am Grist 7 yn eich plith. Oherwydd hyn, nid ydych yn ddiffygiol mewn unrhyw ddawn, wrth ichwi ddisgwyl am ddatguddiad ein 8 Harglwydd Iesu Grist. Bydd ef yn eich cadw'n gadarn hyd y diwedd, fel na bydd cyhuddiad yn eich erbyn yn Nydd ein 9 Harglwydd Iesu Grist. Y mae Duw'n ffyddlon, a thrwyddo ef y galwyd chwi i gymdeithas ei Fab ef, Iesu Grist ein Harglwydd ni.

### *Ymraniadau yn yr Eglwys*

10 Yr wyf yn deisyf arnoch, frodyr, yn enw ein Harglwydd Iesu Grist, ar i chwi oll fod yn gytûn; na foed ymraniadau yn eich plith, ond byddwch wedi eich cyfannu yn yr un meddwl a'r un 11 farn. Oherwydd hysbyswyd fi amdanoch, fy mrodyr, gan rai o 12 dŷ Chlöe, fod cynhennau yn eich plith. Yr hyn a olygaf yw fod pob un ohonoch yn dweud, "Yr wyf fi'n perthyn i blaid Paul", neu, "Minnau, i blaid Apolos", neu, "Minnau, i blaid Ceffas", 13 neu, "Minnau, i blaid Crist." A aeth Crist yn gyfran plaid? Ai Paul a groeshoeliwyd drosoch chwi? Neu, a fedyddiwyd 14 chwi i enw Paul? Yr wyf yn ddiolchgar* na fedyddiais i neb 15 ohonoch ond Crispus a Gaius; peidied neb â dweud i chwi gael

---

*adn. 14: yn ôl darlleniad arall, *yn diolch i Dduw*.

eich bedyddio i'm henw i. O do, mi fedyddiais deulu Steffanas 16 hefyd. Heblaw hynny, ni wn a fedyddiais neb arall. Nid i 17 fedyddio yr anfonodd Crist fi, ond i bregethu'r Efengyl, a hynny nid â doethineb geiriau, rhag i groes Crist golli ei grym.

*Crist, Gallu a Doethineb Duw*

Oblegid y gair am y groes, ffolineb yw i'r rhai sydd ar lwybr 18 colledigaeth, ond i ni sydd ar lwybr iachawdwriaeth, gallu Duw ydyw. Y mae'n ysgrifenedig: 19

"Dinistriaf ddoethineb y doethion,
A dileaf ddeall y deallus."

Pa le y mae'r gŵr doeth? Pa le y mae'r gŵr dysgedig? Pa le y 20 mae ymresymydd yr oes bresennol? Oni wnaeth Duw ddoethineb y byd yn ffolineb? Oherwydd gan fod y byd, yn noeth- 21 ineb Duw, wedi methu adnabod Duw trwy ei ddoethineb ei hun, gwelodd Duw yn dda trwy ffolineb yr hyn yr ydym ni yn ei bregethu achub y rhai sydd yn credu. Y mae'r Iddewon yn 22 gofyn am arwyddion, a'r Groegiaid hwythau yn chwilio am ddoethineb. Eithr nyni, pregethu yr ydym Grist wedi ei groes- 23 hoelio, yn dramgwydd i'r Iddewon ac yn ffolineb i'r Cenhedloedd; ond i'r rhai a alwyd, yn Iddewon a Groegiaid, y mae'n 24 Grist, gallu Duw a doethineb Duw. Oherwydd y mae ffolineb 25 Duw yn ddoethach na dynion, a gwendid Duw yn gryfach na dynion.

Ystyriwch sut rai ydych chwi a alwyd, frodyr: nid oes rhyw 26 lawer ohonoch yn ddoeth yn ôl safon y byd, nid oes rhyw lawer yn wŷr o awdurdod, nid oes rhyw lawer o dras uchel. Ond 27 pethau ffôl y byd a ddewisodd Duw er mwyn cywilyddio'r doeth, a phethau gwan y byd a ddewisodd Duw i gywilyddio'r pethau cedyrn, a phethau distadl y byd, a phethau dirmygedig, 28 a ddewisodd Duw, y pethau nid ydynt, i ddiddymu'r pethau sydd. Ac felly, ni all unrhyw ddyn ymffrostio gerbron Duw. 29 Ond trwy ei waith ef yr ydych chwi yng Nghrist Iesu, yr hwn a 30 wnaed yn ddoethineb i ni oddi wrth Dduw, yn gyfiawnder a sancteiddhad a phrynedigaeth. Felly, fel y mae'n ysgrifenedig, 31 "Y sawl sy'n ymffrostio, ymffrostied yn yr Arglwydd."

*Pregethu Crist Croeshoeliedig*

**2** A minnau, pan ddeuthum atoch, frodyr, ni ddeuthum fel un yn rhagori mewn huodledd neu ddoethineb, wrth gyhoeddi i

2 chwi ddirgelwch* Duw. Oherwydd dewisais beidio â gwybod dim yn eich plith ond Iesu Grist, ac yntau wedi ei groeshoelio. 3 Mewn gwendid ac ofn a chryndod mawr y bûm i yn eich plith; 4 a'm hymadrodd i a'm pregeth, nid geiriau deniadol* doethineb 5 oeddent, ond eglur brawf yr Ysbryd a'i nerth, er mwyn i'ch ffydd fod yn seiliedig, nid ar ddoethineb dynion, ond ar allu Duw.

### *Datguddiad Trwy Ysbryd Duw*

6 Eto yr ydym ni yn llefaru doethineb ymhlith y rhai aeddfed, ond nid doethineb yr oes bresennol, nac eiddo llywodraethwyr 7 yr oes bresennol, sydd ar ddarfod amdanynt. Ond yr ydym ni'n llefaru doethineb Duw a'i dirgelwch, doethineb guddiedig, a ragordeiniodd Duw cyn yr oesoedd i'n dwyn i'n gogoniant. 8 Nid adnabu neb o lywodraethwyr yr oes bresennol mo'r ddoethineb hon; oherwydd pe buasent wedi ei hadnabod, ni 9 fuasent wedi croeshoelio Arglwydd y gogoniant. Ond fel y mae'n ysgrifenedig:

" Pethau na welodd llygad, ac na chlywodd clust,
ac na ddaeth i feddwl dyn,
y cwbl a ddarparodd Duw ar gyfer y rhai sy'n ei garu."

10 Eithr datguddiodd Duw hwy i ni trwy'r Ysbryd. Oblegid y mae'r Ysbryd yn plymio pob peth, hyd yn oed ddyfnderoedd 11 Duw. Oherwydd pa ddyn sy'n gwybod natur dyn, ond ysbryd y dyn, yr hwn sydd ynddo? Yr un modd nid oes neb yn 12 gwybod natur Duw, ond Ysbryd Duw. Ond nyni, nid ysbryd y byd a dderbyniasom, ond yr Ysbryd sydd oddi wrth Dduw, 13 er mwyn inni wybod y pethau a roddodd Duw o'i ras i ni. Yr ydym yn mynegi'r doniau hyn mewn geiriau a ddysgwyd i ni, nid gan ddoethineb ddynol, ond gan yr Ysbryd, gan esbonio 14 pethau ysbrydol i'r rhai sydd yn meddu'r Ysbryd.* Nid yw'r dyn anianol yn derbyn pethau Ysbryd Duw, oherwydd ffolineb ydynt iddo ef, ac ni all eu hamgyffred, gan mai mewn modd 15 ysbrydol y maent yn cael eu barnu. Y mae'r dyn ysbrydol yn

---

*adn. 1: yn ôl darlleniad arall, *dystiolaeth.*

*adn. 4: yn ôl darlleniad arall, *nid perswâd.*

*adn. 13: neu, *gan roddi iaith ysbrydol i bethau ysbrydol*; neu, *gan gymharu pethau ysbrydol â phethau ysbrydol.*

barnu pob peth, ond nid yw ef yn cael ei farnu gan neb. Yng 16
ngeiriau'r Ysgrythur:

"Pwy sy'n adnabod meddwl yr Arglwydd,
i'w gyfarwyddo?"

Ond y mae meddwl Crist gennym ni.

*Cydweithwyr dros Dduw*

Minnau, frodyr, ni ellais lefaru wrthych fel wrth rai 3 ysbrydol, ond fel wrth rai cnawdol, fel babanod yng Nghrist. Llaeth a roddais i chwi'n ymborth, ac nid bwyd, oherwydd 2 nid oeddech eto'n barod. Ac nid ydych yn barod yn awr chwaith, oherwydd cnawdol ydych o hyd. Oherwydd, tra mae 3 cenfigen a chynnen yn eich plith, onid cnawdol ydych, ac yn ymddwyn yn ôl safonau dyn? Canys pan mae un yn dweud, 4 "Yr wyf fi'n perthyn i blaid Paul", ac un arall, "Minnau, i blaid Apolos", onid dynol ydych? Beth ynteu yw Apolos? 5 Neu beth yw Paul? Dim ond gweision y daethoch chwi i gredu drwyddynt, a phob un yn cyflawni'r gorchwyl a gafodd gan yr Arglwydd. Myfi a blannodd, Apolos a ddyfrhaodd, ond Duw 6 oedd yn rhoi'r tyfiant. Felly, nid yw'r plannwr yn ddim, na'r 7 dyfrhawr, ond Duw, rhoddwr y tyfiant. Y plannwr a'r dyfr- 8 hawr, un ydynt, ac fe dderbyn y naill a'r llall ei dâl ei hun, yn ôl ei lafur ei hun. Canys eiddo Duw ydym ni, fel cydweithwyr; 9 gardd Duw, adeiladwaith Duw, ydych chwi.

Yn ôl y gorchwyl a roddodd Duw i mi o'i ras, mi osodais 10 sylfaen, fel prifadeiladydd celfydd, ac y mae rhywun arall yn adeiladu arni. Gwylied pob un pa fodd y mae'n adeiladu arni. Ni all neb osod sylfaen arall yn lle'r un sydd wedi ei gosod, ac 11 Iesu Grist yw honno. Os bydd i neb adeiladu ar y sylfaen ag 12 aur, arian, a meini gwerthfawr, neu â choed, gwair, a gwellt, daw gwaith pob un i'r amlwg, oherwydd y Dydd a'i dengys. 13 Canys â thân y datguddir y Dydd hwnnw, a bydd y tân yn profi ansawdd gwaith pob un. Os bydd y gwaith a adeiladodd dyn 14 ar y sylfaen yn aros, caiff dâl. Os llosgir gwaith dyn, caiff 15 ddwyn y golled, ond fe'i hachubir ef ei hun, ond dim ond megis trwy dân. Oni wyddoch mai teml Duw ydych, a bod Ysbryd 16 Duw yn trigo ynoch? Os bydd rhywun yn dinistrio teml Duw, 17 bydd Duw'n ei ddinystrio yntau, oherwydd y mae teml Duw yn sanctaidd, a chwi yw'r deml honno.

18 Peidied neb â'i dwyllo'i hunan; os oes rhywun yn eich plith yn tybio ei fod yn ddoeth ym mhethau'r oes hon, bydded ffôl, 19 er mwyn dod yn ddoeth. Oherwydd y mae doethineb y byd hwn yn ffolineb yng ngolwg Duw. Y mae'n ysgrifenedig:

"Y mae ef yn dal y doethion yn eu cyfrwystra",

20 ac eto:

"Y mae'r Arglwydd yn gwybod bod meddyliau'r doethion yn ofer."

21 Felly peidied neb ag ymffrostio mewn dynion. Canys y mae 22 pob peth yn eiddo i chwi—Paul, Apolos, Cephas, y byd, bywyd, 23 angau, y presennol, y dyfodol—pob peth yn eiddo i chwi, a chwithau yn eiddo Crist, a Christ yn eiddo Duw.

*Gweinidogaeth yr Apostolion*

4 Bydded i bob dyn ein cyfrif ni fel gweision Crist a goruchwyl- 2 wyr dirgelion Duw. Yn awr, yr hyn a ddisgwylir mewn gor- 3 uchwylwyr yw eu cael yn ffyddlon. O'm rhan fy hun, peth bach iawn yw cael fy ngosod ar brawf gennych chwi, neu gan unrhyw lys dynol. Yn wir, nid wyf yn eistedd mewn barn arnaf fy hun. 4 Nid oes gennyf ddim ar fy nghydwybod, ond nid wyf drwy hynny wedi fy nghael yn ddieuog. Yr Arglwydd yw fy marnwr 5 i. Felly peidiwch â barnu dim cyn yr amser, nes i'r Arglwydd ddod; bydd ef yn goleuo pethau cudd y tywyllwch a gwneud bwriadau'r galon yn amlwg. Ac yna caiff pob dyn ei glod gan Dduw.

6 Yr wyf wedi cymhwyso'r pethau hyn, frodyr, ataf fi fy hun ac at Apolos er eich mwyn chwi, i chwi ddysgu, drwom ni, "gadw o fewn yr hyn a ysgrifennwyd", rhag i neb ohonoch 7 ymchwyddo wrth bleidio un a gwrthod y llall. Pwy sy'n rhoi rhagoriaeth i ti ? Beth sydd gennyt, nad wyt wedi ei dderbyn? Ac os ei dderbyn a wnaethost, pam yr wyt yn ymffrostio fel pe 8 bait heb dderbyn ? Dyma chwi eisoes wedi cael eich gwala; eisoes wedi dod yn gyfoethog; wedi etifeddu'ch teyrnas, a ninnau y tu allan ! Gwyn fyd na fyddech wedi etifeddu'ch teyrnas mewn gwirionedd, er mwyn i ninnau hefyd gael teyrn- 9 asu gyda chwi ! Oherwydd yr wyf yn tybio bod Duw wedi rhoi i ni'r apostolion y lle olaf, fel rhai wedi eu condemnio i farw yn yr arena, gan ein bod wedi dod yn sioe i'r cyfanfyd, i angylion 10 ac i ddynion. Ni yn ffyliaid er mwyn Crist, chwithau'n rhai call yng Nghrist ! Ni yn wan, chwithau'n gryf ! Chwi'n llawn

anrhydedd, ninnau heb ddim parch! Hyd yr awr hon y mae arnom newyn a syched, yr ydym yn noeth, yn cael ein cernodio, yn ddigartref, yn blino gan lafur ein dwylo ein hunain. Ein hateb i'r difenwi sydd arnom yw bendithio; i'r erlid, goddef; i'r enllib, geiriau caredig. Fe'n gwnaethpwyd yn garthion y byd, yn olchion pawb, hyd yn awr. 11 12 13

Nid i godi cywilydd arnoch yr wyf yn ysgrifennu hyn, ond i'ch rhybuddio, fel plant annwyl i mi. Pe byddai gennych ddeng mil o hyfforddwyr yng Nghrist, eto ni fyddai gennych fwy nag un tad, oherwydd yng Nghrist Iesu myfi a ddeuthum yn dad i chwi drwy'r Efengyl. Am hynny yr wyf yn erfyn arnoch, byddwch efelychwyr ohonof fi. Dyna pam yr anfonais Timotheus atoch; y mae ef yn fab annwyl i mi, ac yn ffyddlon yn yr Arglwydd, a bydd yn dwyn ar gof i chwi fy ffyrdd i yng Nghrist Iesu, fel y byddaf yn eu dysgu ym mhobman, ym mhob eglwys. Y mae rhai wedi ymchwyddo, fel pe na bawn i am ddod atoch. Ond yr wyf am ddod atoch ar fyrder, os caniatâ'r Arglwydd, a chaf wybod, nid am siarad y rhai sydd wedi ymchwyddo, ond am eu gallu. Oherwydd nid mewn siarad y mae teyrnas Dduw, ond mewn gallu. Beth yw eich dewis? Ai â gwialen yr wyf i ddod atoch, ynteu â chariad, ac ysbryd addfwynder? 14 15 16 17 18 19 20 21

### *Barn ar Anfoesoldeb*

Adroddir fel ffaith fod yna odineb yn eich plith, a hwnnw'r fath odineb na cheir mohono hyd yn oed ymhlith y paganiaid, bod rhyw ddyn yn gorwedd gyda gwraig ei dad. A dyma chwi, yn llawn ymffrost! Onid eich lle chwi oedd galaru, a bwrw allan o'ch plith yr un a wnaeth y fath beth? Oherwydd dyma fi, yn absennol yn y corff, ond yn bresennol yn yr ysbryd, eisoes wedi rhoi dyfarniad, fel un sy'n bresennol, ar y dyn a wnaeth y fath weithred: bod i chwi, a'm hysbryd innau, wedi ymgynnull yn enw ein Harglwydd Iesu, a gallu ein Harglwydd Iesu gyda ni, draddodi'r fath ddyn i Satan er mwyn dinistrio'r cnawd, a thrwy hynny achub ei ysbryd yn Nydd yr Arglwydd. Nid yw eich ymffrost yn weddus. Oni wyddoch fod ychydig lefain yn suro'r holl does? Glanhewch yr hen lefain allan, i chwi fod yn does newydd, croyw, fel yr ydych mewn gwirionedd. Oherwydd y mae Crist, ein Pasg ni, wedi ei aberthu. Am hynny cadwn yr ŵyl, nid â'r hen lefain, nac ychwaith â 5 2 3 4 5 6 7 8 lefain drygioni a llygredd, ond â bara croyw purdeb a gwirionedd.

9 Ysgrifennais atoch yn fy llythyr, i ddweud wrthych am beidio 10 â chymysgu â phobl odinebus. Ond nid am odinebwyr y byd hwn yr oeddwn yn meddwl o gwbl, na chwaith am y trachwantus, y cribddeilwyr, neu'r eilunaddolwyr; onid e, byddai'n rhaid 11 i chwi fynd allan o'r byd. Ond yn awr, ysgrifennu a wneuthum* i ddweud wrthych am beidio â chymysgu â neb a elwir yn frawd os yw'n buteiniwr neu'n drachwantus, yn eilunaddolwr, yn ddifenwr, yn feddwyn, neu'n gribddeiliwr; peidiwch hyd yn 12 oed â bwyta gydag un felly. Oherwydd beth sydd a wnelwyf fi â barnu'r rhai sydd oddi allan? Onid y rhai sydd oddi mewn yr 13 ydych chwi yn eu barnu? Duw fydd yn barnu'r rhai sydd oddi allan. Taflwch y dihiryn hwnnw allan o'ch plith.

## *Mynd i Gyfraith gerbron Anghredinwyr*

**6** Os oes gan un ohonoch gŵyn yn erbyn un arall, a yw'n beiddio mynd â'i achos gerbron yr annuwiol, yn hytrach na 2 gerbron y saint? Oni wyddoch mai'r saint sydd i farnu'r byd? Ac os yw'r byd yn cael ei farnu gennych chwi, a ydych yn ang-3 hymwys i farnu'r achosion lleiaf? Oni wyddoch y byddwn yn 4 barnu angylion, heb sôn am bethau'r bywyd hwn? Felly, os bydd gennych achosion fel hyn, a ydych yn gosod yn farnwyr 5 y rhai sydd isaf eu parch yng ngolwg yr eglwys? I godi cywilydd arnoch yr wyf yn dweud hyn. A yw wedi dod i hyn, nad oes un dyn doeth yn eich plith fydd yn gallu barnu rhwng 6 brawd a brawd? A yw brawd yn mynd i gyfraith yn erbyn ei 7 frawd, a hynny gerbron anghredinwyr? Yn gymaint â'ch bod yn ymgyfreithio o gwbl â'ch gilydd, yr ydych eisoes, yn wir, wedi colli'r dydd. Pam, yn hytrach, na oddefwch gam? Pam, 8 yn hytrach, na oddefwch golled? Ond gwneud cam yr ydych 9 chwi, peri colled yr ydych, a hynny i frodyr. Oni wyddoch na chaiff yr anghyfiawn etifeddu teyrnas Dduw? Peidiwch â chymryd eich camarwain; ni chaiff puteinwyr, nac eilunaddolwyr, na godinebwyr, na rhai sy'n ymlygru â'u rhyw eu 10 hunain, na lladron, na rhai trachwantus, na meddwon, na 11 difenwyr, na chribddeilwyr, etifeddu teyrnas Dduw. A dyna

*adn. 11: neu, *Ond yn awr yr wyf yn ysgrifennu.*

oedd rhai ohonoch chwi; ond yr ydych wedi ymolchi, a'ch sancteiddio, a'ch cyfiawnhau trwy enw yr Arglwydd Iesu Grist, a thrwy Ysbryd ein Duw ni.

### *Gogoneddwch Dduw yn eich Corff*

" Y mae popeth yn gyfreithlon i mi," meddwch; ond nid yw 12 popeth er lles. " Y mae popeth yn gyfreithlon i mi," meddwch; ond ni chaiff dim fy nghaethiwo i. " Y bwydydd i'r bol a'r bol 13 i'r bwydydd," meddwch; ac fe ddifetha Duw y naill a'r llall. Eto, nid i odineb y mae'r corff, ond i'r Arglwydd, a'r Arglwydd i'r corff. Cyfododd Duw yr Arglwydd, ac fe'n cyfyd ninnau 14 hefyd drwy ei allu. Oni wyddoch mai aelodau Crist yw eich 15 cyrff chwi ? A gymeraf fi, felly, aelodau Crist a'u gwneud yn aelodau putain ? Dim byth ! Neu oni wyddoch fod dyn sy'n 16 ymlynu wrth butain yn un corff â hi ? Oherwydd y mae'r Ysgrythur yn dweud, " Bydd y ddau yn un cnawd." Ond y 17 dyn sy'n ymlynu wrth yr Arglwydd, y mae'n un ysbryd ag ef. Ffowch oddi wrth odineb; pob pechod arall a wna dyn, beth 18 bynnag ydyw, y tu allan i'r corff y mae, ond y mae'r sawl sydd yn godinebu yn pechu yn erbyn ei gorff ei hun. Neu, oni 19 wyddoch fod eich corff yn deml i'r Ysbryd Glân sydd ynoch, yr hwn sydd gennych oddi wrth Dduw, ac nad yr eiddoch eich hunain mohonoch ? Oherwydd prynwyd chwi am bris. Felly 20 gogoneddwch Dduw yn eich corff.

### *Problemau ynglŷn â Phriodas*

Yn awr, ynglŷn â'r pethau yn eich llythyr. Peth da yw i ddyn 7 beidio â chyffwrdd â gwraig. Ond oherwydd y godinebu sy'n 2 bod, bydded gan bob dyn ei wraig ei hun, a chan bob gwraig ei gŵr ei hun. Dylai'r gŵr roi i'r wraig yr hyn sy'n ddyledus iddi, 3 a'r un modd y wraig i'r gŵr. Nid y wraig biau'r hawl ar ei chorff 4 ei hun, ond y gŵr. A'r un modd, nid y gŵr biau'r hawl ar ei gorff ei hun, ond y wraig. Peidiwch â gwrthod eich gilydd, 5 oddieithr, efallai, i chwi gytuno ar hyn dros dro er mwyn ymroi i weddi, ac yna dod ynghyd eto, rhag i Satan eich temtio oherwydd eich diffyg ymatal. Ond fel goddefiad yr wyf yn 6 dweud hyn, nid fel gorchymyn. Carwn pe bai pob dyn fel yr 7 wyf fi fy hunan; ond y mae gan bob un ei ddawn ei hun oddi wrth Dduw, y naill fel hyn a'r llall fel arall.

8 Yr wyf yn dweud wrth y rhai dibriod, a'r gwragedd gweddw-
9 on, mai peth da fyddai iddynt aros felly, fel finnau. Ond os na allant ymatal, dylent briodi, oherwydd gwell priodi nag ym-
10 losgi. I'r rhai sydd wedi priodi yr wyf fi'n gorchymyn—na, nid
11 fi, ond yr Arglwydd—nad yw'r wraig i ymadael â'i gŵr; ond os bydd iddi ymadael, dylai aros yn ddibriod, neu gymodi â'i gŵr.
12 A pheidied y gŵr ag ysgaru ei wraig. Wrth y lleill yr wyf fi, nid yr Arglwydd, yn dweud: os bydd gan Gristion wraig anghred-adun, a hithau'n cytuno i fyw gydag ef, ni ddylai ei hysgaru.
13 Ac os bydd gan wraig ŵr anghredadun, ac yntau'n cytuno i
14 fyw gyda hi, ni ddylai ysgaru ei gŵr. Oherwydd y mae'r gŵr anghredadun wedi ei gysegru trwy ei wraig, a'r wraig anghred-adun wedi ei chysegru trwy ei gŵr o Gristion. Onid e, byddai eich plant yn halogedig. Ond fel y mae, y maent yn sanctaidd.
15 Ond os yw'r anghredadun am ymadael, gadewch iddo fynd. Nid yw'r gŵr na'r wraig o Gristion, mewn achos felly, yn gaeth;
16 i heddwch y mae Duw wedi eich galw. Oherwydd sut y gwyddost, wraig, a achubi di dy ŵr? Neu sut y gwyddost, ŵr, a achubi di dy wraig?

### *Bywyd yn ôl Galwad Duw*

17 Beth bynnag am hynny, dalied pob dyn i fyw yn ôl y gyfran a gafodd gan yr Arglwydd, pob un yn ôl yr alwad a dderbyniodd gan Dduw. Yr wyf yn gwneud hyn yn rheol yn yr holl eglwysi.
18 A gafodd rhywun ei alw ac yntau'n enwaededig? Peidied â chuddio ei gyflwr. A gafodd rhywun ei alw ac yntau'n ddi-
19 enwaededig? Peidied â cheisio enwaediad. Nid enwaediad sy'n cyfrif, ac nid dienwaediad sy'n cyfrif, ond cadw gorchmyn-
20 ion Duw. Dylai pob dyn aros yn y cyflwr yr oedd ynddo pan
21 gafodd ei alw. Ai caethwas oeddit pan gefaist dy alw? Paid â phoeni; ond os gelli ennill dy ryddid, cymer dy gyfle, yn
22 hytrach na pheidio.* Oherwydd y sawl oedd yn gaethwas pan alwyd ef i fod yn yr Arglwydd, dyn rhydd yr Arglwydd ydyw. Yr un modd, y sawl oedd yn rhydd pan alwyd ef, caethwas
23 Crist ydyw. Am bris y'ch prynwyd chwi. Peidiwch â mynd yn
24 gaethweision dynion. Arhosed pob un gerbron Duw, frodyr, yn y cyflwr hwnnw yr oedd ynddo pan gafodd ei alw.

---

*adn. 21: neu, *a hyd yn oed os gelli ennill dy ryddid, manteisia, yn hytrach, ar gyfle dy gaethiwed.*

*Y Rhai Dibriod a'r Gweddwon*

Ynglŷn â'r gwyryfon, nid oes gennyf orchymyn gan yr Arglwydd, ond yr wyf yn rhoi fy marn fel un y gellir, trwy drugaredd yr Arglwydd, ddibynnu arno. Yn fy meddwl i, peth da, yn wyneb yr argyfwng sydd yn pwyso arnom, yw i ddyn aros fel y mae. A wyt yn rhwym wrth wraig ? Paid â cheisio dy ryddhau. A wyt yn rhydd oddi wrth wraig ? Paid â cheisio gwraig. Ond os priodi a wnei, ni fyddi wedi pechu. Ac os prioda gwyryf, ni fydd wedi pechu. Ond fe gaiff rhai felly flinder i'r cnawd, ac am eich arbed yr wyf fi. Hyn yr wyf yn ei ddweud, frodyr, y mae'r amser wedi mynd yn brin. Am yr hyn sydd ar ôl ohono, bydded i'r rhai sydd â gwragedd ganddynt fod fel pe baent heb wragedd, a'r rhai sy'n wylo fel pe na baent yn wylo, a'r rhai sy'n llawenhau fel pe na baent yn llawenhau, a'r rhai sy'n prynu fel rhai heb feddu dim, a'r rhai sy'n ymwneud â'r byd fel pe na baent yn ymwneud ag ef. Oherwydd mynd heibio y mae holl drefn y byd hwn. Carwn i chwi fod yn ddibryder. Y mae'r dyn dibriod yn pryderu am bethau'r Arglwydd, sut i foddhau'r Arglwydd. Ond y mae'r gŵr priod yn pryderu am bethau'r byd, sut i foddhau ei wraig, ac y mae rhwng dau feddwl. A'r ferch ddibriod a'r wyryf, pryderu y maent* am bethau'r Arglwydd, er mwyn bod yn sanctaidd mewn corff ac ysbryd. Ond y mae'r wraig briod yn pryderu am bethau'r byd, sut i foddhau ei gŵr. Yr wyf yn dweud hyn er eich lles chwi eich hunain; nid er mwyn eich dal yn ôl, ond er mwyn gwedduster, ac ymroddiad diwyro i'r Arglwydd. 25 26 27 28 29 30 31 32 33 34 35

Os oes unrhyw un yn teimlo ei fod yn ymddwyn yn anweddaidd tuag at ei gymar mewn gwyryfdod,* os yw ei nwydau'n rhy gryf** ac felly y peth yn anorfod, gwnaed yn ôl ei ddymuniad; nid yw'n pechu; bydded iddynt briodi. Ond y sawl sydd yn aros yn gadarn ei feddwl, heb fod dan orfod, ond yn cadw ei ddymuniad dan reolaeth, ac yn penderfynu yn ei feddwl gadw ei gymar* yn wyryf, bydd yn gwneud yn dda. Felly bydd 36 37 38

---

*adn. 34: yn ôl darlleniad arall, *sut i foddhau ei wraig. Ac y mae gwahaniaeth rhwng y wraig a'r wyryf. Y mae'r ferch ddibriod yn pryderu.*

*adn. 36: neu, *ei ddyweddi.*

**adn. 36: neu, *tuag at ei ferch sy'n wyryf, os yw hi wedi hen gyrraedd oed priodi.*

*adn. 37: neu, *ei ddyweddi*; neu, *ei ferch.*

yr hwn sydd yn priodi ei gymar* yn gwneud yn dda, ond bydd y dyn nad yw'n priodi** yn gwneud yn well.

39 Y mae gwraig yn rhwym i'w gŵr cyhyd ag y mae ef yn fyw. Ond os bydd ei gŵr farw, y mae'n rhydd i briodi pwy bynnag a 40 fyn, dim ond iddi wneud hynny yn yr Arglwydd. Ond bydd yn ddedwyddach o aros fel y mae, yn ôl fy marn i. Ac yr wyf yn meddwl fod Ysbryd Duw gennyf fi hefyd.

### *Bwyd wedi ei Aberthu i Eilunod*

**8** Ynglŷn â bwyd sydd wedi ei aberthu i eilunod, y mae'n wir, fel y dywedwch, "fod gennym i gyd wybodaeth." Y mae "gwybodaeth" yn peri i ddyn ymchwyddo, ond y mae cariad 2 yn adeiladu. Os oes rhywun yn tybio iddo ddod i wybod 3 rhywbeth, nid yw eto'n gwybod fel y dylai wybod. Os oes rhywun yn caru Duw,* y mae wedi ei adnabod gan Dduw. 4 Felly, ynglŷn â bwyta'r hyn sydd wedi ei aberthu i eilunod, gwyddom nad oes "dim eilun yn y cyfanfyd", ac nad oes "dim 5 duw ond un." Oherwydd hyd yn oed os oes rhai a elwir yn dduwiau, naill ai yn y nef neu ar y ddaear—fel yn wir y mae 6 "duwiau" lawer ac "arglwyddi" lawer—eto, i ni, un Duw sydd—y Tad, ffynhonnell pob peth, a diben ein bod; ac un Arglwydd Iesu Grist—cyfrwng pob peth, a chyfrwng ein bywyd ni.

7 Ond nid yw'r wybodaeth hon gan bawb. Y mae rhai, oherwydd eu bod hyd yma wedi arfer ag eilunod, yn dal i fwyta'r bwyd fel peth wedi ei aberthu i eilunod; ac y mae eu cyd-8 wybod, gan ei bod yn wan, yn cael ei llygru. Nid bwyd sy'n mynd i'n cymeradwyo ni i Dduw. Nid ydym ar ein colled o 9 beidio â bwyta, nac ar ein hennill o fwyta. Ond gwyliwch rhag i'r hawl yma sydd gennych fod yn achos cwymp mewn unrhyw 10 fodd i'r rhai gwan. Oherwydd os bydd i rywun dy weld di, sy'n meddu ar "wybodaeth", yn bwyta mewn teml eilunod, oni chadarnheir ei gydwybod, ac yntau'n wan, i fwyta pethau wedi 11 eu haberthu i eilunod? Felly, trwy dy "wybodaeth" di, fe 12 ddinistrir yr un gwan, dy frawd, y bu Crist farw drosto. Wrth bechu fel hyn yn erbyn eich brodyr, a chlwyfo eu cydwybod,

---

*adn. 38: neu, *yn priodi ei ddyweddi*; neu, *yn rhoi ei ferch i'w phriodi.*

**adn. 38: neu, *ei rhoi i'w phriodi.*

*adn. 3: yn ôl darlleniad arall, *Os oes rhywun yn caru.*

a hithau'n wan, yr ydych yn pechu yn erbyn Crist. Am hynny, 13
os yw bwyd yn achos cwymp i'm brawd, ni fwytâf fi gig byth,
rhag i mi achosi cwymp i'm brawd.

### *Hawliau Apostol*

Onid wyf fi'n rhydd ? Onid wyf yn apostol ? Onid wyf wedi 9
gweld Iesu, ein Harglwydd ? Onid fy ngwaith i ydych chwi
yn yr Arglwydd ? Os nad wyf yn apostol i eraill, o leiaf yr 2
wyf felly i chwi; oherwydd chwi yw sêl fy apostolaeth, yn yr
Arglwydd.

Fy ateb i'r rhai sy'n eistedd mewn barn arnaf yw hyn: onid 3,4
oes gennym hawl i fwyta ac yfed ? Onid oes gennym hawl i 5
fynd â gwraig sy'n Gristion o gwmpas gyda ni, fel y gwna'r
apostolion eraill, a brodyr yr Arglwydd, a Ceffas ? Neu ai 6
myfi a Barnabas yn unig sydd heb yr hawl i beidio ag ennill ein
bywoliaeth ? Pwy yn y byd sy'n rhoi gwasanaeth milwr ar ei 7
draul ei hun ? Pwy sy'n plannu gwinllan heb fwyta o'r ffrwyth?
Pwy sy'n bugeilio praidd heb yfed o'r llaeth ? Ai ar awdurdod 8
dyn yr wyf yn dweud hyn ? Onid yw'r Gyfraith hefyd yn ei
ddweud ? Oherwydd yng Nghyfraith Moses y mae'n ysgrifen- 9
edig: "Paid â chau safn yr ych sydd yn dyrnu'r ŷd." Ai am
ychen y mae gofal Duw ? Onid yw'n eglur mai er ein mwyn ni 10
y mae'n ei ddweud ? Ie, er ein mwyn ni yr ysgrifennwyd ef,
oherwydd dylai'r arddwr aredig, a'r dyrnwr ddyrnu, mewn
gobaith am gael cyfran o'r cnwd. Os ydym ni wedi hau had 11
ysbrydol er eich lles chwi, a yw'n ormod i ni fedi cnwd materol
ar eich traul chwi ? Os oes gan eraill ran yn yr hawl hon arnoch, 12
oni ddylem ni gael mwy ?

Ond nid ydym wedi arfer yr hawl hon; yn hytrach, yr ydym
yn goddef pob peth, rhag inni osod unrhyw rwystr ar ffordd
Efengyl Crist. Oni wyddoch fod y sawl sy'n cyflawni gwasan- 13
aethau'r deml yn cael eu bwyd o'r deml, a bod y rhai sy'n gweini
wrth yr allor yn cael eu cyfran o aberthau'r allor ? Yn yr un 14
modd hefyd, rhoddodd yr Arglwydd orchymyn i'r rhai sy'n
cyhoeddi'r Efengyl, eu bod i fyw ar draul yr Efengyl. Ond nid 15
wyf fi wedi manteisio ar ddim o'r hawliau hyn. Ac nid er mwyn
cael dim o'r fath i mi fy hun yr wyf yn ysgrifennu hyn. Bydd-
ai'n well gennyf farw na hynny. Ni chaiff neb droi fy ymffrost
yn wagedd. Oherwydd os wyf yn pregethu'r Efengyl, nid yw 16
hynny'n achos ymffrost i mi, gan fod rheidrwydd wedi ei osod

17 arnaf. Gwae fi os na phregethaf yr Efengyl! Os o'm gwirfodd yr wyf yn gwneud hyn, y mae imi dâl; ond os o'm hanfodd, 18 gorchwyl sydd wedi ei ymddiried i mi. Beth, felly, yw fy nhâl? Hyn ydyw: fy mod, wrth bregethu, yn cyflwyno'r Efengyl am ddim, heb fanteisio o gwbl ar fy hawl yn yr Efengyl.

19 Oherwydd, er fy mod yn rhydd oddi wrth bawb, yr wyf wedi fy ngwneud fy hun yn gaethwas i bawb, er mwyn ennill rhagor 20 ohonynt. I'r Iddewon, euthum fel Iddew, er mwyn ennill Iddewon. I'r rhai sydd dan y Gyfraith, fel un ohonynt hwy—er nad wyf fy hunan dan y Gyfraith—er mwyn ennill y rhai sydd 21 dan y Gyfraith. I'r rhai sydd y tu allan i'r Gyfraith, fel un ohonynt hwythau—er nad wyf y tu allan i Gyfraith Duw, gan fy mod dan Gyfraith Crist—er mwyn ennill y rhai sydd y tu allan 22 i'r Gyfraith. I'r gweiniaid, euthum yn wan, er mwyn ennill y gweiniaid. Yr wyf wedi mynd yn bob peth i bawb, er mwyn i 23 mi, mewn rhyw fodd neu'i gilydd, achub rhai. Dros yr Efengyl yr wyf yn gwneud pob peth, er mwyn i mi gael fy nghyfran ynddi.

24 Oni wyddoch am y rhai sy'n rhedeg mewn ras, eu bod i gyd yn rhedeg, ond mai un sy'n derbyn y wobr? Fel hwythau, 25 rhedwch i ennill. Y mae pob mabolgampwr yn arfer hunanreolaeth ym mhopeth; y maent hwy, yn wir, yn gwneud hynny er mwyn ennill torch lygradwy, ond y mae gennym ni un an-26 llygradwy. Yr wyf fi, gan hynny, yn rhedeg fel un sydd â'r nod yn sicr o'i flaen. Yr wyf yn cwffio, nid fel un sy'n curo'r awyr 27 â'i ddyrnau. Yr wyf yn cernodio fy nghorff, ac yn ei gaethiwo, rhag i mi, sydd wedi pregethu i eraill, fy nghael fy hun yn wrthodedig.

### *Rhybudd Rhag Eilunaddoliaeth*

**10** Yr wyf am i chwi wybod, fy mrodyr, i'n tadau i gyd fod dan 2 y cwmwl, iddynt i gyd fynd drwy'r môr, iddynt i gyd gymryd 3 eu bedyddio i Moses yn y cwmwl ac yn y môr, iddynt i gyd 4 fwyta'r un bwyd ysbrydol ac yfed yr un ddiod ysbrydol; oherwydd yr oeddent yn yfed o'r graig ysbrydol oedd yn eu 5 dilyn. A Christ oedd y graig honno. Eto nid oedd y rhan fwyaf ohonynt wrth fodd Duw; oherwydd fe'u gwasgarwyd 6 hwy'n gyrff yn yr anialwch. Digwyddodd y pethau hyn yn esiamplau i ni, i'n rhybuddio rhag chwenychu pethau drwg, fel 7 y gwnaethant hwy. Peidiwch â bod yn eilunaddolwyr, fel rhai ohonynt hwy; fel y mae'n ysgrifenedig, " Eisteddodd y bobl i fwyta ac yfed, a chodasant i ddawnsio." Peidiwn chwaith â 8 godinebu, fel y gwnaeth rhai ohonynt hwy—a syrthiodd tair mil ar hugain mewn un diwrnod. Peidiwn â gosod yr Arglwydd 9 ar ei brawf, fel y gwnaeth rhai ohonynt hwy—ac fe'u difethwyd gan seirff. Peidiwch â grwgnach, fel y gwnaeth rhai ohonynt 10 hwy—ac fe'u difethwyd gan y Dinistrydd. Yn awr, digwydd- 11 odd y pethau hyn iddynt hwy fel esiamplau, ac fe'u hysgrifennwyd fel rhybudd i ni, rhai y daeth terfyn yr oesoedd arnom. Felly, bydded i'r sawl sy'n tybio ei fod yn sefyll, wylio rhag iddo 12 syrthio. Nid oes un prawf wedi dod ar eich gwarthaf nad yw'n 13 gyffredin i ddynion. Gallwch ymddiried yn Nuw, ac nid yw ef am adael i chwi gael eich profi y tu hwnt i'ch gallu; yn wir, gyda'r prawf, fe rydd ef ddihangfa hefyd, a'ch galluogi i ymgynnal dano.

Felly, fy nghyfeillion annwyl, ffowch oddi wrth eilun- 14 addoliaeth. Yr wyf yn siarad â chwi fel dynion synhwyrol; 15 barnwch chwi'r hyn yr wyf yn ei ddweud. Cwpan y fendith yr 16 ydym yn ei fendithio, onid cydgyfranogiad o waed Crist ydyw ? A'r bara yr ydym yn ei dorri, onid cydgyfranogiad o gorff Crist ydyw ? Gan mai un yw'r bara, yr ydym ni, a ninnau'n llawer, 17 yn un corff, oherwydd yr ydym i gyd yn cyfranogi o'r un bara. Edrychwch ar yr Israel hanesyddol. Onid yw'r rhai sy'n bwyta'r 18 ebyrth yn gydgyfranogion o'r allor ? Beth, felly, yr wyf yn ei 19 ddweud? Fod bwyd sydd wedi ei aberthu i eilunod yn rhywbeth ? Neu fod eilun yn rhywbeth? Nage, ond mai i gythreul- 20 iaid, ac nid i Dduw, y mae'r paganiaid yn aberthu eu hebyrth, ac na fynnwn i chwi fod yn gydgyfranogion o gythreuliaid.* Ni allwch yfed cwpan yr Arglwydd a chwpan cythreuliaid; ni 21 allwch gyfranogi o fwrdd yr Arglwydd ac o fwrdd cythreuliaid. A ydym yn mynnu cyffroi eiddigedd yr Arglwydd ? A ydym yn 22 gryfach nag ef ?

### *Gwnewch Bopeth er Gogoniant Duw*

" Y mae popeth yn gyfreithlon," meddwch; ond nid yw 23 popeth er lles. " Y mae popeth yn gyfreithlon," meddwch; ond nid yw popeth yn adeiladu. Peidied neb â cheisio'i les ei 24 hun, ond lles ei gymydog. Bwytewch bopeth a werthir yn y 25

---

*adn. 20: neu, *yn gydgyfrannog â chythreuliaid.*

farchnad gig, heb holi'n fanwl yn ei gylch ar dir cydwybod.
26 Oherwydd eiddo'r Arglwydd yw'r ddaear a'i chyflawnder.
27 Os cewch wahoddiad gan anghredadun, ac os oes awydd arnoch fynd, bwytewch bopeth a osodir ger eich bron, heb holi'n
28 fanwl yn ei gylch ar dir cydwybod. Ond os dywed rhywun wrthych, "Peth wedi ei offrymu yn aberth yw hwn", peidiwch â'i fwyta, er mwyn y dyn a alwodd eich sylw at y peth, ac er
29 mwyn cydwybod; nid eich cydwybod chwi yr wyf yn ei olygu, ond ei gydwybod ef. Pam, yn wir, y mae fy rhyddid i yn cael ei
30 farnu gan gydwybod rhywun arall? Os wyf fi'n cymryd fy mwyd gyda diolch, pam y ceir bai arnaf ar gyfrif bwyd yr wyf
31 yn diolch i Dduw amdano? Felly, beth bynnag a wnewch, prun ai bwyta, neu yfed, neu unrhyw beth arall, gwnewch
32 bopeth er gogoniant Duw. Peidiwch â bod yn achos tramgwydd i'r Iddewon na'r Groegiaid, nac i eglwys Duw.
33 Byddwch yn debyg i minnau; yr wyf fi'n ceisio boddhau pawb ym mhob peth, heb geisio fy lles fy hun, ond lles y lliaws,
**11** iddynt gael eu hachub. Byddwch yn efelychwyr ohonof fi, fel yr wyf finnau o Grist.

### *Gorchuddio Pennau Gwragedd*

2 Yr wyf yn eich canmol chwi am eich bod yn fy nghofio ym mhob peth, ac yn cadw'r traddodiadau fel y traddodais hwy i
3 chwi. Ond yr wyf am i chwi wybod mai pen pob gŵr yw Crist,
4 ac mai pen y wraig yw'r gŵr, ac mai pen Crist yw Duw. Y mae pob gŵr sy'n gweddïo neu'n proffwydo â rhywbeth am ei
5 ben yn gwaradwyddo'i ben. Ond y mae pob gwraig sy'n gweddïo neu'n proffwydo heb orchudd ar ei phen yn gwaradwyddo'i phen; y mae hi'n union fel merch sydd wedi ei
6 heillio. Oherwydd os yw gwraig heb orchuddio'i phen, yna fe ddylai hi dorri ei gwallt yn llwyr. Ond os yw'n waradwydd i wraig dorri ei gwallt neu eillio ei phen, fe ddylai hi wisgo
7 gorchudd. Ni ddylai gŵr orchuddio'i ben, ac yntau ar ddelw Duw ac yn ddrych o'i ogoniant ef. Ond drych o ogoniant y
8 gŵr yw'r wraig. Oherwydd nid y gŵr a ddaeth o'r wraig, ond
9 y wraig o'r gŵr. Ac ni chrewyd y gŵr er mwyn y wraig, ond y
10 wraig er mwyn y gŵr. Am hynny, dylai'r wraig gael arwydd
11 awdurdod* ar ei phen, o achos yr angylion. Beth bynnag am

---

*adn. 10: yn ôl darlleniad arall, *gorchudd*.

hynny, yn yr Arglwydd nid yw'r wraig yn ddim heb y gŵr, na'r gŵr yn ddim heb y wraig. Canys fel y daeth y wraig o'r gŵr, 12 felly hefyd y daw'r gŵr drwy'r wraig. A daw'r cwbl o Dduw. Barnwch drosoch eich hunain: a yw'n weddus i wraig weddïo 13 ar Dduw heb orchudd ar ei phen? Onid yw natur ei hun yn 14 eich dysgu mai anfri yw i ddyn dyfu ei wallt yn hir, ond mai 15 gogoniant gwraig yw tyfu ei gwallt hi'n hir? Canys rhoddwyd ei gwallt iddi hi i fod yn fantell iddi. Ond os myn neb fod yn 16 gecrus, nid oes gennym ni unrhyw arfer o'r fath, na chan eglwysi Duw chwaith.

*Difrïo Swper yr Arglwydd*

Ond wrth eich cyfarwyddo, dyma rywbeth nad wyf yn ei 17 ganmol ynoch, eich bod yn ymgynnull, nid er gwell, ond er gwaeth. Yn gyntaf, pan fyddwch yn ymgynnull fel eglwys, yr 18 wyf yn clywed bod ymraniadau yn eich plith, ac 'rwy'n credu fod peth gwir yn hyn. Oherwydd y mae pleidiau yn eich plith 19 yn anghenraid, er mwyn i'r rhai dilys yn eich mysg ddod i'r golwg. Felly, pan fyddwch yn ymgynnull, nid i fwyta swper yr 20 Arglwydd y byddwch yn gwneud hynny, oherwydd yn y bwyta 21 y mae pob un yn rhuthro i gymryd ei swper ei hun, ac y mae eisiau bwyd ar un, ac un arall yn feddw. Onid oes gennych dai 22 i fwyta ac yfed ynddynt? Neu a ydych yn mynnu dirmygu eglwys Duw, a pheri cywilydd i'r rhai sydd heb ddim? Beth a ddywedaf wrthych? A wyf i'ch canmol? Yn hyn o beth, nid wyf yn eich canmol.

*Sefydlu Swper yr Arglwydd*
(Math 26.26-29; Mc 14.22-25; Lc 22.14-20)

Oherwydd fe dderbyniais i oddi wrth yr Arglwydd, yr hyn 23 hefyd a draddodais i chwi: i'r Arglwydd Iesu, y nos y bradychwyd ef, gymryd bara; ac wedi iddo ddiolch, fe'i torrodd, a 24 dywedodd, "Hwn yw fy nghorff, sydd* er eich mwyn chwi. Gwnewch hyn er cof amdanaf." Yr un modd hefyd fe gymer- 25 odd y cwpan, ar ôl swper, gan ddweud, "Y cwpan hwn yw'r cyfamod newydd, yn fy ngwaed i. Gwnewch hyn, bob tro yr yfwch ef, er cof amdanaf." Oherwydd bob tro y byddwch yn 26

---

*adn. 24: yn ôl darlleniad arall, *sydd yn cael ei dorri.*

bwyta'r bara hwn ac yn yfed y cwpan hwn, yr ydych yn cyhoeddi marwolaeth yr Arglwydd, hyd nes y daw.

### *Cyfranogi o'r Swper yn Annheilwng*

27 Felly, pwy bynnag fydd yn bwyta'r bara neu'n yfed cwpan yr Arglwydd yn annheilwng, bydd yn euog o halogi corff a 28 gwaed yr Arglwydd. Bydded i ddyn ei holi ei hunan, ac felly 29 bwyta o'r bara ac yfed o'r cwpan. Oherwydd y mae'r sawl sydd yn bwyta ac yn yfed, os nad yw'n dirnad y corff, yn bwyta ac yn 30 yfed barn arno'i hun. Dyna pam y mae llawer yn eich plith yn 31 wan ac yn glaf, a chryn nifer wedi marw. Ond pe baem yn ein 32 barnu ein hunain yn iawn, ni fyddem yn dod dan farn. Ond pan fernir ni gan yr Arglwydd, cael ein disgyblu yr ydym, rhag 33 i ni gael ein condemnio gyda'r byd. Felly, fy mrodyr, pan 34 fyddwch yn ymgynnull i fwyta, arhoswch am eich gilydd. Os bydd ar rywun eisiau bwyd, bydded iddo fwyta gartref, rhag i'ch ymgynulliad arwain i farn arnoch. Ond am y pethau eraill, caf roi trefn arnynt pan ddof atoch.

### *Doniau Ysbrydol*

12 Ynglŷn â doniau ysbrydol, frodyr, nid wyf am i chwi fod 2 heb wybod amdanynt. Fe wyddoch sut y byddech yn cael eich ysgubo i ffwrdd at eilunod mud, pan oeddech yn baganiaid. 3 Am hynny, yr wyf yn eich hysbysu nad yw neb sydd yn llefaru trwy Ysbryd Duw yn dweud, "Melltith ar Iesu!" Ac ni all neb ddweud, "Iesu yw'r Arglwydd!" ond trwy yr Ysbryd Glân.

4 Y mae amrywiaeth doniau, ond yr un Ysbryd sy'n eu rhoi; 5 ac y mae amrywiaeth gweinidogaethau, ond yr un Arglwydd 6 sy'n eu rhoi; ac y mae amrywiaeth gweithrediadau, ond yr un 7 Duw sydd yn gweithredu pob peth ym mhawb. Rhoddir 8 amlygiad o'r Ysbryd i bob un, er lles pawb. Oherwydd fe roddir i un, trwy'r Ysbryd, lefaru doethineb; i un arall, lefaru 9 gwybodaeth, yn ôl yr un Ysbryd; i un arall rhoddir ffydd, trwy'r un Ysbryd; i un arall ddoniau iacháu, yn yr un Ysbryd; 10 i un arall gyflawni gwyrthiau, i un arall broffwydo, i un arall wahaniaethu rhwng ysbrydoedd, i un arall lefaru â thafodau, 11 i un arall ddehongli tafodau. A'r holl bethau hyn, yr un a'r unrhyw Ysbryd sydd yn eu gweithredu, gan rannu, yn ôl ei ewyllys, i bob un ar wahân.

*Llawer o Aelodau mewn Un Corff*

Oherwydd fel y mae'r corff yn un, â chanddo lawer o aelodau, 12 a'r rheini oll, er eu bod yn llawer, yn un corff, fel hyn y mae Crist hefyd. Canys mewn un Ysbryd y cawsom i gyd ein 13 bedyddio i un corff, boed yn Iddewon neu yn Roegiaid, yn gaethweision neu yn rhyddion, a rhoddwyd i bawb ohonom un Ysbryd i'w yfed. Oherwydd nid un aelod yw'r corff, ond 14 llawer. Os dywed y troed, "Gan nad wyf yn llaw, nid wyf yn 15 rhan o'r corff", nid yw am hynny heb fod yn rhan o'r corff. Ac os dywed y glust, "Gan nad wyf yn llygad, nid wyf yn rhan 16 o'r corff", nid yw am hynny heb fod yn rhan o'r corff. Petai'r 17 holl gorff yn llygad, lle byddai'r clyw? Petai'r cwbl yn glyw, lle byddai'r arogli? Ond fel y mae, gosododd Duw yr aelodau, 18 bob un ohonynt, yn y corff fel y gwelodd ef yn dda. Pe baent 19 i gyd yn un aelod, lle byddai'r corff? Ond fel y mae, llawer 20 yw'r aelodau, ond un yw'r corff. Ni all y llygad ddweud wrth y 21 llaw, "Nid oes arnaf dy angen di", na'r pen chwaith wrth y traed, "Nid oes arnaf eich angen chwi." I'r gwrthwyneb yn 22 hollol, y mae'r aelodau hynny o'r corff sy'n ymddangos yn wannaf yn angenrheidiol; a'r rhai sydd leiaf eu parch yn ein 23 tyb ni, yr ydym yn amgylchu'r rheini â pharch neilltuol; ac y mae ein haelodau anweddaidd yn cael gwedduster neilltuol. Ond nid oes ar ein haelodau gweddus angen hynny. Gosododd 24 Duw y corff wrth ei gilydd, gan roi parchusrwydd neilltuol i'r aelod oedd heb ddim parch, rhag bod ymraniad yn y corff, ac er 25 mwyn i'r holl aelodau gymryd yr un gofal dros ei gilydd. Os 26 bydd un aelod yn dioddef, y mae pob aelod yn dioddef gydag ef; neu os bydd un aelod yn cael ei anrhydeddu, y mae pob aelod yn llawenhau gydag ef.

Yn awr, chwi yw corff Crist, ac y mae i bob un ohonoch ei le 27 fel aelod. Ymhlith y rhain y mae Duw wedi gosod yn yr eglwys, 28 yn gyntaf apostolion, yn ail broffwydi, yn drydydd athrawon, yna cyflawni gwyrthiau, yna doniau iacháu, cynorthwyo, cyfarwyddo, llefaru â thafodau. A yw pawb yn apostol? A yw 29 pawb yn broffwyd? A yw pawb yn athro? A yw pawb yn gyflawnwr gwyrthiau? A oes gan bawb ddoniau iacháu? 30 A yw pawb yn llefaru â thafodau? A yw pawb yn dehongli? Ond rhowch eich bryd ar y doniau gorau. 31

### *Cariad*

**13** Ac yr wyf am ddangos i chwi ffordd ragorach fyth. Os llefaraf â thafodau dynion ac angylion, a heb fod gennyf gariad, 2 efydd swnllyd ydwyf, neu symbal aflafar. Ac os oes gennyf ddawn proffwydo, ac os wyf yn gwybod y dirgelion i gyd, a phob gwybodaeth, ac os oes gennyf gymaint o ffydd nes gallu symud mynyddoedd, a heb fod gennyf gariad, nid wyf ddim. 3 Ac os rhof fy holl feddiannau i borthi eraill, ac os rhof fy nghorff yn aberth, a hynny er mwyn ymffrostio,* a heb fod gennyf gariad, ni wna hyn ddim lles imi.

4 Y mae cariad yn hirymarhous; y mae cariad yn gymwynasgar; nid yw'n cenfigennu, nid yw'n ymffrostio, nid yw'n ym-5 chwyddo. Nid yw'n gwneud dim sy'n anweddus, nid yw'n ceisio ei ddibenion ei hun, nid yw'n gwylltio, nid yw'n cadw 6 cyfrif o gam; nid yw'n cael llawenydd mewn anghyfiawnder, 7 ond y mae'n cydlawenhau â'r gwirionedd. Y mae'n goddef i'r eithaf, yn credu i'r eithaf, yn gobeithio i'r eithaf, yn dal ati i'r eithaf.

8 Nid yw cariad yn darfod byth. Ond proffwydoliaethau, fe'u diddymir hwy; a thafodau, bydd taw arnynt hwy; a gwybod-9 aeth, fe'i diddymir hithau. Oherwydd amherffaith yw ein 10 gwybod, ac amherffaith ein proffwydo. Ond pan ddaw'r hyn 11 sydd berffaith, fe ddiddymir yr hyn sydd amherffaith. Pan oeddwn yn blentyn, fel plentyn yr oeddwn yn llefaru, fel plentyn yr oeddwn yn meddwl, fel plentyn yr oeddwn yn rhesymu. Ond wedi dod yn ddyn, yr wyf wedi rhoi heibio 12 pethau'r plentyn. Yn awr, gweld mewn drych yr ydym, a hynny'n aneglur; ond yna cawn weld wyneb yn wyneb. Yn awr, amherffaith yw fy ngwybod; ond yna, caf adnabod fel y 13 cefais innau fy adnabod. Mewn gair, y mae ffydd, gobaith, cariad, y tri hyn, yn aros. A'r mwyaf o'r rhain yw cariad.

### *Dawn Tafodau a Dawn Proffwydo*

**14** Dilynwch gariad yn daer, a rhowch eich bryd ar y doniau 2 ysbrydol, yn enwedig dawn proffwydo. Oherwydd y mae'r sawl sydd yn llefaru â thafodau yn llefaru, nid wrth ddynion,

*adn. 3: yn ôl darlleniad arall, *fy nghorff i'w losgi.*

ond wrth Dduw. Nid oes unrhyw ddyn yn ei ddeall; llefaru pethau dirgel y mae, yn yr Ysbryd. Ond y mae'r sawl sy'n 3 proffwydo yn llefaru wrth ddynion bethau sy'n eu hadeiladu, a'u calonogi a'u cysuro. Y mae'r sawl sy'n llefaru â thafodau 4 yn ei adeiladu ei hun, ond y mae'r sawl sy'n proffwydo yn adeiladu'r eglwys. Mi hoffwn i chwi i gyd lefaru â thafodau, 5 ond yn fwy byth i chwi broffwydo. Y mae'r dyn sy'n proffwydo yn well na'r dyn sy'n llefaru â thafodau, os na all hwnnw ddehongli'r hyn y mae'n ei ddweud, er mwyn i'r eglwys gael adeiladaeth.

Yn awr, frodyr, os dof atoch gan lefaru â thafodau, pa les a 6 wnaf i chwi, os na ddywedaf rywbeth wrthych sy'n ddatguddiad, neu wybodaeth, neu broffwydoliaeth, neu hyfforddiant ? Ystyriwch offerynnau difywyd sy'n cynhyrchu sŵn, fel pibell 7 neu delyn; os na seiniant eu nodau bob un ar wahân, sut y mae gwybod beth sy'n cael ei ganu arnynt ? Ac os yw'r utgorn yn 8 rhoi nodyn aneglur, pwy sy'n mynd i'w arfogi ei hun i frwydr ? Felly chwithau: wrth lefaru â thafodau, os na thraethwch air y 9 gellir ei ddeall, pa fodd y gall neb wybod beth a ddywedir ? Malu awyr y byddwch. Mor niferus yw'r mathau o leferydd a 10 ddichon fod yn y byd ! Ac nid oes dim oll heb leferydd. Ond 11 os nad wyf yn deall ystyr y lleferydd, byddaf yn farbariad aflafar i'r llefarwr, ac yntau i minnau. Gan eich bod chwi, felly, 12 yn dyheu am ddoniau'r Ysbryd, ceisiwch gyflawnder o'r rhai sy'n adeiladu'r eglwys. Felly, bydded i'r sawl sy'n llefaru â 13 thafodau weddïo am y gallu i ddehongli. Oherwydd os byddaf 14 yn gweddïo â thafodau, y mae fy ysbryd yn gweddïo, ond y mae fy meddwl yn ddiffrwyth. Beth a wnaf, felly ? Mi weddïaf â'm 15 hysbryd, ond mi weddïaf â'm deall hefyd. Mi ganaf â'r ysbryd, ond mi ganaf â'r deall hefyd. Onid e, os byddi'n moliannu â'r 16 ysbryd, pa fodd y gall rhywun sydd heb ei hyfforddi ddweud yr " Amen " i'r diolch yr wyt yn ei roi, os nad yw'n deall beth yr wyt yn ei ddweud ? Yr wyt ti'n wir yn rhoi'r diolch yn ddigon 17 da, ond nid yw'r dyn arall yn cael ei adeiladu. Diolch i Dduw, 18 yr wyf fi'n llefaru â thafodau yn fwy na chwi i gyd. Ond yn yr 19 eglwys, y mae'n well gennyf lefaru pum gair â'm deall, er mwyn hyfforddi eraill, na deng mil o eiriau â thafodau.

Fy mrodyr, peidiwch â bod yn blantos o ran deall; byddwch 20 yn fabanod mewn drygioni, ond yn aeddfed o ran deall. Y 21 mae'n ysgrifenedig yn y Gyfraith:

"'Trwy ddynion o dafodau dieithr,
ac â gwefusau estroniaid,
y llefaraf wrth y bobl hyn,
ac eto ni wrandawant arnaf,'

22 medd yr Arglwydd." Arwyddion yw tafodau, felly, nid i gredinwyr, ond i anghredinwyr; ond proffwydoliaeth, nid i anghredinwyr y mae, ond i gredinwyr. 23 Felly, pan ddaw holl aelodau'r eglwys ynghyd i'r un lle, os bydd pawb yn llefaru â thafodau, a phobl heb eu hyfforddi, neu anghredinwyr, yn dod i mewn, oni ddywedant eich bod yn wallgof? 24 Ond os bydd pawb yn proffwydo, ac anghredadun neu rywun heb ei hyfforddi yn dod i mewn, fe'i hargyhoeddir gan bawb, a'i ddwyn i farn gan bawb; 25 daw pethau cuddiedig ei galon i'r amlwg, ac felly, bydd yn syrthio ar ei wyneb ac yn addoli Duw a dweud, "Yn wir y mae Duw yn eich plith."

### *Popeth i'w Wneud mewn Trefn*

26 Beth amdani, ynteu, frodyr? Pan fyddwch yn ymgynnull, bydd gan bob un ei salm, ei air o hyfforddiant, ei ddatguddiad, ei lefaru â thafodau, ei ddehongliad. Gadewch i bob peth fod er adeiladaeth. 27 Os oes rhywun yn llefaru â thafodau, bydded i ddau yn unig, neu dri ar y mwyaf, lefaru, a phob un yn ei dro; 28 a bydded i rywun ddehongli. Os nad oes ddehonglydd yn bresennol, bydded y llefarwr yn ddistaw yn y gynulleidfa, a llefaru wrtho'i hun ac wrth Dduw. 29 Dim ond dau neu dri o'r proffwydi sydd i lefaru, a'r lleill i bwyso'r neges. 30 Os daw datguddiad i rywun arall sy'n eistedd gerllaw, bydded i'r proffwyd sy'n llefaru dewi. 31 Oherwydd gall pawb ohonoch broffwydo, bob yn un, er mwyn i bawb gael addysg a chysur. 32 Ac y mae ysbryd pob proffwyd yn ddarostyngedig i'r proffwyd. 33 Nid Duw anhrefn yw Duw, ond Duw heddwch.

34 Yn ôl y drefn ym mhob un o eglwysi'r saint, dylai'r gwragedd fod yn ddistaw yn yr eglwysi, oherwydd ni chaniateir iddynt lefaru. Dylent fod yn ddarostyngedig, fel y mae'r Gyfraith hefyd yn dweud. 35 Os ydynt am gael gwybod rhywbeth, dylent ofyn i'w gwŷr eu hunain yn y tŷ, oherwydd peth anweddus yw i wraig lefaru yn y gynulleidfa. 36 Ai oddi wrthych chwi y cychwynnodd gair Duw? Neu ai atoch chwi yn unig y cyrhaeddodd?

Os oes rhywun ohonoch yn tybio ei fod yn broffwyd, neu'n 37 rhywun ysbrydol, dylai gydnabod mai gorchymyn yr Arglwydd yw'r hyn yr wyf yn ei ysgrifennu atoch. Os oes 38 rhywun nad yw'n cydnabod hynny, ni chydnabyddir mohono yntau.* Felly, fy mrodyr, rhowch eich bryd ar broffwydo, a 39 pheidiwch â gwahardd llefaru â thafodau. Dylid gwneud 40 popeth yn weddus ac mewn trefn.

### *Atgyfodiad Crist*

Ynglŷn â'r Efengyl, frodyr, a bregethais i chwi ac a dderbyn- 15 iasoch chwithau, yr Efengyl sydd yn sylfaen eich bywyd ac yn 2 foddion eich iachawdwriaeth, yr wyf am eich atgoffa am gynnwys yr hyn a bregethais—os ydych yn dal i lynu wrtho; onid e, yn ofer y credasoch. Oherwydd, yn y lle cyntaf, tra- 3 ddodais i chwi yr hyn a dderbyniais: i Grist farw dros ein pechodau ni, yn ôl yr Ysgrythurau; iddo gael ei gladdu, a'i 4 gyfodi y trydydd dydd, yn ôl yr Ysgrythurau; ac iddo ym- 5 ddangos i Cephas, ac yna i'r Deuddeg. Yna, ymddangosodd i 6 fwy na phum cant o'r brodyr ar unwaith—ac y mae'r mwyafrif ohonynt yn fyw hyd heddiw, er fod rhai wedi huno. Yna, 7 ymddangosodd i Iago, yna i'r holl apostolion. Yn ddiwethaf 8 oll, fe ymddangosodd i minnau hefyd, fel i ryw erthyl o apostol. Oherwydd y lleiaf o'r apostolion wyf fi, un nad wyf 9 deilwng i'm galw yn apostol, gan i mi erlid eglwys Duw. Ond 10 trwy ras Duw yr wyf yr hyn ydwyf, ac ni bu ei ras ef tuag ataf yn ofer. Yn wir, mi lafuriais yn helaethach na hwy i gyd—eto nid myfi, ond gras Duw, oedd gyda mi. Ond prun bynnag ai 11 myfi ai hwy, felly yr ydym yn pregethu, ac felly y credasoch chwithau.

### *Atgyfodiad y Meirw*

Yn awr, os pregethir Crist, ei fod wedi ei gyfodi oddi wrth y 12 meirw, sut y mae rhai yn eich plith yn dweud nad oes atgyfodiad y meirw? Os nad oes atgyfodiad y meirw, nid yw Crist 13 wedi ei gyfodi chwaith. Ac os nad yw Crist wedi ei gyfodi, 14 gwagedd yw ein pregethu ni, a gwagedd hefyd yw eich ffydd chwi. Ceir ein bod yn dystion twyllodrus i Dduw, am ein bod 15

---

*adn. 38: yn ôl darlleniad arall, *gadewch iddo beidio â'i gydnabod.*

wedi tystiolaethu iddo gyfodi Crist—ac yntau heb wneud hynny,
16 os yw'n wir nad yw'r meirw yn cael eu cyfodi. Oherwydd os nad yw'r meirw yn cael eu cyfodi, nid yw Crist wedi ei gyfodi
17 chwaith. Ac os nad yw Crist wedi ei gyfodi, ofer yw eich ffydd,
18 ac yn eich pechodau yr ydych o hyd. Y mae'n dilyn hefyd fod
19 y rhai a hunodd yng Nghrist wedi darfod amdanynt. Os ar gyfer y bywyd hwn yn unig yr ydym wedi gobeithio yng Nghrist,* nyni yw'r mwyaf truenus ymhlith dynion.

20 Ond y gwir yw fod Crist wedi ei gyfodi oddi wrth y meirw,
21 yn flaenffrwyth y rhai sydd wedi huno. Gan mai trwy ddyn y daeth marwolaeth, trwy ddyn hefyd y daeth atgyfodiad y
22 meirw. Oherwydd fel y mae pawb yn marw yn Adda, felly
23 hefyd y gwneir pawb yn fyw yng Nghrist. Ond pob un yn ei briod drefn: Crist y blaenffrwyth, ac yna, ar ei ddyfodiad ef, y
24 rhai sy'n eiddo Crist. Yna daw'r diwedd, pan fydd Crist yn traddodi'r deyrnas i Dduw'r Tad, ar ôl iddo ddileu pob tywys-
25 ogaeth, a phob awdurdod a gallu. Oherwydd y mae'n rhaid iddo ef ddal i deyrnasu nes iddo osod pob gelyn dan ei draed.
26,27 Y gelyn olaf a ddileir yw angau. Oherwydd, yng ngeiriau'r Ysgrythur, " darostyngodd bob peth dan ei draed ef." Ond pan mae'r Ysgrythur yn dweud fod pob peth wedi ei ddarostwng, y mae'n amlwg nad yw hyn yn cynnwys Duw, yr un
28 sydd wedi darostwng pob peth iddo ef. Ond pan fydd pob peth wedi ei ddarostwng i'r Mab, yna fe ddarostyngir y Mab yntau i'r hwn a ddarostyngodd bob peth iddo ef, ac felly Duw fydd oll yn oll.

29 Os nad oes atgyfodiad, beth a wna'r rhai hynny a fedyddir dros y meirw ? Os nad yw'r meirw yn cael eu cyfodi o gwbl, i
30 ba bwrpas y bedyddir hwy drostynt ? Ac i ba ddiben yr ydym
31 ninnau hefyd mewn perygl bob awr ? Yr wyf yn marw beunydd, cyn wired â bod gennyf ymffrost ynoch, fy mrodyr,
32 yng Nghrist Iesu ein Harglwydd. Os fel dyn cyffredin yr ymleddais â bwystfilod yn Effesus,* pa elw fyddai hyn i mi ? Os na chyfodir y meirw,

" Gadewch inni fwyta ac yfed,
canys yfory byddwn farw."

---

*adn. 19: neu, *bywyd hwn, yr unig beth sydd gennym yng Nghrist yw gobaith.*

*adn. 32: neu, *Os, yn ôl ymadrodd dynion, "ymleddais â bwystfilod" yn Effesus.*

Peidiwch â chymryd eich camarwain : 33
"Y mae cwmni drwg yn llygru cymeriad da."
Deffrowch i'ch iawn bwyll, a chefnwch ar bechod. Oherwydd 34 y mae rhai na wyddant ddim am Dduw. I godi cywilydd arnoch yr wyf yn dweud hyn.

*Corff yr Atgyfodiad*

Ond bydd rhywun yn dweud: "Pa fodd y mae'r meirw yn 35 cael eu cyfodi ? Â pha fath gorff y byddant yn dod ?" Ddyn 36 ynfyd, beth am yr had yr wyt ti yn ei hau ? Ni roddir bywyd iddo heb iddo farw yn gyntaf. A'r hyn yr wyt yn ei hau, nid y 37 corff a fydd ydyw, ond gronyn noeth, o wenith efallai, neu o ryw rawn arall. Ond Duw, yn ôl ei ewyllys ei hun, sydd yn 38 rhoi corff iddo, i bob un o'r hadau ei gorff ei hun. Oherwydd 39 nid yr un cnawd yw pob cnawd, ond un peth yw cnawd dynion, peth arall yw cnawd anifeiliaid, peth arall yw cnawd adar, a pheth arall yw cnawd pysgod. Y mae hefyd gyrff nefol a chyrff 40 daearol, ond un peth yw gogoniant y rhai nefol, a pheth gwahanol yw gogoniant y rhai daearol. Un peth yw gogoniant yr 41 haul, a pheth arall yw gogoniant y lloer, a pheth arall yw gogoniant y sêr. Yn wir, y mae rhagor rhwng seren a seren mewn gogoniant.

Felly hefyd y bydd, gyda golwg ar atgyfodiad y meirw. 42 Heuir mewn llygredigaeth, cyfodir mewn anllygredigaeth. Heuir mewn gwaradwydd, cyfodir mewn gogoniant. Heuir 43 mewn gwendid, cyfodir mewn nerth. Yn gorff anianol yr heuir 44 ef, yn gorff ysbrydol y cyfodir ef. Os oes corff anianol, y mae hefyd gorff ysbrydol. Felly, yn wir, y mae'n ysgrifenedig: 45 "Daeth y dyn cyntaf, Adda, yn fod byw." Ond daeth yr Adda diwethaf yn ysbryd sydd yn rhoi bywyd. Eithr nid yr ysbrydol 46 sy'n dod gyntaf, ond yr anianol, ac yna'r ysbrydol. Y dyn 47 cyntaf, o'r ddaear y mae, a llwch ydyw; ond yr ail ddyn, o'r nef y mae. Y mae'r rhai sydd o'r llwch yn debyg i'r dyn o'r 48 llwch, ac y mae'r rhai sydd o'r nef yn debyg i'r dyn o'r nef. Ac fel y bu delw'r dyn o'r llwch arnom, felly hefyd y bydd 49 delw'r dyn o'r nef arnom.

Hyn yr wyf yn ei olygu, frodyr: ni all cig a gwaed etifeddu 50 teyrnas Dduw, ac ni all llygredigaeth etifeddu anllygredigaeth. Clywch ! Yr wyf yn mynegi dirgelwch i chwi: nid ydym i 51 gyd i huno, ond yr ydym i gyd i gael ein newid, mewn eiliad, ar 52

drawiad amrant, ar ganiad yr utgorn diwethaf. Oherwydd bydd yr utgorn yn seinio, y meirw yn cael eu cyfodi yn anllygredig, a
53 ninnau'n cael ein newid. Oherwydd rhaid i'r llygradwy hwn wisgo anllygredigaeth, ac i'r marwol hwn wisgo anfarwoldeb.
54 A phan fydd y llygradwy hwn wedi gwisgo anllygredigaeth, a'r marwol hwn wedi gwisgo anfarwoldeb, yna bydd y geiriau hyn sydd yn ysgrifenedig yn dod yn wir:

> "Llyncwyd angau mewn buddugoliaeth.
> 55 O angau, lle mae dy fuddugoliaeth?
> O angau, lle mae dy golyn?"

56,57 Colyn angau yw pechod, a grym pechod yw'r Gyfraith. Ond i Dduw y bo'r diolch, yr hwn sy'n rhoi'r fuddugoliaeth i ni
58 trwy ein Harglwydd Iesu Grist. Felly, fy mrodyr annwyl, byddwch yn gadarn a diysgog, yn helaeth bob amser yng ngwaith yr Arglwydd, gan eich bod yn gwybod nad yw eich llafur yn yr Arglwydd yn ofer.

### *Y Casgliad i'r Saint*

**16** Ynglŷn â'r casgliad i'r saint, gweithredwch chwithau hefyd
2 yn ôl y cyfarwyddiadau a roddais i eglwysi Galatia. Y dydd cyntaf o bob wythnos, bydded i bob un ohonoch osod cyfran o'r neilltu, yn ôl ei enillion, fel na fydd casgliadau'n cael eu
3 gwneud pan ddof fi. Wedi i mi gyrraedd, mi anfonaf pwy bynnag sydd yn gymeradwy yn eich golwg chwi, i ddwyn eich
4 rhodd i Jerwsalem, gyda llythyrau i'w cyflwyno. Neu, os bydd yn ymddangos yn iawn i minnau fynd hefyd, fe gânt deithio gyda mi.

### *Cynlluniau Teithio*

5 Mi ddof atoch chwi ar ôl mynd trwy Facedonia, oherwydd
6 trwy Facedonia yr wyf am deithio. Ac efallai yr arhosaf gyda chwi am ysbaid, neu hyd yn oed dros y gaeaf, er mwyn i chwi
7 fy hebrwng i ba le bynnag y byddaf yn mynd. Oherwydd nid wyf am edrych amdanoch, y tro hwn, fel un yn taro heibio ar ei hynt. 'Rwy'n gobeithio cael aros gyda chwi am beth amser,
8 os bydd yr Arglwydd yn caniatáu. Ond 'rwyf am aros yn
9 Effesus tan y Pentecost. Oherwydd y mae drws wedi ei agor i mi, un eang ac effeithiol, er fod llawer o wrthwynebwyr.

10 Os daw Timotheus, gofalwch ei wneud yn ddibryder yn eich plith, oherwydd y mae ef, fel finnau, yn gwneud gwaith yr

Arglwydd. Am hynny, peidied neb â'i ddiystyru, ond hebryngwch ef ar ei ffordd â sêl eich bendith, iddo gael dod ataf fi. Oherwydd yr wyf yn ei ddisgwyl gyda'r brodyr. 11

Am ein brawd Apolos, erfyniais yn daer arno ddod atoch gyda'r brodyr, ond nid oedd yn fodlon o gwbl ddod* ar hyn o bryd. Ond fe ddaw pan fydd gwell cyfle. 12

*Cais Terfynol a Chyfarchion*

Byddwch yn wyliadwrus, safwch yn gadarn yn y ffydd, byddwch yn wrol, ymgryfhewch. Popeth a wnewch, gwnewch ef mewn cariad. 13 14

Gwyddoch am deulu Steffanas, mai hwy oedd Cristionogion cyntaf Achaia, a'u bod wedi ymroi i weini ar y saint. Yr wyf yn erfyn arnoch, frodyr, gydnabod blaenoriaeth rhai felly, a phawb sydd yn cydweithio ac yn llafurio gyda ni. Yr wyf yn llawenhau am fod Steffanas a Ffortwnatus ac Achaicus wedi dod, oherwydd y maent wedi cyflawni yr hyn oedd y tu hwnt i'ch cyrraedd chwi. Y maent wedi esmwytho ar fy ysbryd i, a'ch ysbryd chwithau hefyd. Cydnabyddwch rai felly. 15 16 17 18

Y mae eglwysi Asia yn eich cyfarch. Y mae Acwila a Priscila, gyda'r eglwys sy'n ymgynnull yn eu tŷ, yn eich cyfarch yn gynnes yn yr Arglwydd. Y mae'r brodyr i gyd yn eich cyfarch. Cyfarchwch eich gilydd â chusan sanctaidd. 19 20

Y mae'r cyfarchiad hwn yn fy llaw i fy hun, Paul. Os oes rhywun nad yw'n caru'r Arglwydd, bydded dan felltith. Marana tha.* Gras yr Arglwydd Iesu fyddo gyda chwi! Fy ngharaid innau fyddo gyda chwi oll, yng Nghrist Iesu! 21,22 23,24

---

*adn. 12: neu, *yr oedd yn gwbl groes i ewyllys Duw iddo ddod.*
*adn. 22: ymadrodd Aramaeg sy'n golygu, *Tyrd, Arglwydd.*

## AIL LYTHYR PAUL AT Y

# CORINTHIAID

### *Cyfarch*

1 Paul, apostol Crist Iesu trwy ewyllys Duw, a'r brawd Timotheus, at eglwys Duw sydd yng Nghorinth, ynghyd â'r 2 holl saint ar hyd a lled Achaia. Gras a thangnefedd i chwi oddi wrth Dduw ein Tad, a'r Arglwydd Iesu Grist.

### *Paul yn Diolch ar ôl Gorthrymder*

3 Bendigedig fyddo Duw a Thad ein Harglwydd Iesu Grist, y 4 Tad sy'n trugarhau a'r Duw sy'n rhoi pob diddanwch. Y mae'n ein diddanu ym mhob gorthrymder, er mwyn i ninnau, trwy'r diddanwch a gawn ganddo ef, allu diddanu'r rhai sydd dan bob 5 math o orthrymder. Oherwydd fel y mae dioddefiadau Crist yn gorlifo hyd atom ni, felly hefyd trwy Grist y mae ein di-6 ddanwch yn gorlifo. Os gorthrymir ni, er mwyn eich diddanwch chwi a'ch iachawdwriaeth y mae hynny; neu os diddenir ni, er mwyn eich diddanwch chwi y mae hynny hefyd, i'ch nerthu i ymgynnal dan yr un dioddefiadau ag yr ydym ni yn eu 7 dioddef. Y mae sail sicr i'n gobaith amdanoch, oherwydd fe wyddom fod i chwi gyfran yn y diddanwch yn union fel y mae gennych gyfran yn y dioddefiadau.

8 Yr ydym am i chwi wybod, frodyr, am y gorthrymder a ddaeth i'n rhan yn Asia, iddo ein trechu a'n llethu mor llwyr 9 nes inni anobeithio am gael byw hyd yn oed. Do, teimlasom ynom ein hunain ein bod wedi derbyn dedfryd marwolaeth; yr amcan oedd ein cadw rhag ymddiried ynom ein hunain, ond 10 yn y Duw sy'n cyfodi'r meirw. Gwaredodd ef ni unwaith oddi wrth y fath beryglon marwol, ac fe'n gwared eto; ynddo ef y 11 mae ein gobaith. Fe'n gwared eto, os ymunwch chwithau i'n cynorthwyo â'ch gweddi, ac felly bydd ein gwaredigaeth raslon, trwy weddi llawer, yn destun diolch gan lawer ar ein rhan.

### *Gohirio Ymweliad Paul*

12 Dyma yw ein hymffrost ni: bod ein cydwybod yn tystio fod ein hymddygiad yn y byd, a mwy byth tuag atoch chwi, wedi ei

lywio gan unplygrwydd* a didwylledd duwiol, nid gan ddoethineb ddynol ond gan ras Duw. Oherwydd nid ydym yn ysgrifennu dim atoch na allwch ei ddarllen a'i ddeall. Yr wyf yn gobeithio y dewch i ddeall yn gyflawn, fel yr ydych eisoes wedi deall yn rhannol amdanom, y byddwn ni yn destun ymffrost i chwi yn union fel y byddwch chwi i ninnau yn Nydd yr Arglwydd Iesu. 13 14

Am fy mod mor sicr o hyn yr oeddwn yn bwriadu dod atoch chwi'n gyntaf, er mwyn i chwi gael bendith eilwaith. Fy amcan oedd ymweld â chwi ar fy ffordd i Facedonia, a dod yn ôl atoch o Facedonia, ac i chwithau fy hebrwng i Jwdea. Os hyn oedd fy mwriad, a fûm yn wamal ? Neu ai fel dyn bydol yr wyf yn gwneud fy nhrefniadau, nes medru dweud "ie, ie" a "nage, nage" ar yr un anadl ? Ond fel y mae Duw'n ffyddlon, nid "ie" a "nage" hefyd yw ein gair ni i chwi. Nid oedd Mab Duw, Iesu Grist, a bregethwyd yn eich plith gennym ni, gan Silfanus a Timotheus a minnau, nid oedd ef yn "ie" ac yn "nage". "Ie" yw'r gair a geir ynddo ef. Ynddo ef y mae'r "Ie" i holl addewidion Duw. Dyna pam mai trwyddo ef yr ydym yn dweud yr "Amen" er gogoniant Duw. Ond Duw yw'r hwn sydd yn ein cadarnhau ni gyda chwi yng Nghrist, ac sydd wedi ein heneinio ni, a'n selio ni, a rhoi'r Ysbryd yn ernes yn ein calonnau. 15 16 17 18 19 20 21 22

Yr wyf fi'n galw Duw yn dyst ar fy einioes, mai i'ch arbed chwi y penderfynais beidio â dod i Gorinth. Nid ein bod yn arglwyddiaethu ar eich ffydd chwi. Cydweithio â chwi yr ydym er eich llawenydd; oherwydd yr ydych yn sefyll yn gadarn yn y ffydd. Penderfynais beidio â dod atoch unwaith eto mewn tristwch. Oherwydd os wyf fi'n eich tristáu, pwy fydd yna i'm llonni i ond y sawl a wnaed yn drist gennyf fi ? Ac ysgrifennais y llythyr hwnnw rhag i mi ddod atoch, a chael tristwch gan y rhai a ddylai roi llawenydd imi. Y mae gennyf hyder amdanoch chwi oll, fod fy llawenydd i yn llawenydd i chwithau i gyd. Oherwydd ysgrifennais atoch o ganol gorthrymder mawr a gofid calon, ac mewn dagrau lawer, nid i'ch tristáu chwi ond er mwyn i chwi wybod mor helaeth yw'r cariad sydd gennyf tuag atoch. 23 24 **2** 2 3 4

---

*adn. 12: yn ôl darlleniad arall, *sancteiddrwydd*.

*Maddeuant i'r Troseddwr*

5 Os yw rhywun wedi peri tristwch, nid i mi y gwnaeth hynny, ond i chwi i gyd—i raddau, beth bynnag, rhag i mi or-ddweud. 6 Digon i'r fath ddyn y gosb hon a osodwyd arno gan y mwyafrif, 7 a'ch gwaith chwi bellach yw maddau iddo a'i ddiddanu, rhag i'r 8 dyn gael ei lethu gan ormod o dristwch. Am hynny yr wyf yn 9 eich cymell i adfer eich cariad tuag ato. Oherwydd f'amcan wrth ysgrifennu oedd eich gosod dan brawf, i weld a ydych yn 10 ufudd ym mhob peth. Y dyn yr ydych chwi'n maddau rhywbeth iddo, yr wyf fi'n maddau iddo hefyd. A'r hyn yr wyf fi wedi ei faddau, os oedd gennyf rywbeth i'w faddau, fe'i 11 maddeuais er eich mwyn chwi yng ngolwg Crist, rhag i Satan gael mantais arnom, oherwydd fe wyddom yn dda am ei ddichellion ef.

*Pryder Paul, a'i Ryddhad*

12 Pan ddeuthum i Troas i bregethu Efengyl Crist, er bod drws 13 wedi ei agor i'm gwaith yn yr Arglwydd, ni chefais lonydd i'm hysbryd am na ddeuthum o hyd i'm brawd Titus. Felly cenais yn iach iddynt, a chychwyn am Facedonia.

14 Ond i Dduw y bo'r diolch, sydd bob amser yn ein harwain ni yng Nghrist yng ngorymdaith ei fuddugoliaeth ef, ac sydd ym mhob man, trwom ni, yn taenu ar led bersawr yr adnabydd- 15 iaeth ohono. Canys perarogl Crist ydym ni i Dduw, i'r rhai sydd ar lwybr iachawdwriaeth ac i'r rhai sydd ar lwybr colled- 16 igaeth; i'r naill arogl marwol yn arwain i farwolaeth, i'r lleill, persawr bywiol yn arwain i fywyd. Pwy sydd ddigonol i'r 17 gwaith hwn ? Oherwydd nid pedlera gair Duw yr ydym ni fel y gwna cynifer, ond llefaru fel dynion didwyll, fel cenhadon Duw, a hynny yng ngŵydd Duw, yng Nghrist.

*Gweinidogion y Cyfamod Newydd*

**3** A ydym unwaith eto yn dechrau ein cymeradwyo ein hunain? Neu a oes arnom angen llythyrau cymeradwyaeth atoch chwi 2 neu oddi wrthych, fel sydd ar rai ? Chwi yw ein llythyr ni; y mae wedi ei ysgrifennu yn ein calonnau, a gall pob dyn ei ddeall 3 a'i ddarllen. Yr ydych yn dangos yn eglur mai llythyr Crist ydych, llythyr a gyflwynwyd gennym ni, wedi ei ysgrifennu nid ag inc, ond ag Ysbryd y Duw byw, nid ar lechau cerrig, ond ar lechau'r galon ddynol.

Dyna'r fath hyder sydd gennym trwy Grist tuag at Dduw. 4
Nid ein bod yn ddigonol ohonom ein hunain; ni allwn briodoli 5
dim i ni ein hunain; o Dduw y daw ein digonolrwydd ni,
oherwydd ef a'n gwnaeth ni'n ddigonol i fod yn weinidogion y 6
cyfamod newydd, nid cyfamod y gair ysgrifenedig, ond cyfamod
yr Ysbryd. Oherwydd lladd y mae'r gair ysgrifenedig, ond rhoi
bywyd y mae'r Ysbryd.

Gweini marwolaeth oedd swydd y Gyfraith â'i geiriau cerf- 7
iedig ar feini, ond gan gymaint gogoniant ei chyflwyno, ni allai'r
Israeliaid syllu ar wyneb Moses o achos y gogoniant oedd arno,
er mai rhywbeth i ddiflannu ydoedd. Os felly, pa faint mwy 8
fydd gogoniant gweinidogaeth yr Ysbryd ? Oherwydd os oedd 9
gogoniant yn perthyn i weinidogaeth sy'n condemnio, rhagor-
ach o lawer mewn gogoniant fydd gweinidogaeth sy'n cyfiawn-
hau. Yn wir, gwelir yma ogoniant a fu wedi colli ei ogoniant 10
yn llewyrch gogoniant rhagorach. Oherwydd os mewn 11
gogoniant y cyflwynwyd yr hyn oedd i ddiflannu, gymaint mwy
yw gogoniant yr hyn sydd i aros!

Gan fod gennym ni felly'r fath obaith, yr ydym yn hy iawn, 12
ac nid yn debyg i Moses yn gosod gorchudd ar ei wyneb rhag 13
ofn i'r Israeliaid syllu ar ddiwedd y gogoniant oedd i ddiflannu.
Ond pylwyd eu meddyliau. Hyd y dydd hwn, pan ddarllenant 14
yr hen gyfamod, y mae'r un gorchudd yn aros heb ei godi,
gan mai yng Nghrist yn unig y symudir ef. Hyd y dydd hwn, 15
pryd bynnag y darllenir Cyfraith Moses, y mae'r gorchudd yn
gorwedd ar eu meddwl. Ond yng ngeiriau'r Ysgrythur, " Pryd 16
bynnag y mae dyn yn troi at yr Arglwydd, fe dynnir ymaith y
gorchudd." Yr Ysbryd yw'r Arglwydd hwn. A pha le bynnag 17
y mae Ysbryd yr Arglwydd, yno y mae rhyddid. Ac yr ydym ni 18
i gyd, heb orchudd ar ein hwyneb, yn adlewyrchu gogoniant yr
Arglwydd ac yn cael ein trawsffurfio o ogoniant i ogoniant, yn
wir lun ohono ef. A gwaith yr Arglwydd, yr Ysbryd, yw hyn.

### *Trysor mewn Llestri Pridd*

Am hynny, gan fod y weinidogaeth hon gennym trwy **4**
drugaredd Duw, nid ydym yn digalonni. Yr ydym wedi ym- 2
wrthod â ffyrdd dirgel a chywilyddus; nid ydym yn arfer
cyfrwystra nac yn llurgunio gair Duw. Yn hytrach, trwy ddwyn
y gwirionedd i'r amlwg yr ydym yn ein cymeradwyo'n hunain i
gydwybod pob dyn gerbron Duw. Os yw'n hefengyl ni dan 3

orchudd, yn achos y rhai sydd ar lwybr colledigaeth y mae hi
4 felly—yr anghredinwyr y dallodd duw'r oes bresennol eu meddyliau, rhag i oleuni Efengyl gogoniant Crist, delw Duw,
5 lewyrchu arnynt. Nid ein pregethu ein hunain yr ydym, ond Iesu Grist yn Arglwydd, a ninnau yn weision i chwi er mwyn
6 Iesu. Oherwydd y Duw a ddywedodd, " Llewyrched goleuni o'r tywyllwch", a lewyrchodd yn ein calonnau i roi i ni oleuni'r wybodaeth am ogoniant Duw yn wyneb Crist.

7 Ond y mae'r trysor hwn gennym mewn llestri pridd, i ddangos mai eiddo Duw yw'r gallu tra rhagorol, ac nid eiddom
8 ni. Ym mhob peth yr ydym yn cael ein gorthrymu ond nid ein
9 llethu, ein bwrw i ansicrwydd ond nid i anobaith, ein herlid ond nid ein gadael yn amddifad, ein taro i lawr ond nid ein dinistrio.
10 Yr ydym bob amser yn dwyn gyda ni yn ein corff farwolaeth yr Arglwydd Iesu, er mwyn i fywyd Iesu hefyd gael ei ddwyn i'r
11 amlwg yn ein corff ni. Oherwydd yr ydym ni, a ninnau'n fyw, yn cael ein traddodi yn wastad i farwolaeth er mwyn Iesu, i fywyd Iesu hefyd gael ei ddwyn i'r amlwg yn ein cnawd marwol
12 ni. Felly y mae marwolaeth ar waith ynom ni, a bywyd ynoch
13 chwi. Gan fod gennym ni yr un ysbryd crediniol yr ysgrifennir amdano yng ngeiriau'r Ysgrythur, " Credais, ac am hynny y lleferais ", yr ydym ninnau hefyd yn credu, ac am hynny yn
14 llefaru, gan wybod y bydd i'r hwn a gyfododd yr Arglwydd Iesu ein cyfodi ninnau hefyd gyda Iesu, a'n gosod ger ei fron gyda
15 chwi. Oherwydd er eich mwyn chwi y mae'r cyfan, fel y bo i ras Duw fynd ar gynnydd ymhlith mwy a mwy o bobl, ac amlhau'r diolch fwyfwy er gogoniant Duw.

### *Byw trwy Ffydd*

16 Am hynny, nid ydym yn digalonni. Er ein bod o ran y dyn allanol yn dadfeilio, o ran y dyn mewnol fe'n hadnewyddir
17 ddydd ar ôl dydd. Oherwydd y baich ysgafn o orthrymder sydd arnom yn awr, darparu y mae, y tu hwnt i bob mesur, bwysau
18 tragwyddol o ogoniant i ni, dim ond inni gadw'n golwg, nid ar y pethau a welir, ond ar y pethau na welir. Dros amser y mae'r pethau a welir, ond y mae'r pethau na welir yn dragwyddol.

**5** Gwyddom, os tynnir i lawr y babell ddaearol hon yr ydym yn byw ynddi, fod gennym adeilad oddi wrth Dduw, tŷ nad yw o
2 waith llaw, sydd yn dragwyddol yn y nefoedd. Yma yn wir yr

ydym yn ochneidio yn ein hiraeth am gael ein harwisgo â'r corff o'r nef sydd i fod yn gartref inni; o'n gwisgo felly, ni cheir 3 mohonom yn noeth. Oherwydd yr ydym ni sydd yn y babell 4 hon yn ochneidio dan ein baich; nid ein bod am ymddiosg ond yn hytrach ein harwisgo, er mwyn i'r hyn sydd farwol gael ei lyncu gan fywyd. Duw yn wir a'n darparodd ni ar gyfer 5 hynyma, ac ef sydd wedi rhoi yr Ysbryd inni yn ernes.

Am hynny, yr ydym bob amser yn llawn hyder. Gwyddom, 6 tra byddwn yn cartrefu yn y corff, ein bod oddi cartref oddi wrth yr Arglwydd; oherwydd yn ôl ffydd yr ydym yn rhodio, 7 nid yn ôl golwg. Yr ydym yn llawn hyder, meddaf, a gwell 8 gennym fyddai bod oddi cartref o'r corff a chartrefu gyda'r Arglwydd. Y mae ein bryd, felly, gartref neu oddi cartref, ar 9 fod yn gymeradwy ganddo ef. Oherwydd rhaid i fywyd pawb 10 ohonom gael ei ddwyn i'r amlwg gerbron brawdle Crist, er mwyn i bob un dderbyn ei dâl yn ôl ei weithredoedd yn y corff, ai da ai drwg.

### *Gweinidogaeth y Cymod*

Felly, o wybod beth yw ofn yr Arglwydd, yr ydym yn 11 perswadio dynion; y mae'r hyn ydym yn hysbys i Dduw, ac 'rwy'n gobeithio ei fod yn hysbys i'ch cydwybod chwi hefyd. Nid ydym yn ein cymeradwyo ein hunain unwaith eto i chwi, 12 ond rhoi cyfle yr ydym i chwi i ymffrostio o'n hachos ni, er mwyn i chwi gael ateb i'r rhai sy'n cymryd wyneb dyn, ac nid ei galon, fel sail eu hymffrost. Os ydym allan o'n pwyll, er 13 mwyn Duw y mae hynny; os ydym yn ein hiawn bwyll, er eich mwyn chwi y mae hynny. Oherwydd y mae cariad Crist yn ein 14 gorfodi ni, unwaith y'n hargyhoeddir o hyn: i un farw dros bawb, ac felly i bawb farw. A bu ef farw dros bawb er mwyn i'r 15 byw beidio â byw iddynt eu hunain mwyach, ond i'r un a fu farw drostynt, ac a gyfodwyd.

O hyn allan, felly, nid ydym yn ystyried neb mewn ffordd 16 ddynol. Hyd yn oed os buom yn ystyried Crist mewn ffordd ddynol, nid ydym yn ei ystyried felly mwyach. Felly, os yw 17 dyn yng Nghrist, y mae'n greadigaeth newydd; aeth yr hen heibio, y mae'r newydd yma. Ond gwaith Duw yw'r cyfan— 18 Duw, yr hwn sydd wedi ein cymodi ni ag ef ei hun trwy Grist a rhoi i ni weinidogaeth y cymod. Hynny yw, yr oedd Duw yng 19 Nghrist yn cymodi'r byd ag ef ei hun, heb gyfrif troseddau

dynion yn eu herbyn, ac y mae wedi ymddiried i ni neges y
20 cymod. Felly cenhadon yn cynrychioli Crist ydym ni, fel pe
bai Duw yn apelio atoch trwom ni. Yr ydym yn deisyf arnoch,
21 er mwyn Crist, cymoder chwi â Duw. Ni wybu Crist beth oedd
pechu, ond gwnaeth Duw ef yn un â phechod* drosom ni, er
mwyn i ni fod, ynddo ef, yn un â chyfiawnder Duw.

6 Yr ydym ni, fel cydweithwyr, yn apelio atoch i beidio â
gadael i'r gras a dderbyniasoch gan Dduw fynd yn ofer.
2 Oherwydd y mae Duw'n dweud :

"Yn yr amser cymeradwy y gwrandewais arnat,
ac yn nydd iachawdwriaeth y'th gynorthwyais."

Dyma, yn awr, yr amser cymeradwy; dyma, yn awr, ddydd
3 iachawdwriaeth. Nid ydym yn gosod unrhyw faen tramgwydd
4 ar lwybr neb, rhag cael bai ar ein gweinidogaeth. Yn hytrach,
ym mhob peth yr ydym yn ein dangos ein hunain yn weinidog-
ion Duw: yn ein dyfalbarhad mawr; yn ein gorthrymderau,
5 ein gofidiau, a'n cyfyngderau; yn ein profiadau o'r chwip, o
garchar ac o derfysg; yn ein llafur, ein hanhunedd a'n hym-
6 pryd; yn ein purdeb, ein gwybodaeth, ein goddefgarwch a'n
caredigrwydd; yn noniau'r Ysbryd Glân ac yn ein cariad di-
7 ragrith; yng ngair y gwirionedd ac yn nerth Duw. Ie, ein
dangos ein hunain yn weinidogion Duw trwy ddefnyddio arfau
8 cyfiawnder yn y llaw dde a'r llaw chwith, deued parch, deued
amarch, deued anghlod, deued clod. Twyllwyr y'n gelwir, a
9 ninnau'n eirwir; dynion dinod, a ninnau'n adnabyddus;
meirwon, ac wele, byw ydym; dynion dan gosb, ond ddim yn
10 cael ein lladd; dan dristwch, ond bob amser yn llawenhau;
mewn tlodi, ond yn gwneud llawer yn gyfoethog; heb ddim
gennym, ac eto'n berchen pob peth.

11 Yr ydym wedi llefaru'n gwbl rydd wrthych, Gorinthiaid; y
12 mae'n calon yn llydan agored tuag atoch. Nid nyni sy'n cyfyngu
13 arnoch, ond eich teimladau eich hunain. I dalu'n ôl—yr wyf
yn siarad wrthych fel wrth blant—agorwch chwithau eich
calonnau yn llydan.

### *Chwi yw Teml y Duw Byw*

14 Peidiwch ag ymgysylltu'n amhriodol ag anghredinwyr,
oherwydd pa gyfathrach sydd rhwng cyfiawnder ac anghyfraith?

---

*adn. 21: neu, *yn offrwm pechod*; neu *yn bechod*.

A pha gymdeithas sydd rhwng goleuni a thywyllwch? Pa gytgord sydd rhwng Crist a Belial? Neu pa gyfran sydd i gredadun gydag anghredadun? Pa gytundeb sydd rhwng teml Duw ac eilunod? Oherwydd nyni yw teml y Duw byw. Fel y dywedodd Duw: 15 16

"Trigaf ynddynt hwy, a rhodiaf yn eu plith,
a byddaf yn Dduw iddynt hwy,
a hwy fydd fy mhobl i.
Am hynny, dewch allan o'u plith hwy, 17
ymwahanwch oddi wrthynt, medd yr Arglwydd,
a pheidiwch â chyffwrdd â dim byd aflan.
Ac fe'ch derbyniaf chwi,
a byddaf i chwi yn dad, 18
a byddwch chwi'n feibion a merched i mi,
medd yr Arglwydd, yr Hollalluog."

Felly, gan fod gennym yr addewidion hyn, gyfeillion annwyl, ymlanhawn oddi wrth bob peth sy'n halogi cnawd ac ysbryd, gan berffeithio ein sancteiddrwydd yn ofn Duw. **7**

*Paul yn Llawenhau fod yr Eglwys wedi Edifarhau*

Rhowch le i ni yn eich calonnau. Ni wnaethom gam â neb, na llygru neb, na chymryd mantais ar neb. Nid i'ch condemnio yr wyf yn dweud hyn, oherwydd dywedais wrthych o'r blaen eich bod mor agos at ein calon, nes ein bod gyda'n gilydd, i farw ac i fyw. Y mae gennyf hyder mawr ynoch, a balchder mawr o'ch herwydd. Mae fy nghwpan yn llawn o ddiddanwch, ac yn gorlifo â llawenydd yng nghanol ein holl orthrymder. 2 3 4

Hyd yn oed pan ddaethom i Facedonia, ni chawsom ddim llonydd yn ein gwendid; yn hytrach cawsom ein gorthrymu ym mhob ffordd—cwerylon oddi allan ac ofnau oddi mewn. Ond y mae Duw, yr un sydd yn diddanu'r digalon, wedi ein diddanu ninnau trwy ddyfodiad Titus; ac nid yn unig trwy ei ddyfodiad ef, ond hefyd trwy'r diddanwch a gafodd ef ynoch chwi. Y mae wedi dweud wrthym am eich hiraeth amdanaf, am eich galar, ac am eich sêl drosof, nes gwneud fy llawenydd yn fwy byth. Oherwydd er i mi beri loes i chwi â'm llythyr, nid yw'n flin gennyf; 'rwy'n gweld i'r llythyr hwnnw beri loes i chwi, o leiaf dros dro, ac er y bu'n flin gennyf, yr wyf yn awr yn falch, nid am i chwi gael loes, ond am i'r loes droi'n edifeirwch. Oherwydd derbyniasoch eich loes yn ffordd Duw, ac 5 6 7 8 9

10 felly ni chawsoch ddim colled trwom ni. Canys y mae'r loes a dderbynnir yn ffordd Duw yn creu edifeirwch sydd yn arwain i iachawdwriaeth na ellir bod yn flin amdano; ond y mae'r loes a 11 dderbynnir yn ffordd y byd yn peri marwolaeth. Ystyriwch ganlyniadau derbyn eich loes yn ffordd Duw: y fath ymroddiad a barodd ynoch, ie, y fath hunan-amddiffyniad, y fath ddicter, y fath ofn, y fath ddyhead, y fath sêl, y fath benderfyniad i gosbi'n gyfiawn. Ym mhob ffordd yr ydych wedi 12 dangos eich bod yn ddi-fai yn y mater hwn. Felly, er i mi yn wir ysgrifennu atoch, nid o achos y gŵr a wnaeth y cam, nac o achos y gŵr a'i dioddefodd, y gwneuthum hynny, ond er mwyn amlygu i chwi, yng ngŵydd Duw, gymaint yw eich ymroddiad 13 trosom. Dyna pam yr ydym yn awr wedi ein diddanu.

Ond yn ogystal â'n diddanwch ni, cawsom lawenydd mwy o lawer yn llawenydd Titus, am i chwi oll roi esmwythâd i'w 14 ysbryd. Oherwydd os wyf wedi ymffrostio rywfaint wrtho amdanoch chwi, ni chefais fy nghywilyddio, ond fel y mae popeth a ddywedais wrthych chwi yn wir, felly hefyd daeth fy 15 ymffrost wrth Titus yn wir. Y mae ei galon yn cynhesu fwyfwy tuag atoch o gofio ufudd-dod pob un ohonoch, a'r modd y 16 derbyniasoch ef mewn ofn a dychryn. Yr wyf yn llawenhau y gallaf ymddiried yn llwyr ynoch.

### *Rhoi Haelionus*

**8** Fe garem i chwi wybod, frodyr, am y gras a roddwyd gan 2 Dduw yn yr eglwysi ym Macedonia. Er iddynt gael eu profi'n llym gan orthrymder, gorlifodd cyflawnder eu llawenydd a 3 dyfnder eu tlodi yn gyfoeth o haelioni ynddynt. Yr wyf yn dyst iddynt roi yn ôl eu gallu, a'r tu hwnt i'w gallu, a hynny o'u 4 gwirfodd eu hunain, gan ddeisyf arnom yn daer iawn am gael y 5 fraint o gyfrannu tuag at y cymorth i'r saint—ac aethant ymhellach na dim y gobeithiais amdano, gan eu rhoi eu hunain 6 yn gyntaf i'r Arglwydd, ac i ninnau yn ôl ewyllys Duw. Felly yr ydym wedi gofyn i Titus orffen y gwaith grasusol hwn yn 7 eich plith yn union fel y dechreuodd arno. Ym mhob peth yr ydych yn helaeth, yn eich ffydd a'ch ymadrodd a'ch gwybodaeth, yn eich ymroddiad llwyr ac yn y cariad a blannwyd ynoch gennym ni.* Felly hefyd byddwch yn helaeth yn y gorchwyl grasusol hwn.

---

*adn. 7: yn ôl darlleniad arall, *yn eich cariad tuag atom ni.*

Nid fel gorchymyn yr wyf yn dweud hyn, ond i brofi didwyll-edd eich cariad chwi trwy sôn am ymroddiad pobl eraill. 8 Oherwydd yr ydych yn gwybod am ras ein Harglwydd Iesu Grist, fel y bu iddo, ac yntau'n gyfoethog, ddod yn dlawd drosoch chwi, er mwyn i chwi ddod yn gyfoethog trwy ei dlodi ef. 9 Ar y pen yma, rhoi fy marn yr wyf, a hynny sydd orau i chwi, y rhai a fu'n gyntaf nid yn unig i weithredu ond i ewyllysio gweithredu, er y llynedd. 10 Yn awr cyflawnwch y gweithredu, er mwyn i'r cyflawniad fod yn gymesur ag eiddgarwch eich ewyllysio; sôn yr wyf am roi yn ôl eich gallu. 11 Oherwydd os ydych yn eiddgar i roi, y mae hynny'n dderbyniol gan Dduw, ar sail yr hyn sydd gan ddyn, nid yr hyn nad yw ganddo. 12 Nid fy mwriad yw cael esmwythyd i eraill ar draul gorthrymder i chwi, ond eich gwneud yn gyfartal. 13 Yn yr amser presennol hwn y mae'r hyn sydd dros ben gennych chwi yn cyflenwi eu diffyg hwy, fel y bydd i'r hyn sydd dros ben ganddynt hwy gyflenwi eich diffyg chwi maes o law. 14 Cyfartaledd yw'r diben. 15 Fel y mae'n ysgrifenedig:

"Yr hwn a gasglodd lawer, nid oedd ganddo ormod,
a'r hwn a gasglodd ychydig, nid oedd ganddo brinder."

### *Titus a'i Gymdeithion*

16 Diolch i Dduw, yr hwn a roddodd yng nghalon Titus yr un ymroddiad drosoch. 17 Oherwydd nid yn unig gwrandawodd ar ein hapêl, ond gymaint yw ei ymroddiad fel y mae o'i wirfodd ei hun yn ymadael i fynd atoch. 18 Yr ydym yn anfon gydag ef y brawd sy'n uchel ei glod drwy'r holl eglwysi am ei waith dros yr Efengyl, 19 un sydd, heblaw hyn, wedi ei benodi gan yr eglwysi i fod yn gyd-deithiwr i ni, ac i'n cynorthwyo yn y rhodd raslon yr ydym yn ei gweinyddu, i ddangos gogoniant yr Arglwydd ei hun a'n heiddgarwch ni. 20 Yn hyn oll yr ydym yn gofalu na chaiff neb fai ynom mewn perthynas â'r rhodd hael hon a weinyddir gennym. 21 Oherwydd y mae ein hamcanion yn anrhydeddus, nid yn unig yng ngolwg yr Arglwydd, ond hefyd yng ngolwg dynion. 22 Yr ydym hefyd yn anfon gyda hwy ein brawd, yr un y cawsom brawf o'i ymroddiad mewn llawer modd a llawer gwaith. Y mae yn awr yn fwy ymroddgar byth oherwydd yr ymddiriedaeth lwyr sydd ganddo ynoch. 23 Os gofynnir am Titus, fy nghydymaith yw, a'm cydweithiwr yn eich gwasanaeth; neu am y brodyr, cenhadau'r eglwysi ydynt,

24 a gogoniant Crist. Am hynny, dangoswch iddynt brawf o'ch cariad, ac o'n hymffrost ni amdanoch, yng ngŵydd yr eglwysi.

*Y Cymorth i'r Saint*

9 Nid oes dim angen i mi ysgrifennu atoch chwi ynglŷn â'r 2 cymorth i'r saint. Gwn am eich eiddgarwch, a byddaf yn ymffrostio amdano ac amdanoch chwi wrth y Macedoniaid, ac yn dweud fod Achaia wedi ymbaratoi er y llynedd; a bu eich sêl 3 yn symbyliad i'r rhan fwyaf ohonynt. 'Rwy'n anfon y brodyr er mwyn sicrhau na cheir ein hymffrost amdanoch yn ofer yn hyn o beth, ond eich bod yn barod, fel y dywedais y byddech. 4 Byddai'n beth chwithig pe deuai Macedoniaid gyda mi a'ch cael yn amharod, ac felly i ni—heb sôn amdanoch chwi—gael 5 ein cywilyddio am fod mor sicr ohonoch. Dyna pam y teimlais ei bod yn angenrheidiol gofyn i'r brodyr ddod atoch o'm blaen i, a threfnu ymlaen llaw y rhodd yr oeddech wedi ei haddo o'r blaen. Felly byddai'n barod i mi, yn rhodd haelioni, nid rhodd cybydd-dod.

6 Cofiwch hyn: a heuo'n brin a fed yn brin, a heuo'n hael a 7 fed yn hael. Rhaid i bawb roi o wirfodd ei galon, nid o anfodd neu o raid, oherwydd rhoddwr llawen y mae Duw'n ei garu. 8 Y mae Duw yn gallu rhoi popeth da i chwi yn helaeth, er mwyn i chwi, ar ben eich digon bob amser ym mhob peth, allu rhoi yn 9 helaeth i bob gwaith da. Fel y mae'n ysgrifenedig:

> "Gwasgarodd ei roddion ymhlith y tlodion,
> y mae ei ddaioni yn aros yn dragywydd."

10 Bydd yr hwn sydd yn rhoi had i'r heuwr a bara iddo'n ymborth, yn rhoi had i chwithau ac yn ei amlhau; bydd yn peri i ffrwyth 11 eich daioni fynd ar led. Ym mhob peth cewch eich cyfoethogi ar gyfer pob haelioni, a bydd hynny trwom ni yn esgor ar 12 ddiolchgarwch i Dduw. Oherwydd y mae'r cymorth a ddaw o'r gwasanaeth hwn, nid yn unig yn diwallu anghenion y saint, ond 13 hefyd yn gorlifo mewn llawer o ddiolchgarwch i Dduw. Ar gyfrif y prawf sydd yn y cymorth hwn, byddant yn gogoneddu Duw am eich ufudd-dod i Efengyl Crist, yr Efengyl yr ydych yn ei chyffesu, ac am haelioni eich cyfraniad iddynt hwy ac i 14 bawb. Byddant yn hiraethu amdanoch a gweddïo ar eich rhan, 15 oherwydd y gras rhagorol a roddodd Duw i chwi. Diolch i Dduw am ei rodd anhraethadwy.

*Paul yn Amddiffyn ei Weinidogaeth*

**10** Yr wyf fi, Paul, fy hun yn apelio atoch, ar sail addfwynder a goddefgarwch Crist—myfi, y dywedir fy mod yn wylaidd wyneb yn wyneb â chwi ond yn hy arnoch pan fyddaf ymhell. 2 Yr wyf yn erfyn arnoch na fydd angen i mi, pan fyddaf gyda chwi, arfer yr hyfdra hwnnw yr wyf yn cyfrif y gallaf feiddio ei arfer tuag at rai sydd yn ein cyfrif ni yn ddynion sy'n byw ar wastad y cnawd. 3 Oherwydd er ein bod yn byw yn y cnawd, nid ar wastad y cnawd yr ydym yn milwrio—4 canys nid arfau gwan y cnawd yw arfau ein milwriaeth ni, ond rhai nerthol Duw sy'n dymchwel cestyll. 5 Felly yr ydym yn dymchwel dadleuon dynion, a phob tŵr a godir yn erbyn y wybodaeth am Dduw, ac yn cymryd pob meddwl yn garcharor, i fod yn ufudd i Grist. 6 Yr ydym yn barod i gosbi pob anufudd-dod unwaith y bydd eich ufudd-dod chwi yn gyflawn.

7 Wynebwch y ffeithiau amlwg. Pwy bynnag sy'n credu yn ei galon ei fod yn perthyn i Grist, ystyried hyn yn ei galon hefyd, ein bod ninnau yn perthyn i Grist gymaint ag yntau. 8 Hyd yn oed os wyf yn ymffrostio rywfaint yn ormod am ein hawdurdod—awdurdod a roddodd yr Arglwydd i ni er mwyn eich adeiladu, nid eich dymchwel—ni chaf fy nghywilyddio. 9 Ni chaf fy nangos, chwaith, fel un sy'n codi dychryn arnoch â'i lythyrau, fel y myn rhai. 10 "Mae ei lythyrau," meddant, "yn bwysfawr a grymus, ond pan fydd yn bresennol, dyn bach eiddil ydyw, a'i ymadrodd yn haeddu dirmyg." 11 Dealled y rhai sy'n siarad felly hyn: yr hyn ydym ar air mewn llythyrau pan ydym yn absennol, hynny'n union a fyddwn mewn gweithred pan fyddwn yn bresennol.

12 Canys nid ydym yn beiddio cystadlu na'n cymharu ein hunain â'r rhai sydd yn eu canmol eu hunain. Pobl heb ddeall ydynt, yn eu mesur eu hunain wrthynt eu hunain a'u cymharu eu hunain â hwy eu hunain. 13 Ond ni fydd ein hymffrost ni y tu hwnt i fesur; fe'i cedwir o fewn mesur y terfyn a bennodd Duw i ni, sy'n cyrraedd hyd atoch chwi hefyd. 14 Oherwydd nid ydym yn mynd y tu hwnt i'n terfyn, fel y byddem pe na bai ein hawdurdod yn cyrraedd atoch; ni oedd y cyntaf i ddod ag Efengyl Crist atoch chwi hefyd. 15 Nid ydym yn ymffrostio y tu hwnt i fesur, hynny yw, ar bwys llafur pobl eraill. Ond gobeithio yr ydym, fel y bydd eich ffydd chwi yn mynd ar gynnydd, y bydd ein gwaith yn eich plith yn helaethu'n ddir-

16 fawr, o fewn ein terfynau. Ein bwriad yw pregethu'r Efengyl mewn mannau y tu hwnt i chwi, nid ymffrostio yn y gwaith
17 sydd eisoes wedi ei wneud o fewn terfynau rhywun arall. Y
18 sawl sy'n ymffrostio, ymffrostied yn yr Arglwydd. Nid y dyn sydd yn ei ganmol ei hunan, ond y dyn y mae'r Arglwydd yn ei ganmol, hwnnw sy'n gymeradwy.

### *Paul a'r Ffug Apostolion*

**11** O na baech yn fy ngoddef yn fy nhipyn ffolineb! Da chwi,
2 goddefwch fi! Oherwydd yr wyf yn eiddigeddus drosoch ag eiddigedd Duw ei hun, gan i mi eich dyweddïo i un gŵr, eich
3 cyflwyno yn wyryf bur i Grist. Ond fel y twyllodd y sarff Efa trwy ei chyfrwystra, y mae arnaf ofn y llygrir eich meddyliau chwi yn yr un modd, a'ch troi oddi wrth ddidwylledd a phurdeb
4 eich ymlyniad wrth Grist. Oherwydd os daw rhywun a phregethu Iesu arall, na phregethasom ni, neu os ydych yn derbyn ysbryd gwahanol i'r Ysbryd a dderbyniasoch, neu efengyl wahanol i'r Efengyl a dderbyniasoch, yr ydych yn
5 goddef y cwbl yn llawen. Nid wyf yn f'ystyried fy hun yn ôl
6 mewn dim i'r arch-apostolion hyn. Hyd yn oed os wyf yn anfedrus fel siaradwr, nid wyf felly mewn gwybodaeth; ym mhob ffordd ac ar bob cyfle yr ydym wedi gwneud hyn yn eglur i chwi.
7 A wneuthum drosedd yn fy narostwng fy hun er mwyn i chwi gael eich dyrchafu, trwy bregethu i chwi Efengyl Duw yn ddi-
8 dâl? Ysbeiliais eglwysi eraill trwy dderbyn cyflog ganddynt er
9 mwyn eich gwasanaethu chwi. A phan oeddwn gyda chwi ac mewn angen, ni bûm yn faich ar neb, canys diwallodd y brodyr a ddaeth o Facedonia fy angen. Ym mhob peth fe'm cedwais,
10 ac fe'm cadwaf, fy hun rhag bod yn dreth arnoch. Cyn wired â bod gwirionedd Crist ynof, ni roddir taw ar fy ymffrost hwn
11 yn ardaloedd Achaia. Pam? Am nad wyf yn eich caru? Fe ŵyr Duw fy mod.
12 Daliaf i wneud yr hyn yr wyf yn ei wneud yn awr, i ddwyn eu cyfle oddi ar y rhai sy'n ceisio cyfle, yn y swydd y maent yn
13 ymffrostio ynddi, i gael eu cyfrif ar yr un tir â ninnau. Ffug apostolion yw'r fath ddynion, gweithwyr twyllodrus, yn
14 ymrithio fel apostolion i Grist. Ac nid rhyfedd, oherwydd y
15 mae Satan yntau yn ymrithio fel angel goleuni. Nid yw'n beth

mawr, felly, os yw ei weision hefyd yn ymrithio fel gweision cyfiawnder. Bydd eu diwedd yn unol â'u gweithredoedd.

*Dioddefiadau Paul fel Apostol*

'Rwy'n dweud eto: na thybied neb fy mod yn ffôl. Ond os 16 gwnewch, rhowch i mi ryddid un ffôl i ymffrostio tipyn bach. Yr wyf yn siarad yn awr, yn yr hyder ymffrostgar hwn, nid fel y 17 mynnai'r Arglwydd imi siarad, ond mewn ffolineb. Gan fod 18 llawer yn ymffrostio ar dir materol, fe ymffrostiaf finnau hefyd. Oherwydd yr ydych yn goddef ffyliaid yn llawen, a chwithau 19 mor ddoeth! Os bydd rhywun yn eich caethiwo, neu yn eich 20 ysbeilio, neu yn cymryd mantais arnoch, neu yn ymddyrchafu, neu yn eich taro ar eich wyneb, yr ydych yn goddef y cwbl. 'Rwy'n cydnabod, er cywilydd, i ni fod yn wan yn hyn o beth. 21 Ond os oes rhywbeth y beiddia rhywun ymffrostio amdano, fe feiddiaf finnau hefyd—mewn ffolineb yr wyf yn siarad. Ai 22 Hebreaid ydynt? Minnau hefyd. Ai Israeliaid ydynt? Minnau hefyd. Ai had Abraham ydynt? Minnau hefyd. Ai 23 gweision Crist ydynt? Yr wyf yn siarad yn wallgof, myfi yn fwy; yn fwy o lawer mewn llafur, yn amlach o lawer yng ngharchar, dan y fflangell yn fwy mynych, mewn perygl einioes dro ar ôl tro. Pumwaith y cefais ar law'r Iddewon y deugain 24 llach ond un. Tair gwaith fe'm curwyd â ffyn, unwaith fe'm 25 llabyddiwyd, tair gwaith bûm mewn llongddrylliad, ac am ddiwrnod a noson bûm yn y môr. Bûm ar deithiau yn fynych, 26 mewn peryglon gan afonydd, peryglon ar law lladron, peryglon ar law fy nghenedl fy hun ac ar law'r Cenhedloedd, peryglon yn y dref ac yn yr anialwch ac ar y môr, a pheryglon ymhlith brodyr gau. Bûm mewn llafur a lludded, yn fynych heb gwsg, 27 mewn newyn a syched, yn fynych heb luniaeth, yn oer ac yn noeth. Ar wahân i bob peth arall, y mae'r gofal dros yr holl 28 eglwysi yn gwasgu arnaf ddydd ar ôl dydd. Pan fydd rhywun 29 yn wan, onid wyf finnau'n wan? Pan berir i rywun gwympo, onid wyf finnau'n llosgi gan ddicter?

Os rhaid ymffrostio, ymffrostiaf am y pethau sy'n perthyn 30 i'm gwendid. Y mae Duw a Thad yr Arglwydd Iesu, yr hwn 31 sydd fendigedig yn dragywydd, yn gwybod nad wyf yn dweud celwydd. Yn Namascus, yr oedd y llywodraethwr oedd dan y 32 Brenin Aretas yn gwylio dinas Damascus er mwyn fy nal i, ond 33 cefais fy ngollwng i lawr mewn basged drwy ffenestr yn y mur, a dihengais o'i afael.

*Gweledigaethau a Datguddiadau*

**12** Y mae'n rhaid imi ymffrostio. Ni wna ddim lles, ond af ymlaen i sôn am weledigaethau a datguddiadau a roddwyd i mi 2 gan yr Arglwydd. Gwn am ddyn yng Nghrist a gipiwyd, bedair blynedd ar ddeg yn ôl, i fyny i'r drydedd nef—ai yn y corff, ai 3 allan o'r corff, ni wn; y mae Duw'n gwybod. Gwn i'r dyn hwnnw gael ei gipio i fyny i Baradwys—ai yn y corff, ai allan o'r 4 corff, ni wn; y mae Duw'n gwybod. Ac fe glywodd draethu'r 5 anhraethadwy, geiriau nad oes hawl gan ddyn i'w llefaru. Am hwnnw yr wyf yn ymffrostio; amdanaf fy hun nid ymffrostiaf, 6 ar wahân i'm gwendidau. Ond os dewisaf ymffrostio, ni byddaf ffôl, oherwydd dweud y gwir y byddaf. Ond ymatal a wnaf, rhag i neb feddwl mwy ohonof na'r hyn y mae'n ei weld ynof 7 neu'n ei glywed gennyf. A rhag i mi ymddyrchafu o achos rhyfeddod y pethau a ddatguddiwyd imi, rhoddwyd draenen yn fy nghnawd, cennad oddi wrth Satan, i'm poeni, rhag imi 8 ymddyrchafu. Ynglŷn â hyn deisyfais ar yr Arglwydd dair 9 gwaith ar iddo'i symud oddi wrthyf. Ond dywedodd wrthyf, "Digon i ti fy ngras i; mewn gwendid y daw fy nerth i'w anterth." Felly, yn llawen iawn fe ymffrostiaf fwyfwy yn fy 10 ngwendidau, er mwyn i nerth Crist orffwys arnaf. Am hynny, yr wyf yn ymhyfrydu, er mwyn Crist, mewn gwendid, sarhad, gofid, erledigaeth, a chyfyngder. Canys pan wyf wan, yna'r wyf gryf.

*Gofal Paul dros Eglwys Corinth*

11 Euthum yn ffôl, ond chwi a'm gyrrodd i hyn. Oherwydd dylaswn i gael fy nghanmol gennych chwi. Nid wyf fi yn ôl mewn dim i'r arch-apostolion hyn, hyd yn oed os nad wyf fi'n 12 ddim. Cyflawnwyd arwyddion apostol yn eich plith gyda dyfalbarhad cyson, mewn gwyrthiau a rhyfeddodau a gweith-13 redoedd nerthol. Ym mha beth y bu'n waeth arnoch chwi na'r eglwysi eraill, ond yn hyn, na fûm i yn faich arnoch chwi? 14 Maddeuwch i mi y camwedd hwn. Dyma fi'n barod i ddod atoch y drydedd waith. Ac nid wyf am fod yn faich arnoch. Oherwydd chwi yr wyf yn eu ceisio, nid eich eiddo; nid y plant

a ddylai ddarparu ar gyfer eu rhieni, ond y rhieni ar gyfer eu plant. 15 Fe wariaf fi fy eiddo yn llawen, ac fe'm gwariaf fy hunan i'r eithaf, dros eich eneidiau chwi. Os wyf fi'n eich caru chwi'n fwy, a wyf fi i gael fy ngharu'n llai? 16 Ond, a chaniatáu na fûm i'n dreth arnoch, eto honnir imi fod yn ddigon cyfrwys i'ch dal trwy ddichell. 17 A fanteisiais arnoch trwy unrhyw un o'r rhai a anfonais atoch? 18 Deisyfais ar Titus fynd atoch, ac anfonais ein brawd gydag ef. A fanteisiodd Titus arnoch? Onid ymddwyn yn yr un ysbryd a wnaethom ni, ac onid dilyn yr un llwybrau?

19 A ydych yn tybio drwy'r amser mai ein hamddiffyn ein hunain i chwi yr ydym? Gerbron Duw yr ydym yn llefaru, yng Nghrist, a'r cwbl er adeiladaeth i chwi, fy nghyfeillion annwyl. 20 Oherwydd y mae arnaf ofn na chaf chwi, pan ddof, fel y dymunwn i chwi fod, ac na cheir finnau chwaith fel y dymunech chwi i mi fod. Yr wyf yn ofni y bydd cynnen, eiddigedd, llidio, ymgiprys, difenwi, clebran, ymchwyddo, terfysgu. 21 Yr wyf yn ofni rhag i'm Duw, pan ddof drachefn, fy narostwng o'ch blaen, ac i mi alaru dros lawer sydd gynt wedi pechu, a heb edifarhau am yr amhurdeb a'r puteindra a'r anlladrwydd a wnaethant.

### *Rhybuddion Terfynol a Chyfarchiadau*

**13** Dyma'r drydedd waith y dof atoch chwi. Y mae pob peth i sefyll yn gadarn ar air dau neu dri o dystion. 2 Pan oeddwn gyda chwi yr ail waith, rhoddais rybudd i'r rhai oedd gynt wedi pechu, ac i bawb arall; yn awr, a minnau'n absennol, yr wyf yn dal i'w rhybuddio: os dof eto, nid arbedaf. 3 'Rwy'n dweud hyn gan eich bod yn gofyn am brawf o'r Crist sy'n llefaru ynof fi, y Crist nad yw'n wan yn ei ymwneud â chwi, ond sydd yn nerthol yn eich plith. 4 Oherwydd er ei groeshoelio ef mewn gwendid, eto y mae'n byw trwy nerth Duw. Ac er ein bod ninnau yn wan ynddo ef, eto fe gawn fyw gydag ef trwy nerth Duw, yn ein perthynas â chwi.

5 Profwch eich hunain i weld a ydych yn y ffydd; chwiliwch eich hunain. Onid ydych yn sylweddoli fod Crist Iesu ynoch chwi? Os nad ydych, yr ydych wedi methu'r prawf. 6 Yr wyf yn gobeithio y dewch chwi i weld nad ydym ni wedi methu. 7 Yr ydym yn gweddïo ar Dduw na fydd i chwi wneud dim drwg, nid er mwyn i ni ymddangos fel rhai a lwyddodd yn y prawf, ond er mwyn i chwi wneud yr hyn sydd dda, er i ni ymddangos

8 fel rhai a fethodd. Oherwydd ni allwn wneud dim yn erbyn y 9 gwirionedd, dim ond dros y gwirionedd. Yr ydym yn llawenhau pan fyddwn ni'n wan a chwithau'n gryf; a hyn yn wir yw 10 ein gweddi, i chwi gael eich adfer. Yr wyf yn ysgrifennu'r pethau hyn, a minnau'n absennol, er mwyn i mi, pan fyddaf yn bresennol, beidio ag arfer gerwinder, yn ôl yr awdurdod a roddodd yr Arglwydd i mi i adeiladu, nid i ddymchwel.

11 Bellach, frodyr, ffarwel. Mynnwch eich adfer, gwrandewch ar fy apêl, byddwch o'r un meddwl, a byw'n heddychlon; a 12 bydd Duw'r cariad a'r tangnefedd gyda chwi. Cyfarchwch eich gilydd â chusan sanctaidd. Y mae'r saint i gyd yn eich cyfarch.

13 Gras ein Harglwydd Iesu Grist, a chariad Duw, a chymdeithas yr Ysbryd Glân fyddo gyda chwi oll!

LLYTHYR PAUL AT Y

# GALATIAID

### *Cyfarch*

Paul, apostol—nid o benodiad dynion, na chwaith trwy awdurdod unrhyw ddyn, ond trwy awdurdod Iesu Grist a Duw Dad, yr hwn a'i cyfododd ef oddi wrth y meirw—Paul, a'r brodyr oll sydd gyda mi, at eglwysi Galatia. Gras a thangnefedd i chwi oddi wrth Dduw ein Tad a'r Arglwydd Iesu Grist, yr hwn a'i rhoddodd ei hun dros ein pechodau ni, i'n gwaredu ni o'r oes ddrwg bresennol, yn ôl ewyllys Duw ein Tad, i'r hwn y bo'r gogoniant yn oes oesoedd. Amen. 1 2 3 4 5

### *Nid Oes Efengyl Arall*

Yr wyf yn synnu eich bod yn cefnu mor fuan ar yr hwn a'ch galwodd chwi trwy ras Crist, ac yn troi at efengyl wahanol. Nid ei bod yn efengyl arall mewn gwirionedd, ond bod rhywrai, yn eu hawydd i wyrdroi Efengyl Crist, yn aflonyddu arnoch. Ond petai rhywun, ni ein hunain hyd yn oed, neu angel o'r nef, yn pregethu i chwi efengyl sy'n groes i'r Efengyl a bregethasom i chwi, melltith arno ! Fel yr ydym wedi dweud o'r blaen, felly yr wyf yn dweud eto yn awr: os oes rhywun yn pregethu efengyl i chwi sy'n groes i'r Efengyl a dderbyniasoch, melltith arno ! 6 7 8 9

Pwy yr wyf am ei gael o'm plaid yn awr, ai dynion, ai Duw ? Ai ceisio plesio dynion yr wyf ? Pe bawn â'm bryd o hyd ar blesio dynion, nid gwas i Grist fyddwn. 10

### *Paul yn Dod yn Apostol*

Yr wyf am roi ar ddeall i chwi, frodyr, am yr Efengyl a bregethwyd gennyf fi, nad rhywbeth dynol mohoni. Oherwydd 11 12 nid ei derbyn fel traddodiad gan ddyn a wneuthum, na chael fy nysgu ynddi chwaith; trwy ddatguddiad Iesu Grist y cefais hi.

13 Oherwydd fe glywsoch am fy ymarweddiad gynt yn y grefydd Iddewig, imi fod yn erlid eglwys Duw i'r eithaf ac yn ceisio'i 14 difrodi hi, ac imi gael y blaen, fel crefyddwr Iddewig, ar gyfoedion lawer yn fy nghenedl, gan gymaint fy sêl tros draddodiadau 15 fy nhadau. Ond dyma hwnnw a'm neilltuodd o groth fy mam, 16 ac a'm galwodd trwy ei ras, yn dewis datguddio ei Fab ynof fi, er mwyn i mi ei bregethu ymhlith y Cenhedloedd; ac ar 17 unwaith, heb ymgynghori ag unrhyw ddyn, a heb fynd i fyny i Jerwsalem chwaith at y rhai oedd yn apostolion o'm blaen i, euthum i ffwrdd i Arabia, ac yna dychwelyd i Ddamascus.

18 Wedyn, ar ôl tair blynedd, mi euthum i fyny i Jerwsalem i ymgydnabyddu â Ceffas, ac arhosais gydag ef am bythefnos. 19 Ni welais neb arall o'r apostolion, ar wahân i Iago, brawd yr 20 Arglwydd. Gerbron Duw, nid celwydd yr wyf yn ei ysgrifennu 21,22 atoch. Wedyn euthum i diriogaethau Syria a Chilicia. Nid oedd gan y cynulleidfaoedd sydd yng Nghrist yn Jwdea ddim 23 adnabyddiaeth bersonol ohonof, dim ond eu bod yn clywed rhai'n dweud, "Y mae ein herlidiwr gynt yn awr yn pregethu'r 24 ffydd yr oedd yn ceisio'i difrodi o'r blaen." Ac yr oeddent yn gogoneddu Duw o'm hachos i.

*Yr Apostolion Eraill yn Cydnabod Paul*

**2** Wedyn, ymhen pedair blynedd ar ddeg, euthum unwaith eto i fyny i Jerwsalem ynghyd â Barnabas, gan gymryd Titus hefyd 2 gyda mi. Euthum i fyny mewn ufudd-dod i ddatguddiad. Gosodais ger eu bron—o'r neilltu, gerbron y gwŷr a gyfrifir yn arweinwyr—yr Efengyl yr wyf yn ei phregethu ymhlith y Cenhedloedd, rhag ofn fy mod yn rhedeg, neu wedi rhedeg, yn 3 ofer. Ond ni orfodwyd enwaedu ar fy nghydymaith Titus hyd 4 yn oed, er mai Groegwr ydoedd. Codwyd y mater o achos y brodyr gau, llechgwn a oedd wedi llechian i mewn fel sbiwyr ar y rhyddid sy'n eiddo i ni yng Nghrist Iesu, gyda'r bwriad o'n 5 caethiwo ni. Ond ni ildiasom iddynt trwy gymryd ein darostwng, naddo, ddim am foment, er mwyn i wirionedd yr Efengyl 6 aros yn ddianaf ar eich cyfer chwi. Ond am y gwŷr a gyfrifir yn rhywbeth (nid yw o ddim gwahaniaeth i mi beth oeddent gynt; nid yw Duw yn ystyried safle dyn), nid ychwanegodd yr arwein-7 wyr hyn ddim at yr hyn oedd gennyf. I'r gwrthwyneb, fe welsant fod yr Efengyl ar gyfer y Cenhedloedd wedi ei hymddiried i mi, yn union fel yr oedd yr Efengyl ar gyfer yr Iddewon wedi ei hymddiried i Pedr. Oherwydd yr un a weithiodd yn 8 Pedr i'w wneud yn apostol i'r Iddewon, a weithiodd ynof finnau i'm gwneud yn apostol i'r Cenhedloedd. A dyma Iago 9 a Ceffas ac Ioan, y gwŷr a gyfrifir yn golofnau, yn cydnabod y gras oedd wedi ei roi i mi, ac yn estyn i Barnabas a minnau ddeheulaw cymdeithas, a chytuno ein bod ni i fynd at y Cenhedloedd a hwythau at yr Iddewon. Eu hunig gais oedd 10 ein bod i gofio'r tlodion; a dyna'r union beth yr oeddwn wedi ymroi i'w wneud.

### *Paul yn Ceryddu Pedr yn Antiochia*

Ond pan ddaeth Ceffas i Antiochia, fe'i gwrthwynebais yn ei 11 wyneb, gan ei fod yn amlwg ar fai. Oherwydd cyn i rywrai 12 ddod yno oddi wrth Iago, byddai ef yn arfer cydfwyta gyda'r Cristionogion cenhedlig, ond wedi iddynt ddod, dechreuodd gadw'n ôl ac ymbellhau, am ei fod yn ofni plaid yr enwaediad. Ymunodd yr Iddewon eraill hefyd yn ei ragrith, nes ysgubo 13 Barnabas yntau i ragrithio gyda hwy. Ond pan welais nad 14 oeddent yn cadw at lwybr gwirionedd yr Efengyl, dywedais wrth Ceffas yng ngŵydd pawb, "Os wyt ti, er dy fod yn Iddew, yn byw nid fel Iddew ond fel Cenedl-ddyn, pa hawl sydd gennyt ti i orfodi Cenedl-ddynion i fyw fel Iddewon?"

### *Yr Iddewon, fel y Cenhedloedd, i'w Hachub trwy Ffydd*

Yr ydym ni wedi'n geni yn Iddewon, nid yn Genedl-ddynion 15 pechadurus. Ac eto fe wyddom na chaiff dyn ei gyfiawnhau 16 ond trwy ffydd yn Iesu Grist, nid trwy gadw gofynion cyfraith. Felly fe gredasom ninnau yng Nghrist Iesu er mwyn ein cyfiawnhau, nid trwy gadw gofynion cyfraith, ond trwy ffydd yng Nghrist, oherwydd ni chaiff undyn meidrol ei gyfiawnhau trwy gadw gofynion cyfraith. Ond os, wrth geisio cael ein 17 cyfiawnhau trwy Grist, cafwyd ninnau hefyd yn bechaduriaid, a yw hynny'n golygu bod Crist yn was pechod? Nac ydyw, ddim o gwbl! Oherwydd os wyf yn adeiladu drachefn y pethau 18 a dynnais i lawr, yr wyf yn fy mhrofi fy hun yn droseddwr. Oherwydd trwy gyfraith bûm farw i gyfraith, er mwyn byw i 19 Dduw. Yr wyf wedi fy nghroeshoelio gyda Christ; a mwyach, 20

nid myfi sy'n byw, ond Crist sy'n byw ynof fi. A'r bywyd yr wyf yn awr yn ei fyw yn y cnawd, ei fyw trwy ffydd yr wyf, ffydd ym Mab Duw, yr hwn a'm carodd i ac a'i rhoes ei hun i
21 farw trosof fi. Nid wyf am ddirymu gras Duw; oherwydd os trwy gyfraith y daw cyfiawnder, yna bu Crist farw yn ddiachos.

### *Ai Cadw Gofynion Cyfraith, ynteu Ffydd?*

3 Y Galatiaid dwl! Pwy sydd wedi eich rheibio chwi, chwi y darluniwyd Iesu Grist ar ei groes ar goedd o flaen eich llygaid?
2 Y cwbl yr wyf am ei wybod gennych yw hyn: ai trwy gadw gofynion cyfraith y derbyniasoch yr Ysbryd, ynteu trwy wrando
3 mewn ffydd? A ydych mor ddwl â hyn? Wedi i chwi ddechrau trwy'r Ysbryd, a ydych yn ceisio pen y daith trwy'r cnawd?
4 Ai yn ofer y cawsoch brofiadau mor fawr (os gallant, yn wir,
5 fod yn ofer)? Beth, ynteu, am yr hwn sy'n cyfrannu i chwi yr Ysbryd ac yn gweithio gwyrthiau yn eich plith? Ai ar gyfrif cadw gofynion cyfraith, ynteu ar gyfrif gwrando mewn ffydd,
6 y mae'n gwneud hyn oll? Y mae fel yn achos Abraham: "Rhoes ei ffydd yn Nuw, ac fe'i cyfrifwyd iddo yn gyfiawnder."
7 Gwyddoch, gan hynny, am bobl ffydd, mai hwy yw meibion
8 Abraham. Ac y mae'r Ysgrythur, wrth ragweld mai trwy ffydd y byddai Duw yn cyfiawnhau'r Cenhedloedd, wedi pregethu'r Efengyl ymlaen llaw wrth Abraham fel hyn: "Caiff yr holl
9 genhedloedd eu bendithio ynot ti." Am hynny, y mae pobl ffydd yn cael eu bendithio ynghyd ag Abraham ffyddiog.
10 Oherwydd y mae pawb sy'n dibynnu ar gadw gofynion cyfraith dan felltith, achos y mae'n ysgrifenedig: "Melltigedig yw pob un nad yw'n cadw at bob peth sy'n ysgrifenedig yn llyfr y
11 Gyfraith, a'i wneud." Y mae'n amlwg na chaiff neb ei gyfiawnhau gerbron Duw ar dir cyfraith, oherwydd, yng ngeiriau'r Ysgrythur, "Y sawl sydd trwy ffydd yn gyfiawn a gaiff fyw."
12 Eithr nid "trwy ffydd" yw egwyddor y Gyfraith; dweud y mae hi yn hytrach, "Y sawl a wna ei gofynion a gaiff fyw
13 drwyddynt hwy." Prynodd Crist ryddid i ni oddi wrth felltith y Gyfraith pan ddaeth, er ein mwyn, yn wrthrych melltith, oherwydd y mae'n ysgrifenedig: "Melltigedig yw pob un a
14 grogir ar bren." Y bwriad oedd cael bendith Abraham i ymledu i'r Cenhedloedd yng Nghrist Iesu, er mwyn i ni dderbyn, trwy ffydd, yr Ysbryd a addawyd.

### *Y Gyfraith a'r Addewid*

Frodyr, i gymryd enghraifft o fyd dynion, pan fydd ewyllys 15 dyn, sef ei gyfamod olaf, wedi ei chadarnhau, ni chaiff neb ei dirymu nac ychwanegu ati. Yn awr, i Abraham y rhoddwyd 16 addewidion y cyfamod, ac i'w had ef. Ni ddywedir, "ac i'th hadau", yn y lluosog, ond, "ac i'th had di", yn yr unigol, a'r un hwnnw yw Crist. Dyma yr wyf yn ei olygu: yn achos 17 cyfamod oedd eisoes wedi ei gadarnhau gan Dduw, nid yw cyfraith, sydd bedwar cant tri deg o flynyddoedd yn ddiweddarach, yn ei ddirymu, nes gwneud yr addewid yn ddiddim. Oherwydd, os trwy gyfraith y mae'r etifeddiaeth, yna nid yw 18 mwyach trwy addewid; ond trwy addewid y mae Duw o'i ras wedi ei rhoi i Abraham. Beth, ynteu, am y Gyfraith? Ar 19 gyfrif troseddau yr ychwanegwyd hi, i aros hyd nes y byddai'r had, yr un y gwnaed yr addewid iddo, yn dod. Fe'i gorchmynnwyd trwy angylion, gyda chymorth canolwr. Ond nid oes 20 angen canolwr lle nad oes mwy nag un; ac un yw Duw.

### *Caethweision a Meibion*

A yw'r Gyfraith, ynteu, yn groes i addewidion Duw? Nac 21 ydyw, ddim o gwbl! Oherwydd pe bai cyfraith wedi ei rhoi â'r gallu ganddi i gyfrannu bywyd, yna, yn wir, fe fyddai cyfiawnder trwy gyfraith. Ond nid felly y mae; yn ôl dyfarniad yr 22 Ysgrythur, y mae'r byd i gyd wedi ei gaethiwo gan bechod, er mwyn peri mai trwy ffydd yn Iesu Grist, ac i'r rhai sy'n meddu'r ffydd honno, y rhoddid yr hyn a addawyd.

Cyn i'r ffydd hon ddod, yr oeddem dan warchodaeth gaeth 23 cyfraith, yn disgwyl am y ffydd oedd i gael ei datguddio. Felly, 24 bu'r Gyfraith yn was i warchod trosom hyd nes i Grist ddod,* ac inni gael ein cyfiawnhau trwy ffydd. Ond gan fod y ffydd 25 bellach wedi dod, nid ydym mwyach dan warchodaeth gwas.*

Oblegid yr ydych bawb, trwy ffydd, yn feibion Duw yng 26 Nghrist Iesu. Oherwydd y mae pob un ohonoch sydd wedi ei 27 fedyddio i Grist wedi gwisgo Crist amdano. Nid oes y fath 28 beth ag Iddew a Groegwr, caeth a rhydd, gwryw a benyw, oherwydd un ydych chwi oll yng Nghrist Iesu. Ac os ydych yn 29 eiddo Crist, yna had Abraham ydych, etifeddion yn ôl yr addewid.

---

*adn. 24: neu, *yn hyfforddwr i'n tywys ni at Grist.*
*adn. 25: neu, *hyfforddwr.*

4 Dyma yr wyf yn ei olygu: cyhyd ag y mae'r etifedd dan oed, nid oes dim gwahaniaeth rhyngddo a chaethwas, er ei fod yn
2 berchennog ar y stad i gyd. Y mae dan geidwaid a goruchwyl-
3 wyr hyd y dyddiad a benodwyd gan ei dad. Felly ninnau, pan oeddem dan oed, yr oeddem wedi ein caethiwo dan ysbrydion
4 elfennig y cyfanfyd. Ond pan ddaeth cyflawniad yr amser, anfonodd Duw ei Fab, wedi ei eni o wraig, wedi ei eni dan y
5 Gyfraith, i brynu rhyddid i'r rhai oedd dan y Gyfraith, er mwyn
6 i ni gael braint mabwysiad. A chan eich bod yn feibion, anfonodd Duw Ysbryd ei Fab i'n calonnau, yn llefain, "Abba!
7 Dad!" Felly, nid caethwas wyt ti bellach, ond mab; ac os mab, yna etifedd, trwy weithred Duw.

### *Gofal Paul dros y Galatiaid*

8 Gynt, yn wir, a chwithau heb adnabod Duw, caethweision
9 oeddech i fodau nad ydynt o ran eu natur yn dduwiau. Ond yn awr, a chwithau wedi adnabod Duw, neu'n hytrach, wedi eich adnabod gan Dduw, sut y gallwch droi yn ôl at yr ysbrydion elfennig llesg a thlawd, a mynnu mynd yn gaethweision iddynt
10 hwy unwaith eto. Cadw dyddiau, a misoedd, a thymhorau, a
11 blynyddoedd, yr ydych. Y mae arnaf ofn mai yn ofer yr wyf wedi llafurio ar eich rhan.

12 'Rwy'n ymbil arnoch, frodyr, byddwch fel fi, oherwydd fe
13 fûm i, yn wir, fel chwi. Ni wnaethoch ddim cam â mi. Fel y gwyddoch, ar achlysur gwendid corfforol y pregethais yr
14 Efengyl i chwi y tro cyntaf; ac er i gyflwr fy nghorff fod yn demtasiwn i chwi, ni fuoch na dibris na dirmygus ohonof, ond fy nerbyn a wnaethoch fel angel Duw, fel Crist Iesu ei hun.
15 Lle'r aeth y llawenydd a barodd fy nyfodiad i chwi? Oherwydd gallaf dystio amdanoch, y buasech wedi tynnu'ch llygaid
16 allan a'u rhoi i mi, petasai hynny'n bosibl. A wyf fi, felly, wedi
17 mynd yn elyn i chwi, am i mi ddweud y gwir wrthych? Y mae yna bobl sy'n rhoi sylw mawr i chwi, ond nid er eich lles; ceisio eich cau chwi allan y maent, er mwyn i chwi roi sylw
18 iddynt hwy. Peth da bob amser yw i chwi gael sylw, pan fydd hynny er lles, ac nid yn unig pan fyddaf fi'n bresennol gyda
19 chwi. Fy mhlant bach, yr wyf unwaith eto mewn gwewyr esgor
20 arnoch, hyd nes y ceir ffurf Crist ynoch. Byddai'n dda gennyf fod gyda chwi yn awr, a gostegu fy llais, oherwydd yr wyf mewn penbleth yn eich cylch.

*Alegori Hagar a Sara*

Dywedwch i mi, chwi sy'n mynnu bod dan gyfraith, onid 21 ydych yn gwrando ar y Gyfraith? Y mae'n ysgrifenedig i 22 Abraham gael dau fab, un o'i gaethferch ac un o'i wraig rydd. Ganwyd mab y gaethferch yn ôl greddfau'r cnawd, ond ganwyd 23 mab y wraig rydd trwy addewid Duw. Alegori yw hyn oll. Y 24 mae'r gwragedd yn cynrychioli dau gyfamod. Y mae un o fynydd Sinai, yn geni plant i gaethiwed. Hagar yw hon; y mae 25 Hagar yn cynrychioli Mynydd Sinai yn Arabia,* ac y mae'n cyfateb i'r Jerwsalem sydd yn awr, oherwydd y mae hi, ynghyd â'i phlant, mewn caethiwed. Ond y mae'r Jerwsalem sydd fry 26 yn rhydd, a hi yw ein mam ni. Oherwydd y mae'n ysgrifenedig: 27

> " Llawenha, y wraig ddiffrwyth nad wyt yn dwyn plant;
> bloeddia ganu, y wraig nad wyt fyth mewn gwewyr esgor;
> oherwydd y mae plant y wraig ddiymgeledd yn lluosocach na phlant y wraig sydd â gŵr ganddi."

Ond yr ydych chwi, frodyr, fel Isaac, yn blant addewid Duw. 28 Ond megis yr oedd plentyn y cnawd gynt yn erlid plentyn yr 29 ysbryd, felly y mae yn awr hefyd. Ond beth y mae'r Ysgrythur 30 yn ei ddweud? " Bwrw allan y gaethferch a'i mab, oherwydd ni chaiff mab y gaethferch fyth ddod i'r etifeddiaeth gyda mab y wraig rydd." Gan hynny, frodyr, nid plant i'r gaethferch 31 ydym ni, ond plant i'r wraig rydd. I ryddid y rhyddhaodd Crist **5** ni. Safwch yn gadarn, felly, a pheidiwch â phlygu eto i iau caethiwed.

*Rhyddid Cristionogol*

Dyma fy ngeiriau i, Paul, wrthych chwi: os derbyniwch 2 enwaedu arnoch, ni bydd Crist o ddim budd i chwi. Yr wyf yn 3 tystio unwaith eto wrth bob dyn yr enwaedir arno, ei fod dan rwymedigaeth i gadw'r Gyfraith i gyd. Chwi sy'n ceisio 4 cyfiawnhad trwy gyfraith, y mae eich perthynas â Christ wedi ei thorri; yr ydych wedi syrthio oddi wrth ras. Ond yr ydym ni, 5 trwy'r Ysbryd, ar sail ffydd, yn disgwyl am y cyfiawnder yr ydym yn gobeithio amdano. Oherwydd yng Nghrist Iesu nid 6 enwaediad sy'n cyfrif, na dienwaediad, ond ffydd yn gweithredu trwy gariad.

---

*adn. 25: yn ôl darlleniad arall, *Hagar yw hon; mynydd yn Arabia yw Sinai.*

7 Yr oeddech yn rhedeg yn dda. Pwy a'ch rhwystrodd chwi 8 rhag canlyn y gwirionedd ? Nid oddi wrth yr hwn sy'n eich 9 galw y daeth y perswâd yma. Y mae ychydig surdoes yn suro'r 10 holl does. Yr wyf fi'n gwbl hyderus amdanoch yn yr Arglwydd, na fydd i chwi ŵyro yn eich barn; ond bydd rhaid i hwnnw sy'n aflonyddu arnoch ddwyn ei gosb, pwy bynnag ydyw. 11 Amdanaf fi, frodyr, os wyf yn parhau i bregethu'r enwaediad, pam y parheir i'm herlid ? Petai hynny'n wir, byddai tram- 12 gwydd y groes wedi ei symud. O na bai eich aflonyddwyr yn eu sbaddu eu hunain hefyd!

13 Fe'ch galwyd chwi, frodyr, i ryddid. Dyma fy unig gais: peidiwch ag arfer eich rhyddid yn gyfle i'r cnawd, ond trwy 14 gariad byddwch yn weision i'ch gilydd. Oherwydd y mae'r holl Gyfraith wedi ei mynegi'n gyflawn mewn un gair, sef yn y 15 gorchymyn, " Câr dy gymydog fel ti dy hun." Ond os cnoi a darnio'ch gilydd yr ydych, gofalwch na chewch eich difa gan eich gilydd.

### *Ffrwyth yr Ysbryd a Gweithredoedd y Cnawd*

16 Dyma yr wyf yn ei olygu: rhodiwch yn yr Ysbryd, ac ni 17 fyddwch fyth yn cyflawni chwantau'r cnawd. Oherwydd y mae chwantau'r cnawd yn erbyn yr Ysbryd, a chwantau'r Ysbryd yn erbyn y cnawd. Y maent yn tynnu'n groes i'w gilydd, fel na 18 allwch wneud yr hyn a fynnwch. Ond os ydych yn cael eich 19 arwain gan yr Ysbryd, nid ydych dan gyfraith. Y mae gweith-redoedd y cnawd yn amlwg, sef, puteindra, amhurdeb, anllad-20 rwydd, eilunaddoliaeth, dewiniaeth, cweryla, cynnen, eiddig-21 edd, llidio, ymgiprys, rhwygo, ymbleidio, cenfigennu,* meddwi, gloddesta a phethau tebyg. Yr wyf yn eich rhybuddio, fel y gwneuthum o'r blaen, na chaiff y rhai sy'n gwneud y fath bethau etifeddu teyrnas Dduw.

22 Ond ffrwyth yr Ysbryd yw cariad, llawenydd, tangnefedd, 23 goddefgarwch, caredigrwydd, daioni, ffyddlondeb, addfwyn-der, hunan-ddisgyblaeth. Nid oes gyfraith yn erbyn rhinwedd-24 au fel y rhain. Y mae pobl Crist Iesu wedi croeshoelio'r cnawd, 25 ynghyd â'i nwydau a'i chwantau. Os yw ein bywyd yn yr 26 Ysbryd, ynddo hefyd bydded ein buchedd. Bydded inni ymgadw rhag gwag ymffrost, rhag herio ein gilydd, a rhag cenfigennu wrth ein gilydd.

---

*adn. 21: ychwanega rhai llawysgrifau, *llofruddio.*

*Cariwch Feichiau eich Gilydd*

Frodyr, os caiff dyn ei ddal mewn rhyw drosedd, eich gwaith **6** chwi, y rhai ysbrydol, yw ei adfer mewn ysbryd addfwyn. Ond edrych atat dy hun, rhag ofn i tithau gael dy demtio. Cariwch 2 feichiau eich gilydd, ac felly fe gyflawnwch Gyfraith Crist. Oherwydd, os yw rhywun yn tybio ei fod yn rhywbeth, ac 3 yntau yn ddim, ei dwyllo ei hun y mae. Y mae pob un i roi 4 prawf ar ei waith ei hun, ac yna fe gaiff le i ymffrostio gyda golwg arno'i hun yn unig, nid ar neb arall. Oherwydd bydd 5 gan bob un ei bwn ei hun i'w gario. Y mae'r sawl sy'n cael ei 6 hyfforddi yn y Gair i roi cyfran o'i holl fendithion i'w hyfforddwr. Peidiwch â chymryd eich camarwain; ni chaiff Duw mo'i 7 watwar, oherwydd beth bynnag y mae dyn yn ei hau, hynny hefyd y bydd yn ei fedi. Bydd y sawl sy'n hau i'w gnawd ei 8 hun yn medi o'i gnawd lygredigaeth, a'r sawl sy'n hau i'r Ysbryd yn medi o'r Ysbryd fywyd tragwyddol. Peidiwn â 9 blino ar wneud daioni, oherwydd cawn fedi'r cynhaeaf yn ei amser, dim ond inni beidio â llaesu dwylo. Felly, tra bydd 10 amser gennym, gadewch inni wneud da i bawb, ac yn enwedig i'r rhai sydd o deulu'r ffydd.

*Rhybudd Terfynol a'r Fendith*

Gwelwch mor fras yw'r llythrennau hyn yr wyf yn eu hys- 11 grifennu atoch â'm llaw fy hun. Dynion â'u bryd ar rodres yn 12 y cnawd yw'r rheini sy'n ceisio eich gorfodi i dderbyn enwaedu arnoch, a hynny'n unig er mwyn iddynt hwy arbed cael eu herlid o achos croes Crist. Oherwydd nid yw'r rhai yr 13 enwaedir arnynt hyd yn oed yn cadw'r Gyfraith eu hunain. Y maent am i chwi dderbyn enwaedu arnoch er mwyn iddynt hwy gael ymffrostio yn eich cnawd chwi. O'm rhan fy hun, 14 cadwer fi rhag ymffrostio mewn dim ond yng nghroes ein Harglwydd Iesu Grist, y groes y mae'r byd drwyddi* wedi ei groeshoelio i mi, a minnau i'r byd. Nid enwaediad sy'n cyfrif, 15 na dienwaediad, ond creadigaeth newydd. A phawb fydd yn 16 rhodio wrth y rheol hon, tangnefedd arnynt, a thrugaredd, a hefyd ar Israel Duw!

Peidied neb bellach â pheri blinder imi, oherwydd yr wyf yn 17 dwyn nodau Iesu yn fy nghorff.

Gras ein Harglwydd Iesu Grist fyddo gyda'ch ysbryd, 18 frodyr! Amen.

---

*adn. 14: neu, *Iesu Grist, y mae'r byd drwyddo.*

LLYTHYR PAUL AT YR

# EFFESIAID

### *Cyfarch*

1 Paul, apostol Crist Iesu trwy ewyllys Duw, at y saint sydd yn
2 Effesus, yn ffyddlon* yng Nghrist Iesu. Gras a thangnefedd i chwi oddi wrth Dduw ein Tad a'r Arglwydd Iesu Grist.

### *Bendithion Ysbrydol yng Nghrist*

3 Bendigedig fyddo Duw a Thad ein Harglwydd Iesu Grist! Y mae wedi'n bendithio ni yng Nghrist â phob bendith ysbrydol
4 yn y nefoedd. Cyn seilio'r byd, fe'n dewisodd yng Nghrist i
5 fod yn sanctaidd ac yn ddi-fai ger ei fron mewn cariad. O wirfodd ei ewyllys fe'n rhagordeiniodd i gael ein derbyn yn feibion
6 iddo'i hun trwy Iesu Grist, er clod i'w ras gogoneddus, ei rad
7 rodd i ni yn yr Anwylyd. Ynddo ef y mae i ni brynedigaeth trwy ei farw aberthol, sef maddeuant ein camweddau; dyma
8 fesur cyfoeth y gras a roddodd mor hael i ni, ynghyd â phob
9 doethineb a dirnadaeth. Hysbysodd i ni ddirgelwch ei ewyllys,
10 y bwriad a arfaethodd yng Nghrist yng nghynllun cyflawniad yr amseroedd, sef dwyn yr holl greadigaeth i undod yng Nghrist,
11 gan gynnwys pob peth yn y nefoedd ac ar y ddaear. Ynddo ef hefyd rhoddwyd i ni ran yn yr etifeddiaeth, yn rhinwedd ein rhagordeinio yn ôl arfaeth yr hwn sy'n gweithredu pob peth yn
12 ôl ei fwriad a'i ewyllys ei hun. A thrwy hyn yr ydym ni, y rhai
13 cyntaf i obeithio yng Nghrist, i ddwyn clod i'w ogoniant ef. A chwithau, wedi i chwi glywed gair y gwirionedd, Efengyl eich iachawdwriaeth, ac wedi i chwi gredu ynddo, gosodwyd arnoch yng Nghrist sêl yr Ysbryd Glân, yr hwn oedd wedi ei addo.
14 Yr Ysbryd hwn yw'r ernes o'n hetifeddiaeth, nes ein prynu'n rhydd i'w meddiannu'n llawn, er clod i ogoniant Duw.

### *Gweddi Paul*

15 Am hynny, o'r pryd y clywais am y ffydd sydd gennych yn
16 yr Arglwydd Iesu, ac am eich cariad tuag at yr holl saint, nid

---

*adn. 1: yn ôl darlleniad arall, *at y saint sydd yn ffyddlon.*

wyf fi wedi peidio â diolch amdanoch, gan eich galw i gof yn fy ngweddïau. A'm gweddi yw, ar i Dduw ein Harglwydd Iesu 17 Grist, Tad y gogoniant, roi i chwi, yn eich adnabyddiaeth ohono ef, yr Ysbryd sy'n rhoi doethineb a datguddiad. Bydded iddo 18 oleuo llygaid eich deall, a'ch dwyn i wybod beth yw'r gobaith sy'n ymhlyg yn ei alwad, beth yw'r cyfoeth o ogoniant sydd ar gael yn yr etifeddiaeth y mae'n ei rhoi i chwi ymhlith y saint, a 19 beth yw aruthrol fawredd y gallu sydd ganddo o'n plaid ni sy'n credu, y grymuster hwnnw a gyflawnodd yng ngrym ei nerth 20 yng Nghrist pan gyfododd ef oddi wrth y meirw, a'i osod i eistedd ar ei ddeheulaw yn y nefoedd, yn feistr ar bob tywysog- 21 aeth ac awdurdod a gallu ac arglwyddiaeth, a phob teitl a geir, nid yn unig yn yr oes bresennol, ond hefyd yn yr oes sydd i ddod. Darostyngodd Duw bob peth o dan ei draed ef, a rhoddodd ef 22 yn ben ar bob peth i'r eglwys; yr eglwys hon yw ei gorff ef, a 23 chyflawniad yr hwn* sy'n cael ei gyflawni ym mhob peth a thrwy bob peth.**

### *O Farwolaeth i Fywyd*

Bu adeg pan oeddech chwithau yn feirw o achos eich cam- **2** weddau a'ch pechodau. Yr oeddech yn byw yn ôl ffordd y byd 2 hwn, mewn ufudd-dod i dywysog galluoedd yr awyr, yr ysbryd sydd yn awr ar waith yn y rhai sy'n anufudd i Dduw. Ymhlith 3 y rhai hynny yr oeddem ninnau i gyd unwaith, yn byw yn ôl ein chwantau dynol ac yn porthi dymuniadau'r cnawd a'r synhwyrau; yr oeddem wrth natur, fel pawb arall, yn gorwedd dan ddigofaint Duw. Ond gan mor gyfoethog yw Duw yn ei 4 drugaredd, a chan fod ei gariad tuag atom mor fawr, fe'n gwnaeth ni, ni oedd yn feirw yn ein camweddau, yn fyw gyda 5 Christ; trwy ras yr ydych wedi eich achub. Yng Nghrist Iesu, 6 fe'n cyfododd gydag ef a'n gosod i eistedd gydag ef yn y nef- oedd, er mwyn dangos, yn yr oesoedd sy'n dod, gyfoeth difesur 7 ei ras trwy ei diriondeb i ni yng Nghrist Iesu. Trwy ras yr 8 ydych wedi eich achub, trwy ffydd. Nid eich gwaith chwi yw hyn; rhodd Duw ydyw; nid yw'n dibynnu ar weithredoedd, ac 9 felly ni all neb ymffrostio. Oherwydd ei waith ef ydym, wedi 10 ein creu yng Nghrist Iesu i fywyd o weithredoedd da, bywyd y mae Duw wedi ei drefnu ar ein cyfer o'r dechrau.

---

*adn. 23: neu, *yr hyn.*

**adn. 23: neu, *yr hwn sy'n cyflawni pob peth ym mhob man.*

*Yn Un yng Nghrist*

11 Gan hynny, chwi oedd gynt yn Genhedloedd o ran y cnawd, chwi sydd yn cael eich galw yn ddienwaededig gan y rhai a elwir yn enwaededig (ar gyfrif gwaith dwylo dynion ar y 12 cnawd), chwi, meddaf, cofiwch eich bod yr amser hwnnw heb Grist, yn ddieithriaid i ddinasyddiaeth Israel, yn estroniaid i'r cyfamodau a'u haddewid, heb obaith a heb Dduw yn y byd. 13 Ond yn awr, yng Nghrist Iesu, yr ydych chwi, a fu unwaith ymhell, wedi eich dwyn yn agos trwy farw aberthol Crist.

14 Oherwydd ef yw ein heddwch ni. Gwnaeth y ddau, yr Iddewon a'r Cenhedloedd, yn un, wedi chwalu trwy ei gnawd 15 ei hun y canolfur o elyniaeth oedd yn eu gwahanu. Dirymodd y Gyfraith, a'i gorchmynion a'i hordeiniadau. Ac felly, i wneud heddwch, creodd o'r ddau un ddynoliaeth newydd ynddo ef ei 16 hun, er mwyn cymodi'r ddau â Duw, mewn un corff, trwy'r 17 groes; trwyddi hi fe laddodd yr elyniaeth. Fe ddaeth, a phregethu heddwch i chwi y rhai pell, a heddwch hefyd i'r rhai 18 agos. Oherwydd trwyddo ef y mae gennym ni ein dau ffordd i 19 ddod, mewn un Ysbryd, at y Tad. Felly, nid estroniaid a dieithriaid ydych mwyach, ond cyd-ddinasyddion â'r saint ac 20 aelodau o deulu Duw. Yr ydych wedi eich adeiladu ar sylfaen yr apostolion a'r proffwydi, a'r conglfaen yw Crist Iesu ei hun. 21 Ynddo ef y mae pob rhan a adeiledir* yn cyd-gloi yn ei gilydd 22 ac yn codi'n deml sanctaidd yn yr Arglwydd. Ynddo ef yr ydych chwithau hefyd yn cael eich cydadeiladu i fod yn breswylfod i Dduw yn yr Ysbryd.

*Gweinidogaeth Paul i'r Cenhedloedd*

3 Oherwydd hyn, yr wyf fi, Paul, carcharor Crist Iesu er eich 2 mwyn chwi'r Cenhedloedd, yn offrymu fy ngweddi. Y mae'n rhaid eich bod wedi clywed am gynllun gras Duw, y gras sydd 3 wedi ei roi i mi er eich lles chwi: sef i'r dirgelwch gael ei hysbysu i mi trwy ddatguddiad. Yr wyf eisoes wedi ysgrifennu'n fyr am hyn, ac o'i ddarllen gallwch weld mesur fy nirnad- 4 5 aeth o ddirgelwch Crist. Yn y cenedlaethau gynt, ni chafodd y dirgelwch hwn mo'i hysbysu i feibion dynion, ond yn awr y mae wedi ei ddatguddio gan Ysbryd Duw i'w apostolion sanc-

*adn. 21: yn ôl darlleniad arall, *yr adeilad cyfan.*

taidd a'r proffwydi. Dyma'r dirgelwch: bod y Cenhedloedd, 6 ynghyd â'r Iddewon, yn gydetifeddion, yn gydaelodau o'r corff, ac yn gydgyfranogion o'r addewid yng Nghrist Iesu trwy'r Efengyl. Dyma'r Efengyl y deuthum i yn weinidog iddi 7 yn ôl dawn gras Duw, a roddwyd i mi trwy weithrediad ei allu ef. I mi, y llai na'r lleiaf o'r holl saint, y rhoddwyd y ddawn 8 raslon hon, i bregethu i'r Cenhedloedd anchwiliadwy olud Crist, ac i ddwyn i'r golau gynllun* y dirgelwch a fu'n gudd- 9 iedig ers oesoedd yn Nuw, Creawdwr pob peth, er mwyn i ys- 10 blander amryfal ddoethineb Duw gael ei hysbysu yn awr, trwy'r eglwys, i'r tywysogaethau a'r awdurdodau yn y nefoedd. Y mae 11 hyn yn unol â'r arfaeth dragwyddol a gyflawnodd yng Nghrist Iesu ein Harglwydd. Ynddo ef, a thrwy ffydd ynddo, y mae 12 gennym hyder i ddod at Dduw yn ffyddiog. Yr wyf yn erfyn, 13 felly, ar i chwi beidio â digalonni o achos fy nioddefiadau drosoch; hwy, yn wir, yw eich gogoniant chwi.

### *Gwybod Cariad Crist*

Oherwydd hyn yr wyf yn plygu fy ngliniau gerbron y Tad, 14 yr hwn y mae pob teulu yn y nefoedd ac ar y ddaear yn cymryd 15 ei enw oddi wrtho, ac yn gweddïo ar iddo ganiatáu i chwi, yn ôl 16 cyfoeth ei ogoniant, gryfder nerthol trwy'r Ysbryd yn y dyn oddi mewn, ac ar i Grist breswylio yn eich calonnau drwy 17 ffydd. Boed i chwi, sydd â chariad yn wreiddyn a sylfaen eich bywyd, gael eich galluogi i amgyffred ynghyd â'r holl saint 18 beth yw lled a hyd ac uchder a dyfnder cariad Crist, a gwybod 19 am y cariad hwnnw, er ei fod uwchlaw gwybodaeth. Felly dygir chwi i gyflawnder, hyd at holl gyflawnder Duw.

Iddo ef, sydd â'r gallu ganddo i wneud yn anhraethol well na 20 dim y gallwn ni ei ddeisyfu na'i ddychmygu, trwy'r gallu sydd ar waith ynom ni, iddo ef y bo'r gogoniant yn yr eglwys ac yng 21 Nghrist Iesu, o genhedlaeth i genhedlaeth, yn oes oesoedd! Amen.

### *Undod y Corff*

Yr wyf fi, felly, sy'n garcharor er mwyn yr Arglwydd, yn eich 4 annog i fyw yn deilwng o'r alwad a gawsoch. Byddwch yn 2 ostyngedig ac addfwyn ym mhob peth, ac yn amyneddgar, gan

---

*adn. 9: yn ôl darlleniad arall, *ac i oleuo pawb ynglŷn â chynllun.*

3 oddef eich gilydd mewn cariad. Ymrowch i gadw, â rhwymyn
4 tangnefedd, yr undod y mae'r Ysbryd yn ei roi. Un corff sydd, ac un Ysbryd, yn union fel mai un yw'r gobaith sy'n ymhlyg
5,6 yn eich galwad; un Arglwydd, un ffydd, un bedydd, un Duw a Thad i bawb, yr hwn sydd goruwch pawb, a thrwy bawb, ac ym mhawb.

7 Ond i bob un ohonom rhoddwyd gras, ei ran o rodd Crist. Am hynny y mae'r Ysgrythur yn dweud :

"Esgynnodd i'r uchelder, gan arwain ei garcharorion yn gaeth;
rhoddodd roddion i ddynion."

9 Beth yw ystyr "esgynnodd"? Onid yw'n golygu ei fod wedi
10 disgyn hefyd i barthau isaf y ddaear? Yr un a ddisgynnodd yw'r un a esgynnodd hefyd ymhell uwchlaw'r nefoedd i gyd, i
11 lenwi'r holl greadigaeth. A dyma'i roddion: rhai i fod yn apostolion, rhai yn broffwydi, rhai yn efengylwyr, rhai yn
12 fugeiliaid ac yn athrawon, i gymhwyso'r saint i waith gweini-
13 dogaeth, i adeiladu corff Crist. Felly y cyrhaeddwn oll hyd at yr undod a berthyn i'r ffydd ac i adnabyddiaeth o Fab Duw. Y nod yw dynoliaeth lawn dwf, a'r mesur yw'r aeddfedrwydd
14 sy'n perthyn i gyflawnder Crist. Nid ydym mwyach i fod yn fabanod, yn cael ein lluchio gan donnau a'n gyrru yma a thraw gan bob rhyw awel o athrawiaeth, wedi ein dal gan ystryw
15 dynion sy'n ddyfeisgar i gynllwynio twyll. Na, gadewch i ni ddilyn y gwir mewn cariad, a thyfu ym mhob peth i Grist. Ef
16 yw'r pen, ac wrtho ef y mae'r holl gorff yn cael ei ddal ynghyd, a'i gydgysylltu drwy bob cymal sy'n rhan ohono. Felly trwy weithgarwch cyfaddas pob un rhan, ceir prifiant yn y corff, ac y mae'n ei adeiladu ei hun mewn cariad.

### *Yr Hen Fywyd a'r Newydd*

17 Hyn, felly, yr wyf yn ei ddweud ac yn ei argymell arnoch yn yr Arglwydd, eich bod chwi bellach i beidio â byw fel y mae'r
18 Cenhedloedd yn byw, yn oferedd eu meddwl; oherwydd tywyllwch sydd yn eu deall, a dieithriaid ydynt i'r bywyd sydd o Dduw, o achos yr anwybodaeth y maent yn ei choleddu a'r
19 ystyfnigrwydd sydd yn eu calon. Pobl ydynt sydd wedi colli pob teimlad ac wedi ymollwng i'r anlladrwydd sy'n peri i
20 ddynion gyflawni pob math o aflendid yn ddiymatal. Ond
21 nid felly yr ydych chwi wedi dysgu Crist, chwi sydd, yn wir,

wedi clywed amdano ac wedi eich hyfforddi ynddo, yn union fel y mae'r gwirionedd yn Iesu. Fe'ch dysgwyd eich bod i roi 22 heibio'r hen natur ddynol oedd yn perthyn i'ch ymarweddiad gynt ac sy'n cael ei llygru gan chwantau twyllodrus, a'ch bod i 23 ymadnewyddu mewn ysbryd a meddwl, a gwisgo amdanoch y 24 natur ddynol newydd sydd wedi ei chreu ar ddelw Duw, yn y cyfiawnder a'r sancteiddrwydd sy'n gweddu i'r gwirionedd.

*Rheolau'r Bywyd Newydd*

Gan hynny, ymaith â chelwydd ! Dywedwch y gwir bob un 25 wrth ei gymydog, oherwydd yr ydym yn aelodau o'n gilydd. Byddwch ddig, ond peidiwch â phechu; peidiwch â gadael i'r 26 haul fachlud ar eich digofaint, a pheidiwch â rhoi cyfle i'r 27 diafol. Y mae'r lleidr i beidio â lladrata mwyach; yn hytrach, 28 dylai ymroi i weithio'n onest â'i ddwylo ei hun, er mwyn cael rhywbeth i'w rannu â'r sawl sydd mewn angen. Nid oes yr un 29 gair drwg i ddod allan o'ch genau, dim ond geiriau da, sydd er adeiladaeth yn ôl yr angen, ac felly'n dwyn bendith i'r sawl sy'n eu clywed. Peidiwch â thristáu Ysbryd Glân Duw, yr Ysbryd 30 y gosodwyd ei sêl arnoch ar gyfer dydd eich prynu'n rhydd. Bwriwch ymaith oddi wrthych bob chwerwder, llid, digofaint, 31 twrw, a sen, ynghyd â phob drwg deimlad. Byddwch yn dirion 32 wrth eich gilydd, yn dyner eich calon, yn maddau i'ch gilydd fel y maddeuodd Duw yng Nghrist i chwi. Byddwch, felly, yn **5** efelychwyr Duw, fel plant annwyl iddo, gan fyw mewn cariad, 2 yn union fel y carodd Crist ni, a'i roi ei hun trosom, yn offrwm ac aberth i Dduw, o arogl pêr. Puteindra, a phob aflendid a 3 thrachwant, peidiwch hyd yn oed â'u henwi yn eich plith, fel y mae'n briodol i saint; a'r un modd bryntni, a chleber ffôl, a 4 siarad gwamal, pethau sy'n anweddus. Yn hytrach, geiriau 5 diolch sy'n gweddu i chwi. Gwyddoch hyn yn sicr, nad oes gyfran yn nheyrnas Crist a Duw i neb sy'n buteiniwr neu'n aflan, nac i neb sy'n drachwantus, hynny yw, yn eilunaddolwr.

*Byddwch Fyw fel Plant Goleuni*

Peidiwch â chymryd eich twyllo gan eiriau gwag neb; o 6 achos y pethau hyn y mae digofaint Duw yn dod ar y rhai sy'n anufudd iddo. Peidiwch felly â chyfathrachu â hwy; tywyllwch 7,8 oeddech chwi gynt, ond yn awr goleuni ydych yn yr Arglwydd.

9 Byddwch fyw fel plant goleuni, oherwydd gwelir ffrwyth y goleuni ym mhob daioni a chyfiawnder a gwirionedd.
10 Gwnewch yn siŵr beth sy'n gymeradwy gan yr Arglwydd.
11 Gwrthodwch ymgysylltu â gweithredoedd diffrwyth y tywyll-
12 wch, ond yn hytrach dadlennwch eu drygioni. Gwarthus yw hyd yn oed crybwyll y pethau a wneir ganddynt yn y dirgel.
13 Ond y mae pob peth a ddadlennir gan y goleuni yn olau,
14 ac y mae pob peth sydd yn olau yn oleuni. Am hynny y dywedir:

" Deffro, di sydd yn cysgu,
a chod oddi wrth y meirw,
ac fe dywynna Crist arnat."

15 Felly, gwyliwch eich ymddygiad yn ofalus, gan fyw nid fel
16 dynion annoeth ond fel dynion doeth. Daliwch ar eich cyfle,
17 oherwydd y mae'r dyddiau'n ddrwg. Am hynny, peidiwch â bod yn ffyliaid, ond ceisiwch ddeall beth yw ewyllys yr Ar-
18 glwydd. Peidiwch â meddwi ar win (afradlonedd yw hynny),
19 ond llanwer chwi â'r Ysbryd. Cyfarchwch eich gilydd â salmau ac emynau a chaniadau ysbrydol; canwch a phynciwch o'ch
20 calon i'r Arglwydd. Diolchwch bob amser am bob dim i Dduw
21 y Tad yn enw ein Harglwydd Iesu Grist; a byddwch ddarostyngedig i'ch gilydd, o barchedig ofn tuag at Grist.

## *Gwragedd a Gwŷr*

22 Chwi wragedd, byddwch ddarostyngedig i'ch gwŷr fel i'r
23 Arglwydd; oherwydd y gŵr yw pen y wraig, fel y mae Crist
24 hefyd yn ben yr eglwys; ac ef yw Gwaredwr y corff. Ond fel y mae'r eglwys yn ddarostyngedig i Grist, felly y mae'n rhaid i'r
25 gwragedd fod i'w gwŷr ym mhob peth. Chwi wŷr, carwch eich gwragedd, fel y carodd Crist yntau'r eglwys a'i roi ei hun
26 drosti, i'w glanhau â'r golchiad dŵr ynghyd â'r gair, a'i sanc-
27 teiddio, er mwyn iddo ef ei hun ei chyflwyno iddo'i hun yn ei llawn ogoniant, heb fod arni frycheuyn na chrychni na dim byd
28 o'r fath, iddi fod yn sanctaidd a di-fai. Yn yr un modd, dylai'r gwŷr garu eu gwragedd fel eu cyrff eu hunain. Y mae'r gŵr
29 sy'n caru ei wraig yn ei garu ei hun. Ni chasaodd neb erioed ei gnawd ei hun; yn hytrach y mae'n ei feithrin a'i anwylo. Felly
30 y gwna Crist hefyd â'r eglwys; oherwydd yr ydym ni'n aelodau
31 o'i gorff ef. Yng ngeiriau'r Ysgrythur: " Er mwyn hyn bydd dyn yn gadael ei dad a'i fam ac yn ymlynu wrth ei wraig; a
32 bydd y ddau yn un cnawd." Y mae'r dirgelwch hwn yn fawr.

Cyfeirio yr wyf at Grist ac at yr eglwys. Ond yr ydych chwithau bob un i garu ei wraig fel ef ei hun; ac y mae'r wraig hithau i barchu ei gŵr. 33

*Plant a Thadau*

Chwi blant, ufuddhewch i'ch rhieni yn yr Arglwydd, oherwydd hyn sydd iawn. " Anrhydedda dy dad a'th fam "—hwn yw'r gorchymyn cyntaf ag iddo addewid: " iti lwyddo a chael hir ddyddiau ar y ddaear." Chwi dadau, peidiwch â chythruddo'ch plant, ond eu meithrin yn nisgyblaeth a hyfforddiant yr Arglwydd. 6 2 3 4

*Caethweision a Meistri*

Chwi gaethweision, ufuddhewch i'ch meistri daearol mewn ofn a dychryn, mewn unplygrwydd calon fel i Grist, nid ag esgus o wasanaeth fel rhai sy'n ceisio plesio dynion, ond fel gweision Crist yn gwneud ewyllys Duw â'ch holl galon. Rhowch wasanaeth ewyllysgar fel i'r Arglwydd, nid i ddynion, oherwydd fe wyddoch y bydd pob dyn, boed gaethwas neu ddyn rhydd, yn derbyn tâl gan yr Arglwydd am ba ddaioni bynnag a wna. Chwi feistri, gwnewch yr un peth iddynt hwy, gan roi'r gorau i fygwth, oherwydd fe wyddoch fod eu Meistr hwy a chwithau yn y nefoedd, ac nad yw ef yn edrych ar safle dyn. 5 6 7 8 9

*Y Frwydr yn erbyn Drygioni*

Yn olaf, ymgryfhewch yn yr Arglwydd ac yn nerth ei allu ef. Gwisgwch amdanoch holl arfogaeth Duw, er mwyn i chwi fedru sefyll yn gadarn yn erbyn cynllwynion y diafol. Nid â dynion yr ydym yn yr afael, ond â thywysogaethau ac awdurdodau, â llywodraethwyr tywyllwch y byd hwn, â phwerau ysbrydol drygionus yn y nefoedd. Gan hynny, ymarfogwch â holl arfogaeth Duw, er mwyn ichwi fedru gwrthsefyll yn y dydd drwg, ac wedi cyflawni pob peth, sefyll yn gadarn. Safwch, ynteu, â gwirionedd yn wregys am eich canol, a chyfiawnder yn arfwisg ar eich dwyfron, a pharodrwydd i gyhoeddi Efengyl tangnefedd yn esgidiau am eich traed. Heblaw hyn oll, ymarfogwch â tharian ffydd; â hon byddwch yn gallu diffodd holl saethau tanllyd yr Un drwg. Derbyniwch iachawdwriaeth 10 11 12 13 14 15 16 17

18 yn helm, a'r Ysbryd, sef gair Duw, yn gleddyf. Ymrowch i weddi ac ymbil, gan weddïo bob amser yn yr Ysbryd. I'r diben hwn, byddwch yn effro, gyda dyfalbarhad ym mhob math o
19 ymbil dros y saint i gyd, a gweddïwch drosof finnau y bydd i Dduw roi i mi ymadrodd, ac agor fy ngenau, i hysbysu'n eofn
20 ddirgelwch yr Efengyl. Trosti hi yr wyf yn llysgennad mewn cadwynau. Ie, gweddïwch ar i mi lefaru'n eofn amdani, fel y dylwn lefaru.

*Cyfarchion Terfynol*

21 Er mwyn i chwithau wybod fy hanes, a beth yr wyf yn ei wneud, fe gewch y cwbl gan Tychicus, y brawd annwyl a'r
22 gweinidog ffyddlon yn yr Arglwydd. Yr wyf yn ei anfon atoch yn unswydd i chwi gael gwybod am ein hynt, ac er mwyn iddo ef eich calonogi.
23 Tangnefedd i'r brodyr, a chariad ynghyd â ffydd oddi wrth
24 Dduw Dad a'r Arglwydd Iesu Grist. Gras fyddo gyda phawb sy'n caru ein Harglwydd Iesu Grist â chariad anfarwol!

LLYTHYR PAUL AT Y

# PHILIPIAID

### *Cyfarch*

Paul a Timotheus, gweision Crist Iesu, at yr holl saint yng 1
Nghrist Iesu sydd yn Philipi, ynghyd â'r esgobion* a'r diacon-
iaid. Gras a thangnefedd i chwi oddi wrth Dduw ein Tad a'r 2
Arglwydd Iesu Grist.

### *Gweddi Paul dros y Philipiaid*

Byddaf yn diolch i'm Duw bob tro y byddaf yn cofio am- 3
danoch, a phob amser ym mhob un o'm gweddïau dros bob un 4
ohonoch, yr wyf yn gweddïo gyda llawenydd. Diolch y byddaf 5
am eich cydweithrediad o blaid yr Efengyl o'r dydd cyntaf hyd
yn awr; ac yr wyf yn sicr o hyn yma, y bydd i'r hwn a ddechreu- 6
odd waith da ynoch ei gwblhau erbyn Dydd Crist Iesu. Felly 7
y mae'n iawn i mi deimlo hyn amdanoch i gyd, am fy mod mor
hoff ohonoch, ac am eich bod i gyd yn cyfranogi o'r fraint sy'n
dod i'm rhan, pan fyddaf yng ngharchar yn ogystal â phan
fyddaf yn amddiffyn yr Efengyl neu yn ei chadarnhau. Oblegid 8
y mae Duw'n dyst i mi, gymaint yr wyf yn hiraethu, â dyhead
Crist Iesu ei hun, am bawb ohonoch. Dyma fy ngweddi, ar i'ch 9
cariad gynyddu fwyfwy eto mewn gwybodaeth a phob dirnad-
aeth, er mwyn ichwi allu cymeradwyo'r hyn sy'n rhagori,* a 10
bod yn ddidwyll a didramgwydd erbyn Dydd Crist, yn gyflawn 11
o ffrwyth y cyfiawnder sy'n dod trwy Iesu Grist, er gogoniant
a mawl i Dduw.

### *I Mi, Crist yw Byw*

Yr wyf am i chwi wybod, frodyr, fod y pethau a ddigwydd- 12
odd i mi wedi troi, yn hytrach, yn foddion i hyrwyddo'r
Efengyl, yn gymaint â'i bod wedi dod yn hysbys, trwy'r holl 13
bencadlys* ac i bawb arall, mai er mwyn Crist yr wyf yng

---

*adn. 1: neu, *arolygwyr.*

*adn. 9: neu, *er mwyn i chwi allu canfod y rhagor sydd rhwng pethau.*

*adn. 13: neu, *Praetoriwm.*

14 ngharchar, a bod y mwyafrif o'r brodyr, oherwydd i mi gael fy ngharcharu, wedi dod yn hyderus yn yr Arglwydd, ac yn fwy hy o lawer i lefaru'r gair yn ddi-ofn.
15 Y mae'n wir fod rhai yn pregethu Crist o genfigen a chynnen,
16 ac eraill o ewyllys da. O gariad y mae'r rhain yn cyhoeddi Crist,
17 gan wybod mai i amddiffyn yr Efengyl y gosodwyd fi yma, ond y mae'r lleill yn gwneud hynny o gymhellion hunanol ac amhur,
18 gan feddwl peri gofid i mi yng ngharchar. Ond pa waeth ? Y naill ffordd neu'r llall, prun ai mewn rhith neu mewn gwirionedd, y mae Crist yn cael ei gyhoeddi, ac yr wyf yn gorfoleddu
19 yn hyn. Ie, a gorfoleddu a wnaf hefyd, oherwydd mi wn mai canlyniad hyn, ar bwys eich gweddi chwi a chymorth Ysbryd
20 Iesu Grist, fydd fy ngwaredigaeth. Am hyn yr wyf yn disgwyl yn eiddgar, gan obeithio na chaf fy nghywilyddio mewn dim, ond y bydd Crist, yn awr fel erioed, gyda phob gwroldeb yn cael ei fawrygu yn fy nghorff i, prun bynnag ai trwy fy mywyd ai
21 trwy fy marwolaeth. Oherwydd, i mi, Crist yw byw, ac elw yw
22 marw. Ond os wyf i barhau i fyw yn y cnawd, bydd hynny'n golygu y caf ffrwyth o'm llafur. Eto, ni wn beth i'w ddewis.
23 Y mae'n gyfyng arnaf o'r ddeutu; y mae arnaf awydd ymadael,
24 a bod gyda Christ, gan fod hynny'n llawer iawn gwell; ond y mae aros yn fy nghnawd yn fwy angenrheidiol er eich mwyn
25 chwi. 'Rwy'n gwybod hyn i sicrwydd: aros a wnaf, a phara i aros gyda chwi oll, i hyrwyddo eich cynnydd a'ch llawenydd yn
26 y ffydd, er mwyn i chwi gael digon o le i ymffrostio, yng Nghrist Iesu, o'm hachos i pan ddof yn ôl atoch.
27 Yn anad dim, bydded eich buchedd yn deilwng o Efengyl Crist, er mwyn i mi weld, os dof atoch, neu glywed amdanoch, os byddaf yn absennol, eich bod yn sefyll yn gadarn, yn un o ran ysbryd, gan gydymdrechu yn unfryd dros ffydd yr Efengyl,
28 heb eich dychrynu mewn un dim gan y gwrthwynebwyr. Bydd hyn yn arwydd eglur i'r rheini o'u distryw hwy, ond o'ch
29 iachawdwriaeth chwi, a hynny oddi wrth Dduw. Oherwydd rhoddwyd i chwi y fraint, nid yn unig o gredu yng Nghrist, ond
30 hefyd o ddioddef drosto, gan ymdaflu i'r frwydr honno y gwelsoch fi ynddi, ac yr ydych yn awr yn clywed fy mod ynddi o hyd.

*Gostyngeiddrwydd Cristionogol a Gostyngeiddrwydd Crist*

**2** Felly, os oes yng Nghrist unrhyw symbyliad, unrhyw apêl o du cariad, unrhyw gymdeithas trwy'r Ysbryd, os oes unrhyw gynhesrwydd a thosturi, cyflawnwch fy llawenydd trwy fod o'r 2 un meddwl, â'r un cariad gennych at eich gilydd, yn unfryd ac yn unfarn. Peidiwch â gwneud dim o gymhellion hunanol nac 3 o ymffrost gwag, ond mewn gostyngeiddrwydd bydded i bob un ohonoch gyfrif y llall yn deilyngach nag ef ei hun. Bydded 4 gofal gennych, bob un, nid am ei fuddiannau ei hunan yn unig ond am fuddiannau pobl eraill hefyd. Amlygwch yn eich 5 plith eich hunain yr agwedd meddwl honno sydd, yn wir, yn eiddo i chwi yng Nghrist Iesu. Er ei fod ef erioed ar ffurf Duw, 6 ni chyfrifodd fod cydraddoldeb â Duw yn beth i ddal gafael ynddo,* ond fe'i gwacaodd ei hun, gan gymryd ffurf caethwas a 7 dyfod ar wedd dynion. O'i gael ar ddull dyn, fe'i darostyngodd 8 ei hun, gan fod yn ufudd hyd angau, ie, angau ar groes. Am 9 hynny tra-dyrchafodd Duw ef, a rhoi iddo'r enw sydd goruwch pob enw, fel wrth enw Iesu y plygai pob glin yn y nef ac ar y 10 ddaear a than y ddaear, ac y cyffesai pob tafod fod Iesu Grist 11 yn Arglwydd, er gogoniant Duw Dad.

### *Disgleirio fel Goleuadau yn y Byd*

Gan hynny, fy nghyfeillion annwyl, fel y buoch bob amser 12 yn ufudd, felly yn awr, nid yn unig fel pe bawn yn bresennol, ond yn fwy o lawer gan fy mod yn absennol, gweithredwch, mewn ofn a dychryn, yr iachawdwriaeth sy'n eiddo i chwi; oblegid Duw yw'r un sydd yn gweithio ynoch i beri i chwi 13 ewyllysio a gweithredu i'w amcanion daionus ef. Gwnewch 14 bopeth heb rwgnach nac ymryson; byddwch yn ddi-fai a di- 15 ddrwg, yn blant di-nam i Dduw yng nghanol cenhedlaeth ŵyrgam a gwrthnysig, yn disgleirio yn eu plith fel goleuadau yn y byd, yn cyflwyno gair y bywyd.* Felly byddwch yn destun 16 ymffrost i mi yn Nydd Crist na fu i mi redeg yn ofer na llafurio yn ofer. Hyd yn oed os tywelltir fy ngwaed ar offrwm aberthol 17 eich ffydd chwi, yr wyf yn llawen, ac yn cydlawenhau â chwi i gyd. Yn yr un modd byddwch chwithau'n llawen, a chyd- 18 lawenhewch â mi.

---

*adn. 6: neu, *i'w gipio.*

*adn. 16: neu, *gan ddal eich gafael yng ngair y bywyd.*

### *Timotheus ac Epaffroditus*

19 Ond yr wyf yn gobeithio yn yr Arglwydd Iesu anfon Timotheus atoch ar fyrder, er mwyn imi gael fy nghalonogi o 20 wybod am eich amgylchiadau chwi. Oherwydd nid oes gennyf neb o gyffelyb ysbryd iddo ef, i gymryd gwir ofal am eich 21 buddiannau chwi; y maent oll â'u bryd ar eu dibenion eu 22 hunain, nid ar ddibenion Iesu Grist. Gwyddoch fel y profwyd ei werth ef, gan iddo wasanaethu gyda mi, fel mab gyda'i dad, 23 o blaid yr Efengyl. Dyma'r gŵr, ynteu, yr wyf yn gobeithio ei 24 anfon, cyn gynted byth ag y caf weld sut y bydd hi arnaf. Ac yr wyf yn sicr, yn yr Arglwydd, y byddaf fi fy hun hefyd yn dod yn fuan.

25 Yr wyf yn credu hefyd y dylwn anfon Epaffroditus atoch, brawd a chydweithiwr a chydfilwr i mi, a'ch cennad chwi i 26 weini ar fy anghenraid i. Oherwydd y mae ef wedi bod yn hiraethu amdanoch oll, ac yn poeni am i chwi glywed iddo fod 27 yn glaf. Yn wir, fe fu'n wael, hyd at farw bron; ond fe dosturiodd Duw wrtho, ac nid wrtho ef yn unig ond wrthyf finnau 28 hefyd, rhag imi gael gofid ar ben gofid. Yr wyf, felly, yn fwy eiddgar i'w anfon, er mwyn i chwi lawenhau eto o'i weld, ac i 29 minnau fod yn llai fy ngofid. Derbyniwch ef felly yn yr Arglwydd gyda phob llawenydd; ac anrhydeddwch ddynion 30 o'i fath ef, oherwydd bu yn ymyl marw er mwyn gwaith Crist pan fentrodd ei fywyd i gyflawni drosof y gwasanaeth na allech chwi mo'i gyflawni.

### *Y Gwir Gyfiawnder*

**3** Bellach, fy mrodyr, llawenhewch yn yr Arglwydd. Nid yw ysgrifennu'r un pethau atoch yn drafferth i mi, ac i chwi y mae'n ddiogelwch.

2 Gwyliwch y cŵn, gwyliwch y drwgweithredwyr, gwyliwch y 3 rhai sy ddim ond yn gwaedu'r cnawd. Oherwydd ni yw'r rhai gwir enwaededig, ni sy'n addoli trwy Ysbryd Duw,* ac yn 4 ymfalchïo yng Nghrist Iesu heb ymddiried yn y cnawd—er bod gennyf, o'm rhan fy hun, le i ymddiried yn y cnawd hefyd. Os oes rhywun arall yn tybio fod ganddo le i ymddiried yn y 5 cnawd, yr wyf fi'n fwy felly: wedi enwaedu arnaf yr wythfed

---

*adn. 3: yn ôl darlleniad arall, *addoli Duw yn yr ysbryd*; yn ôl un arall, *addoli yn yr ysbryd*.

dydd, o hil Israel, o lwyth Benjamin, yn Hebrewr o dras Hebrewyr; yn ôl y Gyfraith, yn Pharisead; o ran sêl, yn erlid 6 yr eglwys; yn ôl y cyfiawnder sy'n perthyn i'r Gyfraith, yn ddifai. Ond beth bynnag oedd yn ennill i mi, yr wyf, er mwyn 7 Crist, wedi ei gyfrif yn golled. A mwy na hynny hyd yn oed, 8 yr wyf yn dal i gyfrif pob peth yn golled, ar bwys rhagoriaeth y profiad o adnabod Crist Iesu fy Arglwydd, yr un y collais bob peth er ei fwyn. Yr wyf yn cyfrif y cwbl yn ysbwriel, er mwyn i mi ennill Crist a'm cael ynddo ef, heb ddim cyfiawnder o'm 9 heiddo fy hun yn seiliedig ar y Gyfraith, ond hwnnw sydd trwy ffydd yng Nghrist, y cyfiawnder sydd o Dduw ar sail ffydd. Fy nod yw ei adnabod ef, a grym ei atgyfodiad, a chymdeithas 10 ei ddioddefiadau, wrth gael fy nghydffurfio â'i farwolaeth ef, er mwyn i mi, os yw'n bosibl, gyrraedd yr atgyfodiad oddi 11 wrth y meirw.

*Cyflymu at y Nod*

Nid fy mod eisoes wedi cael hyn, neu fy mod eisoes yn 12 berffaith, ond yr wyf yn prysuro ymlaen, er mwyn meddiannu'r peth hwnnw y cefais innau er ei fwyn fy meddiannu gan Grist Iesu.* Frodyr, nid wyf yn ystyried fy mod wedi ei feddiannu; 13 ond un peth, gan anghofio'r hyn sydd o'r tu cefn ac ymestyn yn daer at yr hyn sydd o'r tu blaen, yr wyf yn cyflymu at y nod, i 14 ennill y wobr y mae Duw yn fy ngalw i fyny ati yng Nghrist Iesu. Pob un ohonom, felly, sydd o nifer y rhai aeddfed, dyma 15 sut y dylai feddwl. Ond os ydych o wahanol feddwl am rywbeth, fe ddatguddia Duw hyn hefyd i chwi. Ond gadewch inni 16 ymddwyn yn unol â'r safon yr ydym wedi ei chyrraedd.

Byddwch yn gydefelychwyr ohonof fi, frodyr, a daliwch sylw 17 ar y rhai sy'n byw yn ôl yr esiampl sydd gennych ynom ni. Oherwydd y mae llawer, yr wyf yn fynych wedi sôn wrthych 18 amdanynt, ac yr wyf yn sôn eto yn awr gan wylo, sydd o ran eu ffordd o fyw yn elynion croes Crist. Distryw yw eu diwedd, 19 chwant yw eu duw, ac yn eu cywilydd y mae eu gogoniant; dynion â'u bryd ar bethau daearol ydynt. Canys yn y nefoedd 20 y mae ein dinasyddiaeth ni, ac oddi yno hefyd yr ydym yn disgwyl Gwaredwr, sef yr Arglwydd Iesu Grist. Bydd ef yn 21 gweddnewid ein corff darostyngedig ni ac yn ei wneud yn unffurf â'i gorff gogoneddus ef, trwy'r nerth sydd yn ei alluogi i

---

*adn. 12: neu, *er mwyn ei feddiannu, oherwydd i Grist Iesu fy meddiannu i.*

4 ddwyn pob peth dan ei awdurdod. Am hynny, fy mrodyr, brodyr annwyl yr wyf yn hiraethu amdanynt, fy llawenydd a'm coron, safwch yn gadarn fel hyn yn yr Arglwydd, fy nghyfeillion annwyl.

### *Anogaethau*

2 Yr wyf yn annog Euodia, ac yn annog Syntyche, i fyw'n 3 gytûn yn yr Arglwydd. Ac yn wir y mae gennyf gais i tithau, fy nghydymaith cywir dan yr iau: rho dy gymorth i'r gwragedd hyn a gydymdrechodd â mi o blaid yr Efengyl, ynghyd â Clement a'm cydweithwyr eraill, sydd â'u henwau yn llyfr y 4 bywyd. Llawenhewch yn yr Arglwydd bob amser; fe'i dywed- 5 af eto, llawenhewch. Bydded eich hynawsedd yn hysbys i bob 6 dyn. Y mae'r Arglwydd yn agos. Peidiwch â phryderu am ddim, ond ym mhob peth gwneler eich deisyfiadau yn hysbys i 7 Dduw trwy weddi ac ymbil, ynghyd â diolchgarwch. A bydd tangnefedd Duw, yr hwn sydd goruwch pob deall, yn gwarchod dros eich calonnau a'ch meddyliau yng Nghrist Iesu.

8 Bellach, frodyr, beth bynnag sydd yn wir, beth bynnag sydd yn anrhydeddus, beth bynnag sydd yn gyfiawn a phur, beth bynnag sydd yn hawddgar a chanmoladwy, pob peth rhinwedd- 9 ol a phob peth clodfawr, myfyriwch ar y pethau hyn. Y pethau yr ydych wedi eu dysgu a'u derbyn, eu clywed a'u gweled, ynof fi, gwnewch y rhain; a bydd Duw'r tangnefedd gyda chwi.

### *Cydnabod Rhodd y Philipiaid*

10 Y mae'n llawenydd mawr yn yr Arglwydd i mi, fod eich gofal amdanaf yn awr o'r diwedd wedi blaguro eto. O ran hynny, yr 11 oedd y gofal gennych; yr amser cyfaddas oedd yn eisiau. Nid fy mod yn dweud hyn am fod arnaf angen, oherwydd yr wyf fi wedi dysgu bod yn fodlon, beth bynnag fy amgylchiadau. 12 Gwn sut i gymryd fy narostwng, a gwn hefyd sut i fod uwchben fy nigon. Ym mhob rhyw amgylchiadau, yr wyf wedi dysgu'r gyfrinach sut i fod yn llawn neu yn newynog, sut i fod mewn 13 helaethrwydd neu mewn prinder. Y mae gennyf gryfder at 14 bob gofyn trwy yr hwn sydd yn fy nerthu i. Serch hynny, da y gwnaethoch wrth rannu baich fy ngorthrymder.

15 Yr ydych chwi, Philipiaid, yn gwybod hefyd, pan euthum allan o Facedonia ar gychwyn y genhadaeth, na fu gan yr un eglwys, ar wahân i chwi yn unig, ran gyda mi mewn rhoi a

derbyn; oherwydd yn Thesalonica hyd yn oed anfonasoch 16
unwaith, ac eilwaith, i gyfarfod â'm hangen. Nid ceisio'r rhodd 17
yr wyf, ond ceisio'r elw sy'n cynyddu i'ch cyfrif chwi. Yr wyf 18
fi wedi derbyn fy nhâl yn llawn, a mwy na hynny; y mae
gennyf gyflawnder ar ôl derbyn trwy law Epaffroditus yr hyn a
anfonasoch chwi; y mae hynny'n arogl pêr, yn aberth cymer-
adwy, wrth fodd Duw. A bydd fy Nuw i, o olud ei ogoniant 19
yng Nghrist Iesu, yn cyflawni eich holl angen chwi. I'n Duw 20
a'n Tad y byddo'r gogoniant yn oes oesoedd ! Amen.

*Cyfarchion Terfynol*

Cyfarchwch bob sant yng Nghrist Iesu. Y mae'r brodyr 21
sydd gyda mi yn eich cyfarch chwi. Y mae'r saint i gyd, ac yn 22
arbennig y rhai sydd yng ngwasanaeth Cesar, yn eich cyfarch.
Gras yr Arglwydd Iesu Grist fyddo gyda'ch ysbryd ! 23

LLYTHYR PAUL AT Y

# COLOSIAID

### *Cyfarch*

1 Paul, apostol Crist Iesu trwy ewyllys Duw, a Timotheus ein
2 brawd, at y saint yng Ngholosae, brodyr ffyddlon yng Nghrist. Gras a thangnefedd i chwi oddi wrth Dduw ein Tad.

### *Paul yn Diolch i Dduw am Gristionogion Colosae*

3 Yr ydym bob amser yn ein gweddïau yn diolch amdanoch i
4 Dduw, Tad ein Harglwydd Iesu Grist, oherwydd i ni glywed am eich ffydd yng Nghrist Iesu, ac am y cariad sydd gennych
5 tuag at yr holl saint, deubeth sy'n tarddu o'r gobaith sydd ynghadw yn y nefoedd i chwi. Clywsoch eisoes am y gobaith
6 hwn, yng ngair y gwirionedd, yr Efengyl sydd wedi dod atoch. Y mae'r Efengyl yn dwyn ffrwyth ac yn cynyddu trwy'r holl fyd, yn union fel y mae hefyd yn eich plith chwi, o'r dydd y clywsoch am ras Duw a'i amgyffred mewn gwirionedd.
7 Dysgasoch hyn oddi wrth Epaffras, ein cydwas annwyl, sy'n
8 weinidog ffyddlon i Grist ar ein rhan, ac ef sydd wedi'n hysbysu ni am eich cariad yn yr Ysbryd.

### *Person a Gwaith Crist*

9 Oherwydd hyn, o'r dydd y clywsom hynny, nid ydym yn peidio â gweddïo drosoch. Deisyf yr ydym ar i chwi gael eich llenwi, trwy bob doethineb a deall ysbrydol, ag amgyffrediad
10 o ewyllys Duw, er mwyn i chwi fyw yn deilwng o'r Arglwydd a rhyngu ei fodd yn gyfan gwbl, gan ddwyn ffrwyth mewn gweithredoedd da o bob math, a chynyddu yn eich amgyffred-
11 iad o Dduw. Yr ydym yn deisyf ar i chwi gael eich grymuso â phob grymuster, yn ôl nerth ei ogoniant ef, i ddyfalbarhau a
12 hirymaros yn llawen ym mhob dim, gan ddiolch i'r Tad, yr hwn a'ch gwnaeth yn deilwng i gael cyfran o etifeddiaeth y
13 saint yn y goleuni. Gwaredodd ni o afael y tywyllwch, a'n
14 trosglwyddo i deyrnas ei annwyl Fab, yn yr hwn y mae i ni
15 brynedigaeth, sef maddeuant ein pechodau. Hwn yw delw'r
16 Duw anweledig, cyntafanedig yr holl greadigaeth; oherwydd

ynddo ef y crewyd pob peth yn y nefoedd ac ar y ddaear, pethau gweledig a phethau anweledig, gorseddau, arglwyddiaethau, tywysogaethau ac awdurdodau. Trwyddo ef ac er ei fwyn ef y mae pob peth wedi ei greu. 17 Y mae ef yn bod cyn pob peth, ac ynddo ef y mae pob peth yn cydsefyll. 18 Ef hefyd yw pen y corff, sef yr eglwys. Ef yw'r dechrau, y cyntafanedig o blith y meirw, i fod ei hun yn gyntaf ym mhob peth. 19 Oherwydd gwelodd Duw yn dda i'w holl gyflawnder breswylio ynddo ef, 20 a thrwyddo ef, ar ôl gwneud heddwch trwy ei farw aberthol ar y groes, i gymodi pob peth ag ef ei hun, y pethau sydd ar y ddaear a'r pethau sydd yn y nefoedd.

21 Yr oeddech chwithau ar un adeg wedi ymddieithrio, ac yn elyniaethus eich meddwl, a'ch gweithredoedd yn ddrwg. 22 Ond yn awr fe'ch cymodwyd, yng nghorff ei gnawd ef trwy ei farwolaeth, i gael eich cyflwyno'n sanctaidd a di-fai a digerydd ger ei fron. 23 Ond y mae'n rhaid i chwi barhau yn eich ffydd, yn gadarn a diysgog, a pheidio â symud oddi wrth obaith yr Efengyl a glywsoch. Dyma'r Efengyl a bregethwyd ym mhob rhan o'r greadigaeth dan y nef, a'r Efengyl y deuthum i, Paul, yn weinidog iddi.

*Gweinidogaeth Paul i'r Eglwys*

24 Yr wyf yn awr yn llawen yn fy nioddefiadau drosoch, ac yn cwblhau yn fy nghnawd yr hyn sy'n ôl o gystuddiau Crist, er mwyn ei gorff, sef yr eglwys. 25 Fe ddeuthum i yn weinidog i'r eglwys yn ôl yr oruchwyliaeth a roddodd Duw i mi er eich mwyn chwi, i gyhoeddi gair Duw yn ei gyflawnder, 26 sef y dirgelwch a fu'n guddiedig ers oesoedd ac ers cenedlaethau, ond sydd yn awr wedi ei amlygu i'w saint. 27 Ewyllysiodd Duw hysbysu iddynt hwy beth yw cyfoeth gogoniant y dirgelwch hwn ymhlith y Cenhedloedd. Dyma'r dirgelwch: Crist ynoch chwi, gobaith y gogoniant. 28 Ei gyhoeddi ef yr ydym ni, gan rybuddio pob dyn, a dysgu pob dyn ym mhob doethineb, er mwyn cyflwyno pob dyn yn aeddfed yng Nghrist. 29 I'r diben hwn yr wyf yn llafurio ac yn ymdrechu trwy ei nerth ef, y nerth sy'n gweithredu'n rymus ynof fi. **2** Oherwydd yr wyf am i chwi wybod cymaint yw fy ymdrech drosoch chwi, a thros y rhai sydd yn Laodicea, a phawb sydd heb fy ngweld wyneb yn wyneb. 2 Fy nod yw eu calonogi a'u clymu ynghyd mewn cariad, iddynt gael holl gyfoeth y sicrwydd a ddaw yn sgil dealltwriaeth, ac iddynt amgyffred dirgelwch Duw, sef Crist.

3 Ynddo ef y mae holl drysorau doethineb a gwybodaeth yn 4 guddiedig. Yr wyf yn dweud hyn rhag i neb eich arwain ar 5 gyfeiliorn â'u hymadrodd twyllodrus. Oherwydd, er fy mod yn absennol yn y cnawd, yr wyf gyda chwi yn yr ysbryd, yn llawenhau wrth weld eich rhengoedd disgybledig a chadernid eich ffydd yng Nghrist.

*Cyflawnder Bywyd yng Nghrist*

6 Felly, gan eich bod wedi derbyn Crist Iesu, yr Arglwydd, 7 dylech fyw ynddo ef. Cadwch eich gwreiddiau ynddo, gan gael eich adeiladu ynddo, a'ch cadarnhau yn y ffydd fel y'ch 8 dysgwyd, a bod yn ddibrin eich diolch. Gwyliwch rhag i neb eich cipio i gaethiwed drwy athroniaeth a gwag hudoliaeth yn ôl traddodiad dynion, yn ôl ysbrydion elfennig y cyfanfyd, ac 9 nid yn ôl Crist. Oherwydd ynddo ef y mae holl gyflawnder y 10 Duwdod yn preswylio'n gorfforol, ac yr ydych chwithau wedi eich dwyn i gyflawnder ynddo ef. Y mae ef yn ben ar bob 11 tywysogaeth ac awdurdod. Ynddo ef hefyd yr enwaedwyd arnoch ag enwaediad nad yw o waith llaw, ond yn hytrach o ddiosg cnawdolrwydd y corff; hwn yw enwaediad Crist. 12 Claddwyd chwi gydag ef yn eich bedydd, ac yn y bedydd hefyd fe'ch cyfodwyd gydag ef drwy ffydd yn nerth Duw, yr hwn a'i 13 cyfododd ef oddi wrth y meirw. Ac er eich bod yn feirw o achos eich camweddau a'ch cnawd dienwaededig, fe'ch gwnaeth chwi yn fyw gydag ef. Y mae wedi maddau inni ein holl gamweddau, 14 ac wedi diddymu dogfen ein hymrwymiad i'r ordeiniadau oedd yn ein gwneud yn ddyledwyr. Y mae wedi ei bwrw hi o'r 15 neilltu; fe'i hoeliodd ar y groes. Dinoethodd y tywysogaethau a'r awdurdodau, a'u gwneud yn sioe gerbron y byd yng ngorymdaith ei fuddugoliaeth arnynt ar y groes.

16 Peidiwch, felly, â chymryd eich barnu gan neb ynglŷn â bwyta ac yfed, neu mewn perthynas â gŵyl neu newydd-loer 17 neu Saboth. Cysgod yw'r rhain o'r pethau sy'n dod; Crist 18 biau'r sylwedd. Peidiwch â chymryd eich gwahardd gan ddyfarniad neb sydd â'i fryd ar ddiraddio'r hunan, ac ar addoli angylion ar sail ei weledigaethau. Ei feddwl cnawdol sy'n peri 19 i ddyn felly ymchwyddo heb achos, ac nid oes ganddo afael ar y pen. Ond oddi wrth y pen y mae'r holl gorff yn cael ei gynnal a'i gydgysylltu trwy'r cymalau a'r gewynnau, ac felly yn prifio â phrifiant sydd o Dduw.

### *Y Bywyd Newydd yng Nghrist*

Os buoch farw gyda Christ i ysbrydion elfennig y cyfanfyd, 20 pam yr ydych, fel petaech yn byw o hyd yn y byd, yn ymddarostwng i orchmynion: "Peidiwch â chyffwrdd", "Peid- 21 iwch â blasu", "Peidiwch â thrafod"—a hynny ynglŷn â 22 phethau sydd i gyd yn darfod wrth eu defnyddio? Dilyn rheolau ac athrawiaethau dynion yr ydych. Y mae i'r fath 23 bethau enw doethineb, gyda'u crefydd wneud, eu hunanddiraddiad, a'u triniaeth lem o'r corff. Ond nid ydynt o unrhyw werth i atal cnawdolrwydd.*

Felly, os cyfodwyd chwi gyda Christ, ceisiwch y pethau sydd **3** uchod, lle y mae Crist yn eistedd ar ddeheulaw Duw. Rhowch 2 eich bryd ar y pethau sydd uchod, nid ar y pethau sydd ar y ddaear. Oherwydd buoch farw, ac y mae eich bywyd wedi ei 3 guddio gyda Christ yn Nuw. Pan amlygir Crist, eich bywyd 4 chwi, yna fe gewch chwithau eich amlygu gydag ef mewn gogoniant.

Rhowch i farwolaeth, felly, y rhannau hynny ohonoch sy'n 5 perthyn i'r ddaear: puteindra, amhurdeb, nwyd, blys, a thrachwant, hynny yw, eilunaddoliaeth. O achos y pethau hyn 6 y mae digofaint Duw yn dod ar y rhai anufudd. Dyna oedd 7 eich ffordd chwithau o ymddwyn ar un adeg, pan oeddech yn byw yn eu canol. Ond yn awr, rhowch heibio'r holl bethau 8 hyn: digofaint, llid, drygioni, cabledd a bryntni o'ch genau. Peidiwch â dweud celwydd wrth eich gilydd, gan eich bod wedi 9 diosg yr hen natur ddynol, ynghyd â'i gweithredoedd, a gwisgo 10 amdanoch y natur ddynol newydd, sy'n cael ei hadnewyddu ar ddelw ei Chreawdwr, i adnabod Duw. Nid oes yma y fath beth 11 â Groegwr ac Iddew, enwaediad a dienwaediad, barbariad, Scythiad, caeth, rhydd; ond Crist yw pob peth, a Christ sydd ym mhob peth.

Am hynny, fel etholedigion Duw, sanctaidd ac annwyl, 12 gwisgwch amdanoch dynerwch calon, tiriondeb, gostyngeiddrwydd, addfwynder ac amynedd. Goddefwch eich gilydd, a 13 maddeuwch i'ch gilydd os bydd gan rywun gŵyn yn erbyn rhywun arall; fel y maddeuodd yr Arglwydd i chwi, felly gwnewch chwithau. Tros y rhain i gyd gwisgwch gariad, sy'n 14

---

*adn. 23: neu ,*nid oes iddynt unrhyw werth*; *porthi cnawdolrwydd y maent.*

15 rhwymyn perffeithrwydd. Bydded i dangnefedd Crist lywodraethu yn eich calonnau; i hyn y cawsoch eich galw, yn un
16 corff. A byddwch yn ddiolchgar. Bydded i air Crist breswylio ynoch yn ei gyfoeth. Dysgwch a rhybuddiwch eich gilydd gyda phob doethineb. Â chalonnau diolchgar canwch i Dduw
17 salmau ac emynau a chaniadau ysbrydol. Beth bynnag yr ydych yn ei wneud, ar air neu ar weithred, gwnewch bopeth yn enw yr Arglwydd Iesu, gan roi diolch i Dduw, y Tad, drwyddo ef.

### *Dyletswyddau Cymdeithasol y Bywyd Newydd*

18 Chwi wragedd, byddwch ddarostyngedig i'ch gwŷr; hyn yw
19 eich dyletswydd fel pobl yr Arglwydd. Chwi wŷr, carwch eich gwragedd, a pheidiwch â bod yn llym wrthynt.

20 Chwi blant, ufuddhewch i'ch rhieni ym mhob peth, oher-
21 wydd hyn sydd gymeradwy ym mhobl yr Arglwydd. Chwi dadau, peidiwch â bod yn galed ar eich plant, rhag iddynt ddigalonni.

22 Chwi gaethweision, ufuddhewch ym mhob peth i'ch meistri daearol, nid ag esgus o wasanaeth fel rhai sy'n ceisio plesio dynion, ond mewn unplygrwydd calon yn ofn yr Arglwydd.
23 Beth bynnag yr ydych yn ei wneud, gweithiwch â'ch holl galon,
24 fel i'r Arglwydd, ac nid i ddynion. Gwyddoch mai oddi wrth yr Arglwydd y byddwch yn derbyn yr etifeddiaeth yn wobr.
25 Gwasanaethwch Grist, eich Meistr chwi. Oherwydd y dyn sy'n gwneud cam fydd yn derbyn y cam yn ôl; nid oes ffafr-
**4** iaeth. Chwi feistri, rhowch i'ch caethweision yr hyn sy'n gyfiawn a theg, gan wybod fod gennych chwithau hefyd Feistr yn y nef.

### *Anogaethau*

2 Parhewch i weddïo yn ddyfal, yn effro, ac yn ddiolchgar.
3 Gweddïwch yr un pryd drosom ninnau hefyd, ar i Dduw agor i ni ddrws i'r gair, inni gael traethu dirgelwch Crist, y dirgelwch
4 yr wyf yn garcharor er ei fwyn. Gweddïwch ar i mi ei amlygu,
5 fel y mae'n ddyletswydd arnaf lefaru. Byddwch yn ddoeth eich ymddygiad tuag at y rhai di-gred; daliwch ar eich cyfle.
6 Bydded eich gair bob amser yn rasol, wedi ei dymheru i chwi fedru ateb pob dyn fel y dylid.

### *Cyfarchion Terfynol*

Fe gewch yr holl hanes amdanaf gan Tychicus, y brawd 7 annwyl a'r gweinidog ffyddlon, a'm cydwas yn yr Arglwydd. Yr wyf yn ei anfon atoch yn unswydd i chwi gael gwybod am 8 ein hynt, ac er mwyn iddo ef eich calonogi. Daw Onesimus 9 gydag ef, y brawd ffyddlon ac annwyl, sy'n un ohonoch chwi. Fe gewch yr holl hanes oddi yma ganddynt hwy.

Y mae Aristarchus, fy nghydgarcharor, yn eich cyfarch; a 10 Marc, cefnder Barnabas (cawsoch orchmynion ynglŷn ag ef: os daw atoch, yr ydych i'w dderbyn); a Jesws, a elwir Jwstus. 11 Dyma'r unig gredinwyr Iddewig sy'n cydweithio â mi dros deyrnas Dduw; a buont yn gysur mawr i mi. Y mae Epaffras, 12 sy'n un ohonoch, caethwas Crist Iesu, yn eich cyfarch. Y mae ef bob amser yn gweddïo'n daer drosoch chwi, ar i chwi sefyll yn gadarn, yn gredinwyr aeddfed, ac yn gwbl argyhoeddedig ym mhob dim y mae Duw yn ei ewyllysio. Yr wyf yn tystio 13 amdano ei fod yn llafurio'n ddygn trosoch chwi, a thros y rhai sydd yn Laodicea ac yn Hierapolis. Y mae Luc, y meddyg 14 annwyl, a Demas yn eich cyfarch. Cyfarchwch y brodyr yn 15 Laodicea, a Nymffa a'r eglwys sy'n ymgynnull yn ei thŷ. A 16 phan fydd y llythyr hwn wedi ei ddarllen yn eich plith chwi, parwch iddo gael ei ddarllen hefyd yn eglwys y Laodiceaid. Yr ydych chwithau hefyd i ddarllen y llythyr o Laodicea. A 17 dywedwch wrth Archipus, "Gofala dy fod yn cyflawni'r gwasanaeth a ymddiriedodd yr Arglwydd i ti."

Y mae'r cyfarchiad hwn yn fy llaw i fy hun, Paul. Cofiwch 18 fy mod yng ngharchar. Gras fyddo gyda chwi!

LLYTHYR CYNTAF PAUL AT Y

# THESALONIAID

### *Cyfarch*

**1** Paul a Silfanus a Timotheus at eglwys y Thesaloniaid yn Nuw, y Tad, a'r Arglwydd Iesu Grist. Gras a thangnefedd i chwi.

### *Ffydd ac Esiampl y Thesaloniaid*

2 Yr ydym yn diolch i Dduw bob amser amdanoch chwi oll, 3 gan eich galw i gof yn ein gweddïau, a chofio'n ddi-baid gerbron ein Duw a'n Tad am weithgarwch eich ffydd, a llafur eich cariad, a'r dyfalbarhad sy'n tarddu o'ch gobaith yn ein Harglwydd Iesu Grist. 4 Gwyddom, frodyr annwyl gan Dduw, eich 5 bod chwi wedi eich ethol, oherwydd nid ar air yn unig y daeth yr Efengyl yr ydym ni yn ei phregethu atoch, ond mewn nerth hefyd, ac yn yr Ysbryd Glân, a chydag argyhoeddiad mawr. Fe wyddoch chwithau hefyd pa fath ddynion oeddem ni yn 6 eich plith, ac er eich mwyn chwi. Daethoch chwi yn efelychwyr ohonom ni ac o'r Arglwydd, gan i chwi dderbyn y gair mewn gorthrymder mawr, ynghyd â llawenydd yr Ysbryd Glân. 7 Felly daethoch yn esiampl i bawb o'r credinwyr ym Macedonia 8 ac yn Achaia. Canys oddi wrthych chwi yr atseiniodd gair yr Arglwydd, ac nid ym Macedonia ac Achaia yn unig; y mae eich ffydd chwi yn Nuw wedi mynd ar led ym mhob man, fel 9 nad oes angen i ni ddweud dim. Oherwydd y mae pobl ohonynt eu hunain yn sôn amdanom, y fath dderbyniad a gawsom i'ch plith, a'r modd y troesoch at Dduw oddi wrth 10 eilunod, i wasanaethu'r Duw byw a gwirioneddol, ac i ddisgwyl ei Fab o'r nefoedd, y Mab a gyfododd ef oddi wrth y meirw, sef Iesu, yr un sydd yn ein gwaredu oddi wrth y digofaint sydd i dod.

### *Gweinidogaeth Paul yn Thesalonica*

**2** Fe wyddoch eich hunain, frodyr, na fu ein dyfodiad atoch yn 2 ofer. Yr oeddem eisoes wedi dioddef ac wedi cael ein sarhau, fel y gwyddoch, yn Philipi, ond buom yn eofn trwy nerth ein

Duw i draethu i chwi Efengyl Duw, er mor galed oedd y frwydr. Oherwydd nid yw ein hapêl ni yn codi o gyfeiliornad, 3 na chwaith o amhurdeb, ac nid oes ynddi dwyll; yn hytrach, 4 fel y cawsom ein profi'n gymeradwy gan Dduw i gael ymddiried yr Efengyl inni, yr ydym yn llefaru fel rhai sy'n boddhau, nid dynion, ond Duw, yr hwn sy'n profi ein calonnau. Oherwydd, 5 fel y gwyddoch, ni buom un amser yn arfer geiriau gweniaith, na chwaith esgus dros drachwant—fel y mae Duw'n dyst. Ac nid oeddem yn ceisio gogoniant gan ddynion, gennych 6 chwi na neb arall, er y gallasem, fel apostolion Crist, fod 7 yn ddynion o bwys. Ond buom yn addfwyn yn eich plith, fel mamaeth yn meithrin ei phlant ei hun. Felly, yn ein hoffter 8 ohonoch, yr oedd yn dda gennym gyfrannu i chwi, nid yn unig Efengyl Duw, ond nyni ein hunain hefyd, gan i chwi ddod yn annwyl gennym. Oherwydd yr ydych yn cofio, frodyr, am ein 9 llafur a'n lludded; yr oeddem yn gweithio nos a dydd, rhag bod yn faich ar neb ohonoch, wrth bregethu Efengyl Duw i chwi. Yr ydych chwi yn dystion, a Duw yn dyst hefyd, mor 10 sanctaidd a chyfiawn a di-fai y bu ein hymddygiad tuag atoch chwi sy'n credu. A'r un modd, fe wyddoch inni fod i bob un 11 ohonoch fel tad i'w blant, gan apelio atoch, trwy eich annog 12 a'ch rhybuddio i fyw yn deilwng o'r Duw sydd yn eich galw i'w deyrnas a'i ogoniant ei hun.

Yr ydym ni yn diolch i Dduw yn ddi-baid ar gyfrif hyn 13 hefyd: eich bod chwi, wrth dderbyn gair Duw fel y clywsoch ef gennym ni, wedi ei groesawu, nid fel gair dynion, ond fel yr hyn ydyw mewn gwirionedd, sef gair Duw, sydd hefyd ar waith ynoch chwi sy'n gredinwyr. Canys daethoch chwi, 14 frodyr, i efelychu eglwysi Duw yng Nghrist Iesu sydd yn Jwdea, oherwydd yr ydych chwi wedi dioddef yr un pethau yn union oddi ar law eich cydwladwyr ag y maent hwythau oddi ar law yr Iddewon, y bobl a laddodd yr Arglwydd Iesu, a hefyd 15 y proffwydi,* ac a'n herlidiodd ni. Nid ydynt yn boddhau Duw, ac y maent yn elyniaethus i bob dyn, gan eu bod yn ein 16 rhwystro ni rhag llefaru i'r Cenhedloedd er mwyn iddynt gael eu hachub. Felly y maent bob amser yn cyflenwi mesur eu pechodau. Ond y mae'r digofaint wedi dod arnynt o'r diwedd.*

---

*adn. 15: yn ôl darlleniad arall, *a'u proffwydi eu hunain.*

*adn. 16: neu, *yn derfynol*; neu, *am byth.*

*Awydd Paul i Ymweld eto â'r Eglwys*

17 Pan oeddem ni, frodyr, wedi ein gwneud yn amddifad, o'ch colli chwi dros ychydig amser, o ran golwg ond nid o ran y galon, aethom yn fwy eiddgar, ac yn angerddol ein dymuniad
18 am eich gweld. Oherwydd buom yn awyddus i ddod atoch—
19 myfi, Paul, dro ar ôl tro—ond rhwystrodd Satan ni. Canys pwy yw ein gobaith a'n llawenydd, a'r goron yr ymffrostiwn ynddi gerbron ein Harglwydd Iesu ar ei ddyfodiad, pwy ond chwi
20 eich hunain ? Ie, chwi yw ein gogoniant a'n llawenydd.
3 Felly, pan na allem ymgynnal yn hwy, buom yn fodlon aros
2 yn Athen ar ein pen ein hunain, ac anfon Timotheus, ein brawd a chydweithiwr Duw* yn Efengyl Crist, i'ch cadarnhau
3 a'ch calonogi chwi yn eich ffydd, rhag i neb eich siglo yn y gorthrymderau hyn. Oherwydd fe wyddoch eich hunain mai i
4 hyn yr arfaethwyd ni; yn wir, pan oeddem gyda chwi, rhagfynegasom i chwi y byddai i ni ddioddef gorthrymder; ac felly
5 y bu, fel y gwyddoch. Am hynny, gan na allwn ymgynnal yn hwy, mi anfonais i gael gwybod am eich ffydd chwi, rhag ofn i'r temtiwr rywsut fod wedi eich temtio, ac i'n llafur ni fynd yn ofer.
6 Ond y mae Timotheus newydd ddod atom oddi wrthych, a rhoi newyddion da i ni ynglŷn â'ch ffydd a'ch cariad chwi. Y mae'n dweud fod gennych goffa da amdanom bob amser, a'ch bod yn hiraethu cymaint am ein gweld ni ag yr ydym ninnau
7 am eich gweld chwi. Am hynny cawsom ni, frodyr, yn ein holl angen a'n gorthrymder, ein calonogi ynglŷn â chwi, ar gyfrif
8 eich ffydd, oherwydd os ydych chwi yn awr yn sefyll yn
9 gadarn yn yr Arglwydd, y mae hynny'n rhoi bywyd i ni. Pa ddiolch a allwn ei dalu i Dduw amdanoch chwi, am yr holl lawenydd yr ydym yn ei deimlo o'ch plegid gerbron ein Duw ?
10 Yr ydym yn deisyf yn angerddol, nos a dydd, am gael gweld eich wyneb a chyflenwi diffygion eich ffydd.
11 Bydded i'n Duw a'n Tad ei hun, a'n Harglwydd Iesu,
12 gyfeirio ein ffordd yn syth atoch! A chwithau, bydded i'r Arglwydd beri i chwi gynyddu, a rhagori mewn cariad tuag at
13 eich gilydd a thuag at bawb, fel yr ydym ni tuag atoch chwi, i

*adn. 2: neu, *a'n cydweithiwr dros Dduw.* Yn ôl darlleniad arall, *a'n cydweithiwr.*

gadarnhau eich calonnau, fel y byddwch yn ddi-fai mewn sancteiddrwydd gerbron ein Duw a'n Tad yn nyfodiad ein Harglwydd Iesu gyda'i holl saint!

*Byw i Foddhau Duw*

**4** Bellach, frodyr, fel y cawsoch eich hyfforddi gennym ni pa fodd y dylech fyw er mwyn boddhau Duw (ac felly, yn wir, yr ydych yn byw), yr ydym yn gofyn ichwi, ac yn deisyf arnoch yn yr Arglwydd Iesu, ragori fwyfwy. 2 Oherwydd gwyddoch pa gyfarwyddyd a roddasom i chwi oddi wrth yr Arglwydd Iesu. 3 Oherwydd hyn yw ewyllys Duw, i chwi fod yn sanctaidd: yr ydych i ymgadw oddi wrth odineb; 4 y mae pob un ohonoch i wybod sut i gadw ei gorff ei hun* mewn sancteiddrwydd a pharch, 5 ac nid yn nwyd trachwant, fel y paganiaid nad ydynt yn adnabod Duw; 6 nid yw neb i gam-drin ei frawd, na manteisio arno yn y peth hwn, oherwydd, fel y dywedasom wrthych o'r blaen, a'ch rhybuddio, y mae'r Arglwydd yn dial am yr holl bethau hyn. 7 Canys galwodd Duw ni, nid i amhurdeb, ond i sancteiddrwydd. 8 Gan hynny, y mae'r sawl sydd yn diystyru hyn yn diystyru, nid dyn, ond Duw, yr hwn sy'n rhoi ei Ysbryd Glân i chwi.

9 Ynglŷn â chariad brawdol, nid oes arnoch angen i neb ysgrifennu atoch; oherwydd yr ydych chwi eich hunain wedi eich dysgu gan Dduw i garu eich gilydd. 10 Ac yn wir, yr ydych yn gwneud hyn i bawb o'r brodyr trwy Facedonia gyfan; ond yr ydym yn eich annog, frodyr, i ragori fwyfwy: 11 i roi eich bryd ar fyw yn dawel, a dilyn eich gorchwylion eich hunain, a gweithio â'ch dwylo, fel y gorchmynasom i chwi. 12 Felly byddwch yn ymddwyn yn weddaidd yng ngolwg y rhai sydd y tu allan, ac ni fydd angen dim arnoch.

*Dyfodiad yr Arglwydd*

13 Yr ydym am i chwi wybod, frodyr, am y rhai sydd yn huno, rhag i chwi fod yn drallodus, fel y rhelyw sydd heb ddim gobaith. 14 Os ydym yn credu i Iesu farw ac atgyfodi, felly hefyd bydd Duw, gydag ef, yn dod â'r rhai a hunodd drwy Iesu.

---

*adn. 4: neu, *sut i gymryd ei wraig ei hun.*

15 Hyn yr ydym yn ei ddweud wrthych ar air yr Arglwydd: ni fyddwn ni, y rhai byw a adewir hyd ddyfodiad yr Arglwydd, 16 yn rhagflaenu dim ar y rhai sydd wedi huno. Oherwydd, pan floeddir y gorchymyn, pan fydd yr archangel yn galw ac utgorn Duw yn seinio, bydd yr Arglwydd ei hun yn disgyn o'r nef; bydd y meirw yng Nghrist yn cyfodi yn 17 gyntaf, ac yna byddwn ni, y rhai byw a fydd wedi eu gadael, yn cael ein cipio i fyny gyda hwy yn y cymylau, i gyfarfod â'r Arglwydd yn yr awyr; ac felly byddwn gyda'r 18 Arglwydd yn barhaus. Calonogwch eich gilydd, felly, â'r geiriau hyn.

5 Ynglŷn â'r amseroedd a'r prydiau, frodyr, nid oes arnoch 2 angen i neb ysgrifennu atoch. Oherwydd fe wyddoch eich hunain o'r gorau mai fel lleidr yn y nos y daw Dydd yr 3 Arglwydd. Pan fydd dynion yn dweud, " Dyma dangnefedd a diogelwch", dyna'r pryd y daw dinistr disymwth ar eu gwarthaf fel gwewyr esgor ar wraig feichiog, ac ni fydd dim dianc iddynt. 4 Ond nid ydych chwi, frodyr, mewn tywyllwch, i'r Dydd eich 5 goddiweddyd fel lleidr; pobl y goleuni, pobl y dydd, ydych 6 chwi oll. Nid ydym yn perthyn i'r nos nac i'r tywyllwch. Am hynny, rhaid inni beidio â chysgu, fel y rhelyw, ond bod yn 7 effro a sobr. Y rhai sydd yn cysgu, yn y nos y maent yn cysgu, 8 a'r rhai sydd yn meddwi, yn y nos y maent yn meddwi. Ond gan ein bod ni'n perthyn i'r dydd, gadewch inni fod yn sobr, gan wisgo amdanom ffydd a chariad yn ddwyfronneg, a gobaith 9 iachawdwriaeth yn helm. Oherwydd nid i ddigofaint y bwriadodd Duw ni, ond i feddu iachawdwriaeth drwy ein Harglwydd 10 Iesu Grist, yr hwn a fu farw drosom, er mwyn inni gael byw 11 gydag ef, prun bynnag ai yn effro ai yn cysgu y byddwn. Am hynny, calonogwch eich gilydd, ac adeiladwch bob un ei gilydd —fel, yn wir, yr ydych yn gwneud.

## *Anogaethau Terfynol a Chyfarchion*

12 Yr ydym yn gofyn i chwi, frodyr, barchu'r rhai sydd yn llafurio yn eich plith, yn arweinwyr arnoch yn yr Arglwydd, 13 ac yn eich cynghori, a synio'n uchel iawn amdanynt mewn cariad, ar gyfrif eu gwaith. Byddwch yn heddychlon yn eich 14 plith eich hunain. Ac yr ydym yn eich annog, frodyr, ceryddwch y segurwyr, cysurwch y gwan-galon, cynorthwywch y rhai

eiddil, byddwch yn amyneddgar wrth bawb. Gwyliwch na fydd neb yn talu drwg am ddrwg i neb, ond ceisiwch bob amser les eich gilydd a lles pawb. 15

Llawenhewch bob amser. Gweddïwch yn ddi-baid. Ym mhob dim rhowch ddiolch, oherwydd hyn yw ewyllys Duw yng Nghrist Iesu i chwi. Peidiwch â diffodd yr Ysbryd; peidiwch â dirmygu proffwydoliaethau. Ond rhowch brawf ar bob peth, a glynwch wrth yr hyn sydd dda. Ymgadwch rhag pob math o ddrygioni. 16,17,18 19 20,21 22

Bydded i Dduw'r tangnefedd ei hun eich sancteiddio chwi yn gyfan gwbl, a chadw eich ysbryd a'ch enaid a'ch corff yn gwbl iach a di-fai hyd ddyfodiad ein Harglwydd Iesu Grist! Y mae'r hwn sy'n eich galw yn ffyddlon, ac fe gyflawna ef hyn. 23 24

Frodyr, gweddïwch drosom ninnau. 25

Cyfarchwch y brodyr i gyd â chusan sanctaidd. Yn enw'r Arglwydd, parwch ddarllen y llythyr hwn i'r holl frodyr. 26,27

Gras ein Harglwydd Iesu Grist fyddo gyda chwi! 28

AIL LYTHYR PAUL AT Y

# THESALONIAID

### *Cyfarch*

1 Paul a Silfanus a Timotheus at eglwys y Thesaloniaid yn
2 Nuw, ein Tad, a'r Arglwydd Iesu Grist. Gras a thangnefedd i chwi oddi wrth Dduw, y Tad, a'r Arglwydd Iesu Grist.

### *Y Farn yn Nyfodiad Crist*

3 Dylem ddiolch i Dduw bob amser amdanoch chwi, frodyr, fel y mae'n weddus, am fod eich ffydd yn cynyddu'n ddirfawr,
4 a chariad pob un ohonoch tuag at ei gilydd yn dyfnhau, nes ein bod ninnau yn ymffrostio ynoch ymysg eglwysi Duw, o achos eich dyfalbarhad a'ch ffydd dan yr holl erledigaethau a'r
5 gorthrymderau yr ydych yn eu dioddef. Y mae hyn yn brawf o farn gyfiawn Duw, fel y cewch eich cyfrif yn deilwng o deyrnas
6 Dduw, y deyrnas, yn wir, yr ydych yn dioddef er ei mwyn. Cyfiawn ar ran Duw, yn sicr, yw talu gorthrymder yn ôl i'r rhai sydd
7 yn eich gorthrymu chwi, a rhoi esmwythâd i chwi sy'n cael eich gorthrymu, ac i ninnau hefyd, pan ddatguddir yr Arglwydd Iesu
8 o'r nef gyda'i angylion nerthol. Fe ddaw mewn fflamau tân, gan ddial ar y rhai nad ydynt yn adnabod Duw a'r rhai nad ydynt yn
9 ufuddhau i Efengyl ein Harglwydd Iesu. Dyma'r rhai fydd yn dioddef dinistr bythol yn gosb, wedi eu cau allan o bresenoldeb
10 yr Arglwydd ac o ogoniant ei nerth ef, pan ddaw, yn y Dydd hwnnw, i'w ogoneddu gan ei saint ac i fod yn destun rhyfeddod gan bawb a gredodd; oherwydd y mae'r dystiolaeth a gyhoedd-
11 wyd gennym ni i chwi wedi ei chredu. I'r diben hwn hefyd yr ydym bob amser yn gweddïo drosoch chwi, ar i'n Duw ni eich cyfrif yn deilwng o'i alwad, a chyflawni trwy ei nerth bob
12 awydd am ddaioni a phob gweithred o ffydd, fel y bydd enw ein Harglwydd Iesu yn cael ei ogoneddu ynoch chwi, a chwithau ynddo yntau, yn ôl gras ein Duw a'r Arglwydd Iesu Grist.

### *Y Dyn Anghyfraith*

**2** Ynglŷn â dyfodiad ein Harglwydd Iesu Grist, a'n cyd-
2 gynnull ni ato ef, yr wyf yn deisyf arnoch, frodyr, beidio â chymryd eich ysgwyd yn ddisymwth allan o'ch pwyll, na'ch

cynhyrfu gan ddatganiad ysbryd, neu air, neu lythyr yn honni ei fod oddi wrthym ni, i'r perwyl fod Dydd yr Arglwydd eisoes wedi dod. 3 Peidiwch â chymryd eich twyllo gan neb mewn unrhyw fodd; oherwydd ni ddaw'r Dydd hwnnw nes i'r gwrthgiliad ddod yn gyntaf, ac i'r dyn anghyfraith,* mab colledigaeth, gael ei ddatguddio. 4 Dyma'r gwrthwynebydd sy'n ymddyrchafu yn erbyn pob un a elwir yn dduw neu sy'n wrthrych addoliad, nes eistedd ei hunan yn nheml Duw, gan gyhoeddi ei fod ef ei hun yn dduw. 5 Onid ydych yn cofio fy mod wedi dweud hyn wrthych pan oeddwn eto gyda chwi? 6 Ac yn awr, gwyddoch am yr hyn sydd yn ei ddal yn ôl er mwyn sicrhau mai yn ei briod amser y datguddir ef. 7 Oherwydd y mae grym dirgelwch anghyfraith eisoes ar waith, eithr dim ond nes y bydd yr hwn sydd yn awr yn ei ddal yn ôl wedi ei symud o'r ffordd. 8 Ac yna fe ddatguddir y dyn anghyfraith, a bydd yr Arglwydd Iesu yn ei ladd ag anadl ei enau, a'i ddiddymu trwy ysblander ei ddyfodiad. 9 Bydd dyfodiad y dyn anghyfraith yn digwydd trwy weithrediad Satan; fe'i nodweddir gan bob math o nerth ac arwyddion a rhyfeddodau gau, 10 a chan bob twyll anghyfiawn, i ddrygu'r rhai sydd ar lwybr colledigaeth am iddynt beidio â derbyn cariad at y gwirionedd a chael eu hachub. 11 Oherwydd hyn y mae Duw yn anfon arnynt dwyll, 12 i beri iddynt gredu celwydd, ac felly bydd pawb sydd heb gredu'r gwirionedd, ond wedi ymhyfrydu mewn anghyfiawnder, yn cael eu barnu.

### *Wedi Eich Dewis i Iachawdwriaeth*

13 Ond fe ddylem ni ddiolch i Dduw bob amser amdanoch chwi, frodyr annwyl gan yr Arglwydd, am i Dduw eich dewis chwi fel y rhai cyntaf i brofi * iachawdwriaeth trwy gael eich sancteiddio gan yr Ysbryd a thrwy gredu'r gwirionedd. 14 I hyn y galwodd ef chwi, trwy'r Efengyl yr ydym ni yn ei phregethu, i feddiannu gogoniant ein Harglwydd Iesu Grist. 15 Am hynny, frodyr, safwch yn gadarn, a glynwch wrth y traddodiadau yr ydych wedi eu dysgu gennym ni, naill ai ar air neu trwy lythyr. 16 A bydded i'n Harglwydd Iesu Grist ei hun a Duw, ein Tad, yr hwn sydd wedi ein caru ac wedi rhoi i ni ddiddanwch bythol a gobaith da trwy ras, 17 ddiddanu eich calonnau a'ch cadarnhau ym mhob gweithred a gair da!

*adn. 3: yn ôl darlleniad arall, *pechod.*
*adn. 13: yn ôl darlleniad arall, *eich dewis chwi o'r dechreuad i.*

*Gweddïwch drosom Ni*

3 Bellach, frodyr, gweddïwch drosom ni, ar i air yr Arglwydd fynd rhagddo a chael ei ogoneddu, fel y cafodd yn eich plith 2 chwi, ac ar i ni gael ein gwaredu oddi wrth ddynion croes a 3 drwg; oherwydd nid yw pawb yn meddu ar ffydd. Ond y mae'r Arglwydd yn ffyddlon, ac fe'ch cadarnha chwi a'ch gwarchod 4 rhag yr Un drwg. Y mae gennym hyder yn yr Arglwydd amdanoch, eich bod yn gwneud y pethau yr ydym yn eu gorch-5 ymyn, ac y byddwch yn dal i'w gwneud. Bydded i'r Arglwydd gyfeirio eich calonnau at gariad Duw ac at amynedd Crist !

*Rhybudd rhag Segura*

6 Yr ydym yn gorchymyn i chwi, frodyr, yn enw'r Arglwydd Iesu Grist, gadw draw oddi wrth bob brawd sy'n segura yn lle 7 byw yn ôl y traddodiad a dderbyniodd gennym ni. Gwyddoch yn iawn fel y dylech ein hefelychu ni, oherwydd nid segura y 8 buom ni yn eich plith, na bwyta bara neb am ddim, ond yn hytrach gweithio nos a dydd mewn llafur a lludded, rhag bod yn 9 faich ar neb ohonoch. Nid nad oes gennym hawl arnoch, ond gwnaethom hyn er mwyn ein rhoi ein hunain yn esiampl i chwi 10 i'w hefelychu. Ac yn wir, pan oeddem yn eich plith, rhoesom y gorchymyn hwn i chwi: os oes rhywun sy'n anfodlon 11 gweithio, peidied â bwyta chwaith. Oherwydd yr ydym yn clywed bod rhai yn eich mysg yn segura, yn busnesa ym 12 mhobman heb weithio yn unman. I'r cyfryw yr ydym yn gorchymyn, ac yn apelio yn yr Arglwydd Iesu Grist, iddynt 13 weithio'n dawel ac ennill eu bywoliaeth eu hunain. A pheid-14 iwch chwithau, frodyr, â blino ar wneud daioni. Os bydd rhywun yn gwrthod ufuddhau i'n gair ni yn y llythyr hwn, cadwch eich llygad ar y dyn hwnnw, a pheidiwch â chym-15 deithasu ag ef, er mwyn codi cywilydd arno. Eto peidiwch â'i ystyried fel gelyn, ond rhybuddiwch ef fel brawd.

*Y Fendith*

16 Bydded i Arglwydd tangnefedd ei hun roi tangnefedd i chwi bob amser ym mhob modd ! Bydded yr Arglwydd gyda chwi oll !

17 Y mae'r cyfarchiad yn fy llaw i, Paul. Hwn yw'r arwydd ym 18 mhob llythyr; fel hyn y byddaf yn ysgrifennu. Gras ein Harglwydd Iesu Grist fyddo gyda chwi oll !

LLYTHYR CYNTAF PAUL AT

# TIMOTHEUS

### *Cyfarch*

Paul, apostol Crist Iesu trwy orchymyn Duw, ein Gwaredwr, 1 a Christ Iesu, ein gobaith, at Timotheus, ei blentyn diledryw 2 yn y ffydd. Gras a thrugaredd a thangnefedd i ti oddi wrth Dduw ein Tad a Christ Iesu ein Harglwydd.

### *Rhybudd rhag Athrawiaeth Gau*

Pan oeddwn ar gychwyn i Facedonia, pwysais arnat i ddal 3 ymlaen yn Effesus, a gorchymyn rhai pobl i beidio â dysgu athrawiaethau cyfeiliornus, ac i roi'r gorau i chwedlau ac achau 4 diddiwedd. Pethau yw'r rhain sy'n hyrwyddo dyfaliadau ofer yn hytrach na chynllun achubol Duw, a ganfyddir trwy ffydd. Diben y gorchymyn hwn yw'r cariad sy'n tarddu o galon bur a 5 chydwybod dda a ffydd ddiffuant. Gwyro oddi wrth y safonau 6 hyn a barodd i rai fynd ar goll mewn dadleuon diffaith. Yr 7 oeddent â'u bryd ar fod yn athrawon y Gyfraith, ond nid oeddent yn deall dim ar y geiriau eu hunain, na chwaith ar y pynciau yr oeddent yn eu trafod mor awdurdodol.

Fe wyddom fod y Gyfraith yn beth ardderchog os caiff ei 8 harfer yn briodol fel cyfraith. Gadewch inni ddeall hyn: y 9 mae'r Gyfraith wedi ei llunio, nid ar gyfer y sawl sy'n cadw'r Gyfraith ond ar gyfer y rheini sy'n ei thorri a'i herio, sef yr annuwiol a'r pechadurus, y digrefydd a'r di-dduw, y rhai sy'n lladd tad a mam, yn llofruddio, yn puteinio, yn ymlygru â'u 10 rhyw eu hunain, yn cipio dynion, yn twyllo, yn tyngu ar gam, ac yn gwneud unrhyw beth arall sy'n groes i'r athrawiaeth iach sy'n perthyn i'r Efengyl a ymddiriedwyd i mi, Efengyl ogon- 11 eddus y Duw gwynfydedig.

### *Diolchgarwch am Drugaredd*

Yr wyf yn diolch i Grist Iesu ein Harglwydd, yr hwn a'm 12 nerthodd, am iddo fy nghyfrif yn deilwng o'i ymddiriedaeth a'm penodi i'w wasanaeth; myfi, yr un oedd gynt yn ei gablu, 13

ei erlid, a'i sarhau. Ar waethaf hynny, cefais drugaredd am mai mewn anwybodaeth ac anghrediniaeth y gwneuthum y cwbl.
14 Gorlifodd gras ein Harglwydd arnaf, ynghyd â'r ffydd a'r
15 cariad sy'n eiddo i ni yng Nghrist Iesu. A dyma air i'w gredu, sy'n teilyngu derbyniad llwyr: "Daeth Crist Iesu i'r byd i achub
16 pechaduriaid." A minnau yw'r blaenaf ohonynt. Ond cefais drugaredd, a hynny fel y gallai Crist Iesu ddangos ei faith amynedd yn fy achos i, y blaenaf, a'm gwneud felly yn batrwm i'r rhai fyddai'n dod i gredu ynddo a chael bywyd tragwyddol.
17 Ac i Frenin tragwyddoldeb, yr anfarwol a'r anweledig a'r unig Dduw, y byddo'r anrhydedd a'r gogoniant yn oes oesoedd! Amen.

18 Timotheus, fy mab, dyma'r siars sydd gennyf i ti, o gofio'r dystiolaeth broffwydol a roddwyd i ti o'r blaen; ymddiried yn
19 hyn a bydd lew yn y frwydr, gan ddal dy afael mewn ffydd a chydwybod dda. Am i rai ddiystyru cydwybod, drylliwyd
20 llong eu ffydd. Pobl felly yw Hymenaius ac Alexander, dau a draddodais i Satan, i'w disgyblu a chael ganddynt beidio â chablu mwy.

### *Cyfarwyddiadau ynglŷn â Gweddïo*

**2** Yn y lle cyntaf, felly, yr wyf yn annog bod ymbiliau, gweddïau, deisyfiadau a diolchiadau yn cael eu hoffrymu dros
2 bob dyn, dros frenhinoedd a phawb sydd mewn awdurdod, i ni gael byw ein bywyd yn dawel a heddychlon, yn llawn duwioldeb
3 a gwedduster. Peth da yw hyn, a chymeradwy gan Dduw, ein
4 Gwaredwr, sy'n dymuno gweld pob dyn yn cael ei achub ac yn
5 dod i ganfod y gwirionedd. Oherwydd un Duw sydd, ac un cyfryngwr hefyd rhwng Duw a dynion, sef Crist Iesu, a oedd
6 yntau yn ddyn. Fe'i rhoes ei hun yn bridwerth dros bawb, yn
7 dystiolaeth, yn yr amser priodol, i fwriad Duw. Ar fy ngwir, heb ddim anwiredd, dyma'r neges y penodwyd fi i dystio iddi fel pregethwr ac apostol, yn athro i'r Cenhedloedd yn y ffydd ac yn y gwirionedd.

8 Y mae'n ddymuniad gennyf, felly, fod y gwŷr ym mhob cynulleidfa yn gweddïo, gan ddyrchafu eu dwylo mewn
9 sancteiddrwydd, heb na dicter na dadl; a bod y gwragedd, yr un modd, yn gwisgo dillad gweddus, yn wylaidd a diwair, ac yn eu harddu eu hunain, nid â phlethiadau gwallt a thlysau aur
10 a pherlau a gwisgoedd drud, ond â gweithredoedd da, fel sy'n

gweddu i wragedd sy'n honni bod yn grefyddol. Rhaid i 11 wragedd gymryd eu dysgu, yn ddistaw ac yn berffaith ufudd. Ac nid wyf yn caniatáu i wragedd hyfforddi, nac awdurdodi ar 12 y gwŷr; eu lle hwy yw bod yn ddistaw. Oherwydd Adda oedd 13 y cyntaf i gael ei greu, ac wedyn, Efa. Ac nid Adda a dwyllwyd; 14 y wraig oedd yr un a dwyllwyd, a chwympo drwy hynny i drosedd. Ond caiff ei hachub drwy ddwyn plant—a bwrw y 15 bydd gwragedd yn parhau mewn ffydd a chariad a sancteiddrwydd, ynghyd â diweirdeb.

*Cymwysterau Esgobion*

Dyma air i'w gredu: "Os yw dyn â'i fryd ar swydd esgob,* 3 y mae'n chwennych gwaith rhagorol." Felly, rhaid i esgob* fod 2 heb nam ar ei gymeriad, yn ŵr i un wraig, yn ddyn sobr, disgybledig, parchus, lletygar, ac yn athro da. Rhaid iddo 3 beidio â bod yn rhy hoff o win, nac yn rhy barod i daro. I'r gwrthwyneb, dylai fod yn ystyriol a heddychlon a diariangar. Dylai fod yn un â chanddo reolaeth dda ar ei dŷ ei hun, ac yn 4 cadw ei blant yn ufudd, gyda phob gwedduster. Os nad yw 5 dyn yn medru rheoli ei dŷ ei hun, sut y mae'n mynd i ofalu am eglwys Duw? Rhaid iddo beidio â bod yn newydd i'r ffydd, 6 rhag iddo droi'n falch a chwympo dan y condemniad a gafodd y diafol. A dylai fod yn ddyn â gair da iddo gan y byd oddi allan, 7 rhag iddo gwympo i waradwydd a chael ei ddal ym magl y diafol.

*Cymwysterau Diaconiaid*

Yn yr un modd, rhaid i ddiaconiaid fod yn ddynion gweddus; 8 nid yn ddauwynebog, nac yn drachwantus am win, nac yn chwennych elw anonest. A dylent ddal eu gafael ar ddirgelwch 9 y ffydd gyda chydwybod bur. Dylid eu rhoi hwythau ar brawf 10 ar y cychwyn, ac yna, o'u cael yn ddi-fai, caniatáu iddynt wasanaethu. Dylai eu gwragedd hefyd fod yn weddus, yn ddi- 11 wenwyn, yn sobr, ac yn ffyddlon ym mhob dim. Rhaid i'r 12 diaconiaid fod bob un yn ŵr i un wraig, â chanddo reolaeth dda ar ei blant a'i dŷ ei hun. Oherwydd y mae'r rhai a gyflawnodd 13 waith da fel diaconiaid yn ennill iddynt eu hunain safle da, a hyder mawr ynglŷn â'r ffydd sy'n eiddo i ni yng Nghrist Iesu.

---

*adn. 1, 2: neu, *arolygydd.*

### *Dirgelwch Ein Crefydd*

14 Yr wyf yn gobeithio dod atat cyn hir, ond rhag ofn y caf fy
15 rhwystro, yr wyf yn ysgrifennu'r llythyr hwn atat, er mwyn i ti gael gwybod sut y mae ymddwyn yn nheulu Duw, sef eglwys
16 y Duw byw, colofn a sylfaen y gwirionedd. A rhaid inni'n unfryd gyffesu mai mawr yw dirgelwch ein crefydd:

"Ei amlygu ef* mewn cnawd,
ei gyfiawnu yn yr ysbryd,
ei weld gan angylion,
ei bregethu i'r Cenhedloedd,
ei gredu drwy'r byd,
ei ddyrchafu mewn gogoniant."

### *Rhagfynegi Cefnu ar y Ffydd*

**4** Y mae'r Ysbryd yn dweud yn eglur y bydd rhai mewn amserau diweddarach yn cefnu ar y ffydd. Byddant yn troi at ysbrydion twyllodrus ac at bethau y mae cythreuliaid yn eu
2 dysgu trwy ragrith dynion celwyddog. Dynion yw'r rhain â'u
3 cydwybod wedi ei serio, yn gwahardd priodi, ac yn mynnu fod pobl yn ymwrthod â bwydydd—bwydydd y mae Duw wedi eu creu i'w derbyn gyda diolch gan y credinwyr sydd wedi canfod
4 y gwirionedd. Oherwydd y mae pob peth a greodd Duw yn dda, ac ni ddylid gwrthod dim yr ydym gyda diolch iddo ef yn
5 ei dderbyn, oherwydd y mae'n cael ei sancteiddio trwy air Duw a gweddi.

### *Gwas Da i Iesu Grist*

6 Os dygi di'r pethau hyn i sylw'r brodyr, byddi'n was da i Grist Iesu, yn dy feithrin dy hun â geiriau'r ffydd, a'r athraw-
7 iaeth dda yr wyt wedi ei dilyn. Paid â gwrando ar chwedlau bydol hen wrachod, ond ymarfer dy hun i'r bywyd crefyddol.
8 Wrth gwrs, y mae i ymarfer y corff beth gwerth, ond i ymarfer y bywyd crefyddol y mae pob gwerth, gan fod ynddo addewid
9 o fywyd yn y byd hwn a'r byd a ddaw. Dyna air i'w gredu, sy'n
10 teilyngu derbyniad llwyr. I'r diben hwn yr ydym yn llafurio ac yn ymdrechu,* oherwydd rhoisom ein gobaith yn y Duw byw, sy'n Waredwr i bob dyn, ond i'r credinwyr yn fwy na neb.

---

*adn. 16: yn ôl darlleniad arall, *amlygu Duw.*

*adn. 10: yn ôl darlleniad arall, *yn cael ein gwaradwyddo.*

Gorchymyn y pethau hyn i'th bobl, a dysg hwy iddynt. 11 Paid â gadael i neb dy ddiystyru am dy fod yn ifanc. Yn 12 hytrach, bydd di'n batrwm i'r credinwyr mewn gair a gweithred, mewn cariad a ffydd a phurdeb. Hyd nes imi ddod, rhaid 13 i ti ymroi i'r darlleniadau a'r pregethu a'r hyfforddi. Paid ag 14 esgeuluso'r ddawn sydd ynot ac a roddwyd i ti trwy eiriau proffwydol ac arddodiad dwylo'r henuriaid. Gofala am y peth- 15 au hyn, ymdafla iddynt, a bydd dy gynnydd yn amlwg i bawb. Cadw lygad arnat ti dy hun ac ar yr hyfforddiant a roddi, a dal 16 ati yn y pethau hyn. Os gwnei di felly, yna fe fyddi'n dy achub dy hun a'r rhai sy'n gwrando arnat.

*Dyletswyddau tuag at Eraill*

Paid â cheryddu hynafgwr, ond ei gymell fel petai'n dad i ti, **5** y dynion ifainc fel brodyr, yr hen wragedd fel mamau, a'r 2 merched ifainc gyda phob gwedduster fel chwiorydd.

Rho gydnabyddiaeth i'r rhai hynny sy'n weddwon mewn 3 gwirionedd. Ond os oes gan y weddw blant neu ŵyrion, dylai'r 4 rheini yn gyntaf ddysgu ymarfer eu crefydd tuag at eu teulu, a thalu'n ôl i'w rhieni y ddyled sydd arnynt, oherwydd hynny sy'n gymeradwy gan Dduw. Ond am yr un sy'n weddw mewn 5 gwirionedd, yr un sydd wedi ei gadael ar ei phen ei hun, y mae hon â'i gobaith wedi ei sefydlu ar Dduw, ac y mae'n parhau nos a dydd mewn ymbiliau a gweddïau. Y mae'r weddw afradlon, 6 ar y llaw arall, gystal â marw er ei bod yn fyw. Gorchymyn di 7 y pethau hyn hefyd, er mwyn i'r gweddwon fod yn ddigerydd. Ond os nad yw dyn yn darparu ar gyfer ei berthnasau, ac yn 8 arbennig ei deulu ei hun, y mae wedi gwadu'r ffydd ac y mae'n waeth nac anghredadun. Ni ddylid rhoi gwraig ar restr y 9 gweddwon os nad yw dros drigain oed, a heb fod yn briod fwy nag un waith. A rhaid cael prawf iddi ymroi i weithred- 10 oedd da: iddi fagu plant, iddi roi llety i ddieithriaid, iddi olchi traed y saint, iddi gynorthwyo pobl mewn cyfyngder, yn wir iddi ymdaflu i bob math o weithredoedd da. Ond paid â rhestru'r 11 rhai ifainc gyda'r gweddwon, oherwydd cyn gynted ag y bydd eu nwydau yn eu dieithrio oddi wrth Grist, daw arnynt chwant priodi, a chânt eu condemnio felly am dorri'r adduned a 12 wnaethant ar y dechrau. At hynny, byddant yn dysgu bod yn 13 ddiog wrth fynd o gwmpas y tai, ac nid yn unig yn ddiog ond hefyd yn siaradus a busneslyd, yn dweud pethau na ddylid. Fy 14

nymuniad, felly, yw bod gweddwon iau yn priodi a magu plant a chadw tŷ, a pheidio â rhoi cyfle i unrhyw elyn i'n difenwi.
15 Oherwydd y mae rhai gweddwon eisoes wedi mynd ar gyfeil-
16 iorn a chanlyn Satan. Dylai unrhyw wraig* sy'n gredadun, â chanddi weddwon yn y teulu, ofalu amdanynt. Nid yw'r gynulleidfa i ddwyn y baich mewn achos felly, er mwyn iddynt allu gofalu am y rhai sy'n weddwon mewn gwirionedd.

17 Y mae'r henuriaid sy'n arweinwyr da yn haeddu cael dwbwl y gydnabyddiaeth, yn arbennig y rhai sydd yn llafurio ym myd
18 pregethu a hyfforddi. Oherwydd y mae'r Ysgrythur yn dweud: "Paid â chau safn yr ych sydd yn dyrnu'r ŷd", a hefyd: "Y
19 mae'r gweithiwr yn haeddu ei gyflog." Paid â derbyn cyhudd-iad yn erbyn henuriad os na fydd hyn ar air dau neu dri o dyst-
20 ion. Y rhai ohonynt sy'n dal i bechu, cerydda hwy yng ngŵydd
21 y cwbl, i godi ofn ar y gweddill yr un pryd. Yr wyf yn dy rybuddio, yng ngŵydd Duw a Christ Iesu a'r angylion etholedig, i gadw'r rheolau hyn yn ddiragfarn, a'u gweithredu ar
22 bob adeg yn ddiduedd. Paid â bod ar frys i arddodi dwylo ar neb, a thrwy hynny gyfranogi ym mhechodau pobl eraill; cadw
23 dy hun yn bur. Bellach, paid ag yfed dŵr yn unig, ond cymer ychydig o win at dy stumog a'th aml anhwylderau.

24 Y mae pechodau rhai pobl yn eglur ddigon, ac yn eu rhagflaenu i farn, ond y mae eraill sydd â'u pechodau yn eu dilyn.
25 Yn yr un modd, y mae gweithredoedd da yn eglur ddigon, a hyd yn oed os nad ydynt mor eglur, nid oes modd eu cuddio'n hir.

**6** Y mae'r rhai sy'n gaethweision dan yr iau i gyfrif eu meistri eu hunain yn deilwng o wir barch, fel na chaiff enw Duw, na'r
2 athrawiaeth Gristionogol, air drwg. Ac ni ddylai'r rhai sydd â'u meistri'n gredinwyr roi llai o barch iddynt am eu bod yn gydaelodau. Yn hytrach, dylent roi gwell gwasanaeth iddynt am mai credinwyr sy'n annwyl ganddynt yw'r rhai fydd yn elwa ar eu hymroddiad.

### *Crefydd ynghyd â Bodlonrwydd Mewnol*

3 Dyma'r pethau yr wyt ti i'w dysgu a'u cymell. Os bydd rhywun yn dysgu'n groes i hyn, ac yn gwrthod glynu wrth

---

*adn. 16: yn ôl darlleniad arall, *ŵr neu wraig*.

eiriau iachusol, geiriau ein Harglwydd Iesu Grist, ac wrth athrawiaeth sy'n gyson â gwir grefydd, y mae hwnnw'n llawn 4 balchder, heb ddeall dim, gydag awydd afiach ynddo i holi cwestiynau a dadlau am eiriau. Cenfigen a chynnen ac enllib, a drwgdybio cywilyddus ac anghydweld parhaus, sy'n dod o bethau felly, mewn dynion sydd â'u deall wedi dirywio ac sydd 5 wedi eu hamddifadu o'r gwirionedd, dynion sy'n tybio mai modd i ennill cyfoeth yw crefydd. Ac wrth gwrs, y mae 6 cyfoeth mawr mewn gwir grefydd ynghyd â bodlonrwydd mewnol. A'r ffaith yw, na ddaethom â dim i'r byd, a hynny am 7 yr un rheswm* na allwn fynd â dim allan ohono chwaith. Os 8 oes gennym fwyd a dillad, gadewch inni fodloni ar hynny. Y 9 mae'r rhai sydd am fod yn gyfoethog yn syrthio i demtasiynau a maglau, a llu o chwantau direswm a niweidiol, sy'n hyrddio dynion i lawr i ddistryw a cholledigaeth. Oherwydd gwraidd 10 pob math o ddrwg yw cariad at arian, ac wrth geisio cael gafael ynddo crwydrodd rhai oddi wrth y ffydd, a thrywanu eu calonnau ag arteithiau lawer.

### *Ymdrech Lew y Ffydd*

Yr wyt ti, ŵr Duw, i ffoi rhag y pethau hyn, ac i roi dy fryd 11 ar uniondeb, duwioldeb, ffydd, cariad, dyfalbarhad ac addfwynder. Ymdrecha ymdrech lew y ffydd, a chymer feddiant o'r 12 bywyd tragwyddol. I hyn y cefaist dy alw pan wnaethost dy gyffes lew o'r ffydd o flaen tystion lawer. Yng ngŵydd Duw, 13 sy'n rhoi bywyd i bob peth, ac yng ngŵydd Crist Iesu, a dystiodd i'r un gyffes lew o flaen Pontius Pilat, yr wyf yn dy gyfarwyddo di i gadw'r gorchymyn yn ddi-fai a digerydd hyd at 14 ymddangosiad ein Harglwydd Iesu Grist, a amlygir yn ei amser 15 addas gan yr unig Bennaeth bendigedig, Brenin y brenhinoedd, Arglwydd yr arglwyddi. Ganddo ef yn unig y mae an- 16 farwoldeb, ac mewn goleuni anhygyrch y mae'n preswylio. Nid oes yr un dyn a'i gwelodd, ac ni ddichon neb ei weld. Iddo Ef y byddo anrhydedd a gallu tragwyddol! Amen.

Gorchymyn di i gyfoethogion y byd presennol beidio â bod 17 yn falch, ac iddynt sefydlu eu gobaith nid ar ansicrwydd cyfoeth ond ar y Duw sy'n rhoi i ni yn helaeth bob peth i'w fwynhau.

---

*adn. 7: yn ôl darlleniad arall, *ac y mae'n eglur*.

18 Annog hwy i wneud daioni, i fod yn gyfoethog mewn gweith-
19 redoedd da, i fod yn hael ac yn barod i rannu, ac felly i gael iddynt eu hunain drysor fydd yn sylfaen sicr ar gyfer y dyfodol, i feddiannu'r bywyd sydd yn fywyd yn wir.

20 Timotheus, cadw'n ddiogel yr hyn a ymddiriedwyd i'th ofal, a thro dy gefn ar y gwag siarad bydol, a'r gwrthddywediadau a
21 gamenwir yn wybodaeth. Y mae rhai sy'n proffesu'r wybodaeth hon wedi colli gafael ar y ffydd yn lân.

Gras fyddo gyda chwi !

AIL LYTHYR PAUL AT

# TIMOTHEUS

*Cyfarch*

Paul, apostol Crist Iesu trwy ewyllys Duw, yn unol â'r addewid am y bywyd sydd yng Nghrist Iesu, at Timotheus, ei blentyn annwyl. Gras a thrugaredd a thangnefedd i ti oddi wrth Dduw ein Tad a Christ Iesu ein Harglwydd. 1 2

*Teyrngarwch i'r Efengyl*

Yr wyf yn diolch i Dduw, yr hwn yr wyf yn ei wasanaethu â chydwybod bur fel y gwnaeth fy nhadau, pan fyddaf yn cofio amdanat yn fy ngweddïau, fel y gwnaf yn ddi-baid nos a dydd. Wrth gofio am dy ddagrau, 'rwy'n hiraethu am dy weld a chael fy llenwi â llawenydd. Daw i'm cof y ffydd ddiffuant sydd gennyt, ffydd a drigodd gynt yn Lois, dy nain, ac yn Eunice, dy fam, a gwn yn sicr ei bod ynot tithau hefyd. O ganlyniad, yr wyf yn dy atgoffa i gadw ynghyn y ddawn a roddodd Duw i ti, y ddawn sydd ynot trwy arddodiad fy nwylo i. Oherwydd nid ysbryd sy'n creu llwfrdra a roddodd Duw i ni, ond ysbryd sy'n creu nerth a chariad a hunanddisgyblaeth. Felly, na foed cywilydd arnat roi tystiolaeth i'r Arglwydd, na chywilydd ohonof fi, ei garcharor ef; ond cymer dy gyfran o ddioddefaint dros yr Efengyl, trwy'r nerth yr ydym yn ei gael gan Dduw. Ef a'n hachubodd ni, a'n galw â galwedigaeth sanctaidd, nid ar sail ein gweithredoedd ond yn unol â'i arfaeth ei hun a'i ras, y gras a roddwyd inni yng Nghrist Iesu cyn dechrau'r oesoedd, ond a amlygwyd yn awr drwy ymddangosiad ein Gwaredwr, Crist Iesu. Oherwydd y mae ef wedi dirymu marwolaeth, a dod â bywyd ac anfarwoldeb i'r golau trwy'r Efengyl. I'r Efengyl hon yr wyf fi wedi fy mhenodi'n bregethwr, yn apostol ac yn athro. Dyma'r rheswm, yn wir, fy mod yn dioddef yn awr. Ond nid oes arnaf gywilydd o'r peth, oherwydd mi wn pwy yr wyf wedi ymddiried ynddo, ac 'rwy'n gwbl sicr fod ganddo ef allu i gadw'n ddiogel hyd y Dydd hwnnw yr hyn a ymddiriedodd i'm gofal.* Cymer fel patrwm i'w ddilyn y geiriau iachusol 3 4 5 6 7 8 9 10 11 12 13

*adn. 12: neu, *a ymddiriedais i'w ofal.*

a glywaist gennyf fi, wrth fyw yn y ffydd a'r cariad sydd yng
14 Nghrist Iesu. Cadw'n ddiogel, trwy nerth yr Ysbryd Glân sy'n trigo ynom, y peth gwerthfawr a ymddiriedwyd i'th ofal.

15 Fel y gwyddost, y mae pawb yn Asia wedi cefnu arnaf, gan
16 gynnwys Phygelus a Hermogenes. Ond dangosed yr Arglwydd drugaredd tuag at deulu Onesifforus, oherwydd cododd ef fy nghalon droeon, ac ni bu arno gywilydd fy mod mewn cadwyn-
17 au. Yn wir, pan ddaeth i Rufain, aeth i drafferth fawr i chwilio
18 amdanaf, a daeth o hyd i mi. Rhodded yr Arglwydd iddo dderbyn trugaredd gan yr Arglwydd yn y Dydd hwnnw. Fe wyddost ti yn dda gymaint o wasanaeth a roddodd ef yn Effesus.

### *Milwr Da i Iesu Grist*

**2** Felly ymnertha di, fy mab, yn y gras sydd yng Nghrist Iesu.
2 Cymer y geiriau a glywaist gennyf fi yng nghwmni tystion lawer, a throsglwyddda hwy i ofal dynion ffyddlon a fydd yn abl i
3 hyfforddi eraill hefyd. Cymer dy gyfran o ddioddefaint, fel
4 milwr da i Grist Iesu. Nid yw milwr sydd ar ymgyrch yn ymdrafferthu â gofalon bywyd bob dydd, gan fod ei holl fryd ar
5 ennill cymeradwyaeth ei gadfridog. Ac os yw dyn yn cystadlu mewn mabolgampau, ni all ennill y dorch heb gystadlu yn ôl y
6 rheolau. Y ffermwr sy'n llafurio sydd â'r hawl gyntaf ar y cnwd.
7 Ystyria beth yr wyf yn ei ddweud, oherwydd fe rydd yr Arglwydd i ti ddealltwriaeth ym mhob peth.

8 Cofia Iesu Grist: ei gyfodi oddi wrth y meirw, ei eni o linach
9 Dafydd, yn ôl yr Efengyl yr wyf fi yn ei phregethu. Yng ngwasanaeth yr Efengyl hon yr wyf yn dioddef hyd at garchar, fel
10 rhyw droseddwr, ond nid oes garchar i ddal gair Duw. Felly, yr wyf yn goddef y cyfan er mwyn ei etholedigion, iddynt hwythau hefyd gael yr iachawdwriaeth sydd yng Nghrist Iesu,
11 ynghyd â gogoniant tragwyddol. Dyma air i'w gredu:

"Os buom farw gydag ef, byddwn fyw hefyd gydag ef;
12 os dioddefwn, cawn deyrnasu hefyd gydag ef;
os gwadwn ef, bydd ef hefyd yn ein gwadu ninnau;
13 os ydym yn anffyddlon, y mae ef yn aros yn ffyddlon,
oherwydd ni all ef ei wadu ei hun."

### *Gweithiwr Cymeradwy*

14 Dwg ar gof i'th bobl y pethau hyn, gan eu rhybuddio yng ngŵydd Duw i beidio â dadlau am eiriau, peth cwbl anfuddiol,

ac andwyol hefyd i'r rhai sy'n gwrando. Gwna dy orau i'th 15
wneud dy hun yn gymeradwy gan Dduw, fel gweithiwr heb
achos i gywilyddio am ei waith, yn ddiwyro wrth gyflwyno gair
y gwirionedd. Gochel siarad gwag dynion bydol, oherwydd 16
agor y ffordd y byddant i fwy o annuwioldeb, a'u hymadrodd 17
yn ymledu fel cancr. Pobl felly yw Hymenaius a Philetus; y 18
maent wedi gwyro oddi wrth y gwirionedd, gan honni fod ein
hatgyfodiad eisoes wedi digwydd, ac y maent yn tanseilio ffydd
rhai pobl. Ond y mae'r sylfaen gadarn a osododd Duw yn dal, 19
a'r sêl sydd arni yw: "Y mae'r Arglwydd yn adnabod y rhai
sy'n eiddo iddo", a "Pob un sy'n enwi enw'r Arglwydd, cefned
ar ddrygioni." Mewn tŷ mawr y mae nid yn unig lestri aur ac 20
arian ond hefyd lestri pren a chlai, rhai i gael parch ac eraill
amarch. Os yw dyn yn ei lanhau ei hun oddi wrth y pethau 21
drygionus hyn, yna llestr parch fydd ef, cysegredig, defnyddiol
i'r Meistr, ac addas i bob gweithred dda. Ffo oddi wrth nwydau 22
dyn ifanc, a chanlyn gyfiawnder a ffydd a chariad a heddwch,
yng nghwmni'r rhai sy'n galw ar yr Arglwydd â chalon bur.
Paid â gwneud dim â chwestiynau ffôl a di-ddysg; fe wyddost 23
mai codi cwerylon a wnânt. Ni ddylai gwas yr Arglwydd fod 24
yn gwerylgar, ond yn dirion tuag at bawb, yn athro da, yn
ymarhous, yn addfwyn wrth ddisgyblu'r rhai sy'n tynnu'n 25
groes. Oherwydd pwy a ŵyr na fydd Duw ryw ddydd yn rhoi
cyfle iddynt i edifarhau a dod i ganfod y gwirionedd, ac na 26
ddônt i'w pwyll a dianc o fagl y diafol, yr un a'u rhwydodd
a'u caethiwo i'w ewyllys?*

### *Cymeriad Dynion yn y Dyddiau Diwethaf*

Rhaid iti ddeall hyn, fod amserau enbyd i ddod yn y dyddiau **3**
diwethaf. Bydd dynion yn hunangar ac yn ariangar, yn ym- 2
ffrostgar a balch a sarhaus, heb barch i'w rhieni, yn anniolchgar
ac yn ddigrefydd. Byddant yn ddi-serch a digymod, yn enllibus 3
a dilywodraeth ac anwar, heb ddim cariad at ddaioni. Bradwyr 4
fyddant, yn ddi-hid, yn llawn balchder, yn caru pleser yn fwy
na charu Duw, yn cadw ffurf allanol crefydd ond yn gwadu ei 5
grym hi. Cadw draw oddi wrth y rhain. Dyma'r math o 6
ddynion fydd yn gweithio'u ffordd i mewn i dai pobl, ac yn

---

*adn. 26: neu, *wedi eu rhwydo gan Dduw a'u caethiwo i'w ewyllys.*

rhwydo gwragedd ffôl sydd dan faich o bechodau ac yng ngafael
7 pob rhyw nwydau, gwragedd sydd o hyd yn ceisio dysgu ond
8 byth yn gallu cyrraedd at wybodaeth o'r gwirionedd. Yn union fel y safodd Jannes a Jambres yn erbyn Moses, felly hefyd y mae'r dynion hyn yn gwrthsefyll y gwirionedd. Dynion llygr-
9 edig eu meddwl ydynt, ac annerbyniol o ran y ffydd. Ond nid ânt yn eu blaen ddim pellach, oherwydd fe ddaw eu ffolineb hwy, fel eiddo Jannes a Jambres, yn amlwg ddigon i bawb.

## *Siars Olaf i Timotheus*

10 Ond yr wyt ti wedi dilyn yn ofalus fy athrawiaeth i a'm ffordd o fyw, fy ymroddiad, fy ffydd, fy amynedd, fy nghariad
11 a'm dyfalbarhad, yr erlid a'r dioddef a ddaeth i'm rhan yn Antiochia ac Iconium a Lystra; ie, yr holl erledigaethau a
12 ddioddefais. A gwaredodd yr Arglwydd fi o'r cyfan i gyd. Yn wir, eu herlid a gaiff pawb sydd yn ceisio byw bywyd duwiol
13 yng Nghrist Iesu, ond bydd dynion drwg a hocedwyr yn mynd
14 o ddrwg i waeth, gan dwyllo a chael eu twyllo. Ond glŷn di wrth y pethau a ddysgaist, ac y cefaist dy argyhoeddi ganddynt.
15 Fe wyddost gan bwy y dysgaist hwy, a'th fod er yn blentyn yn gyfarwydd â'r llyfrau sanctaidd, sydd yn abl i'th wneud yn ddoeth a'th ddwyn i iachawdwriaeth trwy ffydd yng Nghrist
16 Iesu. Y mae pob Ysgrythur wedi ei hysbrydoli gan Dduw ac yn fuddiol i hyfforddi, a cheryddu, a chywiro, a disgyblu mewn
17 cyfiawnder. Felly y darperir dyn Duw â chyflawn ddarpariaeth ar gyfer pob math o weithredoedd da.

4 Yng ngŵydd Duw a Christ Iesu, yr hwn sydd i farnu y byw a'r meirw, yr wyf yn dy rybuddio ar gyfrif ei ymddangosiad a'i
2 deyrnas ef: pregetha'r gair; bydd yn barod bob amser, boed yn gyfleus neu'n anghyfleus; argyhoedda; cerydda; calonoga;
3 a hyn gydag amynedd diball wrth hyfforddi. Oherwydd fe ddaw amser pan na fydd dynion yn goddef athrawiaeth iach ond yn dilyn eu chwantau eu hunain, a chrynhoi o'u cwmpas
4 liaws o athrawon i oglais eu clustiau, gan droi oddi wrth y
5 gwirionedd i wrando ar chwedlau. Ond yn hyn oll cadw di ddisgyblaeth arnat dy hun: goddef galedi; gwna dy waith fel pregethwr yr Efengyl; cyflawna holl ofynion dy weinidogaeth.

6 Oherwydd y mae fy mywyd i eisoes yn cael ei dywallt mewn
7 aberth, ac y mae amser fy ymadawiad wedi dod. Yr wyf wedi

ymdrechu'r ymdrech lew, yr wyf wedi rhedeg yr yrfa i'r pen, yr wyf wedi cadw'r ffydd. Bellach y mae'r dorch, a roddir am gyfiawnder, ar gadw i mi; ac fe fydd yr Arglwydd, y Barnwr cyfiawn, yn ei chyflwyno hi imi ar y Dydd hwnnw, ac nid i mi yn unig ond i bawb fydd wedi rhoi eu serch ar ei ymddangosiad ef. 8

*Cyfarwyddiadau Personol*

Gwna dy orau i ddod ataf yn fuan, oherwydd rhoddodd Demas ei serch ar y byd hwn, a'm gadael. Aeth ef i Thesalonica, a Crescens i Galatia, a Titus i Dalmatia. Luc yn unig sydd gyda mi. Galw am Marc, a thyrd ag ef gyda thi, gan ei fod o gymorth mawr i mi yn fy ngweinidogaeth. Anfonais Tychicus i Effesus. Pan fyddi'n dod, tyrd â'r got a adewais ar ôl gyda Carpus yn Troas, a'r llyfrau hefyd, yn arbennig y memrynau. Gwnaeth Alexander, y gof copr, ddrwg mawr imi. Fe dâl yr Arglwydd iddo yn ôl ei weithredoedd. Bydd dithau ar dy wyliadwriaeth rhagddo, oherwydd y mae wedi gwrthwynebu ein cenadwri ni i'r eithaf. 9,10 11 12 13 14 15

Yn y gwrandawiad cyntaf o'm hamddiffyniad, ni safodd neb gyda mi; aeth pawb a'm gadael; peidied Duw â chyfrif hyn yn eu herbyn. Ond safodd yr Arglwydd gyda mi, a rhoddodd nerth i mi, er mwyn, trwof fi, i'r pregethu gael ei gyflawni ac i'r holl Genhedloedd gael ei glywed; a chefais fy ngwaredu o enau'r llew. A bydd yr Arglwydd eto'n fy ngwaredu i rhag pob cam, a'm dwyn yn ddiogel i'w deyrnas nefol. Iddo ef y byddo'r gogoniant yn oes oesoedd! Amen. 16 17 18

*Cyfarchion Terfynol*

Rho fy nghyfarchion i Prisca ac Acwila, a theulu Onesifforus. Arhosodd Erastus yng Nghorinth, a gadewais Troffimus yn glaf ym Miletus. Gwna dy orau i ddod cyn y gaeaf. Y mae Eubwlus a Pwdens a Linus a Claudia, a'r brodyr oll, yn dy gyfarch. Yr Arglwydd fyddo gyda'th ysbryd di! Gras fyddo gyda chwi! 19 20 21 22

## LLYTHYR PAUL AT

# TITUS

### *Cyfarch*

1 Paul, gwas Duw ac apostol Iesu Grist, sy'n ysgrifennu, yn dwyn nod ffydd etholedigion Duw, a gwybodaeth o'r gwirion- 2 edd sydd, yn ein crefydd ni, yn seiliedig ar y gobaith am fywyd tragwyddol. Dyma'r bywyd a addawodd y digelwyddog Dduw 3 cyn dechrau amser, ac ef hefyd yn ei amser ei hun a ddatgudd- iodd ei air yn y neges a bregethir. Ymddiriedwyd y neges hon i 4 mi ar orchymyn Duw, ein Gwaredwr. Yr wyf yn cyfarch Titus, fy mhlentyn diledryw yn y ffydd sy'n gyffredin inni. Gras a thangnefedd i ti oddi wrth Dduw, ein Tad, a Christ Iesu, ein Gwaredwr.

### *Gwaith Titus yng Nghreta*

5 Fy mwriad wrth dy adael ar ôl yng Nghreta oedd i ti gael trefn ar y pethau oedd yn aros heb eu gwneud, a sefydlu henur- 6 iaid ym mhob tref yn ôl fy nghyfarwyddyd i ti: rhaid i henuriad fod yn ddi-fai, yn ŵr i un wraig, a'i blant yn gredinwyr, heb fod 7 wedi eu cyhuddo o afradlonedd nac yn afreolus. Oherwydd rhaid i esgob* fod yn ddi-fai, ac yntau yn oruchwyliwr yng ngwasanaeth Duw. Rhaid iddo beidio â bod yn drahaus, nac yn fyr ei dymer, nac yn rhy hoff o win, nac yn rhy barod i daro, 8 nac yn un sy'n chwennych elw anonest, ond yn lletygar, ac yn caru daioni, yn ddisgybledig, yn gyfiawn, yn sanctaidd, yn feistr 9 arno'i hun. Dylai ddal ei afael yn dynn yn y gair sydd i'w gredu ac sy'n gyson â'r hyn a ddysgir, er mwyn iddo fedru annog eraill â'i athrawiaeth iach, a threchu ei wrthwynebwyr.

10 Oherwydd y mae llawer, ac yn arbennig y credinwyr Iddewig, 11 yn afreolus, ac yn twyllo dynion â'u dadleuon diffaith; ac fe ddylid rhoi taw arnynt. Pobl ydynt sydd yn tanseilio teulu- oedd cyfan drwy ddysgu iddynt bethau na ddylent eu dysgu, 12 a hynny er mwyn elw anonest. Dywedodd un ohonynt, un o'u proffwydi hwy eu hunain:

> " Celwyddgwn fu'r Cretiaid erioed, anifeiliaid anwar, bolrwth a diog."

---

*adn. 7: neu, *arolygydd.*

Y mae'r dystiolaeth hon yn wir. Am hynny, cerydda hwy'n [13] ddidostur, er mwyn eu cael yn iach yn y ffydd yn lle bod â'u [14] bryd ar chwedlau Iddewig a gorchmynion dynion sy'n troi cefn ar y gwirionedd. I'r pur, y mae pob peth yn bur; ond i'r rhai [15] llygredig a di-gred, nid oes dim yn bur; y mae eu deall a'u cydwybod wedi eu llygru. Y maent yn proffesu eu bod yn [16] adnabod Duw, ond ei wadu y maent â'u gweithredoedd. Y maent yn ffiaidd ac yn anufudd, ac yn anghymwys i unrhyw weithred dda.

### *Dysgu Athrawiaeth Iach*

**2** Ond yr wyt ti i lefaru'r hyn sy'n gweddu i'r athrawiaeth iach. Dywed wrth yr hynafgwyr am fod yn sobr, yn weddus, yn [2] ddisgybledig, yn iach mewn ffydd a chariad a dyfalbarhad. Ac wrth y gwragedd hynaf yr un modd: am iddynt fod yn [3] ddefosiynol eu hymarweddiad, yn ddiwenwyn, a heb fod yn gaeth i ormodedd o win; dylent hyfforddi'r gwragedd ifainc [4] yn y pethau gorau, a'u cymell i garu eu gwŷr a charu eu plant, i fod yn ddisgybledig a diwair, i ofalu am eu cartrefi, ac i fod yn [5] garedig, ac yn ddarostyngedig i'w gwŷr, fel na chaiff gair Duw enw drwg. Yn yr un modd, cymell y dynion ifainc i arfer [6] hunanddisgyblaeth. Ym mhob peth dangos dy hun yn esiampl [7] o weithredoedd da, ac wrth hyfforddi amlyga ddidwylledd a gwedduster a neges iachusol, a fydd uwchlaw beirniadaeth. [8] Felly codir cywilydd ar dy wrthwynebwr, gan na fydd ganddo ddim drwg i'w ddweud amdanom. Cymell y caethweision i fod [9] yn ddarostyngedig i'w meistri ym mhob peth, i wneud eu dymuniad, i beidio â'u hateb yn ôl na lladrata oddi arnynt, ond [10] i'w dangos eu hunain yn gwbl ffyddlon a gonest, ac felly yn addurn ym mhob peth i athrawiaeth Duw, ein Gwaredwr.

Oherwydd amlygwyd gras Duw i ddwyn gwaredigaeth i bob [11] dyn, gan ein hyfforddi i ymwrthod ag annuwioldeb a chwantau [12] bydol, a byw'n ddisgybledig a chyfiawn a duwiol yn y byd presennol, a disgwyl am y gwynfyd yr ydym yn gobeithio [13] amdano yn ymddangosiad gogoniant ein Duw mawr a'n Gwaredwr, Iesu Grist. Rhoddodd ef ei hun drosom ni i brynu [14] rhyddid i ni oddi wrth bob anghyfraith, a'n glanhau ni i fod yn bobl wedi ei neilltuo iddo ef ei hun ac yn llawn sêl dros weithredoedd da. Dywed y pethau hyn, a chymell a cherydda gyda [15] phob awdurdod. Peidied neb â'th anwybyddu.

### *Dal at Weithredoedd Da*

3 Dwg ar gof iddynt eu bod i ymostwng i'r awdurdodau sy'n llywodraethu, i fod yn ufudd iddynt, a bod yn barod i wneud 2 unrhyw weithred dda;* i beidio â bwrw anfri ar neb, ond i fod yn heddychol ac yn ystyriol, gan ddangos addfwynder yn gyson 3 tuag at bob dyn. Oherwydd fe fuom ninnau hefyd un amser yn ffôl, yn anufudd, ar gyfeiliorn, yn gaethweision i amryfal chwantau a phleserau, â'n bywyd yn llawn malais a chenfigen, 4 yn atgas gan eraill ac yn casáu ein gilydd. Ond pan amlygwyd 5 daioni Duw, ein Gwaredwr, a'i gariad tuag at ddynion, fe'n hachubodd ni, nid ar sail unrhyw weithredoedd o gyfiawnder a wnaethom ni, ond o'i drugaredd ei hun. Fe'n hachubodd ni trwy olchiad yr ailenedigaeth ac adnewyddiad gan yr Ysbryd 6 Glân, a dywalltodd ef arnom ni yn helaeth drwy Iesu Grist, ein 7 Gwaredwr. Ei ddiben oedd ein cyfiawnhau drwy ei ras a'n gwneud, mewn gobaith, yn etifeddion bywyd tragwyddol.

8 Dyna air i'w gredu. Ac y mae'n ddymuniad gennyf i ti fynnu hyn: fod y rhai a ddaeth i gredu yn Nuw i ofalu eu bod yn ymroi i weithredoedd da.* Dyma gyngor da a buddiol i ddyn- 9 ion. Ond gochel gwestiynau ffôl, ac achau, a chynnen a chwerylon ynghylch y Gyfraith, oherwydd di-fudd ac ofer 10 ydynt. Am y dyn a fyn greu rhaniadau, ar ôl iddo gael ei rybuddio, a'i ail-rybuddio, paid â gwneud dim mwy ag ef; 11 fe wyddost fod dyn felly wedi ei wyrdroi, ei fod yn pechu, a thrwy hynny yn ei gollfarnu ei hun.

### *Cyfarwyddiadau Personol a Chyfarchion*

12 Pan anfonaf Artemas neu Tychicus atat, gwna dy orau i ddod ataf i Nicopolis, oherwydd yr wyf wedi penderfynu bwrw'r 13 gaeaf yno. Gwna dy orau hefyd dros y cyfreithiwr, Zenas, ac Apolos, i'w hebrwng ar eu taith, gan ofalu na fyddant yn fyr o 14 ddim. Rhaid i'n pobl ni hefyd ddysgu ymroi i waith gonest* i gyfarfod ag angenrheidiau bywyd; os na wnânt, byddant yn ddi-les.

15 Y mae pawb sydd gyda mi yn dy gyfarch. Rho fy nghyfarchion i'r rhai sydd yn ein caru yn y ffydd. Gras fyddo gyda chwi oll!

---

*adn. 1: neu, *i gyflawni unrhyw waith gonest.*
*adn. 8: neu, *i waith gonest.*
*adn. 14: neu, *i weithredoedd da.*

LLYTHYR PAUL AT

# PHILEMON

### *Cyfarch*

Paul, carcharor Crist Iesu, a Timotheus ein brawd, at 1 Philemon, ein cydweithiwr annwyl, ac Apffia, ein chwaer, ac 2 Archipus, ein cydfilwr; ac at yr eglwys sy'n ymgynnull yn dy dŷ. Gras a thangnefedd i chwi oddi wrth Dduw ein Tad a'r 3 Arglwydd Iesu Grist.

### *Cariad a Ffydd Philemon*

Yr wyf yn diolch i'm Duw bob amser wrth gofio amdanat yn 4 fy ngweddïau, oherwydd fy mod yn clywed am dy gariad, a'r 5 ffydd sydd gennyt tuag at yr Arglwydd Iesu ac at yr holl saint. Yr wyf yn deisyf y bydd dy gyfranogiad yn ein ffydd yn 6 hyrwyddo dirnadaeth o'r holl ddaioni sy'n eiddo i ni yng Nghrist. Oherwydd cefais lawer o lawenydd a symbyliad trwy 7 dy gariad, gan fod calonnau'r saint wedi eu llonni drwot ti, fy mrawd.

### *Paul yn Eiriol dros Onesimus*

Gan hynny, er bod gennyf berffaith ryddid yng Nghrist i roi 8 gorchymyn i ti ynglŷn â'th ddyletswydd, yr wyf yn hytrach, ar 9 sail cariad, yn apelio atat. Ie, myfi, Paul, a mi'n llysgennad Crist Iesu, ac yn awr hefyd yn garcharor drosto, apelio yr wyf 10 atat ar ran fy mhlentyn, Onesimus, un y deuthum yn dad iddo yn y carchar. Bu ef gynt yn ddi-fudd i ti, ond yn awr y mae'n 11 fuddiol iawn i ti ac i minnau.* Yr wyf yn ei anfon yn ôl atat, 12 ac yntau bellach yn rhan ohonof fi. Mi hoffwn ei gadw gyda mi, 13 er mwyn iddo weini arnaf yn dy le di tra byddaf yng ngharchar o achos yr Efengyl. Ond ni fynnwn wneud dim heb dy gyd- 14 syniad di, rhag i'th garedigrwydd fod o orfod, nid o wirfodd. Efallai, yn wir, mai dyma'r rheswm iddo gael ei wahanu oddi 15 wrthyt dros dro, er mwyn iti ei dderbyn yn ôl am byth, nid fel 16

*adn. 11: ystyr yr enw Onesimus yw *buddiol.*

caethwas mwyach ond fel un sy'n fwy na chaethwas, yn frawd annwyl—annwyl iawn i mi, ond anwylach fyth i ti, fel dyn ac fel Cristion.

17 Os wyt, felly, yn fy ystyried i yn gymar, derbyn ef fel pe bait 18 yn fy nerbyn i. Os gwnaeth unrhyw gam â thi, neu os yw yn dy 19 ddyled, cyfrif hynny arnaf fi. Yr wyf fi, Paul, yn ysgrifennu â'm llaw fy hun: fe dalaf fi yn ôl, a hynny heb sôn dy fod ti'n 20 ddyledus i mi am dy fywyd dy hun. Ie, frawd, mi fynnwn gael ffafr gennyt ti yn yr Arglwydd; llonna fy nghalon i yng Nghrist.

21 Yr wyf yn ysgrifennu atat mewn sicrwydd y byddi'n ufudd-22 hau; gwn y byddi'n gwneud mwy nag yr wyf yn ei ofyn. Yr un pryd hefyd, paratoa lety imi, oherwydd 'rwy'n gobeithio y caf fy rhoi i chwi mewn ateb i'ch gweddïau.

### *Cyfarchion Terfynol*

23 Y mae Epaffras, fy nghydgarcharor yng Nghrist Iesu, yn dy 24 gyfarch; a Marc, Aristarchus, Demas a Luc, fy nghydweithwyr. 25 Gras yr Arglwydd Iesu Grist fyddo gyda'ch ysbryd chwi!

Y LLYTHYR AT YR

# HEBREAID

### *Duw wedi Llefaru yn Ei Fab*

Mewn llawer dull a llawer modd y llefarodd Duw gynt wrth 1 y tadau yn y proffwydi, ond yn y dyddiau olaf hyn llefarodd 2 wrthym ni mewn Mab. Hwn yw'r un a benododd Duw yn etifedd pob peth, a'r un y gwnaeth y cyfanfyd drwyddo. Y 3 mae'n adlewyrchu gogoniant Duw, ac y mae stamp ei sylwedd ef arno; ac y mae'n cynnal pob peth â'i air nerthol. Ar ôl iddo gyflawni puredigaeth pechodau, eisteddodd ar ddeheulaw'r Mawrhydi yn yr uchelder, wedi dyfod gymaint yn uwch na'r 4 angylion ag y mae'r enw a etifeddodd yn rhagorach na'r eiddynt hwy.

### *Y Mab yn Uwch na'r Angylion*

Oherwydd wrth bwy o'r angylion y dywedodd Duw erioed: 5
" Ti yw fy Mab;
yr wyf fi heddiw wedi dy genhedlu di " ?
Ac eto:
" Byddaf fi yn dad iddo ef,
a bydd yntau yn fab i mi."
A thrachefn, pan yw'n dod â'i gyntafanedig i mewn i'r byd, y 6 mae'n dweud:
" A bydded i holl angylion Duw ymgrymu iddo ef."
Am yr angylion y mae'n dweud: 7
" Yr hwn sy'n gwneud ei angylion yn wyntoedd,
a'i weinidogion yn fflam dân ";
ond am y Mab: 8
" Y mae dy orsedd di, O Dduw, yn oes oesoedd,
a gwialen dy deyrnas di yw gwialen uniondeb.
Ceraist gyfiawnder, a chaseaist anghyfraith. 9
Am hynny, O Dduw, y mae dy Dduw di wedi dy eneinio
ag olew gorfoledd, uwchlaw dy gymheiriaid."
Y mae hefyd yn dweud: 10
" Ti, yn y dechrau, Arglwydd, a osodaist sylfeini'r ddaear,
a gwaith dy ddwylo di yw'r nefoedd.

11 Fe ddarfyddant hwy, ond yr wyt ti'n aros;
ânt hwy oll yn hen fel dilledyn ;
12 plygi hwy fel plygu mantell,
a newidir hwy fel newid dilledyn;
ond tydi, yr un ydwyt,
ac ar dy flynyddoedd ni bydd diwedd."
13 Wrth bwy o'r angylion y dywedodd ef erioed:
"Eistedd ar fy neheulaw
hyd oni osodaf dy elynion yn droedfainc i'th draed "?
14 Onid ysbrydion gwasanaethgar ydynt oll, yn cael eu hanfon i weini, er mwyn y rhai sydd i etifeddu iachawdwriaeth ?

*Iachawdwriaeth mor Fawr*

2 Am hynny, rhaid i ni ddal yn fwy gofalus ar y pethau a 2 glywyd, rhag i ni fynd gyda'r llif. Oherwydd os oedd y gair a lefarwyd drwy angylion yn sicr, ac os derbyniodd pob trosedd 3 ac anufudd-dod ei gyfiawn dâl, pa fodd y dihangwn ni, os esgeuluswn iachawdwriaeth mor fawr—iachawdwriaeth a gafodd ei chyhoeddi gyntaf drwy enau'r Arglwydd, a'i chadarn- 4 hau wedyn i ni gan y rhai oedd wedi clywed, a Duw yn cyd-dystio drwy arwyddion a rhyfeddodau, a thrwy amrywiol rymusterau, a thrwy gyfraniadau'r Ysbryd Glân, yn ôl ei ewyllys ei hun.

*Tywysog Iachawdwriaeth*

5 Oherwydd nid i angylion y darostyngodd ef y byd a ddaw, y 6 byd yr ydym yn sôn amdano. Tystiolaethodd rhywun yn rhywle yn y geiriau hyn:
"Beth yw dyn, dy fod di yn ei gofio,
neu fab dyn, fod gennyt ti ofal amdano ?
7 Gwnaethost ef am ryw ychydig yn is na'r angylion;
coronaist ef â gogoniant ac anrhydedd.
8 Darostyngaist bob peth o dan ei draed ef."
Wrth ddarostwng pob peth iddo, ni adawodd ddim heb ei ddarostwng iddo. Ond yn awr nid ydym hyd yma yn gweld 9 pob peth wedi ei ddarostwng iddo; eithr yr ydym yn gweld Iesu, yr un a wnaed am ryw ychydig yn is na'r angylion, wedi ei goroni â gogoniant ac anrhydedd oherwydd iddo ddioddef marwolaeth, er mwyn iddo, trwy ras Duw,* brofi marwolaeth dros bob dyn.

---

*adn. 9: yn ôl darlleniad arall, *wedi ei wahanu oddi wrth Dduw.*

Oherwydd yr oedd yn gweddu i Dduw, yr hwn y mae popeth yn bod er ei fwyn a phopeth yn bod drwyddo, wrth ddwyn meibion lawer i ogoniant, wneud tywysog eu hiachawdwriaeth yn berffaith trwy ddioddefiadau. Canys yr hwn sydd yn sancteiddio, a'r rhai sy'n cael eu sancteiddio, o'r un cyff y maent oll. Dyna pam nad oes arno gywilydd eu galw hwy'n frodyr iddo'i hun. Y mae'n dweud: 10 11 12

" Cyhoeddaf dy enw i'm brodyr,
yng nghanol y gynulleidfa canaf fawl i ti ";

ac eto: 13

" Ynddo ef y byddaf fi'n ymddiried ";

ac eto fyth:

" Wele fi, a'r plant a roddodd Duw imi."

Felly, gan fod y plant yn cydgyfranogi o'r un cig a gwaed, y mae yntau, mewn dull cyffelyb, wedi cyfranogi o'r cig a gwaed hwnnw, er mwyn iddo, trwy farwolaeth, ddiddymu'r hwn sy'n rheoli marwolaeth, sef y diafol, a rhyddhau'r rheini oll oedd, trwy ofn marwolaeth, yng ngafael caethiwed ar hyd eu hoes. Yn sicr, nid am angylion y mae gofal ganddo, ond am had Abraham. Am hynny, yr oedd yn rhaid iddo, ym mhob peth, gael ei wneud yn debyg i'w frodyr, er mwyn iddo fod yn archoffeiriad tosturiol a ffyddlon, gerbron Duw, i sicrhau puredigaeth pechodau'r bobl. Oherwydd am iddo ef ei hunan ddioddef dan brawf, y mae'n gallu cynorthwyo'r rhai sydd yn cael eu profi. 14 15 16 17 18

### *Iesu'n Uwch na Moses*

Gan hynny, frodyr sanctaidd, chwychwi sy'n cyfranogi o alwad nefol, ystyriwch Apostol ac Archoffeiriad ein cyffes ni, sef Iesu, a fu'n ffyddlon i'r hwn a'i penododd, fel y bu Moses hefyd yn ffyddlon yn holl dŷ Duw. Oherwydd y mae Iesu wedi ei gyfrif yn deilwng o ogoniant mwy na Moses, yn gymaint â bod sylfaenydd tŷ yn derbyn mwy o anrhydedd na'r tŷ. Y mae pob tŷ yn cael ei sylfaenu gan rywun, ond Duw yw sylfaenydd pob peth. Bu Moses yn ffyddlon yn holl dŷ Duw fel gwas, i ddwyn tystiolaeth i'r pethau yr oedd Duw yn mynd i'w llefaru; ond y mae Crist yn ffyddlon fel Mab sydd â rheolaeth ar dŷ Duw. A ni yw ei dŷ ef, os daliwn ein gafael ar y gobaith sy'n sail ein hyder a'n balchder. 3 2 3 4 5 6

### *Gorffwysfa i Bobl Duw*

7 Gan hynny, fel y mae'r Ysbryd Glân yn dweud:
" Heddiw, os clywch ei lais ef,
8 peidiwch â chaledu eich calonnau fel yn y gwrthryfel,
yn nydd y profi yn yr anialwch,
9 lle y temtiodd eich tadau fi, a'm profi,
10 ac y gwelsant fy ngweithredoedd am ddeugain mlynedd.
Dyna pam y digiais wrth y genhedlaeth honno;
a dywedais, 'Y maent yn wastad yn cyfeiliorni yn eu calonnau,
ac nid ydynt wedi adnabod fy ffyrdd i.'
11 Felly, tyngais yn fy nigofaint,
' Ni chânt fyth ddod i mewn i'm gorffwysfa i.' "

12 Gwyliwch, frodyr, na fydd yn neb ohonoch byth galon ddrwg 13 anghrediniol, i beri iddo gefnu ar y Duw byw. Yn hytrach, calonogwch eich gilydd bob dydd, tra mae'r " Heddiw " hwnnw'n cael ei alw felly, rhag i neb ohonoch gael ei galedu 14 gan dwyll pechod. Oherwydd yr ydym ni bellach yn gydgyfranogion â Christ,* os glynwn yn dynn hyd y diwedd wrth 15 ein hyder cyntaf. Dyma'r hyn y mae'r Ysgrythur yn ei ddweud:
" Heddiw, os clywch ei lais ef,
peidiwch â chaledu eich calonnau fel yn y gwrthryfel."

16 Pwy, felly, a glywodd, ac a wrthryfelodd wedyn ? Onid pawb 17 oedd wedi dod allan o'r Aifft dan arweiniad Moses ? Ac wrth bwy y digiodd ef am ddeugain mlynedd ? Onid wrth y rhai a bechodd, y rhai y syrthiodd eu cyrff yn farw yn yr anialwch ? 18 Wrth bwy y tyngodd na chaent fyth ddod i mewn i'w orffwysfa 19 ef, os nad wrth y rhai a fu'n anufudd ? Ac yr ydym yn gweld mai o achos anghrediniaeth y methasant ddod i mewn.

**4** Gochelwn, felly, rhag i neb ohonoch, a'r addewid yn aros y cawn ddod i mewn i'w orffwysfa ef, dybio ei fod wedi ei gau 2 allan.* Oherwydd fe gyhoeddwyd y newyddion da, yn wir, i ni fel iddynt hwythau, ond ni fu'r gair a glywsant o unrhyw fudd iddynt hwy, am nad oeddent wedi eu huno mewn ffydd â'r 3 sawl oedd wedi gwrando ar y gair.* Oblegid nyni, y rhai sydd

---

*adn. 14: neu, *yn gyfranogion o Grist.*
*adn. 1: neu, *gael ei ddyfarnu'n wrthodedig.*
*adn. 2: yn ôl darlleniad arall: *am nad oedd wedi ei gysylltu â ffydd yn y gwrandawyr.*

wedi credu, sydd yn mynd i mewn i'r orffwysfa, yn unol â'r hyn a ddywedodd:

> " Felly, tyngais yn fy nigofaint,
> 'Ni chânt fyth ddod i mewn i'm gorffwysfa i.' "

Ac eto yr oedd ei waith wedi ei orffen er seiliad y byd. Oherwydd y mae gair yn rhywle am y seithfed dydd fel hyn: " A gorffwysodd Duw ar y seithfed dydd oddi wrth ei holl waith." Felly hefyd yma: "Ni chânt fyth ddod i mewn i'm gorffwysfa i." Felly, gan ei bod yn sicr y bydd rhai yn cael dod i mewn iddi, a chan fod y rhai y cyhoeddwyd y newyddion da iddynt gynt heb ddod i mewn oherwydd anufudd-dod, y mae ef drachefn yn pennu dydd neilltuol, sef " Heddiw ", gan lefaru trwy Ddafydd ar ôl cymaint o amser, fel y dyfynnwyd o'r blaen: 4 5 6 7

> " Heddiw, os clywch ei lais ef,
> peidiwch â chaledu eich calonnau."

Oherwydd petai Josua wedi rhoi gorffwys iddynt, ni fyddai Duw wedi sôn ar ôl hynny am ddiwrnod arall. Felly, y mae gorffwysfa'r Saboth yn aros yn sicr i bobl Dduw. Oherwydd y sawl a ddaeth i mewn i'w orffwysfa ef, y mae hwnnw wedi gorffwys oddi wrth ei waith, fel y gorffwysodd Duw oddi wrth ei waith yntau. Gadewch inni ymdrechu, felly, i fynd i mewn i'r orffwysfa honno, rhag i neb syrthio o achos yr un math o anufudd-dod. 8 9 10 11

Y mae gair Duw yn fyw a grymus; y mae'n llymach na'r un cleddyf daufiniog, ac yn treiddio hyd at wahaniad yr enaid a'r ysbryd, y cymalau a'r mêr; ac y mae'n barnu bwriadau a meddyliau'r galon. Nid oes dim byd a grewyd yn guddiedig o'i olwg, ond y mae pob peth yn agored ac wedi ei ddinoethi o flaen llygaid yr Un yr ydym ni i roi cyfrif iddo. 12 13

### *Iesu, yr Archoffeiriad Mawr*

Gan fod gennym, felly, archoffeiriad mawr sydd wedi mynd drwy'r nefoedd, sef Iesu, Mab Duw, gadewch inni lynu wrth ein cyffes. Canys nid archoffeiriad heb allu cyd-ddioddef â'n gwendidau sydd gennym, ond un sydd wedi ei brofi ym mhob peth, yn yr un modd â ni,* ac eto heb bechod. Felly, gadewch inni nesáu mewn hyder at orsedd gras, er mwyn derbyn trugaredd a chael gras yn gymorth yn ei bryd. 14 15 16

---

*adn. 15: neu, *yn ôl ei debygrwydd i ni.*

**5** O blith dynion y bydd pob archoffeiriad yn cael ei ddewis, ac ar ran dynion y bydd yn cael ei benodi, yn y pethau a berthyn i
2 Dduw, i offrymu rhoddion ac aberthau dros bechodau. Y mae'n gallu cydymddwyn â'r rhai anwybodus a chyfeiliornus,
3 gan ei fod yntau hefyd wedi ei amgylchu â gwendid; ac oherwydd y gwendid hwn, rhaid iddo offrymu dros bechodau
4 ar ei ran ei hun, fel ar ran y bobl. Nid oes neb yn cymryd yr anrhydedd iddo'i hun; Duw sydd yn ei alw, fel y galwodd Aaron.

5 Felly hefyd gyda Christ. Nid ei ogoneddu ei hun i fod yn archoffeiriad a wnaeth, ond Duw a ddywedodd wrtho:

" Ti yw fy Mab;
yr wyf fi heddiw wedi dy genhedlu di."

6 Fel y mae'n dweud mewn lle arall hefyd:

" Yr wyt ti'n offeiriad yn dragywydd,
yn ôl urdd Melchisedec."

7 Yn nyddiau ei gnawd, fe offrymodd Iesu weddïau ac erfyniadau, gyda llef uchel a dagrau, i'r hwn oedd yn abl i'w achub rhag marwolaeth, ac fe gafodd ei wrando o achos ei barchedig ofn.*
8 Er mai Mab ydoedd, dysgodd ufudd-dod drwy'r hyn a ddi-
9 oddefodd, ac wedi ei berffeithio, daeth yn ffynhonnell iach-
10 awdwriaeth dragwyddol i bawb sydd yn ufuddhau iddo, wedi ei enwi gan Dduw yn archoffeiriad yn ôl urdd Melchisedec.

### *Rhybudd rhag Syrthio Ymaith*

11 Am Melchisedec y mae gennym lawer i'w ddweud sydd yn anodd ei egluro, oherwydd eich bod chwi wedi mynd yn araf i
12 ddeall. Yn wir, er y dylech erbyn hyn fod yn athrawon, y mae arnoch angen rhywun i ail-ddysgu i chwi elfennau cyntaf oraclau Duw; angen llaeth sydd arnoch chwi, ac nid bwyd
13 cryf. Nid oes gan y sawl sy'n byw ar laeth ddim profiad o
14 egwyddor cyfiawnder, am mai baban ydyw. Pobl wedi tyfu i fyny sy'n cymryd bwyd cryf; y mae eu synhwyrau hwy, trwy ymarfer, wedi eu disgyblu i farnu rhwng da a drwg.

**6** Am hynny, gadewch inni ymadael â'r athrawiaeth elfennol am Grist, a mynd ymlaen at y tyfiant llawn. Ni ddylem eilwaith osod y sylfaen, sef edifeirwch am weithredoedd meirwon,

---

*adn. 7: neu, *a chan gael gwrandawiad, fe'i rhyddhawyd o ofn.*

a ffydd yn Nuw, dysgeidiaeth am olchiadau, arddodiad dwylo, 2
atgyfodiad y meirw, a'r Farn dragwyddol. A mynd ymlaen a 3
wnawn, os caniatâ Duw. Oherwydd y rhai a oleuwyd unwaith, 4
ac a brofodd o'r rhodd nefol, ac a fu'n gyfrannog o'r Ysbryd
Glân, ac a brofodd ddaioni gair Duw a nerthoedd yr oes i ddod 5
—os yw'r rhain wedyn wedi syrthio ymaith, y mae'n amhosibl 6
eu hadfer i edifeirwch, gan eu bod yn croeshoelio* Mab Duw
iddynt eu hunain, ac yn ei wneud yn waradwydd. Oherwydd y 7
mae'r ddaear, sy'n yfed y glaw sy'n disgyn arni'n fynych, ac
sy'n dwyn cnydau addas i'r rhai y mae'n cael ei thrin er eu
mwyn, yn derbyn ei chyfran o fendith Duw. Ond os yw'n dwyn 8
drain ac ysgall, y mae'n ddiwerth ac yn agos i felltith, a'i
diwedd fydd ei llosgi.

Er ein bod yn siarad fel hyn, yr ydym yn argyhoeddedig, 9
gyfeillion annwyl, fod pethau gwell yn wir amdanoch chwi,
pethau sy'n perthyn i iachawdwriaeth. Oherwydd nid yw Duw 10
yn anghyfiawn; nid anghofia eich gwaith, a'r cariad tuag at ei
enw yr ydych wedi ei amlygu drwy weini i'r saint, a dal ati i
weini. Ond ein dyhead yw i bob un ohonoch ddangos yr un 11
eiddgarwch, nes i'ch gobaith gael ei gyflawni hyd y diwedd.
Yr ydym am i chwi beidio â bod yn araf, ond yn efelychwyr y 12
rhai sydd drwy ffydd a hir-ymaros yn etifeddu'r addewidion.

### *Addewid Sicr Duw*

Pan roddodd Duw, felly, addewid i Abraham, gan nad oedd 13
ganddo neb mwy i dyngu wrtho, fe dyngodd wrtho'i hun gan 14
ddweud: "Yn wir, bendithiaf di, ac yn ddiau, amlhaf di."
Ac felly, wedi hir-ymaros, fe gafodd yr hyn a addawyd. Oher- 15,16
wydd wrth un mwy y bydd dynion yn tyngu; ac y mae llw yn
rhoi gwarant sydd yn derfyn ar bob dadl rhyngddynt. Felly, 17
pan ewyllysiodd Duw brofi'n llwyrach i etifeddion yr addewid
mor ddigyfnewid yw ei fwriad, fe roddodd warant drwy lw,
er mwyn i ddau beth digyfnewid, dau beth yr oedd yn am- 18
hosibl i Dduw fod yn gelwyddog ynddynt, beri i ni sydd wedi
ffoi am noddfa dderbyn symbyliad cryf i ymaflyd yn y gobaith
a osodwyd o'n blaen. Y mae'r gobaith hwn gennym fel angor 19
i'n bywyd, un diogel a chadarn, ac un sy'n mynd trwodd i'r tu

---

*adn. 6: neu, *ailgroeshoelio.*

20 mewn i'r llen, lle y mae Iesu wedi mynd, yn rhagredegydd ar ein rhan, wedi ei wneud yn archoffeiriad yn dragywydd, yn ôl urdd Melchisedec.

*Urdd Offeiriadol Melchisedec*

**7** Cyfarfu'r Melchisedec hwn, brenin Salem, offeiriad y Duw Goruchaf, ag Abraham pan oedd hwnnw'n dychwelyd 2 o drechu'r brenhinoedd, a bendithiodd ef; a rhannodd Abraham iddo yntau ddegwm o bopeth. Yn gyntaf, ystyr ei enw ef yw "brenin cyfiawnder"; ac yna, y mae'n frenin Salem, 3 hynny yw, "brenin tangnefedd". Ac yntau heb dad, heb fam, a heb achau, nid oes iddo na dechrau dyddiau na diwedd einioes; ond, wedi ei wneud yn gyffelyb i Fab Duw, y mae'n aros yn offeiriad am byth.

4 Ystyriwch pa mor fawr oedd y gŵr hwn y rhoddwyd iddo 5 ddegwm o'r anrhaith gan Abraham y patriarch. Yn awr, y mae'r rheini o blith disgynyddion Lefi sy'n cymryd swydd offeiriad dan orchymyn yn ôl y Gyfraith i gymryd degwm gan y bobl, hynny yw, eu brodyr, er mai disgynyddion Abraham 6 ydynt. Ond y mae hwn, er nad yw o'u llinach hwy, wedi cymryd degwm gan Abraham ac wedi bendithio'r hwn y mae'r 7 addewidion ganddo. A heb ddadl o gwbl, y lleiaf sy'n cael ei 8 fendithio gan y mwyaf. Yn y naill achos, dynion meidrol sydd yn derbyn degwm, ond yn y llall, un y tystiolaethir amdano ei 9 fod yn aros yn fyw. Gellir dweud hyd yn oed fod Lefi, derbyn-10 iwr y degwm, yntau wedi talu degwm drwy Abraham, oblegid yr oedd ef eisoes yn llwynâu ei gyndad pan gyfarfu Melchisedec â hwnnw.

11 Os oedd perffeithrwydd i'w gael, felly, trwy'r offeiriadaeth Lefiticaidd—oblegid ar sail honno y rhoddwyd y Gyfraith i'r bobl—pa angen pellach oedd i sôn am offeiriad arall yn codi, yn 12 ôl urdd Melchisedec ac nid yn ôl urdd Aaron? Oblegid os yw'r offeiriadaeth yn cael ei newid, rhaid bod y Gyfraith hefyd yn 13 cael ei newid. Oherwydd y mae'r un y dywedir y pethau hyn amdano yn perthyn i lwyth arall nad oes yr un aelod ohono 14 wedi gweini wrth yr allor; ac y mae'n gwbl hysbys fod ein Harglwydd ni yn hanu o lwyth Jwda, llwyth na ddywedodd 15 Moses ddim byd am offeiriad mewn perthynas ag ef. Y mae'r ddadl yn eglurach fyth os ar ddull Melchisedec y bydd yr

offeiriad arall yn codi, a'i offeiriadaeth yn dibynnu nid ar gyfraith sydd â'i gorchymyn yn ymwneud â'r cnawd, ond ar nerth bywyd annistryw. Oherwydd tystir amdano: 16 17

" Yr wyt ti'n offeiriad yn dragywydd,
yn ôl urdd Melchisedec."

Felly, y mae yma ddiddymu ar y gorchymyn blaenorol, am ei fod yn wan ac anfuddiol. Oherwydd nid yw'r Gyfraith wedi dod â dim i berffeithrwydd. Ond yn awr cyflwynwyd i ni obaith rhagorach yr ydym drwyddo yn nesáu at Dduw. 18 19

Yn awr, ni ddigwyddodd hyn heb i Dduw dyngu llw. Daeth y lleill, yn wir, yn offeiriaid heb i lw gael ei dyngu; ond daeth hwn trwy lw yr Un a ddywedodd wrtho: 20 21

" Y mae'r Arglwydd wedi tyngu,
ac nid â'n ôl ar ei air,
'Yr wyt ti'n offeiriad yn dragywydd.' "

Yn gymaint â hynny, felly, y mae Iesu wedi dod yn feichiau cyfamod rhagorach. Y mae'r lleill a ddaeth yn offeiriaid yn lluosog hefyd, am fod angau yn eu rhwystro i barhau yn eu swydd; ond y mae gan hwn, am ei fod yn aros yn dragywydd, offeiriadaeth na throsglwyddir mohoni. Dyna pam y mae ef hefyd yn gallu achub hyd yr eithaf y rhai sy'n agosáu at Dduw trwyddo ef, gan ei fod yn fyw bob amser i eiriol drostynt. 22 23 24 25

Dyma'r math o archoffeiriad sy'n addas i ni, un sanctaidd, di-fai, dihalog, wedi ei ddidoli oddi wrth bechaduriaid, ac wedi ei ddyrchafu yn uwch na'r nefoedd; un nad oes raid iddo yn feunyddiol, fel yr archoffeiriaid, offrymu aberthau yn gyntaf dros ei bechodau ei hun, ac yna dros rai'r bobl. Oblegid fe wnaeth ef hyn un waith am byth pan offrymodd ei hun. Oherwydd y mae'r Gyfraith yn penodi yn archoffeiriaid ddynion sy'n llawn gwendid, ond y mae geiriau'r llw, sy'n ddiweddarach na'r Gyfraith, yn penodi Mab sydd wedi ei berffeithio yn dragywydd. 26 27 28

*Archoffeiriad Cyfamod Newydd a Gwell*

**8** Prif bwynt yr hyn 'rwy'n ei ddweud yw hyn: dyma'r math o archoffeiriad sydd gennym, un sydd wedi eistedd ar ddeheulaw gorsedd y Mawrhydi yn y nefoedd, yn weinidog y cysegr, sef y gwir dabernacl a osododd yr Arglwydd, nid dyn. Oherwydd y mae pob archoffeiriad yn cael ei benodi i offrymu rhoddion ac aberthau, ac felly, rhaid bod gan hwn hefyd rywbeth i'w 2 3

4 offrymu. Yn awr, pe byddai ar y ddaear, ni fyddai'n offeiriad o gwbl, gan fod yma eisoes rai sydd yn offrymu rhoddion yn ôl y
5 Gyfraith. Y mae'r rhain yn gweini i lun a chysgod y pethau nefol, yn ôl y gorchymyn a gafodd Moses pan oedd ar fin codi'r tabernacl. "Gofala," meddai Duw, "y byddi'n gwneud pob
6 peth yn ôl y patrwm a ddangoswyd i ti ar y mynydd." Ond, fel y mae, cafodd Iesu weinidogaeth ragorach, gan ei fod yn gyfryngwr cymaint gwell cyfamod—cyfamod, yn wir, sydd wedi ei sefydlu ar addewidion gwell.

7 Oherwydd pe bai'r cyfamod cyntaf hwnnw yn ddi-fai, ni
8 fyddai lle i ail gyfamod. Oherwydd y mae Duw'n eu beio pan yw'n dweud:

"Wele, y mae'r dyddiau'n dod, medd yr Arglwydd,
y gwnaf gyfamod newydd
â thŷ Israel ac â thŷ Jwda;
9 ni fydd yn debyg i'r cyfamod a wneuthum â'u tadau hwy,
y dydd y gafaelais yn eu llaw
i'w harwain allan o wlad yr Aifft,
oherwydd nid arosasant hwy yn fy nghyfamod i.
A minnau, bûm yn ddi-hid ohonynt, medd yr Arglwydd.
10 Dyma'r cyfamod a wnaf â thŷ Israel
ar ôl y dyddiau hynny, medd yr Arglwydd:
rhoddaf fy nghyfreithiau yn eu meddyliau,
ac ysgrifennaf hwy ar eu calonnau.
A byddaf yn Dduw iddynt hwy,
a byddant hwythau'n bobl i minnau.
11 Ac ni fyddant mwyach yn dysgu, bob un ei gyd-ddinesydd*
a phob un ei frawd, gan ddweud, 'Adnebydd yr Arglwydd.'
Oblegid byddant i gyd yn f'adnabod,
o'r lleiaf hyd y mwyaf ohonynt.
12 Oherwydd byddaf yn drugarog wrth eu camweddau hwy,
ac ni chofiaf eu pechodau byth mwy."

13 Wrth ddweud "Cyfamod newydd", y mae wedi dyfarnu'r cyntaf yn hen; ac y mae'r hyn sy'n mynd yn hen ac oedrannus ar fin diflannu.

---

*adn. 11: yn ôl darlleniad arall, *ei gymydog*.

### *Y Cysegr Daearol a'r Cysegr Nefol*

9 Yn awr, yr oedd gan y cyfamod cyntaf hefyd ordinhadau addoliad, a chysegr, ond mai cysegr daearol oedd. 2 Oblegid codwyd pabell, y nesaf allan, ac ynddi hi yr oedd y canhwyllbren a'r bwrdd a'r bara gosod; gelwir hon yn Gysegr. 3 A'r tu ôl i'r ail len yr oedd y babell a elwir yn Gysegr Sancteiddiolaf. 4 Dyma lle'r oedd y thuser aur, ac arch y cyfamod wedi ei goreuro drosti i gyd; yn honno yr oedd llestr aur yn dal y manna, a gwialen Aaron, a flagurodd unwaith, a llechau'r cyfamod; 5 ac uwch ei phen yr oedd ceriwbiaid y gogoniant, yn cysgodi'r drugareddfa. Am y rhain ni ellir manylu yn awr.

6 Yn ôl y trefniadau hyn, y mae'r offeiriaid yn mynd i mewn yn barhaus i'r babell gyntaf i gyflawni'r gwasanaethau; 7 ond yr archoffeiriad yn unig sy'n mynd i'r ail, unwaith yn y flwyddyn, ac nid yw yntau'n mynd heb waed i'w offrymu drosto'i hun a thros bechodau anfwriadol y bobl. 8 Yn hyn, y mae'r Ysbryd Glân yn dangos nad oedd y ffordd i'r cysegr wedi ei hamlygu cyhyd ag yr oedd y tabernacl cyntaf yn sefyll. 9 Y mae hyn oll yn arwyddlun ar gyfer yr amser presennol. Yn ôl y drefn hon offrymir rhoddion ac aberthau na allant berffeithio'r addolwr yn ei gydwybod, 10 oherwydd y maent yn ymwneud yn unig â bwydydd a diodydd ac amrywiol olchiadau, ordinhadau allanol sydd wedi eu gosod hyd amser diwygiad.

11 Ond yn awr daeth Crist, archoffeiriad y pethau da sydd wedi dod.* Trwy dabernacl rhagorach a pherffeithiach, nid o waith llaw (hynny yw, nid o'r greadigaeth hon), 12 ac nid â gwaed geifr a lloi, ond â'i waed ei hun, yr aeth ef i mewn un waith am byth i'r cysegr, gan ennill gwaredigaeth dragwyddol. 13 Oblegid os yw gwaed geifr a theirw, a lludw anner, o'i daenu ar yr halogedig, yn sancteiddio hyd at buredigaeth allanol, 14 pa faint mwy y bydd gwaed Crist, yr hwn a'i hoffrymodd ei hun trwy'r Ysbryd tragwyddol yn ddi-nam i Dduw, yn puro ein cydwybod ni oddi wrth weithredoedd meirwon, i wasanaethu'r Duw byw.

15 Am hynny, y mae ef yn gyfryngwr cyfamod newydd, er mwyn i'r rhai sydd wedi eu galw gael derbyn yr etifeddiaeth dragwyddol a addawyd, gan fod marwolaeth wedi digwydd er sicrhau rhyddhad oddi wrth y troseddau a gyflawnwyd o dan y cyfamod cyntaf. 16 Oherwydd lle y mae ewyllys, y mae'n rhaid

---

*adn. 11: yn ôl darlleniad arall, *sydd ar ddod.*

17 profi marwolaeth y sawl a'i gwnaeth; ar farwolaeth dyn y bydd ewyllys yn dod yn effeithiol; nid yw byth mewn grym tra bydd
18 y sawl a'i gwnaeth yn fyw. Felly, ni sefydlwyd y cyfamod
19 cyntaf, hyd yn oed, heb waed. Oblegid ar ôl i Moses gyhoeddi i'r holl bobl bob gorchymyn yn ôl y Gyfraith, cymerodd waed lloi,* gyda dŵr a gwlân ysgarlad ac isop, a'i daenellu ar y llyfr
20 ei hun ac ar yr holl bobl hefyd, gan ddweud, " Hwn yw gwaed
21 y cyfamod a sefydlodd Duw i chwi." Ac yn yr un modd taenellodd waed ar y tabernacl hefyd, ac ar holl lestri'r
22 gwasanaeth. Yn wir, â gwaed y mae pob peth, bron, yn ôl y Gyfraith, yn cael ei buro, a heb dywallt gwaed nid oes maddeuant.

*Dileu Pechod trwy Aberth Crist*

23 Gan hynny, yr oedd yn rhaid i gysgodau'r pethau nefol gael eu puro â'r pethau hyn, ond y pethau nefol eu hunain ag
24 aberthau gwell na'r rhai hyn. Oherwydd nid i gysegr o waith llaw, rhyw lun o'r cysegr gwirioneddol, yr aeth Crist i mewn, ond i'r nef ei hun, i ymddangos yn awr gerbron Duw drosom ni.
25 Ac nid i'w offrymu ei hun yn fynych y mae'n mynd, fel y bydd yr archoffeiriad yn mynd i mewn i'r cysegr bob blwyddyn â
26 gwaed arall na'r eiddo ei hun; petai felly, buasai wedi gorfod dioddef yn fynych er seiliad y byd. Ond yn awr, un waith am byth, ar ddiwedd yr oesoedd, y mae ef wedi ymddangos er
27 mwyn dileu pechod drwy ei aberthu ei hun. Ac yn gymaint ag y gosodwyd i ddynion eu bod i farw un waith, a bod barn yn
28 dilyn hynny, felly hefyd bydd Crist, ar ôl cael ei offrymu un waith i ddwyn pechodau llawer, yn ymddangos yr ail waith, nid ynglŷn â phechod, ond er iachawdwriaeth i'r rhai sydd yn disgwyl amdano.

**10** Oherwydd cysgod svdd gan y Gyfraith o'r pethau da sy'n dod, nid gwir ddelw y dirweddau hynny; ac ni all hi o gwbl, drwy aberthau sy'n cael eu hoffrymu, yr un rhai flwyddyn ar ôl blwyddyn, ddwyn yr addolwyr i berffeithrwydd am byth.
2 Petasai hynny'n bosibl, oni fuasai'r addolwyr wedi peidio â'u hoffrymu, gan na fuasai mwyach ymwybyddiaeth o bechodau
3 gan addolwyr oedd wedi eu puro un waith am byth? Ond y

---

*adn. 19: yn ôl darlleniad arall, *lloi a geifr*.

mae yn yr aberthau goffâd bob blwyddyn am bechodau; oherwydd y mae'n amhosibl i waed teirw a geifr dynnu ymaith 4 bechodau.

Dyna pam y mae ef, wrth ddod i'r byd, yn dweud: 5

"Aberth ac offrwm, ni fynnaist mohonynt,
ond yr wyt wedi paratoi corff i mi.
Offrymau llosg ac offrymau dros bechod, 6
nid ymhyfrydaist ynddynt.
Yna dywedais, 7
'Dyma fi wedi dod,
fel y mae'n ysgrifenedig amdanaf yn y sgrôl,
i wneud dy ewyllys di, O Dduw.'"

Y mae'n dweud, i ddechrau, "Aberthau ac offrymau, ac 8 offrymau llosg ac offrymau dros bechod, ni fynnaist mohonynt ac nid ymhyfrydaist ynddynt." Yn ôl y Gyfraith y mae'r rhain yn cael eu hoffrymu. Yna dywedodd, "Dyma fi wedi dod i 9 wneud dy ewyllys di." Y mae'n diddymu'r peth cyntaf er mwyn sefydlu'r ail. Trwy'r ewyllys honno yr ydym wedi ein 10 sancteiddio, gan fod corff Iesu Grist, un waith am byth, wedi ei offrymu.

Y mae pob offeiriad yn sefyll beunydd yn gweini, ac yn 11 offrymu'r un aberthau dro ar ôl tro, aberthau na allant byth ddileu pechodau. Ond am hwn, wedi iddo offrymu un aberth 12 tros bechodau am byth, eisteddodd ar ddeheulaw Duw, yn 13 disgwyl bellach hyd oni osodir ei elynion yn droedfainc i'w draed. Oherwydd ag un offrwm y mae wedi perffeithio am 14 byth y rhai a sancteiddir.

Ac y mae'r Ysbryd Glân hefyd yn tystio wrthym; oherwydd 15 wedi iddo ddweud:

"Dyma'r cyfamod a wnaf â hwy 16
ar ôl y dyddiau hynny, medd yr Arglwydd;
rhoddaf fy nghyfreithiau yn eu calonnau,
ac ysgrifennaf hwy ar eu meddyliau",

y mae'n ychwanegu: 17

"A'u pechodau hwy, a'u drwg-weithredoedd,
ni chofiaf mohonynt byth mwy."

Yn awr, lle y ceir maddeuant am y pethau hyn, nid oes angen 18 offrwm dros bechod mwyach.

*Nesáu a Dyfalbarhau*

19 Felly, frodyr, gan fod gennym hyder i fynd i mewn i'r cysegr
20 drwy waed Iesu, ar hyd ffordd newydd a byw y mae ef wedi ei
21 hagor i ni drwy'r llen, hynny yw, trwy ei gnawd ef; a chan fod
22 gennym offeiriad mawr ar dŷ Duw, gadewch inni nesáu â chalon gywir, mewn llawn hyder ffydd, â'n calonnau wedi eu taenellu'n lân oddi wrth gydwybod ddrwg, a'n cyrff wedi eu
23 golchi â dŵr glân. Gadewch inni ddal yn ddiwyro at gyffes ein gobaith, oherwydd gallwn ddibynnu ar yr hwn a roddodd
24 yr addewid. Gadewch inni ystyried sut y gallwn ennyn
25 yn ein gilydd gariad a gweithredoedd da, heb gefnu ar ein cydgynulliad ein hunain, yn ôl arfer rhai, ond annog ein gilydd, ac yn fwy felly yn gymaint â'ch bod yn gweld y Dydd yn dod yn agos.

26 Oherwydd os ydym yn mynnu pechu ar ôl inni dderbyn gwybodaeth am y gwirionedd, nid oes aberth dros bechodau
27 i'w gael mwyach; dim ond rhyw ddisgwyl brawychus am farn,
28 ac angerdd tân a fydd yn difa'r gwrthwynebwyr. Os bydd dyn wedi diystyru Cyfraith Moses, caiff ei ladd yn ddidrugaredd
29 ar air dau neu dri o dystion. Ystyriwch gymaint llymach yw'r gosb a fernir yn haeddiant i'r hwn sydd wedi mathru Mab Duw, ac wedi cyfrif yn halogedig waed y cyfamod y cafodd ei sanc-
30 teiddio drwyddo, ac wedi difenwi Ysbryd grasol Duw. Oherwydd fe wyddom pwy a ddywedodd:

> " Myfi piau dial, myfi a dalaf yn ôl " ;

ac eto:

> " Bydd yr Arglwydd yn barnu ei bobl."

31 Peth dychrynllyd yw syrthio i ddwylo'r Duw byw.

32 Cofiwch y dyddiau gynt pan fu i chwi, wedi eich goleuo,
33 wynebu yn ddiysgog ornest fawr eich cystuddiau: weithiau, yn eich gwaradwydd a'ch cystuddiau, yn cael eich gwneud yn sioe i'r cyhoedd, ac weithiau yn gymdeithion i'r rhai oedd yn cael
34 eu trin felly. Oherwydd cyd-ddioddefasoch â'r carcharorion, a derbyniasoch mewn llawenydd ysbeilio'ch meddiannau, gan wybod fod meddiant rhagorach ac arhosol yn eiddo i chwi.
35 Peidiwch felly â thaflu eich hyder i ffwrdd, gan fod gwobr fawr
36 yn perthyn iddo. Y mae angen dyfalbarhad arnoch i gyflawni
37 ewyllys Duw a meddiannu'r hyn a addawyd. Oherwydd, yng ngeiriau'r Ysgrythur:

> " Yn fuan, yn fuan iawn,

fe ddaw yr hwn sydd i ddod, ac nid oeda;
ond fe gaiff fy ngŵr cyfiawn i fyw trwy ffydd, 38
ac os cilia'n ôl,
ni bydd fy enaid yn ymhyfrydu ynddo."
Eithr nid pobl y cilio'n ôl i ddistryw ydym ni, ond pobl y ffydd 39 sy'n mynd i feddiannu bywyd.

## *Ffydd*

Yn awr, y mae ffydd yn warant o bethau y gobeithir am- **11** danynt, ac yn sicrwydd* o ddirweddau na welir. Trwyddi hi, 2 yn wir, y cafodd y rhai gynt enw da.

Trwy ffydd yr ydym yn deall i'r cyfanfyd gael ei lunio gan 3 air Duw yn y fath fodd nes bod yr hyn sy'n weledig wedi tarddu o'r hyn nad yw'n weladwy.

Trwy ffydd yr offrymodd Abel i Dduw aberth rhagorach na 4 Cain; trwyddi hi y tystiwyd ei fod yn gyfiawn, wrth i Dduw ei hun dystio i ragoriaeth ei roddion; a thrwyddi hi hefyd y mae ef, er ei fod wedi marw, yn llefaru o hyd. Trwy ffydd y 5 cymerwyd Enoch ymaith fel na welai farwolaeth; ac ni chafwyd mohono, am fod Duw wedi ei gymryd. Oherwydd y mae tystiolaeth ei fod, cyn ei gymryd, wedi rhyngu bodd Duw; ond heb ffydd y mae'n amhosibl rhyngu ei fodd ef. Oherwydd 6 rhaid i'r sawl sy'n dod at Dduw gredu ei fod ef, a'i fod yn gwobrwyo'r rhai sy'n ei geisio. Trwy ffydd, ac o barch i rybudd 7 Duw am yr hyn nad oedd eto i'w weld, yr adeiladodd Noa arch i achub ei deulu; a thrwyddi hi y condemniodd y byd ac y daeth yn etifedd y cyfiawnder a ddaw o ffydd.

Trwy ffydd yr ufuddhaodd Abraham i'r alwad i fynd allan i'r 8 lle yr oedd i'w dderbyn yn etifeddiaeth; ac fe aeth allan heb wybod i ble'r oedd yn mynd. Trwy ffydd yr ymfudodd i wlad 9 yr addewid fel i wlad estron, gan drigo mewn pebyll, fel y gwnaeth Isaac a Jacob, cydetifeddion yr un addewid. Canys yr 10 oedd ef yn disgwyl am ddinas ag iddi sylfeini, a Duw yn bensaer ac yn adeiladydd iddi. Trwy ffydd—a Sara hithau yn 11 ddiffrwyth—y cafodd nerth i genhedlu plentyn, er cymaint ei

---

*adn. 1: neu, *yn brawf*.

oedran, am iddo* gyfrif yn ffyddlon yr hwn oedd wedi addo.
12 Am hynny, felly, o un dyn, a hwnnw cystal â bod yn farw, fe gododd disgynyddion fel sêr y nef o ran eu nifer, ac fel tywod dirifedi glan y môr.

13 Mewn ffydd y bu farw'r rhai hyn oll, heb fod wedi meddiannu'r hyn a addawyd, ond wedi ei weld a'i groesawu o bell, a chyfaddef mai dieithriaid ac ymdeithwyr oeddent ar y ddaear.
14 Y mae'r rhai sy'n llefaru fel hyn yn dangos yn eglur eu bod yn
15 ceisio mamwlad. Ac yn wir, pe buasent yn dal i feddwl am y wlad yr oeddent wedi mynd allan ohoni, buasent wedi cael
16 cyfle i ddychwelyd iddi. Ond y gwir yw eu bod yn dyheu am wlad well, sef gwlad nefol. Dyna pam nad oes ar Dduw gywilydd ohonynt, nac o gael ei alw yn Dduw iddynt, oherwydd y mae wedi paratoi dinas iddynt.

17 Trwy ffydd, pan osodwyd prawf arno, yr offrymodd Abraham Isaac. Yr oedd yr hwn oedd wedi croesawu'r addewidion yn
18 barod i offrymu ei uniganedig fab, er fod Duw wedi dweud
19 wrtho, "Trwy Isaac daw had i ddwyn dy enw." Oblegid barnodd y gallai Duw ei godi hyd yn oed oddi wrth y meirw; ac oddi wrth y meirw, yn wir, a siarad yn ffigurol, y cafodd ef yn ôl.
20 Trwy ffydd y bendithiodd Isaac Jacob ac Esau ar gyfer pethau
21 i ddod. Trwy ffydd y bendithiodd Jacob, wrth farw, bob un o
22 feibion Joseff, ac addoli gan bwyso ar ben ei ffon. Trwy ffydd y soniodd Joseff, wrth farw, am ecsodus meibion Israel, a rhoi gorchymyn ynghylch ei esgyrn.

23 Trwy ffydd y cuddiwyd Moses ar ei enedigaeth am dri mis gan ei rieni, oherwydd eu bod yn ei weld yn blentyn tlws. Nid
24 oedd arnynt ofn gorchymyn y brenin. Trwy ffydd y gwrthododd Moses, wedi iddo dyfu i fyny, gael ei alw yn fab i ferch
25 Pharo, gan ddewis goddef adfyd gyda phobl Duw yn hytrach
26 na chael mwynhad pechod dros dro, a chan ystyried gwaradwydd yr Eneiniog yn gyfoeth mwy na thrysorau'r Aifft, oher-
27 wydd yr oedd ei olwg ar y wobr. Trwy ffydd y gadawodd yr Aifft, heb ofni dicter y brenin, canys safodd yn gadarn, fel un
28 yn gweld yr Anweledig. Trwy ffydd y cadwodd ef y Pasg, a thaenellu'r gwaed, rhag i'r Dinistrydd gyffwrdd â meibion
29 cyntafanedig yr Israeliaid. Trwy ffydd yr aethant drwy'r Môr

---

*adn. 11: yn ôl darlleniad arall, *Trwy ffydd y cafodd Sara hithau nerth i feichiogi, er cymaint ei hoedran, am iddi.*

Coch fel pe ar dir sych. Pan geisiodd yr Eifftiaid wneud hynny, fe'u boddwyd. 30 Trwy ffydd y syrthiodd muriau Jericho ar ôl eu hamgylchu am saith diwrnod. 31 Trwy ffydd, ni chafodd Rahab, y butain, ei difetha gyda'r rhai oedd wedi gwrthod credu, oherwydd iddi groesawu'r ysbïwyr yn heddychlon.

32 A beth a ddywedaf ymhellach ? Canys fe ballai amser imi adrodd yn fanwl hanes Gideon, Barac, Samson, Jefftha, Dafydd a Samuel a'r proffwydi, 33 y rhai drwy ffydd a oresgynnodd deyrnasoedd, a weithredodd gyfiawnder, a afaelodd yn yr addewidion, a gaeodd safnau llewod, 34 a ddiffoddodd angerdd tân, a ddihangodd rhag min y cleddyf, a nerthwyd o wendid, a ddaeth yn gadarn mewn rhyfel a gyrru byddinoedd yr estron ar ffo. 35 Derbyniodd gwragedd eu meirwon drwy atgyfodiad. Cafodd eraill eu harteithio, gan wrthod ymwared er mwyn cael atgyfodiad gwell. 36 Cafodd eraill brofi gwatwar a fflangell, ie, cadwynau hefyd, a charchar. 37 Fe'u llabyddiwyd,* fe'u torrwyd â llif, fe'u rhoddwyd i farwolaeth â min y cledd; crwydrasant yma ac acw mewn crwyn defaid, mewn crwyn geifr, yn anghenus, yn adfydus, dan gamdriniaeth, 38 dynion nad oedd y byd yn deilwng ohonynt, yn crwydro mewn tiroedd diffaith a mynyddoedd, ac yn cuddio mewn ogofeydd a thyllau yn y ddaear.

39 A'r rhai hyn oll, er iddynt dderbyn enw da oherwydd eu ffydd, ni chawsant feddiannu'r hyn a addawyd, 40 am fod Duw wedi rhagweld rhywbeth gwell ar ein cyfer ni, fel nad ydynt hwy i gael eu perffeithio hebom ni.

### *Yr Arglwydd yn Disgyblu*

**12** Am hynny, gadewch i ninnau hefyd, gan fod cymaint torf o dystion o'n cwmpas, fwrw ymaith bob rhwystr, a'r pechod sy'n ein maglu mor rhwydd,* a rhedeg yr yrfa sydd o'n blaen heb ddiffygio, 2 gan gadw ein golwg ar Iesu, awdur a pherffeithydd ffydd. Er mwyn y llawenydd oedd o'i flaen, fe oddefodd ef y groes heb ddiffygio, gan ddiystyru gwarth, ac y mae wedi eistedd ar ddeheulaw gorseddfainc Duw. 3 Meddyliwch amdano ef, a oddefodd y fath elyniaeth iddo'i hun gan bechaduriaid, a

---

*adn. 37: ychwanega rhai llawysgrifau, *fe'u profwyd.*

*adn. 1: neu, *sy'n glynu mor dynn wrthym.* Yn ôl darlleniad arall, *sy'n tynnu'n sylw mor rhwydd.*

pheidiwch â blino na digalonni.

4 Hyd yma, nid ydych wedi gwrthwynebu hyd at waed yn y
5 frwydr yn erbyn pechod, ac yr ydych wedi anghofio'r anogaeth sy'n eich annerch fel meibion:

"Fy mab, paid â dirmygu disgyblaeth yr Arglwydd,
a phaid â digalonni pan gei dy geryddu ganddo;
6 oherwydd y mae'r Arglwydd yn disgyblu'r sawl y mae'n ei garu,
ac yn fflangellu pob mab y mae'n ei arddel."

7 Goddefwch y cwbl er mwyn disgyblaeth; y mae Duw yn eich trin fel meibion. Canys pa fab sydd nad yw ei dad yn ei
8 ddisgyblu? Ac os ydych heb y ddisgyblaeth y mae pob un yn
9 gyfrannog ohoni, yna bastardiaid ydych, ac nid meibion. Mwy na hynny, yr oedd gennym dadau daearol i'n disgyblu, ac yr oeddem yn eu parchu hwy. Oni ddylem, yn fwy o lawer,
10 ymddarostwng i'n Tad ysbrydol, a chael byw? Yr oedd ein tadau yn disgyblu am gyfnod byr, fel yr oeddent hwy'n gweld yn dda; ond y mae ef yn gwneud hynny er ein lles, er mwyn
11 inni allu cyfranogi o'i sancteiddrwydd ef. Nid yw unrhyw ddisgyblaeth, yn wir, ar y pryd yn ymddangos yn bleserus, ond yn hytrach yn boenus; ond yn nes ymlaen, y mae'n dwyn heddychol gynhaeaf cyfiawnder i'r rhai sydd wedi eu hyfforddi ganddi.

12 Felly, codwch i fyny'r dwylo sy'n llaesu, a'r gliniau sy'n llesg,
13 a gwnewch lwybrau union i'ch traed, rhag i'r aelod cloff gael ei ddatgymalu, ond yn hytrach gael ei wneud yn iach.

### *Rhybudd rhag Gwrthod Gras Duw*

14 Ceisiwch heddwch â phawb, a'r bywyd sanctaidd hwnnw
15 nad oes modd i neb weld yr Arglwydd hebddo. Cymerwch ofal na chaiff neb syrthio'n ôl oddi wrth ras Duw, rhag i ryw wreiddyn chwerw dyfu i'ch blino, ac i lawer gael eu llygru
16 ganddo. Na foed yn eich plith unrhyw buteiniwr neu ŵr halogedig, fel Esau, a werthodd am bryd o fwyd ei freintiau fel
17 mab hynaf. Oherwydd fe wyddoch iddo ef, pan ddymunodd wedi hynny etifeddu'r fendith, gael ei wrthod, canys ni chafodd gyfle i edifarhau, er iddo grefu am hynny â dagrau.

18 Oherwydd nid ydych chwi wedi dod at fynydd y gellir ei gyffwrdd, at dân sydd yn llosgi, at gaddug a thywyllwch a
19 thymestl, at floedd utgorn, a llef yn rhoi gorchymyn nes i'r rhai

a'i clywodd ymbil am i'r llefaru beidio, am na allent oddef y 20 gorchymyn: "Os bydd anifail, hyd yn oed, yn cyffwrdd â'r mynydd, rhaid ei labyddio." A chan mor ofnadwy oedd yr 21 olygfa, dywedodd Moses, "Y mae arnaf arswyd a chryndod." Ond at Fynydd Seion yr ydych chwi wedi dod, ac i ddinas y 22 Duw byw, y Jerwsalem nefol; ac at fyrddiynau o angylion mewn cymanfa, a chynulleidfa y rhai cyntafanedig sydd â'u 23 henwau'n ysgrifenedig yn y nefoedd; ac at Dduw, Barnwr pawb, ac at ysbrydoedd y rhai cyfiawn sydd wedi eu perffeithio, ac at Iesu, cyfryngwr y cyfamod newydd, ac at waed y taenellu, 24 sydd yn llefaru'n fwy grymus na gwaed Abel.

Gwyliwch beidio â gwrthod yr hwn sydd yn llefaru, oher- 25 wydd os na ddihangodd y rhai a wrthododd yr hwn oedd yn eu rhybuddio ar y ddaear, mwy o lawer ni bydd dianc i ni os byddwn yn troi oddi wrth yr hwn sy'n ein rhybuddio o'r nefoedd. Siglodd ei lais y ddaear y pryd hwnnw, ond yn awr y mae wedi 26 addo, "Unwaith eto fe ysgydwaf nid yn unig y ddaear ond y nef hefyd." Ond y mae'r geiriau, "Unwaith eto", yn dynodi 27 bod y pethau a siglir, fel pethau wedi eu creu, i gael eu symud, er mwyn i'r pethau na siglir aros. Felly, gan ein bod yn derbyn 28 teyrnas ddi-sigl, gadewch inni fod yn ddiolchgar, a thrwy hynny* wasanaethu Duw wrth ei fodd, â pharch ac ofn duwiol. Oherwydd tân ysol yw ein Duw ni. 29

### *Gwasanaeth Cymeradwy gan Dduw*

**13** Bydded i frawdgarwch barhau. Peidiwch ag anghofio llety- 2 garwch, oherwydd trwyddo y mae rhai, heb wybod hynny, wedi rhoi llety i angylion. Cofiwch y carcharorion, fel pe 3 byddech yn y carchar gyda hwy; a'r rhai a gam-drinir, fel pobl sydd â chyrff gennych eich hunain. Bydded priodas mewn 4 parch gan bawb, a'r gwely yn ddihalog; oherwydd bydd Duw yn barnu puteinwyr a godinebwyr. Byddwch yn ddiariangar 5 yn eich dull o fyw; byddwch yn fodlon ar yr hyn sydd gennych. Oherwydd y mae ef wedi dweud, "Ni'th adawaf fyth, ac ni chefnaf arnat ddim." Am hynny dywedwn ninnau'n hyderus: 6

"Yr Arglwydd yw fy nghynorthwywr,
ac nid ofnaf;
beth a all dyn ei wneud i mi?"

Cadwch mewn cof eich arweinwyr, y rhai a lefarodd air Duw 7

---

*adn. 28: neu, *bydded gennym ras, a thrwyddo.*

wrthych; myfyriwch ar ganlyniad eu buchedd, ac efelychwch
8 eu ffydd. Iesu Grist, yr un ydyw ddoe a heddiw ac yn dra-
9 gywydd. Peidiwch â chymryd eich camarwain gan athraw-
iaethau amrywiol a dieithr; oherwydd da yw i'r galon gael ei
chadarnhau gan ras, ac nid gan fwydydd na fuont o unrhyw les
10 i'r rhai oedd yn ymwneud â hwy. Y mae gennym ni allor nad
11 oes gan wasanaethwyr y tabernacl ddim hawl i fwyta ohoni. Y
mae cyrff yr anifeiliaid hynny, y dygir eu gwaed dros bechod
i'r cysegr gan yr archoffeiriad, yn cael eu llosgi y tu allan i'r
12 gwersyll. Felly Iesu hefyd, dioddef y tu allan i'r porth a wnaeth
13 ef, er mwyn sancteiddio'r bobl trwy ei waed ei hun. Am hynny,
gadewch i ni fynd ato ef y tu allan i'r gwersyll, gan oddef y
14 gwaradwydd a oddefodd ef. Canys nid oes dinas barhaus
gennym yma; ceisio yr ydym, yn hytrach, y ddinas sydd i
15 ddod. Gadewch inni, felly, drwyddo ef offrymu aberth
moliant yn wastadol i Dduw; hynny yw, ffrwyth gwefusau sy'n
16 cyffesu ei enw. Peidiwch ag anghofio gwneud daioni a rhannu
ag eraill; oherwydd ag aberthau fel hyn y rhyngir bodd Duw.

17 Ufuddhewch i'ch arweinwyr, ac ildiwch iddynt, oherwydd y
maent hwy'n gwylio'n ddiorffwys dros eich eneidiau, fel rhai
sydd i roi cyfrif amdanoch. Gadewch iddynt allu gwneud
hynny'n llawen, ac nid yn ofidus, oherwydd di-fudd i chwi
fyddai hynny.

18 Gweddïwch drosom ni; oherwydd yr ydym yn sicr fod
gennym gydwybod lân, am ein bod yn dymuno ymddwyn yn
19 iawn ym mhob peth. Yr wyf yn erfyn yn daerach arnoch i
wneud hyn, er mwyn imi gael fy adfer i chwi yn gynt.

*Bendith, a Chyfarchion Terfynol*

20 Bydded i Dduw tangnefedd, yr hwn a ddug yn ôl oddi wrth
y meirw ein Harglwydd Iesu, Fugail mawr y defaid, trwy waed
21 y cyfamod tragwyddol, eich cyflawni â phob daioni, er mwyn
ichwi wneud ei ewyllys ef; a bydded iddo lunio ynom yr hyn
sydd gymeradwy ganddo, trwy Iesu Grist, i'r hwn y byddo'r
gogoniant yn oes oesoedd! Amen.

22 Yr wyf yn deisyf arnoch chwi, frodyr, oddef y gair hwn o
23 anogaeth, oblegid yn fyr yr ysgrifennais atoch. Y newydd yw
fod ein brawd Timotheus wedi ei ryddhau, ac os daw mewn
pryd, caf eich gweld gydag ef.

24 Cyfarchwch eich holl arweinwyr, a'r holl saint. Y mae'r
25 cyfeillion o'r Eidal yn eich cyfarch. Gras fyddo gyda chwi oll!

LLYTHYR

# IAGO

## *Cyfarch*

Iago, gwas Duw a'r Arglwydd Iesu Grist, at y deuddeg 1 llwyth sydd ar wasgar, cyfarchion.

## *Ffydd a Doethineb*

Fy mrodyr, cyfrifwch hi'n llawenydd pur pan syrthiwch i 2 amrywiol brofedigaethau, gan wybod fod y prawf ar eich ffydd 3 yn magu dyfalbarhad. A gadewch i ddyfalbarhad gyflawni ei 4 waith, er mwyn i chwi fod yn gyfan a chyflawn, heb fod yn ddiffygiol mewn dim. Ac os yw rhywun ohonoch yn ddiffygiol 5 mewn doethineb, gofynned gan Dduw, ac fe'i rhoddir iddo, oherwydd y mae Duw yn rhoi i bawb yn hael a heb ddannod. Ond gofynned mewn ffydd, heb betruso, gan fod y sawl sy'n 6 petruso yn debyg i don y môr, sy'n cael ei chwythu a'i chwalu gan y gwynt. Nid yw'r dyn hwnnw—ac yntau'n ddyn dau 7,8 feddwl, ansicr yn ei holl ffyrdd—i dybio y caiff ddim gan yr Arglwydd.

## *Tlodi a Chyfoeth*

Dylai'r brawd distadl ymfalchïo pan ddyrchefir ef, ond y 9,10 brawd cyfoethog pan ddarostyngir ef, oherwydd diflannu a wna hwnnw fel blodeuyn glaswellt. Bydd yr haul yn codi yn ei 11 wres tanbaid, a bydd y glaswellt yn gwywo, ei flodeuyn yn syrthio, a thlysni ei wedd yn darfod. Felly hefyd y diflanna'r cyfoethog yng nghanol ei holl fynd a dod.

## *Prawf a Themtasiwn*

Gwyn ei fyd y gŵr sy'n dal ei dir mewn temtasiwn, oherwydd 12 ar ôl iddo fynd trwy'r prawf fe gaiff, yn goron, y bywyd a addawodd yr Arglwydd* i'r rhai sydd yn ei garu ef. Ni ddylai 13 neb sy'n cael ei demtio ddweud, " Oddi wrth Dduw y daw fy

---

*adn. 12: yn ôl darlleniad arall, *addawodd Duw*; yn ôl un arall, *addawodd*.

nhemtasiwn"; oherwydd ni ellir temtio Duw gan ddrygioni,
14 ac nid yw ef ei hun yn temtio neb. Yn wir, pan mae dyn yn cael ei demtio, ei chwant ei hun sydd yn ei dynnu ar gyfeiliorn
15 ac yn ei hudo. Yna, y mae chwant yn beichiogi ac yn esgor ar bechod, ac y mae pechod, ar ôl cyrraedd ei lawn dwf, yn cenhedlu marwolaeth.

16 Peidiwch â chymryd eich camarwain, fy mrodyr annwyl.
17 Oddi uchod y daw pob rhoi da a phob rhodd berffaith. Disgyn y maent oddi wrth Dad goleuadau'r nef; ac iddo ef ni pherthyn
18 na chyfnewid na chysgod troadau'r sêr. O'i fwriad ei hun y cenhedlodd ef ni trwy air y gwirionedd, er mwyn inni fod yn rhyw fath o flaenffrwyth o'i greaduriaid.

### *Gwrando a Gweithredu'r Gair*

19 Ystyriwch, fy mrodyr annwyl. Rhaid i bob dyn fod yn gyflym i wrando, ond yn araf i lefaru, ac yn araf i ddigio,
20 oherwydd nid yw dicter dyn yn hyrwyddo cyfiawnder Duw.
21 Ymaith gan hynny â phob aflendid, ac ymaith â'r drygioni sydd ar gynnydd, a derbyniwch yn wylaidd y gair hwnnw a blannwyd ynoch, ac sy'n abl i achub eich eneidiau.

22 Byddwch yn weithredwyr y gair, nid yn wrandawyr yn unig,
23 gan eich twyllo eich hunain. Oherwydd os yw rhywun yn wrandawr y gair, ac nid yn weithredwr, y mae'n debyg i ddyn
24 yn gweld mewn drych yr wyneb a gafodd; fe'i gwelodd ei hun, ac yna, wedi iddo fynd i ffwrdd, anghofiodd ar unwaith pa fath
25 ddyn ydoedd. Ond am y sawl a roes sylw dyfal i berffaith gyfraith rhyddid ac a ddaliodd ati, a dod yn weithredwr ei gofynion, ac nid yn wrandawr anghofus, bydd y dyn hwnnw yn ddedwydd yn ei weithredoedd.

26 Os yw rhywun yn tybio ei fod yn grefyddol, ac yntau'n methu ffrwyno'i dafod, ac yn wir yn twyllo'i galon ei hun, yna
27 ofer yw crefydd y dyn hwnnw. Dyma'r grefydd sy'n bur a dilychwin yng ngolwg Duw, ein Tad: bod dyn yn gofalu am yr amddifad a'r gweddwon yn eu trallod, ac yn ei gadw ei hun heb ei ddifwyno gan y byd.

### *Rhybudd rhag Dangos Ffafriaeth*

**2** Fy mrodyr, yn y ffydd sydd gennych yn ein Harglwydd Iesu Grist, Arglwydd y gogoniant, peidiwch â rhoi lle i ffafriaeth.

Bwriwch fod dyn â modrwy aur a dillad crand yn dod i'r cwrdd, 2 a bod dyn tlawd mewn dillad carpiog yn dod hefyd. 3 A bwriwch eich bod chwi'n talu sylw i'r un sy'n gwisgo dillad crand, ac yn dweud wrtho ef, " Eisteddwch yma, os gwelwch yn dda"; ond eich bod yn dweud wrth y dyn tlawd, " Saf di ar dy draed, neu eistedd fan draw* wrth fy nhroedfainc." 4 Onid ydych yn anghyson eich agwedd ac yn llygredig eich barn ?

5 Clywch, fy mrodyr annwyl. Oni ddewisodd Duw y rhai sy'n dlawd yng ngolwg y byd i fod yn gyfoethog mewn ffydd ac yn etifeddion y deyrnas a addawodd ef i'r rhai sydd yn ei garu ? 6 Eto rhoesoch chwi anfri ar y dyn tlawd. Onid y cyfoethogion sydd yn eich gormesu chwi, ac onid hwy sydd yn eich llusgo i'r llysoedd ? 7 Onid hwy sydd yn cablu'r enw glân a alwyd arnoch? 8 Wrth gwrs, os cyflawni gofynion y Gyfraith frenhinol yr ydych, yn unol â'r Ysgrythur, "Câr dy gymydog fel ti dy hun", yr ydych yn gwneud yn ardderchog. 9 Ond os o ffafriaeth yr ydych yn gwneud hyn, cyflawni pechod yr ydych, ac yng ngoleuni'r Gyfraith yr ydych yn droseddwyr. 10 Pwy bynnag a gadwodd holl ofynion y Gyfraith, ond a lithrodd ar un peth, y mae hwnnw'n euog o dorri'r cwbl. 11 Oherwydd y mae'r un a ddywedodd, "Na odineba", wedi dweud hefyd, "Na ladd." Os nad wyt yn godinebu, ond eto yn lladd, yr wyt yn droseddwr yn erbyn y Gyfraith. 12 Llefarwch a gweithredwch fel dynion sydd i'w barnu dan gyfraith rhyddid. 13 Didrugaredd fydd y farn honno i'r sawl na ddangosodd drugaredd. Trech trugaredd na barn.

### *Ffydd Heb Weithredoedd yn Farw*

14 Fy mrodyr, pa les yw i ddyn ddweud fod ganddo ffydd, ac yntau heb weithredoedd ? 15 A all ei ffydd ei achub ef ? 16 Os yw brawd neu chwaer yn garpiog ac yn brin o fara beunyddiol, ac un ohonoch yn dweud wrthynt, " Pob bendith ichwi; cadwch yn gynnes a mynnwch ddigon o fwyd", ond heb roi dim iddynt ar gyfer rheidiau'r corff, pa les ydyw ? 17 Felly hefyd y mae ffydd, os nad oes ganddi weithredoedd, yn farw ynddi ei hun.

18 Ond efallai y bydd rhywun yn dweud, " Ffydd sydd gennyt ti, gweithredoedd sydd gennyf fi." O'r gorau, dangos i mi dy ffydd di heb weithredoedd, ac fe ddangosaf finnau i ti fy ffydd i

---

*adn. 3: yn ôl darlleniad arall, *Saf di ar dy draed fan draw, neu eistedd yn y fan yma.*

19 trwy weithredoedd. A wyt ti'n credu mai un Duw sydd? Da iawn! Ond y mae'r cythreuliaid hefyd yn credu, ac yn
20 crynu. Y dyn ffôl, a oes raid dy argyhoeddi mai diwerth yw
21 ffydd heb weithredoedd? Onid trwy ei weithredoedd y cyfiawnhawyd Abraham, ein tad, pan offrymodd ef Isaac, ei
22 fab, ar yr allor? Y mae'n eglur iti mai cydweithio â'i weithredoedd yr oedd ei ffydd, ac mai trwy'r gweithredoedd y cafodd ei
23 ffydd ei mynegi'n berffaith. Felly cyflawnwyd yr Ysgrythur sy'n dweud, "Rhoes Abraham ei ffydd yn Nuw, ac fe'i cyfrif-
24 wyd iddo yn gyfiawnder"; a galwyd ef yn gyfaill Duw. Fe welwch felly mai trwy weithredoedd y mae dyn yn cael ei
25 gyfiawnhau, ac nid trwy ffydd yn unig. Yn yr un modd hefyd, onid trwy weithredoedd y cyfiawnhawyd Rahab, y butain, pan dderbyniodd hi'r negeswyr a'u hanfon i ffwrdd ar hyd ffordd
26 arall? Fel y mae'r corff heb anadl yn farw, felly hefyd y mae ffydd heb weithredoedd yn farw.

### *Y Tafod*

**3** Fy mrodyr, peidiwch â thyrru i fod yn athrawon, oherwydd fe wyddoch y byddwn ni'r athrawon yn cael ein barnu'n llym-
2 ach. Oherwydd y mae mynych lithriad yn hanes pawb ohonom. Os gall rhywun ymgadw rhag llithro yn ei ymadrodd, dyma ddyn perffaith, â'r gallu ganddo i ffrwyno ei holl gorff hefyd.
3 Yr ydym yn rhoi'r ffrwyn yng ngenau'r march i'w wneud yn
4 ufudd inni, ac yna gallwn droi ei gorff cyfan. A llongau yr un modd; hyd yn oed os ydynt yn llongau mawr, ac yn cael eu gyrru gan wyntoedd geirwon, gellir eu troi â llyw bychan iawn i
5 ba gyfeiriad bynnag y mae'r peilot yn ei ddymuno. Felly hefyd y mae'r tafod; aelod bychan ydyw, ond y mae'n honni pethau mawr.

Ystyriwch fel y mae gwreichionen fechan yn gallu rhoi
6 coedwig fawr ar dân. A thân yw'r tafod; y mae'n sefyll, ymhlith ein haelodau, dros y byd anghyfiawn, yn halogi'r corff i gyd, ac yn rhoi holl gylch ein bodolaeth ar dân wrth iddo ef ei
7 hun gael ei roi ar dân gan uffern. Y mae'r hil ddynol yn gallu meistroli pob math o anifeiliaid ac adar, o ymlusgiaid a physgod;
8 yn wir, y mae wedi eu meistroli. Ond nid oes unrhyw ddyn sy'n gallu meistroli'r tafod. Drwg diorffwys yw, yn llawn o
9 wenwyn marwol. Â'r tafod yr ydym yn bendithio'r Arglwydd a'r Tad; â'r tafod hefyd yr ydym yn melltithio dynion a lun-

iwyd ar ddelw Duw. O'r un genau y mae bendith a melltith yn dod. Fy mrodyr, ni ddylai pethau fel hyn fod. A welir dŵr peraidd a dŵr chwerw yn tarddu o lygad yr un ffynnon? A yw'r pren ffigys, fy mrodyr, yn gallu dwyn olifiaid, neu'r winwydden ffigys? Nac ydyw, ac ni ddaw dŵr peraidd o ddŵr hallt chwaith. 10 11 12

### *Y Ddoethineb sydd Oddi Uchod*

Pwy sy'n ddoeth a deallus yn eich plith? Gadewch i hwnnw ddangos, trwy ei ymarweddiad, fod i'w weithredoedd ostyngeiddrwydd doethineb. Ond os ydych yn coleddu eiddigedd chwerw ac uchelgais hunanol yn eich calon, peidiwch ag ymffrostio a dweud celwydd yn erbyn y gwirionedd. Nid dyma'r ddoethineb sy'n disgyn oddi uchod; peth daearol yw, peth bydol a chythreulig. Oherwydd lle bynnag y mae cenfigen ac uchelgais, yno hefyd y mae anhrefn a phob gweithred ddrwg. Ond am y ddoethineb sydd oddi uchod, y mae hon yn y lle cyntaf yn bur, ac yna'n heddychol, yn dirion, yn hawdd ymwneud â hi, yn llawn o drugaredd a'i ffrwythau daionus, yn ddiragfarn ac yn ddiragrith. Y mae cynhaeaf cyfiawnder yn cael ei hau mewn heddwch i'r rhai sy'n gwneud heddwch. 13 14 15 16 17 18

### *Cyfeillgarwch â'r Byd*

O ble y daeth ymrafaelion a chwerylon yn eich plith? Onid o'r chwantau sy'n milwrio yn eich aelodau. Yr ydych yn chwennych ac yn methu cael, ac felly yr ydych yn llofruddio; yr ydych yn eiddigeddu ac yn methu meddiannu, ac felly yr ydych yn ymladd a rhyfela. Nid ydych yn cael am nad ydych yn gofyn. A phan fyddwch yn gofyn, nid ydych yn derbyn, a hynny am eich bod yn gofyn ar gam, gyda'ch bryd ar wario ar eich chwantau yr hyn a gewch. Chwi rai anffyddlon, oni wyddoch fod cyfeillgarwch â'r byd yn elyniaeth tuag at Dduw? Y mae unrhyw un sy'n mynnu bod yn gyfaill i'r byd yn ei wneud ei hun yn elyn i Dduw. Neu a ydych yn tybio nad oes ystyr i'r Ysgrythur sy'n dweud, "Y mae Duw'n dyheu hyd at eiddigedd am yr ysbryd a osododd i drigo ynom."* A gras mwy y mae ef yn ei roi. Oherwydd y mae'r Ysgrythur yn dweud: **4** 2 3 4 5 6

---

*adn. 5: neu, *Dyheu hyd at eiddigedd y mae'r ysbryd a osododd Duw i drigo ynom.*

"Y mae Duw yn gwrthwynebu'r beilchion,
ond i'r gostyngedig y mae'n rhoi gras."

7 Felly, ymddarostyngwch i Dduw. Gwrthsafwch y diafol, ac fe
8 gilia oddi wrthych. Nesêwch at Dduw, ac fe nesâ ef atoch chwi. Glanhewch eich dwylo, chwi bechaduriaid, a phurwch eich
9 calonnau, chwi bobl ddau feddwl. Tristewch a galarwch ac wylwch. Bydded i'ch chwerthin droi'n alar a'ch llawenydd yn
10 brudd-der. Ymostyngwch o flaen yr Arglwydd, a bydd ef yn eich dyrchafu chwi.

*Collfarnu Brawd*

11 Peidiwch â dilorni eich gilydd, frodyr; y mae'r dyn sy'n dilorni ei frawd, neu'n collfarnu ei frawd, yn dilorni'r Gyfraith ac yn collfarnu'r Gyfraith. Ac os wyt ti yn collfarnu'r Gyfraith, yna nid gwneuthurwr y Gyfraith mohonot, ond ei barnwr hi.
12 Nid oes ond un deddfroddwr a barnwr, sef yr un sy'n abl i achub, a hefyd i fwrw i golledigaeth. Pwy wyt ti i eistedd mewn barn ar dy gymydog?

*Rhybudd rhag Ymffrostio*

13 Clywch yn awr, chwi sy'n dweud, "Heddiw neu yfory, byddwn yn mynd i'r ddinas a'r ddinas, ac fe dreuliwn flwyddyn
14 yno yn marchnata ac yn gwneud arian." Nid oes gan rai fel chwi ddim syniad sut y bydd hi arnoch yfory. Nid ydych ond
15 tarth, sy'n cael ei weld am ychydig, ac yna'n diflannu. Dylech ddweud, yn hytrach, "Os yr Arglwydd a'i myn, byddwn yn
16 fyw ac fe wnawn hyn neu'r llall." Ond yn lle hynny, ymffrostio yr ydych yn eich honiadau balch. Y mae pob ymffrost
17 o'r fath yn ddrwg. Ac felly, pechod yw i ddyn beidio â gwneud y daioni y mae'n gwybod sut i'w wneud.

*Rhybudd i'r Cyfoethog*

**5** Ac yn awr, chwi'r cyfoethogion, wylwch ac udwch o achos y
2 trallodion sydd yn dod arnoch. Y mae eich golud wedi pydru,
3 ac y mae'r gwyfyn wedi difa eich gwisgoedd. Y mae eich aur a'ch arian wedi rhydu, a bydd eu rhwd yn dystiolaeth yn eich erbyn, ac yn bwyta eich cnawd fel tân. Casglu cyfoeth a
4 wnaethoch yn y dyddiau olaf. Clywch! Y mae'r cyflogau na thalasoch i'r gweithwyr a fedodd eich meysydd yn gweiddi allan; ac y mae llefain y medelwyr yng nghlustiau Arglwydd

y lluoedd. Buoch yn byw yn foethus a glwth ar y ddaear; 5 buoch yn eich pesgi eich hunain ar gyfer dydd y lladd. Yr 6 ydych wedi condemnio a lladd y cyfiawn, heb iddo yntau eich gwrthsefyll.

*Amynedd a Gweddi*

Byddwch yn amyneddgar, frodyr, hyd ddyfodiad yr Arglwydd. 7 Gwelwch fel y mae'r ffermwr yn aros am gynnyrch gwerthfawr y ddaear, yn fawr ei amynedd amdano nes i'r ddaear dderbyn y glaw cynnar a diweddar. Byddwch chwithau 8 hefyd yn amyneddgar, a'ch cadw eich hunain yn gadarn, oherwydd y mae dyfodiad yr Arglwydd wedi dod yn agos. Peidiwch ag achwyn ar eich gilydd, fy mrodyr, rhag i chwi gael 9 eich barnu. Gwelwch, y mae'r barnwr yn sefyll wrth y drws. Ystyriwch, frodyr, fel esiampl o ddynion yn dioddef yn 10 amyneddgar, y proffwydi a lefarodd yn enw'r Arglwydd. Ac 11 yr ydym yn dweud mai gwyn eu byd y rhai a ddaliodd eu tir. Clywsoch am ddyfalbarhad Job, a gwelsoch y diwedd a gafodd ef gan yr Arglwydd; y mae'r Arglwydd yn dosturiol a thrugarog.

Ond yn anad dim, fy mrodyr, peidiwch â thyngu llw wrth y 12 nef, nac wrth y ddaear, nac wrth ddim arall chwaith. I'r gwrthwyneb, bydded eich " ie " yn " ie " yn unig, a'ch " nage " yn " nage " yn unig, rhag i chwi syrthio dan farn.

A oes rhywun yn eich plith mewn adfyd ? Dylai weddïo. 13 A oes rhywun mewn llawenydd ? Dylai ganu mawl. A oes 14 rhywun yn glaf yn eich plith ? Galwed ato henuriaid yr eglwys, i weddïo trosto a'i eneinio ag olew yn enw yr Arglwydd. Bydd 15 gweddi a offrymir mewn ffydd yn iacháu y sawl sy'n glaf, a bydd yr Arglwydd yn ei godi ef ar ei draed; ac os yw wedi pechu, fe gaiff faddeuant. Felly, cyffeswch eich pechodau i'ch 16 gilydd, a gweddïwch dros eich gilydd, er mwyn i chwi gael iachâd. Peth grymus iawn ac effeithiol yw gweddi daer dyn da. Yr oedd Elias yn ddyn o'r un anian â ninnau, ac fe weddïodd ef 17 yn daer am iddi beidio â glawio; ac ni lawiodd ar y ddaear am dair blynedd a chwe mis. Yna gweddïodd eilwaith, a dyma'r 18 nefoedd yn arllwys ei glaw, a'r ddaear yn dwyn ei ffrwyth.

Fy mrodyr, os digwydd i un ohonoch ŵyro oddi wrth y 19 gwirionedd, ac i un arall ei droi'n ôl, y mae'n sicr y bydd y dyn 20 a drodd y pechadur o gyfeiliorni ei ffordd yn achub ei enaid rhag angau, ac yn dileu lliaws o bechodau.

LLYTHYR CYNTAF

# PEDR

### *Cyfarch*

1 Pedr, apostol Iesu Grist, at y dieithriaid sydd ar wasgar yn Pontus, Galatia, Capadocia, Asia a Bithynia, sy'n etholedigion 2 yn ôl rhagwybodaeth Duw, y Tad, trwy waith sancteiddiol yr Ysbryd, i fod yn ufudd i Iesu Grist ac i'w taenellu â'i waed ef. Gras a thangnefedd a amlhaer i chwi !

### *Gobaith Bywiol*

3 Bendigedig fyddo Duw a Thad ein Harglwydd Iesu Grist ! O'i fawr drugaredd, fe barodd ef ein geni ni o'r newydd i obaith 4 bywiol trwy atgyfodiad Iesu Grist oddi wrth y meirw, i etifeddiaeth na ellir na'i difrodi, na'i difwyno, na'i difa. Saif hon 5 ynghadw yn y nefoedd i chwi, chwi sydd trwy ffydd dan warchod gallu Duw hyd nes y daw iachawdwriaeth, yr iachawdwriaeth sydd yn barod i'w datguddio yn yr amser diwethaf. 6 Yn wyneb hyn yr ydych yn gorfoleddu, er eich bod, fe ddichon, newydd brofi blinder dros dro dan amrywiol brofedigaethau. 7 Y mae hyn wedi digwydd er mwyn i ddilysrwydd eich ffydd chwi, sy'n fwy gwerthfawr na'r aur sy'n darfod—ac y mae hwnnw'n cael ei brofi trwy dân—gael ei amlygu er mawl a 8 gogoniant ac anrhydedd yn Nydd datguddio Iesu Grist. Yr ydych yn ei garu ef, er na welsoch mohono; ac am eich bod yn awr yn credu ynddo heb ei weld, yr ydych yn gorfoleddu â 9 llawenydd anhraethadwy a gogoneddus wrth ichwi ennill diben eich ffydd, sef iachawdwriaeth eich eneidiau.

10 Am yr iachawdwriaeth hon bu ymofyn ac ymorol dyfal gan y 11 proffwydi a broffwydodd am y gras oedd i ddod i chwi. Holi yr oeddent at ba amser neu amgylchiadau yr oedd Ysbryd Crist o'u mewn yn cyfeirio, wrth dystiolaethu ymlaen llaw i'r dioddefiadau oedd i ddod i ran Crist, ac i'w canlyniadau 12 gogoneddus. Datguddiwyd i'r proffwydi hyn mai nid arnynt eu hunain, ond arnoch chwi, yr oeddent yn gweini wrth sôn am y pethau sydd yn awr wedi eu cyhoeddi i chwi gan y rhai a bregethodd yr Efengyl i chwi drwy nerth yr Ysbryd Glân, a

anfonwyd o'r nef. Pethau yw'r rhain y mae angylion yn chwenychu edrych arnynt.

*Galwad i Fuchedd Sanctaidd*

Gan hynny, rhowch fin ar* eich meddwl, ymddisgyblwch, a 13 gosodwch eich gobaith yn gyfan gwbl ar y gras sy'n prysuro atoch gyda Dydd datguddio Iesu Grist. Fel plant ufudd, 14 peidiwch â chydymffurfio â'r chwantau a fu arnoch gynt yn eich anwybodaeth; eithr yn ôl patrwm yr Un Sanctaidd a'ch galwodd 15 chwi, byddwch chwithau yn sanctaidd yn eich holl ymarweddiad. Oherwydd y mae'n ysgrifenedig, " Byddwch yn sanctaidd, 16 canys yr wyf fi yn sanctaidd."

Ac os fel Tad yr ydych yn galw ar yr hwn sydd yn barnu'n 17 ddidderbynwyneb yn ôl gwaith pob un, ymddygwch mewn parchedig ofn dros amser eich alltudiaeth. Gwyddoch nad â 18 phethau llygradwy, arian neu aur, y prynwyd i chwi ryddid oddi wrth yr ymarweddiad ofer a etifeddwyd gennych, ond â 19 gwaed gwerthfawr Un oedd fel oen di-fai a di-nam, sef Crist. Yr oedd Duw wedi rhagwybod amdano cyn seilio'r byd, 20 ac amlygwyd ef yn niwedd yr amserau er eich mwyn chwi sydd 21 drwyddo ef yn credu yn Nuw, yr hwn a'i cyfododd ef oddi wrth y meirw ac a roes iddo ogoniant, fel y byddai eich ffydd a'ch gobaith chwi yn Nuw.

A chwithau, trwy eich ufudd-dod i'r gwirionedd, wedi puro 22 eich eneidiau nes ennyn brawdgarwch diragrith, carwch eich gilydd o'r galon yn angerddol. Yr ydych wedi eich geni o'r 23 newydd, nid o had llygradwy, ond anllygradwy, trwy air Duw, sydd yn fyw ac yn aros. Oherwydd, yng ngeiriau'r Ysgrythur: 24

" Y mae pob dyn meidrol fel glaswellt,
 a'i holl ogoniant fel blodeuyn glaswellt.
Y mae'r glaswellt yn gwywo,
 a'r blodeuyn yn syrthio,
ond y mae gair yr Arglwydd yn aros yn dragywydd." 25

A dyma'r gair a bregethwyd yn Efengyl i chwi.

*Y Maen Bywiol a'r Genedl Sanctaidd*

Ymaith gan hynny â phob drygioni, a phob twyll a rhagrith **2** a chenfigen, a phob siarad bychanus ! Fel babanod newydd eu 2

---

*adn. 13: neu, *gwregyswch lwynau.*

geni, blysiwch am laeth ysbrydol pur, er mwyn i chwi drwyddo
3 gynyddu i iachawdwriaeth, a chwithau* wedi blasu tiriondeb
4 yr Arglwydd. Wrth ddod ato ef, y maen bywiol, gwrthodedig
5 gan ddynion ond etholedig a chlodfawr gan Dduw, yr ydych chwithau hefyd, fel meini bywiol, yn cael eich adeiladu yn dŷ ysbrydol, i fod yn offeiriadaeth sanctaidd, er mwyn offrymu aberthau ysbrydol, cymeradwy gan Dduw trwy Iesu Grist.
6 Oherwydd y mae'n sefyll yn yr Ysgrythur:

" Wele, yr wyf yn gosod maen yn Seion,
conglfaen etholedig a chlodfawr,
a'r hwn sydd yn credu ynddo, ni chywilyddir byth mohono."

7 Y mae ei glod, gan hynny, yn eiddoch chwi, y credinwyr; ond i'r anghredinwyr,

" Y maen a wrthododd yr adeiladwyr,
hwn a ddaeth yn faen y gongl",

8 a hefyd,

" Maen i syrthio drosto,
a chraig i faglu arni."

Y maent yn syrthio wrth anufuddhau i'r Gair; dyma'r dynged a osodwyd iddynt.

9 Ond yr ydych chwi yn hil etholedig, yn offeiriadaeth frenhinol, yn genedl sanctaidd, yn bobl o'r eiddo Duw ei hun, i hysbysu gweithredoedd ardderchog yr Un a'ch galwodd chwi allan o dywyllwch i'w ryfeddol oleuni ef:

10 " A chwi gynt heb fod yn bobl,
yr ydych yn awr yn bobl Duw;
a chwi gynt heb dderbyn trugaredd,
yr ydych yn awr yn rhai a dderbyniodd drugaredd."

*Byw fel Gweision Duw*

11 Gyfeillion annwyl, 'rwy'n deisyf arnoch, fel alltudion a dieithriaid, ymgadw rhag y chwantau cnawdol sydd yn rhyfela
12 yn erbyn yr enaid. Bydded eich ymarweddiad ymhlith y paganiaid mor amlwg o dda nes iddynt hwy, lle y maent yn awr yn eich sarhau fel drwgweithredwyr, ogoneddu Duw yn nydd ei ymweliad ar gyfrif yr hyn a welant o'ch gweithredoedd da chwi.

---

*adn. 3: yn ôl darlleniad arall, *os ydych*.

Ymostyngwch, er mwyn yr Arglwydd, i bob sefydliad dynol, 13 prun ai i'r ymerawdwr fel y prif awdurdod, ai i'r llywodraeth- 14 wyr fel rhai a anfonir ganddo ef er cosb i ddrwgweithredwyr a chlod i weithredwyr daioni. Oherwydd hyn yw ewyllys Duw, i 15 chwi trwy wneud daioni roi taw ar anwybodaeth dynion ynfyd. Rhaid ichwi fyw fel dynion rhydd, eto peidio ag arfer eich 16 rhyddid i gelu drygioni, ond bod fel caethweision Duw. Rhowch barch i bawb, carwch y frawdoliaeth, ofnwch Dduw, 17 parchwch yr ymerawdwr.

### *Dioddefaint Crist yn Esiampl*

Chwi gaethweision, byddwch ddarostyngedig, gyda phob 18 parchedig ofn, i'ch meistri, nid yn unig i'r rhai da ac ystyriol ond hefyd i'r rhai gormesol. Canys hyn sydd ganmoladwy, 19 bod dyn, am fod ei feddylfryd ar Dduw, yn dygymod â'i flinderau er iddo ddioddef ar gam. Oherwydd pa glod sydd mewn 20 dygymod â chael eich cernodio am ymddwyn yn ddrwg ? Ond os am wneuthur daioni y byddwch yn dioddef, ac yn dygymod â hynny, dyna'r peth sy'n ganmoladwy gyda Duw. Canys i hyn 21 y'ch galwyd, oherwydd dioddefodd* Crist yntau er eich mwyn chwi, gan adael i chwi esiampl, ichwi ganlyn yn ôl ei draed ef. Yng ngeiriau'r Ysgrythur: 22

> " Ni wnaeth ef unrhyw bechod,
> ac ni chafwyd ar ei wefusau unrhyw gelwydd."

Pan fyddai'n cael ei ddifenwi, ni fyddai'n difenwi'n ôl; pan 23 fyddai'n dioddef, ni fyddai'n bygwth, ond yn ei gyflwyno'i hun i'r Un sy'n barnu'n gyfiawn. Ef ei hun a gariodd ein pechodau 24 yn ei gorff ar* y croesbren, er mwyn i ni ddarfod â'n pechodau a byw i gyfiawnder. Â'i archoll ef y cawsoch eich iacháu. Canys yr oeddech fel defaid ar ddisberod, ond yn awr troesoch 25 at Fugail a Gwarchodwr eich eneidiau.

### *Gwragedd a Gwŷr*

Yn yr un modd, chwi wragedd priod, byddwch ddarostyng- **3** edig i'ch gwŷr; ac yna, os oes rhai sy'n gwrthod credu gair Duw, fe'u henillir hwy trwy ymarweddiad eu gwragedd, heb i

---

*adn. 21: yn ôl darlleniad arall, *bu farw.*

*adn. 24: neu, *at.*

2 chwi ddweud yr un gair, wedi iddynt weld eich ymarweddiad
3 pur a duwiolfrydig. Boed ichwi'n addurn, nid pethau allanol fel plethu gwallt, ymdaclu â thlysau aur, ymharddu â gwisg-
4 oedd, ond cymeriad cêl y galon a'i degwch di-dranc, sef ysbryd addfwyn a thawel. Dyna sy'n werthfawr yng ngolwg Duw.
5 Canys felly hefyd y byddai'r gwragedd sanctaidd gynt, a oedd yn gobeithio yn Nuw, yn eu haddurno eu hunain; byddent yn
6 ymddarostwng i'w gwŷr, fel yr ufuddhaodd Sara i Abraham a'i alw'n arglwydd. A phlant iddi hi ydych chwi, os daliwch ati i wneud daioni, heb ofni dim oll.

7 Yn yr un modd, chwi wŷr, byddwch yn ystyriol yn eich bywyd priodasol; rhowch y parch dyladwy i'r wraig, gan mai hi yw'r llestr gwannaf, a chan eich bod yn gydetifeddion y gras sy'n rhoi bywyd. Felly, ni chaiff eich gweddïau mo'u rhwystro.

*Dioddef o achos Cyfiawnder*

8 Yn olaf, bawb ohonoch, byddwch yn un mewn meddwl a theimlad, yn frawdol, yn dyner eich calon, yn ostyngedig eich
9 ysbryd. Peidiwch â thalu drwg am ddrwg na sen am sen. I'r gwrthwyneb cyfrannwch fendith, oherwydd i etifeddu bendith
10 y cawsoch eich galw. Yng ngeiriau'r Ysgrythur:

"Yr hwn sy'n ewyllysio caru bywyd
a gweld dyddiau da,
rhaid iddo atal ei dafod rhag drwg,
a'i wefusau rhag dweud celwydd;
11 rhaid iddo gefnu ar y drwg a gwneud da,
ceisio heddwch a'i ganlyn ef;
12 canys y mae llygaid yr Arglwydd ar y cyfiawn,
a'i glustiau'n agored tuag at eu deisyfiad hwy,
ond y mae wyneb yr Arglwydd yn erbyn y sawl sy'n
gwneud drwg."

13 Ac eto, pwy a wna ddrwg i chwi os byddwch yn selog tros
14 ddaioni? Ond hyd yn oed pe digwyddai i chwi ddioddef o achos cyfiawnder, gwyn eich byd! Peidiwch â'u hofni hwy, a
15 pheidiwch â chymryd eich tarfu, ond sancteiddiwch Grist yn Arglwydd yn eich calonnau. Byddwch yn barod bob amser i roi ateb i bob un fydd yn ceisio gennych gyfrif am y gobaith
16 sydd ynoch. Ond gwnewch hynny gydag addfwynder a pharchedig ofn, gan gadw eich cydwybod yn lân; ac yna, lle'r ydych yn awr yn cael eich sarhau, fe godir cywilydd ar y rhai sy'n

dilorni eich ymarweddiad da yng Nghrist. Oherwydd gwell 17
yw dioddef, os dyna ewyllys Duw, am wneud da nag am wneud
drwg. Canys, er eich mwyn chwi, bu Crist yntau farw* un 18
waith am byth dros bechodau, y cyfiawn dros yr anghyfiawn,
i'ch dwyn chwi at Dduw. Er ei roi i farwolaeth o ran y cnawd,
fe'i gwnaed yn fyw o ran yr ysbryd, ac felly yr aeth a chyhoeddi 19
ei genadwri i'r ysbrydion yng ngharchar. Yr oedd y rheini 20
wedi bod yn anufudd gynt, pan oedd Duw yn ei amynedd yn
dal i ddisgwyl, yn nyddiau Noa ac adeiladu'r arch. Yn yr arch
fe achubwyd ychydig, sef wyth enaid, trwy ddŵr, ac y mae'r 21
hyn sy'n cyfateb i hynny, sef bedydd, yn eich achub chwi yn
awr, nid fel modd i fwrw ymaith fudreddi'r cnawd, ond fel ernes
o gydwybod dda tuag at Dduw, trwy atgyfodiad Iesu Grist.
Y mae ef, ar ôl mynd i mewn i'r nef, ar ddeheulaw Duw, a'r 22
angylion a'r awdurdodau a'r galluoedd wedi eu darostwng iddo.

### *Gweinyddwyr Da ar Ras Duw*

Am hynny, gan i Grist ddioddef yn y cnawd, cymerwch 4
chwithau yr un meddwl yn arfogaeth i chwi—oherwydd y mae'r
sawl a ddioddefodd yn y cnawd wedi darfod â phechod—fel na 2
fydd ichwi mwyach dreulio gweddill eich amser ar y ddaear yn
ôl chwantau dynion, ond yn ôl ewyllys Duw. Oherwydd y 3
mae'r amser a aeth heibio yn hen ddigon i fod wedi gwneud y
pethau y mae bryd y paganiaid arnynt, gan rodio mewn
trythyllwch, chwantau, meddwdod, cyfeddach, diota ac eilun-
addoliaeth ffiaidd. Yn hyn o beth, y mae dynion yn ei gweld yn 4
chwith nad ydych chwi'n dal i ruthro gyda hwy i'r un llifeiriant
o afradlonedd; ac y maent yn eich cablu. Bydd raid iddynt roi 5
cyfrif i'r hwn sydd yn barod i farnu'r byw a'r meirw. Oher- 6
wydd diben pregethu'r Efengyl i'r meirw hefyd oedd iddynt,
er cael eu barnu yn y cnawd fel y bernir dynion, fyw yn yr
ysbryd fel y mae Duw yn byw.

Y mae diwedd pob peth ar ein gwarthaf. Am hynny, ym- 7
bwyllwch ac ymddisgyblwch i weddïo. O flaen pob peth, 8
cadwch eich cariad at eich gilydd yn llawn angerdd, oherwydd
y mae cariad yn dileu lliaws o bechodau. Byddwch letygar i'ch 9
gilydd heb rwgnach. Yn ôl fel y derbyniodd pob un ohonoch 10
ddawn, defnyddiwch eich dawn yng ngwasanaeth eich gilydd,

---

*adn. 18: yn ôl darlleniad arall, *dioddefodd Crist yntau.*

11 fel gweinyddwyr da ar amryfal ras Duw. Os yw dyn yn llefaru, llefared fel un sydd wedi derbyn oraclau Duw; os yw'n gwasanaethu, gwasanaethed fel un sydd wedi derbyn o'r nerth y mae Duw yn ei gyfrannu. Yr amcan ym mhob dim yw gogoneddu Duw trwy Iesu Grist. Iddo ef y perthyn y gogoniant a'r gallu yn oes oesoedd. Amen.

### *Dioddef fel Cristion*

12 Gyfeillion annwyl, na fydded chwith gennych am y tân sydd ar waith yn eich plith er mwyn eich profi, fel petai rhywbeth
13 chwithig yn digwydd i chwi. Yn hytrach, llawenhewch yn ôl mesur eich cyfran yn nioddefiadau Crist, er mwyn i chwi allu llawenhau hefyd, a gorfoleddu, yn Nydd datguddio'i ogoniant
14 ef. Os gwaradwyddir chwi oherwydd enw Crist, gwyn eich byd, canys y mae Ysbryd y gogoniant, sef Ysbryd Duw, yn gorffwys
15 arnoch. Ni ddylai neb ohonoch ddioddef fel llofrudd neu leidr
16 neu ddrwgweithredwr, neu fel chwyldrowr.* Ond os bydd i rywun ddioddef fel Cristion, ni ddylai gywilyddio, ond
17 gogoneddu Duw trwy'r enw hwn. Oherwydd y mae'n bryd i'r Farn ddechrau, a dechrau gyda theulu Duw. Ac os gyda ni yn gyntaf, beth yn y diwedd fydd i'r rhai fydd yn gwrthod
18 Efengyl Duw ? Yng ngeiriau'r Ysgrythur:

" Ac os o'r braidd yr achubir y cyfiawn,
ple bydd yr annuwiol a'r pechadur yn sefyll ?"

19 Am hynny, bydded i'r rhai sy'n dioddef yn ôl ewyllys Duw ymddiried eu heneidiau i'r Creawdwr ffyddlon, gan wneud daioni.

### *Bugeiliwch Braidd Duw*

**5** Yr wyf yn apelio, yn awr, at yr henuriaid yn eich plith. Yr wyf finnau'n gyd-henuriad â chwi, ac yn dyst o ddioddefiadau Crist, ac yn un sydd hefyd yn gyfrannog o'r gogoniant sydd ar
2 gael ei ddatguddio. Bugeiliwch braidd Duw sydd yn eich gofal, nid dan orfod, ond o'ch gwirfodd yn ôl ffordd Duw; nid er
3 mwyn elw anonest, ond o eiddgarwch, nid fel rhai sy'n tra-arglwyddiaethu ar y rhai a osodwyd dan eu gofal, ond gan fod
4 yn esiamplau i'ch praidd. A phan ymddengys y Pen Bugail, fe

*adn. 15: neu *dyn busneslyd.*

gewch eich coroni â thorch gogoniant, nad yw byth yn gwywo.

5 Yn yr un modd, chwi wŷr ifainc, ymostyngwch i'r henuriaid.* A phawb ohonoch, gwisgwch amdanoch ostyngeiddrwydd yng ngwasanaeth eich gilydd, oherwydd, fel y dywed yr Ysgrythur:

" Y mae Duw'n gwrthwynebu'r beilchion,
ond i'r gostyngedig y mae'n rhoi gras."

6 Ymddarostyngwch, gan hynny, dan law gadarn Duw, fel y bydd iddo ef eich dyrchafu pan ddaw'r amser. 7 Bwriwch eich holl bryder arno ef, oherwydd y mae gofal ganddo amdanoch.

8 Ymddisgyblwch a byddwch effro. Y mae eich gwrthwynebydd, y diafol, yn cerdded oddi amgylch fel llew yn rhuo, gan chwilio am rywun i'w lyncu. 9 Gwrthsafwch ef yn gadarn mewn ffydd, gan wybod fod yr un math o ddioddefiadau yn brofiad i'ch brodyr yn y byd. 10 Ond wedi i chwi ddioddef am ychydig, bydd Duw pob gras, yr hwn a'ch galwodd i'w dragwyddol ogoniant yng Nghrist, yn eich gwneud yn gymwys, yn gadarn, yn gryf ac yn ddiysgog. 11 Iddo ef y perthyn y gallu yn oes oesoedd. Amen.

## *Cyfarchion Terfynol*

12 Yr wyf yn ysgrifennu'r ychydig hyn trwy law Silfanus, brawd y gellir, yn ôl fy nghyfrif i, ymddiried ynddo. Fy mwriad yw eich calonogi, a thystio mai dyma wir ras Duw. Safwch yn ddi-sigl ynddo.

13 Y mae'r hon ym Mabilon sydd yn gydetholedig â chwi yn eich cyfarch, a Marc, fy mab. 14 Cyfarchwch eich gilydd â chusan cariad. Tangnefedd i chwi oll sydd yng Nghrist!

---

*adn. 5: neu, *i'r hynafgwyr*.

AIL LYTHYR

# PEDR

### *Cyfarch*

1 Simeon Pedr, gwas ac apostol Iesu Grist, sy'n ysgrifennu at y rhai sydd, trwy gyfiawnder ein Duw a'n Gwaredwr Iesu Grist, wedi derbyn ffydd gyfuwch ei gwerth â'r eiddom ninnau. 2 Gras a thangnefedd a amlhaer i chwi trwy adnabyddiaeth o Dduw ac Iesu ein Harglwydd !

### *Galwad ac Etholedigaeth y Cristion*

3 Y mae ei allu dwyfol wedi rhoi i ni bob peth sy'n angenrheidiol i fywyd a gwir grefydd trwy ein dwyn i adnabod yr hwn a'n galwodd â'i weithred ogoneddus a rhagorol ei hun. 4 Trwy hyn y mae ef wedi rhoi i ni y breintiau gwerthfawr yr oedd wedi eu haddo, er mwyn i chwi trwyddynt hwy ddianc o afael llygredigaeth y trachwant sydd yn y byd, a dod yn gyfranogion o'r natur ddwyfol. 5 Am yr union reswm yma, felly, gwnewch eich gorau glas i rymuso eich ffydd â rhinwedd, a'ch 6 rhinwedd â gwybodaeth, a'ch gwybodaeth â hunanddisgyblaeth, a'ch hunanddisgyblaeth â dyfalbarhad, a'ch dyfalbarhad â 7 duwioldeb, a'ch duwioldeb â brawdgarwch, a'ch brawdgarwch 8 â chariad. Oherwydd os yw'r rhinweddau hyn gennych yn helaeth, byddant yn peri nad diog na diffrwyth fyddwch yn 9 eich adnabyddiaeth o'n Harglwydd Iesu Grist. Ond hebddynt y mae dyn mor fyr ei olwg nes bod yn ddall, heb ddim cof 10 ganddo am y glanhad oddi wrth ei bechodau gynt. Dyna pam, frodyr, y dylech ymdrechu'n fwy byth i wneud eich galwad a'ch etholedigaeth yn sicr. Oherwydd os gwnewch hyn, 11 ni lithrwch byth. Felly y rhydd Duw i chwi, o'i haelioni, fynediad i dragwyddol deyrnas ein Harglwydd a'n Gwaredwr, Iesu Grist.

12 Am hynny, 'rwy'n bwriadu eich atgoffa'n wastad am y pethau hyn, er eich bod yn eu gwybod, ac wedi eich sefydlu'n 13 gadarn yn y gwirionedd sydd gennych. Tra bydd y cnawd hwn yn babell i mi, yr wyf yn ystyried ei bod hi'n iawn i mi eich 14 deffro trwy eich atgoffa amdanynt. Gwn y bydd yn rhaid i mi

roi fy mhabell heibio yn fuan, fel y mae ein Harglwydd Iesu Grist, yn wir, wedi gwneud yn eglur imi. Gwnaf fy ngorau, 15 felly, i ofalu y byddwch, ar ôl fy ymadawiad, yn dwyn y pethau hyn yn wastad i gof.

### *Gogoniant Crist a'r Gair Proffwydol*

Nid dilyn chwedlau wedi eu dyfeisio'n gyfrwys yr oeddem 16 wrth hysbysu i chwi allu ein Harglwydd Iesu Grist a'i ddyfodiad; yn hytrach, yr oeddem wedi ei weld â'n llygaid ein hunain yn ei fawredd. Yr oeddem yno pan dderbyniodd anrhydedd a 17 gogoniant oddi wrth Dduw Dad, a phan ddaeth y llais ato o'r Gogoniant goruchel yn dweud: "Hwn yw fy Mab, yr Anwylyd; ynddo ef yr wyf yn ymhyfrydu." Do, fe glywsom ni'r llais hwn 18 yn dod o'r nef; yr oeddem gydag ef ar y mynydd sanctaidd. Y mae hyn yn cadarnhau i ni genadwri'r proffwydi; a pheth da 19 fydd i chwi roi sylw iddi, gan ei bod fel cannwyll yn disgleirio mewn lle tywyll, hyd nes y bydd y Dydd yn gwawrio a seren y bore yn codi i lewyrchu yn eich calonnau. Ond sylwch ar hyn 20 yn gyntaf; ni all neb ar ei ben ei hun ddehongli'r un broffwydoliaeth o'r Ysgrythur. Ni ddaeth yr un broffwydoliaeth erioed 21 trwy ewyllys dyn; ond y mae dynion, wrth gael eu symbylu gan yr Ysbryd Glân, wedi llefaru gair oddi wrth Dduw.

### *Proffwydi Gau ac Athrawon Gau*
(Jwdas 4-13)

Ymddangosodd hefyd broffwydi gau ymhlith pobl Israel, ac **2** yn yr un modd bydd athrawon gau yn eich plith chwithau, dynion fydd yn dwyn i mewn yn llechwraidd heresïau dinistriol, yn gwadu'r Meistr a'u prynodd, ac yn dwyn arnynt eu hunain ddistryw buan. A bydd llawer yn dilyn eu harferion anllad, a 2 thrwyddynt hwy caiff ffordd y gwirionedd enw drwg. Yn eu 3 trachwant gwnânt elw ohonoch â'u storïau ffug; y mae eu barnedigaeth ar gerdded ers talwm, a'u dinistr yn rhythu arnynt.

Oherwydd nid arbedodd Duw yr angylion a bechodd; 4 traddododd hwy i bydewau tywyll byd y meirw i'w cadw hyd y Farn. Nid arbedodd yr hen fyd chwaith, er iddo ddiogelu Noa, 5 pregethwr cyfiawnder, ynghyd â saith arall, wrth ddwyn y dilyw ar fyd y rhai annuwiol. Condemniodd hefyd ddinasoedd 6 Sodom a Gomorra; llosgodd hwy yn lludw, a'u gosod yn

7 esiampl o'r hyn sydd i ddigwydd i'r annuwiol. Gwaredodd Lot, gŵr cyfiawn oedd yn cael ei drallodi gan fywyd anllad
8 dynion direol; oherwydd wrth i'r gŵr cyfiawn hwn fyw yn eu plith, yr oedd gweld a chlywed eu gweithredoedd digyfraith
9 yn artaith feunyddiol i'w enaid cyfiawn. Y mae'r Arglwydd yn medru gwaredu'r duwiol o'u treialon, a chadw'r anghyfiawn
10 hyd Ddydd y Farn i'w cosbi, ac yn arbennig felly y rhai sy'n byw i borthi chwantau aflan y cnawd, ac yn diystyru awdurdod.

Y maent yn rhyfygus a thrahaus, ac yn sarhau'r bodau nefol
11 yn gwbl eofn, peth nad yw'r angylion, er eu rhagoriaeth mewn nerth a gallu, yn ei wneud wrth gyhoeddi barn yn eu herbyn
12 hwy gerbron yr Arglwydd. Ond y mae'r dynion hyn yn siarad yn sarhaus am bethau nad ydynt yn eu deall; y maent fel anifeiliaid direswm sydd, yn nhrefn natur, wedi eu geni i'w dal a'u difetha; ac fel y difethir anifeiliaid, fe'u difethir hwythau.
13 Fe gânt ddrwg yn dâl am eu drygioni. Eu syniad am bleser yw gloddesta liw dydd. Meflau a brychau ydynt, yn gwneud
14 gloddest i'w chwantau* wrth gydeistedd â chwi. Y mae ganddynt lygaid sy'n llawn godineb, na chânt byth mo'u digon o bechod. Y maent yn denu'r ansicr i'w dinistr. Y mae ganddynt galonnau wedi eu hymarfer i drachwant—dynion dan felltith
15 ydynt. Gadawsant y ffordd union a mynd ar gyfeiliorn, gan ddilyn ffordd Balaam fab Bosor, hwnnw a roes ei fryd ar wobr
16 drygioni, ond na chafodd ddim ond cerydd am ei drosedd, pan lefarodd asyn mud â llais dyn ac atal gwallgofrwydd y proffwyd.

17 Ffynhonnau heb ddŵr ydynt, a niwloedd yn cael eu gyrru gan dymestl; y mae'r tywyllwch dudew ar gadw iddynt.
18 Oherwydd y maent yn llefaru geiriau ymffrostgar a gwag, ac yn defnyddio chwantau anllad y cnawd i ddenu i'w dinistr y rhai nad ydynt ond braidd wedi dianc o blith pobl gyfeiliornus eu
19 buchedd. Y maent yn addo rhyddid iddynt, a hwythau'n gaeth i lygredigaeth; oherwydd y mae dyn yn gaeth i beth bynnag
20 sydd wedi ei drechu. Oherwydd os yw dynion sydd wedi dianc rhag aflendid y byd trwy ddod i adnabod ein Harglwydd a'n Gwaredwr, Iesu Grist, wedi eu dal a'u trechu eilwaith gan yr aflendid hwnnw, yna y mae eu diwedd yn waeth na'u dechrau.
21 Byddai'n well iddynt hwy fod heb ddod i adnabod ffordd cyfiawnder, yn hytrach na'i hadnabod ac yna droi oddi wrth y

---

*adn. 13: yn ôl darlleniad arall, *mewn cariad-wleddoedd.*

gorchymyn sanctaidd a draddodwyd iddynt. Gwireddwyd, yn 22
eu hachos hwy, y ddihareb :

" Y mae'r ci'n dychwelyd at ei chwydiad ei hun",

a hefyd:

" Y mae'r hwch a ymolchodd yn ymdrybaeddu yn y llaid."

*Yr Addewid am Ddyfodiad yr Arglwydd*

Bellach, gyfeillion annwyl, dyma'r ail lythyr i mi ei ysgrifennu 3
atoch. Yn y ddau ohonynt, yr wyf yn ceisio deffro deall-twriaeth ddilychwin ynoch trwy eich atgoffa am y pethau hyn.
Yr wyf am i chwi gofio'r pethau a ragddywedwyd gan y 2
proffwydi sanctaidd, a gorchymyn yr Arglwydd a'r Gwaredwr,
y gorchymyn a roddwyd trwy eich apostolion. Deallwch hyn 3
yn gyntaf, y daw yn y dyddiau diwethaf watwarwyr sy'n byw
yn ôl eu chwantau eu hunain, ac yn holi'n goeglyd: " Beth a 4
ddaeth o'r addewid am ei ddyfodiad ef ? Oherwydd, byth er
pan hunodd y tadau, y mae popeth wedi parhau yn union fel y
bu o ddechreuad y greadigaeth." Y maent yn fwriadol yn an- 5
wybyddu'r ffaith hon, fod y nefoedd yn bod ers talwm, a'r
ddaear wedi ei llunio o ddŵr a thrwy ddŵr gan air Duw; a 6
thrwy ddŵr y dinistriwyd byd yr oes honno, sef dŵr y dilyw.
Gan yr un gair hefyd y mae nefoedd a daear yr oes hon wedi eu 7
gosod mewn stôr ar gyfer y tân; y maent ar gadw hyd Ddydd
barn a distryw dynion annuwiol.

Gyfeillion annwyl, peidiwch ag anghofio'r un peth hwn, fod 8
un diwrnod yng ngolwg yr Arglwydd fel mil o flynyddoedd,
a mil o flynyddoedd fel un diwrnod. Nid yw'r Arglwydd yn 9
oedi cyflawni ei addewid, fel y bydd rhai pobl yn deall oedi;
bod yn ymarhous wrthych y mae, am nad yw'n ewyllysio i neb
gael ei ddinistrio, ond i bawb ddod i edifeirwch. Fe ddaw 10
Dydd yr Arglwydd fel lleidr, a'r Dydd hwnnw bydd y nefoedd
yn diflannu â thrwst, a'r elfennau yn ymddatod gan wres, a'r
ddaear a phopeth sydd ynddi yn peidio â bod.* Gan fod yr holl 11
bethau yma ar gael eu datod fel hyn, ystyriwch pa mor sanctaidd
a duwiol y dylai eich ymarweddiad fod, a chwithau'n disgwyl 12
am Ddydd Duw ac yn prysuro ei ddyfodiad, y Dydd pan
ddatodir y nefoedd gan dân ac y toddir yr elfennau gan wres.

---

*adn. 10: yn ôl darlleniad arall, *yn cael ei dinoethi*; yn ôl un arall, *yn cael ei llosgi*.

13 Ond disgwyl yr ydym ni, yn ôl ei addewid ef, am nefoedd newydd a daear newydd, lle bydd cyfiawnder yn cartrefu.

14 Felly, gyfeillion annwyl, gwnewch eich gorau, wrth ddisgwyl am y pethau hyn, i fod yn ddi-nam a di-fai yng ngolwg Duw, ac i'ch cael mewn tangnefedd. 15 Ystyriwch hirymaros ein Harglwydd yn iachawdwriaeth, yn union fel yr ysgrifennodd ein brawd annwyl, Paul, atoch yn ôl y ddoethineb a roddwyd iddo ef. 16 Felly hefyd yn ei holl lythyrau y mae'n sôn am y pethau hyn. Y mae rhai pethau ynddynt sydd yn anodd eu deall, pethau y mae'r annysgedig a'r ansicr yn eu gwyrdroi, fel y maent yn gwyrdroi'r Ysgrythurau eraill hefyd, i'w dinistr eu hunain. 17 Ond yr ydych chwi, gyfeillion annwyl, yn gwybod am y pethau hyn eisoes. Byddwch, felly, ar eich gwyliadwriaeth rhag i chwi gael eich ysgubo ymaith gan gyfeiliornad dynion direol, a syrthio o'ch safle cadarn. 18 Ond cynyddwch mewn gras, ac mewn gwybodaeth o'n Harglwydd a'n Gwaredwr, Iesu Grist. Iddo ef y bo'r gogoniant yn awr ac yn oes oesoedd ! Amen.

LLYTHYR CYNTAF

# IOAN

### *Gair y Bywyd*

Yr hyn oedd o'r dechreuad, yr hyn yr ydym wedi ei glywed, **1** yr hyn yr ydym wedi ei weld â'n llygaid, yr hyn yr edrychasom arno, ac a deimlodd ein dwylo, ynglŷn â gair y bywyd, dyna'r hyn yr ydym yn ei gyhoeddi. Amlygwyd y bywyd hwn; ac yr 2 ydym wedi gweld, ac yr ydym yn tystiolaethu ac yn cyhoeddi i chwi y bywyd tragwyddol oedd gyda'r Tad ac a amlygwyd i ni. Yr hyn yr ydym wedi ei weld a'i glywed, yr ydym yn ei gyhoeddi 3 i chwi hefyd, er mwyn i chwithau gael cymundeb â ni. Ac yn wir, y mae ein cymundeb ni gyda'r Tad a chyda'i Fab ef, Iesu Grist. Ac yr ydym ni'n ysgrifennu hyn er mwyn i'n llawenydd 4 fod yn gyflawn.

### *Goleuni yw Duw*

Hon yw'r genadwri yr ydym wedi ei chlywed ganddo ef, ac yr 5 ydym yn ei chyhoeddi i chwi: goleuni yw Duw, ac nid oes ynddo ef ddim tywyllwch. Os dywedwn fod gennym gymun- 6 deb ag ef, a rhodio yn y tywyllwch, yr ydym yn dweud celwydd, ac nid ydym yn gwneud y gwirionedd; ond os rhodiwn yn y 7 goleuni, fel y mae ef yn y goleuni, y mae gennym gymundeb â'n gilydd, ac y mae gwaed Iesu, ei Fab ef, yn ein glanhau ni o bob pechod. Os dywedwn ein bod yn ddibechod, yr ydym yn ein 8 twyllo ein hunain, ac nid yw'r gwirionedd ynom. Os cyffeswn 9 ein pechodau, y mae ef yn ffyddlon ac yn gyfiawn, ac fe faddeua, felly, i ni ein pechodau, a'n glanhau o bob anghyfiawnder. Os 10 dywedwn nad ydym wedi pechu, yr ydym yn ei wneud ef yn gelwyddog, ac nid yw ei air ef ynom ni.

### *Crist, Ein Heiriolwr*

Fy mhlant, yr wyf yn ysgrifennu'r pethau hyn atoch i'ch **2** cadw rhag pechu. Ond os bydd i rywun bechu, y mae gennym Eiriolwr gyda'r Tad, sef Iesu Grist, y cyfiawn; ac ef sy'n 2 foddion ein puredigaeth oddi wrth ein pechodau, ac nid

puredigaeth ein pechodau ni yn unig, ond hefyd bechodau'r
3 holl fyd. Dyma sut yr ydym yn gwybod ein bod yn ei adnabod
4 ef: a ydym yn cadw ei orchmynion? Yr hwn sy'n dweud, "'Rwyf yn ei adnabod", a heb gadw ei orchmynion, y mae
5 hwnnw'n gelwyddog, ac nid yw'r gwirionedd ynddo; ond pwy bynnag sy'n cadw ei air ef, yn hwn, yn wir, y mae cariad at Dduw wedi ei berffeithio. Dyma sut yr ydym yn gwybod ein
6 bod ynddo ef: dylai'r hwn sy'n dweud ei fod yn aros ynddo ef rodio ei hun fel y rhodiodd ef.

*Y Gorchymyn Newydd*

7 Gyfeillion annwyl, nid gorchymyn newydd yr wyf yn ei ysgrifennu atoch, ond hen orchymyn, un oedd gennych o'r
8 dechreuad; y gair a glywsoch yw'r hen orchymyn hwn. Eto, yr wyf yn ysgrifennu atoch orchymyn newydd, rhywbeth sydd yn wir ynddo ef ac ynoch chwithau; oherwydd y mae'r tywyll-
9 wch yn mynd heibio, a'r gwir oleuni eisoes yn tywynnu. Yr hwn sy'n dweud ei fod yn y goleuni, ac yn casáu ei frawd, yn y
10 tywyllwch y mae o hyd. Y mae'r hwn sy'n caru ei frawd yn
11 aros yn y goleuni, ac nid oes dim ynddo ef i faglu neb. Ond yr hwn sy'n casáu ei frawd, yn y tywyllwch y mae, ac yn y tywyllwch y mae'n rhodio, ac nid yw'n gwybod lle y mae'n mynd, am fod y tywyllwch wedi dallu ei lygaid ef.

12 'Rwyf yn ysgrifennu atoch chwi, blant,
am fod eich pechodau wedi eu maddau drwy ei enw ef.
13 'Rwyf yn ysgrifennu atoch chwi, dadau,
am eich bod yn adnabod yr hwn sydd wedi bod o'r dechreuad.
'Rwyf yn ysgrifennu atoch chwi, wŷr ifainc,
am eich bod wedi gorchfygu'r Un drwg.
14 'Rwyf wedi ysgrifennu atoch chwi, blant,
am eich bod yn adnabod y Tad.
'Rwyf wedi ysgrifennu atoch chwi, dadau,
am eich bod yn adnabod yr hwn sydd wedi bod o'r dechreuad.
'Rwyf wedi ysgrifennu atoch chwi, wŷr ifainc,
am eich bod yn gryf,
ac am fod gair Duw yn aros ynoch,
a'ch bod wedi gorchfygu'r Un drwg.

Peidiwch â charu'r byd na'r pethau sydd yn y byd. Os yw rhywun yn caru'r byd, nid yw cariad y Tad ynddo ef, oherwydd y cwbl sydd yn y byd—trachwant y cnawd, a thrachwant y llygaid, a balchder mewn meddiannau—nid o'r Tad y mae, ond o'r byd. Y mae'r byd a'i drachwant yn mynd heibio, ond y mae'r hwn sy'n gwneud ewyllys Duw yn aros am byth. 15 16 17

*Yr Anghrist*

Blant, dyma'r awr olaf, ac fel y clywsoch fod yr Anghrist yn dod, yn awr dyma anghristiau lawer wedi dod; wrth hyn yr ydym yn gwybod mai dyma'r awr olaf. Aethant allan oddi wrthym ni, ond nid oeddent yn perthyn i ni, oherwydd pe byddent yn perthyn i ni, byddent wedi aros gyda ni; dangoswyd felly nad oedd neb ohonynt yn perthyn i ni. Ond amdanoch chwi, y mae gennych eneiniad oddi wrth yr Un Sanctaidd, ac yr ydych bawb yn gwybod.* Nid am nad ydych yn gwybod y gwirionedd yr wyf yn ysgrifennu atoch, ond am eich bod yn ei wybod, ac yn gwybod hefyd am bob celwydd, nad yw o'r gwirionedd. Pwy yw'r un celwyddog, ond yr hwn sy'n gwadu mai Iesu yw'r Meseia ? Hwn yw'r Anghrist, sy'n gwadu'r Tad a'r Mab. Pob un sy'n gwadu'r Mab, nid yw'r Tad ganddo chwaith; yr hwn sy'n cyffesu'r Mab, y mae'r Tad ganddo hefyd. Chwithau, bydded i'r hyn a glywsoch o'r dechrau aros ynoch. Os bydd yr hyn a glywsoch o'r dechrau yn aros ynoch, byddwch chwithau hefyd yn aros yn y Mab ac yn y Tad. Dyma'r hyn a addawodd ef i ni, sef bywyd tragwyddol. 18 19 20 21 22 23 24 25

Ysgrifennais hyn atoch ynglŷn â'r rhai sydd am eich arwain ar gyfeiliorn. A chwithau, y mae'r eneiniad a gawsoch ganddo ef yn aros ynoch, ac nid oes arnoch angen neb i'ch dysgu; ond y mae'r eneiniad a roddodd ef yn eich dysgu am bopeth, a gwir yw, nid celwydd. Fel y dysgodd ef chwi, arhoswch ynddo ef. 26 27

*Plant Duw*

Ac yn awr, blant, arhoswch ynddo ef, er mwyn inni, pan fydd ef yn ymddangos, gael hyder a bod heb gywilydd arnom ger ei fron ef ar ei ddyfodiad. Os gwyddoch ei fod ef yn gyfiawn, yna fe ddylech wybod fod pob un sy'n gwneud 28 29

---

*adn. 20: yn ôl darlleniad arall, *yr ydych yn gwybod pob peth.*

3 cyfiawnder wedi ei eni ohono ef. Gwelwch pa fath gariad y mae'r Tad wedi ei ddangos tuag atom: cawsom ein galw yn blant Duw, a dyna ydym. Y rheswm nad yw'r byd yn ein
2 hadnabod ni yw nad oedd yn ei adnabod ef. Gyfeillion annwyl, yn awr yr ydym yn blant Duw, ac nid amlygwyd eto beth a fyddwn. Yr ydym yn gwybod, pan amlygir hynny,* y byddwn
3 yn debyg iddo, oherwydd cawn ei weld ef fel y mae. Ac y mae pob un sydd â'r gobaith hwn ganddo o'i fewn, yn ei buro ei hun, fel y mae Crist yn bur.

4 Y mae pob un sy'n cyflawni pechod yn gwneud anghyfraith
5 hefyd; anghyfraith yw pechod. Yr ydych yn gwybod bod Crist wedi ymddangos er mwyn dileu pechodau; ac ynddo ef nid oes
6 bechod. Nid oes neb sy'n aros ynddo ef yn pechu; nid yw'r
7 sawl sy'n pechu wedi ei weld ef na'i adnabod ef. Blant, peidiwch â gadael i neb eich arwain ar gyfeiliorn. Y mae'r hwn sy'n
8 gwneud cyfiawnder yn gyfiawn, fel y mae ef yn gyfiawn. O'r diafol y mae'r hwn sy'n cyflawni pechod, oherwydd y mae'r diafol yn pechu o'r dechreuad. I ddinistrio gweithredoedd y
9 diafol yr ymddangosodd Mab Duw. Nid oes neb sydd wedi ei eni o Dduw yn cyflawni pechod, oherwydd y mae had Duw yn aros ynddo ef; ac ni all bechu, oherwydd ei fod wedi ei eni o
10 Dduw. Dyma sut y mae'n amlwg pwy yw plant Duw a phwy yw plant y diafol: pob un nad yw'n gwneud cyfiawnder, nid yw o Dduw, na'r hwn nad yw'n caru ei frawd.

### *Carwch Eich Gilydd*

11 Oherwydd hon yw'r genadwri a glywsoch chwi o'r dechrau:
12 ein bod i garu ein gilydd. Nid fel Cain, a oedd o'r Un drwg ac a laddodd ei frawd. A pham y lladdodd ef? Oherwydd fod ei weithredoedd ef yn ddrwg, a gweithredoedd ei frawd yn
13 gyfiawn. Peidiwch â synnu, frodyr, os yw'r byd yn eich casáu
14 chwi. Yr ydym ni'n gwybod ein bod wedi croesi o farwolaeth i fywyd, am ein bod yn caru'r brodyr; y mae'r hwn nad yw'n
15 caru yn aros mewn marwolaeth. Llofrudd yw pob un sy'n casáu ei frawd, ac yr ydych yn gwybod nad oes gan unrhyw
16 lofrudd fywyd tragwyddol yn aros ynddo. Dyma sut yr ydym yn gwybod beth yw cariad: am iddo ef roi ei fywyd drosom ni.

---

*adn. 2: neu, *pan fydd ef yn ymddangos.*

Ac fe ddylem ninnau roi ein bywyd dros y brodyr. Pwy bynnag sydd â meddiannau'r byd ganddo, ac yn gweld ei frawd mewn angen, ac eto'n cau ei galon yn ei erbyn, sut y mae cariad Duw yn aros ynddo ef? Fy mhlant, gadewch i ni garu, nid ar air nac ar dafod, ond mewn gweithred a gwirionedd. 17 18

### *Hyder gerbron Duw*

Dyma sut y cawn wybod ein bod o'r gwirionedd, a sicrhau ein calonnau yn ei ŵydd ef pryd bynnag y bydd ein calon yn ein condemnio; oherwydd y mae Duw yn fwy na'n calon, ac y mae'n gwybod pob peth. Gyfeillion annwyl, os nad yw'n calon yn ein condemnio, y mae gennym hyder gerbron Duw, ac yr ydym yn derbyn ganddo ef bob dim yr ydym yn gofyn amdano, am ein bod yn cadw ei orchmynion, ac yn gwneud y pethau sydd wrth ei fodd. Dyma ei orchymyn: ein bod i gredu yn enw ei Fab ef, Iesu Grist, a charu'n gilydd, yn union fel y rhoddodd ef orchymyn i ni. Y mae'r hwn sy'n cadw ei orchmynion ef yn aros ynddo ef, ac ef ynddo yntau. Dyma sut yr ydym yn gwybod ei fod ef yn trigo ynom ni: trwy'r Ysbryd a roddodd ef i ni. 19 20 21 22 23 24

### *Ysbryd Duw ac Ysbryd Anghrist*

Gyfeillion annwyl, peidiwch â chredu pob ysbryd, ond profwch yr ysbrydion i gael gwybod a ydynt o Dduw, oherwydd y mae gau-broffwydi lawer wedi mynd allan i'r byd. Dyma sut yr ydych yn adnabod Ysbryd Duw: pob ysbryd sy'n cyffesu fod Iesu Grist wedi dod yn y cnawd, o Dduw y mae, a phob ysbryd nad yw'n cyffesu Iesu, nid yw o Dduw. Ysbryd yr Anghrist yw hwn; clywsoch ei fod yn dod, ac yn awr y mae eisoes yn y byd. Blant, yr ydych chwi o Dduw, ac yr ydych wedi eu gorchfygu hwy; oherwydd y mae'r hwn sydd ynoch chwi yn gryfach na'r hwn sydd yn y byd. I'r byd y maent hwy'n perthyn, ac o'r byd, felly, y daw'r hyn y maent yn ei ddweud; ac y mae'r byd yn gwrando arnynt hwy. O Dduw yr ydym ni; y mae'r hwn sy'n adnabod Duw yn gwrando arnom ni, a'r hwn nad yw o Dduw, nid yw'n gwrando arnom ni. Dyma sut yr ydym yn adnabod ysbryd y gwirionedd ac ysbryd cyfeiliornad. 4 2 3 4 5 6

### *Cariad yw Duw*

7 Gyfeillion annwyl, gadewch i ni garu ein gilydd, oherwydd o Dduw y mae cariad, ac y mae pob un sy'n caru wedi ei eni o 8 Dduw, ac yn adnabod Duw. Yr hwn nad yw'n caru, nid yw'n 9 adnabod Duw, oherwydd cariad yw Duw. Yn hyn y dangoswyd cariad Duw tuag atom:* bod Duw wedi anfon ei unig 10 Fab i'r byd er mwyn i ni gael byw drwyddo ef. Yn hyn y mae cariad: nid ein bod ni'n caru Duw, ond ei fod ef wedi ein caru ni, ac anfon ei Fab i fod yn foddion ein puredigaeth oddi wrth 11 ein pechodau. Gyfeillion annwyl, os yw Duw wedi ein caru ni 12 fel hyn, fe ddylem ninnau hefyd garu ein gilydd. Nid oes neb wedi gweld Duw erioed; os ydym yn caru ein gilydd, y mae Duw yn aros ynom, ac y mae ei gariad ef wedi cael ei berffeithio ynom ni.

13 Dyma sut yr ydym yn gwybod ein bod yn aros ynddo ef, ac 14 ef ynom ninnau: am iddo ef roi i ni o'i Ysbryd. Yr ydym ni wedi gweld, ac yr ydym yn tystiolaethu fod y Tad wedi anfon ei 15 Fab yn Waredwr y byd. Pwy bynnag sy'n cyffesu fod Iesu yn Fab Duw, y mae Duw yn aros ynddo ef, ac yntau yn Nuw. 16 Felly yr ydym ni wedi dod i adnabod a chredu'r cariad sydd gan Dduw tuag atom.*

Cariad yw Duw, ac y mae'r hwn sy'n aros mewn cariad yn 17 aros yn Nuw, a Duw yn aros ynddo yntau. Yn hyn y mae cariad wedi cael ei berffeithio ynom: fod gennym hyder yn Nydd y Farn, oherwydd fel y mae ef, felly yr ydym ninnau 18 hefyd yn y byd hwn. Nid oes ofn mewn cariad, ond y mae cariad perffaith yn bwrw allan ofn; y mae a wnelo ofn â chosb, 19 ac nid yw'r hwn sy'n ofni wedi ei berffeithio mewn cariad. Yr 20 ydym ni'n caru, am iddo ef yn gyntaf ein caru ni. Os dywed rhywun, " 'Rwy'n caru Duw", ac yntau'n casáu ei frawd, y mae'n gelwyddog; oherwydd ni all neb nad yw'n caru'r brawd 21 y mae wedi ei weld, garu Duw nad yw wedi ei weld. A dyma'r gorchymyn sydd gennym oddi wrtho ef: bod i'r hwn sy'n caru Duw garu ei frawd hefyd.

### *Ffydd yn Gorchfygu'r Byd*

**5** Pob un sy'n credu mai Iesu yw'r Crist, y mae ef wedi ei eni o Dduw; ac y mae pawb sy'n caru tad yn caru ei blentyn hefyd.

---

*adn. 9: neu, *ynom.*

*adn. 16: neu, *ynom.*

Dyma sut yr ydym yn gwybod ein bod yn caru plant Duw: 2
pan fyddwn yn caru Duw ac yn cadw ei orchmynion. Oher- 3
wydd dyma yw caru Duw: bod i ni gadw ei orchmynion. Ac
nid yw ei orchmynion ef yn feichus, am fod pawb sydd wedi eu 4
geni o Dduw yn gorchfygu'r byd. Hon yw'r oruchafiaeth a
orchfygodd y byd: ein ffydd ni. Pwy yw gorchfygwr y byd 5
ond yr hwn sy'n credu mai Iesu yw Mab Duw?

### *Tystiolaeth am y Mab*

Dyma'r un a ddaeth drwy ddŵr a gwaed, Iesu Grist; nid 6
trwy ddŵr yn unig, ond trwy'r dŵr a thrwy'r gwaed. Yr
Ysbryd yw'r tyst, am mai'r Ysbryd yw'r gwirionedd. Oherwydd 7
y mae tri sy'n tystiolaethu, yr Ysbryd, y dŵr, a'r gwaed, ac y 8
mae'r tri yn gytûn. Os ydym yn derbyn tystiolaeth dynion, y 9
mae tystiolaeth Duw yn fwy. A hon yw tystiolaeth Duw: ei
fod wedi tystio am ei Fab. Y mae gan yr hwn sy'n credu ym 10
Mab Duw y dystiolaeth ynddo ef ei hun. Y mae'r hwn nad
yw'n credu Duw yn ei wneud ef yn gelwyddog, am nad yw wedi
credu'r dystiolaeth sy'n dystiolaeth Duw am ei Fab. A hon 11
yw'r dystiolaeth: bod Duw wedi rhoi inni fywyd tragwyddol.
Ac y mae'r bywyd hwn yn ei Fab. Yr hwn y mae'r Mab ganddo, 12
y mae'r bywyd ganddo; yr hwn nad yw Mab Duw ganddo,
nid yw'r bywyd ganddo.

### *Gwybod am Fywyd Tragwyddol*

Yr wyf yn ysgrifennu'r pethau hyn atoch chwi, y rhai sydd 13
yn credu yn enw Mab Duw, er mwyn i chwi wybod fod gennych
fywyd tragwyddol. A hwn yw'r hyder sydd gennym ger ei fron 14
ef: y bydd ef yn gwrando arnom os gofynnwn am rywbeth yn
unol â'i ewyllys ef. Ac os ydym yn gwybod ei fod yn gwrando 15
arnom, beth bynnag y byddwn yn gofyn amdano, yr ydym yn
gwybod fod y pethau yr ydym wedi gofyn iddo amdanynt yn
eiddo i ni.

Os gwêl unrhyw un ei frawd yn cyflawni pechod nad yw'n 16
bechod marwol, dylai ofyn, ac fe rydd Duw fywyd i hwnnw—
hynny yw, i'r rhai nad yw eu pechod yn farwol. Y mae pechod
sy'n farwol; nid ynglŷn â hwn yr wyf yn dweud y dylai weddïo.
Y mae pob anghyfiawnder yn bechod; ond y mae hefyd bechod 17
nad yw'n farwol.

18 Yr ydym yn gwybod nad yw'r sawl sydd wedi ei eni o Dduw yn dal i bechu, ond y mae'r Un a anwyd o Dduw yn ei gadw ef, 19 ac nid yw'r Un drwg yn cyffwrdd ag ef. Yr ydym yn gwybod ein bod ni o Dduw, a bod yr holl fyd yn gorwedd yng ngafael 20 yr Un drwg. Yr ydym yn gwybod fod Mab Duw wedi dod, ac wedi rhoi inni ddealltwriaeth, er mwyn inni adnabod yr Un gwir; ac yr ydym ni yn yr Un gwir, yn ei Fab ef, Iesu Grist. 21 Hwn yw'r gwir Dduw a'r bywyd tragwyddol. Blant, ymgadwch rhag eilunod.

AIL LYTHYR

# IOAN

### *Cyfarch*

Yr henuriad at yr arglwyddes etholedig a'i phlant. Yr wyf fi, 1 ac nid myfi yn unig, ond pawb sydd wedi dod i wybod y gwirionedd, yn eich caru yn y gwirionedd, er mwyn y gwirionedd 2 sydd yn aros ynom ni, ac a fydd gyda ni am byth. Bydd gras, 3 trugaredd a thangnefedd gyda ni, oddi wrth Dduw, y Tad, ac oddi wrth Iesu Grist, Mab y Tad, mewn gwirionedd a chariad.

### *Aros yn Nysgeidiaeth Crist*

Bu'n llawenydd mawr i mi gael rhai o'th blant di yn rhodio 4 yn y gwirionedd, fel y cawsom orchymyn gan y Tad. Ac yn 5 awr yr wyf yn erfyn arnat, arglwyddes, ond nid fel un yn ysgrifennu i ti orchymyn newydd; gorchymyn oedd gennym o'r dechreuad ydyw, sef ein bod i garu ein gilydd. A hyn yw 6 cariad: ein bod yn rhodio yn ôl ei orchmynion ef. A'r gorchymyn hwn, fel y clywsoch o'r dechreuad, yw eich bod i rodio mewn cariad. Oherwydd aeth twyllwyr lawer allan i'r byd, y 7 rhai nad ydynt yn cyffesu fod Iesu Grist wedi dod yn y cnawd; dyma'r twyllwr a'r Anghrist. Gwyliwch eich hunain, rhag i 8 chwi golli ffrwyth eich llafur, ond er mwyn i chwi dderbyn eich gwobr yn gyflawn. Pob un sy'n mynd rhagddo heb aros yn 9 nysgeidiaeth Crist, nid yw Duw ganddo; yr hwn sydd yn aros yn y ddysgeidiaeth, y mae'r Tad a'r Mab ganddo ef. Os daw 10 rhywun atoch heb ddod â'r ddysgeidiaeth hon gydag ef, peidiwch â'i dderbyn i'ch tŷ na'i gyfarch ef, oherwydd y mae'r hwn 11 sy'n ei gyfarch yn gyfrannog o'i weithredoedd drygionus ef.

### *Cyfarchion Terfynol*

Er bod gennyf lawer o bethau i'w hysgrifennu atoch, gwell 12 gennyf beidio â'u hysgrifennu â phapur ac inc; 'rwy'n gobeithio dod atoch, a siarad â chwi wyneb yn wyneb, ac yna bydd ein llawenydd yn gyflawn. Y mae plant dy chwaer etholedig yn dy 13 gyfarch di.

TRYDYDD LLYTHYR

# IOAN

*Cyfarch*

1 Yr henuriad at Gaius, y gŵr annwyl yr wyf fi yn ei garu yn y gwirionedd.

2 Gyfaill annwyl, yr wyf yn dymuno iechyd i ti, a llwyddiant 3 ym mhob peth, fel y mae dy enaid yn llwyddo. Oherwydd yr oedd yn llawenydd mawr i mi pan fyddai brodyr yn dod ac yn tystio i'th wirionedd di, i'r modd yr wyt ti'n rhodio yn y gwir- 4 ionedd. Nid oes dim sy'n fwy o lawenydd i mi na chlywed fod fy mhlant yn rhodio yn y gwirionedd.

*Cydweithrediad a Gwrthwynebiad*

5 Gyfaill annwyl, yr wyt ti'n gwneud peth teilwng wrth 6 wasanaethu'r brodyr, a hwythau'n ddieithriaid. Y maent hwy wedi tystio gerbron yr eglwys i'th gariad di; da ti, dyro iddynt 7 ar eu taith gymorth teilwng o Dduw. Oherwydd er mwyn yr 8 enw yr aethant allan, heb gymryd dim gan y paganiaid. Felly, dylem ni gynorthwyo dynion o'r fath, er mwyn i ni fod yn gydweithwyr dros y gwirionedd.

9 Ysgrifennais air at yr eglwys, ond nid yw Diotreffes, sy'n chwenychu bod yn ben arnynt, yn derbyn ein hawdurdod. 10 Felly, pan ddof, byddaf yn galw sylw at yr hyn y mae'n ei wneud, yn clebran yn ein herbyn â geiriau drygionus; ac yn wir, nid yw'n fodlon ar eiriau—y mae'n gwrthod derbyn y brodyr, ac yn gwahardd y rhai sydd am eu derbyn, ac yn eu bwrw allan o'r eglwys.

11 Gyfaill annwyl, efelycha ddaioni, nid drygioni. Yr hwn sy'n gwneud daioni, o Dduw y mae; ond yr hwn sy'n gwneud 12 drygioni, nid yw wedi gweld Duw. Y mae gair da i Demetrius gan bawb, a chan y gwirionedd ei hun; ac yr ydym ninnau hefyd yn tystio iddo, a gwyddost fod ein tystiolaeth ni yn wir.

*Cyfarchion Terfynol*

13 Y mae gennyf lawer o bethau i'w hysgrifennu atat, ond gwell 14 gennyf beidio ag ysgrifennu atat â phen ac inc. 'Rwy'n

gobeithio dy weld yn fuan, a chawn siarad wyneb yn wyneb. Tangnefedd i ti! Y mae'r cyfeillion yma yn dy gyfarch. 15 Cyfarch di y cyfeillion yna, bob un wrth ei enw.

LLYTHYR

# JWDAS

*Cyfarch*

1 Jwdas, gwas Iesu Grist, a brawd Iago, at y rhai sydd trwy alwad Duw, y Tad, yn annwyl ganddo ac wedi eu cadw i Iesu 2 Grist. Trugaredd a thangnefedd a chariad a amlhaer i chwi!

*Barn ar Athrawon Gau*

(2 Pedr 2.1-17)

3 Gyfeillion annwyl, yr oeddwn yn awyddus iawn i ysgrifennu atoch am yr iachawdwriaeth sy'n eiddo i ni i gyd, ond daeth rheidrwydd arnaf i ysgrifennu atoch i'ch annog i ymuno yn y frwydr o blaid y ffydd a draddodwyd un waith am byth i'r 4 saint. Oherwydd y mae rhywrai wedi llithro'n llechwraidd i mewn, dynion y mae'r Ysgrythur ers talwm wedi cyhoeddi arnynt y farnedigaeth hon, mai dynion annuwiol ydynt, yn troi gras ein Duw ni yn anlladrwydd, ac yn gwadu ein hunig Feistr ac Arglwydd, Iesu Grist.

5 Er eich bod un waith am byth wedi cael gwybod hyn oll, yr wyf am eich atgoffa fod yr Arglwydd,* er iddo waredu'r bobl o dir yr Aifft, wedi dinistrio wedyn y rhai oedd heb gredu. 6 Cofiwch yr angylion hefyd, y rhai a wrthododd gadw o fewn terfynau eu llywodraeth ac a gefnodd ar eu trigfan eu hunain; y mae ef wedi eu cadw hwy yn nhywyllwch carchar tragwyddol, 7 i aros barn y Dydd mawr. A chofiwch Sodom a Gomorra, a'r dinasoedd o'u cwmpas; fel yr angylion, ymollwng a wnaethant hwythau i buteindra ac i borthi eu chwantau annaturiol. Wrth gael eu cosbi yn y tân tragwyddol, y maent yn esiampl amlwg i bawb.

8 Y mae'r un fath eto yn achos y dynion hyn. Y mae eu breuddwydio yn peri iddynt halogi'r cnawd, a diystyru awdur-

---

*adn. 5: yn ôl darlleniad arall, *Iesu.*

dod, a sarhau'r bodau nefol. Pan oedd Mihangel, yr archangel, 9 mewn ymryson â'r diafol yn ymgiprys am gorff Moses, ni feiddiodd gyhoeddi barn a fyddai'n sarhau'r diafol; yn hytrach dywedodd, " Cerydded yr Arglwydd di." Ond y mae'r dynion 10 hyn yn sarhau'r pethau nad ydynt yn eu deall, a'r pethau y maent yn eu deall wrth reddf fel anifeiliaid direswm yw'r pethau sydd yn eu dinistrio. Gwae hwy! Y maent wedi dilyn 11 llwybr Cain; y maent wedi ymollwng, er mwyn elw, i gyfeiliornad Balaam; y maent wedi gwrthryfela fel Core, a darfod amdanynt. Dyma'r rhai sydd yn feflau ar eich cariad-wleddoedd, 12 yn cydeistedd â chwi yn ddigywilydd, bugeiliaid sy'n eu pesgi eu hunain. Cymylau heb ddŵr ydynt, yn cael eu chwythu ymaith gan wyntoedd; coed yr hydref, yn ddiffrwyth ac wedi eu diwreiddio, ddwywaith yn farw; tonnau cynddeiriog y môr, 13 yn ewynnu llysnafedd eu gweithredoedd; sêr wedi crwydro o'u llwybrau, a'r tywyllwch dudew ar gadw iddynt am byth.

Am y rhain y mae Enoch hefyd, y seithfed yn llinach Adda, 14 wedi proffwydo wrth ddweud, " Wele, y mae'r Arglwydd wedi dod gyda'i fyrddiynau sanctaidd i weithredu barn ar bawb, i 15 gondemnio'r annuwiolion i gyd am annuwioldeb eu holl weithredoedd ysgeler, ac am atgasedd holl eiriau'r pechaduriaid annuwiol hynny yn ei erbyn." Dynion yn caru grwgnach 16 a gweld bai yw'r rhain, yn byw yn ôl eu chwantau, yn ymffrostgar eu siarad, yn gynffonwyr er mwyn ffafr.

### *Rhybuddion ac Anogaethau*

Ond dylech chwi, gyfeillion annwyl, gofio'r pethau a ragddywedwyd 17 gan apostolion ein Harglwydd Iesu Grist. Dywedasant 18 wrthych: " Yn yr amser diwethaf fe fydd gwatwarwyr, dynion fydd yn byw yn ôl eu chwantau annuwiol eu hunain." Dyma'r rhai fydd yn achosi rhaniadau, pobl fydol yn amddifad 19 o'r Ysbryd. Ond rhaid i chwi, gyfeillion annwyl, eich adeiladu 20 eich hunain ar sylfaen eich ffydd holl-sanctaidd, a gweddïo yn yr Ysbryd Glân; cadwch eich hunain yng nghariad Duw, gan 21 ddisgwyl am i'n Harglwydd Iesu Grist yn ei drugaredd roi i chwi fywyd tragwyddol. Y mae rhai y dylech dosturio wrthynt 22 yn eu hamheuon, eraill y dylech eu hachub a'u cipio o'r tân, ac 23 y mae eraill y dylech dosturio wrthynt gydag ofn, gan gasáu hyd yn oed y dilledyn sydd â llygredd y cnawd arno.

*Bendith*

24 Iddo ef, sydd â'r gallu ganddo i'ch cadw rhag syrthio, a'ch 25 gosod yn ddi-fai a gorfoleddus gerbron ei ogoniant, iddo ef, yr unig Dduw, ein Gwaredwr, trwy Iesu Grist ein Harglwydd, y byddo gogoniant a mawrhydi, gallu ac awdurdod, cyn yr oesoedd, ac yn awr, ac yn oes oesoedd ! Amen.

# DATGUDDIAD IOAN

*Rhagymadrodd a Chyfarchiad*

Dyma'r datguddiad a roddwyd gan Iesu Grist. Fe'i rhoddwyd iddo ef gan Dduw, er mwyn iddo ddangos i'w weision y pethau y mae'n rhaid iddynt ddigwydd ar fyrder. Fe'i gwnaeth yn hysbys trwy anfon ei angel at ei was Ioan. Tystiodd yntau i air Duw ac i dystiolaeth Iesu Grist, trwy adrodd y cwbl a welodd. Gwyn ei fyd yr hwn sy'n darllen a'r rhai sy'n gwrando geiriau'r broffwydoliaeth hon ac yn cadw'r hyn sy'n ysgrifenedig ynddi. Oherwydd y mae'r amser yn agos. 1 2 3

Ioan at y saith eglwys yn Asia: gras a thangnefedd i chwi oddi wrth yr hwn sydd a'r hwn oedd a'r hwn sydd i ddod, ac oddi wrth y saith ysbryd sydd gerbron ei orsedd, ac oddi wrth Iesu Grist, y tyst ffyddlon, y cyntafanedig oddi wrth y meirw a llywodraethwr brenhinoedd y ddaear. 4 5

I'r hwn sydd yn ein caru ni ac a'n rhyddhaodd ni oddi wrth ein pechodau â'i waed, ac a'n gwnaeth yn urdd frenhinol, yn offeiriaid i Dduw ei Dad, iddo ef y bo'r gogoniant a'r gallu yn oes oesoedd! Amen. 6

Wele, y mae'n dyfod gyda'r cymylau, 7
a bydd pob llygad yn ei weld,
ie, a'r rhai a'i trywanodd,
a bydd holl lwythau'r ddaear yn galaru o'i blegid ef.

Boed felly! Amen.

"Myfi yw Alffa ac Omega," medd yr Arglwydd Dduw, yr hwn sydd a'r hwn oedd a'r hwn sydd i ddod, yr Hollalluog. 8

*Gweledigaeth o Grist*

Yr oeddwn i, Ioan, eich brawd, sy'n cyfranogi gyda chwi o'r gorthrymder a'r frenhiniaeth a'r dyfalbarhad sydd i ni yn Iesu, yr oeddwn ar yr ynys a elwir Patmos, ar gyfrif gair Duw a thystiolaeth Iesu. Yr oeddwn yn yr Ysbryd ar ddydd yr Arglwydd, a chlywais y tu ôl imi lais uchel, fel sŵn utgorn, yn 9 10 11 dweud, "Ysgrifenna mewn llyfr yr hyn a weli, ac anfon ef at y saith eglwys, i Effesus, i Smyrna, i Bergamus, i Thyatira, i Sardis, i Philadelffia, ac i Laodicea."

12 Yna trois i weld pa lais oedd yn llefaru wrthyf; ac wedi troi, 13 gwelais saith canhwyllbren aur, ac yng nghanol y canhwyllbrennau, un tebyg i fab dyn, a'i wisg yn cyrraedd hyd ei draed, 14 a gwregys aur am ei ddwyfron. Yr oedd gwallt ei ben yn wyn 15 fel gwlân, cyn wynned â'r eira, a'i lygaid fel fflam dân. Yr oedd ei draed fel pres gloyw, fel petai wedi ei buro mewn ffwrnais, 16 a'i lais fel sŵn dyfroedd lawer. Yn ei law dde yr oedd ganddo saith seren, ac o'i enau yr oedd cleddyf llym daufiniog yn dod allan, ac yr oedd ei wyneb yn disgleirio fel yr haul yn ei anterth.

17 Pan welais ef, syrthiais wrth ei draed fel un marw; gosododd yntau ei law dde arnaf, a dywedodd, "Paid ag ofni; myfi yw'r 18 cyntaf a'r olaf, a'r Un byw; bûm farw, ac wele, yr wyf yn fyw yn oes oesoedd, ac y mae gennyf allweddau Marwolaeth a 19 Thrigfan y Meirw. Ysgrifenna, felly, y pethau a welaist, y 20 pethau sydd, a'r pethau sydd i fod ar ôl hyn. Dyma ystyr ddirgel y saith seren a welaist ar fy llaw dde a'r saith canhwyllbren aur: angylion y saith eglwys yw'r saith seren, a'r saith eglwys yw'r saith canhwyllbren.

*Y Neges i Effesus*

**2** "At angel yr eglwys yn Effesus, ysgrifenna:

'Dyma y mae'r hwn sy'n dal y saith seren yn ei law dde, ac yn cerdded yng nghanol y saith canhwyllbren aur, yn ei ddweud: 2 Gwn am dy weithredoedd a'th lafur a'th ddyfalbarhad, a gwn na elli oddef y rhai drwg; gwn dy fod wedi rhoi prawf ar y rhai sy'n eu galw eu hunain yn apostolion a hwythau heb fod felly, a 3 chefaist hwy'n gelwyddog; ac y mae gennyt ddyfalbarhad, a 4 dygaist faich trwm er mwyn fy enw i, ac ni ddiffygiaist. Ond y 5 mae gennyf hyn yn dy erbyn, iti golli dy gariad cynnar. Cofia, felly, o ble y syrthiaist, ac edifarha, a gwna eto dy weithredoedd cyntaf. Os na wnei, ac os na edifarhei, fe ddof atat a symud dy 6 ganhwyllbren o'i le. Ond y mae hyn o'th blaid, dy fod fel 7 minnau yn casáu gweithredoedd y Nicolaiaid. Yr hwn sydd ganddo glust, gwrandawed beth y mae'r Ysbryd yn ei ddweud wrth yr eglwysi. I'r hwn sy'n gorchfygu, rhoddaf yr hawl i fwyta o bren y bywyd sydd ym Mharadwys Duw.'

*Y Neges i Smyrna*

"Ac at angel yr eglwys yn Smyrna, ysgrifenna: 8
'Dyma y mae'r cyntaf a'r olaf, yr hwn a fu farw ac a ddaeth yn fyw, yn ei ddweud: Gwn am dy orthrymder a'th dlodi, ac eto 9 yr wyt yn gyfoethog; gwn hefyd am gabledd y rhai sy'n eu galw eu hunain yn Iddewon a hwythau heb fod felly, ond yn hytrach yn synagog Satan. Paid ag ofni'r pethau yr wyt ar fedr eu 10 dioddef. Wele, y mae'r diafol yn mynd i fwrw rhai ohonoch i garchar er mwyn eich profi, ac fe gewch orthrymder am ddeg diwrnod. Bydd ffyddlon hyd angau, a rhoddaf iti goron y bywyd. Yr hwn sydd ganddo glust, gwrandawed beth y mae'r 11 Ysbryd yn ei ddweud wrth yr eglwysi. Yr hwn sy'n gorchfygu, ni chaiff niwed gan yr ail farwolaeth.'

*Y Neges i Bergamus*

"Ac at angel yr eglwys ym Mhergamus, ysgrifenna: 12
'Dyma y mae'r hwn sydd â'r cleddyf llym daufiniog ganddo yn ei ddweud: Gwn ym mhle yr wyt yn trigo, lle mae gorsedd 13 Satan; ac eto yr wyt yn glynu wrth f'enw i, ac ni wedaist dy ffydd ynof fi, hyd yn oed yn nyddiau fy nhyst Antipas, a fu'n ffyddlon i mi ac a laddwyd yn eich mysg chwi, lle mae Satan yn trigo. Ond y mae gennyf ychydig bethau yn dy erbyn, fod 14 gennyt rai yna sy'n glynu wrth athrawiaeth Balaam, a ddysgodd i Balac osod magl i blant Israel, a pheri iddynt fwyta pethau a aberthwyd i eilunod, a godinebu; yn yr un modd, y mae 15 gennyt ti hyd yn oed rai sy'n glynu wrth athrawiaeth y Nicolaiaid. Edifarha felly; os na wnei, fe ddof atat yn fuan, a rhyfela 16 yn eu herbyn hwy â chleddyf fy ngenau. Yr hwn sydd ganddo 17 glust, gwrandawed beth y mae'r Ysbryd yn ei ddweud wrth yr eglwysi. I'r hwn sy'n gorchfygu, rhoddaf gyfran o'r manna cuddiedig, a rhoddaf iddo garreg wen, ac yn ysgrifenedig ar y garreg enw newydd na fydd neb yn ei wybod ond y sawl sydd yn ei derbyn.'

*Y Neges i Thyatira*

"Ac at angel yr eglwys yn Thyatira, ysgrifenna: 18
'Dyma y mae Mab Duw yn ei ddweud, yr hwn sydd ganddo lygaid fel fflam dân, a'i draed fel pres gloyw: Gwn am dy 19 weithredoedd, dy gariad, dy ffydd, dy wasanaeth, dy ddyfal-

barhad, a gwn fod dy weithredoedd diwethaf yn fwy lluosog
20 na'r rhai cyntaf. Ond y mae gennyf hyn yn dy erbyn, dy fod yn goddef y wraig honno, Jesebel, sy'n ei galw ei hun yn broffwydes, a hithau'n dysgu ac yn twyllo fy ngweision i odinebu a bwyta
21 pethau a aberthwyd i eilunod. Rhoddais amser iddi i edifarhau,
22 ond y mae'n gwrthod edifarhau am ei godineb. Wele, bwriaf hi i wely cystudd, a'r rhai sy'n godinebu gyda hi i orthrymder
23 mawr, os nad edifarhant am ei gweithredoedd hi. A lladdaf ei phlant hi yn gelain; ac fe gaiff yr holl eglwysi wybod mai myfi yw'r hwn sy'n chwilio dyheadau a meddyliau dynion. Rhoddaf
24 i chwi bob un yn ôl eich gweithredoedd. Wrth y gweddill ohonoch yn Thyatira, pawb nad ydynt yn derbyn yr athrawiaeth hon, ac sydd heb brofiad o'r hyn a elwir yn ddyfnderoedd
25 Satan, 'rwy'n dweud hyn: ni osodaf arnoch faich arall, ond yn unig glynwch wrth yr hyn sydd gennych, hyd nes i mi ddod.
26 Yr hwn sy'n gorchfygu ac yn cadw fy ngofynion hyd y diwedd,

> rhoddaf iddo awdurdod ar y cenhedloedd,
> 27 a bydd yn eu llywodraethu hwy â gwialen haearn;
> torrir hwy fel llestri pridd.

28 (Dyma'r awdurdod a dderbyniais innau gan fy Nhad.) Rhodd-
29 af iddo hefyd seren y bore. Yr hwn sydd ganddo glust, gwrandawed beth y mae'r Ysbryd yn ei ddweud wrth yr eglwysi.'

*Y Neges i Sardis*

**3** "Ac at angel yr eglwys yn Sardis, ysgrifenna:
'Dyma y mae'r hwn sydd ganddo saith ysbryd Duw a'r saith seren yn ei ddweud: Gwn am dy weithredoedd, a bod gennyt
2 enw dy fod yn fyw er mai marw ydwyt. Bydd effro, a chryfha'r hyn sydd ar ôl gennyt, sydd ar ddarfod amdano, oherwydd ni chefais dy weithredoedd yn gyflawn yng ngolwg fy Nuw i.
3 Cofia, felly, beth a dderbyniaist ac a glywaist; cadw at hynny ac edifarha. Os na fydd iti ddeffro, fe ddof fel lleidr, ac ni chei
4 wybod pa awr y dof atat. Ond y mae gennyt rai enwau yn Sardis nad ydynt wedi halogi eu dillad; caiff y rhain rodio
5 gyda mi mewn gwisg wen, oherwydd y maent yn deilwng. Yr hwn sy'n gorchfygu, gwisgir ef yn yr un modd mewn dillad gwynion, a'i enw ef ni thorraf allan fyth o lyfr y bywyd, a
6 chyffesaf ei enw gerbron fy Nhad a gerbron ei angylion ef. Yr hwn sydd ganddo glust, gwrandawed beth y mae'r Ysbryd yn ei ddweud wrth yr eglwysi.'

*Y Neges i Philadelffia*

7 " Ac at angel yr eglwys yn Philadelffia, ysgrifenna:
'Dyma y mae'r Un sanctaidd, yr Un gwir, yn ei ddweud,
yr hwn y mae allwedd Dafydd ganddo,
yr hwn sy'n agor ac ni fydd neb yn cau,
ac yn cau a neb yn agor:

8 Gwn am dy weithredoedd, a dyma fi wedi rhoi o'th flaen ddrws agored na fedr neb ei gau. Gwn mai ychydig nerth sydd gennyt, ond cedwaist fy ngair ac ni wedaist fy enw. 9 Wele, rhoddaf iti rai o synagog Satan sydd yn eu galw eu hunain yn Iddewon a hwythau heb fod felly; dweud celwydd y maent. Wele, gwnaf iddynt ddod ac ymgrymu wrth dy draed, a chael gwybod i mi dy garu di. 10 Am iti gadw fy ngair a dyfalbarhau, byddaf finnau yn dy gadw di rhag awr y prawf sydd ar ddod ar yr holl fyd i brofi trigolion y ddaear. 11 Yr wyf yn dod yn fuan; glyna wrth yr hyn sydd gennyt, rhag i neb ddwyn dy goron di. 12 Yr hwn sy'n gorchfygu, gwnaf ef yn golofn yn nheml fy Nuw i, ac nid â ef allan oddi yno byth. Ac ysgrifennaf arno enw fy Nuw i—ac enw dinas fy Nuw i, y Jerwsalem newydd sy'n disgyn o'r nef oddi wrth fy Nuw i—a'm henw newydd i. 13 Yr hwn sydd ganddo glust, gwrandawed beth y mae'r Ysbryd yn ei ddweud wrth yr eglwysi.'

*Y Neges i Laodicea*

14 " Ac at angel yr eglwys yn Laodicea, ysgrifenna:
'Dyma y mae'r Amen, y tyst ffyddlon a gwir, a dechreuad creadigaeth Duw, yn ei ddweud: 15 Gwn am dy weithredoedd; nid wyt nac oer na phoeth. Gwyn fyd na fyddit yn oer neu yn boeth ! 16 Ond gan mai claear ydwyt, heb fod nac yn boeth nac yn oer, fe'th boeraf allan o'm genau. 17 Dweud yr wyt, " 'Rwy'n gyfoethog, ac wedi casglu golud, ac nid oes arnaf eisiau dim "; ac ni wyddost mai gwrthrych trueni a thosturi ydwyt, yn dlawd, yn ddall, yn noeth. 18 Felly, cynghoraf di i brynu gennyf fi aur wedi ei buro drwy dân, iti ddod yn gyfoethog, a dillad gwynion i'w gwisgo, i guddio gwarth dy noethni, ac eli i iro dy lygaid, iti gael gweld. 19 Yr wyf fi'n ceryddu ac yn disgyblu'r rhai a garaf; bydd selog, felly, ac edifarha. 20 Wele, yr wyf yn sefyll wrth y drws ac yn curo; os clyw rhywun fy llais ac agor y drws, dof i mewn ato a swperaf gydag ef, ac yntau gyda minnau. 21 Yr hwn

sy'n gorchfygu, rhof iddo eistedd gyda mi ar fy ngorsedd, megis y gorchfygais innau ac yr eisteddais gyda'm Tad ar ei
22 orsedd ef. Yr hwn sydd ganddo glust, gwrandawed beth y mae'r Ysbryd yn ei ddweud wrth yr eglwysi.' "

*Addoliad y Nef*

4 Ar ôl hyn edrychais, ac wele ddrws wedi ei agor yn y nef; a dyma'r llais, a glywswn gyntaf yn llefaru wrthyf fel sŵn utgorn, yn dweud, " Tyrd i fyny yma, a dangosaf iti'r pethau y mae'n
2 rhaid iddynt ddigwydd ar ôl hyn." Ar unwaith, yr oeddwn yn yr Ysbryd; ac wele, yr oedd gorsedd wedi ei gosod yn y nef ac
3 ar yr orsedd un yn eistedd. Yr oedd hwn yn debyg ei olwg i faen iasbis a sardion, ac o amgylch yr orsedd yr oedd enfys
4 debyg i emrallt. O amgylch yr orsedd yr oedd hefyd bedair gorsedd ar hugain, ac ar y rhain, bedwar henuriad ar hugain yn eistedd mewn dillad gwynion, ac ar eu pennau goronau aur.
5 O'r orsedd yr oedd fflachiadau mellt a sŵn taranau yn dod allan, ac yn llosgi gerbron yr orsedd yr oedd saith ffagl dân; y rhain
6 yw saith ysbryd Duw. O flaen yr orsedd yr oedd môr megis o wydr, tebyg i risial.

Ac yng nghanol yr orsedd ac o'i hamgylch yr oedd pedwar
7 creadur byw yn llawn o lygaid o'r tu blaen a'r tu ôl. Yr oedd y creadur cyntaf yn debyg i lew, a'r ail i lo; yr oedd gan y trydydd wyneb fel dyn, ac yr oedd y pedwerydd yn debyg i eryr yn
8 hedfan. I'r pedwar creadur byw yr oedd chwech adain yr un, ac yr oeddent yn llawn o lygaid o'u hamgylch ac o'u mewn, a heb orffwys ddydd na nos yr oeddent yn dweud:

" Sanctaidd, sanctaidd, sanctaidd,
Arglwydd Dduw hollalluog,
yr hwn oedd a'r hwn sydd a'r hwn sydd i ddod!"

9 Pan fydd y creaduriaid byw yn rhoi gogoniant ac anrhydedd a diolch i'r hwn sy'n eistedd ar yr orsedd, yr hwn sy'n byw yn
10 oes oesoedd, bydd y pedwar henuriad ar hugain yn syrthio o flaen yr hwn sy'n eistedd ar yr orsedd, gan addoli'r hwn sy'n byw yn oes oesoedd, a bwrw eu coronau gerbron yr orsedd a dweud:

11 " Teilwng wyt ti, ein Harglwydd a'n Duw,
i dderbyn y gogoniant a'r anrhydedd a'r gallu,
oherwydd tydi a greodd bob peth,
a thrwy dy ewyllys y daethant i fod ac y crewyd hwy."

*Y Sgrôl a'r Oen*

5 A gwelais yn llaw dde yr hwn oedd yn eistedd ar yr orsedd sgrôl gydag ysgrifen arni o'r tu mewn ac o'r tu allan, wedi ei selio â saith sêl. 2 A gwelais angel nerthol yn cyhoeddi â llef uchel, " Pwy sydd deilwng i agor y sgrôl ac i ddatod ei seliau ?" 3 Nid oedd neb yn y nef nac ar y ddaear na than y ddaear a allai agor y sgrôl nac edrych arni. 4 Yr oeddwn i'n wylo yn hidl am na chafwyd neb yn deilwng i agor y sgrôl nac i edrych arni. 5 A dywedodd un o'r henuriaid wrthyf, " Paid ag wylo; wele, y mae'r Llew o lwyth Jwda, Gwreiddyn Dafydd, wedi gorchfygu ac ennill yr hawl i agor y sgrôl a'i saith sêl."

6 Gwelais Oen yn sefyll yn y canol, rhwng yr orsedd a'r pedwar creadur byw a'r henuriaid. Yr oedd yr Oen fel un wedi ei ladd, ac yr oedd ganddo saith o gyrn a saith o lygaid; y rhain yw saith ysbryd Duw, sydd wedi eu hanfon i'r holl ddaear. 7 Daeth yr Oen a chymerodd y sgrôl o law dde yr hwn oedd yn eistedd ar yr orsedd. 8 Ac wedi iddo gymryd y sgrôl, syrthiodd y pedwar creadur byw a'r pedwar henuriad ar hugain o flaen yr Oen, ac yr oedd gan bob un ohonynt delyn, a ffiolau aur yn llawn o arogldarth; y rhain yw gweddïau'r saint. 9 Ac yr oeddent yn canu cân newydd fel hyn:

" Teilwng wyt ti i gymryd y sgrôl
ac i agor ei seliau,
oherwydd ti a laddwyd ac a brynaist i Dduw â'th waed
ddynion o bob llwyth ac iaith a phobl a chenedl,
10 a gwnaethost hwy yn urdd frenhinol ac yn offeiriaid i'n
Duw ni;
ac fe deyrnasant hwy ar y ddaear."

11 Yna edrychais a chlywais lais angylion lawer; yr oeddent o amgylch yr orsedd a'r creaduriaid byw a'r henuriaid. A'u rhif oedd myrdd myrddiynau a miloedd ar filoedd, 12 yn dweud â llef uchel:

" Teilwng yw'r Oen a laddwyd i dderbyn
gallu, cyfoeth, doethineb a nerth,
anrhydedd, gogoniant a mawl."

13 A chlywais bob peth a grewyd, yn y nef ac ar y ddaear a than y ddaear ac ar y môr, a'r cwbl sydd ynddynt, yn dweud:

" I'r hwn sy'n eistedd ar yr orsedd ac i'r Oen
y bo'r mawl a'r anrhydedd a'r gogoniant a'r nerth
yn oes oesoedd!"

14 A dywedodd y pedwar creadur byw, " Amen " ; a syrthiodd yr henuriaid i lawr ac addoli.

*Y Seliau*

**6** Edrychais pan agorodd yr Oen y gyntaf o'r saith sêl, a chlywais y cyntaf o'r pedwar creadur byw yn dweud â llais fel 2 taran, " Tyrd." Edrychais, ac wele geffyl gwyn; yr oedd gan ei farchog fwa; rhoddwyd iddo goron, ac fe aeth allan fel concwerwr i ennill concwest.

3 Pan agorodd yr Oen yr ail sêl, clywais yr ail greadur byw yn 4 dweud, " Tyrd." A daeth allan geffyl arall, fflamgoch; ac i farchog hwn rhoddwyd awdurdod i ddwyn heddwch oddi ar y ddaear a pheri i ddynion ladd ei gilydd, a rhoddwyd iddo gleddyf mawr.

5 Pan agorodd y drydedd sêl, clywais y trydydd creadur byw yn dweud, " Tyrd." Edrychais, ac wele geffyl du; ac yr oedd 6 gan ei farchog glorian yn ei law. Clywais sŵn fel llais o ganol y pedwar creadur byw yn dweud: " Cyflog diwrnod am chwart o wenith, cyflog diwrnod am dri chwart o haidd; ond paid â difetha'r olew na'r gwin."

7 Pan agorodd y bedwaredd sêl, clywais lais y pedwerydd 8 creadur byw yn dweud, " Tyrd." Edrychais, ac wele geffyl gwelwlwyd; ac enw ei farchog ef oedd Marwolaeth, ac yn ei ganlyn yn dynn yr oedd Trigfan y Meirw. Rhoddwyd iddynt awdurdod ar y bedwaredd ran o'r ddaear, hawl i ladd â'r cleddyf ac â newyn ac â phla, a thrwy fwystfilod y ddaear.

9 Pan agorodd y bumed sêl, gwelais dan yr allor eneidiau'r rhai a laddwyd ar gyfrif gair Duw ac am y dystiolaeth yr oedd-10 ent wedi ei dwyn. Gwaeddasant â llais uchel: " Pa hyd, O Benllywydd sanctaidd a gwir, cyn i ti farnu, a dial ein gwaed ar 11 drigolion y ddaear ?" Yna rhoddwyd i bob un ohonynt fantell wen, a dywedwyd wrthynt am orffwys eto am ychydig amser hyd nes bod nifer eu cydweision a'u brodyr, a oedd i'w lladd fel hwythau, yn gyflawn.

12 Edrychais pan agorodd y chweched sêl. Bu daeargryn mawr, aeth yr haul yn ddu fel sachliain galar, a'r lleuad lawn yn goch 13 fel gwaed. Syrthiodd sêr y nef i'r ddaear fel cawod o ffigys gleision oddi ar ffigysbren pan siglir ef gan wynt mawr. 14 Rhwygwyd y ffurfafen fel sgrôl yn cael ei dirwyn, a symud-15 wyd pob mynydd ac ynys o'u lle. A brenhinoedd y ddaear, y

mawrion a'r cadfridogion, y cyfoethogion a'r cryfion, a phawb, yn gaethion ac yn rhyddion, cuddiasant eu hunain mewn ogofeydd ac yng nghreigiau'r mynyddoedd; a dywedasant wrth y 16 mynyddoedd a'r creigiau, " Syrthiwch arnom, a chuddiwch ni rhag wyneb yr hwn sy'n eistedd ar yr orsedd a rhag digofaint yr Oen, oherwydd daeth dydd mawr eu digofaint hwy, a phwy 17 all sefyll ?"

*Selio'r 144,000 o Israel*

Ar ôl hyn gwelais bedwar angel yn sefyll ar bedair congl y 7 ddaear yn dal pedwar gwynt y ddaear, i gadw'r gwynt rhag chwythu ar y ddaear nac ar y môr nac ar un goeden. A gwelais 2 angel arall yn esgyn o godiad haul, â chanddo sêl y Duw byw. Gwaeddodd â llais uchel ar y pedwar angel y rhoddwyd iddynt awdurdod i niweidio'r ddaear a'r môr, a dywedodd: " Peidiwch 3 â niweidio na'r ddaear na'r môr na'r coed nes i ni selio gweision ein Duw ar eu talcennau." A chlywais rif y rhai a 4 seliwyd, cant a phedwar deg a phedair o filoedd wedi eu selio, o bob un o lwythau meibion Israel.

O lwyth Jwda yr oedd deuddeng mil wedi eu selio, 5
o lwyth Reuben deuddeng mil,
o lwyth Gad deuddeng mil,
o lwyth Aser deuddeng mil, 6
o lwyth Nefftthali deuddeng mil,
o lwyth Manase deuddeng mil,
o lwyth Simeon deuddeng mil, 7
o lwyth Lefi deuddeng mil,
o lwyth Isachar deuddeng mil,
o lwyth Sabwlon deuddeng mil, 8
o lwyth Joseff deuddeng mil,
ac o lwyth Benjamin deuddeng mil wedi eu selio.

*Y Dyrfa o Bob Cenedl*

Ar ôl hyn edrychais, ac wele dyrfa fawr na allai neb ei rhifo, 9 o bob cenedl a'r holl lwythau a phobloedd ac ieithoedd, yn sefyll o flaen yr orsedd ac o flaen yr Oen, wedi eu gwisgo â mentyll gwynion, a phalmwydd yn eu dwylo. Yr oeddent yn 10 gweiddi â llais uchel :

" Buddugoliaeth i'n Duw ni, sy'n eistedd ar yr orsedd, ac i'r Oen ! "

11 Yr oedd yr holl angylion yn sefyll o amgylch yr orsedd a'r henuriaid a'r pedwar creadur byw, a syrthiasant ar eu hwyneb-
12 au gerbron yr orsedd ac addoli Duw gan ddweud:

" Amen. I'n Duw ni y bo'r mawl a'r gogoniant a'r doethineb a'r diolch a'r anrhydedd a'r gallu a'r nerth yn oes oesoedd! Amen."

13 Gofynnodd un o'r henuriaid imi, " Y rhai hyn sydd wedi eu gwisgo â mentyll gwynion, pwy ydynt ac o ble y daethant ?"
14 Dywedais wrtho, " Ti sy'n gwybod, f'arglwydd." Meddai yntau wrthyf, " Dyma'r rhai sy'n dod allan o'r gorthrymder mawr; y maent wedi golchi eu mentyll a'u cannu yng ngwaed yr Oen.

15 Am hynny, y maent o flaen gorsedd Duw,
ac yn ei wasanaethu ddydd a nos yn ei deml,
a bydd yr hwn sy'n eistedd ar yr orsedd yn preswylio gyda hwy.
16 Ni newynant mwy ac ni sychedant mwy,
ni ddaw ar eu gwarthaf na'r haul
na dim gwres,
17 oherwydd bydd yr Oen sydd yng nghanol yr Orsedd yn eu bugeilio hwy,
ac yn eu harwain i ffynhonnau dyfroedd bywyd,
a bydd Duw yn sychu pob deigryn o'u llygaid hwy."

### *Y Seithfed Sêl a'r Thuser Aur*

**8** Pan agorodd yr Oen y seithfed sêl, bu distawrwydd yn y nef
2 am tua hanner awr. Yna gwelais y saith angel sy'n sefyll gerbron Duw; a rhoddwyd iddynt saith utgorn.
3 Daeth angel arall, a safodd wrth yr allor â thuser aur yn ei law. Rhoddwyd iddo ddigonedd o arogldarth i'w offrymu'n arwydd o weddïau'r holl saint ar yr allor aur oedd o flaen yr
4 orsedd. O law yr angel esgynnodd mwg yr arogldarth gerbron
5 Duw yn arwydd o weddïau'r saint. Cymerodd yr angel y thuser, a llanwodd hi â thân o'r allor a'i thaflu ar y ddaear; ac yna bu sŵn taranau a fflachiadau mellt a daeargryn.

### *Yr Utgyrn*

6 Paratôdd y saith angel, yr oedd y saith utgorn ganddynt, i'w seinio.

Seiniodd y cyntaf ei utgorn. Yna bwriwyd cenllysg a thân, yn gymysg â gwaed, ar y ddaear. Llosgwyd traean o'r ddaear, llosgwyd traean o'r coed, llosgwyd pob porfa las. 7

Seiniodd yr ail angel ei utgorn. Yna taflwyd i'r môr rywbeth tebyg i fynydd mawr yn llosgi'n dân. Trôdd traean o'r môr yn waed, a bu farw traean o greaduriaid byw y môr, a dinistriwyd traean o'r llongau. 8 9

Seiniodd y trydydd angel ei utgorn. Yna syrthiodd o'r nef seren fawr yn llosgi fel ffagl; syrthiodd ar draean o'r afonydd ac ar ffynhonnau'r dyfroedd. Enw'r seren yw Wermod, a thrôdd traean o'r dyfroedd yn wermod, a bu farw llawer o bobl o achos chwerwi'r dyfroedd. 10 11

Seiniodd y pedwerydd angel ei utgorn. Yna trawyd traean o'r haul a thraean o'r lleuad a thraean o'r sêr, nes tywyllu traean ohonynt, ac ni bu dim golau am draean o'r dydd, a'r un modd am draean o'r nos. 12

Edrychais, a chlywais eryr yn hedfan yng nghanol y nef ac yn llefain â llais uchel, "Gwae, gwae, gwae drigolion y ddaear o achos seiniau'r utgyrn sydd eto'n ôl i'r tri angel eu seinio!" 13

Seiniodd y pumed angel ei utgorn. Yna gwelais seren wedi syrthio o'r nef i'r ddaear, a rhoddwyd iddi allwedd pwll y pydew diwaelod. Agorodd bwll y pydew diwaelod, a chododd mwg o'r pwll fel mwg ffwrnais fawr, a thywyllwyd yr haul a'r awyr gan fwg y pwll. O'r mwg daeth locustiaid allan ar y ddaear, a rhoddwyd iddynt allu tebyg i'r gallu sydd gan ysgorpionau'r ddaear. Dywedwyd wrthynt am beidio â niweidio na phorfa'r ddaear na'r un planhigyn na choeden, ond yn unig y bobl nad oedd sêl Duw ganddynt ar eu talcennau. Gorchmynnwyd iddynt beidio â'u lladd, ond eu poenydio am bum mis; a'u poenedigaeth hwy oedd fel poenedigaeth ysgorpion yn brathu dyn. Yn y dyddiau hynny bydd dynion yn chwilio am farwolaeth, ond ni ddônt o hyd iddi, yn chwenychu marw, ond bydd marwolaeth yn ffoi rhagddynt. 9 2 3 4 5 6

Yn yr olwg arnynt yr oedd y locustiaid yn debyg i geffylau wedi eu paratoi i ryfel. Ar eu pennau yr oedd megis coronau euraid, ac yr oedd eu hwynebau fel wynebau dynion, a gwallt ganddynt fel gwallt merched, a'u dannedd fel dannedd llewod. Ac yr oedd eu dwyfron fel dwyfronneg o haearn, a sŵn eu hadenydd fel sŵn cerbydau rhyfel lawer, a'u ceffylau yn carlamu i'r frwydr. Yr oedd ganddynt gynffonnau tebyg i 7 8 9 10

ysgorpionau, a cholynnau, ac yn eu cynffonnau yr oedd eu gallu
11 i niweidio dynion am bum mis. Yn frenin arnynt yr oedd angel y pydew diwaelod; ei enw yn Hebraeg yw Abadon, ac mewn Groeg gelwir ef Apolyon.*

12 Aeth y gwae cyntaf heibio; wele, daw eto ddau wae ar ôl hyn.

13 Seiniodd y chweched angel ei utgorn. Yna clywais lais o
14 blith cyrn yr allor aur oedd gerbron Duw, yn dweud wrth y chweched angel, yr un â'r utgorn ganddo: " Gollwng yn rhydd y pedwar angel sydd wedi eu rhwymo ar lan yr afon fawr
15 Euffrates." Rhyddhawyd y pedwar angel, oedd wedi eu dal yn barod ar gyfer yr awr a'r dydd a'r mis a'r flwyddyn, i ladd
16 traean o'r ddynolryw. Yr oedd lluoedd eu gwŷr meirch yn
17 rhifo dau fyrddiwn o fyrddiynau; clywais eu rhif hwy. Yn fy ngweledigaeth dyma'r olwg a welais ar y ceffylau a'u marchogion: yr oedd eu dwyfronneg yn fflam o goch a glas a melyn, a'u ceffylau â phennau ganddynt fel llewod, a thân a mwg a brwm-
18 stan yn dylifo o'u safnau. Gan y tri phla hyn fe laddwyd traean o'r ddynolryw, hynny yw, gan y tân a'r mwg a'r brwm-
19 stan oedd yn dylifo o'u safnau. Yr oedd gallu'r ceffylau yn eu safnau ac yn eu cynffonnau, oherwydd yr oedd gan eu cynffonnau bennau, fel seirff, ac â'r rhain yr oeddent yn peri niwed.

20 Ac am y gweddill o'r ddynolryw, nas lladdwyd gan y plâu hyn, ni bu edifar ganddynt am yr hyn a luniodd eu dwylo; ac ni pheidiasant ag addoli'r cythreuliaid a'r delwau aur ac arian a phres a cherrig a phren, pethau na allant na gweld na chlywed
21 na cherdded. Ni bu edifar ganddynt chwaith am na'u llofruddiaeth na'u dewiniaeth, na'u godineb, na'u lladrad.

### *Yr Angel a'r Sgrôl Fechan*

**10** Yna gwelais angel nerthol arall yn disgyn o'r nef wedi ei wisgo â chwmwl, a'r enfys ar ei ben. Yr oedd ei wyneb fel yr
2 haul, a'i draed fel colofnau o dân. Yr oedd yn dal yn ei law sgrôl fechan wedi ei hagor. Gosododd ei droed dde ar y môr
3 a'r un chwith ar y tir. Yna gwaeddodd â llais uchel fel llew yn rhuo; a phan waeddodd, cododd y saith taran eu llef hwythau.
4 Ac wedi i'r saith taran lefaru, yr oeddwn ar fin ysgrifennu; ond

---

*adn. 11: hynny yw *Y Dinistrydd.*

clywais lais o'r nef yn dweud, " Gosod y pethau a lefarodd y saith taran dan sêl; paid â'u hysgrifennu." A dyma'r angel a 5 welais yn sefyll ar y môr ac ar y tir

yn codi ei law dde i'r nef

a thyngu i'r hwn sydd yn byw yn oes oesoedd, 6

i'r hwn a greodd y nef a'r pethau sydd ynddi, y tir a'r pethau sydd ynddo, a'r môr a'r pethau sydd ynddo. Dywedodd: " Ni bydd oedi mwy; ond yn nyddiau sain yr utgorn y mae'r seith- 7 fed angel i'w seinio, bydd bwriad dirgel Duw wedi ei ddwyn i ben, yn unol â'r newyddion da a gyhoeddodd i'w weision, y proffwydi."

Yna'r llais a glywais o'r nef, fe'i clywais eto'n llefaru wrthyf 8 gan ddweud, " Dos a chymer y sgrôl sy'n agored yn llaw'r angel sy'n sefyll ar y môr ac ar y tir." Euthum at yr angel a dweud 9 wrtho am roi'r sgrôl fechan imi, ac atebodd fi: " Cymer a bwyta hi; fe fydd hi'n chwerw i'th gylla, ond yn felys fel mêl yn dy enau." Cymerais y sgrôl fechan o law'r angel a'i bwyta 10 hi, ac yr oedd yn felys fel mêl yn fy ngenau; ond wedi i mi ei bwyta aeth fy nghylla yn chwerw. A dywedwyd wrthyf, 11 " Rhaid iti broffwydo eto ynghylch pobloedd a chenhedloedd ac ieithoedd a brenhinoedd lawer."

## *Y Ddau Dyst*

Rhoddwyd i mi gorsen fel gwialen fesur, a dywedwyd wrthyf: 11 " Cod a mesura deml Duw a'r allor a'r addolwyr ynddi. Ond 2 anwybydda gyntedd allanol y deml; paid â mesur hwnnw, oherwydd fe'i rhoddwyd i'r Cenhedloedd, ac fe sathrant hwy'r ddinas sanctaidd am ddeufis a deugain. Ac fe roddaf i'm dau 3 dyst gennad i broffwydo mewn gwisg sachliain am y deuddeg cant a thrigain hyn o ddyddiau. Dyma'r ddwy olewydden a'r 4 ddau ganhwyllbren sy'n sefyll gerbron Arglwydd y ddaear. Os myn neb wneud niwed iddynt, daw tân allan o'u genau a 5 difa'u gelynion; os myn neb wneud niwed iddynt, felly y bydd raid iddo farw. Y mae gan y rhain awdurdod i gau'r nefoedd 6 fel na bydd i law syrthio yn ystod dyddiau eu proffwydo, ac y mae ganddynt awdurdod ar y dyfroedd i'w troi yn waed ac i daro'r ddaear â phob pla mor aml ag y mynnant. Wedi iddynt 7 orffen eu tystiolaeth, bydd y bwystfil sydd i ddringo o'r pydew diwaelod yn rhyfela yn eu herbyn a'u gorchfygu a'u lladd.

8 Bydd eu cyrff ar hyd strydoedd y ddinas fawr a elwir yn ffigurol yn Sodom ac Aifft; yno hefyd y croeshoeliwyd eu Harglwydd. 9 Am dri diwrnod a hanner, bydd dynion o blith pobloedd a llwythau ac ieithoedd a chenhedloedd yn edrych ar eu cyrff a 10 gwrthod eu rhoi mewn bedd. A llawenha trigolion y ddaear trostynt a gorfoleddant, gan anfon rhoddion i'w gilydd; oherwydd bu'r ddau broffwyd hyn yn boenedigaeth i drigolion 11 y ddaear. Wedi'r tri diwrnod a hanner, daeth anadl einioes oddi wrth Dduw i mewn iddynt; safasant ar eu traed, a daeth 12 ofn mawr ar y rhai oedd yn eu gwylio. Yna clywsant lais uchel o'r nef yn dweud wrthynt, " Dewch i fyny yma." Ac aethant i 13 fyny i'r nef mewn cwmwl, a'u gelynion yn eu gwylio. Yr awr honno, bu daeargryn mawr, a syrthiodd y ddegfed ran o'r ddinas. Lladdwyd saith mil o bobl yn y daeargryn, a rhoddodd y gweddill mewn dychryn mawr ogoniant i Dduw'r nef.

14 Aeth yr ail wae heibio; wele'r trydydd gwae yn dod ar fyrder.

*Y Seithfed Utgorn*

15 Seiniodd y seithfed angel ei utgorn. Yna bu lleisiau uchel yn y nef yn dweud:

" Aeth brenhiniaeth y byd yn eiddo ein Harglwydd ni a'i
Grist ef,
a bydd yn teyrnasu yn oes oesoedd."

16 A dyma'r pedwar henuriad ar hugain, sy'n eistedd ar eu gorseddau gerbron Duw, yn syrthio ar eu hwynebau ac addoli 17 Duw gan ddweud:

" Yr ydym yn diolch i ti, O Arglwydd Dduw hollalluog,
yr hwn sydd a'r hwn oedd,
am i ti feddiannu d'allu mawr
a sefydlu dy frenhiniaeth.

18 Llidiodd y cenhedloedd,
a daeth dy ddigofaint
ac amser barnu'r meirw,
a rhoi eu gwobr i'th weision y proffwydi,
ac i'r saint ac i'r rhai sy'n ofni dy enw,
y rhai bach a'r rhai mawr,
yr amser i ddinistrio'r rhai sy'n dinistrio'r ddaear."

19 Agorwyd teml Duw yn y nef, a gwelwyd arch ei gyfamod yn ei deml ef; yna bu fflachiadau mellt a sŵn taranau a daeargryn a chenllysg mawr.

## *Y Wraig a'r Ddraig*

**12** Gwelwyd arwydd mawr yn y nef, gwraig wedi ei gwisgo â'r haul, a'r lleuad dan ei thraed a deuddeg seren yn goron ar ei phen. 2 Yr oedd yn feichiog, ac yn gweiddi yn ei gwewyr a'i hing am gael esgor. 3 Yna gwelwyd arwydd arall yn y nef, draig fflamgoch fawr, a chanddi saith pen a deg corn, ac ar ei phennau saith dïadem. 4 Ysgubodd ei chynffon draean o sêr y nef a'u bwrw i'r ddaear. Safodd y ddraig o flaen y wraig oedd ar fin esgor, er mwyn llyncu ei phlentyn ar ei eni. 5 Esgorodd hi ar blentyn gwryw, hwnnw sydd i lywodraethu'r holl genhedloedd â gwialen haearn; ond cipiwyd ei phlentyn at Dduw a'i orsedd ef. 6 Ffôdd y wraig i'r anialwch; yno y mae ganddi le wedi ei baratoi gan Dduw, i'w chynnal ynddo am ddeuddeg cant a thrigain o ddyddiau.

7 Yna bu rhyfel yn y nef, Mihangel a'i angylion yn rhyfela yn erbyn y ddraig. 8 Rhyfelodd y ddraig a'i hangylion hithau, ond ni chafodd y trechaf, a bellach nid oedd lle iddynt yn y nef. 9 Fe'i bwriwyd hi, y ddraig fawr, yr hen sarff, a elwir Diafol a Satan, twyllwr yr holl fyd, fe'i bwriwyd i'r ddaear a'i hangylion gyda hi. 10 Yna clywais lais uchel yn y nef yn dweud:

"Hon yw awr buddugoliaeth a gallu
a brenhiniaeth ein Duw ni,
ac awdurdod ei Grist ef,
oherwydd bwriwyd i lawr gyhuddwr ein brodyr,
yr hwn sy'n eu cyhuddo gerbron ein Duw ddydd a nos.
11 Ond y maent hwy wedi ei orchfygu trwy waed yr Oen
a thrwy air eu tystiolaeth,
yn ddibris o'u bywyd hyd at angau.
12 Am hynny, gorfoleddwch, chwi'r nefoedd,
a chwi sy'n preswylio ynddynt!
Gwae chwi'r ddaear a'r môr,
oherwydd disgynnodd y diafol arnoch
yn fawr ei lid,
o wybod mai byr yw'r amser sydd ganddo!"

13 Pan welodd y ddraig ei bod wedi ei bwrw i'r ddaear, aeth i erlid y wraig a esgorodd ar y plentyn gwryw. 14 Ond rhoddwyd i'r wraig ddwy adain eryr mawr er mwyn iddi hedfan i'r anialwch i'w lle ei hun, i'w chynnal yno am amser ac amserau a hanner amser, o olwg y sarff. 15 Poerodd y sarff o'i genau afon o ddŵr ar ôl y wraig, i'w hysgubo ymaith gyda'r llif. 16 Ond rhoes

y ddaear ddihangfa i'r wraig: agorodd y ddaear ei genau a
17 llyncu'r afon a boerodd y ddraig o'i genau. Ffromodd y ddraig
wrth y wraig, ac aeth ymaith i ryfela yn erbyn gweddill ei
phlant hi, y rhai sy'n cadw gorchmynion Duw ac yn dal
18 tystiolaeth Iesu. Ac fe safodd ar dywod y môr.

*Y Ddau Fwystfil*

**13** Gwelais fwystfil yn codi o'r môr, â chanddo ddeg corn a saith
pen, ac ar ei gyrn ddeg dïadem, ac ar bob un o'i bennau enw
2 cableddus. Yr oedd y bwystfil a welais yn debyg i lewpart,
ond ei draed fel traed arth a'i enau fel genau llew. A rhoddodd
3 y ddraig iddo ei gallu a'i gorsedd ac awdurdod mawr. Yr oedd
un o'i bennau fel pe bai wedi cael ergyd farwol, ond yr oedd ei
glwyf marwol wedi ei iacháu. Aeth yr holl fyd ar ôl y bwystfil
4 yn llawn rhyfeddod, ac addoli'r ddraig am iddi roi'r awdurdod
i'r bwystfil, ac addoli'r bwystfil hefyd gan ddweud, " Pwy
sydd debyg i'r bwystfil, a phwy all ryfela yn ei erbyn ef ?"
5 Rhoddwyd i'r bwystfil enau i draethu ymffrost a chabledd, a
6 rhoddwyd iddo hawl i weithredu am ddeufis a deugain. Agor-
odd ei enau mewn cabledd yn erbyn Duw, i gablu ei enw a'i
7 breswylfa ef, sef y rhai sy'n preswylio yn y nef. Rhoddwyd
hawl iddo hefyd i ryfela yn erbyn y saint a'u gorchfygu hwy, a
rhoddwyd iddo awdurdod ar bob llwyth a phobl ac iaith a
8 chenedl. Bydd holl drigolion y ddaear yn ei addoli ef, pob un
nad yw ei enw'n ysgrifenedig yn llyfr bywyd yr Oen a laddwyd
er seiliad y byd.
9 Os oes gan rywun glust, gwrandawed:
10 " A gaethiwir,*
a gaethiwir.
A leddir** â'r cleddyf,
a leddir â'r cleddyf."
Dyma yw sail dyfalbarhad a ffydd y saint.
11 Gwelais fwystfil arall yn dringo allan o'r ddaear, ac yr oedd
12 ganddo ddau gorn fel oen, ond yn llefaru fel draig. Yr oedd
ganddo holl awdurdod y bwystfil cyntaf, i'w arfer ar ei ran.
Gwnaeth i'r ddaear a'i thrigolion addoli'r bwystfil cyntaf,

---

*adn. 10: yn ôl darlleniad arall, *A gaethiwo.*

**adn. 10: yn ól darlleniad arall, *A laddo.*

hwnnw yr iachawyd ei glwyf marwol. Cyflawnodd arwyddion 13 mawr, gan beri hyd yn oed i dân ddisgyn o'r nef i'r ddaear gerbron dynion. Twyllodd drigolion y ddaear trwy'r arwydd- 14 ion y rhoddwyd iddo hawl i'w cyflawni ar ran y bwystfil, gan ddweud wrth drigolion y ddaear am wneud delw i'r bwystfil a glwyfwyd â'r cleddyf ac a ddaeth yn fyw. Rhoddwyd iddo hawl 15 i roi anadl i ddelw'r bwystfil, er mwyn i ddelw'r bwystfil lefaru a pheri lladd pob un nad addolai ddelw'r bwystfil. Parodd y 16 bwystfil i bob un, yn fach a mawr, yn gyfoethog a thlawd, yn rhydd a chaeth, dderbyn nod ar ei law dde neu ar ei dalcen, ac nid oedd neb i allu prynu neu werthu ond y sawl yr oedd 17 ganddo'r nod, sef enw'r bwystfil neu rif ei enw. Dyma'r de- 18 hongliad: bydded i'r hwn sydd ganddo ddeall ystyried rhif y bwystfil, oherwydd rhif dyn ydyw; a'i rif ef yw chwe chant, chwe deg a chwech.

*Cân y* 144,000

Edrychais, ac wele'r Oen yn sefyll ar Fynydd Seion, a chydag **14** ef gant a phedwar deg a phedair o filoedd, a'i enw ef ac enw ei Dad wedi eu hysgrifennu ar eu talcennau. Clywais lais o'r nef 2 fel sŵn dyfroedd lawer ac fel sŵn taran fawr. Yr oedd y llais a glywais fel sain telynorion yn canu eu telynau. Yr oeddent yn 3 canu cân newydd gerbron yr orsedd a gerbron y pedwar creadur byw a'r henuriaid; ni allai neb ddysgu'r gân ond y cant a phedwar deg a phedair o filoedd, y rhai oedd wedi eu prynu'n rhydd oddi ar y ddaear. Dyma'r rhai sydd heb eu 4 halogi eu hunain â merched, oherwydd diwair ydynt. Dyma'r rhai sy'n dilyn yr Oen i ble bynnag yr â. Prynwyd hwy'n rhydd o blith dynion, yn flaenffrwyth i Dduw ac i'r Oen; ni chafwyd 5 celwydd yn eu genau; y maent yn ddi-fai.

*Negesau'r Tri Angel*

Yna gwelais angel arall yn hedfan yng nghanol y nef, â 6 chanddo efengyl dragwyddol i'w chyhoeddi i breswylwyr y ddaear ac i bob cenedl a llwyth ac iaith a phobl. Dywedodd â 7 llais uchel, " Ofnwch Dduw, a rhowch iddo ogoniant, oherwydd daeth yr awr iddo farnu. Addolwch yr hwn a wnaeth nef a daear, y môr a ffynhonnau'r dyfroedd."

Dilynodd angel arall, yr ail, a dweud, " Syrthiodd, syrthiodd 8 Babilon fawr, y ddinas honno sydd wedi peri i'r holl genhedloedd yfed gwin a llid ei phuteindra."

9 Dilynodd angel arall hwy, y trydydd, a dweud â llais uchel, " Pwy bynnag sy'n addoli'r bwystfil a'i ddelw, ac yn derbyn 10 nod ar ei dalcen neu ar ei law, caiff yntau yfed gwin llid Duw, wedi ei arllwys yn ei lawn gryfder i gwpan ei ddigofaint, a chaiff ei boenydio mewn tân a brwmstan gerbron angylion sanctaidd 11 a gerbron yr Oen. Bydd mwg eu poenedigaeth yn codi yn oes oesoedd, ac ni bydd gorffwys na dydd na nos i'r rhai sy'n addoli'r bwystfil a'i ddelw, nac i'r rhai sy'n derbyn nod ei enw 12 ef." Dyma yw sail dyfalbarhad y saint, y rhai sy'n cadw gorchmynion Duw a'u ffydd yn Iesu.

13 Yna clywais lais o'r nef yn dweud, " Ysgrifenna: ' O hyn allan gwyn eu byd y meirw sy'n marw yn yr Arglwydd.' ' Ie,' medd yr Ysbryd, ' cânt orffwys o'u llafur, oherwydd y mae eu gweithredoedd yn mynd gyda hwy.' "

*Cynhaeaf y Ddaear*

14 Yna edrychais, ac wele gwmwl gwyn, ac yn eistedd ar y cwmwl un tebyg i fab dyn, â chanddo goron aur ar ei ben a 15 chryman miniog yn ei law. Daeth angel arall allan o'r deml, yn galw â llais uchel ar yr hwn oedd yn eistedd ar y cwmwl, " Bwrw dy gryman i'r fedel, oherwydd daeth yr awr i fedi; y 16 mae cynhaeaf y ddaear yn aeddfed." A dyma'r hwn oedd yn eistedd ar y cwmwl yn bwrw ei gryman i'r ddaear, a medwyd y ddaear.

17 Daeth angel arall allan o'r deml yn y nef, â chanddo yntau 18 gryman miniog. A daeth angel arall allan o'r allor, ac yr oedd gan hwn awdurdod ar y tân. Galwodd â llais uchel ar yr hwn yr oedd y cryman miniog ganddo. " Bwrw dy gryman miniog," meddai, " a chasgla rawnsypiau gwinwydden y ddaear, oher- 19 wydd aeddfedodd ei grawnwin." A dyma'r angel yn bwrw ei gryman i'r ddaear a chasglu ffrwyth gwinwydden y ddaear a'i 20 daflu i winwryf mawr digofaint Duw. Sathrwyd y gwinwryf y tu allan i'r ddinas, a llifodd gwaed o'r gwinwryf nes cyrraedd at ffrwynau'r ceffylau, am tua dau can milltir o gwmpas.

*Yr Angylion a'r Plâu Olaf*

**15** Gwelais arwydd arall yn y nef, un mawr a rhyfeddol: saith angel â chanddynt saith pla—y rhai olaf, oherwydd ynddynt hwy y cwblhawyd digofaint Duw.

Gwelais fôr megis o wydr, a thân yn gwau drwyddo, ac yn 2 sefyll ar y môr o wydr gwelais orchfygwyr y bwystfil a'i ddelw a rhif ei enw, yn dal telynau Duw. Yr oeddent yn canu cân 3 Moses, gwas Duw, a chân yr Oen:

"Mawr a rhyfeddol yw dy weithredoedd,
O Arglwydd Dduw hollalluog;
cyfiawn a gwir yw dy ffyrdd,
O Frenin y cenhedloedd.*
Pwy nid ofna, Arglwydd, 4
a gogoneddu dy enw ?
Oherwydd tydi yn unig sydd sanctaidd.
Daw'r holl genhedloedd
ac addoli ger dy fron,
oherwydd y mae dy farnedigaethau cyfiawn wedi eu hamlygu."

Ar ôl hyn edrychais, ac agorwyd teml pabell y dystiolaeth 5 yn y nef. Ac allan o'r deml daeth y saith angel yr oedd y saith 6 pla ganddynt. Yr oeddent wedi eu gwisgo â lliain disgleirwych, a gwregys aur am eu dwyfron. Yna rhoddodd un o'r pedwar 7 creadur byw saith ffiol aur i'r saith angel, yn llawn o lid Duw, yr hwn sy'n byw yn oes oesoedd. Llanwyd y deml â mwg gan 8 ogoniant Duw a'i allu ef, ac ni allai neb fynd i mewn i'r deml hyd nes cwblhau saith pla y saith angel.

### *Ffiolau Llid Duw*

Clywais lais uchel o'r deml yn dweud wrth y saith angel, **16** "Ewch ac arllwyswch ar y ddaear saith ffiol llid Duw."

Aeth y cyntaf ac arllwys ei ffiol ar y ddaear; a chododd 2 cornwydydd drwg a phoenus ar y dynion yr oedd nod y bwystfil arnynt ac oedd yn addoli ei ddelw.

Arllwysodd yr ail ei ffiol i'r môr; a throes y môr yn debyg 3 i waed corff marw, a bu farw popeth byw oedd yn y môr.

Arllwysodd y trydydd ei ffiol i'r afonydd ac i ffynhonnau'r 4 dyfroedd; a throesant yn waed. Yna clywais angel y dyfroedd 5 yn dweud:

---

*adn. 3: yn ôl darlleniad arall, *yr oesoedd*. Yn ôl un arall, *y saint*.

"Cyfiawn ydwyt, yr hwn sydd a'r hwn oedd, y sanctaidd Un,
yn y barnedigaethau hyn.
6 Oherwydd iddynt dywallt gwaed saint a phroffwydi,
rhoddaist iddynt hwythau waed i'w yfed;
dyma eu haeddiant."
7 Yna clywais yr allor yn dweud:
"Ie, O Arglwydd Dduw hollalluog,
gwir a chyfiawn yw dy farnedigaethau."

8 Arllwysodd y pedwerydd angel ei ffiol ar yr haul; a rhoddwyd 9 iddo hawl i losgi dynion â thân. Llosgwyd dynion yn enbyd, ond cablu a wnaethant enw Duw, yr hwn sydd ganddo awdurdod ar y plâu hyn; nid edifarhasant a rhoi gogoniant iddo.

10 Arllwysodd y pumed ei ffiol ar orsedd y bwystfil; a syrthiodd tywyllwch ar ei deyrnas ef. Yr oedd dynion yn cnoi eu tafodau 11 gan boen, a chablu enw Duw'r nef o achos eu poenau a'u cornwydydd, ond ni bu edifar ganddynt am eu gweithredoedd.

12 Arllwysodd y chweched ei ffiol ar yr afon fawr, Euffrates; a sychodd ei dyfroedd hi i baratoi ffordd i'r brenhinoedd o'r 13 dwyrain. Gwelais yn dod allan o enau'r ddraig ac o enau'r bwystfil ac o enau'r gau-broffwyd dri ysbryd aflan, tebyg i 14 lyffaint; oherwydd ysbrydion cythreulig oeddent, yn cyflawni gwyrthiau. Ac aethant allan at frenhinoedd yr holl fyd i'w casglu ynghyd i ryfel ar ddydd mawr Duw, yr Hollalluog. 15 (Wele, 'rwy'n dod fel lleidr. Gwyn ei fyd yr hwn sy'n effro, â'i ddillad ganddo'n barod, rhag iddo orfod ymddangos yn 16 noeth a'i weld yn ei warth.) Ac felly casglasant y brenhinoedd ynghyd i'r lle a elwir yn Hebraeg Armagedon.

17 Arllwysodd y seithfed ei ffiol ar yr awyr; a daeth llais uchel 18 o'r deml, o'r orsedd, yn dweud, "Y mae ar ben." Yna bu fflachiadau mellt a sŵn taranau; bu hefyd ddaeargryn mawr, na ddigwyddodd ei debyg o'r blaen yn hanes dyn ar y ddaear 19 gan mor fawr ydoedd. Holltwyd y ddinas fawr yn dair rhan, a syrthiodd dinasoedd y cenhedloedd. Cofiodd Duw Fabilon 20 fawr a rhoi iddi gwpan gwin ei ddigofaint llidiog. Ciliodd pob 21 ynys, a diflannodd y mynyddoedd o'r golwg. Ac ar ddynion disgynnodd o'r awyr genllysg mawr, tua chan pwys yr un; ond cablu Duw a wnaeth dynion am bla'r cenllysg, gan mor llym oedd y pla hwnnw.

*Y Farn ar y Butain Fawr*

**17** Yna daeth un o'r saith angel yr oedd y saith ffiol ganddynt, a siarad â mi. "Tyrd yma," meddai, "dangosaf iti'r farn ar y butain fawr sy'n eistedd ar ddyfroedd lawer. 2 Gyda hi y puteiniodd brenhinoedd y ddaear, ac ar win ei phuteindra y meddwodd trigolion y ddaear." 3 Yna cludodd fi yn yr Ysbryd i anialwch. Gwelais wraig yn eistedd ar fwystfil ysgarlad ag enwau cableddus drosto i gyd, â chanddo saith pen a deg corn. 4 Yr oedd y wraig wedi ei gwisgo â phorffor ac ysgarlad, a'i thecáu â thlysau aur, â gemau gwerthfawr ac â pherlau. Yn ei llaw yr oedd ganddi gwpan aur yn llawn o ffieidd-dra ac aflendid ei phuteindra hi. 5 Ac ar ei thalcen yr oedd enw wedi ei ysgrifennu, ac ystyr dirgel iddo: "Babilon fawr, mam puteiniaid a ffiaidd bethau'r ddaear." 6 Gwelais y wraig yn feddw ar waed y saint ac ar waed tystion Iesu.

7 Wrth edrych arni, rhyfeddais yn fawr iawn. Gofynnodd yr angel imi, "Pam yr wyt yn rhyfeddu? Fe esboniaf fi iti ddirgelwch y wraig a'r bwystfil sy'n ei chario, y bwystfil y mae'r saith pen a'r deg corn ganddo. 8 Ynglŷn â'r bwystfil a welaist, yr oedd yn bod, ac nid yw'n bod, ond y mae ar fin dringo o'r pydew diwaelod a mynd i ddistryw. Bydd trigolion y ddaear, y rhai nad yw eu henwau'n ysgrifenedig yn llyfr y bywyd er seiliad y byd, yn rhyfeddu o weld y bwystfil; oherwydd yr oedd yn bod, ac nid yw'n bod, ac y mae i ddod. 9 Dyma'r ystyr sy'n rhoi'r dehongliad: y saith pen, saith mynydd ydynt, ac arnynt y mae'r wraig yn eistedd. A saith brenin ydynt hefyd; 10 y mae pump wedi syrthio, y mae un yn llywodraethu, nid yw'r llall wedi dod eto, a phan ddaw nid yw i aros ond am fyr amser. 11 A'r bwystfil oedd yn bod ac nad yw'n bod, yr wythfed yw ef, ac eto y mae'n un o'r saith, ac y mae'n mynd i ddistryw. 12 A'r deg corn a welaist, deg brenin ydynt, rhai na ddaethant eto i'r orsedd, ond fe dderbyniant awdurdod i lywodraethu am un awr ynghyd â'r bwystfil. 13 Y mae'r rhain yn unfryd ar drosglwyddo eu gallu a'u hawdurdod i'r bwystfil. 14 Fe ryfelant yn erbyn yr Oen, ac fe orchfyga'r Oen hwy, oherwydd y mae ef yn Arglwydd arglwyddi a Brenin brenhinoedd, a'i osgorddlu ef yw'r rhai a alwyd ac a etholwyd ac sy'n ffyddlon."

15 A dywedodd wrthyf, "Y dyfroedd a welaist, lle'r oedd y butain yn eistedd, pobloedd a thyrfaoedd, cenhedloedd ac ieithoedd ydynt. 16 A'r deg corn a welaist, a'r bwystfil, byddant

hwy'n casáu'r butain, a'i gadael yn amddifad ac yn noeth.
17 Bwytânt ei chnawd hi a'i llosgi â thân. Oherwydd rhoddodd Duw yn eu calonnau gyflawni ei fwriad ef, iddynt drosglwyddo'n unfryd eu teyrnas i'r bwystfil hyd nes cwblhau
18 geiriau Duw. Y wraig a welaist yw'r ddinas fawr sydd â'r frenhiniaeth ganddi ar frenhinoedd y ddaear."

*Babilon yn Syrthio*

**18** Ar ôl hyn gwelais angel arall yn disgyn o'r nef, â chanddo awdurdod mawr; a goleuwyd y ddaear gan ei ogoniant ef.
2 Gwaeddodd â llais cryf:

"Syrthiodd, syrthiodd Babilon fawr,
aeth yn drigfa cythreuliaid,
yn gyrchfa pob ysbryd aflan
ac yn nythle pob aderyn aflan ac atgas,
3 oherwydd o win llid ei phuteindra
y parodd hi i'r holl genhedloedd yfed.
Puteiniodd brenhinoedd y ddaear gyda hi,
ac ymgyfoethogodd masnachwyr y ddaear ar ormodedd
ei moethusrwydd hi."

4 Yna clywais lais arall o'r nef yn dweud:

"Dewch allan, fy mhobl, ohoni,
rhag i chwi gyfranogi o'i phechodau,
ac o'i phlâu
dderbyn rhan;
5 oherwydd pentyrrwyd ei phechodau hyd y nef,
a chadwodd Duw ei hanghyfiawnderau hi ar gof.
6 Talwch y pwyth yn ôl iddi,
talwch hi'n ddyblyg am ei gweithredoedd;
dyblwch iddi chwerwder y cwpan a gymysgodd hi;
7 yn ôl mesur ei rhwysg a'i moethusrwydd,
rhowch iddi boenedigaeth a galar.
Oherwydd yn ei chalon y mae'n dweud,
''Rwy'n eistedd yn frenhines,
nid gweddw wyf,
a galar nis gwelaf byth.'
8 Am hyn daw arni mewn undydd ei phlâu hi,
marwolaeth, galar a newyn,
a llosgir hi'n ulw mewn tân;
oblegid nerthol yw'r Arglwydd Dduw, ei barnwr hi."

Bydd brenhinoedd y ddaear, a buteiniodd gyda hi a byw'n foethus, yn wylo a galaru amdani, pan welant fwg ei llosgi hi. 9
Safant o hirbell gan ofn ei phoenedigaeth, a dweud: 10

"Gwae, gwae'r ddinas fawr,
Babilon, y ddinas nerthol,
oherwydd daeth arnat mewn un awr dy farn!"

Bydd masnachwyr y ddaear yn wylo a galaru amdani, oherwydd nid oes neb mwyach yn prynu eu nwyddau, eu llwythi o aur ac arian, o emau gwerthfawr a pherlau, o liain main a sidan, o borffor ac ysgarlad; eu llwythi o bob pren persawrus ac o bob gwaith ifori a gwaith pren drudfawr neu bres neu haearn neu farmor; eu llwythi o sinamon, sbeis a pherlysiau, o bersawr a thus, o win ac olew, o flawd mân a gwenith, o wartheg a defaid, o geffylau a cherbydau, o gaethweision a bywydau dynion. 11 12 13
Dywedant wrthi: 14

"Y mae'r ffrwyth y chwenychodd dy enaid amdano
wedi mynd oddi wrthyt,
a'r holl wychder a'r ysblander oedd i ti
wedi cilio oddi wrthyt,
byth mwy i'w gweld gan ddynion."

Bydd y masnachwyr hynny a enillodd eu cyfoeth drwyddi hi yn sefyll o hirbell gan ofn ei phoenedigaeth, yn wylo a galaru a dweud: 15 16

"Gwae, gwae'r ddinas fawr,
sydd wedi ei gwisgo â lliain main,
â phorffor ac ysgarlad,
a'i thecáu â thlysau aur,
â gemau gwerthfawr a pherlau,
oherwydd ei hamddifadu mewn un awr o gymaint
o gyfoeth!"

Yna cafwyd pob capten llong a phob teithiwr ar fôr, llongwyr a phawb sydd â'u gwaith ar y môr, yn sefyll o hirbell a gweiddi wrth weld mwg ei llosgi hi: "A fu dinas debyg i'r ddinas fawr?" Bwriasant lwch ar eu pennau a gweiddi mewn dagrau a galar: 17 18 19

"Gwae, gwae'r ddinas fawr,
lle'r enillodd pawb â chanddo longau ar y môr
gyfoeth trwy ei golud hi,
oherwydd ei hamddifadu mewn un awr!"

20 O nef, gorfoledda drosti,
a chwithau'r saint, a'r apostolion a'r proffwydi,
oherwydd y farn a roes hi arnoch chwi a roes Duw arni hi.

21 Cododd angel nerthol garreg debyg i faen melin mawr a'i thaflu i'r môr a dweud:

"Felly yr hyrddir i'r ddaear
Fabilon, y ddinas fawr,
ac nis gwelir byth mwy.
22 A sain telyn a cherdd
a phib ac utgorn,
nis clywir ynot byth mwy;
a chrefft yr un crefftwr,
nis ceir ynot byth mwy;
a sŵn maen y felin,
nis clywir ynot byth mwy;
23 a golau lamp,
nis gwelir ynot byth mwy;
a llais priodfab a phriodferch,
nis clywir ynot byth mwy.
Mawrion y ddaear oedd dy fasnachwyr di,
a thwyllwyd yr holl genhedloedd gan dy ddewiniaeth.
24 Ynddi hi y cafwyd gwaed y proffwydi a'r saint,
a phawb a laddwyd ar y ddaear."

**19** Ar ôl hyn clywais sŵn fel llais uchel tyrfa fawr yn y nef yn dweud:
"Haleliwia!
Eiddo ein Duw ni y fuddugoliaeth a'r gogoniant a'r gallu,
2 oherwydd gwir a chyfiawn yw ei farnedigaethau ef,
gan iddo farnu'r butain fawr
a lygrodd y ddaear â'i phuteindra,
a dial gwaed ei weision
arni hi."

3 A dywedasant eilwaith:
"Haleliwia!
Bydd ei mwg hi'n codi yn oes oesoedd."

4 Syrthiodd y pedwar henuriad ar hugain a'r creaduriaid byw, ac addoli Duw, yr hwn sy'n eistedd ar yr orsedd, a dweud:
"Amen! Haleliwia!"

*Gwledd Briodas yr Oen*

A daeth llais allan o'r orsedd yn dweud: 5
" Molwch ein Duw ni,
chwi ei holl weision ef,
a'r rhai sy'n ei ofni ef,
y rhai bach a'r rhai mawr."

A chlywais lais fel sŵn tyrfa fawr a sŵn dyfroedd lawer a sŵn 6
taranau mawr yn dweud:
" Haleliwia !
Oherwydd yr Arglwydd ein Duw, yr Hollalluog,
a sefydlodd ei frenhiniaeth.
Llawenhawn a gorfoleddwn, 7
a rhoddwn iddo'r gogoniant,
oherwydd daeth dydd priodas yr Oen,
ac ymbaratôdd ei briodferch ef.
Rhoddwyd iddi hi i'w wisgo 8
liain main disgleirwych,
oherwydd gweithredoedd cyfiawn y saint yw'r lliain
main."

Dywedodd yr angel wrthyf, " Ysgrifenna: ' Gwyn eu byd y 9
rhai sydd wedi eu gwahodd i wledd briodas yr Oen.' " Dywedodd wrthyf hefyd, " Dyma wir eiriau Duw." Syrthiais wrth ei 10
draed i'w addoli, ond meddai wrthyf, " Paid ! Cydwas â thi
wyf fi, ac â'th frodyr sy'n dal tystiolaeth Iesu; addola Dduw.
Ysbryd proffwydoliaeth yw tystiolaeth Iesu."

*Marchog y Ceffyl Gwyn*

Gwelais y nef wedi ei hagor, ac wele geffyl gwyn; enw ei 11
farchog oedd Ffyddlon a Gwir, oherwydd mewn cyfiawnder y
mae ef yn barnu ac yn rhyfela. Yr oedd ei lygaid fel fflam dân, 12
ac ar ei ben yr oedd dïademau lawer. Yn ysgrifenedig arno yr
oedd enw na wyddai neb ond ef ei hun. Yr oedd y fantell amdano wedi ei throchi mewn gwaed, ac fe'i galwyd wrth yr enw 13
Gair Duw. Yn ei ganlyn ar geffylau gwynion yr oedd byddinoedd y nef, wedi eu gwisgo â lliain main disgleirwyn. O'i enau 14 15
yr oedd cleddyf llym yn dod allan, iddo daro'r cenhedloedd ag
ef; a bydd ef yn eu llywodraethu â gwialen haearn, ac yn
sathru gwinwryf digofaint llidiog Duw, yr Hollalluog. Yn 16
ysgrifenedig ar ei fantell ac ar ei glun y mae enw: " Brenin

brenhinoedd, ac Arglwydd arglwyddi."

17 Yna gwelais angel yn sefyll yn yr haul, a gwaeddodd â llais uchel wrth yr holl adar oedd yn hedfan yng nghanol y nef:
18 "Dewch, ymgasglwch i wledd fawr Duw; cewch fwyta cnawd brenhinoedd, cnawd cadfridogion, cnawd y cryfion, cnawd ceffylau a'u marchogion, a chnawd pawb, yn rhyddion ac yn
19 gaethion, yn fach ac yn fawr." Gwelais y bwystfil, a brenhinoedd y ddaear a'u byddinoedd, wedi ymgasglu i ryfela yn
20 erbyn marchog y ceffyl a'i fyddin. Daliwyd y bwystfil, ac ynghyd ag ef y gau-broffwyd oedd wedi gwneud yr arwyddion o'i flaen i dwyllo'r rhai oedd wedi derbyn nod y bwystfil ac addoli ei ddelw ef. Bwriwyd y ddau yn fyw i'r llyn tân oedd
21 yn llosgi â brwmstan. Lladdwyd y gweddill â'r cleddyf oedd yn dod allan o enau marchog y ceffyl, a chafodd yr holl adar eu gwala o'u cnawd hwy.

*Y Mil Blynyddoedd*

**20** Gwelais angel yn disgyn o'r nef, â chanddo yn ei law allwedd
2 y pydew diwaelod a chadwyn fawr. Gafaelodd yn y ddraig, yr hen sarff, sef Diafol a Satan, a rhwymodd hi am fil o flynydd-
3 oedd. Bwriodd hi i'r pydew diwaelod, a chloi'r pwll a'i selio arni rhag iddi dwyllo'r cenhedloedd eto, nes i'r mil blynyddoedd ddod i ben; ar ôl hynny, rhaid ei gollwng yn rhydd am ychydig amser.

4 Gwelais orseddau, ac yn eistedd arnynt y rhai y rhoddwyd iddynt awdurdod i farnu; gwelais hefyd eneidiau'r rhai a ddienyddiwyd ar gyfrif tystiolaeth Iesu ac ar gyfrif gair Duw. Nid oedd y rhain wedi addoli'r bwystfil, na'i ddelw ef, na chwaith wedi derbyn ei nod ar eu talcen nac ar eu llaw. Daethant yn fyw, a theyrnasu gyda Christ am fil o flynydd-
5 oedd. Ni ddaeth gweddill y meirw yn fyw nes i'r mil blynydd-
6 oedd ddod i ben. Dyma'r atgyfodiad cyntaf. Gwyn ei fyd a sanctaidd y sawl sydd â rhan yn yr atgyfodiad cyntaf; nid oes gan yr ail farwolaeth awdurdod arnynt, ond byddant yn offeiriaid Duw a Christ, a theyrnasant gydag ef am y mil blynyddoedd.

7 Pan ddaw'r mil blynyddoedd i ben, caiff Satan ei ollwng yn
8 rhydd o'i garchar, a daw allan i dwyllo'r cenhedloedd ym mhedwar ban y byd, sef lluoedd Gog a Magog, a'u casglu yng-
9 hyd i ryfel; byddant mor niferus â thywod y môr. Heidiasant

dros wyneb y ddaear ac amgylchynu gwersyll y saint a'r ddinas sy'n annwyl gan Dduw. Ond disgynnodd tân o'r nef a'u difa yn llwyr; a bwriwyd y diafol, twyllwr y cenhedloedd, i'r llyn 10 tân a brwmstan, lle mae'r bwystfil hefyd a'r gau-broffwyd. Yno cânt eu poenydio ddydd a nos yn oes oesoedd.

### *Y Farn gerbron yr Orsedd Fawr Wen*

Gwelais orsedd fawr wen a'r Un oedd yn eistedd arni, 11 hwnnw y ffoesai'r ddaear a'r nef o'i ŵydd a gadael eu lle yn wag. Gwelais y meirw, y rhai mawr a'r rhai bach, yn sefyll o flaen yr 12 orsedd; ac agorwyd llyfrau. Yna agorwyd llyfr arall, sef llyfr y bywyd; a barnwyd y meirw ar sail yr hyn oedd yn ysgrifenedig yn y llyfrau, yn ôl eu gweithredoedd. Ildiodd y môr y meirw 13 oedd ynddo, ac ildiodd Marwolaeth a Thrigfan y Meirw y rhai oedd ynddynt hwy, ac fe'u barnwyd, pob un yn ôl ei weithredoedd. Bwriwyd Marwolaeth a Thrigfan y Meirw i'r llyn tân; 14 dyma'r ail farwolaeth, sef y llyn tân. Pwy bynnag ni chafwyd 15 ei enw'n ysgrifenedig yn llyfr y bywyd, fe'i bwriwyd i'r llyn tân.

### *Y Nef Newydd a'r Ddaear Newydd*

Yna gwelais nef newydd a daear newydd; oherwydd yr oedd **21** y nef gyntaf a'r ddaear gyntaf wedi mynd heibio, ac nid oedd môr mwyach. A gwelais y ddinas sanctaidd, Jerwsalem newydd, 2 yn disgyn o'r nef oddi wrth Dduw, wedi ei pharatoi fel priodasferch wedi ei thecáu i'w gŵr. Clywais lais uchel o'r orsedd yn 3 dweud, "Wele, y mae preswylfa Duw gyda dynion; bydd ef yn preswylio gyda hwy, byddant hwy yn bobloedd iddo ef, a bydd Duw ei hun gyda hwy, yn Dduw iddynt.* Fe sych bob 4 deigryn o'u llygaid hwy, ac ni bydd marwolaeth mwyach, na galar na llefain na phoen. Y mae'r pethau cyntaf wedi mynd heibio."

Yna dywedodd yr hwn oedd yn eistedd ar yr orsedd, "Wele, 5 yr wyf yn gwneud pob peth yn newydd." Dywedodd hefyd, "Ysgrifenna, oherwydd dyma eiriau ffyddlon a gwir." A 6 dywedodd wrthyf, "Y mae'r cwbl ar ben. Myfi yw Alffa ac Omega, y dechrau a'r diwedd. Rhoddaf fi i'r sychedig ddiod yn rhad o ffynnon dŵr y bywyd. Yr hwn sy'n gorchfygu, caiff 7

---

*adn. 3: y mae rhai llawysgrifau yn gadael allan *yn Dduw iddynt*.

etifeddu'r pethau hyn; byddaf yn Dduw iddo, a bydd yntau'n
8 fab i mi. Ond y llwfr, yr anffyddlon, y ffiaidd, y llofruddwyr, y puteinwyr, y dewiniaid, yr eilunaddolwyr, a phawb celwyddog, eu rhan hwy fydd y llyn sy'n llosgi gan dân a brwmstan, hynny yw yr ail farwolaeth."

*Y Jerwsalem Newydd*

9 Daeth un o'r saith angel oedd â'r saith ffiol ganddynt yn llawn o'r saith pla diwethaf, a siaradodd â mi. "Tyrd,"
10 meddai, "dangosaf iti'r briodferch, gwraig yr Oen." Ac aeth â mi ymaith yn yr ysbryd i fynydd mawr ac uchel, a dangosodd imi'r ddinas sanctaidd, Jerwsalem, yn disgyn o'r nef oddi wrth
11 Dduw, â gogoniant Duw ganddi. Yr oedd ei llewyrch fel llewyrch gem dra gwerthfawr, fel maen iasbis, yn disgleirio fel
12 grisial. Yr oedd iddi fur mawr ac uchel a deuddeg porth, ac wrth y pyrth ddeuddeg angel, ac enwau deuddeg llwyth
13 meibion Israel yn ysgrifenedig ar y pyrth. Yr oedd tri phorth o du'r dwyrain, tri o du'r gogledd, tri o du'r de, a thri o du'r
14 gorllewin. I fur y ddinas yr oedd deuddeg carreg sylfaen, ac arnynt enwau deuddeg apostol yr Oen.

15 Yr oedd gan yr angel oedd yn siarad â mi wialen fesur o aur, i
16 fesur y ddinas a'i phyrth a'i mur. Yr oedd y ddinas wedi ei llunio'n betryal, ei hyd yn gyfartal â'i lled. Mesurodd ef y ddinas â'r wialen. Yr oedd yn ddeuddeng mil o fesurau, a'i
17 hyd a'i lled a'i huchder yn gyfartal. A mesurodd ei mur. Yr oedd yn gant pedwar deg a phedwar o'r mesurau dynol yr oedd
18 yr angel yn mesur wrthynt. Iasbis oedd defnydd y mur, a'r
19 ddinas ei hun yn aur pur, gloyw fel gwydr. Yr oedd sylfeini mur y ddinas wedi eu haddurno â phob math o emau gwerthfawr: iasbis oedd y garreg sylfaen gyntaf, saffir yr ail,
20 chalcedon y drydedd, emrallt y bedwaredd, sardonyx y bumed, sardion y chweched, eurfaen y seithfed, beryl yr wythfed, topas y nawfed, chrysoprasos y ddegfed, hyacinth yr
21 unfed ar ddeg, amethyst y ddeuddegfed. A deuddeg perl oedd y deuddeg porth; pob porth wedi ei wneud o un perl. Ac yr oedd heol y ddinas yn aur pur, fel gwydr tryloyw.

22 A theml ni welais ynddi, oherwydd ei theml hi yw'r
23 Arglwydd Dduw, yr Hollalluog, a'r Oen. Nid oes ar y ddinas angen na'r haul na'r lleuad i dywynnu arni, oherwydd gogon-
24 iant Duw sy'n ei goleuo, a'i lamp hi yw'r Oen. A bydd y cen-

hedloedd yn rhodio yn ei goleuni hi, a brenhinoedd y ddaear yn dwyn eu trysorau i mewn iddi. Byth ni chaeir ei phyrth y dydd, 25 ac ni bydd nos yno. A byddant yn dwyn i mewn iddi drysorau 26 a golud y cenhedloedd. Ni chaiff dim halogedig, na neb sy'n 27 ymddwyn yn ffiaidd neu'n gelwyddog, fynd i mewn iddi hi, neb ond y rhai sydd â'u henwau'n ysgrifenedig yn llyfr bywyd yr Oen.

Dangosodd yr angel imi afon dŵr y bywyd, yn ddisglair fel **22** grisial, yn llifo allan o orsedd Duw a'r Oen, ar hyd canol heol y 2 ddinas. Ar ddwy lan yr afon yr oedd pren y bywyd, yn dwyn deuddeg cnwd, gan roi pob cnwd yn ei fis; a dail y pren oedd er iachâd y cenhedloedd. Ni bydd dim mwyach dan felltith. 3 Yn y ddinas bydd gorsedd Duw a'r Oen, a'i weision yn ei addoli; cânt weld ei wyneb, a bydd ei enw ar eu talcennau. 4 Ni bydd nos mwyach, ac ni bydd arnynt angen na golau lamp 5 na golau haul, oherwydd bydd yr Arglwydd Dduw yn eu goleuo, a byddant hwy'n teyrnasu yn oes oesoedd.

### *Dyfodiad Crist*

Yna dywedodd yr angel wrthyf, "Dyma eiriau ffyddlon a 6 gwir: y mae'r Arglwydd Dduw, sy'n ysbrydoli'r proffwydi, wedi anfon ei angel i ddangos i'w weision y pethau y mae'n rhaid iddynt ddigwydd ar fyrder. Ac wele, yr wyf yn dod yn 7 fuan. Gwyn ei fyd yr hwn sy'n cadw geiriau proffwydoliaeth y llyfr hwn."

Myfi, Ioan, yw'r un a glywodd ac a welodd y pethau hyn. 8 Ac wedi imi glywed a gweld, syrthiais wrth draed yr angel a'u dangosodd imi, i'w addoli; ond meddai wrthyf, "Paid! 9 Cydwas â thi wyf fi, ac â'th frodyr y proffwydi, ac â'r rhai sy'n cadw geiriau'r llyfr hwn; addola Dduw." Dywedodd wrthyf 10 hefyd, "Paid â gosod geiriau proffwydoliaeth y llyfr hwn dan sêl, oherwydd y mae'r amser yn agos. Yr anghyfiawn, parhaed 11 yn anghyfiawn, a'r aflan yn aflan; y cyfiawn, parhaed i wneud cyfiawnder, a'r sanctaidd i fod yn sanctaidd."

"Wele, yr wyf yn dod yn fuan, a'm gwobr gyda mi i'w rhoi 12 i bob un yn ôl ei weithredoedd. Myfi yw Alffa ac Omega, y 13 cyntaf a'r olaf, y dechrau a'r diwedd."

Gwyn eu byd y rhai sy'n golchi eu mentyll er mwyn iddynt 14 gael hawl ar bren y bywyd a mynediad trwy'r pyrth i'r ddinas.

15 Oddi allan y mae'r cŵn, y dewiniaid, y puteinwyr, y llofruddion, yr eilunaddolwyr, a phawb sy'n caru celwydd ac yn ei wneud.

16 " Yr wyf fi, Iesu, wedi anfon fy angel i dystiolaethu am y pethau hyn i chwi ar gyfer yr eglwysi. Myfi yw Gwreiddyn a Hiliogaeth Dafydd, seren ddisglair y bore." 17 Y mae'r Ysbryd a'r briodasferch yn dweud, " Tyrd " ; a'r hwn sy'n clywed, dyweded yntau, " Tyrd." A'r hwn sy'n sychedig, deued ymlaen, a'r hwn sydd yn ei ddymuno, derbynied ddŵr y bywyd yn rhad.

18 Yr wyf fi'n rhybuddio pob un sy'n clywed geiriau proffwydoliaeth y llyfr hwn: os ychwanega neb ddim atynt, fe ychwanega Duw iddo yntau y plâu sydd wedi eu hysgrifennu yn y llyfr hwn. 19 Ac os tynn neb ddim allan o eiriau llyfr y broffwydoliaeth hon, fe dynn Duw ei ran yntau allan o bren y bywyd, ac o'r ddinas sanctaidd, y pethau yr ysgrifennwyd amdanynt yn y llyfr hwn.

20 Y mae'r hwn sy'n tystiolaethu i'r pethau hyn yn dweud, " Yn wir, yr wyf yn dod yn fuan." Amen. Tyrd, Arglwydd Iesu!

21 Gras yr Arglwydd Iesu fyddo gyda phawb!

*Printed in Great Britain by*
*Richard Clay (The Chaucer Press) Ltd, Bungay, Suffolk*

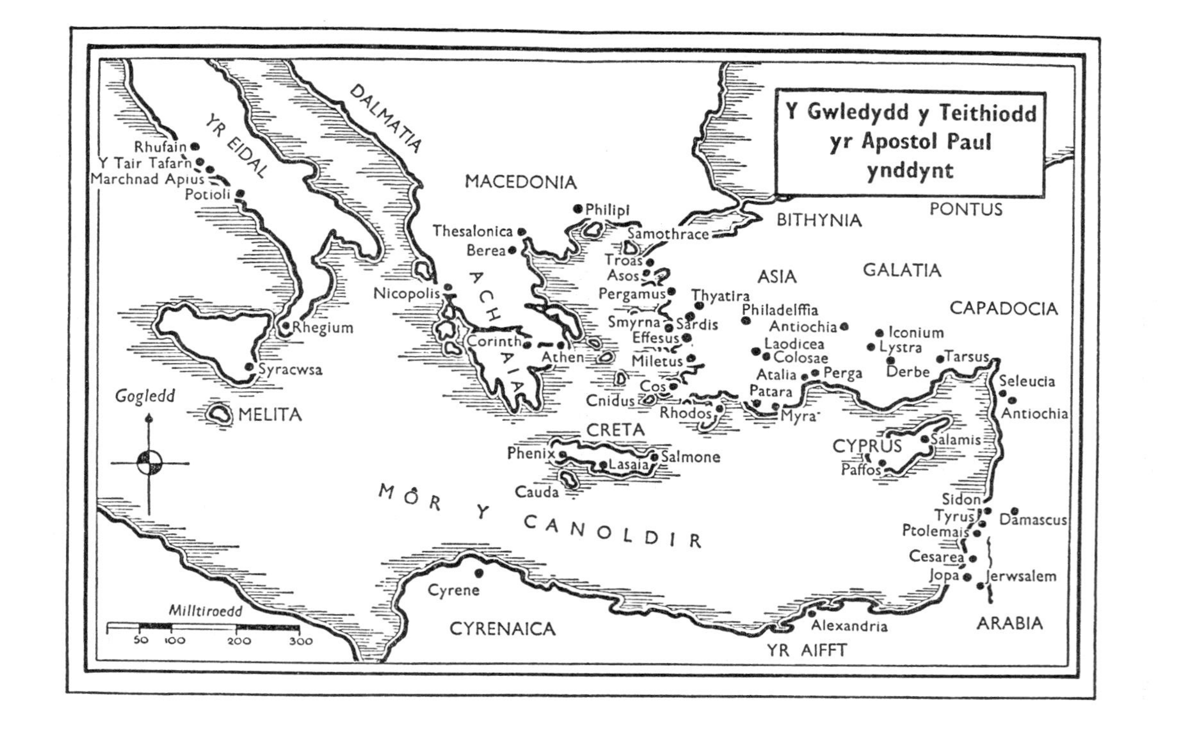
Y Gwledydd y Teithiodd yr Apostol Paul ynddynt
Rhufain
Y Tair Tafarn
Marchnad Apius
Potioli
YR EIDAL
DALMATIA
MACEDONIA
Philipi
Thesalonica
Berea
Samothrace
BITHYNIA
PONTUS
Troas
Asos
ASIA
GALATIA
Nicopolis
ACHAIA
Pergamus
Thyatira
Philadelffia
CAPADOCIA
Smyrna
Sardis
Antiochia
Iconium
Rhegium
Corinth
Effesus
Laodicea
Lystra
Athen
Miletus
Colosae
Tarsus
Syracwsa
Atalia
Perga
Derbe
Seleucia
Cos
Patara
Gogledd
Cnidus
Rhodos
Myra
Antiochia
MELITA
CRETA
Salamis
CYPRUS
Phenix
Salmone
Lasaia
Paffos
Cauda
MÔR Y CANOLDIR
Sidon
Tyrus
Damascus
Ptolemais
Cesarea
Jopa
Jerwsalem
Cyrene
Milltiroedd
50
100
200
300
CYRENAICA
Alexandria
ARABIA
YR AIFFT

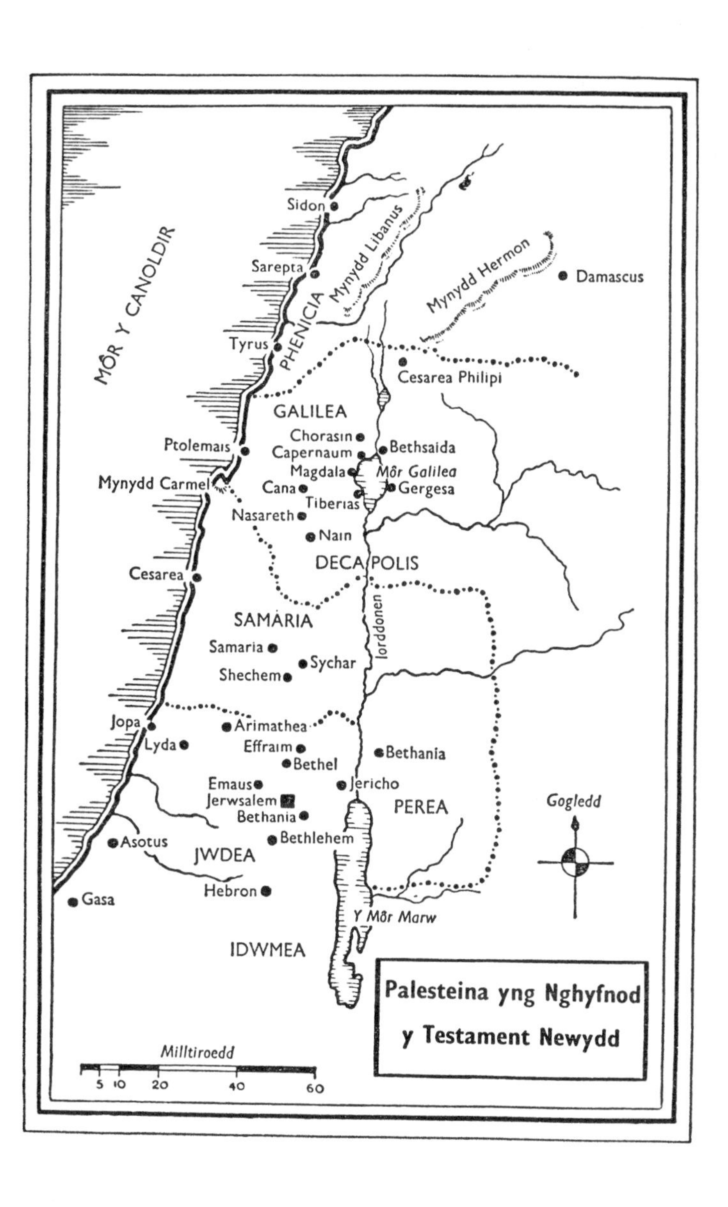
MÔR Y CANOLDIR
Sidon
Sarepta
Mynydd Libanus
Mynydd Hermon
Damascus
PHENICIA
Tyrus
Cesarea Philipi
GALILEA
Chorasin
Bethsaida
Ptolemais
Capernaum
Magdala
Môr Galilea
Mynydd Carmel
Cana
Gergesa
Tiberias
Nasareth
Nain
DECAPOLIS
Cesarea
SAMARIA
Samaria
Sychar
Shechem
Iorddonen
Jopa
Arimathea
Lyda
Effraim
Bethania
Bethel
Emaus
Jericho
Jerwsalem
PEREA
Gogledd
Bethania
Asotus
Bethlehem
JWDEA
Hebron
Gasa
Y Môr Marw
IDWMEA
Palesteina yng Nghyfnod y Testament Newydd
Milltiroedd
5 10 20 40 60